“매일 30분씩 꼼꼼하게 독해하면, 4주 후 현대소설 선지 판단력이 달라진다”

하루 30분,
현대소설 트레이닝

수능 국어 만점을 위한 **선지 판단력 강화** 프로그램

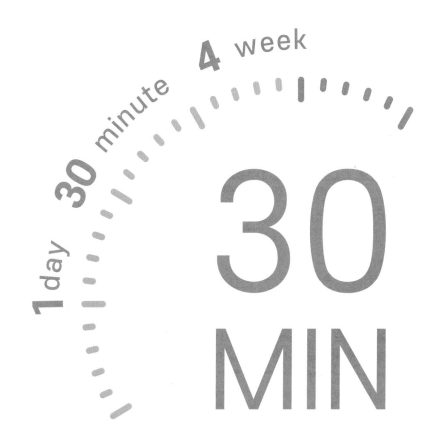

1 day 30 minute 4 week

30 MIN

도서출판 홀수
Holsoo Publishers

수능 국어 현대소설 만점을 위해서는 모르는 작품을 만나도 지문을 읽고 문제를 풀 수 있는 힘이 있어야 합니다. 흔히들 그 힘이 '해석'에 있다고 생각하지만, 수능 국어 현대소설 시험은 객관식인 만큼 '해석'은 출제자가 하는 것이고, 우리는 지문에 쓰여 있는 그대로를 왜곡 없이 읽고 선지를 통해 제시된 해석이 적절한지 '판단'만 하면 됩니다.

『하루 30분, 현대소설 트레이닝』은 4주(28일) 동안 현대소설 지문을 꼼꼼하게 독해하고 선지 판단을 하는 과정에서 **현대소설 지문 독해 시의 이상적인 사고 과정을 체화**하고 **선지를 빠르고 정확하게 판단할 수 있는 힘**을 기를 수 있도록 구성하였습니다.

고2 학력평가 및 고3 학력평가, 모의평가, 수능에서 엄선한 **다양한 난이도의 지문과 문제**를 통해 수능 국어 현대소설 만점을 위한 **단계별 학습**을 해나갈 수 있습니다.

학생들의 편의를 고려하여 문제 책과 해설 책을 분권하였으며, **'4주 완성 계획표'**를 함께 제공합니다. 해설 책의 **'하루 30분, 수능 국어 만점을 향해 가는 28일'**을 채워 가며 자신의 학습 진도를 확인할 수 있습니다.

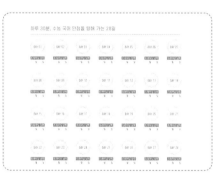

도서출판 홀수 홈페이지(www.holsoo.com)의 '질문과 답변' 게시판을 통해 궁금한 점을 질문할 수 있습니다. 빠르고 정확한 답변으로 공부를 도와드리겠습니다.

『하루 30분, 현대소설 트레이닝』으로
4주 후, 달라진 현대소설 지문 독해력과 선지 판단력을 확인해 보세요!

1주차 지문 독해의 원리

1주차에서는 본격적인 선지 판단 훈련에 앞서 현대소설 지문을 객관적으로 읽는 훈련을 할 거야.

1주차 등장인물 파악하며 읽기

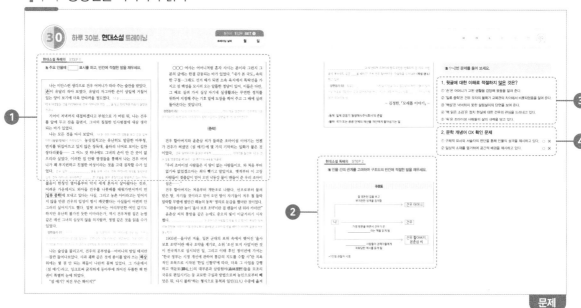

① 현대소설에서는 장면을 끊어 읽으며 등장인물의 관계를 파악하는 게 중요해. 새로운 인물이 등장하면 ☐☐☐☐☐를 치며 읽어 보자. 또한 '사고의 흐름'을 채우며 지문의 주요 내용을 정리하고, '장면끊기'를 통해 장면을 끊는 기준을 배워보자. 이후 해설 책과 비교를 통해 자신의 지문 독해력을 점검해 볼 수 있어.

② 지문에서 등장인물을 파악했다면, 이를 토대로 '구조도' 박스의 빈칸을 채우면서 주요 인물의 관계를 정리해 보자.

③ 1번 문제는 지문의 핵심에 대한 이해도를 점검할 수 있는 문항으로 구성했어. 지문에서 근거를 찾아 선지의 적절성 여부를 하나하나 판단하며 지문을 제대로 이해했는지를 확인하자.

④ 2번 문제는 작품의 서술상 특징에 대해 묻는 문항이야. 해설 책에 제시된 문학 개념어의 정의와 지문 속의 구체적인 근거를 확인해 보면서 필수적인 문학 개념어를 실전적으로 학습할 수 있어.

2주차 등장인물 파악하며 읽기 ⊕ 선지 판단의 공식 익히기

선지 판단의 공식

① 작품
연습을 끝내고 옮겨간 '막걸리 집'에서 민 노인은 '의외의 _____과 어울린 자신의 마음이, 외견과는 달리 퍽 _____하다'고 느낌

선지➡ '막걸리 집'은 '민 노인'이 신세대와 만나 인간적인 소통을 하는 공간이다.　　　　○ ×

② 작품
'수십 명의 _____이 어우러져 돌아가는 _____'에서 '민 노인의 북은 요긴한 대목에서 둥둥 울림'

선지➡ '춤판'은 '아이들'이 함께 어우러져 유대감을 확인하는 공간이다.　　　　○ ×

2주차에서는 1주차와 마찬가지로 ❶ – ❷ – ❸ – ❹의 순서에 따라 빈칸을 채우고 문제를 푼 후, '선지 판단의 공식'을 통해 1번 문제의 선지를 다시 꼼꼼하게 분석해 보자. 각 선지의 판단 근거가 되는 내용을 지문에서 직접 확인하는 훈련을 통해 선지를 판단하는 바른 습관을 기를 수 있을 거야.

3주차 등장인물 파악하며 읽기 ⊕ 〈보기〉 문제 선지 판단의 공식 익히기

〈보기〉 문제 선지 판단의 공식

① 〈보기〉
이 소설의 서술자인 성인 '나'는 등장인물의 _____나 사건을 설명함. 독자는 서술자의 _____을 통해 사건을 이해하게 됨

⊕ 작품
'그 구멍가게에 대한 아버지의 _____와 자존심은 각별했다.'

선지➡ ㉠: 서술자가 아버지의 내면을 설명하여 독자는 서술자의 해석을 통해 상황을 이해하겠군.　　　　○ ×

3주차에서는 〈보기〉가 포함된 문제의 선지 판단 공식을 배워볼 거야. 선지 판단의 근거가 되는 〈보기〉의 내용과 지문의 근거를 생각해보고, 이를 바탕으로 선지의 정오를 다시 한번 판단하면 돼.

4주차 등장인물 파악하며 읽기 ⊕ 장면 직접 끊기 ⊕ 고난도 문제 선지 판단의 공식 익히기

장면끊기 01	'나'는 아내의 ____에 억울하다가, ____에서 줄달음박질을 쳐서 나와 버렸음
장면끊기 02	'나'는 집을 나와 경성을 찾아다니지만 ____이 없어 어쩔 줄 몰라 함
장면끊기 03	'나'는 몇 시간 후 미쓰꼬시 옥상에서 ____를 회고하면서 '____'로 대표되는 세계와의 불화를 체념함
장면끊기 04	'나'는 정오 사이렌을 통해 무의식적인 사고에서 벗어나, 정오의 현란함을 바라보며

함정 피하기

아내와의 갈등 후 거리를 떠돌던 '나'가 '미쓰꼬시 옥상'에 올라 지나 온 삶을 성찰하고 있다는 점에서 '나'가 이전과는 다른 삶의 태도를 가지고 있다고 판단한 경우가 있다. 하지만 '나'는 미쓰꼬시 옥상에 올라가기 전에도 '그저 어리 갔다 저리 갔다 하면서' 돌아다니다가 '미쓰꼬시 옥상'에 올라왔으며, 이곳에서 자신의 스물여섯 해를 회고하면서 '회탁의 거리'의 '피곤한 생활'을 바라보다가 '나서서'도 어디로 가야 하는지 헤매고 있다. 무기력하고 체념적인 삶에서 벗어나는 계기는 '미쓰꼬시 옥상'이 아니라 '정오 사이렌'이므로 '미쓰꼬시 옥상'이 '나'에게 이전과는 다른 삶의 태도를 갖게 한다고 볼 수 없다.

4주차에서는 지문을 읽으면서 직접 장면을 나누어 보자. 지문을 다 읽은 뒤에는 형광펜이 그어진 부분을 참고해서 자신의 장면끊기를 스스로 점검하고 장면별 내용을 요약하면 돼.

4주차의 1번 문제는 고난도 문제에 대한 해결 능력을 기르기 위해 정답률이 낮았던 문제들로 구성했어. 특히 매력적인 오답 선지였거나 헷갈리는 요소가 포함된 선지의 경우, 해설 책의 '함정 피하기'에서 문제 풀이에 대한 조언을 제공하고 있으니 참고하여 학습하면 돼.

1

주차

1주차
학습 안내

　　소설 읽기와 소설 지문 읽기는 달라. 소설 지문은 작가가 창작한 그대로가 아닌, 출제자가 선택적으로 편집한 부분만을 보여 주는 것이기 때문에 출제자의 의도대로 읽어야 해. 출제자의 의도대로 소설 지문을 읽기 위해서는 첫째, 어떤 인물들이 등장하고 그 인물들이 어떤 생각과 행동을 하며, 다른 인물과 어떤 관계를 맺어 가는지를 파악하면서 읽어야 하고 둘째, 장면을 끊어 가며 읽어야 해.

　　소설은 주로 인물의 행적에 초점을 맞추어 이야기를 전개하는 만큼, 새로운 인물이 나오면 표시를 하며 읽는 게 좋아. 또한 인물의 심리나 태도, 갈등 관계 등이 두드러진 부분도 놓쳐서는 안 되지. 이런 부분은 지문 중간중간 '사고의 흐름'을 통해 짚어 줄 테니, 빈칸을 채우면서 인물과 사건에 대한 이해를 넓혀 보자. 이후 '구조도'를 활용하여 내용을 다시 한번 정리해 보면 지문의 내용이 조금 더 명확하게 다가올 거야.

　　소설에서 장면은 주로 시간이나 공간의 변화, 주요 서술 대상의 변화 등에 따라 나뉘는데, 이때 장면을 적절히 끊어 가며 읽으면 지문의 흐름을 놓치지 않을 수 있어. 처음부터 스스로 장면을 끊기는 쉽지 않기 때문에 1주차에서는 장면이 나뉘는 부분마다 '장면끊기'를 제시해 지문의 전개를 파악할 수 있게 했으니, '장면끊기'의 빈칸을 채워 가면서 장면을 나누는 원칙을 배워보자.

　　지문에 대한 꼼꼼한 독해를 마쳤다면 1번 문제를 풀며 지문에 대한 이해를 점검하고, 2번 문제를 통해서 필수적인 문학 개념어를 학습하면 돼. 문제 풀이까지 모두 마쳤다면 해설 책을 참고해 잘한 부분, 아쉬운 부분 등을 확인하여 정리해 두자.

현대소설 독해의 STEP 1

1 주요 인물에 [   ] 표시를 하고, 빈칸에 적절한 말을 채우세요.

나는 미안스런 생각으로 건우 어머니가 따라 주는 술잔을 받았다. [손]이 유달리 작아 보였다. 유달리 자그마한 손이 상일에 거칠어 있는 양이 보기에 더욱 안타까울 정도였다. '나'는 _____ 에게 대접받는 것을 미안하게. 건우 어머니의 거친 ___을 보고 안타까운 마음이 들었던 거구나.

기어이 저녁까지 대접하겠다고 부엌으로 가 버린 뒤, 나는 건우를 앞에 두고 잔을 들면서, 그녀의 칠칠한 인사범절에 새삼 생각되는 바가 있었다.

나는 모든 것을 다시 보았다. '나'는 건우 어머니의 행동을 보고 건우 집에 대한 (상상/인식)이 변화되었어. 농삿집치고는 유난히도 말끔한 마루청, 먼지를 뒤집어쓰고 있지 않은 장독대, 울타리 너머로 보이는 길찬 장다리꽃들…… 그 어느 것 하나에도 그녀의 손이 안 간 곳이 없으리라 싶었다. 이러한 집 안팎 광경들을 통해서 나는 건우 어머니가 꽤 부지런하고 친절한 여성이라는 것을 고대 짐작할 수가 있었다. 건우 집의 _____ 들을 보며 '나'는 건우 어머니의 성격을 짐작하고 있네. 건우 어머니의 부지런하고 _____한 모습을 보며 긍정적으로 반응하고 있는 거야. 젊음이 한창인 열아홉부터 악지 세게 혼자서 살아왔다는 것과, 어려운 가운데서도 외아들 건우를 나룻배를 태워가면서까지 먼 [일류 중학]에 보내고 있다는 사실, 그리고 농촌 아이라고는 믿어지지 않을 만큼 건우의 입성이 항시 깨끗했다는 사실들이 어렴히 안 그러리 싶어지기도 했다. 얼핏 보아서는 어리무던한 여인 같기도 하지만 유난히 불가진 듯한 이마라든가, 역시 건우처럼 짙은 눈썹 같은 데선 그녀의 심상치 않을 의지랄까, 정열 같은 것을 읽을 수가 있었다.

장면끊기 01 '나'가 _____을 방문하여 건우 어머니를 만난 뒤, 그녀의 부지런하고 의지적인 성격을 짐작하는 장면이야. 이후 이어지는 장면에서는 건우 어머니가 저녁상을 차리는 동안 '나'가 건우의 공부방을 들여다보며 건우와 대화하는 장면이 나와.

나는 술상을 물리고서, 건우의 공부방을—어머니의 방일 테지만—잠깐 들여다보았다. 사과 궤짝 같은 것에 종이를 발라 쓰는 [책상] 위에는 몇 권 안 되는 책들이 나란히 꽂혀 있었다. 그 가운데서 〈섬 얘기〉라고, 잉크로써 굵직하게 등마루에 씌어진 두툼한 책 한 권이 특별히 눈에 띄었다.

"섬 얘기? 저건 무슨 책이지?"

나는 건우를 돌아보고 물었다.

"암것도 아입니더."

"소설?"

"아입니더."

"어디 가져와 봐!"

건우는 싫어도 무가내라 뽑아 오면서,

"일기랑 또 책 같은 거 보고 적은 김터."

부끄러운 내색을 하였다. 건우는 선생님인 '나'에게 자신이 쓴 책을 보이는 것에 _____을 느끼나 봐.

"일기는 남의 비밀이니까 읽을 수가 없고, 어디 [책 읽은 소감]이나 봬 주게."

나는 책을 도로 돌렸다. 건우는 마지못해 여기저길 뒤적거리다가 한 군데를 펴 주었다. 또박또박 깨알같이 박아 쓴 글씨였다.

○○○ 여사는 어머니처럼 혼자 사시는 분이라 그런지 그분의 글에는 한결 감동되는 바가 있었다. 「내가 본 국도」 속의 한 구절—그래도 선거 때가 되면 소속 육지에서 똑딱선을 가지고 섬 백성을 모시러 오는 알뜰한 정당이 있어, 이들은 다만, 그 배로 실려 가서 실상 자기네 실생활과는 무연한 정치를 위하여 지정해 주는 기호 밑에 도장을 찍어 주고 그 배에 실려 돌아온다는 것입니다.

장면끊기 02 '나'는 건우가 쓴 _____라는 책을 발견하고, 건우에게 이를 보여 달라고 해서 읽어. 여기까지가 중략 이전이니 장면을 한 번 끊어야겠지?

(중략)

건우 할아버지와 윤춘삼 씨가 들려준 조마이섬 이야기는 언젠가 건우가 써냈던 〈섬 얘기〉에 몇 가지 기막히는 일화가 붙은 것이었다. 건우 할아버지와 윤춘삼 씨에게 _____ 이야기를 들으며 '나'는 건우 집을 방문했을 때 읽은 〈섬 얘기〉의 내용을 떠올려.

"우리 조마이섬 사람들은 지 땅이 없는 사람들이오. 와 처음 부터 없기싸 없었겠소마는 죄다 뺏기고 말았지요. 옛적부터 이 고장 사람들이 젖줄같이 믿어 오던 낙동강 물이 맨들어 준 우리 조마이섬은……."

건우 할아버지는 처음부터 개탄조로 나왔다. 선조로부터 물려받은 땅, 자기들 것이라고 믿어 오던 땅이 자기들이 겨우 철 들락 말락할 무렵에 별안간 왜놈의 동척* 명의로 둔갑을 했더란 것이었다.

"이완용이란 놈이 '을사 보호 조약'이란 걸 맨들어 낸 뒤라 카더만!"

윤춘삼 씨의 퉁방울 같은 눈에도 증오의 빛이 이글거리기 시작했다. _____는 조마이섬 사람들의 땅을 두고 벌어진 부당한 일에 대해 한탄해. 식민지 시절 선조로부터 물려받은 조마이섬 땅을 빼앗긴 역사에 윤춘삼 씨는 분노하지.

1905년—을사년 겨울, 일본 군대의 포위 속에서 맺어진 '을사 보호 조약'이란 매국 조약을 계기로, 소위 '조선 토지 사업'이란 것이 전국적으로 실시되던 일, 그리고 이태 후인 정미년에 가서는 "한국 정부는 시정 개선에 관하여 통감의 지도를 수할 사"란 치욕적인 조목으로 시작된 '한일 신협약'에 따라, 더욱 그 사업을 강행하고 역둔토(驛屯土)의 대부분과 삼림원야(森林原野)들을 모조리 국유로 편입시키는 등 교묘한 구실과 방법으로써 농민으로부터 빼앗은 뒤, 다시 불하*하는 형식으로 동척과 일인(日人) 수중에 옮겨 놓던 그 해괴망측한 처사들이 문득 내 머리 속에도 떠올랐다. '나'는 '_____'을 계기로 농민들이 억울하게 동척과 일본인들에게 땅을 빼앗긴 역사를 떠올려.

"죽일 놈들."

건우 할아버지는 그렇게 해서 다시 국회의원, 다음은 하천 부지의 매립 허가를 얻은 유력자…… 이런 식으로 소유자가 둔갑되어 간 사연들을 죽 들먹거리더니,

"이 꼴이 되고 보니 선조 때부터 [독]을 맨들고 물과 싸워 가며 살아온 우리들은 대관절 우찌 되는기요?"

그의 꺽꺽한 목소리에는, 건우가 지각을 하고 꾸중을 듣던 날 "나룻배 통학생임더." 하던 때의, 그 무엇인가를 저주하듯한 감정이 꿈틀거리고 있는 것 같았다. 얼마나 그들의 땅에 대한 원한이 컸던가를 가히 짐작할 수가 있었다. 유력자들에 의해 본래 땅의 주인이었던

_____과 무관하게 조마이섬 땅의 주인은 변화되어 온 거야. 자신들의 뿌리와도 같은 ____을 빼앗긴 것에 건우 할아버지는 억울함을 드러내며 **(체념/분노)** 하고 있어.

장면끊기 03 힘없는 _____ 사람들의 땅을 두고 끊임없이 권력 다툼이 벌어지던 모습을 개탄하는 건우 할아버지를 보고, '나'는 그들이 지니고 있을 _____의 크기에 대해 생각하게 돼.

– 김정한, 「모래톱 이야기」 –

*동척: 일제 강점기 '동양척식주식회사'의 준말.

*불하: 국가 또는 공공 단체의 재산을 개인에게 팔아넘기는 일.

2 1~2번 문제를 풀어 보세요.

1. 윗글에 대한 이해로 적절하지 **않은** 것은?

① '손'은 어머니가 고된 생활을 감당해 왔음을 알려 준다.

② '일류 중학'은 건우 모자의 불화가 교육관의 차이에서 비롯되었음을 알려 준다.

③ '책상'은 넉넉하지 못한 살림살이의 단면을 보여 준다.

④ '책 읽은 소감'은 정치 현실에 대한 건우의 관심을 드러내고 있다.

⑤ '둑'은 조마이섬 사람들의 삶의 내력을 담고 있다.

2. 문학 개념어 OX 확인 문제

① 구체적 묘사와 서술자의 판단을 통해 인물의 성격을 제시하고 있다.   ○ ✕

② 일상적 소재를 열거하여 공간적 배경을 제시하고 있다.   ○ ✕

현대소설 독해의   STEP 2

1 인물 간의 관계를 고려하여 구조도의 빈칸에 적절한 말을 채우세요.

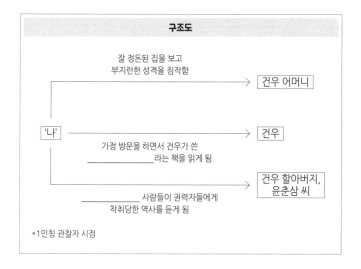

구조도

잘 정돈된 집을 보고 부지런한 성격을 짐작함 → 건우 어머니

'나' → 건우
가정 방문을 하면서 건우가 쓴 _____라는 책을 읽게 됨

→ 건우 할아버지, 윤춘삼 씨
_____ 사람들이 권력자들에게 착취당한 역사를 듣게 됨

*1인칭 관찰자 시점

현대소설 독해의   STEP 1

1 주요 인물에 [　] 표시를 하고, 빈칸에 적절한 말을 채우세요.

[앞부분의 줄거리] 해방 후 '나'는 벗인 '방(方)'과 함께, 장춘에서 서울에 이르는 귀로에 오른다. 회령에서 우연히 '방'과 헤어진 '나'는 수성에 이르러 뱀장어를 잡아 파는 한 소년을 만난다. 이후 '나'는 '방'과 재회하기 위해 청진에 도착하여 어느 국밥집 할머니를 만나게 된다. 앞부분의 줄거리에서는 지문 이해를 돕기 위해 핵심적인 인물 정보를 제시하곤 해. 여기서는 '나'가 벗인 '방'과 재회하려던 길에 국밥집 할머니를 만난 사건을 제시하고 있어. 따라서 앞으로 이어지는 장면은 '나'가 ＿＿＿＿＿＿＿＿＿＿＿＿＿를 만난 일을 중심으로 사건이 서술되겠지?

노인은 대 끝으로 국 솥을 가리키며,
"이런 걸 하던 것도 아니요, 어려서부터 배운 것도 아니지마는 그 애가 돌아가던 해 여름, 처음 얼마 동안은 어쩔 줄을 모르고 어리둥절해 있기만 하다가 늘 그러구 있을 수도 없고, 또 **아이 몇 잃어버리는** 동안에 생긴 잠 안 오는 나쁜 버릇이 다시 도져서 몇 해 만에 다시 남의 고궁살이*를 들어갔지요." 노인(국밥집 할머니)은 '나'에게 자신의 과거를 이야기하네. 노인은 ＿＿＿＿ 몇을 먼저 떠나보낸 가슴 아픈 사연을 갖고 있어. 자식 중 하나인 '그 애'가 돌아가던 해 ＿＿＿＿ 남의 집 살이를 다시 시작했대.

"네에, 그러세요."
"그 긴 다섯 해 동안을 그저 모진 일과 고단한 잠만으로 지어 나아오다가, 하루아침은 문득 그것이 죽었으니 찾아가라는 기별이 감옥에서 나왔을 때에야 얼마나 앞이 아득하였겠어요." 노인은 어느 날 자식이 죽었으니 시신을 ＿＿＿＿＿＿＿는 소식을 듣게 되었어. 어머니로서 자식의 부고를 듣게 되니 노인의 절망감이 컸겠지.

"그러셨겠습니다."
"사람의 가죽은 질기다고 했습니다. 병과 액으로 앞서도 자식새끼 몇 되던 것 하나씩 둘씩 이리저리 다 때우기는 하였지마는, 그런 땐들 왜 안 그럴 수야 있었겠나요마는, 이제는 힘을 줄 데라고는 하나 남지 않고 없어지고, 그것 하나만 믿고 산다 한 그놈마저 죽어 없어졌는데도 사람의 목숨은 이렇게 모진 것이니." 노인은 마지막 하나 남은 자식마저 죽어 없어지자, 자식을 잃고도 모진 ＿＿＿＿을 연명해 가는 자신의 삶을 자조적으로 바라보네.

마음이 제법 단단해 보이던 그도 한 번 내닫으니 비로소 젊은이 앞에서 긴 한숨을 걷잡지 못하였다. 여기서 처음으로 나는 그를 위로할 기회를 얻었으므로,
"그럼 어떻게 하십니까. 그러고 가는 사람도 다 제 명이 아닙니까." 하여 드리니까 그는,
"하기야 명이지요. 하지만 명이란들 그럴 수야 있습니까. 해방이 되었다 해서 갇히었던 사람들은 이제 살인 강도 암질*이라도 다 옥문을 걷어차고 훨훨 튀어서 세상에 나오지 않습니까." 하였다.

"부질없는 말로 이가 어째 안 갈리겠습니까 — ＿＿＿＿＿이라는 단어가 나오는 것으로 보아 작품의 시대적 배경은 일본으로부터 독립한 때인가 봐. 해방이 되자 옥에 갇혔던 각종 범죄자들도 자유롭게 풀려나는 상황이 되었는데 노인의 자식은 이미 옥에서 죽어버린 거야. 자신의 자식을 옥에서 죽게 한 이들에 노인은 이를 갈며 분노하고 있어. 하지만 내 새끼를 갖다 가두어 죽인 놈들은 자빠져서 다들 무릎을 꿇었지마는, 무릎 꿇은 놈들의 꼴을 보면 눈물밖에 나는

것이 없이 되었습니다그려. 애비랄 것 없이 남편이랄 것 없이 잃어버릴 건 다 잃어버리고 못 먹고 굶주리어 피골이 상접해서 헌 너즐떼기에 깡통을 들고 앞뒤로 허친거리며*, 업고 안고 끌고 주추 끼고 다니는 꼴들 — 어디 매가 갑니까. 벌거벗겨 놓고 보니 매 갈 데가 어딥니까."

"……."

"만주서 오셨다니깐 혹 못 보셨는지 모르지마는, 낮에 보면 이 조그마한 장터에도 그 헐벗은 굶주린 것들이 뜨문히 바닥에 깔리곤 합니다. 그것들만 실어서 보내는 고무산*인가 아오지*인가 간다는 차가 저기 와 선 채 저 차도 벌써 나 알기에 닷새도 더 되는가 봅니다만. 참다 참다 못해 자원해 나오는 것들이 한 차 되기를 기다려 떠나는 것인데, 닷새 동안이면 닷새 동안 긴내 굶은 것인들 그 속에 어째 없겠어요."

그러지 아니하여도 나는 할머니의, 아까 그것들이 업고, 안고, 끼고 다닌다는 측은한 표현을 한 것으로부터, 낮에 수성서 들어오는 길로 맞닥뜨린 사람이 복작거리는 좁은 행상로 위에 일어난 한 장면의 짤막한 씬을 연상하기 시작하는 중이었는데, 노인은 이러고는 말을 끊고 흐응 깊은 한숨을 들여 쉬었다. '나'는 해방을 맞아 미처 본국(일본)으로 돌아가지 못한 잔류 일본인들을 ＿＿＿＿＿하게 여기는 노인의 말을 들으며 ＿＿＿에 있었던 일을 떠올리기 시작해.

장면끊기 01 '나'는 청진에서 우연히 한 노인을 만나게 돼. 노인은 ＿＿＿＿＿을 죽게 한 일본인에 대해 (분노/이해)하는 동시에 해방이 되어 미처 본국에 돌아가지 못하고 굶주린 잔류 일본인들을 (원망/연민)하지. 노인의 말을 들으며 '나'는 낮에 있었던 일을 떠올리게 되는데, 아래 이어지는 장면은 '나'가 떠올리는 과거의 장면이야. 현재 → ＿＿＿＿＿로 시간이 변화되는 지점에서 장면을 끊어야겠지?

참으로 그 일본 여자는 업고, 달고 또 하나는 손을 잡고, 아마 아오지 가기를 기다리는 차에서 기어 내려온 듯 폼 가까운 행상로 위에 우두커니 서 있었다. 허옇게 퉁퉁 부어오른 낯에 기름때에 전 걸레 같은 헝겊 조각으로 머리를 질끈 동이고, 업고, 달리우고, 잡힌 채, 길 바추에 비켜 서 있었다. 머리를 동인 것만으로는 휘둘리우는 몸을 어찌할 수 없다는 모양으로, 골살을 몇 번 찌푸렸다가는 펴서, 하늘을 쳐다보고, 또 찌푸렸다가는 펴서 쳐다보고 하기를 한참이나 하며 애를 쓰는 것을 자기는 유심히 건너다보고 있었던 것이다. '나'는 낮에 마주쳤던 ＿＿＿＿＿＿＿＿를 떠올리고 있어. 여자의 외양 묘사를 통해 헐벗고 굶주린 상황임을 알 수 있지.

이윽고 그는 정신이 들었는지 지척지척 걸어 들어와 광주리며 함지며, 채두렝이 같은 데에 여러 가지 먹을 것을 담아 가지고 나와, 혹은 섰기도 하고, 혹은 앉았기도 한, 여인 행상꾼들 앞을 지나쳐오다가 문득 한 여인 앞에 서서 발부리에 놓인 광주리의 속을 손가락으로 가리키는 것이었다.

"한 개에 오 원씩."
행상의 여인네는 허리를 꾸부리어 광주리에서 속에 담기었던 배 한 개를 집어 들고 다른 한 손을 활짝 펴서 **일본인 아낙네** 눈앞을 가리우매, 아낙네는 실심한 사람 모양으로 한참 동안이나 자기 눈앞을 가리운 활짝 편 그 손가락을 멀거니 바라만 보고 있었다.
뒤에 달린 여덟 살 난 **사낼미**가 엉겻바치를 움켜잡고 비어 틀 듯이 앞으로 떠밀고 그보다 두어 살이나 덜 먹었을, 손을 잡혀 나오던 **어린 계집아이**가 어미의 손을 끌어당기었다. 그리고 **업힌 것**이 띤 띠개*에서 넘나와 두 손을 내어 뻗으며 어미의 어깨 너머를

솟아오르려고 한다.

"이것들이 이렇게 야단이야요."

세 어린것의 어머니는 참다 못하여 일본말로 이러며 고개를 개우뜸하고는 행상 여인의 눈동자를 들여다보는 것이었다.

애걸이 없었다기로니 이것들이 어찌 그것만으로 덜 비참할 리가 있을 정경이었을 것이냐. '나'는 ___ 명의 아이를 데리고 있던 비참한 처지의 일본 여인을 떠올리며 동정하고 있어. '나'는 _____을 통해 무심코 지나쳤던 잔류 일본인에 대한 측은함을 느끼게 된 거야.

장면끊기 02 '나'는 노인과의 대화를 통해 길에서 봤던 _____를 떠올리며 연민을 느끼게 돼.

— 허준, 「잔등(殘燈)」 —

*고궁살이: 고공살이. 남의 집 살이.

*암질(暗質): 어리석은 천성이나 성질.

*허친거리며: 발을 헛디뎌 균형을 잡지 못해 이리저리 쏠리며.

*고무산, 아오지: 함경북도에 있는 곳으로, 고무산은 농산물과 목재의 집산지였고 아오지는 석탄 산업 시설이 있었음.

*사낼미: 사내아이의 방언.

*띠개: 주로 아이를 업을 때 쓰는, 너비가 좁고 기다란 천을 이르는 방언.

---

2 1~2번 문제를 풀어 보세요.

1. 윗글의 인물에 대한 설명으로 가장 적절한 것은?

① '노인'은 '그 애'가 죽기 전에는 고공살이를 경험한 적이 없다.

② '아이 몇 잃어버리는' 슬픔에도 불구하고 '노인'은 불면의 고통을 겪지 않았다.

③ '행상의 여인네'는 '일본인 아낙네'에게 돈을 받지 않고 과일을 주었다.

④ '노인'은 마지막까지 살아남았던 자식이 옥중에서 죽는 순간을 보지 못했다.

⑤ '사낼미', '어린 계집아이', '업힌 것' 등 '세 어린것'은 '행상의 여인네'에게 구걸하고 있었다.

2. 문학 개념어 OX 확인 문제

① 인물의 행동을 통해 인물의 심리를 간접적으로 드러내고 있다.　　○ ✕

② 회상을 통해 인물이 처한 상황을 환상적인 분위기로 그려내고 있다.　○ ✕

현대소설 독해의　STEP 2

1 인물 간의 관계를 고려하여 구조도의 빈칸에 적절한 말을 채우세요.

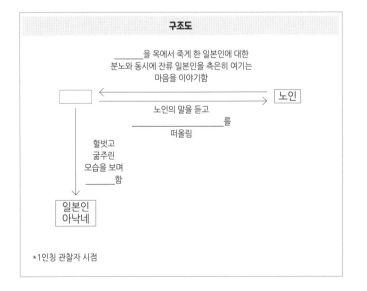

구조도

_____을 옥에서 죽게 한 일본인에 대한 분노와 동시에 잔류 일본인을 측은히 여기는 마음을 이야기함

[　　] ← 노인의 말을 듣고 _____를 떠올림 → 노인

헐벗고 굶주린 모습을 보며 _____함

→ 일본인 아낙네

*1인칭 관찰자 시점

현대소설 독해의 STEP 1

1 주요 인물에 ▢ 표시를 하고, 빈칸에 적절한 말을 채우세요.

[앞부분 줄거리] 숙부가 별세했다는 전보를 받은 저녁, '나'는 노을을 보고 핏빛을 연상한다. 숙부의 장례를 치르러 아들 '현구'와 함께 고향을 방문한 '나'는 백정인 아버지와 살던 어린 시절을 떠올린다.

갑득이가 뒤따르며 외쳤으나 나는 들은 척하지 않았다. 땀이 쏟아지고 숨이 턱에 닿았으나, 나는 내 눈으로 그 증거물을 빨리 찾아내고 싶었다. 집 마당으로 들어섰으나 또출이할머니는 잔칫집에 가버려 보이지 않았다. 나는 집 뒤란 채마밭을 빠져 대숲길로 들어섰다. 숨을 가라앉히고 걸으며 길섶을 샅샅이 훑었다. 땅을 판 자리나 웅덩이나, 양철통을 감출 만한 곳을 빠뜨리지 않고 대숲을 뒤져나갔다.

"새이야 머 찾노?"

뒤쫓아온 갑득이가 헐떡이며 물었다.

나는 대답 않고 대숲을 빠져나와 과녁판이 세워진 언덕길을 내리 걸었다. '나'는 무언가의 _____을 빨리 찾고 싶어 갑득이의 물음에도 답하지 않고 걸으며 '_____을 감출 만한 곳'을 뒤지고 있어. 선달바우산과 중앙산이 골을 파며 마주친 곳이 개울이었고, 개울 건너 완만한 더기에 과녁판이 있었다. 물 마른 개울까지 내려갔을 때, 상류 쪽에 설핏 눈이 갔다. 사태진 돌 틈으로 무엇인가 희끔한 게 보였다. 나는 개울을 거슬러 올랐다. 물 마른 모래 바닥 웅덩이 옆에 작은 양철통이 쑤셔 박혀 있었다. 그 아가리에 횟가루 묻은 옷가지가 비어져 나왔다.

"그거 아부지 주봉 아인가?"

쨍쨍한 한낮 햇볕 아래 내가 펼쳐 든 바지를 보고 갑득이가 말했다. 웅덩이 옆 양철통에는 아버지의 _____가 있었어. 아버지 바지는 온통 흰 횟가루가 누덕누덕 묻어 있었다. 콩뜰이가 내 글씨보다 삐뚤삐뚤하더라고 말했는데, 그게 아버지 글씬가 하는 생각이 들었다. 그러나 아버지는 글자를 쓸 줄 모른다. 백묵으로 글자를 써놓으면 그걸 그대로 베껴낼 수는 있을 터이다. 백정인 아버지는 _____를 쓸 줄 모르는 사람이네. 나는 눈앞이 캄캄했다. 이제 나는 어느 누구 귀띔을 들어서가 아닌, 아버지 행적에 따른 실제 증거물을 손에 쥔 셈이었다. 내 앞을 막아선 선달바우산의 짙푸른 감나무잎도 그 위 더위로 끓는 하늘도 눈에 들어오지 않았다. 모든 게 물속처럼 흐릿하게 흘러갈 뿐이었다. 바지를 든 채 떨고 섰는 나를 보고 갑득이가 무엇인가 눈치를 챘는지 조그만 소리로 중얼거렸다.

"그라모 새이야, 아부지가 어젯밤에 미창에 갔단 말이가?"

나는 아우에게, 그 비밀을 누구에게도 말해서는 안 된다는 부탁도, 또 다른 어떤 말도 못 한 채 뙤약볕 아래 구슬땀을 흘리며 망연히 섰기만 했다. 아버지의 바지는 아버지가 어젯밤에 미창에 갔다는 증거물이 될 수 있나 봐. 그런데 바지를 발견하고 _____ 섰는 '나'의 모습이나 이를 '_____'이라고 여기는 것 등에서 아버지가 거기에 간 것이 위험한 일임을 짐작해볼 수 있지. 아버지마저 삼돌이삼촌이나 우출이아저씨나 저 배도수씨처럼 우리 형제를 버리고 장터마당에서 사라진다면, 그렇게 되어 죽어버리거나 감옥소에 갇히거나 산사람이 되어버린다면, 정말 우리 형제는 이제 누구를 의지하고 살아야 할는지, 그 생각만이 크나큰 두려움으로 나를 슬픔 속에 내동댕이쳤다. 그 슬픔은 배가 고픈 따위의 서러움조차 우습게 여겨질 정도여서, 어떤 막강한 힘이 나와 갑득

이를 엿가락처럼 꼬아 걸레 짜듯 쥐어짰다. 다 늙어 언제 죽을지 모르는 또출이할머니를 의지하고 살기엔 우리 형제는 아직 어렸다. 어느 집 꼴머슴으로 뿔뿔이 팔려가는 길밖에 없었다. 아버지의 행적이 밝혀지면 아버지는 죽거나 감옥에 갇힐 수도 있나 봐. 아버지가 사라져 형제가 _____할 곳이 없어질 상황을 걱정하는 '나'의 심리가 드러나네.

"새이야, 와 우노? 머시 슬퍼 우노? 아부지가 좌익, 그런 거 해서 우나? 그라모 우리가 아부지한테 그런 짓 하지 말라고 빌모 안 되나? 그런 짓 하모 학교도 안 가고 부산이나 마산으로 도망가 뿌리겠다고 말하지러?"

갑득이가 내 손을 잡고 흔들며 울먹이는 목소리로 애원했다. 울고 있는 '나'를 보고 갑득이는 아버지에게 '_____'을 하지 말라고 설득해 보자고 해. 그렇다면 아버지가 미창에 간 것이나 사람들이 감옥에 가거나 죽은 것 등은 모두 현대사의 이념적 갈등과 관련지어 생각해 볼 수 있겠군.

"가자, 배 주사 집에. 우신에 묵고 바야제."

나는 아우에게 웃어 보이며 눈물을 닦았다. 나마저 울고 있을 수 없다는 생각이 내 다리에 힘을 뻗쳤다. 어느 사이 땀 밴 손에서 구겨지고 만 장 선생님 편지 쪽지를 나는 찢어 버렸다. 힘든 상황에서도 형으로서 동생인 _____를 챙기려는 '나'의 책임감이 드러나네.

장면끊기 01 중략 이전까지를 하나의 장면으로 끊어볼 수 있어. 이 장면은 _____가 돌아가셨다는 소식을 듣고 고향을 방문한 '나'의 (현재/과거)를 다루고 있는데, 어린아이의 시선으로 이념 갈등의 상황에 휩쓸린 아버지의 상황을 인식하며 그로 인한 두려움과 슬픔을 드러내고 있어.

(중략)

노을에 비낀 고향이 차츰 내 눈앞에서 빠르게 흘러간다. 이제 언제쯤 나는 다시 고향을 찾게 되는지 알 수 없다. 차창 밖으로 지나가는 여래리와 선달바우산이 눈앞에 스쳐간다. 숙모가 돌아가시면 그때쯤 내려오게 되는지, 어쩌면 영원히 고향을 찾지 못하는지도 모른다. 내가 고향을 버렸으므로 내려올 이유를 구태여 만들 필요는 없다. 그러나 고향을 떠나 산 스물아홉 해 동안 나는 하루도 고향을 잊어본 적 없다. 치모 말처럼 고향을 잊으려 노력해 온 만큼 이곳은 나로 하여금 더욱 잊지 못하게 하는 어떤 힘을 지니고 있었다. '나'는 고향을 떠난 지 _____년이 되었고, 고향을 잊으려고 노력했지만 하루도 고향을 잊어본 적이 없네. 그 점을 그 시절 폭동의 상처라 해도 좋고 굶주림이라 해도 좋다. 그런 이유를 떠나서라도 고향은 오늘의 나를 있게 한 모태가 된 것만은 사실이다. 인간은 누구나 두 군데 고향을 가질 수 없으므로 나는 객지의 햇살과 비와 눈발 속에 떠돌면서도 뿌리만은 언제나 고향에 내리고 살아왔다. 어린 시절 '나'는 고향에서 상처를 입었음에도 고향이 자신의 '모태'이며 '_____만은 언제나 고향에 내리고 살아왔'음을 인정하고 있어. 어른이 되어 고향에 돌아온 '나'는 유년의 상처를 피하지 않고 마주하며 자신의 정체성을 확인하고 있는 거지.

산 위에 걸린 쎈구름이 노을빛에 물들었다. 노을은 산과 가까운 쪽일수록 찬란한 금빛을 띠고 있다. 가운데는 벌겋게 타오르는 주황색, 멀어질수록 보라색 쪽으로 여리어져, 노을을 단순히 붉다고 볼 수만은 없다. 자세히 보면 그 속에는 여러 가지 색이 섞여 있음에도 사람들은 노을을 단순히 붉다고 말한다. 핏빛만이 아닌, 진노란색, 옅은 푸른색, 회색도 노을에 섞여 있다. 그런데도 사람들은 무엇인가 한 가지로 뭉뚱그려 말하기를 좋아한다. 앞부분의 줄거리에

따르면 '나'는 노을을 보고 '_____'을 연상했었는데, 이제 노을이 한 가지 색이 아닌 _____ 색이 섞여 이루어진 것임을 인식하게 돼. 또한 '_____'로 뭉뚱그려 말하기를 좋아하는 사람들에 대해 비판적 시선을 드러내지. 이를 통해 시간의 흐름에 따라 '나'의 인식이 이전과는 달라졌음을 알 수 있어. 문득 아버지와 헤어져 봉화산에서 내려온 저녁이 생각난다. 장마 뒤끝이라 노을이 아름다웠다. 폭동의 잔재도 소멸되고, 백태도 기수도 죽고 없는 텅 빈 장터마당에서 절름발이 미송이만이 홀로 종이비행기를 날리고 있었다. 제대로 걷지 못하기에 하늘로 날고 싶은 꿈을 키우던 병약한 미송이가 그날따라 날려 올리는 종이비행기는 유연하게 포물선을 그리며 노을빛 고운 하늘을 맴돌았다. "갑수야, 저 노을 있제? 저 노을꺼정 이 비행기가 날아 올라간데이. 내 태우고 말이데이." 미송이가 웃으며 말했다. 그는 노을에 힘차게 종이비행기를 띄워 보냈다. 미송이가 그렇게 나는 희망을 키우는 만큼, 그의 눈에 비친 하늘은 어둠을 맞는 핏빛 노을이 아니라 내일 아침을 기다리는 오색 찬란한 무지갯빛일 터이다. 어둠을 맞는 '_____'이 어린 시절 '나'의 고통과 상처와 관련된다면, 내일 아침을 기다리는 '_____'은 이를 극복하고 맞이할 새로운 미래를 암시한다고 볼 수 있겠지.

지금 노을 진 차창 밖을 내다보는 현구 눈에 비친 아버지 고향도 반드시 어둠을 기다리는 상처 깊은 고향이기보다, 내일 아침을 예비하는 다시 오고 싶은 아버지 고향일 수 있으리라. 아들 현구 눈에 비친 고향이 '상처 깊은 고향'이 아닌 '_____하는 다시 오고 싶은 아버지 고향'일 수 있다고 여기는 것에서, 아버지와 관련된 과거의 상처를 극복하고 치유하려는 현재의 '나'의 모습을 확인할 수 있네.

장면끊기 02 중략 이후는 숙부의 장례를 치른 후 다시 고향을 떠나는 길의 '나'의 인식을 드러내고 있어. 어린 시절의 '나'는 좌익에 가담했던 _____로 인해 고통받고, 고향을 떠나 살았지. 하지만 시간이 흘러 어른이 된 '나'는 상처를 마주하고 아버지에 대한 미움과 상처를 _____해가는 모습을 보여 주고 있네.

– 김원일, 「노을」 –

2 1~2번 문제를 풀어 보세요.

1. 윗글에 대한 설명으로 적절하지 <u>않은</u> 것은?

① '나'는 미송이가 종이비행기를 날리던 일을 회상하며 인지하지 못했던 것을 깨닫는다.

② '나'가 비밀을 지키지 못해 삼돌이삼촌과 배도수씨는 가족과 헤어져 살게 된다.

③ '나'는 주봉에 묻은 가루와 콩뜰이가 이야기한 글씨가 연관이 있다고 생각한다.

④ '나'는 치모의 말을 떠올리며 고향에 대한 자신의 인식을 드러낸다.

⑤ '나'는 선달바우산에서의 일을 통해 아버지의 행적을 알게 된다.

2. 문학 개념어 OX 확인 문제

① 인물 간의 대화를 통해 역사적 사건에 대한 비판적인 태도를 부각시키고 있다.

○ ✕

② 과거와 현재를 매개하는 경험을 제시하여 인물의 내면을 드러내고 있다.

○ ✕

현대소설 독해의 STEP 2

1 인물 간의 관계를 고려하여 구조도의 빈칸에 적절한 말을 채우세요.

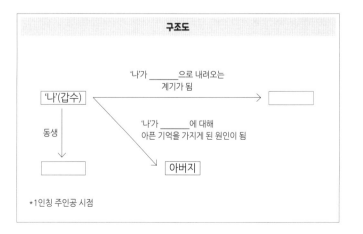

구조도

'나'가 _____으로 내려오는 계기가 됨

'나'(갑수) → [   ]

동생 ↓

'나'가 _____에 대해 아픈 기억을 가지게 된 원인이 됨

[   ] → 아버지

*1인칭 주인공 시점

현대소설 독해의 STEP 1

1 주요 인물에 ☐ 표시를 하고, 빈칸에 적절한 말을 채우세요.

무슨 관청 같은 집도 화산댁이는 그리 달갑지 않았다. 아들을 만난 반가움보다도 수세미처럼 엉클리는 심사를 주체할 수 없었다. _____ 같은 아들 집에 도착하여 아들을 만난 화산댁이는 기분이 (좋아/좋지 않아).

빨간 스웨터를 입고 너덧 살 되어 보이는 계집아이가 말끄러미 화산댁이를 바라보고,

"아부지, 이거 누고 응?"

화산댁이가 그렇게도 보고 싶어 하던 손녀딸이다.

"할매다!"

"우리 할매?"

"음!"

아들은 맥없는 대답을 하면서 헌 고무신 한 켤레를 내왔다. 화산댁이는 걸레로 터실터실 분 발뒤꿈치 더더기를 훔치면서,

"그렇기, 나고는 첨 보니……."

하는데, 아들은 손끝에 짚세기를 걸고 나가 쓰레기통에다 던져 버렸다. 고무신이 대견찮은 것은 아니다. 그러나 길 걷는 데는 짚세기가 고작인데 하니 아직 날도 안 드러난 짚세기가 화산댁이는 못내 아까웠다. 아들은 화산댁이가 신고 온 _____를 함부로 버리고 고무신을 내오지.

다다미방도 어색했지만, 눈이 부시도록 번들거리는 의롱이 두 개나 놓였고, 그 옆에는 앉은키만 한 경대도 놓였다. 벽에는 풀기 없는 무색옷들이 쭈르르 걸렸다. 모든 것이 낯선 것들이었다. 모든 것이 손도 못 댈 것 같고 주저스럽고 조심스럽기만 했다. 우선 어디가 구들목이며 어디 어떻게 앉아야 할지, 마치 종이 상전 방에 불려 온 것처럼 앉을 자리부터가 만만치 못했다. 아들의 집이 편안하게 느껴지지 않아 모든 것이 어색하고 _____스러운 화산댁이의 모습이 나타나네.

장면끊기 01 화산댁이는 _____의 집에 도착했지만 오히려 불편함과 언짢은 기분을 느껴.

(중략)

화산댁이는 아들과 마주 앉고, 며느리는 저만치 떨어져 양말을 기웠다. 모두 말이 없다. 아들 내외와 손녀딸, 화산댁이가 한 공간에 있지만 서로 _____를 나누지는 않네. 손녀만이 제 아버지 등에 매달렸다, 제 어미 젖가슴에 손을 넣었다가 하는 것을 눈으로 좇고 있던 화산댁이는 갑자기 생각이 나서,

"이런 내 정신 봐라."

그러면서 옆에 둔 보퉁이를 끌어당겨 풀기 시작했다. 더께더께 기운 꾀죄죄 때 묻은 버선을 들어내고 검은 보퉁이를 또 하나 들어냈다. 들어낸 보퉁이를 풀어 헤치고 아들과 며느리 어중간에 밀어 놓으면서,

"묵어 봐라, 꿀밤(도토리)떡이다. 급히 하느라고 진도 덜 빠진 거로 해 노니 좀 딸딸하다만……."

그러고는 한 덩이를 떼서 손녀를 주었다. 아들도 며느리도 손을 대지 않는다.

"얘가 하도 즐긴다 싶어 해 왔다. 벨 맛은 없어도 귀한 거니 묵어 봐라!"

며느리는 힐끗하고 궁둥이만 달싹할 뿐이었고, 아들은 거들떠

보지도 않았다. 한번 씹어 보던 손녀도 그만 폐폐 하고는 도로 갖다 놓는다. 아들을 위해 만들어 온 _____을 꺼내지만 아들은 손도 대지 않아. 화산댁이는 (반가운/서운한) 마음이 들었겠지. 그러자 아들이,

"저 방에 자리해라. 엄마 곤하겠다!"

"괜찮다. 벌써 잠이 오나!"

"일찍이 자소!"

이래서 화산댁이는 몇 해를 두고 벼른 아들네 집이었고 밤을 새워도 모자랄 쌓이고 쌓인 이야기를 할 사이도 경황도 없었다. 몇 해를 두고 벼른 아들네 집이었다고 하는 걸 보니 화산댁이는 아들의 집에 오게 되기를 오랫동안 바라 왔네. 그러나 쌓인 이야기를 나눌 틈도 없이 아들은 화산댁이에게 _____고 해.

장면끊기 02 아들을 생각하며 만들어 온 꿀밤떡을 아들 내외는 거들떠보지도 않고, 화산댁이에게 일찍 잠자리에 들라고 해. _____는 아들네 집에 와서 함께 이야기를 나누고 싶었지만 아들 내외는 화산댁이를 그리 반기지 않아.

후끈후끈한 방에서 곤하면 입은 채 굴러 자던 습관은, 휘높은 판자 천장이며, 유리 바른 문이며, 싸늘해 보이는 횟가루 벽이며, 다다미방이 잠을 설레었다. 화산댁이는 자꾸만 쓸쓸했다. 뭣을 쥐었다가 놓친 것처럼 마음이 허전했다. '자식도 강보에 자식이지, 쯧쯧.' 돌아눕는다. 건넌방에서는 소곤소곤 이야기 소리가 들려왔다. 아들 집에 잠자리를 한 화산댁이는 _____해 하며 마음이 _____하다고 느끼고 있어.

'저거 조면* 그만이지.' 또 고쳐 누웠다. 애써 잠을 청해 본다.

그러나 잠 대신 화산댁이는 어느새 오리나무 숲 사이로 황토 고갯길을 넘고 있다.

보리밭이 곧 마당인 낡은 초가집이다.

빈대 피가 댓잎처럼 굵힌 토벽, 메주 뜨는 냄새가 코를 찌르는 갈자리 방에서 손자들이 아랫도리 벗은 채 제멋대로 굴러 자고, 쑥물 사발을 옆에 놓고 신을 삼고 있는 맏아들, 갈퀴손으로 누더기를 깁고 있는 맏며느리, 화산댁이는 그만 당장이라도 뛰어가고 싶다. 아들의 등을 쓰담아 기침을 내려 주고 며느리와 무르팍을 맞대고 실컷 울고나면 가슴이 후련해질 것만 같다. 모든 것이 낯선 아들 집에서 화산댁이는 시골의 낡은 _____에 사는 _____네 식구들을 떠올려.

또 뒤쳐눕는다.

'아무리 시에미가 시에미 같지 않기로니 첨 보는 시에미에게 인삿절도 없이, 본바없는 것 같으니, 그래도 마실 사람들은 작은아들 돈 잘 벌고 하리깔레* 메누리 봤다고 부러하더라만, 시장시럽고 가시롭다. 지가 탈기 없는 것도, 신양기가 있는 것도 다 기집 탓이지 머고. 여태껏 땅 한 떼기 못 사는 것도 안살림 잘못 사는 탓이지 머고.' 화산댁이는 눈꼬리만 따갑고 잠은 점점 멀어 갔다. 쓸쓸함과 서운함을 느끼던 화산댁이는 처음 보는 자신에게 인사도 제대로 하지 않은 _____도 못마땅해.

'지만 하더라도 일본서 근 십 년 만에 나왔으면 그만 지 형 말대로 농사나 짓고 수더분한 색시나 골라 장가들었으면 등 따시고 배 부릴 꺼로 머 공장을 하느니 하고 날뛰더니.' 시골에서 _____나 짓고 배불리 먹고 살았으면 했는데 도시에서 _____을 하겠다며 나간 작은아들도 화산댁이의 마음에 들지 않는 거지.

화산댁이는 어서 날이 새면 싶었다. 잠도 안 오거니와 아까부터 뒤가 마려운 것을 참아 왔기 때문이다. 그러나 날은 언제 샐지 모르겠고 뒤는 자꾸 급해 왔다. 화산댁이는 참다못해 조심조심 더듬어 부엌으로 내려갔다. 부엌에서 다시 더듬어 밖으로 나갔다. 비

는 그쳤고 갈라진 구름 사이로 별이 보였다. 뒷간이 있음 직한 곳을 이리저리 찾았으나 없었다. 집을 두 바퀴나 돌았으나 뒷간은 역시 없었다. <u>화산댁이는 볼일을 보기 위해 집 밖에서 _____을 찾았지만 찾지 못했어.</u> 대체 적산집* 뒷간이 밖에 있을 리가 없다. <u>아들네 집은 _____이었기 때문에 집 안에 화장실이 있었겠지.</u> 화산댁이는 뒷간이 없는 집이란 상상도 할 수 없었으나, 일이 급해서 그만 어수룩한 담 밑에다 대고 뒤를 보았다. 한결 개분했다. 문살만 훤하면 나와서 뒤본 자리를 챙기리라 맘먹고 다시 들어왔다.

장면끊기 03 화산댁이는 일찍 잠자리에 누웠지만 소외감과 서운함으로 쉽게 잠에 들지 못해. 그러다 뒤를 보기 위해 뒷간을 찾았지만 찾지 못하고 _____에다 뒤를 보게 되지.

화산댁이는 소스라쳐 일어났다. 날이 활짝 샜다. <u>화산댁이는 동이 트면 뒤본 자리를 치울 생각이었는데, 이미 ___가 새 깜짝 놀란 거지.</u> 아들 내외가 깰까 싶어 조심조심 밖으로 나왔다. 뒤본 자리는 공교롭게도 돌가루로 마련된 수채였다. 수채는 앞집으로 통했다. 아침에 봐도 역시 뒷간은 없었다.

장면끊기 04 다음날 잠에서 깬 화산댁이는 뒤본 자리를 챙기기 위해 밖으로 나가 보았으나 여전히 _____을 찾지 못했어.

– 오영수, 「화산댁이」 –

*저거 조면: '자기네들끼리 좋으면'의 방언.

*하리깔레: 예전에 서양식 유행을 따르던 멋쟁이를 이르던 말.

*적산집: 해방 전에 일본인들이 지은 신식 가옥을 이르는 말.

② 1~2번 문제를 풀어 보세요.

1. '화산댁이'에 대한 이해로 가장 적절한 것은?

① 작은아들이 내놓은 고무신이 마음에 들지 않는다.

② 꿀밤떡을 내뱉는 손녀의 행동에 노여움을 느낀다.

③ 예의가 없는 며느리를 나무라고자 마음먹는다.

④ 기대에 미치지 못하는 작은아들을 못마땅해 한다.

⑤ 시골로 돌아갈 생각에 설레서 날이 빨리 새기를 바란다.

2. 문학 개념어 OX 확인 문제

① 현재 상황과 대비되는 장면을 통해 인물의 내적 갈등을 고조한다.　　○ ✕

② 동시에 진행되는 사건의 병치를 통해 사건을 지연시킨다.　　○ ✕

현대소설 독해의 STEP 2

① 인물 간의 관계를 고려하여 구조도의 빈칸에 적절한 말을 채우세요.

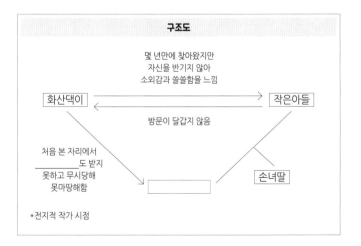

구조도

몇 년만에 찾아왔지만 자신을 반기지 않아 소외감과 쓸쓸함을 느낌

화산댁이 ⟶ 작은아들

방문이 달갑지 않음

처음 본 자리에서 _____도 받지 못하고 무시당해 못마땅해함

손녀딸

*전지적 작가 시점

현대소설 독해의 STEP 1

1 주요 인물에 [   ] 표시를 하고, 빈칸에 적절한 말을 채우세요.

누군가가 헌 타올과 신문지를 가져왔다. 노인은 뼛조각을 하나씩 집어들고 수건으로 흙을 닦아낸 다음 그것을 펼쳐진 신문지 위에 가지런히 정리해 놓기 시작했다.

"그렇다면 이 치도 아마 빨갱이였겠구만, 안 그래요?"

소대장이 지휘봉의 뾰족한 끝으로 쿡쿡 찌르듯 유해를 가리키며 말했다. 소대장은 유해를 보고 _____라고 추측하며 부정적인 태도를 드러내고 있군. 인사계가 되물었다.

"어째서요."

"산을 타고 도망치던 빨치산들이 그리 많이 죽었잖아. 이 치도 보기엔 군인은 아니었을 것 같고, 그렇다고 근처의 주민이었다면 가족이 있을 텐데 임자 없이 이 꼴로 팽개쳐 뒀을라구."

"그걸 누가 압니까. 그때야 워낙 피차에 서로 죽고 죽이던 판인데." _____과 인사계는 유골의 신원에 대해 이야기하고 있네.

그때였다. 쭈그려 앉아서 손을 움직이고 있던 노인이 불쑥 소리치는 것이었다.

"어허, 대관절……, 대관절 그게 어떻다는 얘기요. 죽어서까지 원, 아무리 이렇게 죽어 누운 다음에까지 이쪽이니 저쪽이니 하고 그런 걸 굳이 따져서 무얼 하자는 말이오. 죽은 사람이 뭣을 알길래……, 죄다 부질없는 짓이지. 쯔쯧." 노인은 죽은 사람의 뼛조각을 두고 _____이니 _____이니 따지는 모습을 못마땅해 하고 있어. 이는 이데올로기로 인한 민족 간의 갈등에 대한 비판적 의식을 드러낸 것이기도 하지.

노인의 음성은 낮았지만 강하고 무거웠다. 그러면서도 노인은 고개를 숙인 채 뼛조각에 묻은 흙을 정성스레 닦아내고 있었다. 무슨 귀한 물건마냥 서두르는 기색도 없이 신중히 손질하고 있는 노인의 자그마한 체구를 우리는 둘러서서 지켜보았다. 모두들 한동안 입을 다물었고, 나는 흙에 적셔진 노인의 손끝이 가늘게 떨리고 있음을 깨달았다. '나'는 뼛조각을 정성스레 다루는 _____의 모습을 지켜보고 있어.

"땅속에 누운 사람의 잠을 살아 있는 사람이 깨워서야 되겠소. 또 그럴 수도 없는 법이고. 원통한 넋이니 죽어서라도 편히 눈감도록 해야지. 암, 그것이 산 사람들의 도리요……. 하기는, 이렇게 불편한 꼴로 묶여 있었으니 그 잠인들 오죽했을까만." 노인은 _____ 꼴로 묶여 있던 뼛조각을 보며 안타까움을 느끼고 있어.

노인은 어느 틈에 꾸짖는 듯한 말투로 혼자 중얼거리고 있었다. 두개골과 다리뼈를 꼼꼼히 문질러 닦은 뒤, 노인은 몸통뼈에 묶인 줄을 풀어내기 시작했다. 완강하게 묶인 매듭은 마침내 노인의 손끝에서 풀어졌다. 노인은 죽은 사람이 편케 잠들 수 있도록 _____에 묶인 줄을 풀어냈어. 금방이라도 쩔걱쩔걱 쇳소리를 낼듯한 철사줄은 싱싱하게 살아 있었다. 살을 녹이고 뼈까지도 녹슬게 만든 그 오랜 시간과 땅 밑의 어둠을 끝끝내 견뎌내고 그렇듯 시퍼렇게 되살아 나오는 그것의 놀라운 끈질김과 냉혹성이 언뜻 소름끼치도록 무서움증을 느끼게 했다. '나'는 _____의 끈질김과 냉혹성을 인식하고 _____증을 느끼고 있어.

노인은 손목과 팔에 묶인 결박까지 마저 풀어낸 다음 허리를 펴고 일어서더니 줄 묶음을 들고 저만치 걸어나갔다. 그가 허공을 향해 그것을 멀리 내던지는 순간, 나는 까닭 모르게 마당가에서 하늘을

치어다보며 서 있는 어머니의 가녀린 목줄기와 그녀가 아침마다 소반 위에 떠서 올리곤 하던 하얀 물사발이 눈앞에 떠올랐다가 스러져버리는 것이었다. '나'는 노인이 유골을 정성스레 수습한 후 철사줄을 _____으로 던지는 모습을 보며 어머니를 떠올리고 있어.

장면끊기 01 죽은 사람의 신원에 대해 언쟁하는 다른 사람들과는 달리 정성스럽고 경건하게 유해를 수습하는 _____의 모습과 이를 보며 _____에 대해 떠올리기 시작하는 '나'의 모습이 첫 번째 장면으로 제시되었어.

(중략)

아아, 나는 까맣게 잊고 있었던 것이다. 어머니가 그토록 오랫동안 누군가를 기다려왔었음을. 내 유년 시절의 퇴락한 고가의 마루 밑 그 깜깜한 어둠 속에서 음습하고 불길한 냄새와 함께 나를 쏘아보고 있던 한 사내의 눈빛을, 그리고 청년이 된 지금까지도 가슴을 새까맣게 그을려 놓으며 깊숙한 상흔으로만 찍혀져 있을 뿐인 그 증오스런 사내의 이름을, 어머니는 스물다섯 해가 넘도록 혼자서 몰래 불씨처럼 가슴속에 키워오고 있었던 것이다. 어머니한테 그 사내는 다른 아무것도 아니었다. 다만 곱고 자상한 눈매로서만, 나직한 음성으로서만 늘 곁에 남아 있었던 것이다. '나'는 _____ 시절을 떠올리며 한 사내에 대해 생각하고 있어. 어머니가 기다려왔다는 것으로 보아 그 사내는 '나'의 _____일 거야. '나'는 그를 (긍정적/부정적)으로 인식했지만, 어머니는 그의 (긍정적/부정적) 모습을 마음으로 간직하며 기다리고 있었어.

하지만 그녀가 울고 있는 건 그 미련스럽도록 끈질긴 기다림 때문만은 아니었으리라. 아니, 사실상 어머니는 누구보다도 더 잘 알고 있을 터였다. 그녀의 기다림이 얼마나 까마득하게 손이 닿지 않는 먼 곳으로 자꾸만 자꾸만 밀려나가고 있는 것인가를 말이다. 스물다섯 해의 세월이, 스스로 묶어 놓은 그 완고한 기만이 목에 잠기어 흐느낌도 없이 지금 어머니는 울고 있는 것이었다. 밥상을 받아놓은 채 나는 고개를 처박고 앉아 있었다. 눈앞에는 우리 가족의 그 오랜 어둠과 같은 미역가닥이 국그릇 속에서 멀겋게 식어가고 있을 뿐이었다.

장면끊기 02 첫 번째 장면에서 '나'가 어머니를 떠올렸는데, 두 번째 장면에서는 '나'의 유년 시절 속 _____에 대한 기억과 그를 기다리는 _____의 모습이 구체적으로 제시되었어.

이제 노인의 모습은 더 이상 보이지 않았다. 그새 수북이 쌓인 눈을 밟으며 나는 오던 길을 천천히 되돌아가기 시작했다. 다시 (과거/현재)의 상황으로 돌아왔어. 이제 노인은 보이지 않고 '나'는 _____을 밟으며 오던 길을 되돌아가기 시작했네. 걸음을 옮길 때마다 어깨에 멘 소총이 수통과 부딪치며 쩔렁쩔렁 소리를 냈다. 나는 어깨로부터 전해오는 그 섬뜩한 쇠붙이의 촉감과 확실한 중량을 새삼스레 확인하고 있었다. 그리고 항상 누구인가를 겨누고 열려 있는 총구의 속성을, 그 냉혹함을, 또한 그 조그맣고 둥근 구멍 속에서 완강하게 똬리를 틀고 앉아 있는 소름끼치는 그 어둠의 깊이를 생각했다. '나'는 총구의 _____과 _____의 깊이를 생각하고 있어.

까우욱. 까우욱.

어느 틈에 날아왔는지 길 옆 밭고랑마다 수많은 까마귀들이 구물거리고 있었다. 온 세상 가득히 내려 쌓이는 풍성한 눈발 속에 저희들끼리만 모여서 새까맣게 구물거리며 놈들은 그 음산함과 불길함을 역병처럼 퍼뜨리고 있는 것이었다. _____은 눈발과 대비되어

어두운 분위기를 형성하고 있어.

얼핏, 쏟아지는 그 눈발 속에서 나는 얼어붙은 땅 밑에 새우등으로 웅크리고 누운 누군가의 몸 뒤척이는 소리를 들었다. 아버지였다. 손발이 묶인 아버지가 이따금 돌아누우며 낮은 신음을 토해 내고 있었다. 나는 황량한 들판 가운데에 서서 그 몸집이 크고 불길한 새들의 펄럭거리는 날갯짓과 구물거리는 모습을 오래오래 지켜보았다. '나'는 얼어붙은 땅 밑에 웅크리고 누운 채 손발이 묶인 _____의 모습을 상상하고 있어.

머리 위로 눈은 하염없이 쏟아져 내리고 있었다. 함박눈이었다. 굵고 탐스러운 눈송이들은 세상을 가득 채워 버리려는 듯이 밭고랑을 지우고, 밭둑을 지우고, 그 위에 선 내 발목을 지우고, 구물거리는 검은 새떼를 지우고, 이윽고는 들판과 또 마주 바라뵈는 거대한 산의 몸뚱이마저도 하얗게 하얗게 지워 가고 있었다. 그것은 어머니가 새벽마다 샘물을 길어 와 소반 위에 떠서 올려놓곤 하던 바로 그 사기 대접의 눈부시도록 하얀 빛깔이었다.

장면끊기 03 다시 (과거/현재)의 상황이 제시되었어. '나'는 오던 길을 되돌아가며 전쟁의 냉혹함을 생각하고, 손발이 묶인 아버지의 모습도 상상해 보지. 그리고 모든 것을 지우는 _____을 보며 새벽마다 _____가 올려 놓던 사기 대접의 하얀 빛깔을 떠올려.

– 임철우, 「아버지의 땅」 –

1~2번 문제를 풀어 보세요.

1. 윗글로 미루어 알기 어려운 것은?

① 유해의 신원에 대해 소대장과 인사계는 다른 견해를 보였다.
② '나'는 철사줄에 묶여 잡혀가는 아버지의 모습을 목격하였다.
③ '나'는 어린 시절에 아버지로 인해 마음에 상처를 받았다.
④ 어머니는 아버지의 죽음을 애써 부인하고 싶어했다.
⑤ 어머니는 아버지를 자상한 한 남자로만 간직하고 있다.

2. 문학 개념어 OX 확인 문제

① 서술자의 내적 독백을 통해 서사를 전개하고 있다.　　○ ✕
② 서로 다른 두 공간을 대비하여 주제 의식을 부각하고 있다.　　○ ✕

현대소설 독해의 STEP 2

인물 간의 관계를 고려하여 구조도의 빈칸에 적절한 말을 채우세요.

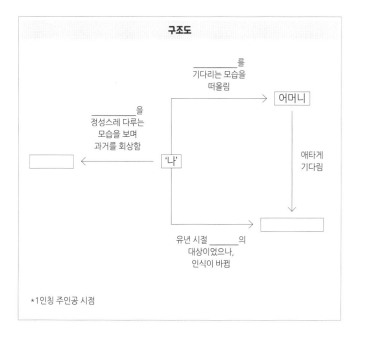

구조도

*1인칭 주인공 시점

현대소설 독해의 STEP 1

1 주요 인물에 ☐ 표시를 하고, 빈칸에 적절한 말을 채우세요.

"큰 산소의 아버니 옆에 내가 들어갈 자리는 하나 넉넉히 되지마는 장비(葬費)*는 터무니없고, 이런 세대에 무어 볼 거 있소. 간략히 화장을 해서 뼈나 갖다 묻두룩 하우."

자기가 세상을 떠난 뒤에 아이들의 교육과 취직이며 생활 방도를 의논한 끝에 이러한 유언도 하고, 어떤 때는 유골을 갈아서 정한 산에 올라가 날려보내도 좋겠다는 지나는 말도 하여 가족들을 놀래기도 하였다. 자신이 죽은 뒤 남은 아이들의 교육이나 취직 등을 이야기하며 장례를 어떻게 치르라는 말까지 _____으로 남기는 '나'를 보며 가족들은 놀라기도 하였대.

그러나 그러한 유언은 언제나 한 번은 죽을 것이니, 이 기회에 미리 자기의 의사 표시를 하여 두자는 것이지, 다시는 일어나지 못하리라는 각오를 하고서 하는 말은 아니었다. 주사의 힘으로 버티어나가거니 하는 불안은 있으나, 주사를 놓고 나면 그 저리고 쑤시던 가슴이 훤히 터지고 부축을 하여서라도 몸을 가누고 일어나 앉을 수 있는 것을 보면, 자기의 원기에 대한 자신이 다시 생기고, 능히 소복되리라는 새 희망도 비치는 것이었다. '나'의 _____은 언젠가 한 번 죽을 것이니 미리 의사를 표시해두자는 것이지, 정말로 죽음을 담담하게 맞이하겠다는 의미는 아니었나 봐. 오히려 _____를 맞고 통증이 사라지면, '나'는 생에 대한 의지를 갖고 살고 싶어 하는 모습을 보여. **장면끊기 01** 죽음을 담담하게 받아들이지 못하고, 생을 이어가고 싶어하는 인물이 등장해. 이어지는 장면은 '_____'의 사건으로 시간이 변화되고 있으니 여기서 장면을 한 번 끊어야겠지? 사실 어제 퇴원을 하느니 마느니 하고, 한참 부산한 통에 C라는 젊은 위문객이 왔을 때는 이때까지 서둘던 가족들이 무색하리만큼, 병인은 내일이라도 일어날 듯이 명랑한 낯빛으로 수작을 하는 것이었다.

"그동안 이렇게 편찮으신 줄은 몰랐습니다그려. 지금 ××재단을 설립 중인데 물론(物論) 돌아가는 것을 보니까, 어쩌면 선생을 부사장으로 추대할 듯싶더군요. 그야 이사 자리야 하나 안 드리겠습니까마는, 공교히 이렇게 누워 계셔서 안됐습니다. 어서 속히 일어만 나십쇼."

C 청년은 병인의 기를 돋워주려고 위로로 하는 말이 아니라, 그러한 내통을 하여주고, 또 그리면 자기에게도 좋은 일이 없지 않겠다는 생각으로 찾아다니다가 병원까지 왔다는 말눈치였다. 어제 병원에 찾아온 C 청년으로 인해 병인은 (생/죽음)에 대한 의지를 더욱 갖게 되었대. C 청년은 병문안보다는 병인에게 _____하는 대신 좋은 대가를 얻으려는 기대감으로 병원을 찾아온 거야.

"흥, 그런 이야기가 있어! 좀 있으면 일어나게야 되겠지마는 하여간 그 축들 만나건 잘 부탁해주우…… 어, 오늘 C 군이 찾아 준 것도 의외지만, 아마 나두 인제 운이 틔려는군! 힘 좀 써주슈. 꼭 부탁하우."

병인은 젊은 친구의 손을 붙들고 은근한 정을 표하는 것이었다. 그러나 젊은 손은, 병 증세를 캐어묻고 병인의 가다가 허청 나오는 목소리와 어떻게 보면 사색에 질린 낯빛을 이모저모 뜯어보는 눈치더니, 처음 달려들면서 떠벌려놓던 기세와는 딴판으로 차츰 기색이 달라지면서 꽁무니를 빼는 수작을 어름어름하고는 훌쩍 가버렸다. C 청년은 병인의 _____을 살피고는 회복할 기미를 찾지 못하자 훌쩍 병실을 떠나버렸네.

병인은 그래도 신기(身氣)가 매우 좋아서, 아내더러 내일은 P에게 연락을 해서 그 ××재단의 내용을 알아보고, A에게 가서는 이러

저러한 전달을 하고 부탁을 하여두라는 분별을 하고 누웠다. 옹위를 하고 앉았던 가족들은, 이 양반이 오늘 해를 못 넘기리라고 서둘던 양반인가? 하는 생각에 멀끄미 병인의 얼굴을 바라들 보며, 어쨌든 반갑고 기쁘기도 하며, 어떻게 보면 과시 병이 고망(膏肓)에 깊이 든 것이 아닌 것 같이도 보여 다시 새로운 희망도 생기는 것이었다. 퇴원을 재촉하고 장사 지낼 걱정을 끼리끼리 수군거리던 것이 우습기도 하였다. C 청년의 방문 이후 갑자기 기력을 회복하게 된 병인을 보며 _____ 지낼 걱정을 하던 가족들은 다시 새로운 희망을 품게 되었대.

C 청년이 다녀간 뒤에 의사가 저녁때에야 들어왔다. 오늘도 가슴이 메어지고 숨이 막힐 때마다 K 선생을 불러오라 하고 출근을 아니 하였거든 자기 집에 전화를 걸라고 하던 K 의사가 들어왔다. 병자는 아까 놓은 주사 기운이 아직 남아 있어 그리 급한 지경은 아니나 의사의 얼굴만 보아도 되었다.

"오신 길에 주사를 또 한 번……."

환자는 조금 있으면 또 닥쳐올 고통이 무서워서, 좀처럼 만나기 어려운 의사를 붙든 김에 아주 미리 주사를 듬뿍 맞아두고 싶은 생각이었다.

"아, 놓아 드리죠." 병인은 사실 진통을 억제시키는 _____의 효력이 아니면 버티기 어려울 정도로 건강이 좋지 않은 상태야. 육체의 고통이 무서워서 의사를 만나기만 하면 주사를 놓아 달라고 사정을 하는 거지.

진찰을 대강 하여보고 의사가 주사약을 가지러 나가는 것을 보고 명호는 병자의 눈에 안 띄게 슬며시 뒤쫓아 나갔다.

"오늘 퇴원을 시킬까 하다가 선생두 안 오시구 해서 그만두고 있습니다마는 어떤 모양인가요?"

"오늘낼 새로 어떻겠습니까마는 퇴원하시죠."

퇴원한다는 말에, 의사는 도리어 반색을 하는 눈치였다. 명호는 병인의 상태가 호전되었을까 싶어 _____에게 퇴원에 대해 다시 한 번 물어보지만, 의사는 병인에 대한 긍정적 전망이 없어 보이지? _____한다는 말에 도리어 반색을 하는 눈치야. **장면끊기 02** _____을 만난 뒤 병인은 일시적으로 기력을 회복하는가 싶었지만, 의사는 회복 가능성에 대해 (희망적/회의적)인 태도를 보여. 중략 부분의 줄거리에서는 '_____'로 시간이 변화하였으니 여기에서 끊자!

[중략 부분 줄거리] 다음 날 동생 명호와 함께 퇴원한 병인은 아내가 기다리고 있는 집으로 가는 도중 사망한다. 퇴원하여 집으로 가던 중 병인은 끝내 _____하고 말아. 병인의 죽음 이후 남겨진 가족들에게 어떤 사건이 일어날까?

발상(發喪) 전의 과수댁은 옆방에서 부리나케 보따리를 풀고 무엇을 찾았다. 명호가 오늘 반나절을 걸려서 땀을 뻘뻘 흘리며 지어온 약봉지가 먼저 방바닥에 떨어졌다. 병자가 이틀을 두고 성화를 대며 졸라서 먹으려던 것이다. 과수댁은 컵 속에 넣은 물 종지를 찾아내서 빈소로 가지고 가더니 신체의 주위에 말끔히 뿌렸다. 세를 붙이고 받아둔 성수였다.

발치께 서서 가만히 바라보던 명호가

"그럼, 장례는 어떻게 지내시렵니까? 제사는 일체 폐하시나요?"

하고 물으니까 과수댁은

"그렇게까지야 하겠습니까."

하고 다만 좋은 일이니, 교회 사람이 하라는 대로 한다는 것이었다. 초상집에서는 우선 삼일장이냐 오일장이냐 하는 의논이 벌어졌다.

"화장을 하라신 유언도 계셨으니 화장으로 모시면야 삼일장도

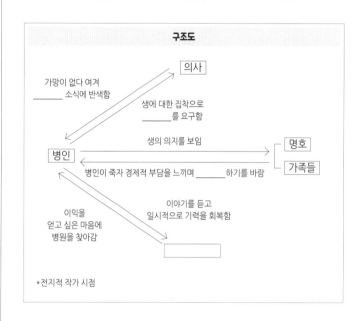

넉넉할 겁니다."

명호는 첫째 장비 걱정으로 화장을 앞세웠다. <small>명호는 병인의 장례를 치르기 위해 필요한 _____를 걱정하며 삼일장으로 끝낼 수 있는 _____을 주장하네.</small>

"그야 우리 형세에 삼일장이죠마는 화장은 아닙니다. 처음에는 그런 말씀이 계셨지만 나중에 다시 아무래두 아버님 곁으로 들어가시겠댔는데요."

여기에 가서는 아무도 이렇다 저러다 말할 나위가 없었다. 혹은 이 과수댁도 뒤미처 들어갈 테고 보니 자기부터 화장이 싫어서 그럴지도 모르나, 돌아간 이도 아직 먼 앞일이거니 하고 가상적으로 여유를 두고 말할 때는 화장을 입 밖에 냈을는지 몰라도 당장 닥쳐온 실제 문제가 되고 보니, 역시 선산에 묻히고 싶어 하였을 것도 넉넉히 짐작할 일이었다. 나 죽은 뒤에는 수의를 무슨 감으로 하여 달라느니, 관 속에는 이것저것을 넣어달라느니 하는 유언도 하거든, 자기 묻힐 자리를 초점(焦點)까지 해놓고서 거기에 못 묻힐까 보아 애를 쓰며 세상을 떠나는 것도 무리가 아닐지도 몰랐다.

"말이 삼 일이지, 오늘 해는 다 가구 내일 하루인데, 첫째 산역(山役)*이 문제로군."

호상차지(護喪次知)*의 걱정이었다.

"영구차에 버스 한 대는 따라야 할 테니, 자동차 삯만 해두 두 대에 사만 원은 예산을 쳐야 할걸."

홍제원 화장장이면 고작해야 오륙천 원에 너끈할 것인데, 없는 돈에 찻삯이 사만 원 예산이라니 엄청나다는 말눈치였다. <small>호상차지 역시 _____에 병인의 시신을 묻을 경우 예산이 만만치 않다며 걱정하고 있어.</small>

"화장이나 매장이나 돌아간 뒤에야……."

젊은 축들은 저희끼리 이런 소리를 수군거리는 것이었다. <small>가족들 중에서 _____들 역시 화장이나 매장이나 돌아가신 뒤엔 큰 의미가 없지 않느냐고 수군거리고 있지. 죽음을 얼마 남겨두지 않고 _____은 선산에 묻히기를 소망했지만, 가족들은 자신들의 편의에 맞게 장례를 치르고 싶어 해.</small>

<small>**장면끊기 03** 병인의 장례 문제를 둘러싸고 가족들은 (심리적/경제적) 이유와 편의를 근거로 선산에 매장되고 싶을 병인의 의사와 무관하게 장례를 치르고 싶어 하는데, 이러한 모습에서 그들의 이기적이고 냉정한 태도가 드러나.</small>

— 염상섭, 「임종」 —

*장비: 장사 비용.

*산역: 시체를 묻고 뫼를 만들거나 이장하는 일.

*호상차지: 초상 치르는 데에 관한 온갖 일을 책임지고 맡아 보살피는 사람.

현대소설 독해의 STEP 2

1 인물 간의 관계를 고려하여 구조도의 빈칸에 적절한 말을 채우세요.

구조도

의사 — 가망이 없다 여겨 _____ 소식에 반색함 / 생에 대한 집착으로 _____를 요구함 — 병인 / 생의 의지를 보임 → 명호·가족들 / 병인이 죽자 경제적 부담을 느끼며 _____하기를 바람 / 이익을 얻고 싶은 마음에 병원을 찾아감 / 이야기를 듣고 일시적으로 기력을 회복함

*전지적 작가 시점

2 1~2번 문제를 풀어 보세요.

1. 윗글에 대한 이해로 가장 적절한 것은?

① 병인은 자식들의 교육이나 취직을 걱정하여 병을 극복하기 위해 노력한다.

② C 군은 병인의 병세를 살피기 위해 방문했다는 의도를 숨기려고 새로운 소식을 전한다.

③ 가족들은 C 군이 다녀간 뒤 병인의 행동을 살핀 후 병세가 호전될 수 있다고 생각한다.

④ 의사는 명호에게 병인의 증상이 나아질 수 있을 것이라 안심시키며 퇴원을 허락한다.

⑤ 과수댁은 명호의 반대에도 불구하고 가족의 형편을 생각하여 화장을 한 후 삼일장을 치르기를 원한다.

2. 문학 개념어 OX 확인 문제

① 장면의 전환에 따라 서술자를 달리하여 사건을 입체적으로 조명하고 있다.
　　　　　　　　　　　　　　　　　　　　　　　　　　　　○ ✕

② 과거의 사건을 언급하여 상황에 따른 인물의 심리를 보여 주고 있다. ○ ✕

현대소설 독해의 STEP 1

1 주요 인물에 ▢ 표시를 하고, 빈칸에 적절한 말을 채우세요.

　재종숙은 아무래도 김만호 씨보다는 강 목사에 더 애착이 가는 것 같았다. <u>재종숙은 김만호 씨보다 강 목사에게 더 ＿＿＿＿＿이 가는 모양이야.</u>

　"둘은 소학교와 농업학교를 같이 다녔고, 이 지역에서는 그래도 똑똑하다고 소문이 나 있던 사람들이었지. 강 목사는 농업학교를 나온 후 이곳 소학교에서 교편을 잡으면서 밤이면 야학을 하였어. 나도 토요일이나 방학에 집에 와서는 그 일을 도와 드렸지." <u>과거를 회상하며 김만호와 강 목사에 대해 이야기하고 있네.</u>

　그러는 사이에 강 목사와 김만호 씨는 자주 다투게 되었다. 한쪽에서는 일본 말을 가르치는 일을 못마땅히 생각하였고, 한편에서는 세상 돌아가는 형편을 외면한 채 저 잘난 척한다고 생각하였다. <u>일본 말을 가르치는 김만호를 ＿＿＿＿＿ 생각한 강 목사와 강 목사가 ＿＿＿＿＿ 돌아가는 형편(일제에 협력해야 하는 시대 분위기)을 외면한 채 잘난 척한다고 여긴 ＿＿＿＿＿의 갈등 상황이 나타나네.</u> 그러는 동안 결국 한글 강습소는 문을 닫아야 하였고 강 목사는 고향을 떠나야 하였다.

　"이봐, 그때 그 한글 강습소를 폐쇄시킨 게 바로 김만호였어. 우리가 주재소에 가서 혼이 나도록 당한 것도 다 뒤에서 그 작자가 조종을 한 거야. 나도 학교를 마치지도 않고 고향에 있을 수가 없어서 일본으로 떠나 버렸어. 귀찮은 일이 자꾸 따라다녔지." <u>재종숙은 야학을 열어 ＿＿＿＿＿를 한 강 목사를 (긍정/부정)하고, 그런 한글 강습소를 폐쇄시킨 김만호를 못마땅하게 생각하네.</u>

　재종숙은 그때 일을 바로 어제 일같이 말하였다.

　"그 일뿐이 아니라고. 참으로 못할 짓 많이 하였지. 그런데 내가 해방이 되어서 고향에 돌아와 보니까, 아니 어디 숨어 있는 줄 알았던 그가 아주 요란스럽게 행세를 하고 있었어. 난 그 꼴이 보기 싫어서 다시 일본으로 들어가 버렸지⋯⋯." <u>해방 이후 고향으로 돌아와 ＿＿＿＿＿를 하는 김만호가 보기 싫었대.</u>

　재종숙의 말은 자꾸 헷갈렸다.

　김만호 씨는 면 농회 근무 3년 만에 서른이 안 된 나이로 면장이 됐다. 재종숙은 아마 그가 제일 악질적인 면장이었을 거라고 말하였다. 더구나 용서하지 못할 일은, 그가 가장 면민을 위하는 척하면서 제 할 일은 다 했다는 점이었다. 그는 젊은 면장으로서 이 제주 섬에서 가장 도사(島司)의 신임을 얻은 면장이 되었다. 재종숙의 말투는 점점 과격하여 갔다. 인생의 황혼기에서, 아무리 뼈에 사무친 일이라 하더라도 이 나이쯤이면 모두 이해하고 용서할 수 있을 터인데 그게 아니었다. <u>김만호에게 강한 반감을 가진 ＿＿＿＿＿의 태도에 대한 '나'의 생각이 드러나는군.</u>

　"생각해 보게. 어떻게 그런 사람에게 '선구적인 시민상'을 주어. 나라를 팔아먹는 데, 권력의 종노릇 하는 데 선구적이었어. 그건 김만호 개인의 문제가 아니여. 신문사 문제만도 아니고, 작은 문제가 아니여. 그 사람이 상을 타면 세상 사람의 본이 되는 건데, 아니 모두들 그렇게 살아도 된다는 거여? 안 되어. 안 돼." <u>재종숙은 과거에 나라를 팔아먹고, 권력의 종노릇을 하던 김만호가 ＿＿＿＿＿을 받아 세상 사람의 ＿＿＿이 되어서는 안 된다고 생각하며 분노하고 있어.</u>

　그는 언성을 높였다. 바로 교장 어른을 상대하여 말하는 투였다.

　장면끊기 01 <u>'나'는 재종숙에게서 김만호에 대한 (긍정적/부정적) 평가를 들어. 재종숙은</u>

<u>김만호의 행적들을 설명하며 그 같은 사람이 선구적인 시민상을 타는 것을 못마땅하게 생각하지. 이어지는 장면에서는 교장 어른에게 김만호에 대한 이야기를 듣는 장면이 나오므로 장면을 끊어볼 거야.</u>

　그와 헤어져 거리로 나오자 이번에는 교장 어른을 만나고 싶었다. 역시 그에게서는 재종숙과는 정반대의 말을 들을 것이 뻔하지만, 재종숙에게 듣지 못했던 새로운 이야기를 들을 수 있을 것 같았다. <u>'나'는 김만호에 대한 새로운 이야기를 듣기 위해 ＿＿＿＿＿을 찾아갔어.</u>

　"자네가 날 찾아올 줄 알았지."

　교장 어른은 몸소 써서 만든 '반야심경' 열 폭 병풍 앞에서 한복 차림으로 앉았다가 일어서면서 나를 반갑게 맞았다. <u>교장 어른은 '나'가 자기를 찾아올 줄 알았다며 ＿＿＿＿＿ 맞이해.</u> 나는 그분에게서 곱게 늙고 있는 행복한 서민의 모습을 보았다. 육십 평생을 어린이 교육을 위해서만 살다 정년퇴임한 지 몇 해가 되지만, 그는 여전히 이곳 사람들의 선생으로 대접받고 있었다. 방 한편 구석 문갑 위에 있는 한란 분이 그 어른의 기품과 어울리는 것 같았다. 세배꾼들이 다녀 갔는지 방석들이 즐비하니 널려 있었다. <u>교육자의 삶을 살아온 교장 어른은 많은 사람들에게 ＿＿＿＿＿으로 대접받아.</u>

　교장 어른은 아까 종갓집에서와는 다르게 나를 대하면서 벌써 찾아간 연유를 알고 있었다. 나는 신문사로부터 부여받은 일을 설명하고 나서,

　"할아버님의 도움을 받아야 하겠습니다. 할아버님께서 그분과 오랜 교분을 갖고 계신 걸 알고 있습니다. 누구보다도 그분을 잘 알고 계시겠기에 밖으로 드러나지 않은 개인적인 일 같은 것을 듣고 싶습니다."

　되도록 조심스럽게 말하였다. 사실 나 자신 한 인간의 사회적인 삶을 어떻게 인식하느냐 하는 뚜렷한 생각도 잡혀지지 않은 처지라서 우선 이렇게 얼버무릴 수밖에 없었다. <u>'나'는 신문사로부터 김만호에 대한 글을 쓰는 일을 받아 교장 어른에게서 그가 오랜 교분을 가졌던 김만호의 ＿＿＿＿＿＿＿＿＿을 듣고 싶었던 거구나.</u>

　"그분이 일제 시대에 관리 노릇을 하였고 더구나 면장을 오랫동안 지낸 것은 사실이지만, 그 시국에 누군들 면장을 해야 했을 거이고, 더구나 일본 사람이 면장을 했던 것보담야 훨씬 나았지. <u>일본 사람이 ＿＿＿＿＿을 하는 것보다 김만호가 나았다고 생각하며 김만호의 행적을 두둔하고 있네.</u> 나도 일제 시대 여남은 해 동안 교단에 서서 식민지 교육에 앞장섰던 사람으로서 그분의 행적에 대하여 시비를 가릴 자격은 없어. <u>교장 본인은 일제 강점기 때 ＿＿＿＿＿＿＿에 앞장섰다고 해.</u> 큰집에서 내가 좀 강경하게 말한 것은 자네 칠촌 말일세. 일본 가서 살아서 이곳 사정을 모르는 처지에 이러쿵저러쿵 하는 바람에 비위가 상했던 거야. 자기도 그곳에서 살았으면 아니, 일본 사람에게 협조하지 않고 독야청청 민족과 나라를 위하여 애국만 하며 살 수 있었겠냔 말이네. <u>일제 강점 하 조선에서 일본 사람에 ＿＿＿＿＿ 하지 않고는 살아갈 수 없었다고 해명하고 있어.</u> 어림없어. 아마 먼저 더 철저하게 일본 사람들에게 붙어살았을지 누가 알아. 사실 이곳에서 살지 않았던 사람은 이곳에 살면서 좋은 일 궂은 일 모두 겪었던 사람들에 대해서는 말을 말아야 돼."

　재종숙의 처사가 못마땅하다는 것이었다. <u>교장 어른은 일제 시대에 일본에 동조했던 김만호의 삶을 두둔하며, 일본에 가서 살아 조선의 사정을 모르면서 당시 일제에 붙어 살았던 이들의 행동을 (긍정적/부정적)으로 평가하는 재종숙을 ＿＿＿＿＿</u>

_____ 여기는군. 그런 교장 어른에게서도 새로운 김만호의 면모를 찾을 수 없을 것 같았다. '나'는 교장 어른에게서 김만호의 _____ 를 찾을 수 없을 것 같다고 생각해.

장면끊기 02 김만호에 대한 새로운 이야기를 듣고자 교장 어른을 찾아 간 '나'는 김만호를 (비판/두둔)하는 교장 어른의 말을 듣고, 새로운 김만호의 면모를 찾을 수 없다고 생각하게 돼.

－ 현길언, 「신열(身熱)」 －

현대소설 독해의 STEP 2

1 인물 간의 관계를 고려하여 구조도의 빈칸에 적절한 말을 채우세요.

구조도

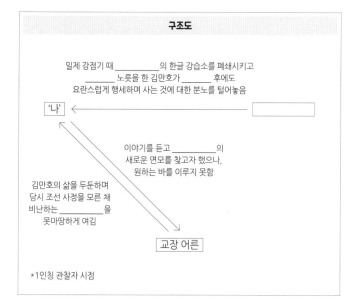

일제 강점기 때 _____의 한글 강습소를 폐쇄시키고 _____ 노릇을 한 김만호가 _____ 후에도 요란스럽게 행세하며 사는 것에 대한 분노를 털어놓음

'나' ←_____

이야기를 듣고 _____의 새로운 면모를 찾고자 했으나, 원하는 바를 이루지 못함

김만호의 삶을 두둔하며 당시 조선 사정을 모른 채 비난하는 _____을 못마땅하게 여김

교장 어른

*1인칭 관찰자 시점

2 1~2번 문제를 풀어 보세요.

1. 윗글의 내용으로 미루어 알 수 없는 것은?

① '김만호'는 현실의 변화를 재빨리 수용한다.

② '김만호'와 '강 목사'는 삶의 태도와 관점이 매우 다르다.

③ '교장 어른'은 '강 목사'보다는 '김만호'의 입장에 서 있다.

④ '나'는 '재종숙'과 '교장 어른'이 화해할 수 있다고 생각한다.

⑤ '재종숙'은 '김만호'의 수상 문제가 사회 정의와 관련되어 있다고 본다.

2. 문학 개념어 OX 확인 문제

① 대화를 통해 인물의 성격을 간접적으로 제시하고 있다. 　　○ ✕

② 상징적 소재를 활용하여 주제를 암시적으로 드러내고 있다. 　　○ ✕

현대소설 독해의 STEP 1

1 주요 인물에 ☐ 표시를 하고, 빈칸에 적절한 말을 채우세요.

1945년 8월 15일, 역사적인 날.

이날도 신기료장수 방삼복은 종로의 공원 건너편 응달에 앉아서, 구두 징을 박으면서, 해방의 날을 맞이하였다. 그러나 삼복은 감격한 줄도 기쁜 줄도 모르겠었다. 지나가는 행인이, 서로 모르던 사람끼리면서 덥쑥 서로 껴안고 기뻐하고 눈물을 흘리고 하는 것이, 삼복은 속을 모르겠고 차라리 쑥스러 보일 따름이었다. **방삼복은 ＿＿＿＿을 기뻐하는 사람들에게 공감하지 못하고 있어.** ㉠몰려 닫는 군중이 오히려 성가시고, 만세 소리가 귀가 아파 이맛살이 지푸려질 지경이었다.

몰려다니고 만세를 부르고 하기에 미처 날뛰느라고 정신이 없어, 손님이 없어, 손님이 부쩍 줄었다.

"우랄질! 독립이 배부른가?"

이렇게 그는 두런거리면서 반감이 솟았다. **방삼복은 ＿＿＿이 줄자 해방에 대한 반감을 드러내지.**

장면끊기 01 해방의 날을 맞았지만 기뻐하기는커녕 손님이 줄어든 것에 ＿＿＿을 가지는 방삼복의 모습이 첫 번째 장면으로 제시되었어.

이삼 일 지나면서부터야 삼복에게도 삼복에게다운 해방의 혜택이 나누어졌다.

십 전이나 십오 전에 박아 주던 징을, 오십 전을 받아도 눈을 부라리는 순사를 볼 수가 없었다. ㉡순사가 없어졌다면야, 활개를 쳐 가면서 무슨 짓을 하여도 상관이 없고 무서울 것이 없던 것이었다.

"옳아, 그렇다면 독립도 할 만한 건가 보다." **방삼복은 ＿＿을 더 받을 수 있게 되자 비로소 해방을 기뻐해.**

삼복은 징 열 개를 박아 주고 오 원을 받아 넣으면서 이렇게 속으로 중얼거리기까지 하였다.

장면끊기 02 첫 번째 장면에서는 해방 당일 방삼복의 모습이 나타났다면, 두 번째 장면에서는 그로부터 ＿＿＿＿일이 흐른 시점에서의 방삼복의 모습을 보여 주고 있어. 손님이 줄었다는 이유로 독립에 반감을 가지던 방삼복은 며칠 뒤 ＿＿＿＿가 사라져 돈을 더 받을 수 있다며 기뻐하지. 이 두 장면을 통해 역사의식 없이 자신의 경제적 이득에 따라 해방을 바라보는 방삼복의 태도를 비판적으로 인식해 볼 수 있어야겠지?

그러나 며칠이 못 가서 삼복은 다시금 해방을 저주하여야 하였다. 삼복이 저 혼자만 돈을 더 받으며, 더 받아 상관이 없는 것이 아니라, 첫째 도가(都家)들이 제 맘대로 재료 값을 올리던 것이었다. 징, 가죽, 고무, 실 모두가 오곱 십곱 비싸졌다. 그러니 ㉢신기료장수는 손님한테 아무리 비싸게 받는댔자 재료를 비싼 값으로 사야 하니, 결국 도가만 살찌울 뿐이지 소득은 전과 크게 다를 것이 없었다.

"이런 옘병헐! 그눔에 경제겐 다 어디루 가 뒈졌어. 독립은 우라진다구 독립을 헌담." **방삼복은 ＿＿＿＿＿이 비싸져 소득이 전과 다를 것이 없어지자 다시 독립에 대한 반감을 드러내.**

석양 때 신기료 궤짝 어깨에 멘 채 홧김에 막걸리청으로 들어가, 서너 사발 들이켜고는 그는 이렇게 게걸거렸다.

장면끊기 03 다시 며칠 뒤의 상황이 제시되었어. ＿＿＿＿한 날로부터 시간의 흐름에 따라 사건이 전개되고 있어. 이익에 따라 일희일비하며 일관성이 없어 보이는 방삼복의 태도를 파악하고 넘어가자.

[중략 부분의 줄거리] 영어 실력 덕에 미군 통역관이 된 방삼복은 권력을 얻는다. 친일 행위로 모은 재산을 해방 이후에 모두 빼앗긴 백 주사는 방삼복을

만나 자신의 재산을 되찾아 달라고 부탁한다.

㉣옛날의 영화가 꿈이 되고, 일보에 몰락하여 가뜩이나 초상집 개처럼 초라한 자기가 또 한번 어깨가 움츠러듦을 느끼지 아니치 못하였다. 그런데다 이 녀석이, 언제 적 저라고 무엄스럽게 굴어 심히 불쾌하였고, 그래서 엔간히 자리를 털고 일어설 생각이 몇 번이나 나지 아니한 것도 아니었다. 그러나 참았다. **백 주사는 방삼복으로 인해 ＿＿＿＿함을 느끼면서도 이를 참아.**

보아 하니 큰 세도를 부리는 것이 분명하였다. 잘만 하면 그 힘을 빌려, 분풀이와 빼앗긴 재물을 도로 찾을 여망이 있을 듯싶었다. 분풀이를 하고, 더구나 재물을 도로 찾고 하는 것이라면야 코삐뚤이 삼복이는 말고, 그보다 더한 놈한테라도 머리 숙이는 것쯤 상관할 바 아니었다. **백 주사는 방삼복의 힘을 빌려 복수를 하고 ＿＿＿을 되찾고자 하.**

"그러니, 여보게 미씨다 방……."

있는 말 없는 말 보태 가며 일장 경과 설명을 한 후에, 백 주사는 끝을 맺기를,

"어쨌든지 그놈들을 말이네, 그놈들을 한 놈 냉기지 말구섬 죄다 붙잡아다가 말이네, 괴수놈들일랑 목을 썰어 죽이구, 다른 놈들 일랑 뼉다구가 부러지두룩 두들겨 주구. 꿇어앉히구 항복 받구. 그리구 빼앗긴 것 일일이 도루 다 찾구. 집허구 세간 쳐부신 것 말끔 다 물리구…… 그렇게만 해 준다면, 내, 내, 재산 절반 노나 주문세, 절반. 응, 여보게 미씨다 방."

"염려 마슈."

미스터 방은 선뜻 쾌한 대답이었다.

"진정인가?"

"머, 지끔 당장이래두, 내 입 한 번만 떨어진다 치면, 기관총 들멘 엠피가 백 명이구 천 명이구 들끓어 내려가서, 들이 쑥밭을 만들어 놉니다, 쑥밭을."

"고마우이!"

백 주사는 복수하여지는 광경을 서언히 연상하면서, 미스터 방의 손목을 덥쑥 잡는다.

"백골난망이겠네."

"놈들을 깡그리 죽여 놀 테니, 보슈."

"자네라면야 어렵하겠나."

"흰말이 아니라 참 ○○○ 박사두 내 말 한마디면 고만 다 제바리유." **자신을 도와주면 재산의 ＿＿＿을 나눠 주겠다는 백 주사의 말에, 방삼복은 자신의 권력으로 쉽게 해결할 수 있다는 자신감을 보이며 (수락/거절)하고 있네.**

미스터 방은 그리고는 냉수 그릇을 집어 한 모금 물고 꿀쩍꿀쩍 양치를 한다. ㉤웬 버릇인지, 하여간 그는 미스터 방이 된 뒤로, 술을 먹으면서 양치하는 버릇이 생겼었다.

양치한 물을 처치하려고 휘휘 둘러보다, 일어서서 노대로 성큼 성큼 나간다.

장면끊기 04 중략 부분의 줄거리부터는 새로운 인물인 ＿＿＿＿＿＿가 등장하여 방삼복과 대화를 나누고 있어. 백 주사는 친일 행위를 통해 모은 재산을 되찾기 위해 불쾌함을 느끼면서도 방삼복에게 비굴하게 부탁하고, 이에 중략 이전과는 달리 ＿＿＿＿＿＿＿＿이 된 방삼복은 으스대며 부탁을 들어주겠다 장담해. 두 인물을 통해 기회주의적으로 행동하며 이익을 좇던 당대의 세태에 대한 작가의 비판 의식을 엿볼 수 있네.

– 채만식, 「미스터 방」 –

현대소설 독해의 STEP 2

1 인물 간의 관계를 고려하여 구조도의 빈칸에 적절한 말을 채우세요.

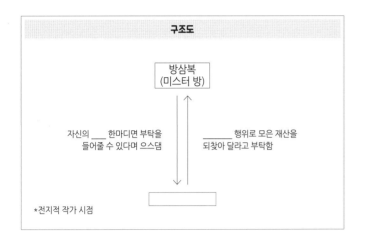

구조도

방삼복
(미스터 방)

자신의 ＿＿ 한마디면 부탁을
들어줄 수 있다며 으스댐

＿＿＿＿ 행위로 모은 재산을
되찾아 달라고 부탁함

*전지적 작가 시점

2 1~2번 문제를 풀어 보세요.

1. ㉠~㉤에 대한 설명으로 적절한 것은?

① ㉠: 새로운 국가의 미래를 비관적으로 전망하는 인물의 복잡한 심정을 표현한다.

② ㉡: 치안 부재의 상황으로 인해 야기된 인물의 슬픔과 분노를 표현한다.

③ ㉢: 물가 상승으로 대표되는 경제 상황에 대한 인물의 불편한 심경을 표현한다.

④ ㉣: 전통 윤리를 회복해 타락한 세태를 견뎌내고자 하는 인물의 의지를 표현한다.

⑤ ㉤: 새로운 생활 문화를 체험하며 나타나는 인물의 혼란스러운 내면을 표현한다.

2. 문학 개념어 OX 확인 문제

① 서술자가 작중 상황과 사건을 전지적 시점으로 전달하고 있다.　　○ ✕

② 서술자는 과거와 현재를 반복적으로 교차시켜 사건에 입체감을 부여하고 있다.
　　　　　　　　　　　　　　　　　　　　　　　　　　　　○ ✕

하루 30분, 현대소설 트레이닝

현대소설 독해의 STEP 1

1 주요 인물에 ☐ 표시를 하고, 빈칸에 적절한 말을 채우세요.

주재소는 그를 노려보았다. 툭하면 오라, 가라, 하는데 학질이었다. 어느 동리고 가 있다가 불행히 일만 나면 누구보다도 그부터 붙들려 간다. 왜냐면 그는 전과 사범이었다. 처음에는 도박으로, 다음엔 절도로, 또 고 담에는 절도로, 절도로. 그는 도박과 _____로 전과 사범이기 때문에 동리에 범죄가 생기면 범인으로 의심받아 _____로 불려 오는 것에 진이 빠진대.

그러나 이번 멀리 아우를 방문함은 생활이 궁하여 근대러 왔다거나 혹은 일을 해 보러 온 것은 결코 아니었다. 혈족이라곤 단 하나의 동생이요, 또한 오래 못 본지라 때 없이 그리웠다. 그는 오래 못 본 동생에 대해 _____을 느껴 방문한 거야. 그래 모처럼 찾아온 것이 뜻밖에 덜컥 일을 만났다.

지금까지 논의 벼가 서 있다면 그것은 성한 사람의 짓이라 안 할 것이다.

응오는 응고개 논의 벼를 여태 베지 않았다. 이미 논의 벼를 베었어야 할 시기에, 응오는 응고개 논의 벼를 (베었어./아직 베지 않았다.) 물론 응오가 베어야 할 것이나, 누가 듣든지 그 형 응칠이를 먼저 의심하리라. 그럼 여기에 따르는 모든 책임을 응칠이가 혼자 지지 않으면 안 될 것이다.

응오는 진실한 농군이었다. 나이 서른하나로 무던히 철났다 하고 동리에서 쳐주는 모범 청년이었다. 그런데 벼를 베지 않는다. 남은 다들 거둬들였고 틀기까지 하련만 그는 ㉠벨 생각조차 않는 것이다. 동리에서 인정하는 _____이지만, 응오는 벼를 벨 생각조차 않아.

지주라든 혹은 그에게 장리*를 놓은 김 참판이든 뻔찔 찾아와 벼를 베라 독촉하였다.

"얼른 털어서 낼 건 내야지."

하면 그 대답은,

"계집이 죽게 됐는데 벼는 다 뭐지유—"

하고 한결같이 내뱉는 소리뿐이었다. 응오는 얼른 벼를 털어 빚을 갚으라는 _____와 김 참판의 독촉에도 _____의 병환을 이유로 벼를 베지 않아.

하기는 응오의 아내가 지금 기지 사경이매 틈은 없었다 하더라도 돈이 놀아서 약을 못 쓰는 이 판이니 진시 벼라도 털어야 할 것이다. 그러면 왜 안 털었던가.

장면끊기 01 그리운 동생인 _____를 보기 위해 방문한 형 _____에 대한 소개 이후 논의 벼를 아직 베지 않은 응오의 현재 상황이 제시되었어. 이후에 응오가 ___를 털지 않는 이유가 설명될 테니 여기서 장면을 끊자.

그것은 작년 응오와 같이 지주 문전에서 타작을 하던 친구라면 묻지는 않으리라. 한 해 동안 애를 졸이며 홑자식 모양으로 알뜰히 가꾸던 그 벼를 거둬들임은 기쁨에 틀림없었다. 꼭두새벽부터 엿, 엿, 하며 괴로움을 모른다. _____까지만 해도 응오는 한 해 동안 알뜰히 가꾸던 벼를 거둬들이는 _____에 꼭두새벽부터 이루어진 노동에도 _____을 모른 채 열심히 일했어. 그러나 캄캄하도록 털고 나서 지주에게 도지*를 제하고, 장리쌀을 제하고, 색초*를 제하고 보니 남은 것은 ㉡등줄기를 흐르는 식은땀이 있을 따름. 그것은 슬프다 하기보다 끝없이 부끄러웠다. 벼를 털고 난 후, 응오는 도지와 장리쌀, 색초를 제하고 남은 것이 없어 _____을 느꼈대. 같이 털어 주던 동무들이 뻔히 보고 섰는데 빈 지게로 덜렁거리며 집으로 돌아오는 건 진정 열적기 짝이 없는 노릇이었다. 참다 참다 못해 응오는 눈에 눈물이 흘렀던 것이다. 벼를 털고 난

후 남은 것이 없어 빈 지게를 지고 초라하게 돌아오기 겸연쩍고 부끄러워, 응오는 슬퍼하며 _____을 흘렸다.

장면끊기 02 응오가 지금 벼를 거두지 않는 이유는 _____에 벼를 거두고 나서도 남는 것이 없기 때문이야. 위 장면에서는 과거 일을 요약적으로 제시하고 있다는 점에 주목해 보자. 그리고 이제 다시 (과거/현재)의 이야기가 진행될 테니 여기서 장면을 끊을게.

가뜩한데 엎치고 덮치더라고 올해는 고나마 흉작이었다. 샛바람과 비에 벼는 깨깨 비틀렸다. 이놈을 가을하다간 먹을 게 남지 않음은 물론이요 빚도 다 못 가릴 모양. 에라, 빌어먹을 거 너들끼리 캐다 먹든 말든 멋대로 하여라, 하고 내던져 두지 않을 수 없다. 벼를 거뒀다고 말만 나면 빚쟁이들은 우— 몰려들 거니깐. 농사가 작년보다 _____이므로 이것을 가을(거둬들임)해도 남을 게 없을 것이 분명하기 때문에 응오는 벼를 베지 않은 거야.

장면끊기 03 현재로 돌아와 응오가 지금 벼를 베지 않은 이유를 현재의 상황 및 심정과 연관지어 제시했어. 이후에 응오 논의 벼와 관련해 응칠이가 범인 또 다른 사건이 제시되므로 장면을 한 번 더 끊자.

응칠이의 죄목은 여기에서도 또렷이 드러난다. 국으로 가만히 있었다면 좋은 걸 이 사품에 뛰어들어 지주의 뺨을 제법 갈긴 것이 응칠이었다.

처음에야 그럴 작정이 아니었다. 그는 여러 곳 물을 마신 이만치 어지간히 속이 틘 건달이었다. 지주를 만나 까놓고 썩 좋은 소리로 의논하였다. 올 농사는 반실이니 도지도 좀 감해 주는 게 어떠냐고. 그러나 지주는 암말 없이 고개를 모로 흔들었다. 정 이러면 하여튼 일 년 품은 빼야 할 테니 나는 그 논에다 불을 지르겠수, 하여도 잠자코 응치 않는다. 응칠은 _____에게 도지를 감해 달라고 요청했구나. 지주로 보면 자기로도 그 벼는 넉넉히 거둬들일 수는 있다마는, 한번 버릇을 잘못 해 놓으면 여느 작인까지 행실을 버릴까 염려하여 겉으로 독촉만 하고 있는 터이었다. 실상이야 고까짓 벼쯤 있어도 고만 없어도 고만, 그 심보를 눈치 채고 응칠이는 화를 벌컥 낸 것만은 좋으나 저도 모르게 대뜸 주먹뺨이 들어갔던 것이다. 응칠은 _____의 버릇을 잘못 들일 것을 염려해 요청을 거절한 지주의 심보를 알아채고, ___가 나서 뺨을 주먹으로 친 거야.

장면끊기 04 응칠이는 응오를 위해 지주에게 _____를 감해 달라고 찾아갔지만, 요청을 거절당했을 뿐 아니라, 지주의 심보에 화가 나 뺨을 때렸어. 뒤에 장면끊기 01에서 언급된 응칠이에게 닥친 뜻밖의 일이 나오니 여기서 장면을 한번 더 끊자. 과거 회상이 나오면 이렇게 장면이 자주 끊길 수도 있어.

이렇게 문제 중에 있는 벼인데 ㉢귀신의 놀음 같은 변괴가 생겼다. 다시 말하면 벼가 없어졌다. 그것도 병들어 쓰러진 쭉정이는 제쳐 놓고 무얼로 그랬는지 알장 이삭만 따 갔다. 그 면적으로 어림하면 아마 못 돼도 한 댓 말 가량은 되는지!

응칠이가 아침 일찍이 그 논께로 노닐자 이걸 발견하고 기가 막혔다. 누굴 성가시게 굴려고 그러는지. 응칠은 응오의 벼가 도둑맞은 현장을 목격(발견)하고 ___가 막혔어. 산속에 파묻힌 논이라 아직은 본 사람이 없는 모양 같다. 하나 동리에 이 소문이 퍼지기만 하면 저는 어느 모로든 혐의를 받아 폐는 좋이 입어야 될 것이다. 응칠은 응오의 벼가 도둑맞았다는 소문이 나면 (응오가/자신이) 의심 받을 것이라 염려한 거야.

장면끊기 05 응칠에게 닥친 뜻밖의 사건은 바로 _____이었어. 응칠은 자신이 범인으로 의심 받을 것을 걱정하고 있지. 이 다음에 중략이 나오니 여기서 장면을 한 번 끊자.

(중략)

한 식경쯤 지났을까, 도적은 다시 나타난다. 논둑에 머리만 내놓고 사면을 두리번거리더니 그제야 기어 나온다. 얼굴에는 눈만 내놓고 수건인지 뭔지 헝겊이 가리었다. 봇짐을 등에 짊어 메고는 허리를 구붓이 뺑소니를 놓는다.

그러자 응칠이가 날쌔게 달려들며,

"이 자식, 남의 벼를 훔쳐 가니!"

하고 대포처럼 고함을 지르니 논둑으로 고대로 데굴데굴 굴러서 떨어진다. 얼결에 호되게 놀란 모양이다. <u>응오 논의 벼를 훔쳐간 범인을 잡기 위해 매복하고 있던 응칠의 고함에, _____은 놀라서 굴러떨어졌어.</u>

응칠이는 덤벼들어 우선 허리께를 내려조졌다. 어이쿠쿠, 쿠— 하고 처참한 비명이다. 이 소리에 귀가 번쩍 띄어서 그 고개를 들고 팔부터 벗겨 보았다. 그러나 너무나 어이가 없었음인지 시선을 치걷으며 그 자리에 우두망찰한다. <u>도적의 비명 소리를 듣고 놀라 정체를 확인한 응칠은, _____가 없고 얼떨떨해.</u>

그것은 ㉢<u>무서운 침묵이었다.</u> 살뚱맞은 바람만 공중에서 북새를 논다.

한참을 신음하다 도적은 일어나더니,

"성님까지 이렇게 못살게 굴기유?"

제법 눈을 부라리며 몸을 홱 돌린다. 그리고 느끼며 울음이 복받친다. 봇짐도 내버린 채,

"내 것 내가 먹는데 누가 뭐래?"

하고 데퉁스러이 내뱉고는 비틀비틀 논 저쪽으로 없어진다.

형은 너무 ㉣<u>꿈속 같아서 멍하니 섰을 뿐이다.</u> <u>응칠에게 원망 섞인 말을 뱉고 흐느끼며 사라진 _____(=도적)에, 응칠은 복잡한 기분을 느껴.</u>

장면끊기 06 이 장면에서는 응오 논의 벼를 훔쳐간 사람이 응오 본인이었다는 사실이 밝혀지고 있어. ___을 갚으면 남는 것이 없기에 자기가 농사 지은 것을 훔쳐 먹을 수밖에 없는 가난한 소작농의 아이러니한 현실이 그려졌다는 데 주목해 볼 수 있어.

— 김유정, 「만무방」 —

*장리: 돈이나 곡식을 꾸어 주고, 받을 때는 한 해 이자로 본디 곡식의 절반 이상을 받는 변리.

*도지: 남의 논밭을 빌려서 부치는 대가로 해마다 내는 벼.

*색초: 잡초를 제거하는 데 들어가는 비용.

현대소설 독해의 STEP 2

1 인물 간의 관계를 고려하여 구조도의 빈칸에 적절한 말을 채우세요.

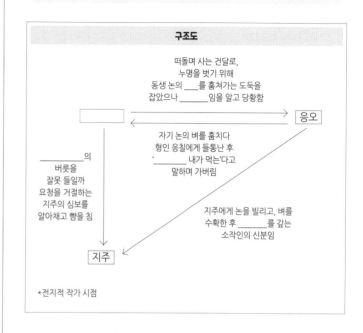

구조도

떠돌며 사는 건달로,
누명을 벗기 위해
동생 논의 ___를 훔쳐가는 도둑을
잡았으나 _____임을 알고 당황함

[_____] ⟷ [응오]

자기 논의 벼를 훔치다
형인 응칠에게 들통난 후
'_____ 내가 먹는'다고
말하며 가버림

_____의
버릇을
잘못 들일까
요청을 거절하는
지주의 심보를
알아채고 뺨을 침

지주에게 논을 빌리고, 벼를
수확한 후_____를 갚는
소작인의 신분임

[지주]

*전지적 작가 시점

---

2 1~2번 문제를 풀어 보세요.

1. ㉠~㉣에 대한 설명으로 적절하지 <u>않은</u> 것은?

① ㉠: '진실한 농군'의 행위인 점에 비추어, 의도가 단순치 않음을 짐작할 수 있다.

② ㉡: 노동의 결과가 남지 않았다는 점에서 쓸쓸함과 안타까움이 느껴진다.

③ ㉢: 새로운 문제의 발생으로 사건이 의외의 방향으로 흘러갈 것이라 예상된다.

④ ㉣: 싸움 중에 잠시 찾아온 침묵으로, 상대방에 대한 경계심이 표현되어 있다.

⑤ ㉤: 뜻밖의 상황을 당해 당혹스러워 하는 인물의 모습을 떠올리게 한다.

2. 문학 개념어 OX 확인 문제

① 다양한 인물들의 경험을 삽화 형식으로 나열하고 있다. ○ ✕

② 회상을 통해 수확해도 얻을 것이 없는 서글픈 현실을 표현하고 있다. ○ ✕

현대소설 독해의 STEP 1

1 주요 인물에 ☐ 표시를 하고, 빈칸에 적절한 말을 채우세요.

"아! 아즈머니슈?"

컴컴한 속에서 자취도 없이 다가오다가 박일성이가 말을 건다. 조고만 체통에 비를 쪼르를 맞은 행색은 쪽제비 같고 삽살개 같으나 캄캄한 속에서 반짝이는 눈은 올빼미 눈 같다.

"수고하셨습니다."

필준이댁의 말에는 역시 가시가 품겨 있었다. <u>필준이댁은 _____</u>
<u>을 그다지 좋게는 생각하지 않는 모양이야.</u>

"수고랄 거 있습니까. 애쓴 보람 없이 미안합니다. 하지만 아무 염려 마세요. 저기 가서 자리만 잡히면 곧 편지가 올 거니까 따라 가서 편안히 사시게 될 겁니다."

이 집 살림을 제가 맡아보는 듯한 수작이다.

"그런데 하꼬방*은 꼭 헐라는 건지요?"

이 남자와 다시는 인사도 어울리기는 싫었으니 당장 급한 사정이라 말을 돌렸다. <u>필준이댁은 박일성과 되도록 엮이고 싶지 않지만, 지금은 그럴</u>
<u>수 없는 급한 _____이 있는 모양이군.</u>

"그렇기는 하지만 어차피 가시게 될 텐데 그까짓 하꼬방쯤 내게 맡기구 가시구려."

㉠"가긴 어딜 가요? 누가 가라 마라 해요."

필준이댁은 발끈하며 핏대를 돌리다가 지금 말눈치 보아서는 당장 헐어 가라는 것은 아닌 모양이니 무슨 도리를 차리자면, 이 사람을 덧들여 놓아서는 안되겠다는 생각이 들어서 언성을 눅여 사정을 하였다. <u>박일성의 말과 (같이/달리) 필준이댁은 그에게 하꼬방을 맡기고 떠</u>
<u>날 생각이 (있기/없기) 때문에 발끈해. 하지만 이내 자신의 현재 사정을 생각하고는 화를</u>
<u>참는 모습이네.</u>

"혼잣손에 그나마 할 수 있어요. 작자만 나서면 팔아 버릴까 하는데⋯⋯."

"글쎄⋯⋯ 그래 얼마나 받으시게?"

역시 금시로 헐리지는 않을 것을 알고 하는 말눈치 같다. <u>_____</u>
<u>_____은 언젠가 헐릴 것이 예정되어 있으므로 그 전에 팔아서 손해를 면하고자 하는 상황</u>
<u>인가 봐.</u>

"하꼬방만 터값 합쳐 십만 원에 사구 솥 하나 걸었죠. 그 외에 그릇 나부렁이까지 껴서 십오만 원은 받을까 하는데요?"

동네 집에서 쫓겨 나가는 사람들이 반의 삯에도 쩔쩔매는 꼴을 보고 거의 빼앗다시피 헐가로 흥정을 붙여서 저희 동무들에게 넘기는 것이었지마는, 하여간 그런 자국에 소개도 곧잘 하는 박일성이기 때문에 이러한 말도 꺼낸 것이었다.

"아 언제 헐릴지 모르는 걸 십오만이라니 어림두 없습니다. 게다가 ㉡그까짓것 붙들구 앉았어야 세금은 점점 오르구⋯⋯."

세금 노래를 꺼내는 것을 보니, 너 같은 빨갱이도 그런 줄이나 아는구나 하고 필준이댁은 속으로 웃자니까

"한 오만 원이라면 내가 살까!"

하고 쌕 웃는다. 필준이 내외가 걷어붙이고 나서서 하꼬방 하나로 다섯 식구가 뜯어먹고 사는 것을 보고, 저희는 쌀배급 광목배급이니 소고기가 공짜로 들어왔느니 하고 떵떵거리고 살면서도 그 하꼬 방이 부러워서 여편네를 그런 거나 시켜 보았으면 하고 배를 앓던 박일성이었으니 제가 사겠다는 말도 실없는 소리가 아닐 것 같기는

하다. 박일성은 평소에 필준 내외가 하꼬방으로 생계를 꾸려나가는 것을 보며 _____
_____하고 있었대. 그래서 ____만 원 정도의 값이라면 자신이 하꼬방을 살 수도 있다며
나서는 것이군.

장면끊기 01 필준이댁과 박일성이 _____를 나누는 상황이 하나의 장면으로 제시
되었어. 필준이댁은 박일성을 (긍정적/부정적)으로 여기고 있으며, 박일성은 필준 내외의
하꼬방을 평소 탐내어 왔네.

[중략 부분의 줄거리] 인민군에게 끌려갔던 필준은 겨우 도망쳐 집으로 돌 아와 비밀 지하실에 숨어 지낸다. 그러나 며칠이 지나지 않아 평소 하꼬방을 탐내던 박일성 반장 내외가 이를 눈치 채고, 반장댁은 내무서원과 인민군을 대동하고 필준이댁(진숙 어머니)의 집으로 갑자기 들이닥친다. 박일성과 그의 아내인 _____이 인민군에게 _____의 행방을 신고한 모양이야.

"지하실은 어디야?"

이때까지 다다미를 밟는 투박스러운 구둣발자국 소리밖에는 무거운 침묵에 잠겨 있던 캄캄한 속에서 검은 그림자가 앞을 우뚝 막아서며 그 거센 목소리로 무덤 속같이 조용한 밤공기를 휘저어 놓는다.

"이 동네 집에는 지하실이 없에요."

지하실이란 말에 남편의 얼굴이 또 떠오르면서 속이 떨렸다.
<u>_____에 숨어 있는 남편 필준이 발각될까 봐 두려워하고 있어.</u>

"마루 밑에 없으면 다다미 밑에라도 팠겠지?"

진숙 어머니는 다시 머리가 어찔하였다.

'하누님 맙시사!'

하고 속으로 빌었다. 전신의 기운이 쏙 빠지고 다리가 풀려서 그 대로 주저앉을 것 같은 것을 간신히 몸을 가누고 섰다. <u>다다미 ___까지</u>
<u>샅샅이 수색하려고 하자 진숙 어머니(필준이댁)가 느끼는 긴장과 초조함이 극에 달하고 있어.</u>

"여보 이리 오슈."

마루 끝에서 치어다보고 섰는 병정에게 소리를 치고 내무서원이 앞장을 서 방으로 다시 들어간다.

아이들 옆의 빈자리를 구둣발로 걷어차며

"여길 열어 봐."

하고 호령을 한다.

뒤따라 들어온 진숙 어머니가 요를 걷어치우고 다다미를 들어 내려니까 어느 틈에 들어왔는지 반장 여편네도 머리맡으로 가서 거든다. 다다미를 들어내고 널판지를 벗긴 뒤에 회중전등을 비춰 보아야 별 수는 없었다. ㉢<u>김이 빠져 머쓱해진 내무서원은 여전히 잠자코 온돌방을 거쳐 삼조 방으로 뚜벅뚜벅 건너간다.</u> 아이들이 자는 방의 _____를 뜯어 보라고 자신만만하게 명령하였는데, 아무것도 발견되지 않자 내무서원은 _____하고 있어. 하지만 수색을 멈추지는 않고 있네.

아이들은 이 법석에도 세상 모르고 곤드라져 숨소리 없이 잔다.

인제는 될 대로 되라고 기진맥진한 진숙 어머니는 등신처럼 멀거니 섰기만 하다가 반장 여편네가

"여보 그래두 어떻게 됐는지 가 봅시다."

하고 등을 미는 바람에, 온돌방으로 들어서니 벌써 남편의 기어 나오는 허연 그림자가 눈에 힐끗 띈다. ㉣<u>진숙 어머니는 그 자리에 우뚝 섰다.</u> 자포자기한 심정이었던 진숙 어머니는 결국 _____과 인민군 에게 발각된 필준을 보고는 그대로 굳어버리고 말아.

⋯⋯철그럭⋯⋯.

수갑을 채우는 소리다. 다음 순간 남편은 고개를 푹 수그리고 앞장을 서고 내무서원 병정 반장 여편네…… 아무 소리도 없이 줄달아 나온다. 밖에 나와서도 반장 여편네는 진숙 어머니의 옆을 지날 때 외면을 하였다. 자신의 신고로 필준이 인민군에게 잡히게 된 것이므로 진숙 어머니를 _____하려는 거지.

얼이 빠져 섰던 진숙 어머니는 무슨 새 힘이 났는지 쭈르를 뛰어나가 남편 옆으로 가까이 다가섰다.

그러나 입이 벌어지지를 않는다. 다만 현관에서 고무신을 바로 놓아 주었다.

ⓜ"아이들하구 잘 있어!"

내무서원이 문을 열어 주니까 필준이는 멈칫하고 얼굴을 돌리며 한마디 던지듯이 하고 나간다.

"안녕히 가세요."

반장 여편네가 꼬박 인사를 하고 문밖에 나선 진숙 어머니에게는 알은체도 없이 달음질을 쳐서 저의 집으로 들어가 버린다. 진숙 어머니는 이를 악물었다.

진숙 어머니는 남편의 그림자가 골목 모퉁이를 곱뜨려 스러질 때까지 벙어리처럼 아무 소리 없이 멀거니 섰었다. 눈에는 눈물 한 점 스며나지 않았다. 대문도 거는 것을 잊어버리고 방으로 들어온 진숙 어머니는 자는 아이들 옆에 쓰러지며 고개를 파묻고 비로소 목이 메어 울음이 복받쳤다. 진숙 어머니는 인민군에게서 겨우 도망쳐 나와 집에 숨어 있던 남편이 다시금 _____에게 끌려간 절망적인 상황으로 인해 오열하고 있어. 한 십 분은 그대로 인사 정신 없이 울었으리라. 어머니 울음소리에 아이들이 부시시 눈을 뜨고 일어나자 진숙 어머니는 몸을 어떻게 지향할 수가 없는 듯이 별안간 벌떡 일어나서

"이놈의 원수를 어떻게 갚나—" _____는 남편이 잡혀간 일의 원흉인 박일성 내외나 인민군을 가리키는 말이겠지? 진숙 어머니는 이들을 향한 분노를 드러내고 있어.

하고 소리를 고래고래 지르는 바람에 잠이 덜 깨어 멀거니 앉았는 아이들은 혼이 나서 어머니가 미쳤다? 하고 덜덜 떨고 있다. 정확한 사정을 모르는 _____은 오열하다가 고래고래 소리를 지르며 화를 내는 _____의 모습을 보고 이상하게 생각하며 떨고 있네.

장면끊기 02 집안의 비밀 지하실에 숨어 있던 _____이 인민군에게 체포되어 가는 장면이야. 남편을 찾기 위해 수색하는 내무서원과 인민군을 보며 필준이댁이 느끼는 초조하고 불안한 심리, 남편이 잡혀간 뒤의 참을 수 없는 슬픔과 (체념이/분노가) 세밀하게 서술되어 있어. 중략 이전에 언급된 _____에 대한 박일성의 욕심이 중략 이후의 사건을 발생하게 한 요인이 되었다는 점에서, 두 장면을 연결해서 정리해 볼 수 있지.

– 염상섭, 「탐내는 하꼬방」 –

*하꼬방: 판잣집을 뜻하는 일본어.

현대소설 독해의 STEP 2

1 인물 간의 관계를 고려하여 구조도의 빈칸에 적절한 말을 채우세요.

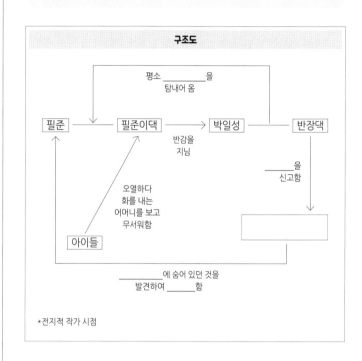

*전지적 작가 시점

---

2 1~2번 문제를 풀어 보세요.

1. ㉠~㉤에 대한 설명으로 적절하지 <u>않은</u> 것은?

① ㉠: 필준이댁은 자신의 의사에 반하는 박일성의 말에 불편한 심기를 드러내고 있다.

② ㉡: 박일성은 상황 판단에 어려움을 겪고 있는 필준이댁을 염려하고 있다.

③ ㉢: 내무서원은 자신의 예측과 다른 결과에 멋쩍어 하면서도 하던 일을 지속하고 있다.

④ ㉣: 진숙 어머니는 자신이 걱정하던 상황이 일어난 것에 대해 충격을 받고 있다.

⑤ ㉤: 필준은 자신이 처한 부정적 상황에서도 아내와 자식들을 걱정하고 있다.

2. 문학 개념어 OX 확인 문제

① 외양 묘사를 통해 인물의 특징을 드러내고 있다. ○ ✕

② 서술자를 교체하여 새로운 사건을 도입하고 있다. ○ ✕

현대소설 독해의 STEP 1

1 주요 인물에 ▢ 표시를 하고, 빈칸에 적절한 말을 채우세요.

　물론 얼마든지 있을 수 있는 우연의 일치에 지나지 않는 일이겠지만, 봉무제 씨 그가 고모부와 마찬가지로 이북 출신이며 홀아비라는 사실이었다. 그들 두 가지 공통점이 어딘지 모르게 그들 두 사람을 하나로 비끄러매고 있다는 인상을 나는 강하게 받았으며, 따라서 내가 회사를 출발하여 인쇄소로 향해 오면서 얼핏 겪었던 착각 내지는 혼동이 반드시 착각이나 혼동만은 아닐 뿐더러 고모부와 봉무제 씨가 동일인임을 뒷받침하는 유력한 방증이 바로 그와 같은 공통점이었구나 하는 다른 또 하나의 기묘한 착각 속에 나도 모르게 빠져들고 있었다. '나'는 봉무제 씨와 고모부가 _____ 출신이며 홀아비라는 공통점을 갖고, 그것이 두 사람을 _____으로 착각하게끔 만들었다고 생각하고 있어.

　이번에는 내가 화제 속에 끼여들 차례였다.

　㉠"조현봉 씨가 물질적인 손해를 감수하면서까지 무제를 고집하는 이유는 뭘까요?" '나'는 조현봉 씨가 _____를 고집하는 이유를 궁금해하고 있어.

　앞서 과장의 지적도 있고 해서 나는 늙다리 문선공*을 구태여 본인이 싫어한다는 별명으로 부르지 않으려고 신경을 가외로 써야만 했다. 사실 봉무제란 별명이 나에겐 그럴 수 없이 친숙한 반면에 조현봉이란 본명은 너무 생소한 것이었다. 조현봉이 본명이고, 그의 별명이 _____인 거구나. '나'는 그를 본명으로 부르기 위해 애쓰고 있어.

　"그 영감 속셈이 워낙 굴속 같아서 어느 누구도 짐작을 못 하죠. 무제란 말이 무슨 뜻인지는 알고 있겠죠?"

　"알고 있습니다."

　"인생무상쯤으로 우리는 추측하고 있어요. 어쩌면 그게 맞는 해석일지도 모르죠. 영감이 느끼는 허무주의가 그런 식으로 표현되는 것 같습니다." 과장은 조현봉이 무제에 집착하는 이유가 그가 느끼는 _____ 때문이라고 생각해.

　㉡"그렇게 거창한 내용이 아니라 매일 되풀이되는 단순한 작업에서 오는 무심한 장난이나 악의 없는 사보타주* 같은 건 혹 아닐까요?" 과장의 의견과 달리 '나'는 조현봉의 집착이 무심한 _____이나 사보타주 같은 게 아니냐고 하지.

　"한선생이 조영감한테 직접 질문해 보시지요."

　"제가 물어 보면 제대로 대답을 해줄 것 같습니까?"

　㉢"아마 하긴 할 겁니다. 영감은 틀림없이 이렇게 나올 겁니다. 갑자기 이맛살을 잔뜩 찌푸리면서 아무 말도 없이 돌아선 다음에 작업을 중단하고 유령같이 흐느적거리면서 밖으로 나가 버립니다. 그것이 바로 영감의 대답인 셈입니다." 과장은 조현봉에게 '나'가 직접 질문한다면 그는 _____도 없이 밖으로 나가 버릴 거라고 하네.

　말을 마치고 과장은 자기 휘하의 공원들을 감독하기 위해 외빈용 교정실을 떠났다. 그가 떠나고 난 자리에 커다란 의문부호 하나가 덩그렇게 남았다. 과장과의 대화로는 조현봉의 무제에 대한 집착에 관한 '나'의 의문이 (해소되었어./해소되지 않았어.)

　기계 돌아가는 소리가 꽤나 요란했다. 잠시 잊고 있던 인쇄 잉크 냄새도 다시 맡을 수 있었다. 활자들이 풍기는 납 냄새도 그 속엔 섞여 있을 거라고 나는 막연히 짐작을 해보았다. 납 같은 비철금속에도 과연 냄새다운 냄새가 있을까? 나는 틀림없이 있을 거라

멋대로 단정을 내리고 있었다. 틀림없이 있어서 그 돌덩이처럼 무거운 냄새가 사람을 타고 누르면서 납작하게 바닥으로 끌어내리고 있을 거라고 생각했다.

장면끊기 01 '나'는 봉무제 씨와 _____가 동일인이라고 착각할 만큼 비슷하다고 생각하고 있어. 그리고 봉무제 씨가 무제에 집착하는 이유를 알기 위해 _____과 대화했지만 의문이 해소되지는 않았지.

　처음 출판사에 입사해서 내 몫의 교정지를 받아 보고 나는 적잖이 당황했다. 페이지마다 곳곳에서 발견되는 '무제'를 나는 이해할 수가 없었다. 그처럼 생경한 단어는 솔직히 말해서 난생 처음 대하는 처지여서 담당 문선공의 기계적인 실수 아니면 억지로 두들겨맞춘 조어로만 알았다. '나'는 교정지에서 '무제'라는 말을 발견하게 되어 당황했어. 처음에는 기계적 실수나 억지로 만든 _____인 줄 알았지.

　뭔가 심상찮은 조짐을 느끼기 시작한 것은 초교 한 꼭지를 다 떼고 나서부터였다. 무제가 무슨 말이냐고 나는 옆자리의 동료에게 슬쩍 물어 보았다. 그 동료는 대뜸 입가에 쓴웃음을 머금는 것이었다. 그리고 가벼운 핀잔이 따랐다. 사전은 그런 때 안 쓰고 언제 쓸 거냐는 이야기였다. 듣고 보니 지당하신 말씀이기도 했다.

　무제(霧堤) [명]【해】배 위에서 보면 마치 육지처럼 보이는 먼 바다의 안개.

　이희승 씨의 국어대사전을 뒤져 본 결과 이런 설명이 나왔다.

장면끊기 02 '나'가 처음 출판사에 입사했던 과거를 떠올리는 부분에서 장면을 나눌 수 있겠네. '무제'라는 말을 교정지에서 발견하고 _____했던 '나'는 동료의 말에 따라 무제의 사전적 정의를 확인하지.

　[중략 줄거리] 나는 평소 나에게 의지하려 했던 고모부를 부랑자로 위장시켜 갱생원에 보내려는 계획을 세우지만, 봉무제 씨의 외로운 죽음에 대해 전해 들은 후 고모부에게 죄의식을 느끼며 고민하게 된다.

　아직도 방울져서 떨어지는 눈물을 수습할 생각도 없이 고모부는 내 얼굴을 멀뚱멀뚱 올려다보았다.

　"생각이 안 나……."

　들릴락말락한 소리로 고모부가 중얼거렸다. 나는 하도 어이가 없어 전등 스위치를 내려 버렸다. 그때까지 나는 스위치를 손으로 붙잡고 있었던 것이다.

　"생각이 안 나……."

　깜깜해진 방 안에서 도로 한 덩어리의 실루엣으로 돌아간 고모부가 나지막이 중얼거렸다.

　"아무리 잠을 안 자고 머리를 쥐어짜 봐도 이름이 생각이 안 나……." 고모부는 어떤 _____을 생각해내려 애쓰고 있어.

　그 순간 나는 하마터면 아아 하고 큰 소리로 부르짖을 뻔했다. 이번에는 얼굴이 아니라 이름이었다. 지난번까지만 하더라도 얼굴은 이미 잊어버렸지만 이름만은 똑똑히 기억하고 있었다. 그때는 얼굴 잊은 것만 가슴아파하고 있었다. 누군가의 이름을 잊어버린 고모부가 그 이름을 떠올리려 애쓰는 모습을 본 '나'는 안타까움을 느끼고 있어. 이전에 고모부는 _____을 잊어버렸지만 이름만은 기억하고 있었는데, 이제 이름마저도 잊어버렸군.

　"우리 그 셋째 녀석 이름을 어떻게든 떠올려 보려고 밤새도록 방바닥에다 대가리를 찧어 보고 머리털을 쥐어뜯어 봐도 끝끝내 알아낼 도리가 없어. 날은 훤히 밝아 오는데, 날이 다 새기 전에 그 녀석 이름을 기어코 생각해 낼 작정이었는데 어디다 붙

들어맨 것같이 ㉣이놈의, 이 미련헌 놈의 대가리가 당최 꼼짝도 허질 않어." 고모부는 _____ 아들의 이름을 기억해내기 위해 애쓰고 있던 거였네.

한바탕 안타까운 중얼거림 끝에 퍽하고 머리통을 방바닥에 부딪는 둔탁한 소리가 났다. 알리바바의 형 카심이 아마 그랬을 것이다. 주문을 까먹는 바람에 바위굴 안에 갇혀 도둑들한테 죽음을 당하게 된 카심 같은 꼴이었다. 나는 '열려라 참깨!' 대신 '이승곤!' 하고 큰 소리로 외치고 싶었다. 이북에 남겨 두고 온 자신의 셋째 아들 이름을 두번 다시 망각하는 일이 없도록 벽력같이 일깨워 주고 싶은 심정이었다. '나'는 고모부가 기억해내려 애쓰는 그 셋째 아들의 _____을 고모부의 기억에 각인시켜 주고 싶다고 느끼지.

"㉤고모부, 끝내 기억이 안 나는 건 어쩔 수 없는 거예요. 기억이 안 나도 그건 결코 고모부 잘못이 아닙니다. 지난 일은 다 잊어버리고 앞일이나 생각하면서 사세요."

그러나 나는 어느 틈에 고모부한테 이렇게 말하고 있었다. '나'는 결국 그 이름을 고모부에게 (알려 주네./알려 주지 않네.) 먼 바다의 안개를 육지로 착각하는 일이 고모부한테 다시는 없도록 하기 위함이었다. 이젠 이름조차도 기억이 안 난다고 울먹이는 소리를 들었을 바로 그때 나는 무슨 업보인지는 몰라도 고모부의 여생을 책임지는 일이 다른 누구 아닌 바로 내 발등에 떨어졌음을 이미 직감했던 것이다. 앞으로 내가 승곤이의 대역을 효과적으로 수행해 나가기 위해서는 나하고 동갑내기인 그의 이름을 끝까지 고모부한테 발설하지 않을 필요가 있었던 것이다. '나'가 승곤이의 이름을 고모부에게 알려 주지 않은 것은 고모부의 여생을 돌볼 책임이 바로 _____에게 있다고 생각했기 때문이야. 심신이 극도로 피폐해진 그에게 언제가 될지는 몰라도 조국이 통일되는 그날까지 연명하며 승곤이를 기다리라고 위로한다는 건 어떤 의미에서는 오히려 더 잔인한 행위가 될 것이었다. 고모부가 조국이 _____ 되어 아들인 승곤이를 만나게 되기를 기다리는 것은 곧 먼 바다의 안개를 육지로 _____ 하는 일과 같다는 거네.

"생각이 안 나……."

고모부의 중얼거림을 들으면서 나는 아내에게 갱생원이란 데가 원래 지낼 만한 곳이 못 된다는 사실을 넌지시 귀띔해 주었다. '나'는 고모부를 _____에 보내지 않고 자신이 돌보겠다고 다짐해.

장면끊기 03 '나'는 고모부가 자신의 셋째 아들의 이름을 떠올리기 위해 애쓰는 모습을 보며 (분노를/안타까움을) 느껴. 그리고 고모부에게 그 _____을 알려주기보다 자신이 직접 고모부를 부양하겠다고 결심하면서 장면이 마무리되지.

– 윤흥길, 「무제(霧堤)」 –

*문선공: 신문사나 인쇄소 등에서 활판 인쇄를 맡아서 하는 사람.
*사보타주: 노동이나 일을 게을리하여 사용자에게 손해를 끼치는 방법.

현대소설 독해의 STEP 2

1 인물 간의 관계를 고려하여 구조도의 빈칸에 적절한 말을 채우세요.

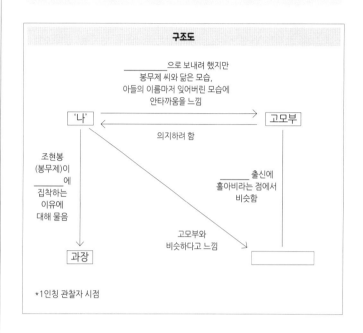

2 1~2번 문제를 풀어 보세요.

1. ㉠~㉤에 대한 설명으로 적절하지 않은 것은?

① ㉠: 이해되지 않는 조현봉 씨의 행동에 대한 '나'의 궁금증이 나타나 있다.

② ㉡: 인쇄소 과장의 생각과는 다른 '나'의 추측이 드러나 있다.

③ ㉢: 제대로 된 대답을 들을 수 없을 것이라는 '인쇄소 과장'의 짐작이 내재되어 있다.

④ ㉣: 셋째 녀석의 이름을 떠올리지 못하는 것에 대한 '고모부'의 자책이 나타나 있다.

⑤ ㉤: 지난 일을 기억하지 못하는 고모부의 행동에 대한 '나'의 원망이 드러나 있다.

2. 문학 개념어 OX 확인 문제

① 특정 인물과 관련된 경험을 제시하며 서술자의 내면을 드러내고 있다.

○ ✕

② 등장인물의 외양을 묘사하여 사건 해결의 실마리를 제공하고 있다. ○ ✕

현대소설 독해의 STEP 1

1 주요 인물에 ☐ 표시를 하고, 빈칸에 적절한 말을 채우세요.

그의 고객은 왜정 시대는 주로 일본인이었고 현재는 권력층이 아니면 재벌의 셈속에 드는 측들이어야만 했다. _{시대의 변화에 발맞추어 권력이나 부를 지닌 이들만을 _____으로 삼는 그의 기회주의적인 성격이 드러나네.}

㉠그의 일과는 아침에 진찰실에 나오자 손가락 끝으로 창틀이나 탁자 위를 훑어 무테안경 속 음푹한 눈으로 응시하는 일에서 출발한다.

이때 손가락 끝에 먼지만 묻으면 불호령이 터지고, 간호원은 하루 종일 원장의 신경질에 부대껴야만 한다.

아무튼 단골 고객들은 그의 정결한 결백성에 감탄과 경의를 표해 마지않는다. _{그는 작은 _____ 하나도 그냥 지나치지 않는 깔끔하고 까다로운 성격의 소유자인가 봐.}

1·4후퇴 시 청진기가 든 손가방 하나를 들고 월남한 이인국 박사다. 그는 수복되자 재빨리 셋방 하나를 얻어 병원을 차렸다. 그러나 이제는 평당 오십만 환을 호가하는 도심지에 타일을 바른 이층 양옥을 소유하게 되었다. 그는 자기 전문의 외과 외에 내과, 소아과, 산부인과 등 개인 병원을 집결시켰다. ㉡운영은 각자의 호주머니 셈속이었지만 종합 병원의 원장 자리는 의젓이 자기가 차지하고 있다.

_{**장면끊기 01** 이인국 박사의 성격과 간단한 내력이 제시되었어. 1·4후퇴 때에 _____한 이인국 박사는 수복 후 병원을 차리고 키우면서 _____ 자리를 차지했대.}

이인국 박사는 양복 조끼 호주머니에서 십팔금 회중시계를 꺼내어 시간을 보았다.

두 시 사십 분!

미국 대사관 브라운 씨와의 약속 시간은 이십 분밖에 남지 않았다. 이 시계에도 몇 가닥의 유서 깊은 이야기가 숨어 있다. 이인국 박사는 시계를 볼 때마다 참말 '기적'임에 틀림없었던 사태를 연상하게 된다. _{이인국 박사는 _____를 보며 기적과도 같았던 과거의 일을 떠올리고 있어.}

왕진 가방과 함께 38선을 넘어온 피란 유물의 하나인 시계. 가방은 미군 의사에게서 얻은 새것으로 갈아매어 흔적도 없게 된 지금, 시계는 목숨을 걸고 삶의 도피행을 같이한 유일품이요, 어찌 보면 인생의 반려이기도 한 것이다. _{자신과 함께 삶의 고비를 넘어온 _____에 특별한 애착을 느끼고 있군.}

밤에 잘 때에도 그는 시계를 머리맡에 풀어 놓거나 호주머니에 넣은 채로 버려두지 않는다. 반드시 풀어서 등기 서류, 저금통장 등이 들어 있는 비상용 캐비닛 속에 넣고야 잠자리에 드는 것이었다. 거기에는 또 그럴 만한 연유가 있었다. 이 시계는 제국 대학을 졸업할 때 받은 영예로운 수상품이다. 뒤쪽에는 자기 이름이 새겨져 있다. _{이인국 박사는 _____ 졸업의 증표이기도 한 시계를 자랑스럽게 여기고 있어.}

그 후 삼십여 년, 자기 주변의 모든 것은 변하여 갔지만 시계만은 옛 모습 그대로다. 주변뿐만 아니라 자기 자신은 얼마나 변한 것인가. 이십 대 홍안을 자랑하던 젊음은 어디로 사라진 것인지 머리카락도 반백이 넘었고 이마의 주름은 깊어만 간다. 일제 시대, 소련군 점령하의 감옥 생활, 6·25 사변, 38선, 미군 부대, 그동안 몇 차례의 아슬아슬한 죽음의 고비를 넘긴 것인가.

'월삼* 십칠 석.'

우여곡절 많은 세월 속에서 아직도 제 시간을 유지하는 것만도 신기하다. _{그동안 거쳐온 삶의 여러 고비 속에서도 변함없이 제 _____을 유지하고 있는 시계를 보며 _____을 느끼고 있어. 이인국 박사와 시계가 함께 넘겨 온 고비들의 나열에서 근현대사의 흐름을 엿볼 수 있어.} 시간을 보고는 습성처럼 째각째각 소리에 귀 기울이는 때의 그의 가느다란 눈매에는 흘러간 인생의 축도가 서리는 것이었고, 그 속에서는 각모(角帽)와 쓰메에리(목닫이) 학생복을 벗어 버리고 신사복으로 갈아입던 그날의 감회를 더욱 새롭게 해 주는 충동을 금할 길 없는 것이었다. _{시계를 보며 사회에 첫발을 내딛던 때를 떠올리고 _____에 젖고 있네.}

_{**장면끊기 02** 현재 _____의 원장으로 출세 가도를 달리고 있는 이인국 박사가 회중시계를 보며 회상에 잠기는 모습이 제시되었어. 그가 과거에 겪어온 다양한 삶의 고비가 언급되어 있다는 점에 주목하면서, 중략 이전 부분에서 한 번 끊고 넘어가도록 하자!}

(중략)

"아마 소련군이 들어오나 봐요. 모두들 야단법석이에요……."

숨을 헐레벌떡이며 이야기하는 혜숙의 말에 이인국 박사는 아무 대꾸도 없이 눈만 껌벅이며 도로 앉았다. 여러 날째 라디오에서 오늘 입성 예정이라고 했으니 인제 정말 오는가 보다 싶었다.

혜숙이 내려간 뒤에도 이인국 박사는 ㉢한참 동안 아무 거동도 못 하고 바깥쪽을 내려다보고만 있었다. _{_____이 들어온다는 소식을 듣고 이인국은 생각에 잠겨.}

무엇을 생각했던지 그는 움찔 자리에서 일어났다. 그리고는 벽장문을 열었다. 안쪽에 손을 뻗쳐 액자틀을 끄집어내었다.

國語常用(국어*상용)의 家(가).

해방되던 날 떼어서 집어넣어 둔 것을 그동안 깜박 잊고 있었다. 그는 액자틀 뒤를 열어 음식점 면허장 같은 두터운 모조지를 빼내어 ㉣글자 한 자도 제대로 남지 않게 손끝에 힘을 주어 꼼꼼히 찢었다.

이 종잇장 하나만 해도 일본인과의 교제에 있어서 얼마나 떳떳한 구실을 할 수 있었던 것인가. 야릇한 미련 같은 것이 섬광처럼 머릿속에 스쳐갔다. _{소련군이 온다는 소식에 과거 자신이 한 친일 행적의 증거를 (간직하려/없애려) 하면서도 한편으로는 _____을 느끼고 있네.}

환자도 일본말 모르는 축은 거의 오는 일이 없었지만 대외관계는 물론 집 안에서도 일체 일본말만을 써 왔다. 해방 뒤 부득이 써 오는 제 나라 말이 오히려 의사 표현에 어색함을 느낄 만큼 그에게는 거리가 먼 것이었다.

마누라의 솔선수범하는 내조지공도 컸지만 애들까지도 곧잘 지켜 주었기에 이 종잇장을 탄 것이 아니던가. 그것을 탄 날은 온 집안이 무슨 큰 경사나 난 것처럼 기뻐들 했었다. _{해방 이전, 일본어를 생활화하며 친일 행위를 해온 결과로 _____라는 증서를 받았을 때, 이인국과 그의 가족들은 크게 _____했었어.}

"잠꼬대까지 국어로 할 정도가 아니면 이 영예로운 기회야 얻을 수 있겠소."

하던 국민총력연맹 지부장의 웃음 띤 치하 소리가 떠올랐다.

ⓜ그 순간 자기 자신은 아이들을 소학교부터 일본 학교에 보낸 것을 얼마나 다행으로 여겼던 것인가. 자식들을 ＿＿＿＿＿에 보낸 것을 ＿＿＿＿으로 여겼던 이인국의 모습이야. 그랬던 그가 '국어상용의 가'라고 적힌 종이를 찢어버리는 것에서, 시대의 흐름에 따라 기회주의적으로 행동하는 그의 면모를 엿볼 수 있어.

장면끊기 03 소련군의 입성 소식을 들은 이인국 박사가 ＿＿＿＿ 이전까지는 가문의 자랑이자 기쁨이었던 (반일/친일)의 흔적(국어상용의 가)을 없애는 모습이 제시되었어. 중략 이전에서 언급되었던 과거의 여러 고비 중, 소련군 점령 당시로 시간적 배경이 바뀌어서 서사가 전개되었다는 점에 주목해야겠지?

– 전광용, 「꺼삐딴 리」 –

*월삼: 미국 시계 회사 '월섬'.

*국어: 일본어를 가리킴.

2 1～2번 문제를 풀어 보세요.

1. ㉠～ⓜ에 대한 설명으로 가장 적절한 것은?

① ㉠: 사소한 일도 쉽게 지나치지 않는 빈틈없고 까다로운 인물임을 보여 준다.

② ㉡: 다른 사람의 이익을 우선시하는 인물의 사려 깊은 자세를 보여 준다.

③ ㉢: 일이 뜻대로 이루어진 기쁜 마음을 감춘 채 사태를 주시하는 주인공의 침착한 태도를 보여 준다.

④ ㉣: 시류 변화에 적응하기 어려워 현실을 인정하지 않으려는 의지를 보여 준다.

⑤ ⓜ: 새로운 환경에 적응해야 하는 아이들을 염려하는 아버지의 자상한 모습을 보여 준다.

2. 문학 개념어 OX 확인 문제

① 대화의 빈번한 사용을 통해 현장감을 높이고 있다. ○ ✕

② 현학적인 표현을 사용해 인물의 모습을 형상화하고 있다. ○ ✕

현대소설 독해의 STEP 2

1 인물 간의 관계를 고려하여 구조도의 빈칸에 적절한 말을 채우세요.

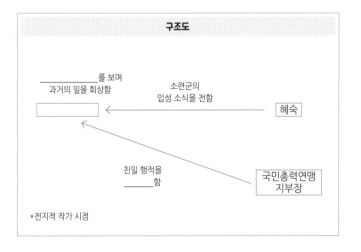

구조도

＿＿＿＿＿를 보며
과거의 일을 회상함

소련군의
입성 소식을 전함

[혜숙]

친일 행적을
＿＿＿＿함

[국민총력연맹
지부장]

*전지적 작가 시점

현대소설 독해의　STEP 1

1 주요 인물에 ▢ 표시를 하고, 빈칸에 적절한 말을 채우세요.

세 사람은 감천 가는 도중에 있는 마지막 마을로 들어섰다. 마을 어귀의 얼어붙은 개천 위로 물오리들이 종종걸음을 치거나 주위를 선회하고 있었다. 마을의 골목길은 조용했고, 굴뚝에서 매캐한 청솔 연기 냄새가 돌담을 휩싸고 있었는데 나직한 창호지의 들창 안에서는 사람들의 따뜻한 말소리들이 불투명하게 들려왔다. 영달이가 정씨에게 제의했다.

"허기가 져서 속이 떨려요. 감천엔 어차피 밤에 떨어질 텐데, 여기서 뭣 좀 얻어먹구 갑시다."

"여긴 바닥이 작아 주막이나 가게두 없는 거 같군."

"어디 아무 집이나 찾아가서 사정을 해보죠." ＿＿＿은 허기가 져 요기라도 하고 가고 싶다며 ＿＿＿에게 제의하고 있어.

백화도 두 손을 코트 주머니에 찌르고 간신히 발을 떼면서 말했다.

"온몸이 얼었어요. 밥은 고사하고 뜨뜻한 아랫목에서 발이나 녹이구 갔으면." 백화 역시 온몸이 ＿＿＿ 쉬었다 가기를 바라고 있어.

정씨가 두 사람을 재촉했다.

"얼른 지나가지. 여기서 지체하면 하룻밤 자게 될 테니, 감천엘 가면 하숙두 있구, 우리를 태울 기차두 있단 말요." 정씨는 지체하지 않고 ＿＿＿으로 가고 싶어 해.

그들은 이 적막한 산골 마을을 지나갔다. 눈 덮인 들판 위로 물오리 떼가 내려앉았다가는 날아오르곤 했다. 길가에 퇴락한 초가 한 간이 보였다. 지붕의 한쪽은 허물어져 입을 벌렸고 토담도 반쯤 무너졌다. 누군가가 살다가 먼 곳으로 떠나간 폐가임이 분명했다. 영달이가 폐가 안을 기웃해 보며 말했다.

"저기서 신발이라두 말리구 갑시다."

장면끊기 01 영달, 정씨, 백화가 감천에 가는 도중에 있는 마지막 마을을 지나는 모습이 첫 번째 장면으로 제시되어 있어. 허기가 지고 온몸이 추워 오자 ＿＿＿과 ＿＿＿는 쉬었다가 가고 하지만 ＿＿＿는 빨리 감천에 가자고 재촉하지. 그러다가 길가에 퇴락한 ＿＿＿ 한 간을 발견하고 잠시 머물기로 해.

백화가 먼저 그 집의 눈 쌓인 마당으로 절뚝이며 들어섰다. 안방과 건넌방의 구들장은 모두 주저앉았으나 봉당은 매끈하고 딴딴한 흙바닥이 그런대로 쉬어가기에 알맞았다. 정씨도 그들을 따라 처마 밑에 가서 엉거주춤 서 있었다. 영달이는 흙벽 틈에 삐죽이 솟은 나무 막대나 문짝, 선반 등속의 땔 만한 것들을 끌어모아다가 봉당 가운데 쌓았다. 불을 지피자 오랫동안 말라 있던 나무라 노란 불꽃으로 타올랐다. 불길과 연기가 차츰 커졌다. 정씨마저도 불가로 다가앉아 젖은 신과 바짓가랑이를 불길 위에 갖다대고 지그시 눈을 감았다. 불이 생기니까 세 사람 모두가 먼 곳에서 지금 막 집에 도착한 느낌이 들었고, 잠이 왔다. 영달, 백화, 정씨는 따뜻한 불가에 앉자 마치 ＿＿에 도착한 듯한 느낌을 느끼고 있어. 영달이가 긴 나무를 무릎으로 꺾어 불 위에 얹고, 눈물을 흘려가며 입김을 불어대는 모양을 백화는 이윽히 바라보고 있었다.

㉠"댁에…… 괜찮은 사내야. 나는 아주 치사한 건달인 줄 알았어."

영달에 대한 백화의 인식이 (**긍정적**/부정적)으로 변했음을 알 수 있어.

"이거 왜 이래. 괜히 나이롱 비행기 태우지 말어."

"아녜요. 불때는 꼴이 제법 그럴듯해서 그래요."

정씨가 싱글벙글 웃으면서 영달에게 말했다.

"저런 무딘 사람 같으니, 이 아가씨가 자네한테 반했다…… 그 말이야."

장면끊기 02 첫 번째 장면에서 세 사람이 발견한 초가 안으로 들어와 ＿＿을 피우고 몸을 녹이는 장면이 두 번째 장면으로 제시되었어. 이렇게 (**시간**/**공간**)이 바뀌면 장면끊기를 해 두는 게 좋아. 중략 이후에는 세 사람이 감천에 도착한 장면으로 이어지니 여기서 한 번 끊어가자.

(중략)

그들은 일곱시쯤에 감천 읍내에 도착했다. 마침 장이 섰었는지 파장된 뒤인데도 읍내 중앙은 흥청대고 있었다. 전 부치는 냄새, 고기 굽는 냄새, 곰국 냄새가 풍겨 왔다. 영달이는 이제 백화를 옆에서 부축하고 있었다. 영달의 행동에서 ＿＿＿에 대한 배려심이 느껴져. 발을 디딜 때마다 여자가 얼굴을 찡그렸다. 정씨가 백화에게 물었다.

"어느 방향이오?"

"전라선이에요."

"나는 호남선 쪽인데. 여비는 있소?"

"군용차를 사정해서 타구 가면 돼요."

그들은 장터 모퉁이에서 아직도 따뜻한 온기가 남아 있는 팥시루 떡을 사먹었다. 백화가 자기 몫에서 절반을 떼어 영달이에게 내밀었다.

"더 드세요. 날 업구 왔으니 기운이 배나 들었을 텐데." 백화는 ＿＿＿에게 고마움을 표시하고 있어.

역으로 가면서 백화가 말했다.

"어차피 갈 곳이 정해지지 않았다면 우리 고향에 함께 가요. 내 일자리를 주선해 드릴게."

"내야 삼포루 가는 길이지만, 그렇게 하지?"

정씨도 영달이에게 권유했다. 영달이는 흙이 덕지덕지 달라붙은 신발 끝을 내려다보며 아무 말이 없었다. 백화의 제안에 대한 영달의 (기쁨/**망설임**)이 드러나네. 대합실에서 정씨가 영달이를 한쪽으로 끌고 가서 속삭였다.

"여비 있소?"

"빠듯이 됩니다. 비상금이 한 천원쯤 있으니까."

"어디루 가려우?"

㉡"일자리 있는 데면 어디든지……"

스피커에서 안내하는 소리가 웅얼대고 있었다. 정씨는 대합실 나무의자에 피곤하게 기대어 앉은 백화 쪽을 힐끗 보고 나서 말했다.

"같이 가시지. 내 보기엔 좋은 여자 같군."

"그런 거 같아요."

"또 알우? 인연이 닿아서 말뚝 박구 살게 될지. 이런 때 아주 뜨내기 신셀 청산해야지."

영달이는 시무룩해져서 역사 밖을 멍하니 내다보았다. 백화는 뭔가 쑤군대고 있는 두 사내를 불안한 듯이 지켜보고 있었다. 영달이가 말했다.

"어디 능력이 있어야죠."

㉢"삼포엘 같이 가실라우?"

"어쨌든……"

영달이가 뒷주머니에서 꼬깃꼬깃한 오백 원짜리 두 장을 꺼냈다.

"저 여잘 보냅시다." ＿＿＿은 고민 끝에 함께 가자는 ＿＿＿의 권유를 거절하고 백화를 떠나보내려 하고 있네.

㉣영달이는 표를 사고 삼립빵 두 개와 찐 달걀을 샀다. 백화에게
그는 말했다.

"우린 뒤차를 탈 텐데…… 잘 가슈."

영달이가 내민 것들을 받아 쥔 백화의 눈이 붉게 충혈되었다.
백화는 자신을 배려해준 것에 대한 고마움과 헤어져야 한다는 것에 대한 (기쁨/아쉬움)을
느낀 거야.

그 여자는 더듬거리며 물었다.

"아무도…… 안 가나요?"

"우린 삼포루 갑니다. 거긴 내 고향이오."

영달이 대신 정씨가 말했다. 사람들이 개찰구로 나가고 있었다.
백화가 보퉁이를 들고 일어섰다.

"정말, 잊어버리지…… 않을게요."

백화는 개찰구로 가다가 다시 돌아왔다. 돌아온 백화는 눈이 젖은
채로 웃고 있었다. 두 사람(영달, 정씨)과 이별해야 하는 상황에서 느끼는 _____의
안타까움이 ___이 젖은 채로 웃고 있는 모습을 통해 드러나고 있어.

㉤"내 이름 백화가 아니에요. 본명은요…… 이점례예요."

여자는 개찰구로 뛰어나갔다. 잠시 후에 기차가 떠났다.

장면끊기 03   마지막으로 _____ 읍내에 도착하여 역에서 _____를 먼저 떠나보내며
헤어지는 장면이 제시되었어. 중략 이후에 '그들은 일곱시쯤에 감천 읍내에 도했다.'라고
시작하고 있는데, 여기에서 _____과 _____이 바뀐 것을 한눈에 확인할 수 있었을 거야.
장면끊기의 기본은 시·공간의 변화를 파악하는 거야.

– 황석영, 「삼포 가는 길」 –

2 1~2번 문제를 풀어 보세요.

1. ㉠~㉤에 대한 이해로 적절하지 <u>않은</u> 것은?

① ㉠: 백화가 영달에게 호감을 갖게 되었음을 알 수 있다.

② ㉡: 영달은 일자리를 찾을 수 있다는 희망에 부풀어 있음을 알 수 있다.

③ ㉢: 정씨는 영달의 처지를 고려하여 함께 갈 것을 제안하고 있음을 알 수 있다.

④ ㉣: 백화에 대한 영달의 따뜻한 마음을 알 수 있다.

⑤ ㉤: 정씨와 영달에 대한 신뢰와 고마움의 표현으로 볼 수 있다.

2. 문학 개념어 OX 확인 문제

① 인물의 모습을 통해 심리를 드러내고 있다.   ○ ✕

② 유사한 사건을 반복적으로 제시하여 주제를 암시하고 있다.   ○ ✕

현대소설 독해의   STEP 2

1 인물 간의 관계를 고려하여 구조도의 빈칸에 적절한 말을 채우세요.

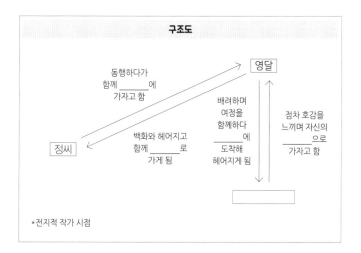

구조도

동행하다가 함께 _____에 가자고 함

배려하며 여정을 함께하다 _____에 도착해 헤어지게 됨

점차 호감을 느끼며 자신의 _____으로 가자고 함

백화와 헤어지고 함께 _____로 가게 됨

영달

정씨

*전지적 작가 시점

도서출판 **홀수**   033

현대소설 독해의　STEP 1

1 주요 인물에 ☐ 표시를 하고, 빈칸에 적절한 말을 채우세요.

주머니에는 단돈 십 전, 그도 안경다리를 고친다고 벌써 세 번 짼가 네 번째 딸에게서 사오십 전씩 얻어 가지고는 번번이 담뱃값으로 다 내어 보내고 말던 최후의 십 전, 안 초시는 주머니에 손을 넣어 그것을 집어내었다. 딸에게 ＿＿＿＿＿를 고친다는 핑계로 몇 번씩 돈을 받아서 쓰는 것으로 보아, 안 초시는 딸에게 경제적으로 의지하고 있는 인물임을 추론할 수 있어. 백통화 한 푼을 얹은 야윈 손바닥, 가만히 떨리었다. 서 참위(徐參尉)의 투박한 손을 생각하면 너무나 얇고 잘망스러운 손이거니 하였다. 그러나, 이따금 술잔은 얻어먹고, 이렇게 내 방처럼 그의 복덕방에서 잠까지 빌려 자건만 한 번도, 집 거간이나 해먹는 서 참위의 생활이 부럽지는 않았다. 안 초시는 ＿＿＿＿＿에게 술도 얻어먹고, 그의 복덕방에서 잠까지 빌려 자는 처지지만 그에게 ＿＿＿＿＿을 느끼지는 않는다고 해. 그래도 언제든지 한번쯤은 무슨 수가 생기어 다시 한번 내 집을 쓰게 되고, 내 밥을 먹게 되고, 내 힘과 내 낯으로 다시 한번 세상에 부딪쳐 보려니 믿어졌다. 안 초시는 언젠가 돈을 벌어 자신의 힘으로 ＿＿＿＿＿과 맞서 보려는 욕망을 가지고 있는 인물이야.

초시는 전에 어떤 관상장이의 "엄지손가락을 안으로 넣고 주먹을 쥐어야 재물이 나가지 않는다."는 말이 생각났다. 늘 그렇게 쥐노라고는 했지만 문득 생각이 나 내려다볼 때는, 으레 엄지손가락이 얄밉도록 밖으로만 쥐어져 있었다. 그래 **드팀전**을 하다가도 실패를 하였고, 그래 집까지 잡혀서 장전*을 내었다가도 그만 화재를 보았거니 하는 것이다.

"이놈의 엄지손가락아, 안으로 좀 들어가아, 젠―장."

하고 연습 삼아 엄지손가락을 먼저 안으로 넣고 아프도록 두 주먹을 꽉 쥐어 보았다. 그리고 당장 내어 보낼 돈이면서도 그 십 전짜리를 그렇게 쥔 주먹에 단단히 넣고 담배 가게로 나갔다. 안 초시는 몇 번이나 사업의 ＿＿＿를 겪었나 봐. 자신의 뜻대로 되지 않는 상황에 대한 답답함이 안 초시의 말과 ＿＿＿＿＿을 안으로 넣어 주먹을 쥐는 행동으로 나타나네.

장면끊기 01 ＿＿＿에게 경제적으로 의지하고, 서 참위에게 신세를 지면서도 언젠가 자신의 힘으로 돈을 벌어 남부럽지 않게 살아보고 싶어 하는 ＿＿＿의 욕망과 그러한 욕망이 좌절되어 온 상황을 제시하는 장면이야. 이어서 복덕방에 모인 ＿＿＿＿＿에 대해 서술하는 장면이 제시되니 여기에서 장면을 한 번 끊자.

이 복덕방에는 흔히 세 늙은이가 모였다.

언제 누가 와 집 보러 가잘지 몰라, 늘 갓을 쓰고 앉아서 행길을 잘 내다보는, 얼굴 붉고 눈방울 큰 노인이 주인 서 참위다. 안 초시에 이어, ＿＿＿＿＿ 주인인 서 참위에 대해 이야기하려 하는군. **참위로** 다니다가 합병 후에는 다섯 해를 놀면서 시기를 엿보았으나 별 수가 없을 것 같아서 이럭저럭 심심파적으로 갖게 된 것이 이 가옥 중개업이었다. 처음에는 겨우 굶지 않을 만한 수입이었으나 **대정 팔구 년** 이후로는 시골 부자들이 세금에 몰려, 혹은 자녀들의 교육을 위해 서울로만 몰려들고, 그런데다 돈은 흔해져서 관철동 다옥정(茶屋町) 같은 중앙 지대에는 그리 고옥만 아니면 만 원대를 예사로 훌훌 넘었다. 그 판에 봄가을로 어떤 달에는 삼사백 원 수입이 있어, 그러기를 몇 해를 지나 가회동에 수십 칸 집을 세웠고 또 몇 해 지나지 않아서는 창동 근처에 땅을 장만하기 시작하였다. 지금은 중개업자도 많이 늘었고 건양사 같은 큰 건축 회사가 생겨서 당자끼리 직접

팔고 사는 것이 원칙처럼 되어가기 때문에 중개료의 수입은 전보다 훨씬 준 셈이다. 그러나 이십여 칸 집에 학생을 치고 싶은 대로 치기 때문에 서 참위의 수입이 없는 달이라고 쌀값이 밀리거나 나무 값에 졸릴 형편은 아니다. 합병 후 ＿＿＿＿＿을 시작해, 호기에 번 돈으로 집과 땅을 장만해서 굶주리지 않을 경제력을 갖추게 된 인물인 ＿＿＿＿＿의 내력을 압축적으로 제시하고 있네.

"세상은 먹구 살게는 마련이야……."

서 참위가 흔히 하는 말이다. 칼을 차고 훈련원에 나서 병법을 익힐 때는 한번 호령만 하고 보면 산천이라도 물러설 것 같던 그 기개와 오늘의 자기, 한낱 가쾌(家儈)*로 복덕방 영감으로 기생 작부 따위가 사글세 방 한 칸을 얻어 달래도 네에네 하고 따라 나서야 하는 만인의 심부름꾼인 것을 생각하면 서글픈 눈물이 아니 날 수도 없는 것이다. 서 참위는 기개와 패기를 갖추고 있던 과거와 달리, 만인의 ＿＿＿＿＿이 된 현재 자신의 모습을 돌아보며 서글픔을 느끼고 있네. 워낙 술을 즐기기도 하지만 어떤 때는 남몰래 이런 감회를 이기지 못해서 술집에 들어선 적도 여러 번이다.

장면끊기 02 복덕방을 운영하는 ＿＿＿＿＿가 어떤 인물인지 설명하는 장면이야. 당당하게 호령하는 장교였다가 설 자리를 잃고 부동산 중개업을 시작한 서 참위는, 경제적 문제는 없지만 손님에게 공손히 따르며 적당히 먹고 사는 처지에 (보람/서글픔)을 느끼고 있어. 중략 이전이니 장면을 한 번 끊어 읽으면 되겠지?

(중략)

박희완 영감이란 세 영감 중의 하나로 안 초시처럼 이 복덕방에 와 자기까지는 안 하나 꽤 쏠쏠히 놀러 오는 늙은이다. 안 초시, 서 참위에 이어 ＿＿＿＿＿에 대해 서술하는군. 복덕방에 모이는 세 늙은이가 각각에 대한 설명이 제시되는 방식으로 내용이 전개되네. 아니, 놀러 오기만 하는 것이 아니라 와서는 공부도 한다. 재판소에 다니는 조카가 있어 대서업(代書業) 운동을 한다고 **「속수국어독본(速修國語讀本)」**을 노상 끼고 와 그 「삼국지」 읽던 투로,

"긴―상 도코―에 유키이마스카.(김 선생, 어디 가십니까.)"

어쩌고를 외고 있는 것이다. 박희완 영감은 ＿＿＿＿＿(남을 대신하여 관청 행정이나 법률 행위에 필요한 서류를 작성해 주고 보수를 받는 직업)을 하고 싶어서 서 참위의 복덕방에 와서 공부를 하는구나.

그러나 「속수국어독본」 뚜껑이 손때에 절고, 또 어떤 때는 목침 위에 받쳐 베고 낮잠도 자서 머리때까지 새까맣게 절어 조선총독부편찬(朝鮮總督府編纂)이란 잔 글자들은 보이지 않게 되도록, 대서업 허가는 의연히 나오지 않는 모양이었다. 박희완 영감은 필사적으로 공부하지만, 노력과 달리 ＿＿＿＿＿는 잘 나오지 않아.

"너나 내나 다 산 것들이 업은 가져 뭘 하니. 무슨 세월에……. 흥!"

하고 어떤 때, 안 초시는 한나절이나 화투패를 떼다 안 떨어지면 그 화풀이로 박희완 영감이 들고 중얼거리는 「속수국어독본」을 툭 채어 행길로 팽개치며 그랬다.

"넌 또 무슨 재술 바라고 밤낮 화투패나 떨어지길 바라니?"

"난 심심풀이지."

그러나 속으로는 박희완 영감보다 더 세상에 대한 야심이 끓었다. ＿＿＿＿＿는 박희완 영감에게 핀잔을 주며 늙은 나이에 노력해서 직업을 가지려 해 봤자 소용없다고 하지. 하지만 그건 말뿐이고, 속으로는 성공하고야 말겠다는 ＿＿＿＿＿을 불태우고 있는 상황이야. 딸이 평양으로 대구로 다니며 지방 순회까지

하여서 제법 돈냥이나 걷힌 것 같으나 연구소를 내느라고 집을 뜯어 고친다, **유성기**를 사들인다, 교제를 하러 돌아다닌다 하느라고, 더구나 귀찮게만 아는 이 애비를 위해 쓸 돈은 예산에부터 들지 못하는 모양이었다. 안 초시의 ___은 여러 지역을 다니며 돈을 벌고 있지만, 안 초시의 야심에 돈을 투자하고 싶어 하지는 않는 모양이야.

장면끊기 03 복덕방의 세 노인 중 마지막 한 명인 _____에 대해 설명하면서, 안 초시의 욕망을 다시 한 번 강조하는 장면이야. 박희완 영감은 책이 다 헐도록 열심히 공부하지만, 대서업으로 일하고 싶다는 욕구는 성취되지 못하지. 그런 박희완 영감에게 _____는 나이를 이유로 들어 핀잔을 주지만, 사실은 누구보다도 성공하고 싶어 하는 야심을 가지고 있어.

– 이태준, 「복덕방」 –

*장전: 장롱과 찬장을 파는 가게.
*가쾌: 부동산 중개인.

현대소설 독해의 STEP 2

1 인물 간의 관계를 고려하여 구조도의 빈칸에 적절한 말을 채우세요.

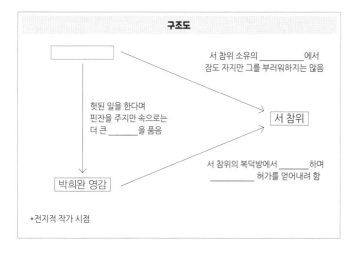

구조도

서 참위 소유의 _____에서
잠도 자지만 그를 부러워하지는 않음

헛된 일을 한다며
핀잔을 주지만 속으로는
더 큰 _____을 품음

서 참위

서 참위의 복덕방에서 _____하며
_____ 허가를 얻어내려 함

박희완 영감

*전지적 작가 시점

---

2 1~2번 문제를 풀어 보세요.

1. 〈보기〉와 같이 자료 조사를 하였다. 이를 바탕으로 윗글을 이해한 내용으로 적절하지 않은 것은?

〈보기〉

㉮ 드팀전: 베, 비단, 무명 같은 온갖 천을 팔던 가게. 인조 직물과 신식 상점의 등장으로 점차 퇴조함.
㉯ 참위: 대한제국기(1897~1910)의 장교 계급.
㉰ 대정 팔구 년: 1919~20년. 대정(大正)은 일본 국왕의 연호.
㉱ 속수국어독본: 총독부가 일본어 보급을 위해 펴낸 책자. 제목의 '국어'는 '일본어'를 뜻함. 당시 우리말은 '조선어'로 불렸음.
㉲ 유성기: 축음기. 전축. 당시 유성기는 신문화와 부(富)의 상징.

① ㉮를 보니 '드팀전'은 근대화에 따라 위축될 수밖에 없었을 거야. 그런데도 '안 초시'는 실패를 자기 운수 탓으로만 돌리고 있군.

② ㉯를 보니 '서 참위'의 전력을 확실히 알 수 있어. 이 점이 그의 처지와 심경을 이해하는 데 도움을 주는군.

③ ㉰를 통해 구체적인 연도와 상황을 알 수 있어. 1920년대에도 서울 집중 현상이 나타나고 부동산 값이 크게 올랐다는 것이 흥미롭군.

④ ㉱의 맥락을 몰랐다면 '국어'가 우리말인 줄 알았을 거야. 대서방을 차리기 위해 일본어를 익히고 있는 '박희완 영감'의 고충을 헤아릴 수 있어.

⑤ ㉲를 통해 '딸'은 가난한 '안 초시'와는 달리 부자임을 알 수 있어. 딸이 부자가 될 수 있었던 것은 결국 '안 초시'의 희생 덕분이었겠군.

2. 문학 개념어 OX 확인 문제

① 인물의 성격이 분명하게 드러난다.   ○   ✕

② 요약적 서술을 활용하여 서술의 완급을 조절하고 있다.   ○   ✕

2

주차

2주차
학습 안내

2주차에서도 1주차와 동일한 훈련이 이어질 거야. 등장인물들을 파악하고 '사고의 흐름'과 '장면끊기', '구조도'를 통해 지문을 꼼꼼하게 이해하고 정리한 뒤, 문제를 풀면서 자신의 이해를 점검하는 거지.

다만 2주차부터는 1번 문제를 보다 심층적으로 분석해 볼 거야. 즉 단순히 정답을 찾는 데 그치지 않고, 지문의 어떠한 부분을 근거로 삼아 선지의 정·오답 여부를 판단해야 하는지를 보다 정확하게 판단하는 훈련을 하는 거지. 이를 돕기 위해 2주차에 추가된 장치가 바로 '선지 판단의 공식'이야. '선지 판단의 공식'의 빈칸을 채우고 이를 고려해 각 선지의 정오를 다시 한번 판단해 보자. 이를 통해 처음 문제를 풀 때의 자신의 사고 과정과 '선지 판단의 공식'을 활용해 다시 문제를 풀 때의 사고 과정을 비교해 보면서, 올바른 정오 판단을 위해 필요한 접근 방식과 태도 등을 자연스럽게 익힐 수 있을 거야.

하루 30분, 현대소설 트레이닝

현대소설 독해의 STEP 1

1 주요 인물에 [   ] 표시를 하고, 빈칸에 적절한 말을 채우세요.

조무래기들은 도깨비불만 보면 네 그르니 내 옳으니 하며 짜그락거리기 일쑤였고, 그러면 나이 좀 있는 사람이 얼른 쉬쉬하면서, 도깨비가 듣겠다고 나무라 주게 마련이었던 것이다. 마을의 _____(어린아이들)은 도깨비불만 보면 서로 옳다고 짜그락거리고, 나이 좀 있는 사람은 _____가 듣는다며 쉬쉬했다. 도깨비불에 대한 아이들과 어른들의 반응이 대조적이지? 도깨비가 들으면 무엇이 어떻고 불뚱 끄듯 서두르며 말리려 들었을까. 그것은 아무도 가르쳐 주지 않았다. 알면서도 짐짓 모르는 시늉을 해 보이려 했지만, 그네들도 어려서부터 가르쳐 준 이가 없어 이렇다 하게 내놓지 못하는 눈치가 역연하던 것이다. _____ 좀 있는 사람들은 잘은 모르지만 도깨비 얘기를 금기시하며 조무래기들을 말렸어. 그것은 바지랑대에 등을 매달고 멍석에 둘러앉아 삼을 삼거나 태모시를 톺던* 늘그막의 아낙네들도 마찬가지로 가늠을 못 해, 도깨비불에 손가락질하면 도깨비가 쫓아온다는 것밖에 다른 말은 할 줄 모르고 있었다. 늘그막의 _____도 도깨비불에 함부로 손가락질을 못하도록 막연하게 말리기만 했지. 그네들은 낮춘말로, 도깨비들이 벌거벗고 산다더라고 귀띔해 주었으며, 그것은 그것들이 여름내 왕대뫼 자드락이나 갯가에 나와 불놀이를 하다가도, ㉠기러기 그림자에 논두렁 콩노굿*이 지고 오려논에 자마구*가 일며부터는 아무도 모르게 간곳없이 사라지던 것을 보아 믿을 만한 말이라고 우길 따름이었다.

된내기* 빛에 두엄이 허옇게 쇤 위로 난초 치던 붓끝 같은 마늘싹이 솟고, 보리밭 머리에 장끼가 내리기 시작하여 이듬해 구렁찰 논배미에서 뜸— 뜸— 뜸부기 짝 찾는 소리로 개구리 논두렁 넘기 바쁘던 여름까지는 도깨비들이 감뭇하기도* 했다. 그러나 아직 학령기에도 이르지 않았던 나는 정말 알지 못했다. 차지던 바람이 메져지고 개펄에 성에 엉기듯 허옇게 소금기가 끼는 철이 되면, 음습한 바람이 맴돌아야 난동하던 인화(燐火)가 전혀 일지 않던 것을.

어른들이 눈을 꿈적이며 먹탕곳 개펄께를 그만 보라고 타이른 밤이면 ㉡담 밑에 반딧불만 자주 날아도, 촛불 붙이려 혼자 사당(祠堂) 문을 열 때처럼 뒷덜미가 선뜩하고 떨떠름하여 담 밑에도 가지 못할 만큼이나 그 도깨비불은 여간 두려운 존재가 아니었다. 학교도 다니지 않았던 어린 _____는 도깨비불에 대해 잘 알지 못한 상태였어. 다만 '나'는 어른들의 말을 듣고 도깨비불을 _____하게 되었지. 그러므로 그런 날은 아무리 무더워도 모기가 떠메어간다는 핑계로 마실 마당에서 일찍 물러나곤 하였다.

장면끊기 01 어른들은 어린 '나'에게 도깨비불의 막연한 금기를 가르치고, '나'는 _____을 두려워해. 중략 이전까지는 도깨비불을 두려워했던 _____ '나'의 이야기가 서술되어 있지? 중략 이후의 장면에서 _____이 흘러 성장한 '나'가 등장할지, 아니면 어린 '나'에게 새로운 사건이 전개될지 이어지는 내용을 읽으며 중략 이전에 장면을 끊은 이유를 찾아 보자!

(중략)

복산이가 자리를 만들 동안 나는 변소를 찾아 나섰다. 농가라면 흔히 그렇듯 그곳은 저만치 밭마당 구석에 따로 나와 있었다.

㉢나는 마당을 가로질러 가면서 무심결에 개펄 쪽을 둘러보다가 소스라쳐 놀라며 그 자리에 굳어 버리고 말았다.

아— 나는 참으로 오랜만에 가슴이 벅차오르는 것을 느꼈다. 도깨비불—— 그렇다. 왕대뫼 밑 먹탕곳 개펄에 푸른빛을 내뿜는 도깨비불이 즐비하게 늘어서 있던 것이다. '나'는 _____ 쪽에서 푸른빛의 도깨비불을 발견하고 소스라치게 놀라며 _____이 벅차올랐어.

하나 둘 서이 너이…… 나는 어느새 도깨비불들을 손가락으로 헤아려 나가고 있었다. 변치 않은 것이 한 가지 더 있다는 반가움, 반가움과 즐거움에 들떠 그것들을 차곡차곡 빠뜨리지 않고 세어 나갔다. '나'는 도깨비불을 보고 _____과 즐거움에 들떠 하나씩 수를 세어 나갔어.

"마흔다섯……."

하고 중얼거리며 나는 손가락을 떨었다. ㉣내일 새벽엔 안개도 볼 수 있으리라고 믿어, 가슴의 설렘에 손가락마저 떨린 거였다. 모를 일이었다. 옛날로 돌아가 혹시 길 잃은 여우가 울부짖게 되는지도.

"게서 뭣 허나?"

복산이가 같은 용무로 나오면서 허텅지거리를 했다.

"아, 도깨비불…… 생전 못 볼 줄 알았다가 보니 좋은데. 멋있는걸."

나는 건너편을 손가락질하면서 들뜬 소리로 말했다.

"무엇이?"

"저 도깨비불……."

"무엇 불?"

"옛날에 보던 도깨비불, 그거 아녀?"

"무슨 불? 허어 참, 그러게 장가를 가라구."

"……"

"도깨비불 좋아허네…… 저게? 술고래라서 안주두 고루 먹어 헛소리는 안 헐 중 알았더니……."

"그럼 모르겠는데……."

"뭘 몰러? 저건 서울서 온 낚시꾼들의 간드레 불이여. 명색 문화인이라면서 밤낚시 한 번두 못 해 봤구먼."

나는 무엇에 받혀 하늘 높이 떠올랐다가 거꾸로 떨어진 기분이었다. 오랜 꿈결에서 순간적으로 깨어난 것처럼 허망하고 민망했다. '옛날로 돌아가', '_____에 보던 도깨비불'이라는 표현을 통해 중략 이후의 '나'는 시간이 흘러 어른이 된 상태라고 짐작해볼 수 있겠지? '나'는 개펄의 _____이 도깨비불이 아니라 낚시꾼들의 _____임을 깨닫고 충격과 _____을 느껴.

"이리 죽 늘어앉은 디는 물길이구, 저쪽 저리 둘러앉은 디가 유수지여. 갯물이 들어오면 수문을 막았다가 쓸물 때 열어 물을 빼는디 민물고기 갯물 고기가 섞이구 해서 씨알두 게가 굵구, 물길에서는 잔챙이래두 붕어만 문다네. 남포, 청라 담에는 여기를 친다는 겨."

그제서야 나는 늘어앉은 불빛들이 제자리에 죽어 있음을 비로소 깨달았다. '나'는 도깨비불과 달리 제자리에 죽어 있는 간드레 불을 보고 그것을 살아 있는 도깨비불로 _____했음을 알게 되었지. ㉤무등 타기와 숨바꼭질을 하던 살아 있는 불이 아니란 것만 진작 알았어도 마흔다섯까지 수효를 헤아리지는 않았을 터였다. 나는 무슨 재산붙이를 어둠 속에 잃고 찾지 못한 투로 무거워진 가슴을 안고 복산이 따라 방으로 들어갔다. 도깨비불이 아니었다는 사실에 '나'는 _____을 안고 방으로 들어갔어.

장면끊기 02 _____이 되어 도깨비불과 재회하고 반가워하던 '나'는 _____

와의 대화를 통해 불빛이 도깨비불이 아니었음을 알고 허망해하네. 중략을 기준으로 '시간의 _____'에 따라 장면을 끊은 거야. 즉, 이 글은 시간의 변화에 따라 '나'가 어른이 되어 '도깨비불'에 대한 인식이 변화되었음을 보여 주고 있어. 이처럼 장면이 변화하면 그에 따라 인물의 인식과 태도에도 변화가 생길 가능성이 높아.

– 이문구, 「관촌수필」 –

*듚던: 끝을 가늘고 부드럽게 하려고 톱으로 훑던.

*콩노굿: 콩의 꽃.

*자마구: 곡식의 꽃가루.

*된내기: 된서리.

*감뭇하기도: 보이던 것이 전연 보이지 않아 찾을 곳이 감감하기도.

현대소설 독해의 STEP 2

1 인물 간의 관계를 고려하여 구조도의 빈칸에 적절한 말을 채우세요.

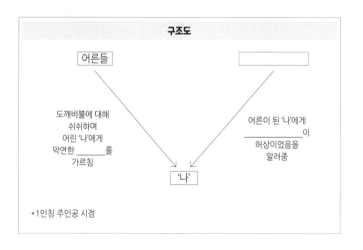

구조도

| 어른들 | → ← | [   ] |

도깨비불에 대해 쉬쉬하며 어린 '나'에게 막연한 _____를 가르침

어른이 된 '나'에게 _____이 허상이었음을 알려줌

'나'

*1인칭 주인공 시점

---

2 1~2번 문제를 풀어 보세요.

1. ㉠~㉤에 대한 이해로 적절하지 <u>않은</u> 것은?

① ㉠에는 어른들의 말을 온전하게 받아들이지는 않는 '나'의 미심쩍음이 드러난다.

② ㉡에는 착각으로 인해 연상된 상황을 궁금해 하는 '나'의 호기심이 나타난다.

③ ㉢에는 우연히 발견한 대상에 대한 '나'의 반가움이 담겨 있다.

④ ㉣에는 예측하는 상황이 일어날 것이라는 짐작에서 비롯된 '나'의 기대감이 나타난다.

⑤ ㉤에는 대상의 실체를 확인하기 전에 했던 자신의 행동에 대한 '나'의 허무감이 드러난다.

2. 문학 개념어 OX 확인 문제

① 과거와 현재를 매개하는 경험을 제시하여 인물이 겪는 인식의 변화를 드러내고 있다.   ○ ✕

② 시간의 역전을 통해 인과 관계를 재구성한 서사를 함께 제시하여 사건의 내막을 감추고 있다.   ○ ✕

현대소설 독해의 STEP 3

1 선지 판단 공식을 활용하여 빈칸을 채우고 1번 문제의 선지를 OX로 판단해 보세요.

선지 판단의 공식

① **작품**
어른들은 '도깨비불에 _____ 하면 도깨비가 쫓아 온다는 것밖에 다른 ____은 할 줄' 몰랐음, 그저 '도깨비불'에 대해서는 '믿을 만한 말이라고 _____ 따름이었다.'라고 '나'는 생각함

선지➡ ㉠에는 어른들의 말을 온전하게 받아들이지는 않는 '나'의 미심 쩍음이 드러난다. ○ ✕

② **작품**
'나'는 '담 밑에 _____만' 봐도 도깨비불로 착각하여 '뒷덜미가 _____하고' 기분이 '떨떠름하여 담 밑에도 가지' 못함, 도깨비불에 대한 두려움을 느낀 '나'는 '_____ _____에서 일찍 물러나곤' 하였음

선지➡ ㉡에는 착각으로 인해 연상된 상황을 궁금해 하는 '나'의 호기심이 나타난다. ○ ✕

③ **작품**
'나'는 '무심결에 _____ 쪽을 둘러보다가' '푸른빛'을 보고 도깨비불이라고 생각하며, 고향에 '_____이 한 가지 더 있다는 반가움'을 느낌

선지➡ ㉢에는 우연히 발견한 대상에 대한 '나'의 반가움이 담겨 있다. ○ ✕

④ **작품**
'나'는 도깨비불을 보았다고 확신하며 반가움에 숫자를 세어 본 뒤, '_____ 새벽엔 안개도 볼 수 있으리라고 믿'으며 '가슴의 _____'을 느낌

선지➡ ㉣에는 예측하는 상황이 일어날 것이라는 짐작에서 비롯된 '나'의 기대감이 나타난다. ○ ✕

⑤ **작품**
'나'는 자신이 발견한 불빛이 도깨비불이 아닌 '서울서 온 낚시꾼들의 _____'임을 깨닫고는, '살아 있는 불이 아니란 것만 진작 알았어도 마흔다섯까지 _____를 헤아리지는 않았을' 것이라고 함

선지➡ ㉤에는 대상의 실체를 확인하기 전에 했던 자신의 행동에 대한 '나'의 허무감이 드러난다. ○ ✕

현대소설 독해의　STEP 1

1 주요 인물에 [　] 표시를 하고, 빈칸에 적절한 말을 채우세요.

송노인도 그 중의 한 사람이었다. 그는 더욱 심한 손해를 보았다. 〈원지본위〉란 환지* 원칙이 있는데도 불구하고 송노인의 경우는 도합 천오백열 평 중 원지로 받은 것은 불과 사백 평뿐이고 나머지 천백열 평은 말도 안 되는 박토——산을 깎은 개간지를 환지로서 받았던 것이다. 〈원지본위〉라는 _____ 원칙에도 불구하고 송노인은 환지에서 심한 _____를 보았어.

㉠"죽일 놈들!"

송노인의 입에서는 또 이런 말이 나왔다. 환지에 불만을 가진 사람들은 모두 불평을 했다. 마을 환지위원들이 공정하지 못했다는 말이 떠돌았다. 송노인과 사람들은 불공정한 환지에 _____을 가지고 불평을 하지. 진흥공사의 ××사업소 사람들도 그러고 그랬으리란 소문도 나돌았다. 이런 소문들이 맹탕 거짓말이 아니란 것은, 가령 마을 환지위원들 가운데는 그런 억울한 변을 당한 사람이 없었다는 사실과 또 환지위원들과 가까이 지내는 사람들도 어느 정도 덕을 본 셈이라는 얘기들을 미루어서 능히 짐작할 수 있는 일이었다. 환지위원 그리고 그들과 가까운 사람들은 환지에 있어 억울한 일이 없었다는 점에서 사람들은 환지 과정이 _____했다고 생각하는 거야.

부당한 환지를 받은 사람은 모두 같은 기분들이었지만 그런 뜻을 모아서 어떻게 해 보자는 사람들은 없는 것 같았다. 가뜩이나 〈오리엔탈 골프장〉의 경우와는 달라서 이건 바로 정부에서 한 일이니까 어쩔 도리가 없다고 생각하는 눈치들이었다. 말하자면 다루기 쉬운 백성들로 잘 훈련이 되어 있었던 것이다. _____를 받았음에도 사람들은 어쩔 도리가 없다는 생각에 집단 행동을 하지 않아.

"망했다, 망했어!"

송노인의 불평은 한 계단 더 비약했다. 그는 자기에게 내려진 부당한 처사를 참을 수가 없었다. 늙은 몸으로 두 달을 계속 관계 요로에 〈부당 환지의 시정〉을 호소하고 다녔다. 송노인은 불평을 하는 데 그치지 않고 이 문제와 관계된 중요한 직위에 있는 사람들에게 〈_____〉을 호소하고 다녔어. 새어 나온 그의 유서 내용에 의하면 마을 환지위원장인 이성복 동장에게는 무려 15회, 농업진흥공사 ××사업소에는 6회나 찾아간 것으로 되어 있다. 그러나 모두가 허사였다. 시종일관 묵살을 당하고만 셈이니까. 마을 환지위원장, 농업진흥공사 ×× 사업소 등에 호소하러 다녔지만 _____당한 송노인은 _____까지 남겨.

게다가 고속도로가 통하면 사람 왕래도 많아져서 송노인의 집에서는 가게도 차릴 수 있을 것이란 메기입 이성복 동장의 말도 턱도 아닌 헛나발이 되고 말았다. 고속도로를 다니는 차들은 아무 데나 설 수도 없고 또 고속도로는 함부로 건너갈 수도 없다는 것을 시골 사람들은 길이 통한 뒤에야 비로소 알았다. 고속도로가 통하면 집에서 _____를 차릴 수 있을 것이라는 기대가 좌절됐네. 바로 길 너멋 논에 두엄을 내는 사람들도 먼 굴다리 쪽을 일부러 돌아야만 되었다.

"제—기, 이기 무슨 지랄고!"

짐이 무거울수록 그들의 입에서는 욕이 절로 나왔다. 사람들은 _____로 인해 생활에 불편이 생겨 분노하지.

길에서 집이 가까운 송노인의 경우는 은근히 희망을 걸어보던 가게를 내긴커녕 지나가는 차들이 내뿜는 매연과 소음과 먼지 때문에 도리어 역정만 늘어날 판이었다. 그래서 처음에는 행여 구멍

가게라도 될까싶어 일부러 길 쪽으로 내 보았던 마루방도 이내 문을 달아걸었다. 길 쪽 창유리가 쉴 새 없이 밀어닥치는 먼지로 인해 마치 매기릿간의 그것처럼 뿌옇게 되어 버렸다.

㉡"망했어. 망했어!" 송노인은 가게를 낼 희망이 좌절되었을 뿐 아니라 고속 도로에서 불어오는 _____로 인해 낙담해.

장면끊기 01 부당한 _____를 받은 송노인은 분노하여 마을 환지위원장과 진흥공사 ××사업소를 찾아갔지만 이는 모두 묵살당해 허사가 되었고 _____가 나면 집을 가게로 낼 희망마저 좌절됐어. 이후 내용은 중략되니 여기서 장면을 한 번 끊자.

[중략 부분의 줄거리] 마을의 농토는 공장부지 조성 등의 명목으로 자본가들에게 넘어간다. 이러한 상황을 심각하게 받아들이지 않고 가벼운 농담이나 하는 마을 젊은이들과 송노인은 갈등하게 된다.

"비꼬지 마이소."

이번에는 메기입의 친구요 역시 마을 환지위원의 한 사람인 상출이란 청년이 불쑥 나섰다.

"영감님이 젊었을 때 무슨 대단한 일이라도 했다고 툭하면 젊었을 때는——하고 나서는기요? 농민조합에 들어가서 경찰서 때리부수는 일에 가담했다는 것밖에 더 있소?" 상출이는 젊었을 때 _____에 가담했을 뿐 무슨 대단한 일을 했다고 송노인에게 따져.

청년회장까지 겸하고 있는 만큼 비교적 머리가 영리하고 옛날 일도 제법 알고 있는 편이다. 안다는 놈이 그러니 송영감은 더욱 부아가 치밀었다. 송노인은 상출이의 말에 _____가 치밀어.

"그래 농민조합에 가담한 기 그렇게 나쁜 일인가?"

"농민조합은 빨갱이 단체 아니오?"

상출이는 숫제 위협 비슷하게 나왔다. 송노인은 드디어 부아통이 터지고 말았다. 농민조합을 _____라 펌하며 위협하는 상출이의 말에 송노인은 분노해.

"머 빨갱이 단체? 이놈들이 몬하는 말이 없구나. 그래 왜놈의 경찰이 우리 경찰이더냐? 일제 때 고자질이나 하고 헌병 앞잽이나 돼서 독립운동하던 사람들을 괴롭히고 쏘아 죽이고 하던 놈들이 요새 와서는 자긴 반공 투쟁을 했을 뿐이라고 도리어 큰 소릴 치고 돌아다닌다 카디이, ㉢바로 느그가 생사람 잡을 소릴 하는구나. 어데 그 소리 한 번 더 해 봐라!"

송노인은 뼈만 남은 팔을 걷어 올렸다. 금방 칼이나 창 구실을 할는지도 모를 그런 팔이었다.

"영감님 참으이소. 장난으로 한 소리 아잉기요."

송노인의 성깔을 누구보다도 잘 아는 메기입이 얼른 사이에 들었다. 다행히 별일은 없었다.

㉣"아나, 이놈아 어서 파출소에 가서 신고나 해라! 송기호는 늙은 빨갱이라고—— ."

송노인은 상출의 얼굴에 침이라도 뱉아 주려다 그대로 돌아섰다. 그러나 따지고 보면 송노인의 그러한 감정은 비단 상출이에게만이 아니라 아무런 주견도 패기도 없으면서 그래도 마을의 무슨 대표인 체하고 우쭐거리는 젊은 치 전체에 대한 것인지도 모른다. 송노인의 분노는 상출이에게만 해당하는 것이 아니라, 줏대도 _____도 없으면서 우쭐댈 뿐인 젊은 층 전체에 대한 불평이기도 해. 물론 모든 청년들이 다 그렇다는 것은 아니다. 이른바 세대교체의 탓인지도 모르되 옛날과 달라서 요즘은 어느 마을 할 것 없이 어른들은 다 뒤로 물러앉고 그런

젊은 치들이 마을 일을 도맡듯 해서 옳든 그르든 위에서 시키는 대로만 용춤을 추고 있는 판국이라고 송노인은 생각했다. 환지문제 기타로 인해 송노인과 같은 생각을 가진 사람들도 많았지만 노인네들은 그저 "세상이 그런 걸 머!" 할 뿐 드러내 놓고 말을 잘 안했다. 세대 차이(_____을 전면에서 내맡고 있는 청년, 젊은치들과 뒤로 물러앉은 어른들) 등에서 환지문제에 대한 견해 차이가 드러난다는 거야. —— 요컨대 아직은 드러내 놓고 말은 하지 않더라도 마을 사람들 사이에는 눈에 보이지 않는 어떤 틈이 생기고 있는 것만은 숨길 수 없는 사실이었다. 멍청한 얼굴들에 나타나게 마련인 쓸쓸한 웃음들만 보아도 능히 짐작할 만한 일이었다. 마을의 젊은 층과 노인네들 사이에 눈에 보이지 않는 괴리가 생기고 있다고 느끼며, 세상이 그런 것이라 말하는 노인네들의 얼굴에서 체념 섞인 _____한 웃음을 발견하지.

ⓜ'철딱서니 없는 놈들…….'

장면끊기 02 환지문제 기타에 대한 견해 차이에서 시작된 상출이와의 갈등은 과거 송노인의 농민조합 활동에 대한 싸움으로 번지고, 송노인은 줏대도, 패기도 없이 마을을 이끄는 (젊은 층/노인들)과 뒤로 물러앉아 세상에 대해 체념한 (젊은 층/노인들) 사이의 괴리를 생각하며 쓸쓸해 하고 있어.

– 김정한, 「어떤 유서」 –

＊환지: 토지를 서로 바꿈. 또는 바꾼 땅. 환토(換土).

2 1~2번 문제를 풀어 보세요.

1. ㉠~ⓜ에 대한 설명으로 적절하지 <u>않은</u> 것은?

① ㉠: 송노인은 자신이 재산상의 피해를 입은 일로 인해 분노하고 있다.

② ㉡: 송노인은 자신의 기대와 다른 상황이 벌어진 것에 대해 실망하고 있다.

③ ㉢: 송노인은 과거에 그가 한 일을 왜곡하는 젊은이들에 대해 노여움을 드러내고 있다.

④ ㉣: 송노인은 폭력 행위에 적극적으로 가담했던 자신의 실수에 대해 인정하고 있다.

⑤ ⓜ: 송노인은 자신이 생각하는 기준과는 다르게 행동하는 사람들의 모습에 대해 불편한 마음을 갖고 있다.

2. 문학 개념어 OX 확인 문제

① 이야기 밖의 서술자가 특정 인물의 입장에서 사건을 전개하고 있다.

○ ✕

② 같은 시간에 벌어지는 다양한 장면을 병렬적 구성으로 제시하고 있다.

○ ✕

현대소설 독해의 STEP 2

1 인물 간의 관계를 고려하여 구조도의 빈칸에 적절한 말을 채우세요.

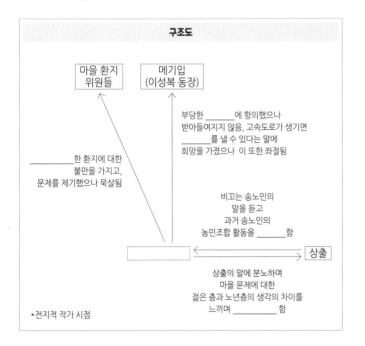

구조도

마을 환지 위원들 / 메기입 (이성복 동장)

부당한 _____에 항의했으나 받아들여지지 않음, 고속도로가 생기면 _____를 낼 수 있다는 말에 희망을 가졌으나 이 또한 좌절됨

_____한 환지에 대한 불만을 가지고, 문제를 제기했으나 묵살됨

비꼬는 송노인의 말을 듣고 과거 송노인의 농민조합 활동을 _____함

_____ ← → 상출

상출의 말에 분노하며 마을 문제에 대한 젊은 층과 노년층의 생각의 차이를 느끼며 _____함

＊전지적 작가 시점

현대소설 독해의 STEP 3

1 선지 판단 공식을 활용하여 빈칸을 채우고 1번 문제의 선지를 OX로 판단해 보세요.

선지 판단의 공식

① **작품** 송노인은 부당한 환지로 '천오백열 평' 중 '사백 평'만 원지로 받아 재산상 '심한 _____'를 보고 불공정한 환지에 대해 불평, 분노하고 있음

선지 ㉠: 송노인은 자신이 재산상의 피해를 입은 일로 인해 분노하고 있다. ○ ✕

② **작품** _____에서 집이 가까운 송노인은 메기입(이성복 동장)의 말을 듣고 '_____'를 낼 수 있다는 희망을 가지고 있었지만, 고속도로의 실상을 알고 가게를 내기는커녕 '_____' 때문에 역정을 내고 있음

선지 ㉡: 송노인은 자신의 기대와 다른 상황이 벌어진 것에 대해 실망하고 있다. ○ ✕

③ **작품** 과거에 송노인이 '_____에 가담'했던 것을 성출이 '_____' 짓이라며 왜곡하자 송노인은 '생사람 잡을 소릴' 한다며 분노하고 있음

선지 ㉢: 송노인은 과거에 그가 한 일을 왜곡하는 젊은이들에 대해 노여움을 드러내고 있다. ○ ✕

④ **작품** 송노인은 '농민조합' 활동을 '빨갱이 짓'으로 폄하하는 성출이에게 '어데 그 소리 한 번 더 해' 보라고 _____하며 '뼈만 남은 ___을 걷어 올'리고 있음

선지 ㉣: 송노인은 폭력 행위에 적극적으로 가담했던 자신의 실수에 대해 인정하고 있다. ○ ✕

⑤ **작품** '_____ 기타로 인해 송노인과 _____ 생각을 가진 사람들도 많'지만 노인네들은 '세상'이 그런 것이라며 체념적 태도를 보임, 한편 '주견도 패기도 없'는 젊은이들은 '마을의 무슨 _____인 체하고 우쭐거리'는데 송노인은 이에 대해 '철딱서니 없는 놈들'이라고 생각함

선지 ㉤: 송노인은 자신이 생각하는 기준과 다르게 행동하는 사람들의 모습에 대해 불편한 마음을 갖고 있다. ○ ✕

MEMO

현대소설 독해의 STEP 1

❶ 주요 인물에 ☐ 표시를 하고, 빈칸에 적절한 말을 채우세요.

마을 회관 앞, 황만근이 직접 심어놓은 등나무 덩굴 아래, 직접 짠 평상에 사람들이 모였다. 먼저 이장이 입을 열었다.

"만그인지 반그인지 그 바보자석 하나 따문에 소 여물도 못하러 가고 이기 뭐라. 스무 바리나 되는 소가 한꺼분에 밥 굶는 기 중요한가, 바보자석 하나가 어데 가서 술 처먹고 집에 안 오는 기 중요한가, 써그랄." 황만근이 집에 오지 않았나 봐. 그런데 이장은 황만근을 바보 취급하며 ___ 때문에 집에 오지 않았을 거라 짐작해. 황만근의 실종 때문에 ___ 여물도 못하러 가는 상황에 불만을 표현하면서 말이야.

마을에서 연장자 축에 들고 가장 학식이 높아 해마다 한 번씩 지내는 용왕제(龍王祭)에 축(祝)을 초(草)하는 황재석 씨가 받았다.

"그래도 질래 있던 사람이 없어지마 필시 연유가 있는 기라. 사람이 바늘이라, 모래라, 기양 없어지는 기 어디 있어. 암만 그래도 우리 동네 사람 아이라. 반그이, 아이다, 만그이가 여게서 나서 사는 동안 한 분도 밖에서 안 들어온 적이 없는데 말이라." 황재석 씨는 황만근이 한 번도 밖에서 안 들어온 적이 없다며 그가 집으로 돌아오지 않는 데에는 틀림없이 ___가 있을 것이라고 생각해.

"아이지요, 어르신. 가가 군대간다 캤을 때 여운지 토깨인지하고 밤새도록 싸우니라고 하루는 안 들어왔심다."

용왕제에서 집사 역을 하는 황동수가 우스개처럼 말을 이었다. 황동수는 황만근이 안 들어온 적이 있다며 ___ 씨의 말에 반박해. 아침밥을 먹기도 전 황만근의 아들이 찾아와 황만근이 집에 돌아오지 않았다고 하길래 얼결에 동네 사람들을 불러 모으는 역할을 하게 된 민 씨는 분위기가 이상하게 돌아간다 생각하고 참견을 했다.

___로부터 황만근이 오지 않았다는 소식을 듣고 동네 사람들을 한자리에 불러 모은 것은 바로 민 씨구나.

"어제 궐기대회 한다 하고 간 사람이 누구누구십니까. 황만근 씨하고 같이 간 사람은요? 궐기대회 하는 동안 본 사람은 없나요?"

자리에 모인 대여섯 명의 황 씨들은 서로의 얼굴을 마주보더니 모두 고개를 흔들었다. 모인 마을 사람들 중에 ___의 소재를 아는 사람은 아무도 없네.

"사람이라고 몇 밍이나 되나. 군 전체 사람이 모도 모있다는 기 백 밍이 될라나 말라나 한데 반그이는 돼지고기 반근만해서 그런지 안 보이더라칸께."

이장은 계속 빈정거리듯 말을 이었다. 민 씨는 이장이 궐기대회 전날 황만근을 따로 불러 무슨 말을 건네던 것을 기억해냈다.

"그제 밤에 내일 궐기대회 한다고 사람들 모였을 때 이장님이 황만근 씨에게 뭐라고 하셨죠. 모임 끝난 뒤에." 민 씨는 황만근의 실종과 이장이 ___ 전날 황만근을 따로 불러서 했던 말이 관련 있다고 생각하는 것 같지?

이장은 민 씨를 흘기듯 노려보았다.

"왜, 농민보고 농민궐기대회 꼭 나오라 캤는데, 뭐가 잘못됐나." 민 씨는 자신도 모르게 따지는 어조가 되었다.

"군 전체가 모두 모여도 몇 명 안되었다면서요. 그런 자리에 황만근 씨가 꼭 가야 합니까. 아니, 황만근 씨만 가야 할 이유라도 있습니까. 따로 황만근 씨한테 부탁을 할 정도로."

"이 사람이 뭐라 카는 기라. 이장이 동민한테 농가부채 탕감촉구

전국농민 총궐기대회가 있다, 꼭 참석해서 우리의 입장을 밝히자 카는데 뭐가 잘못됐다 말이라." 전국적으로 궐기대회가 일어날 정도로 농민들이 ___에 허덕이는 상황임을 짐작해볼 수 있어.

"잘못이라는 게 아니고요, 다른 사람들은 다 돌아왔는데 왜 황만근 씨만 못 오고 있나 하는 겁니다." 황만근은 ___ ___에 갔다가 돌아오지 않는 상황이구나. 그래서 민 씨는 궐기대회 전날 이장이 황만근만 따로 불러 무슨 말을 했는지를 물었던 거고.

"내가 아나. 읍에 가보이 장날이더라고. 보나마나 어데서 술 처먹고 주질러앉았을 끼라. 백릿길을 깅운기를 끌고 갔으이 시간도 마이 걸릴 끼고."

다른 사람들은 말이 없었고 민 씨와 이장만이 공을 주고받는 꼴이 되어버렸다.

"글쎄, 그 자리에 꼭 황만근 씨만 경운기를 끌고 갔어야 이말입니다. 그것도 고장난 경운기를."

"깅운기를 끌고 오라는 기 내 말이라? 투쟁방침이 그렇다카이. 깅운기도 그렇지, 고장은 무신 고장, 만그이가 그걸 하루이틀 몰았나. 남들이 못 몬다뿌이지." 황만근은 ___를 끌고 오라는 이장의 말에 따라 고장난 경운기를 끌고 궐기대회로 갔던 거군. 그런데 이장은 경운기를 끌고 오라는 것은 자신의 말이 아니라 ___이었다면서 자신의 책임을 회피하고 있어.

장면끊기 01 중략 앞에서 장면을 끊어볼 수 있겠네. 중략 이전에는 황만근의 실종 소식을 들은 ___가 불러 모은 마을 사람들이 등장해. 이들은 황만근을 '반그이'라고 무시하며 그의 실종을 걱정하지 않는 비윤리적인 모습으로 그려져.

(중략)

전날 밤, 분명 꿈은 아니었다. 민 씨는 황만근의 말을 이렇게 들었다.

[A]
┌ "농사꾼은 빚을 지마 안된다 카이."
│ (한번 빚을 지면 그 빚을 갚으려고 무리하게 일을 벌인다. 동네 곳곳에 텅 빈 우사(牛舍), 마른똥만 뒹구는 축사, 잡초만 무성한 비닐하우스를 보라. 농어민 복지, 소득향상, 생활개선? 다 좋다. 그걸 제 돈으로 해야 한다. 제 돈으로 하지 않으면 그건 노름이나 다를 바 없다. 빚은 만근산의 눈덩이, └ 처마의 고드름처럼 자꾸 커진다.)

"기계화 영농 카더이마 집집마다 바퀴 달린 기계가 및이나 되나. 깅운기, 트랙터, 콤바인, 이앙기, 거다 탈곡기, 건조기에…… 다 빚으로 산 기라. 농사지봐야 그 빚 갚느라고 정신없다." 황만근은 ___이 농민에게 빚을 지게 한다고 생각해.

(한 집에서 일 년에 한 번 쓰는 이앙기를 들여놓으면 그게 일 년 내내 돌아가던가. 놀 때는 다른 집에 빌려주면 된다. 옛날에는 소를 그렇게 썼다. 그런데 지금은 그렇게 하지 않는다. 서로 도와가면서 농사짓던 건 옛날 말이다. 한 집에서 기계를 놀리면서도 안 빌려주면 옆집에서는 화가 나서라도 산다. 서로 ___며 농사를 짓던 농촌의 공동체 의식이 무너져 가는 현실을 엿볼 수 있네. 어차피 빚으로 사는데 사기가 어려울까. 기계에 들어가는 기름은 면세유(免稅油)다. 면세유 가지고 기계를 다 돌리기는 힘들다. 옆집에는 경운기가 두 댄데 면세유는 한 대분밖에 나오지 않는다. 경운기가 왜 두 대씩 필요할까. 한 사람이 한꺼번에 두 대를 모는

것도 아닌데.)

"그런 기 다 쌀값에 언차진다. 언차져야 하는데 사실로는 수매하마 먹고살기 간당간당한 돈을 준다. 그 대신에 빚을 준다, 자금을 대준다 카는데 둘 다 안했으마 좋겠다. 둘 다 농사꾼을 바보 멍텅구리로 만든다."

(따라서 제대로 된 농사꾼이 점점 없어진다.)

"지 입에 들어갈 양석, 곡석을 짓는 사람이 그 고마운 곡석, 양석한테 장난치겠나. 저도 남도 해로운 농약 뿌리고 비싸고 나쁜 비료 쳐서 보기만 좋은 열매를 뺏으마 그마이가?" 황만근은 정직하게 농사를 짓는 대신, 겉보기에만 좋은 작물을 생산하기 위해 몸에 해로운 _____과 나쁜 _____를 사용하는 농촌 현실을 비판하고 있어.

(모두 빚을 갚기 위해 그러는 것이다. 그러므로 빚을 제 주머니에서 아들 용돈 주듯이 내주는 사람, 기관은 다 농사꾼을 나쁘게 만든다. 정책자금, 선심자금, 농어촌구조 개선자금, 주택 개량자금, 무슨무슨 자금 해서 빌려줄 때는 인심좋게 빌려주는 척하더니 이제 와서 그 자금이 상환능력도 없는 사람들을 파산지경으로 몰아넣고 있다. 이제 와서 그 빚을 못 갚겠다고 하는데 거기에는 충분한 이유가 있다.) 기관들이 지원하는 각종 _____이 오히려 농가를 힘들게 하는 원인이 된다는 거네.

"내가 왜 빚을 안 졌냐고. 아무도 나한테 빚 준다고 안캐. 바보라고 아무도 보증 서라는 이야기도 안했다. 나는 내 짓고 싶은 대로 농사지민서 안 망하고 백 년을 살끼라." 자신의 방식대로 소신껏 _____를 짓겠다는 황만근의 우직한 모습이 드러나는군.

장면끊기 02 중략 이후는 황만근이 _____되기 이전, _____가 농사일에 대한 황만근의 신념을 들었던 때를 보여 주네. 사람들은 그를 바보 취급했지만 그는 농사일에 대한 소신이 뚜렷한 농부였지.

일주일 뒤에 황만근은 돌아왔다. 그의 아들이 그를 안고 돌아왔다. 한 항아리밖에 안되는 그의 뼈를 담고 돌아왔다. 경운기도 돌아왔다. 수레는 떼어내고 머리 부분만 트럭에 실려 돌아왔다. 황만근 아니면 그 누구도 작동시킬 수 없는 그 머리가, 바보처럼 주인을 태우지 않고 돌아왔다. 투쟁방침을 지키기 위해 _____를 타고 궐기대회에 갔던 황만근은 결국 _____ 말았네. 황만근의 죽음은 원칙을 지키는 사람이 오히려 손해를 보는 현실을 보여 주지.

장면끊기 03 시간이 다시 바뀌어 황만근이 실종된 _____를 보여 주니 장면을 끊어볼 수 있겠지? 결국 황만근은 죽어서 돌아오게 되었네.

－ 성석제, 「황만근은 이렇게 말했다」 －

현대소설 독해의 STEP 2

1 인물 간의 관계를 고려하여 구조도의 빈칸에 적절한 말을 채우세요.

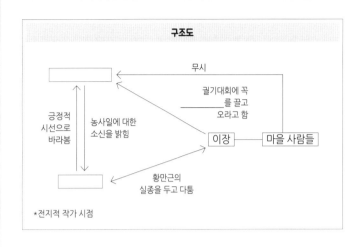

2 1~2번 문제를 풀어 보세요.

1. 궐기대회 의 서사적 기능으로 가장 적절한 것은?

① 황만근의 성품을 드러내며 비극적 사건을 유발한다.

② 이장의 행동 변화를 유도하여 사건 해결의 실마리를 제시한다.

③ 과거의 사건과 연결되어 민 씨의 피할 수 없는 운명을 암시한다.

④ 대립하던 마을 사람들이 화해하여 위기를 극복하는 계기를 마련한다.

⑤ 민 씨로 하여금 현실과 이상의 괴리를 깨닫게 하여 현실에 안주하게 한다.

2. 문학 개념어 OX 확인 문제

① [A]에서는 황만근의 말을 인용해 민 씨의 내적 갈등을 드러내고 있다.

○ ✕

② [A]에서는 황만근의 말을 민 씨의 시선을 통해 풀어서 제시하고 있다.

○ ✕

현대소설 독해의 STEP 3

1 선지 판단 공식을 활용하여 빈칸을 채우고 1번 문제의 선지를 OX로 판단해 보세요.

선지 판단의 공식

① 작품
'깅운기를 끌고 오라는' 투쟁방침에 따라 '_____난 경운기'를 끌고 궐기대회에 갔다가 일주일 뒤에 '한 항아리밖에 안되는 그의 ___'만이 돌아옴

선지 황만근의 성품을 드러내며 비극적 사건을 유발한다. ○ ✕

② 작품
이장은 '궐기대회 전날 황만근을 따로 불러' '농민궐기대회 꼭 나오라'고 했으며, '_____을 깅운기를 끌고' 가려면 '_____도 마이 걸릴' 것을 알면서도 '깅운기를 끌고 오라'고 함. 궐기대회 이후 황만근이 돌아오지 않지만 이장은 '_____가 어데 가서 술 처먹고 집에 안 오는 기 _____한가'라고 말함

선지 이장의 행동 변화를 유도하여 사건 해결의 실마리를 제시한다. ○ ✕

③ 작품
궐기대회 이전 _____는 농사에 관한 '황만근의 말'을 듣고 있으며, 궐기대회 이후 민 씨는 황만근이 실종되자 '동네 사람들을 불러 모'아 이야기하고 있을 뿐임

선지 과거의 사건과 연결되어 민 씨의 피할 수 없는 운명을 암시한다. ○ ✕

④ 작품
궐기대회 이전 마을 사람들은 '한 집에서 _____를 놀리면서도 안 빌려주'고 있음. 궐기대회 이후에 마을 사람들은 황만근의 실종에 대해 이야기를 나누고 있을 뿐임

선지 대립하던 마을 사람들이 화해하여 위기를 극복하는 계기를 마련한다. ○ ✕

⑤ 작품
궐기대회 이전 민 씨는 농사에 관한 '황만근의 말'을 듣고 있으며, 궐기대회 _____ 민 씨는 황만근이 실종되자 '동네 사람들을 불러 모'아 이야기하고 있을 뿐임

선지 민 씨로 하여금 현실과 이상의 괴리를 깨닫게 하여 현실에 안주하게 한다. ○ ✕

현대소설 독해의   STEP 1

1 주요 인물에 [   ] 표시를 하고, 빈칸에 적절한 말을 채우세요.

하루는 종로를 지나다가 박문서관에 들러 잡지를 보고 있었다. 사 볼 밑천이 없으니까 책방에 가서 이렇게 공짜로 보기가 일쑤다. 조그만 책방에서 이런 짓을 하다가는 담박 쫓겨날 것이지마는 큰 데는 사람이 우굴우굴하여 눈에 덜 뜨인다. '나'가 _____에 가는 것은 잡지를 사서 볼 _____은 없기 때문이야. '나'가 아주 풍족한 생활을 하고 있지는 않음을 추론할 수 있겠네. 옆에 섰던 중학생 두 놈이 책을 뒤적거리면서 얘기를 한다.

"얘 이 책이 어때?"

힐끗 곁눈으로 보니 그 '化學의 徹底的 硏究(화학의 철저적 연구)'라는 책이다. 무어니무어니 해도 나와 관계 있는 사람의 책이다. 하물며 내가 경앙하여 마지않는 김가성 교수의 저서임에랴! 먹는 것 없이 나는 그 책이 좋다는 평이 내리고 이어서 두말없이 사 가기를 원했다. 원했을 뿐더러 조바심까지 났다. '나'는 김가성이라는 사람을 _____한다고 하며 매우 긍정적으로 평가하네. 얼마나 김가성을 좋아하는지, 중학생들이 그의 저서를 얼른 사 갔으면 한다며 _____까지 느끼고 있어.

그런데 이놈의 대답이 괘씸하기 짝이 없다.

"틀렸어, 왜말루 쓴 그…… 무슨 책이더라?…… 하여튼 무슨 화학 연구야. 꼭 그대룬 거 머. 그래두 볼라거든 내 걸 갖다 봐."

_____로 쓴 책과 '꼭 그대룬 거'라고 하는 것으로 보아, 김가성의 책은 다른 책의 내용을 그대로 가져다 쓴 모양이야. 즉 _____을 했다는 거지.

적어도 신문에까지 난 사계의 권위자가 쓴 책이 그럴 리 없다고 생각하니 이따위 모욕적 언사를 감히 하는 학생놈이 아니꼽기 그지없다. 그렇다고 나 같은 것이 무어라고 하자니 알아야 핀잔도 줄 수 있는 것이 아닌가? '나'는 감히 자신이 경애하는 김가성의 저서를 _____하는 중학생들을 아니꼽게 생각하지만, 한편으로 자신이 그에 대해 뭐라 _____을 줄 처지도 아님을 자각하고 있어. 보고 있노라니까 행하고 내던지고 나가 버렸다. 자세히 보니 그 책뿐 아니라 옆에는 '金可成著(김가성 저)'가 세 가지나 더 있다. 꼬마 점원이 무어라고 중얼거리면서 책을 바로잡는 것을 보고 나도 행하고 나와 버렸다.

장면끊기 01 어느 날 '나'가 서점에서 중학생들의 대화를 듣게 된 일화가 제시되는 장면이야. _____을 경애하며 그가 지은 ___까지 찬양하는 '나'의 맹목적인 믿음이 드러나는 부분이지.

바로 추석날이다. 신문사에 볼일이 있어 들렀더니 세 사람이 둘러앉아 잡담을 하고 있다. 한 사람은 기자요 두 사람은 손님이었다.

"가성이란 놈, 죽일 놈이야. 지난 초열흘날 결혼했다는데 청첩장 하나 없잖아. 그 며칠 전에 길에서 만났는데두 아무 말 없구, 관호한테 물으니 동창이라고 부른 건 두민이밖에 없대."

"두민인 의살해서 돈냥 벌었겠다, 그럴 법허지 뭐야."

"고거 큰일났어. 뺀질뺀질 돌아만 댕기구…… 게다가 제깐엔 큰 권위자루 자처한다지."

"흥, 왜놈덕을 단단히 봤지, 무호동중에 이작호(無虎洞中狸作虎)*야."

"일종의 새치기지."

"새치기의 권위잔가 하하……."

"새치길수록 껍데기는 점잖구 한다는 소리는 크거든."

"그 무슨 책인가 한 권 내구 꽤 벌었다지, 더 점잖아지겠군."

모두들 가성의 진짜 동창인 모양이다. 신문사에서 김가성의 _____들이 이야기를 나누고 있네. 김가성이 자신의 _____에 돈 잘 버는 의사만 초청했다고 하는 것으로 보아, 그가 돈과 권위에 따라 사람을 선별한 것을 알 수 있네. 동창들은 그런 김가성을 _____의 권위자라고 하며, 그의 위선적인 면모를 비판하고 있어.

—가성이가 그럴 리 있나? 그 일람척기하던 가성이가, 다른 가성이겠지.

나는 변명하고 싶었다. 적어도 내가 아는 김가성은 절대 그렇지 않다는 소이연을 똑똑히 가르쳐 주고 싶었으나 아는 것이 없는데다가 말주변까지 없으니 가슴만 답답하였다.

새파란 청춘에 벌써 학계의 권위자가 되었으니 그의 앞날은 어쩌면 아인슈타인쯤 되는지도 모른다. 못되어도 일본의 유가와(湯川) 따위는 어림도 없다고 은근히 기대하고 혼자 좋아서 어깨를 으쓱해 왔는데 그럴 리가 있나? 다른 가성이겠지. '나'는 그 총명하던 김가성이 동기들 말대로의 인물일 리 없다며 부정하고, 김가성을 위해 _____을 해 주고 싶으면서도 능력이 부족하여 _____을 느끼고 있어.

장면끊기 02 추석날 '나'가 _____에서 김가성의 동기들이 나누는 대화를 듣게 되는 장면이야. 동기들의 대화 속에서 김가성은 위선적인 가짜 _____에 불과하지만, '나'는 그런 그들의 평가를 부정하며 여전히 맹목적인 신뢰를 드러내지. 이 지문은 '나'가 겪은 일화가 삽화 형식으로 나열되는 형식으로 이루어져 있어서, 하나의 일화가 끝나면 바로 다음 일화가 시작됨을 나타내는 표지가 '하루는'이나 '바로 추석날이다.'와 같은 표현으로 드러나.

하루는 옆집 문간방에서 자취하는 S대학생이 도끼 빌리러 왔기에,

"김가성 교수님 잘 계셔요?"

하고 물었더니,

"네? 어떻게 아십니까?"

하고 반문하였다. 나는 그가 어려서 일람척기하는 신동이었던 것과 제국대학을 나오고 미국 가서 깊이 연구한 학자요 권위자니 크게 이루는 바가 있으리라고 자랑삼아 선전삼아 퍼부었다. '나'는 S대학에 다니는 학생에게 자신이 아는 김가성의 뛰어난 면모를 전달하며 _____스러워하고 있네.

"글쎄요…… 뜬소문에는 다섯 가지 위원을 겸하고 있다니까 그런지는 몰라두…… 참 요새는 또 어느 무역회사 중역이 됐다나 부던데요."

학생의 달갑지 않은 대답과는 달리 나는 여기서 실로 삼탄(三嘆)하였다. 교수 자리는 자리대로 차지하고 돈은 돈대로 벌고 행세는 행세대로 하고—될성부른 나무는 떡잎부터 푸르다더니 과연 그른 말이 아니다.

"잘 살구 출세하구 더 바랄 게 무에 있어요, 과연 모두들 기대하던 대루 됐군."

내가 이렇게 응수하니,

"그렇지만 사람이 어디……"

이렇게 말미를 떼는가 했더니 멍하니 건너편 산꼭대기를 바라보다가 일어서 도끼를 쥐고 나가 버렸다. 나 같은 신문배달 무식쟁이를 상대로 얘기해 보았자 얘기가 안되리라고 생각했던 모양이다. '나'의 칭찬에 대해 _____은 회의적인 반응을 보이네. 다섯 가지 위원을 겸하면서, _____까지 되었다는 뜬소문을 전해 주면서 말이야. 앞 장면에서 김가성이 돈에 따라 사람을 차별했다고 한 동기들의 이야기와 연결 지어 보면, 김가성은 (청렴한 학자가/속물적 인물이) 아닌 (청렴한 학자/속물적 인물)로 보이네. 하지만 '나'는 그러한 모습에 대해 오히려 더욱 감탄하고 있어.

별놈이 별소리를 다해도 내가 경애하는 김가성 교수는 일인 십 역이라도 능히 감당할 천재요. 그 지식으로 말하면 고금과 동서를 전부는 몰라도 반쯤은 통했으리라 믿는 까닭에 그에게 대한 경애 나 신뢰가 털끝만치라도 동요할 리 없다. 그는 단연 거리에 굴러 다니는 어중이떠중이와는 유가 다르다.

그 후 나는 그의 소식을 듣지 못하였다. 아마 지금쯤은 직함도 더 늘고 저서도 부쩍 많아져서 더욱더 접근하기 어렵게 되었으리라. '나'는 누구의 말을 들어도 김가성에 대한 자신의 _____와 _____가 흔들리지 않을 것이라며 굳건한 믿음을 보이고 있어. 하지만 이후에는 김가성의 소식을 듣지 못하게 되지.

장면끊기 03 _____에게 김가성의 칭찬을 늘어놓지만, 정작 S대학생으로부터는 좋은 반응을 받지 못하는 장면이야. 일관되게 들려오는 (긍정적/부정적) 평가에도 김가성에 대한 '나'의 신뢰는 흔들리지 않네.

김가성론을 마친다. 이로써 내가 김가성 교수와 어떤 관계가 있 다는 것이 분명하게 되었으니 나도 조금 잘나질까 남몰래 기대하고 있다. 말꼬리에 붙어서 천 리를 가려는 파리의 심사라고 험하지 말기를 바란다. 모로 가도 서울만 가면 된다는 우리 조상의 그 알뜰 한 전통을 낸들 잊을까보냐. '나'는 김가성의 훌륭함을 열심히 주장하면서 그에 대한 내적인 친밀감을 일관되게 드러내고, 그런 훌륭한 김가성과의 관계성을 통해 자신도 _____ 하는 기대를 하고 있어.

장면끊기 04 _____과 관련된 일화가 모두 마무리된 뒤, 마지막으로 김가성론을 짓게 된 이유를 밝히는 장면이야.

― 김성한, 「김가성론」 ―

*무호동중에 이작호(無虎洞中狸作虎): 뛰어난 사람이 없는 곳에서 보잘것없는 사람이 득세함.

2 1~2번 문제를 풀어 보세요.

1. 등장인물을 중심으로 윗글을 이해할 때, 적절하지 <u>않은</u> 것은?

① '나'의 어수룩함에 대비되어 '김가성'의 속물성이 부각된다.

② '김가성'은 '나'를 통해 자신의 숨겨진 모습을 세상에 알린다.

③ '김가성'에 대한 '나'와 타인의 평가는 확연하게 차이가 난다.

④ '중학생', '세 사람', 'S대학생'을 통해 '김가성'의 위선적 실체가 드러난다.

⑤ 일련의 사건을 겪으면서도 '김가성'에 대한 '나'의 생각은 크게 바뀌지 않는다.

2. 문학 개념어 OX 확인 문제

① 현재와 과거의 사건을 교차 서술하여 사건 간의 인과 관계를 보여 주고 있다.

○ ✕

② 삽화적 사건을 나열하며 인물과 사건에 대한 서술자의 생각을 드러내고 있다.

○ ✕

현대소설 독해의 STEP 2

1 인물 간의 관계를 고려하여 구조도의 빈칸에 적절한 말을 채우세요.

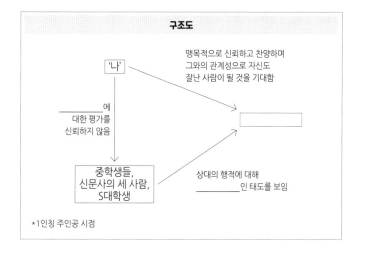

구조도

'나' → 맹목적으로 신뢰하고 찬양하며 그와의 관계성으로 자신도 잘난 사람이 될 것을 기대함

_____에 대한 평가를 신뢰하지 않음

중학생들, 신문사의 세 사람, S대학생

상대의 행적에 대해 _____인 태도를 보임

*1인칭 주인공 시점

H O L S O O

현대소설 독해의 STEP 3

1 선지 판단 공식을 활용하여 빈칸을 채우고 1번 문제의 선지를 OX로 판단해 보세요.

선지 판단의 공식

① 작품
'나'는 '김가성'의 책이 표절이라는 중학생에게 '나 같은 것이 무어라고 하자니 알아야 _____도 줄 수 있는 것이 아닌가?' 라고 하고, '김가성'의 위선적 면모를 비판하는 그의 동창들에게 '_____은 절대 그렇지 않음을 '가르쳐 주고 싶었으나 아는 것이 없는데다가 _____까지 없으니 가슴만 답답'했다고 함

선지→ '나'의 어수룩함에 대비되어 '김가성'의 속물성이 부각된다.　○ ✕

② 작품
'나'는 「김가성론」을 통해 '내가 김가성 교수와 _____'을 분명하게 하여 '나도 조금 _____ 남몰래 기대'할 뿐임

선지→ '김가성'은 '나'를 통해 자신의 숨겨진 모습을 세상에 알린다.　○ ✕

③ 작품
'나'는 '김가성'의 책에 대한 '중학생'의 부정적 평가에 '신문에까지 난 _____가 쓴 책이 그럴 리 없다'고 하며, '김가성'이 돈 있는 동창만 결혼식에 초대했다는 '김가성'의 '진짜 동창'의 이야기에는 '내가 아는 김가성은 절대 그렇지 않다'는 생각을 하고, 'S대학생'이 '달갑지 않은' 듯 전한 '김가성'의 소문에 대해서는 '실로 삼탄'하며 '_____는 떡잎부터 푸르'다고 함

선지→ '김가성'에 대한 '나'와 타인의 평가는 확연하게 차이가 난다.　○ ✕

④ 작품
'중학생'은 '김가성'의 책이 '_____'로 적힌 다른 책과 '꼭 그대론 거'라고 하며, 신문사의 '세 사람'은 '김가성'이 '의살해서 _____' 번 동기만 결혼식에 초대했다고 하고, 'S대학생은 '_____을 겸하고 있'는 '김가성'이 '어느 _____'이 되었다고 함

선지→ '중학생', '세 사람', 'S대학생'을 통해 '김가성'의 위선적 실체가 드러난다.　○ ✕

⑤ 작품
'나'는 '별놈이 별소리를 다해도 내가 _____하는 김가성 교수는 일인 십역이라도 능히 감당할 _____'라며 '그에게 대한 경애나 신뢰가 털끝만치라도 _____할 리 없다.'라고 함

선지→ '일련의 사건을 겪으면서도 '김가성'에 대한 '나'의 생각은 크게 바뀌지 않는다.　○ ✕

현대소설 독해의 STEP 1

❶ 주요 인물에 ☐ 표시를 하고, 빈칸에 적절한 말을 채우세요.

[앞부분 줄거리] 낙동강 주변의 고지대 '마샛등' 사람들은 공공 수도가 설치되지 않아 고통을 겪는다. 황거칠 씨는 마을 사람들과 함께 산에 우물을 파서 마을로 물을 끌어 쓰는 데 성공한다. 그런데 호동팔은 그 산이 자신의 형 호동수가 매입한 산이므로 수도 시설을 철거하라고 한다. 황거칠 씨는 재판에서 진 후, 강제로 우물을 헐고 수도 시설을 철거하던 사람들과 몸싸움을 벌이다 경찰에 연행된다. _____의 산에 설치한 수도 시설을 둘러싸고 황거칠을 *포함한* _____ *사람들과 호동팔이 서로 갈등 관계에 있음이 제시되었네.*

　일행이 구류간에서 풀려 나왔을 때는 산에 있는 황거칠 씨의 수도 시설은 완전히 철거되고, 파괴됐던 다섯 개의 우물은 호동팔 측에 의해서 복구 작업이 시작되고 있었다. 드디어 소원 성취를 한 동팔이가 '마샛등' 일대의 수도를 독차지하겠다는 것이다. *호동팔은 마샛등 일대의* _____ *을 자신이 모두 차지하려는 욕망을 지니고 있군.*

　'죽일 놈!'

하고, 황거칠 씨가 이를 악물고 있는 판에 뜻밖에 동팔이 측에서 사람을 하나 보내 왔다. *황거칠은 그러한* _____ *에게 굉장한 반감을 느끼고 있어.* 용건이 또 걸작이었다. ─ '마샛등' 일대의 배수 시설을 자기에게 팔든가(물론 헐값으로), 정 놓기 싫으면 자기와 공동 경영을 하자는 것이었다. 아니꼽게도 이쪽의 약점을 노린 수작이었다.

　"가거라, 이 개 같은 놈아! 밥을 처먹는 놈이 그따위 심부름을 하고 다녀?"

　황거칠 씨는 벼락같은 소릴 쳤다. 차라리 거저 내버렸음 내버렸지, 동팔이에게 시설을 판다든가, 더구나 공동 경영 따위 쓸개 빠진 것은 입에 담기조차 창피한 일이었다. 교섭을 왔던 사람이 코를 싸고 돌아간 뒤에도 그는 내처 주먹을 떨어 댔다.

　'누굴 자기 같은 놈인 줄 알았던가? 뻔뻔스런 놈 같으니!'

　아무리 생각해도 분했다. *황거칠은 마샛등 일대의 수도를* _____ *하기 위한 호동팔의 수작을 아주 괘씸하게 여기고 있어.*

　배수 시설의 양도를 거절당한 동팔이는 어디 보자는 듯이 '마샛등' 일대에 자기대로의 시설을 하기 시작했다. 그 바람에 매일같이 많은 물을 쓰지 않으면 안 되는 콩나물 장수, 두부집, 그리고 두꺼비가 그려진 소주의 깃발을 늘어놓고 소주랑, 막걸리, 청주까지 만들어서 파는 '두꺼비집' 같은 데서는 만부득이 호동팔의 물이라도 쓰지 않을 수 없었다. *한편 호동팔은 자신의 제안이* _____ *당하자 자기 방식대로 수도 시설을 운영하면서 마샛등 일대 사람들의* ___ *사용에 압박을 가하기 시작해.* 그 밖에도 동팔이와 특별한 관계 ─ 가령 그의 목수 허드렛일을 맡아 있다던가, 인척 관계인 몇몇 사람들도 그 물을 쓰기 시작했다.

　한편 복수라기보다 자기의 권리를 되찾기 위해 여러 날 여러 밤을 골똘히 궁리해 오던 황거칠 씨는 드디어 호동수의 산이 아닌 다른 산에서 물을 끌어오기로 결심했다.

　'어디 제 놈들의 산이 아니면 물이 없을까!'

　이튿날부터 황거칠 씨는 예의 쇠 작대기를 찾아 들고 집을 나섰다. 수정암 훨씬 뒤 굴밤나뭇골이란 데 가서 새 수원을 찾기로 했다. 그곳은 안심할 수 있는 국유 임야였다. *수도 시설에 대한* _____ *를 되찾고자 한 황거칠은 호동수의 산이 아닌* _____ *(나라에서 소유하고 관리하는 산림)에서 새로운 수원을 찾고자 해.*

장면끊기 01　호동팔이 황거칠에게 마샛등 일대의 배수 시설을 자신에게 팔거나 _____을 하자고 제안하자 황거칠이 분노하며 이를 거절하는 내용이었어. 황거칠이 호동팔의 횡포에 맞서기 위해 국유 임야에서 새로운 _____을 찾고자 한 것이 중략 이후에서 어떤 상황으로 이어지는지에 주목하면서 읽어보도록 하자.

(중략)

　그날 밤 그는 실근이를 비롯해서 가까이 지내는 통·반장 몇 사람과 저번 날 일로 말미암아 함께 구류를 살던 청년들을 자기 집으로 불렀다.

　먼저, 동팔이와 화해를 않음으로써 본의 아니게 주민들에게 물 곤란을 주고 있는 자기의 안타까운 심정을 사과 겸 말하고, 그날 낮 산을 돌아본 얘기와 자기의 ㉠새로운 계획을 비쳐 보았다. *황거칠은 마을 사람 몇 명을 집으로 불러 국유 임야에서 ____을 끌어오겠다는 자신의 _____을 이야기해.*

　"한번 진다는 건 두 번 질 장본이라고 생각합니다. 결국 우리들은 지다가 지다가 지금 같은 꼴들이 된 게 아닐까요? 내가 그런 엄두를 낸 것은 결코 내 자신의 이익을 위해서만 그런 게 아닙니다. 아시겠어요?"

　황거칠 씨는 자못 흥분된 어조로 말했다. *이번 계획은 (자신의/마샛등 전체의) 이익이 아닌 (자신의/마샛등 전체의) 이익을 위한 일이라고 하며 목소리를 높이는 모습이야.* 평소 말을 잘 안 하는 그의 입에서 어떻게 그런 말들이 쏟아져 나올까 의심스러울 정도였다. 새삼스레 어떤 희망이라기보다는 묵은 분노라도 되살아나는 듯 눈마저 이상스럽게 이글거리는 것 같았다. *호동팔의 횡포로 인해 생활의 기본이 되는 물 사용의 권리조차 침해받아야 했던 날들이 떠올라* _____*가 되살아났던 모양이야.*

　"됐심더! 내일부터 당장 시작합시더. 그까짓 새미 몇 개쯤, 여러 사람이 가문 하리면 다 안 파겠능교. 똥파리의 원수를 어서 갚아야 잠이 오지, 온……"

　동팔이를 때렸다가 혼이 난 인호란 청년이 이렇게 말하자, 모두들 동조를 했다. *인호라는 마을 청년은 호동팔을 때린 일로 곤욕을 치른 적도 있어 그를 향한 반감이 특히나 큰 모양이야. 그가 황거칠의 계획에 (찬성/반대)한 것을 시작으로 다른 마을 사람들도 모두* _____*하는 모습을 보이고 있어.*

　소주를 큰 걸로 두병이나 사 온 황거칠 씨의 할멈도 못내 기쁜 표정을 지었다.

　"호씨 형제들의 심보도 심보지만, 산에 나오는 물꺼정 마음대로 몬 묵구로 하는 법도 더럽지요!"

　그녀는 새삼 억울하게 당한 일을 생각하곤 이렇게 빈정대기도 했다. *황거칠의 계획에 동의하는 사람들을 보며* _____*하던 황거칠의 할머니도 호동수·호동팔 형제를 향한 비난을 한 마디 덧붙이고 있어.*

　마을 사람들이 떠난 뒤, 황거칠 씨의 할멈은 북창 위 시렁에 모셔 둔 세존 단지 곁에, 영감이 산에서 가져온 물물을 얹어 두고는 성주 세손에게 한참 동안 기도를 올렸다. *황거칠의 계획이 이루어지고, 그에게 별 다른 문제가 생기지 않기를 바라며 간절히* _____*하는 것이겠지.*

　쇠뿔도 단김에 뺀다는 격으로 날이 새기가 바쁘게 '마샛등' 남정들은 마을 뒤 언덕배기로 모여들었다. 실근이란 통장이 지난밤 황씨 집에서 얘기된 계획을 말하자 죄다 물 곤란을 겪던 터이라 누구 하나 반대하는 사람이 없었다.

　"그거 참 잘 생각했소. 더런 놈이 가져오는 물 묵을 뿐 했덩이!"

"그렇기 말임더."

모두 잘코사니*를 치며 돌아갔다. 그것은 비단 호동팔이가 미워서만 하는 소리가 아닌 것 같았다. 마삿등 사람들이 그동안 물 문제로 인해 얼마나 큰 _____을 겪어왔는지를 짐작할 수 있어.

'마삿등' 따라지 – 그러나 악바리들은 조반을 끝내기가 바쁘게 괭이랑 삽들을 들고, 더러는 황거칠 씨 집 앞길에 모여 들고 더러는 바른총으로 굴밤나뭇골로 올라갔다. 골은 거기서 십 리나 떨어져 있었다.

좁은 골목길에는 호동팔의 인부들이 열심히 파이프를 묻고 있었다.

"우리들 것 다칠라, 단딩이 하소!"

동네 사람들은 지나오면서 동팔이의 인부들을 보고 이렇게 주의를 시켰다. 그들은 황거칠 씨의 것을 '우리들 것'이라고 말했다. 말하자면 그만큼 그 수도 시설을 아끼는 심정들이었던 것이다. 마삿등 사람들은 _____을 마을 공동의 소유물로 생각하며 소중히 여기고 있었구나.

장면끊기 02 마삿등 사람들이 _____의 계획(국유 임야에서 물을 끌어오는 것)에 모두 동의하면서 괭이와 ____ 등을 챙겨 곧장 행동에 나서는 모습이 제시되었어. 마삿등 사람들이 보여 주는 말과 행동에서 그들이 그동안 겪어온 고통과 설움, 수도 시설에 대한 애착을 엿볼 수 있었다는 점을 정리해 두도록 하자.

– 김정한, 「산거족(山居族)」 –

*잘코사니: 고소하게 여기는 일. 주로 미운 사람이 불행을 당한 경우에 하는 말임.

2 1~2번 문제를 풀어 보세요.

1. ㉠에 대한 설명으로 적절한 것은?

① '새 수원'을 찾아야 이룰 수 있는 것이다.

② '국유 임야'를 매입하여 '우물'을 파는 것이다.

③ '호동팔의 물'을 쓰는 사람들을 응징하는 것이다.

④ '호동팔'의 '시설'을 빌려서 물을 끌어다 쓰는 것이다.

⑤ '우물'을 파서 물을 길어다 쓰는 것이 구체적인 내용이다.

2. 문학 개념어 OX 확인 문제

① 사투리를 활용하여 사건의 현장감을 강화하고 있다.　　　○ ✕

② 배경을 상징적으로 제시하여 앞으로 일어날 사건을 암시하고 있다.

　　　○ ✕

현대소설 독해의 STEP 2

1 인물 간의 관계를 고려하여 구조도의 빈칸에 적절한 말을 채우세요.

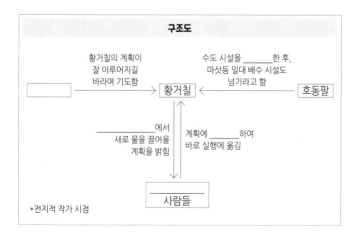

구조도

황거칠의 계획이 잘 이루어지길 바라며 기도함 → **황거칠** ← 수도 시설을 _____한 후, 마삿등 일대 배수 시설도 넘기라고 함 ← **호동팔**

_____에서 새로 물을 끌어올 계획을 밝힘

계획에 _____하여 바로 실행에 옮김

↓

_____ 사람들

*전지적 작가 시점

현대소설 독해의   STEP 3

1 선지 판단 공식을 활용하여 빈칸을 채우고 1번 문제의 선지를 OX로 판단해 보세요.

선지 판단의 공식

① 작품
황거칠은 '호동수의 산이 아닌 _____에서 물을 끌어 오기로 결심'하고 '굴밤나뭇골이란 데 가서 새 수원을 찾기로' 한 뒤, 마을 사람들 몇 명을 집으로 불러 '산을 돌아본 얘기와 자기의 ㉠_____'을 밝힘

선지➡ '새 수원'을 찾아야 이룰 수 있는 것이다.   ○ ×

② 작품
'호동수의 산이 아닌 다른 산에서 물을 끌어오기로 결심'한 황거칠은 '_____'에서 '새 수원을 찾기로' 함

선지➡ '국유 임야'를 매입하여 '우물'을 파는 것이다.   ○ ×

③ 작품
'배수 시설의 양도를 거절당한' 호동팔이 '자기대로의 시설을 하기 시작'하면서 장사를 하느라 '매일같이 많은 물을 _____ 안 되는' 사람들은 부득이하게 '호동팔의 물'을 쓸 수밖에 없게 됨

선지➡ '호동팔의 물'을 쓰는 사람들을 응징하는 것이다.   ○ ×

④ 작품
황거칠은 호동수의 산에 설치했던 '_____을 철거' 하게끔 만든 _____의 횡포로 인해 '호동수의 산이 아닌 다른 산에서 물을 끌어오기로 결심'하게 됨

선지➡ '호동팔'의 '시설'을 빌려서 물을 끌어다 쓰는 것이다.   ○ ×

⑤ 작품
황거칠과 마삿등 사람들은 호동수의 산에 '_____을 파서 마을로 물을 끌어 쓰'고 있었음. 하지만 호동팔의 횡포로 수도 시설이 철거되자 황거칠은 '_____할 수 있는 국유 임야' 에서 '새 수원을 찾기로' 함

선지➡ '우물'을 파서 물을 길어다 쓰는 것이 구체적인 내용이다.
   ○ ×

H   O   L   S   o   o

현대소설 독해의 STEP 1

① 주요 인물에 [　] 표시를 하고, 빈칸에 적절한 말을 채우세요.

연습이 끝나고 막걸리 집으로 옮겨 갔을 때도, 아이들은 민 노인을 에워싸고 역시 성규 할아버지의 북소리는, 우리 같은 졸개들이 도저히 흉내 낼 수 없는 명인의 경지라고 추어올렸다. 그것이 입에 발린 칭찬일지라도, 민 노인으로서는 듣기 싫지 않았다. 잊어버렸던 세월을 되일으켜 주는 말이기도 했다.

"애들아, 꺼져 가는 떠돌이 북쟁이 어지럽다. 너무 비행기 태우지 말아라." 아이들의 _____에 기분이 좋아진 민 노인의 모습을 엿볼 수 있어.

민 노인의 겸사에도 아이들은 수그러들지 않았다.

"아닙니다. 벌써 폼이 다른걸요."

"맞아요. 우리가 칠 때는 죽어 있던 북소리가, 꽹과리보다 더 크게 들리더라니까요."

"성규, 이번에 참 욕보았다."

난데없이 성규의 노력을 평가하는 녀석도 있었다. 민 노인은 뜻밖의 장소에서 의외의 술친구들과 어울린 자신의 마음이, 외견과는 달리 퍽 편안하다는 느낌도 곱씹었다. 민 노인은 젊은 세대와 어울리는 것이 의외로 _____하다고 느끼고 있어. 옛날에는 없었던 노인과 젊은이들의 이런 식 담합이, 어디에 연유하고 있는가를 딱히 짚어 볼 수는 없었으되,

> **장면끊기 01** 공연 연습이 끝나고 _____과 _____의 친구들이 막걸리 집에서 함께 어울리는 모습이 첫 번째 장면으로 제시되어 있어.

두어 번의 연습에 더 참가한 뒤, 본 공연이 열리던 날 새벽에 민 노인은 성규에게 일렀다.

"아무리 단역이라고는 해도, 아무 옷이나 걸치고는 못 나간다. 모시 두루마기를 입지 않고는 북채를 잡을 수 없어." 공연에서 _____을 맡았지만 최선을 다하려는 모습에서 ___을 대하는 민 노인의 애정을 엿볼 수 있어.

"물론이지요. 할아버지 옷장에서 꺼내 놓으세요. 제가 따로 가지고 갈게요."

"두 시부터라고 했지?"

"네."

"이따 만나자."

> **장면끊기 02** 공연이 열리던 날 _____ 민 노인과 성규의 대화가 두 번째 장면으로 제시되었어. 길이가 짧더라도 시간과 공간이 바뀌면 장면을 끊어 읽어 주는 것이 좋아.

일찍 점심을 먹고, 여느 날의 걸음걸이로 집을 나선 민 노인은, 나이에 어울리지 않는 설레임으로 흔들렸다. 오랜만에 ___을 치게 된 것에 대한 민 노인의 _____이 드러나고 있어. 아직은 눈치를 채지 못한 아들 내외에 대한 심리적 부담보다는, 자기가 맡은 일 때문이었다. _____는 민 노인이 북을 치는 것을 못마땅하게 여기나 봐. 하지만 민 노인은 이에 아랑곳하지 않고 자신이 공연에서 맡은 역할을 잘 해내고 싶어 해. 수십 명의 아이들이 어우러져 돌아가는 춤판에 영감쟁이가 하나가 낀다는 사실이, 새삼스럽게 어색하기도 하고, 모처럼의 북 가락이 그런 모양으로 밖에는 선보일 수 없다는 데 대한, 엷은 적막감도 씻어 내기 힘들었다. 민 노인은 젊은이들 사이에서 북을 치는 자신의 모습에서 _____함과 _____감을 느꼈나 봐.

> **장면끊기 03** 공연을 하러 가면서 민 노인이 느끼는 감정이 제시되고 있어.

그러나 젊은 훈김들이 뿜어내는 학교 마당에 서자 그런 머뭇거림은 가당찮은 것으로 치부되었다. 시간이 되어 옷을 갈아입고 아이들 속에 섞여 원진(圓陣)을 이루고 있는 구경꾼들을 대하자, 그런 생각들은 어디론지 녹아 내렸다. 그 구경꾼들의 눈이 자기에게 쏠리는 것도 자신이 거쳐 온 어느 날의 한 대목으로 치면 그만이었다. 노장이 나오고 취발이가 등장하는가 하면, 목중들이 춤을 추며 걸쭉한 음담패설 등을 쏟아 놓을 때마다, 관중들은 까르르 웃었다. 민 노인의 북은 요긴한 대목에서 둥둥 울렸다. 쨰지는 소리를 내는 꽹과리며 장구에 파묻혀 제값을 하지는 못해도, 민 노인에게는 전혀 괘념할 일이 아니었다. 그전에도 그랬던 것처럼, 공연 전에 마신 술기운도 가세하여, 탈바가지들의 손끝과 발목에 한 치의 오차도 없이 그의 북소리는 턱 턱 꽂혔다. 그새 입에서는 얼씨구! 소리도 적시에 흘러나왔다. 아무 생각도 없었다. 가락과 소리와, 그것을 전체적으로 휩싸는 달착지근한 장단에 자신을 내맡기고만 있었다. 민 노인은 _____에 자신을 맡기고 신명을 느끼며 공연에 몰입하고 있어.

> **장면끊기 04** 앞에서 느꼈던 부담감은 곧 사라지고 _____이 시작되자 자신감을 갖고 신명나게 공연에 몰입하는 _____의 모습이 제시되고 있어.

그날 밤, 민 노인은 근래에 흔치 않은 노곤함으로 깊은 잠을 잤다. 춤판이 끝나고 아이들과 어울려 조금 과음한 까닭도 있을 것이었다. 더 많이는, 오랜만에 돌아온 자기 몫을 제대로 해냈다는 느긋함이, 꿈도 없는 잠을 거쳐 상큼한 아침을 맞고 했을 것으로 믿었는데, 그런 흐뭇함은 오래 가지 않았다. 다 저녁때가 되어, 외출에서 돌아온 며느리는 집 안에 들어서자마자 성규를 찾았고, 그가 안 보이자 민 노인의 방문을 밀쳤다.

"아버님, 어저께 성규 학교에 가셨어요?"

예사로운 말씨와는 달리, 굳어 있는 표정 위로는 낭패의 그늘이 좌 깔려 있었다. 금방 대답을 못하고 엉거주춤한 형세로 며느리를 올려다보는 민 노인의 면전에서, 송 여사의 한숨 섞인 물음이 또 떨어졌다.

"북을 치셨다면서요." 며느리(송 여사)는 민 노인이 _____ 학교에 가서 ___을 치는 것을 못마땅하게 여기고 있어.

"그랬다. 잘못했니?"

우선은 죄인 다루듯 하는 며느리의 힐문에 부아가 꾸역꾸역 치솟고, 소문이 빠르기도 하다는 놀라움이 그 뒤에 일었다. 민 노인은 자신을 _____ 다루듯 하는 _____의 태도에 노여워하면서도, 성규 학교에서 북을 치고 온 일을 며느리가 벌써 알고 있다는 사실에 놀라고 있어.

"아이들 노는 데 구경 가시는 것까지는 몰라도, 걔들과 같이 어울려서 북 치고 장구 치는 게 나이 자신 어른이 할 일인가요?"

"하면 어때서. 성규가 지성으로 청하길래 응한 것뿐이고, 나는 원래 그런 사람 아니니. 이번에도 내가 늬들 체면 깎았나."

"아시니 다행이네요."

송 여사는 후닥닥 문을 닫고 나갔다. 며느리는 자신의 _____ 때문에 민 노인이 북을 치는 것을 싫어하고 있어.

> **장면끊기 05** 다섯 번째 장면은 '_____'으로 시작해. 민 노인이 공연을 끝내고 집으로 돌아온 날 밤, _____는 민 노인에게 성규의 학교에 가서 북을 치고 왔다고 물으며 질책하지. 이 장면에서는 민 노인과 며느리의 _____이 드러나고 있어.

– 최일남, 「흐르는 북」–

현대소설 독해의 **STEP 2**

1 인물 간의 관계를 고려하여 구조도의 빈칸에 적절한 말을 채우세요.

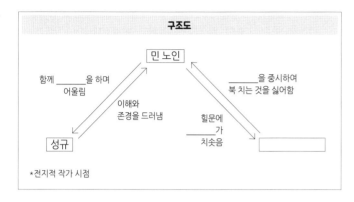

구조도

민 노인

함께 _____을 하며 어울림

_____을 중시하여 북 치는 것을 싫어함

이해와 존경을 드러냄

_____가 치솟음

성규

*전지적 작가 시점

2 1~2번 문제를 풀어 보세요.

1. 윗글의 공간적 배경에 대한 해석으로 적절하지 <u>않은</u> 것은?

① '막걸리 집'은 '민 노인'이 신세대와 만나 인간적인 소통을 하는 공간이다.

② '춤판'은 '아이들'이 함께 어우러져 유대감을 확인하는 공간이다.

③ '춤판'은 '구경꾼들'이 공연 내용에 반응하며 전통 예술을 향유하는 공간이다.

④ '춤판'은 '민 노인'이 신명 나게 북을 치며 자신감을 회복하는 공간이다.

⑤ '집'은 '며느리'가 사회적 체면을 중시하여 자신의 허영심을 억압하는 공간이다.

2. 문학 개념어 OX 확인 문제

① 특정 인물의 시각에서 서술하여 그의 내면에 공감하도록 유도하고 있다.
○ ×

② 인물이 겪은 과거의 사건을 서술자가 요약적으로 제시하고 있다. ○ ×

현대소설 독해의 **STEP 3**

1 선지 판단 공식을 활용하여 빈칸을 채우고 1번 문제의 선지를 OX로 판단해 보세요.

선지 판단의 공식

① 작품
연습을 끝내고 옮겨간 '막걸리 집'에서 민 노인은 '의외의 _____과 어울린 자신의 마음이, 외견과는 달리 퍽 _____하다'고 느낌

선지→ '막걸리 집'은 '민 노인'이 신세대와 만나 인간적인 소통을 하는 공간이다. ○ ×

② 작품
'수십 명의 _____이 어우러져 돌아가는 _____'에서 '민 노인의 북은 요긴한 대목에서 둥둥 울'림

선지→ '춤판'은 '아이들'이 함께 어우러져 유대감을 확인하는 공간이다. ○ ×

③ 작품
'춤판'에 '노장이 나오고 취발이가 등장하는가 하면, 목중들이 춤을 추며 걸쭉한 음담패설 등을 쏟아 놓을 때마다, _____은 까르르 웃'음

선지→ '춤판'은 '구경꾼들'이 공연 내용에 반응하며 전통 예술을 향유하는 공간이다. ○ ×

④ 작품
'그전에도 그랬던 것처럼' '춤판'에서 '탈바가지들의 손끝과 발목에 한 치의 _____도 없이 그의 _____는 턱 턱 꽂'히고, '그새 입에서는 얼씨구! 소리도 _____에 흘러나'옴

선지→ '춤판'은 '민 노인'이 신명 나게 북을 치며 자신감을 회복하는 공간이다. ○ ×

⑤ 작품
'집'으로 들어선 _____는 아이들과 어울려 '북 치고 장구 치는 게 나이 자신 어른이 할 일'이냐며 민 노인을 질책함, 민 노인이 '이번에도 내가 늬들 _____ 깎았냐.'라고 하자, 며느리는 '아시니 다행이네요.'라고 함

선지→ '집'은 '며느리'가 사회적 체면을 중시하여 자신의 허영심을 억압하는 공간이다. ○ ×

현대소설 독해의 STEP 1

1 주요 인물에 ☐ 표시를 하고, 빈칸에 적절한 말을 채우세요.

그런데 그 가을의 어느 날이었다. 이미 가끔씩 노환으로 자리보전을 하던 석담 선생은 그날도 병석에서 일어나기 바쁘게 종이와 붓을 찾았다. 그것도 그 무렵에는 거의 쓰지 않던 대필(大筆)과 전지(全紙)였다. 벌써 몇 달째 종이와 붓을 가까이 않던 고죽은 그런 스승의 집착에 까닭 모를 심화를 느끼며 먹을 갈기 바쁘게 스승 곁을 물러나고 말았다. 어딘가 모르게 스승의 과장된 집착에는 제자의 방황을 비웃는 듯한 느낌이 드는 데가 있었던 것이다. 성치 않은 몸으로 일어나자마자 붓글씨를 쓰는 스승의 집착에 고죽은 내심 ___가 나고 있어. 왜냐하면 스승의 과한 집착이 마치 _____하는 자신을 비웃는 것 같기 때문이지. 그러나 한동안 뜰을 서성이는 사이에 그는 문득 늙은 스승의 하는 양이 궁금해졌다.

방에 돌아오니 석담 선생은 붓을 연적에 기대 놓고 눈을 감은 채 숨을 헐떡이고 있었다. 바닥에는 방금 쓰다가 그만 둔 것인 듯 '萬毫齊力(만호제력)' 넉 자 중에서 앞의 석 자만이 씌어져 있었다.

"소재(蘇齋)*는 일흔여덟에 참깨 위에 '天下泰平(천하태평)' 넉 자를 썼다고 한다. 나는 아직 일흔도 차지 않았는데 이 넉 자 '萬毫齊力'을 단숨에 쓸 힘도 남지 않았으니……."

그렇게 탄식하는 석담 선생의 얼굴에는 자못 처연한 기색이 떠올랐다. _____도 되지 않은 나이에 기력이 다해 붓글씨 쓰기를 제대로 끝마치지 못한 석담 선생은 _____하고 있어. 그러나 고죽은 그 말을 듣자 억눌렀던 심화가 다시 솟아올랐다. 스승의 그 같은 표정은 그에게는 처연함이 아니라 오히려 자신만만함으로 비쳤다. 석담 스승의 탄식이 고죽에게는 _____으로 보였대.

"설령 이 글을 단숨에 쓰시고, 여기서 금시조(金翅鳥)*가 솟아오르며 향상(香象)*이 노닌들, 그게 선생님을 위해 무슨 소용이겠습니까?"

고죽은 자신도 모르게 심술궂은 미소를 띠며 물었다. 고죽은 석담 선생의 집념을 비웃으며 그게 무슨 _____이냐고 물네. 이마에 송글송글 땀이 맺힌 채 기진해 있던 석담 선생은 처음 그 말에 어리둥절한 표정이었다. 그러나 이내 그 말의 참뜻을 알아들은 듯 매서운 눈길로 그를 노려보았다.

"무슨 소리냐? 그와 같이 드높은 경지는 글씨를 쓰는 이면 누구든 일생에 단 한 번이라도 이르러 보고 싶은 경지다." 고죽의 말을 알아들은 석담 선생은 화를 내고 있어. 예술적 _____에 오르는 데에 대한 집착과 집념은 당연한 것이라고 하지.

"거기에 이르러 본들 그것이 우리에게 무엇을 줄 수 있단 말입니까?"

고죽도 지지 않았다. 고죽은 예술적 경지가 현실적으로는 아무 이득도 되지 않는다고 말하고 있어.

"태산에 올라 보지도 않고, 거기에 오르면 그보다 더 높은 산이 없을까를 근심하는구나. 그럼 너는 일찍이 그들이 성취한 드높은 경지로 후세에까지 큰 이름을 드리운 선인들이 모두 쓸모없는 일을 하였단 말이냐?"

"자기를 속이고 남을 속인 것입니다. 도대체 종이에 먹물을 적시는 일에 도가 있은들 무엇이며, 현묘(玄妙)함이 있은들 그게 얼마나 대단하겠습니까? 도로 이름하면 백정이나 도둑에게도

도가 있고, 뜻을 어렵게 꾸미면 장인이나 야공(冶工)의 일에도 현묘함이 있습니다. 천고에 드리우는 이름이 있다 하나 이 나[我]가 없는데 문자로 된 나의 껍데기가 낯모르는 후인들 사이를 떠돈들 무슨 소용이 있겠으며, 서화가 남겨진다 하나 단단한 비석도 비바람에 깎이는데 하물며 종이와 먹이겠습니까? 거기다가 그것은 살아 그들의 몸을 편안하게 해 주지도 못했고 헐벗고 굶주리는 이웃을 도울 수도 없었습니다. 그들은 그 허망함과 쓰라림을 감추기 위해 이룰 수도 없고 증명할 수도 없는 어떤 경지를 설정하여 자기를 위로하고 이웃과 뒷사람을 홀렸던 것입니다……." 고죽이 붓글씨로 예술의 경지에 오르는 것이 아무 소용 없다고 말한 근거가 제시되고 있어. 종이에 글씨를 쓰는 것에 도나 _____이 있을 수 없고, 예술적 경지가 담긴 붓글씨라 하더라도 종이와 ___이 오래 살아남을 수도 없으며, 그것이 다른 이들의 몸을 _____하게 하거나 어려운 이들을 _____ 수도 없다는 것이지. 고죽은 예술에도 실용성, 효용성이 있어야 한다는 거야.

그때였다. 고죽은 불의의 통증으로 이마를 감싸 안으며 엎드렸다. 노한 석담 선생이 앞에 놓인 벼루 뚜껑을 집어던진 것이다. 샘솟듯 솟는 피를 훔치고 있는 고죽의 귀에 늙은 스승의 광기 어린 고함 소리가 들려 왔다.

"내 일찍이 네놈의 천골(賤骨)을 알아보았더니라. 가거라. 너는 진작부터 저잣거리에 나앉아야 할 놈이었다. 용케 천골을 숨기고 오늘날에 이르렀으니 이제 나가면 글씨 한 자에 쌀 됫박은 후히 받을 게다……." 고죽의 말에 크게 화가 난 석담 선생은 그에게 _____ _____을 집어던지고 내쫓아.

결국 그 자리가 그들의 마지막 자리였다. 그 길로 석담 선생의 집을 나선 고죽이 다시 돌아온 것은 이미 스승의 시신이 입관된 뒤였다.

장면끊기 01 고죽과 그의 스승인 석담 선생이 서로 다른 예술관의 대립으로 인해 갈등하게 되는 장면이야. 붓글씨로 예술적 경지에 오르기 위해 집착하는 _____과 그러한 스승의 모습을 이해하지 못하고 비웃는 _____의 갈등이 첨예하게 드러나지. 이후 삼십여 년이 지난 시점에서 고죽이 이 일을 _____한 것임이 드러나므로 여기서 장면을 나누어야 해.

벌써 삼십여 년 전의 일이건만 고죽은 아직도 희미한 아픔을 느끼며 이제는 주름살이 덮여 흉터가 별로 드러나지 않는 왼쪽 이마어름을 만져 보았다. 그러나 그와 함께 떠오르는 스승의 얼굴은 미움도 두려움도 아닌, 그리움 그것이었다. 고죽이 스승인 석담 선생과 싸우고 집을 나온 지 삼십여 년이 지났고, 고죽에게 스승은 미움이나 두려움이 아닌 _____의 대상으로 남아 있어.

"아버님, 김 군이 왔습니다."

다시 추수의 목소리가 그를 끝 모를 회상에서 깨나게 하였다. 이어 방문이 열리며 초헌(草軒)의 둥글넓적한 얼굴이 나타났다. 대할 때마다 만득자(晩得子)를 대하는 것과 같이 유별난 애정을 느끼게 하는 제자였다. 제자인 _____에 대한 고죽의 애정이 각별하네. 사람이 무던하다거나 이렇다할 요구 없이 일 년 가까이나 그가 없는 서실을 꾸려가고 있는 탓도 있겠지만 그보다는 글씨 때문이었다. 붓 쥐는 법도 익히기 전에 행서(行書)를 휘갈기고, 점획 결구(點劃結構)도 모르면서 초서(草書)며 전서(篆書)까지 그려 대는 요즈음 젊은이들답지 않게 초헌은 스스로 정서(正書)로만 삼 년을 채웠다. 또 서력(書歷) 칠 년이라고는 하지만 칠 년을 하루같이 서실에만 붙어 산 그에게는 결코 짧은 것이 아닌데도 그 봄의 고죽 문하생

합동전에는 정서 두어 폭을 수줍게 내놓았을 뿐이었다. 초헌은 다른 젊은이들과 달리 (기교를 부릴/기본에 충실할) 줄 알고 자신의 실력을 자랑하기보다 겸손할 줄 아는 사람이야. 그러나 그의 글은 서투른 것 같으면서도 이상한 힘으로 충만돼 있어, 고죽에게는 남모를 감동을 주곤 했다. 젊었을 때는 그토록 완강하게 거부했지만 나이가 들수록 그윽하게 느껴지는 스승 석담의 서법을 연상케 하는 데가 있었기 때문이었다. 고죽이 제자 초헌을 아끼는 이유 중에는 그의 _____이 스승 석담을 연상시킨다는 점도 있네.

장면끊기 02 스승 석담 선생의 집에서 나온 뒤 삼십여 년이 흘렀고, 고죽은 스승을 떠올리며 그리움을 느껴. 그리고 제자 초헌의 모습에서도 _____을 떠올리지.

– 이문열, 「금시조(金翅鳥)」 –

*소재: 청나라 학자 옹방강의 호.
*금시조: 불경에 나오는 상상의 큰 새.
*향상: 상상의 큰 코끼리.

☑ 1~2번 문제를 풀어 보세요.

1. 윗글을 읽은 학생의 반응으로 적절하지 <u>않은</u> 것은?

① 예술이 갖는 효용성 문제에 대해 논란이 있군.

② 예술의 경지를 깨달아 가는 과정이 험난하다는 점을 암시하고 있군.

③ 예술가로서 스승과 제자의 만남과 헤어짐을 작가는 극적으로 그려 내었군.

④ 예술을 최고의 가치로 생각하는 태도에 대해 작가는 잘못되었다고 말하는군.

⑤ 예술을 창조하는 이들이 겪는 정신적 고뇌에 대해 어느 정도 이해할 수 있군.

2. 문학 개념어 OX 확인 문제

① 시간의 흐름을 비약시킴으로써 과거와 현재를 연계하고 있다.　　○　✕

② 갈등의 양상을 첨예하게 그림으로써 긴장감을 고조시키고 있다.　　○　✕

현대소설 독해의 STEP 2

1 인물 간의 관계를 고려하여 구조도의 빈칸에 적절한 말을 채우세요.

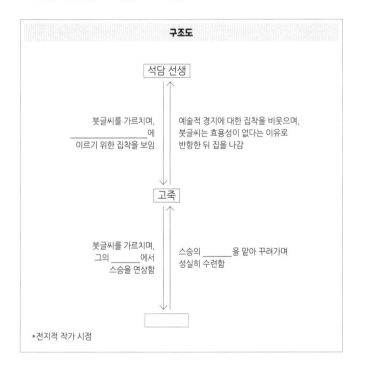

구조도

석담 선생

붓글씨를 가르치며,
_____에
이르기 위한 집착을 보임

예술적 경지에 대한 집착을 비웃으며,
붓글씨는 효용성이 없다는 이유로
반항한 뒤 집을 나감

고죽

붓글씨를 가르치며,
그의 _____에서
스승을 연상함

스승의 _____을 맡아 꾸려가며
성실히 수련함

*전지적 작가 시점

현대소설 독해의 **STEP 3**

1 선지 판단 공식을 활용하여 빈칸을 채우고 1번 문제의 선지를 OX로 판단해 보세요.

선지 판단의 공식

① 작품

석담이 '＿＿＿＿＿＿＿＿는 글씨를 쓰는 이면 누구든 일생에 단 한 번이라도 이르러 보고 싶은 경지'라고 하자, 고죽은 '거기에 이르러 본들 그것이 우리에게 ＿＿＿＿을 줄 수 있'냐고 물음, 고죽은 붓글씨가 '몸을 편안하게 해 주지도 못했고 헐벗고 ＿＿＿＿＿＿ 이웃을 도울 수도 없'다고 했고, 이에 석담은 분노함

➡ 예술이 갖는 효용성 문제에 대해 논란이 있군.　○ ✕

② 작품

석담은 붓글씨를 쓰던 중 '아직 일흔도 차지 않았는데 이 넉 자 **萬毫齊力**'을 단숨에 쓸 힘도 남지 않았'다고 ＿＿＿＿함. 고죽이 석담의 집착을 비웃자 석담은 '드높은 경지는 글씨를 쓰는 이면 누구든 일생에 단 한 번이라도 ＿＿＿＿＿＿ ＿＿＿＿＿＿ 경지'라고 함

➡ 예술의 경지를 깨달아 가는 과정이 험난하다는 점을 암시하고 있군.　○ ✕

③ 작품

고죽의 비아냥에 노한 석담은 '벼루 뚜껑을 집어던'지며 그를 내쫓고, '삼십여 년'이 지난 뒤 고죽은 스승을 떠올리며 '＿＿＿＿＿＿'을 느낌, 고죽은 아끼는 제자인 초헌의 서법에서 '젊었을 때는 그토록 완강하게 거부했지만 나이가 들수록 그윽하게 느껴지는 ＿＿＿＿＿＿＿＿＿＿을 연상'함

➡ 예술가로서 스승과 제자의 만남과 헤어짐을 작가는 극적으로 그려 내었군.　○ ✕

④ 작품

붓글씨로 '드높은 경지'에 이르고자 하는 집착을 보이는 석담에게 고죽이 ＿＿＿＿＿＿거린 일로 두 사람이 크게 갈등함. '삼십여 년'이 지난 뒤 고죽은 스승을 그리워하며, 아끼는 제자인 초헌의 서법에서 '＿＿＿＿＿＿의 서법을 연상'함

➡ 예술을 최고의 가치로 생각하는 태도에 대해 작가는 잘못되었다고 말하는군.　○ ✕

⑤ 작품

석담은 ＿＿＿＿＿＿를 쓰던 중 '아직 일흔도 차지 않았는데 이 넉 자 **萬毫齊力**'을 단숨에 쓸 힘도 남지 않았'다고 탄식함, 고죽은 붓글씨에는 어떤 효용도 없으며 그러한 '＿＿＿＿＿＿ 과 쓰라림을 감추기 위해 이를 수도 없고 증명할 수도 없는 어떤 경지를 설정'한 것이라며 예술적 경지에 대해 회의함

➡ 예술을 창조하는 이들이 겪는 정신적 고뇌에 대해 어느 정도 이해할 수 있군.　○ ✕

현대소설 독해의 STEP 1

1 주요 인물에 ▢ 표시를 하고, 빈칸에 적절한 말을 채우세요.

한동안은 누가 나를 쳐다보고 수군거리기만 해도 엄마 이야기라고 지레짐작했으며 남에게 그것을 눈치채이기 싫어서 짐짓 고개를 숙여 버리곤 했다. 그러나 바로 그렇게 남에게 관찰당하는 것을 싫어했기 때문에 나는 누구보다 일찍 나를 숨기는 방법을 터득했다.
사람들이 수군거리는 것에 대해 '나'는 신경이 쓰이지만, 남에게 ＿＿＿＿＿ 채이고 싶지 않아 해. 아무래도 '나'는 엄마와 관련된 사연이 있어 보여. '나'는 남이 자신을 관찰하지 못하도록 일찍부터 '나'를 ＿＿＿＿＿ 방법을 터득했대.

누가 나를 쳐다보면 나는 먼저 나를 두 개의 나로 분리시킨다. 하나의 나는 내 안에 그대로 있고 진짜 나에게서 갈라져 나간 다른 나로 하여금 내 몸 밖으로 나가 내 역할을 하게 한다.

내 몸 밖을 나간 다른 나는 남들 앞에 노출되어 마치 나인 듯 행동하고 있지만 진짜 나는 몸속에 남아서 몸 밖으로 나간 나를 바라보고 있다. 하나의 나로 하여금 그들이 보고자 하는 나로 행동하게 하고 나머지 하나의 나는 그것을 바라보는 것이다. 그때 나는 남에게 '보여지는 나'와 나 자신이 '바라보는 나'로 분리된다.
'나'는 자신을 ＿＿ 개의 '나'로 분리시켰구나. 사람들이 보고 싶어 하는 '나'의 모습은 ＿＿＿＿＿ 나가 몸 밖에서 행동하게 하고, 진짜 '나'는 그것을 바라보고 있대.

물론 그중에서 진짜 나는 '보여지는 나'가 아니라 '바라보는 나'이다. 남의 시선으로부터 강요를 당하고 수모를 받는 것은 '보여지는 나'이므로 '바라보는' 진짜 나는 상처를 덜 받는다. 이렇게 나를 두 개로 분리시킴으로써 나는 사람들의 눈에 노출되지 않고 나 자신으로 그대로 지켜지는 것이다. *'나'가 진짜 자신은 숨긴 채 사람들에게 '보여지는 나' 로써 자신을 드러내는 이유는 ＿＿＿＿＿ 받지 않기 위해서였네.*

진짜의 나 아닌 다른 나를 만들어 보인다는 점에서 그것이 위선이나 가식일지도 모른다는 생각을 한 적은 있다. 꾸며 보이고 거짓으로 행동하기 때문에 나를 두 개로 분리시키는 일은 나쁜 일일지도 모른다고 생각했던 것이다. *'나'는 진짜 자신의 모습은 감추고, '보여지는 나'로 사람들을 대하는 게 ＿＿＿＿＿ 일일지도 모른다는 생각을 했었구나.* 그러나 내가 '작위'라는 말을 알게 된 뒤부터 그런 의혹은 사라졌다. 나의 분리법은 ⓐ위선이 아니라 ⓑ작위였으며 작위는 위선보다 훨씬 복잡한 감정이지만 엄밀한 의미에서 부도덕한 일은 아니었다.

그러므로 이제 내가 아는 어른들의 비밀을 털어놓는 데에 나는 아무런 거리낌도, 빚진 마음도 갖고 있지 않다. *'나'는 자신의 분리법은 ＿＿＿＿＿ 이나 가식이 아닌 작위이고, 작위는 부도덕한 일은 아니라고 해. 자신이 아는 ＿＿＿＿＿＿＿＿＿ 을 이제부터 거리낌 없이 털어놓겠다고 하는 것으로 보아 '나'는 어린아이임을 짐작해볼 수 있어. 어린아이인 '나'가 사람들을 대할 때 진짜 '나'는 숨기고 사람들이 원하는 모습의 '나'로 행동했다니 평범한 어린아이와는 다른 것 같지?*

장면끊기 01 *'나'는 사람들에게 속마음을 숨기기 위해 자신을 '두 개의 나'로 ＿＿＿＿＿ 시켰어. 중략 부분 줄거리 이후에 나오는 장면에서는 ＿＿＿＿＿ 와 군인 이형렬의 펜팔과 관련된 사건으로 이야기가 전환되니, 여기서 장면을 끊어 보자.*

[중략 부분 줄거리] 이모는 군인인 이형렬과 펜팔을 하게 되고 할머니의 눈을 피해 편지 전하는 일을 '나'에게 시킨다.

그러나 일단 그 관문만 지나면 어려운 단어나 비유법 없이 평이한 문장이 죽죽 나열되므로 아주 읽기가 편하다는 것이, 짧다는

사실과 함께 그의 편지의 장점이었다.

내용을 간추려 본다면 대강 이런 이야기였다. *'나'는 이모와 이형렬의 ＿＿＿＿＿ 에 대해 이야기를 시작해. 먼저 이형렬의 편지 내용이 어떤지 소개해 주네.*

나, 이형렬은 서울에서 사업을 하는 이 아무개 씨의 2남 1녀 중 막내로 태어났다. 나이는 22세. 대학에서의 전공은 토목과. 누나는 시집을 갔고 형은 가업을 물려받기 위해 아버지의 회사에서 사회 경험을 쌓는 중이다. 장래 소망은 전공을 살려 토목 회사에 취직을 하거나 공부를 계속하여 교수가 되는 것이다. 하지만 고리타분하게 살고 싶은 마음은 조금도 없으며 결혼을 빨리 해서 가정을 이룬 다음부터는 아내와 함께 테니스도 치고 여행도 다니며 즐겁게 살 계획 **[A]** 이다. 다룰 줄 아는 악기는 하모니카이고 취미는 오토바이 타기인데 애인을 뒷자리에 태우고 숲길을 쌩 달려 보는 게 오랜 꿈이었지만 아직 애인이 없어서 그렇게 해 보진 못했다. 그동안은 공부밖에 몰랐고 아직 그럴 때가 아닌 것 같아서 여자를 사귀지 않았기 때문이다. 영옥 씨의 사진을 받아 보고 특히 눈이 아름답다고 느꼈다. 그리고 그동안 영옥 씨의 편지를 받아 볼 때마다 어쩌면 이렇게 순수한 마음을 가졌을까 깜짝 놀라고 말았다. 아름답고 순수한 영옥 씨를 알게 된 것은 신의 은총이다…… *이형렬은 이모(＿＿＿＿ 씨)를 아름답고 ＿＿＿＿＿ 하다고 생각하며 호감을 보이고 있어.*

장면끊기 02 *이모와 이형렬의 펜팔로 사건이 전환되었어. 먼저 '나'는 이형렬의 ＿＿＿＿＿ 내용을 간추려서 소개하고 있어.*

이모가 편지를 쓰는 시간은 대개 할머니가 잠든 밤이었다. 할머니는 저녁 설거지를 마치고 들어오면 연속극을 듣기 위해 라디오 앞에 앉곤 했다. 하지만 초저녁잠이 많아서 그 좋아하는 연속극을 언제나 끝까지 듣지 못하고 코를 고는 것이었다. 할머니는 귀로 듣기만 하면 되는 라디오인데도 연속극 시간에는 다른 일을 모두 폐하고 꼭 그 앞에 바짝 앉아 굳이 라디오를 쳐다보면서 연속극을 듣곤 했다. 그렇게 보고 있지 않으면 그 사이에 이야기가 그냥 지나쳐 버리기라도 한다는 듯이 라디오에서 눈길을 떼지 못했다.

그러면서도 정작 중요한 대목에서 할머니 쪽을 쳐다보면 대개는 곤하게 잠이 들어 있기 일쑤였다. 내가 할머니를 흔들면서 "할머니, 할머니! 들어 보세요. 지금 드디어 그 딸이 엄마하고 만났어요. 지금요!"라고 연속극의 진행 상황을 설명해 주면 그토록 중요한 순간에 잠이 들어 버렸다는 데 무안해진 할머니는 전혀 졸지 않았던 사람처럼 목소리를 높게 내며 "나도 안다, 알아" 하고 눈꺼풀에 힘을 주지만 조금 있다 보면 어느새 또 푸푸, 하는 일정한 리듬의 숨소리를 내며 도로 잠들어 있었다.

할머니의 초저녁잠이 그렇게 깊었기 때문에 이모는 마음껏 금지된 편지를 썼고 나는 그동안 이모가 우리 미장원에서 빌려온 『선데이 서울』을 뒤적이고 있다가 이모가 맞춤법이나 표현에 대해서 물어 오면 자문관 역할을 해 줄 수 있었다. *＿＿＿＿＿ 의 초저녁잠이 깊었기 때문에 이모는 들킬 걱정 없이 이형렬에게 마음껏 편지를 쓸 수 있었대. '나'는 이모의 ＿＿＿＿＿ 역할을 하며 편지 쓰기를 도왔네.*

장면끊기 03 *초저녁잠이 많은 할머니가 잠든 ＿＿ 이면 이모가 마음껏 ＿＿＿＿＿ 된 편지를 쓸 수 있었던 상황을 설명하고 있어. 다음 장면에서는 앞서 이형렬의 편지 내용을 간추려 소개했던 것처럼, '나'가 알고 있는 ＿＿＿＿＿ 의 편지 내용이 등장해.*

이모가 이형렬에게 보내는 편지는 대충 이런 식으로 이형렬이

이모에게 보내는 편지와 사이좋은 대구를 이루었다.

[B]

　　나, 전영옥은 경찰 고위직에 있었던 전 아무개 씨의 1남 1녀 중 막내이다. 오빠는 현재 법대 3학년이고 어머니가 농업과 건축업(가겟집 세놓은 일을 표현할 고상한 말을 찾던 이모는 집과 관계된 직업 중에 이 말이 가장 무난하다고 생각했다)에 종사한다. 아버지가 6·25 때 순직하여서 국가 유공자 집안이다. 나이는 21세. 서울에 있는 대학에 합격했지만(이 사실은 나도 처음 듣는 일이었지만 이모가 원서를 낸 것까지는 사실이라고 얼굴을 붉혀 가며 주장했기 때문에 더 이상 진위를 가리지 않기로 했다) 이모가 어머니의 _____에 대해 '건축업'이라고 소개한 것이나, 자신이 서울에 있는 대학에 _____했다고 이야기하는 것을 보아 이모는 이형렬에게 잘 보이고 싶은 마음이 있다는 것을 알 수 있어. 어머니 곁을 떠날 수 없어 학업을 포기하고 고향에서 영어를 가르치고 있다. 성격이 조용하여 취미는 독서와 음악 감상이고 장래 소망은 현모양처. 남자 친구는 전혀 없으며 기회는 많았지만 집안이 엄격하여 교제를 해 보지 못했다. 좋아하는 계절은 가을, 좋아하는 꽃은 '나를 잊지 마세요'라는 꽃말을 지닌 물망초. 그리고 이상적인 남성형은 변함없이 나를 아껴 주는 진실한 남성.

장면끊기 04 　이번 장면에서는 _____에게 보내는 이모의 편지 내용을 소개했어.

　　그러나 이모의 편지가 언제까지나 이런 입문 단계에 머물렀던 것은 아니었다. 시간이 지날수록 이모의 편지는 점점 센티멘털하게 변해 갔다. 그러더니 그리움이라는 단어가 이따금 눈에 띄고 애틋한 구절이 많아진다 싶을 무렵부터 더 이상 편지를 보여 주지 않았다. 그때부터는 표현에 대한 자문도 구하지 않았고 그런 형식적인 포장을 극복할 만큼은 이형렬과의 관계가 발전한 것인지 맞춤법을 물어 오는 일도 거의 없어졌다. 이제 그에게서 온 편지도 보여 주지 않았다. 처음과는 다르게 이모가 '나'에게도 편지의 내용을 숨기는 것으로 보아, 이모와 이형렬의 사이가 점점 (가까워졌음/멀어졌음)을 알 수 있지?

　　그래도 편지를 전해 주는 일은 여전히 내 소관이었으므로 나는 여전히 이모의 비밀을 혓바닥 밑에 감추고 있는 셈이었다.

장면끊기 05 　이형렬과의 사이가 깊어지며 이모는 '나'에게 더 이상 _____를 보여 주지 않아. '나'가 앞에서 털어놓겠다던 _____은 이모와 이형렬의 펜팔 사건과 관계된 것임을 짐작해 볼 수 있지.

- 은희경, 「새의 선물」 -

1 인물 간의 관계를 고려하여 구조도의 빈칸에 적절한 말을 채우세요.

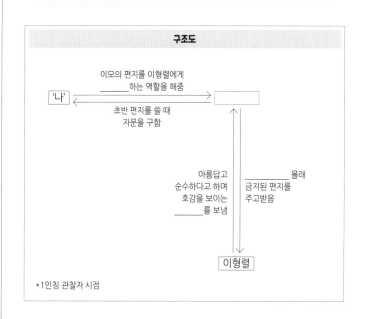

2 1~2번 문제를 풀어 보세요.

1. ⓐ와 ⓑ를 통해 '나'를 이해한 내용으로 가장 적절한 것은?

① '나'는 '보여지는 나'가 받았던 상처가 ⓐ를 통해 치유될 수 있다고 생각한다.

② '나'는 ⓐ로 인해 발생한 의혹을 '바라보는 나'와 '보여지는 나'로 '나'를 분리함으로써 해소하고자 한다.

③ '나'는 ⓑ로 인해 '바라보는 나'와 '보여지는 나' 사이의 내적 갈등이 심화될 수 있다고 생각한다.

④ '나'는 '나 아닌 다른 나'를 만든 것을 ⓐ가 아닌 ⓑ로 규정함으로써 심리적 부담감에서 벗어나게 된다.

⑤ '나'는 ⓐ보다 복잡한 감정인 ⓑ가 '나 아닌 다른 나'에 대한 주변의 비난을 더 많이 받게 할 수 있다고 생각한다.

2. 문학 개념어 OX 확인 문제

① [A]는 서술자가 편지의 내용에 논평을 곁들이는 방식으로 서술하고 있다.

○ ✕

② [B]는 간추린 편지의 내용에 서술자가 알고 있는 관련 내용을 덧붙이는 방식으로 서술하고 있다.

○ ✕

현대소설 독해의 STEP 3

1 선지 판단 공식을 활용하여 빈칸을 채우고 1번 문제의 선지를 OX로 판단해 보세요.

선지 판단의 공식

① 작품
'남의 시선으로부터 강요를 당하고 _____를 받는 것은 '보여지는 나'이기 때문에 그것을 "바라보는' _____ 나는 _____를 덜 받는다'고 함

신지➡ '나'는 '보여지는 나'가 받았던 상처가 ⓐ를 통해 치유될 수 있다고 생각한다.   ○ ✕

② 작품
'나'는 자신을 '두 개로 _____시킴으로써' '사람들의 눈에 노출되지 않고 나 자신으로 그대로 _____ 것'이 라고 생각함

신지➡ '나'는 ⓐ로 인해 발생한 의혹을 '바라보는 나'와 '보여지는 나'로 '나'를 분리함으로써 해소하고자 한다.   ○ ✕

③ 작품
나는 '분리법'을 'ⓐ위선이 아니라 ⓑ_____'라고 생각함 으로써 자신을 '___ 개로 분리시키는 일'이 '부도덕한 일은 아니었다'고 생각하게 됨

신지➡ '나'는 ⓑ로 인해 '바라보는 나'와 '보여지는 나' 사이의 내적 갈등이 심화될 수 있다고 생각한다.   ○ ✕

④ 작품
'나'는 '꾸며 보이고 _____으로 행동하기 때문에' 자신을 '두 개로 분리시키는 일은 _____ 일일지도 모른다고 생각'하다가, 자신의 분리법이 ⓑ작위라고 규정하면서 '엄밀한 의미에서 _____한 일은 아니었다'고 생각하게 됨

신지➡ '나'는 '나 아닌 다른 나'를 만든 것을 ⓐ가 아닌 ⓑ로 규정함 으로써 심리적 부담감에서 벗어나게 된다.   ○ ✕

⑤ 작품
'나'는 'ⓑ작위는 ⓐ_____보다 훨씬 _____ 감정이 지만 엄밀한 의미에서 부도덕한 일은 아니었다'고 생각함

신지➡ '나'는 ⓐ보다 복잡한 감정인 ⓑ가 '나 아닌 다른 나'에 대한 주변의 비난을 더 많이 받게 할 수 있다고 생각한다.   ○ ✕

도서출판 **홀수**

MEMO

현대소설 독해의　STEP 1

1 주요 인물에 ⬜ 표시를 하고, 빈칸에 적절한 말을 채우세요.

　　연재가 파탄에 직면한 것은 우묵배미의 맨 꼭대기 부잣집 김 씨네에서 어쩔 수 없이 맨 아랫집 붙들네 방을 옮기면서부터였다. 붙들네 아이들 극성으로 머릿속에 든 이미지들은 박살이 나기 일쑤였고, 그런 이유 말고도 매달 덜미를 물고 늘어지는 생활비의 중압, 게다 여성지 연재인데 설마 어떠랴 싶은 다소 시건방진 속계산이 소설의 치열성을 많이 빼앗아가 버린 때문이었다. `나`의 소설 연재는 다양한 이유로 _____에 직면하게 되었어. 경제적 이유로 부잣집에서 아랫집으로 방을 옮기고, 매달 _____의 중압을 느끼면서도 여성지 연재를 쉽게 생각하는 시건방진 생각들이 바로 그것이지. 이는 소설가로서 치열성을 잃은 `나`의 모습을 보여 줘. 해서 「달래강」의 장편 연재는 그 희석되고 석고화된 관념의 득세와 원고 매수나 채우려는 군더더기로 인하여 사르트르도 무엇도 아닌 어중간한 것으로 끝장을 보게 된 것이다. 「달래강」의 장편 연재가 어중간하게 끝나 작가로서 (만족스러움/불만족스러움)을 느끼고 있군. 그놈의 식어 빠진 「달래강」의 연재를 『소설계』에까지 끌고 가 2부를 써 내지 않을 수 없었던 것은, 1년 안에 장편 하나를 넘겨주기로 하고 그 잡지사로부터 미리 타 쓴 계약금 2백만 원 때문이었다. 자기 자신도 감동시키지 못하는 소설을 끄적이기 위해 책상 앞에 앉는다는 것은 마치 도살장에 끌려가는 거나 다름없었다. 계약금 때문에 자신도 _____시키지 못하는 소설을 억지로 쓰고 있는 상황을 괴로워하고 있어.

　　독서를 게을리하기 시작한 지도 오래였다. 책들은 반도 채 못 읽어서 방바닥을 굴러다니다 관심권 밖으로 사라졌고, 아랫마을 출입이 잦아지고 쓸데없는 술추렴이 늘고, 공연히 남의 집 우사를 들랑거리며 송아지 자랑이나 떠벌리고…… 위기였다. 이겨 낼 방법이 없었다. 창작과는 거리가 먼 일상의 일들로 시간을 보내며 창작의 _____를 겪고 있군.

　　아내에게는 감히 말을 꺼낼 엄두도 못 내면서 혼자 곰곰이 또 이사 갈 생각만 하고 있었다.

　　집안의 시끌짝한 분위기 탓이었다. `나`는 소설 창작에 전념하지 못할 집안 분위기에 _____ 갈 생각만 하고 있었다. 그들을 한 가구씩 차례차례 내보내야 했다. 안주인에게 애당초의 약속을 상기시키면서 그들 중 한두 가구를 내보내라고 종용했다. 우리가 이사 들어 올 때 달이 차면 정 씨를 내보내고 싼값에 안채를 준다는 조건으로 계약을 한 것이었는데, 그러나 이제 와서 안주인은 난색을 표했다. 그리고 딴 방들도 방세가 네댓 달씩 밀려 있었고 또 그들은 선뜻 방을 비워 줄 사람들이 못 되었다.

　　ⓐ아니었다. 그것은 분위기를 탓할 일이 아니었다. 그것은 이미 쓸모없는 비계로 가득 찬 나의 대뇌 탓이었다. 더 이상 샘물을 저어 올릴 수 없는 나의 소설적 비재(非才) 탓이었다. 고갈되고 고갈된 나머지 나는 농부보다 못한 상상력을 갖고 있었다. 잡생각으로 인해 만족스러운 창작을 하지 못하고 있는 상황을 자신의 _____(재주가 없음) 탓으로 돌리고 있네. 소설 창작에 전념하지 못하는 상황에서 `나`가 내적 _____ 중이라고 볼 수 있어.

　　ⓑ아니었다. 그건 나 혼자만이 감당해야 할 죄가 아니었다. 제2, 제3 장편이 연이어 안겨다 준 물질적 궁핍 때문이었다. 출판 경기의 지독한 불황 때문이었다. 그리고 그래서 앙가주망적 지식인의 황금기였다고도 말할 수 있는 70년대 말기 정치 경제 사회 현상의 전 분야에다 겁도 없이 진찰기를 들이댈 수 있었던, 저 끝

간 데 없이 치솟던 문학 종사자들의 야심을 일거에 잠재워 버리고 만 일련의 격변 때문이었다. 처음에 집안 분위기를 탓했던 `나`는 이후 자신의 재능 없음을 탓하더니, 이제는 출판 경기의 불황, 70년대 말 사회 전 분야의 _____을 탓하고 있어. 한차례의 폭설과 함께 느닷없이 들이닥친 이 겨울의 주인은 입에다 마스크를 대지 않고 함부로 거리를 나돌아 다니지 말 것, 그리고 가능한 한 방 안에서 텔레비전이나 보고 앉아 있을 것 등등의 몇 가지 시민적 준수 사항을 공개리에 엄격히 하달했다. 개인의 일상 생활에 `_____`이라는 억압이 가해진 70년대의 경직된 분위기가 표현되어 있군. 글을 쓰는 우리 동료들은 연신 아얏아얏 소리를 내며 흩어져 가고 있었다. 문인들의 발길이 뜸해진 광화문과 낙원동의 술집들은 장사가 안 된다고 은근히 걱정이었다. 광장을 잃은 급진주의자들은 피켓을 철수하고 지하로 강당으로 기어들어 가고 있었다. 개인의 자유를 억압하는 사회적 분위기로 인해 _____들은 흩어지고 급진주의자들도 모습을 감추었어. 인세를 받으며 할랑하게 방구석에 틀어박혀 대작을 꿈꾸고 있던 몇몇 동지들은 어쩔 수 없이 끼니에 덜미를 잡혀 천방지축 출판사로 기업체로 신문 연재로 대학원으로 속속 복귀하고 있었다. 문인들은 대작을 쓰겠다는 (꿈/생계) 대신에 (꿈/생계)를 위해 생활 전선에 뛰어들 수밖에 없던 상황이었군. 비평가와 신문 문화 면은 연일 작품 기근, 신인 부재를 속삭여 대고, 소설에의 기대치가 절정에 이르렀던 70년대가 막을 내리자 기대를 잃은 다수의 독자 대중은 도시락을 싸서 들로 산으로 전자오락실로 TV의 스포츠 화면 속으로 뒤돌아볼 새 없이 떼를 지어 달아나고 있었다. 독자 대중들은 _____에 기대를 잃고 전자오락실, TV의 스포츠 화면 등 무비판적인 대중 문화 콘텐츠로 시선을 돌렸어.

장면끊기 01　`나`는 소설 _____의 파탄에 직면하고, 그 원인을 집안 분위기, 자기 자신, 70년대 말 사회 분위기 등으로 돌렸어. 소설 창작에 전념하지 못한 `나`의 내면 심리와 당시 사회에 대한 `나`의 인식에 주목해 보자.

[중간 부분의 줄거리] 조용한 방 한 칸을 구하기 위해 `나`는 여름 내내 고군분투한다. 글을 쓰기 위한 조용한 _____을 구하기 위해 노력하는 `나`의 모습은 소설에 대한 열정을 보여 줘. 겨우 이사를 하게 된 `나`는 절친인 `유 형`이 작품전을 한다는 사실을 뒤늦게 떠올리고 급히 전시장을 찾는다.

　　"뭐, 대충대충 고르지. 그까짓 방 하나 구하는 걸 갖구선 뭘 그래? 방 구한다는 게 대체 언제부터야?"

　　말은 거칠고 화를 참느라고 그의 얼굴은 붉게 상기되어 있었다. 조용한 방 한 칸을 구하기 위해 오랜 시간을 들인 `나`를 이해하지 못하는 _____의 모습이야. 사실 뜨끔했던 나는 슬쩍 농으로 받아들일 속셈이었는데 그러나 그의 비난은 세찬 것이었다. 나는 이 야속한 친구에게 무언가 중요한 말 한마디를 해 주고 싶었으나 무안을 참으며 자리를 피했다. `나`는 유 형의 _____을 듣고 야속함, _____함을 느끼고 있어. 그날 밤 친구들이 모인 간단한 술자리에서도 친구에 관한 생각으로 가득 차 있었다. 그는 친구에게 잊을 수 없는 말을 남긴 것이었고, 그는 왜 친구 한 사람이 방 한 칸 때문에 그토록 많은 땀을 흘리며 전전긍긍하고 있었던가를 이해해 보기를 어언간 싫어하게 된 것인지도 몰랐다. `나`를 비난한 유 형의 말을 계속 떠올리며, 내가 방 한 칸을 구하기 위해 _____하는 모습을 이해하지 못한 그에 대해 생각하고 있네.

　　원주 가기 전의 문막은 유 형의 고향이었고 그쪽에는 그의 고향 동료들이 많았다. 그가 문막 읍내에서 썩 떨어진 시골 마을에다 아틀리에를 마련한 것은 그다운 일이었다. 그러나 그가 비단 친구

뿐만이 아니라 인간의 고통에 동참하기를 싫어하게 된 것은 어쩌면 그 자가용을 굴리는 편한 상식인들과 상대하지 않을 수 없게 되면서부터일지도 몰랐다. '나'는 읍내에서 떨어진 시골 마을에 화실을 마련했던 그가 _____들을 상대하면서 인간의 _____을 이해하는 것을 싫어하게 된 것인가 하고 짐작해 봐. 인간은, 특히 예술가는, 고통에 대한 사랑과 그 진정한 초월을 통해서만 존립이 가능하다는 소신을 그에게 들려줄 용기를 나는 못 갖고 있었다. 그건 나 자신부터가 충분히 생생한 신념을 껴안고 살아가고 있을 때만 가능한 얘기였다. 예술가는 고통에 대한 _____과 초월을 통해서 존재할 수 있다고 생각하면서, 자신도 그렇게 살아가지 못하기 때문에 그에게 그런 소신을 전해줄 _____가 없다고 하네. 그가 궁극적으로 원하는 그 자기 구원과 천상적 가치를 성취하기 위해서는 그 과정에 놓인 이 구질구질한 지상의 눈물들을 생략해 버려야 한다고 그는 믿는 것일까? 그는 어쩌면 그까짓 방 한 칸 때문에 쩔쩔맨 저 한여름의 고투가 한갓 생선 장수의 고민이나 다름없는 것이라고 치부해 버린 것이었을까. 친구가 던진 그 슬픈 말 한마디가 잠시의 실수였으면 하고 간절히 바랐다. '나'는 유 형이 던진 말 한마디에 _____을 느끼며 그 말이 잠시의 실수였기를 바랄 뿐이야.

장면끊기 02 '나'는 창작에 전념하기 위해 조용한 방 한 칸을 찾으려 고군분투한 '나'의 고통을 이해하지 못하는 유 형의 말을 듣고 _____의 신념과 소신에 대해 생각하고 있어. 중략을 기준으로 경제적 궁핍과 대중 문화의 범람으로 문인들이 흩어진 현실과, 유 형의 비난을 들은 '나'가 진정한 예술가에 대해 고찰하는 내용이 연결되고 있어.

– 박영한, 「지상의 방 한 칸」 –

2 1~2번 문제를 풀어 보세요.

1. ⓐ와 ⓑ에 대한 설명으로 가장 적절한 것은?

① ⓐ는 ⓑ와 달리 창작과 관련된 인물의 자존감이 자기 성찰을 통해 견고해지고 있음을 보여 주고 있다.

② ⓑ는 ⓐ와 달리 인물이 추구해 온 예술 세계가 자신의 의식 속에서 부정되고 있음을 보여 주고 있다.

③ ⓐ에서는 개인적인 문제를 해결하려는 인물의 의지를, ⓑ에서는 정치적인 문제를 해결하려는 인물의 의지를 보여 주고 있다.

④ ⓐ에 이어 ⓑ를 제시하여, 인물이 작가로서 바라보는 현실에 대한 인식이 호의적인 것에서 비판적인 것으로 전환되고 있음을 보여 주고 있다.

⑤ ⓐ와 ⓑ가 연결되면서, 자신의 창작을 가로막고 있는 것이 개인적인 문제를 넘어 사회적인 문제와도 관련되어 있다는 인물의 인식을 보여 주고 있다.

2. 문학 개념어 OX 확인 문제

① 이야기 내부 서술자의 고백적 진술을 통해 자신이 처한 심리적 상황을 제시하고 있다.　　　　　　　○　✕

② 공간적 배경의 변화를 통해 인물의 갈등이 해소되는 과정을 보여 주고 있다.

　　　　　　　○　✕

현대소설 독해의 STEP 2

1 인물 간의 관계를 고려하여 구조도의 빈칸에 적절한 말을 채우세요.

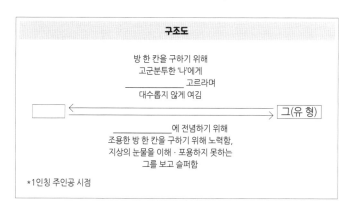

구조도

방 한 칸을 구하기 위해
고군분투한 '나'에게
_____ 고르라며
대수롭지 않게 여김

[　　] ←――――――――――→ 그(유 형)

_____에 전념하기 위해
조용한 방 한 칸을 구하기 위해 노력함,
지상의 눈물을 이해·포용하지 못하는
그를 보고 슬퍼함

*1인칭 주인공 시점

현대소설 독해의 STEP 3

1 선지 판단 공식을 활용하여 빈칸을 채우고 1번 문제의 선지를 OX로
판단해 보세요.

선지 판단의 공식

① 작품
@에서 '나'는 자신의 '소설적 _____'와 '농부보다 못한
_____'을 지니고 있다는 점을 탓하고 있음

➡ @는 ⓑ와 달리 창작과 관련된 인물의 자존감이 자기 성찰을
통해 견고해지고 있음을 보여 주고 있다.   ○ ×

② 작품
@에서 '나'는 '고갈된' 자신의 '상상력'에 불만족하고 있을
뿐임, ⓑ에서 '나'는 '_____'을 지니고 있던 '문학 종사자
들'이 사회의 격변 속에 흩어지는 상황과 소설에 기대를 잃은
독자 대중이 대중 문화에 집중하는 현실을 안타까워함

➡ ⓑ는 @와 달리 인물이 추구해 온 예술 세계가 자신의 의식
속에서 부정되고 있음을 보여 주고 있다.   ○ ×

③ 작품
@에서 '나'는 자신의 '소설적 비재'를 탓하고 있을 뿐임,
ⓑ에서 '나'는 '문학 종사자들의 야심'을 잠재워 버리는 격변
속에서 엄격한 '_____' 같은 문제를
마주한 상황을 보여 주고 있을 뿐임

➡ @에서는 개인적인 문제를 해결하려는 인물의 의지를, ⓑ에
서는 정치적인 문제를 해결하려는 인물의 의지를 보여 주고
있다.   ○ ×

④ 작품
@에서 '나'는 자신의 '소설적 비재'를 탓하고 있을 뿐 작가인
'나'가 바라보는 _____에 대한 인식이 호의적이라고 볼
수는 없음, ⓑ에서 '나'는 '문학 종사자들의 야심'을 잠재워
버리는 격변 속에서 엄격한 '시민적 준수 사항' 같은 현실의
억압을 마주함

➡ @에 이어 ⓑ를 제시하여, 인물이 작가로서 바라보는 현실에
대한 인식이 호의적인 것에서 비판적인 것으로 전환되고
있음을 보여 주고 있다.   ○ ×

⑤ 작품
'집안의 시끌짝한 _____' 때문에 창작에 전념할 수
없다고 생각하던 '나'는 @에서 '분위기를 탓할 일'이 아니며
자신의 '소설적 _____'에 원인을 돌렸는데 이는 개인적
문제가 창작을 가로막고 있다고 보는 것임, 이내 '나'는 창작에
전념할 수 없는 것이 '나_____만이 감당해야 할 죄'는 아니
라며 ⓑ에서 이를 '문학 종사자들의 야심'을 잠재운 사회의
'격변'과 관련지음

➡ @와 ⓑ가 연결되면서, 자신의 창작을 가로막고 있는 것이
개인적인 문제를 넘어 사회적인 문제와도 관련되어 있다는
인물의 인식을 보여 주고 있다.   ○ ×

현대소설 독해의 STEP 1

1 주요 인물에 ☐ 표시를 하고, 빈칸에 적절한 말을 채우세요.

[앞부분의 줄거리] 어릴 적 가난하게 살았던 나기배 씨는 치열한 경쟁 끝에 기업의 이사로 승진한다. 어느 봄날, 나기배 씨는 마당의 정원을 가꾸다 누군가 숨겨 놓은 녹슨 깡통을 발견한다.

깡통을 기울이자 소리를 내며 땅바닥에 쏟아진 것은 수백 개의 유리구슬이었던 것이다.

설사 핵탄두를 파냈다고 해도 그렇게 놀라지는 않았으리라. 녹슨 깡통에 들어 있던 _____을 본 나기배 씨가 깜짝 놀라는 모습이야. 나기배 씨는 땅바닥에 아예 털썩 주저앉아 버렸다. 그리고는 구슬을 한 주먹 집어 들고 무슨 진기한 보석이라도 감정하듯 진지하게 들여다보았다. 의심의 여지가 없었다. 그것은 분명 유리구슬이었고, 그것도 속에 바람개비 모형의 색띠가 들어 있는 놀이용 색 구슬들이었다.

"아, 이거야말로 보물단지를 캐낸 거로군……."

나기배 씨는 비로소 미소를 머금었다. 보배…… 그는 기억해 냈다. 우리는 이것을 보배라고 했지. 보통 구슬 열 개 맞잡이로 생각할 만큼 귀중하게 여기던 물건이다. 그는 다시 웃음을 지었다. _____하게 유리구슬을 들여다보던 나기배 씨는 어린 시절의 추억을 환기하는 보물을 발견한 것에 반가움과 기쁨을 느끼고 있어. 하지만 왠지 가슴의 울림이 깊이 남았다.

아이들 방을 향해 그는 소리쳤다.

"얘들아, 너희들 뭐 하고 있니?"

텔레비전 탓이다. 아이들이 알아듣기까지는 네댓 차례나 목청을 돋우어야만 하였다. 텔레비전의 볼륨이 낮아지더니 큰 녀석이 얼굴만 내밀었다.

"나 불렀어, 아빠?"

"이리 좀 나와 보렴."

"왜요?"

"와서 보면 안다……." 유리구슬을 보고 느낀 감회를 _____과도 나누고 싶어하는 모습이야.

"뭔데 그래요? 우리 테레비 보구 있는데……."

녀석은 선뜻 나오려 들지 않는다. 만화나 타잔영화라도 방영 중인 모양이다. 그놈의 텔레비전……, 나기배 씨는 속으로 투덜댔다. 백 프로 황당무계한 스토리에다가 엉뚱한 연애심리 같은 걸 비벼 넣어 아이들의 순결한 넋을 홀리는……. 하지만 아이들은 텔레비전에 푹 빠져서 아버지의 부름을 반기지 않는 눈치네. 나기배 씨는 _____이 아이들의 _____을 홀린다고 생각하며 부정적 인식을 드러내고 있어.

장면끊기 01 녹슨 _____에서 유리구슬을 발견한 나기배 씨가 추억과 감회에 젖어 아이들을 부르는 모습이 나타나 있어. 이때 아이들을 부른 것은 유리구슬을 보여 주며 어린 시절의 (힘들었던 기억/즐거웠던 추억)을 함께 공유하고 싶어서일 것으로 짐작해 볼 수 있겠지?

(중략)

끌끌 혀를 차며 나기배 씨는 또 생각하였다. 우리들의 손은 어떠했던가? 누구 한 사람 예외 없이 거칠고 투박하기 짝이 없었던 손……, 그러나 우리들의 손은 매사에 얼마나 기민하고 강인하였던가. 거칠고 투박했지만 한편으로는 매사에 _____하고 강인했던 어린 시절 자신들의

_____에 대해 떠올리고 있어.

"아니야, 그렇게 하는 게 아니라니깐 그래……."

나기배 씨는 안타깝게 소리쳤다. 그는 되풀이하여 시범을 보이고 난 후 아이들을 따라 하게 하였다. 중략 이전의 내용을 고려했을 때, 나기배 씨가 시범을 보인 것은 구슬치기임을 짐작할 수 있어. 나기배 씨는 구슬치기를 해 본 적이 없어 서툰 아이들을 향해 _____ 소리치며 답답함을 드러내고 있어. 그러자 녀석들은 차츰 짜증을 내기 시작하더니 오래잖아 큰 녀석이 먼저 손을 털고 냉큼 물러서 버렸다.

"시시껄렁해!"

조금은 열적은 표정인 채로 녀석은 단호하게 선언하였다.

"재미도 없이 손만 더러워졌잖아!"

그러자 둘째도 형을 뒤따랐다.

"그래, 아주 시시껄렁해. 지저분하게 놀았다구 엄마한테 혼날 거야 아마……." 결국 아이들은 짜증을 내며 _____한 구슬치기를 그만두겠다고 해.

나기배 씨는 왠지 비참한 기분이 들었다. 지금껏 집념을 가지고 땀 흘려 쌓아 올렸던 무언가를 녀석들이 일고의 미련도 없이 허물어 버리고 마는 듯한 기분이었기 때문에 그 감정은 거의 배신감에 가까운 그런 것이었다. 갑자기 끓어오르는 분노를 느끼며 그는 큰 녀석의 이마를 쥐어박았다. 나기배 씨는 구슬치기에 싫증을 내는 아이들을 보고 마치 자신이 지금껏 열심히 쌓아 올려왔던 업적이 모두 허물어진 것 같은 느낌을 받으며 _____하고 있어.

"뭐야? 시시껄렁하다구?"

고함치듯 그는 말했다.

"네 녀석들이 멍청하니깐 그렇지 이게 왜 시시껄렁해? 뭐, 지저분하다구? 야 임마, 이 흙이 어째서 지저분하단 말이냐? 어째서 불결해? 병이 든 건 차라리 네놈들의 고 하얀 손이다 이놈들아……." 분노를 참지 못하고 애꿎은 _____을 과도하게 꾸짖는 모습이네.

울컥 넘어오는 열기를 토해 내다 말고 나기배 씨는 멍해졌다. 이 무슨 맹랑한 짓인가. 그는 풀썩 웃고 말았다. 나기배 씨도 자신의 행동이 _____한 것이었음을 문득 깨닫고 허탈해하고 있어. 느닷없이 머리통을 쥐어박혀 잔뜩 부어터진 낯짝을 하고 있던 큰 녀석이 호되게 쏘아붙였다.

"아빠 괜히 신경질이야. 재미있음 아빠 혼자서나 해!"

그러자 머쓱해 있던 둘째도 금세 기를 폈다. 녀석은 호주머니 속에 쓸어 담았던 구슬들을 한 줌씩 꺼내 팽개쳤다.

"그래 아빠 혼자서나 해. 형, 우리 테레비 보자. 은하철도 999 같은 거." 아이들은 결국 나기배 씨에게 한 마디씩 쏘아붙이고 _____을 보러 들어가 버리네.

의기투합한 두 녀석은 그 즉시 텔레비전 앞으로 달려가 버렸다. 모든 것—일테면, 밝고 따뜻한 봄볕과 파 뒤집어 놓은 흙과, 거기 점점이 흩뿌려져 있는 색색의 고운 구슬들과 함께 그들의 아버지까지도 죄다 미련 없이 내버려둔 채 말이다……

혼자가 된 나기배 씨는 한동안 우두커니 서 있기만 하였다. 더 이상 삽질하고픈 생각이 없었다. 어찌, 흙을 파 뒤집는 일만이겠는가. 지금까지 열심히 매달려 씨름해 왔던 온갖 일들은 물론, 앞으로 새로이 부딪치게 될 작업들에 대해서조차도 아무런 기대나 의욕을 느낄 것 같지 않았다. 참 맹랑한 노릇이군. 그는 속으로 중얼댔다. 불혹의 생애가 너무나 가볍게 흔들렸다. 아이들이 들어간 후 혼자 남은 나기배 씨는 모든 일에 기대와 _____을 잃은 것만 같은 허망함에 사로잡혀

그는 고개를 꺾은 채 땅바닥을 내려다보았다. 이제는 아무도 미련 두지 않는 색 구슬들이 파헤친 흙더미 위 여기저기에 점점이 흩어져 있었다. 마침 비스듬히 기운 햇빛을 받아 그것들은 잘디잔 별 떨기처럼 곱게 빛나고 있었다. ㉠다시 땅속 깊이 은닉해 둘 필요는 없으리라. 그것들은 이제 뜨락이나 길바닥에 아무렇게나 굴러다니며 잠깐씩 보는 이의 향수 같은 것을 희미하게 자극하다가 끝내는 발길에 채여 시궁창이나 쓰레기더미 같은 데로 영영 모습을 감추리라. 색 구슬을 내려다보던 나기배 씨가 어린 시절의 보배였던 구슬이 예전과 같은 (가치를 지니는/가치를 지니지 않는) 현실을 인식하게 되었어.

장면끊기 02 아이들에게 _____를 가르쳐 주던 나기배 씨가 이를 시시껄렁한 것으로 여기는 아이들을 보며 허망함을 느끼는 장면이야. 나기배 씨는 구슬을 자신이 지금껏 쌓아온 모든 업적과 동일시하며, 아이들의 반응을 보고 불혹의 _____ 전체가 흔들리는 듯한 충격을 느껴.

– 이동하, 「밝고 따뜻한 날」 –

현대소설 독해의 STEP 2

1 인물 간의 관계를 고려하여 구조도의 빈칸에 적절한 말을 채우세요.

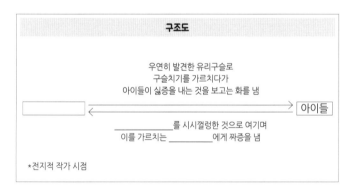

2 1~2번 문제를 풀어 보세요.

1. '색 구슬'에 대해 ㉠과 같이 판단한 이유로 가장 적절한 것은?

① 원래부터 가치가 없던 것임을 알고 있었기 때문에

② 앞으로 그 가치가 점점 더 높아질 것이기 때문에

③ 이제야 그 가치를 드러낼 마음이 생겼기 때문에

④ 과거에 지녔던 가치가 이제는 외면받기 때문에

⑤ 예전의 가치가 지금까지 유지되고 있기 때문에

2. 문학 개념어 OX 확인 문제

① 객관적 태도로 사건을 서술하여 사실성을 높이고 있다. ○ ✕

② 빈번한 장면 전환을 통해 긴박한 상황을 드러내고 있다. ○ ✕

현대소설 독해의 STEP 3

1 선지 판단 공식을 활용하여 빈칸을 채우고 1번 문제의 선지를 OX로 판단해 보세요.

선지 판단의 공식

① 작품 유리구슬을 본 나기배 씨는 '_____를 캐낸' 것이라고 하며, '이것을 보배라고 했'던 과거의 추억을 떠올림

선지 원래부터 가치가 없던 것임을 알고 있었기 때문에 ○ ✕

② 작품 나기배 씨는 자신의 어린 시절에는 '보배'와도 같았던 유리구슬이 이제는 '뜨락이나 _____에 아무렇게나 굴러다니'다 '시궁창이나 _____ 같은 데로 영영 모습을 감'출 것이라고 생각함

선지 앞으로 그 가치가 점점 더 높아질 것이기 때문에 ○ ✕

③ 작품 나기배 씨는 어린 시절 유리구슬을 '보배'라고 여겼지만, 이제는 유리구슬에 아무도 미련을 두지 않음. 나기배 씨는 그런 유리구슬이 '시궁창이나 쓰레기더미 같은 데로 영영 _____을 감'출 것이라고 생각함

선지 이제야 그 가치를 드러낼 마음이 생겼기 때문에 ○ ✕

④ 작품 나기배 씨는 유리구슬을 보고 '이것을 _____라고 했'던 과거의 추억을 떠올리지만, 아이들이 구슬치기를 '_____'한 것으로 여기는 모습을 보며 이제는 아무도 구슬에 미련을 두지 않는 현실을 인식함

선지 과거에 지녔던 가치가 이제는 외면받기 때문에 ○ ✕

⑤ 작품 나기배 씨는 아이들이 구슬치기를 '시시껄렁'한 것으로 여기는 모습을 보며 이제는 아무도 _____에 미련을 두지 않는 현실을 인식함

선지 예전의 가치가 지금까지 유지되고 있기 때문에 ○ ✕

현대소설 독해의 STEP 1

1 주요 인물에 ☐ 표시를 하고, 빈칸에 적절한 말을 채우세요.

　　그러는 사이에도, 밖은 간간이 어둠 저편으로부터 바람이 불어왔고, 그때마다 창문이 딸그락거렸다. 전신주 끝을 물고 윙윙대는 바람 소리, 싸륵싸륵 눈발이 흩날리는 소리, 난로에서 톡톡 튀어 오르는 톱밥. 그런 크고 작은 소리들이 간헐적으로 토해 내는 늙은이의 기침 소리와 함께 대합실 안을 채우고 있을 뿐, 사람들은 각기 골똘한 얼굴로 생각에 빠져 있다.

장면끊기 01 ＿＿＿＿＿ 밖과 안의 배경이 묘사되면서, 각자의 ＿＿＿＿에 빠진 사람들의 모습이 첫 번째 장면으로 제시되었어.

　　대학생은 문득 고개를 들어 말없이 모여 있는 그들의 얼굴을 하나하나 눈여겨본다. 모두의 뺨이 불빛에 발갛게 상기되어 있다. 청년은 처음으로 그 낯선 사람들의 얼굴에서 어떤 아늑함이랄까 평화스러움을 찾아내고는 새삼 놀라고 있다. 대학생은 대합실 안에 모여 있는 ＿＿＿＿ 사람들의 얼굴을 눈여겨보며 그들의 얼굴에서 ＿＿＿＿＿과 평화스러움을 발견하고는 놀라고 있어. 정말이지 산다는 것이란 때로는 저렇듯 한 두름의 굴비, 한 광주리의 사과를 만지작거리며 귀향하는 기분으로 침묵해야 하는 것인지도 모른다. 이 부분은 곽재구 시인의 시 「사평역에서」의 일부를 인용하고 있어. 참고로 이 작품은 「사평역에서」를 주요 모티프로 삼았어.

　　청년은 무릎을 굽혀 바께쓰 안에서 톱밥 한 줌을 집어 든다. 그리고 그것을 난로의 불빛 속에 가만히 뿌려 넣어 본다. 호르르르. 삐비꽃이 피어나듯 주황색 불꽃이 타오르다가 이내 사그라져 들고 만다. 청년은 그 짧은 순간의 불빛 속에서 누군가의 얼굴을 본 것 같다. 어머니다. 어머니가 주름진 얼굴로 활짝 웃고 있었다. 대학생(청년)은 ＿＿＿＿을 불빛 속에 넣으며 ＿＿＿＿의 얼굴을 떠올리고 있어.

　　다시 한 줌 집어넣는다. 이번엔 아버지와 동생들의 모습이 보였다. 또 한 줌을 조금 천천히 흩뿌려 넣는다. 친구들과 노교수의 얼굴, 그리고 강의실의 빈 의자들과 잔디밭과 교정의 풍경이 차례로 떠오르기 시작한다. 대학생이 ＿＿＿＿을 불빛에 넣을 때마다 가족, 친구, 노교수, 대학의 풍경이 떠오르고 있어. ＿＿＿＿은 그리움의 대상들을 떠올리게 하는 매개체 역할을 하고 있어.

장면끊기 02 두 번째 장면에서는 ＿＿＿＿＿(청년)이 다른 사람들의 얼굴을 눈여겨보는 모습과 불빛에 톱밥을 던지며 ＿＿＿＿＿를 비롯한 그리움의 대상들을 떠올리는 모습이 제시되었어.

　　음울한 표정의 중년 사내는 대학생이 아까부터 톱밥을 뿌려 대고 있는 모습을 곁에서 줄곧 지켜보고 있는 참이다. 대학생의 얼굴은 줄곧 상기되어 있다. ＿＿＿＿의 시선에서 ＿＿＿＿＿의 시선으로 관점이 바뀌었어.

　　이 젊은 친구가 어쩌면 꿈을 꾸고 있는지도 모르겠군. ＿＿＿＿＿는 대학생의 모습을 지켜 보며 그의 심정을 짐작하고 있어. 그러면서도 사내 역시 톱밥을 한 줌 집어낸다. 그리고는 대학생이 하듯 달아오른 난로에 톱밥을 뿌려 준다.

　　호르르르. 역시 삐비꽃 같은 불꽃이 환히 피어오른다. 사내는 불빛 속에서 누군가의 얼굴을 얼핏 본 듯하다. 허 씨 같기도 하고 전혀 낯모르는 다른 사람인 것도 같은, 확실치 않은 얼굴이었다. 사내의 음울한 눈동자가 간절한 그리움으로 반짝 빛나기 시작한다. 중년 사내도 톱밥을 난로에 뿌리며 (낯선/그리운) 대상을 떠올리고 있어. 사내는 다시 한 줌의 톱밥을 집어 불빛 속에 던져 넣고 있다.

　　어느새 농부도, 아낙네들도, 서울 여자와 춘심이도 이젠 모두 그 두 사람의 치기 어린 장난을 지켜보고 있다. 누구도 입을 열지 않았다.

장면끊기 03 세 번째 장면에서는 ＿＿＿＿＿＿＿의 내면 서술을 중심으로 이야기가 전개되고 있어. 이 작품은 특정 인물을 주인공으로 내세우지 않고 여러 인물들의 내면을 서술하는 방식을 취하고 있어. 이렇듯 시·공간의 변화가 나타나지 않더라도 서술의 중심이 되는 ＿＿＿＿이 바뀌면 장면끊기를 하며 읽는 것이 좋아.

　　사평역을 경유하는 야간 완행열차*는 두 시간을 연착한 후에야 도착했다. 열차가 ＿＿＿＿＿이나 늦게 도착했어.

　　막상 열차가 도착했을 때, 대합실에서 그때까지 기다리고 있던 승객들은 반가움보다는 차라리 피곤함과 허탈감에 젖은 모습으로 열차에 올라탔다. 너무 늦게 온 열차에, 승객들은 ＿＿＿＿＿과 허탈감을 느끼고 있네. 늙은 역장은 하얗게 눈을 맞으며 깃발을 흔들어 출발 신호를 보냈고, 이어 열차는 천천히 미끄러져 가기 시작했다. 얼핏, 누군가가 아직 들어가지 않고 열차 난간에 기대어 서 있는 게 보였다. 열차는 ＿＿＿＿＿했지만, 누군가 열차 난간에 기대어 있는 것을 역장이 발견했어. 이번에는 역장의 시선으로 상황을 보여 주고 있네. 역장은 그 사람이 재 너머 오 씨 큰 아들임을 알았다. 고개를 반쯤 숙인 채 난간 손잡이에 위태로운 자세로 기대어 있는 청년의 모습이 역장은 왠지 마음에 걸렸다. ＿＿＿＿＿은 난간에 ＿＿＿＿＿롭게 기대어 있는 오 씨 큰아들의 모습을 보며 마음을 쓰고 있어. 이내 열차는 어둠 속으로 길게 기적을 남기며 사라져 버렸다.

장면끊기 04 네 번째 장면에서는 역장이 늦게 도착한 열차를 출발시키고 주변을 둘러보며 ＿＿＿＿＿에 기대어 선 청년(오 씨 큰아들)을 바라보는 장면이 제시되었어.

　　한동안 열차가 달려가 버린 어둠 저편을 망연히 응시하고 서 있던 늙은 역장은 옷에 금방 수북이 쌓인 눈을 털어 내며 대합실로 들어섰다. 난로를 꺼야 하기 때문이었다. 역장이 ＿＿＿＿＿를 끄기 위해 ＿＿＿＿＿ 안으로 들어서고 있어. 거기서 역장은 뜻밖에도 아직 기차를 타지 않고 남아 있는 한 사람을 발견했다. 미친 여자였다. 지금껏 난로 곁에 가지 않았던 유일한 사람이었던 그녀는 이제 난로를 독차지한 채, 아까 병든 늙은이가 앉았던 의자에 비스듬히 앉아 있었다.

　　그녀의 집이 어디며, 또 어디서 왔는지 역장은 전혀 모른다. 다만 이따금 그녀가 이 마을을 찾아왔다가는 열차를 타고 떠나곤 했다는 정도만 기억할 뿐이었다. 오늘은 왜 이 여자가 다른 사람들을 따라 열차를 타지 않았을까 하고 역장은 의아하게 생각했다. 아마 그 여자에겐 갈 곳이 없었을지도 모른다. 그녀에게 있어서 출발이란 것은 이 하룻밤, 아니 단 몇 분 동안이나마 홀로 누릴 수 있는 난로의 따뜻한 불기만큼의 의미조차도 없는 까닭이리라. 역장은 대합실에서 ＿＿＿＿＿＿＿를 발견하고 아마도 ＿＿＿＿＿이 없어서 여기에 남은 것이라고 짐작하고 있어.

　　역장은 문득 그녀가 걱정스러웠다. 올겨울 같은 혹독한 추위에 아직 얼어 죽지 않고 여기까지 흘러들어 왔다는 사실이 신기했다. 꿈이라도 꾸는 중인지 땟국물에 젖은 여자의 입술 한 귀퉁이엔 보일락 말락 웃음이 한 조각 희미하게 남아 있었다.

　　이거 참 난처한걸. 난로를 그대로 두고 갈 수도 없고……

　　하지만 결국 역장은 김 씨를 깨우러 가기 전에 톱밥을 더 가져다가 난로에 부어 줘야겠다고 생각하며 천천히 사무실로 돌아가고 있었다. 눈은 밤새 내내 내릴 모양이었다. 역장은 ＿＿＿＿＿＿＿가 걱정되어 ＿＿＿＿＿를 끄지 못하고 ＿＿＿＿＿을 더 가져오려 하고 있어.

장면끊기 05 마지막 장면은 역장이 ＿＿＿＿＿ 안으로 들어와 미친 여자를 발견하고 그녀를 (귀찮아/걱정)하는 모습이 제시되었어. 네 번째 장면과 마찬가지로 _____의 시선과 내면이 중심이 되고 있지만, 대합실 밖에서 안으로 공간이 바뀌면서 관심 대상도 바뀌었으니 이때에도 장면끊기를 하며 읽는 것이 좋겠지?

- 임철우, 「사평역」 -

*완행열차: 빠르지 않은 속도로 달리며 각 역마다 멎는 열차.

현대소설 독해의 STEP 2

1 인물 간의 관계를 고려하여 구조도의 빈칸에 적절한 말을 채우세요.

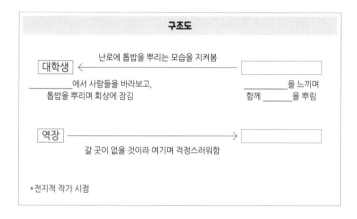

구조도

대학생 ← 난로에 톱밥을 뿌리는 모습을 지켜봄 [   ]
_____에서 사람들을 바라보고,   _____을 느끼며
톱밥을 뿌리며 회상에 잠김   함께 _____을 뿌림

역장 ──────────────→ [   ]
     갈 곳이 없을 것이라 여기며 걱정스러워함

*전지적 작가 시점

2 1~2번 문제를 풀어 보세요.

1. 야간 완행열차의 의미를 탐색해 보았다. 그 내용으로 적절하지 않은 것은?

① 야간 완행열차는 고달픈 삶을 살아가는 인물들의 처지에 어울리는 소재로 볼 수 있다.

② 열차가 두 시간 연착하게 설정함으로써 인물들의 이야기가 전개될 수 있는 시간이 확보된 것으로 볼 수 있다.

③ 인물들이 완행열차에 오르는 것은 이들이 인생의 여정을 이어감을 상징적으로 보여 준다고 할 수 있다.

④ 열차의 출발은 서술의 초점이 역에 남아 있는 인물들에게 옮겨가는 계기가 된다고 볼 수 있다.

⑤ 인물들이 간절히 기다리는 열차는 그들이 염원하는 이상적인 삶을 상징한다고 볼 수 있다.

2. 문학 개념어 OX 확인 문제

① 청각적 이미지를 사용하여 대합실의 분위기를 드러내고 있다.　　○ ✕

② 인물의 행동을 묘사하여 갈등의 원인을 제시하고 있다.　　○ ✕

현대소설 독해의 STEP 3

1 선지 판단 공식을 활용하여 빈칸을 채우고 1번 문제의 선지를 OX로 판단해 보세요.

선지 판단의 공식

① 작품
'사평역을 경유하는 야간 완행열차는 두 시간을 _____ 한 후에야 도착했'고, '막상 열차가 도착했을 때, 대합실에서 그때까지 기다리고 있던 승객들은 반가움보다는 차라리 _____과 _____에 젖은 모습으로 열차에 올라'탐

선지 ➡ 야간 완행열차는 고달픈 삶을 살아가는 인물들의 처지에 어울리는 소재로 볼 수 있다. ○ ✕

② 작품
열차를 기다리는 대합실 안에서 '각기 골똘한 얼굴로 생각에 빠져 있'는 사람들 중 '_____'과 '중년 사내'가 '한 줌의 _____을 집어 불빛 속에 던져 넣'는 내용은 '사평역을 경유하는 야간 완행열차'가 '_____을 연착한 후에야 도착'하기까지의 시간 동안에 전개됨

선지 ➡ 열차가 두 시간 연착하게 설정함으로써 인물들의 이야기가 전개될 수 있는 시간이 확보된 것으로 볼 수 있다. ○ ✕

③ 작품
'열차가 도착했을 때, 대합실에서 그때까지 기다리고 있던 승객들은~열차에 올라'탐, '늙은 역장은 하얗게 눈을 맞으며 깃발을 흔들어 _____ 신호를 보냈고, 이어 열차는 천천히 _____ 가기 시작'함

선지 ➡ 인물들이 완행열차에 오르는 것은 이들이 인생의 여정을 이어감을 상징적으로 보여 준다고 할 수 있다. ○ ✕

④ 작품
열차가 출발하자 '한동안 열차가 달려가 버린 어둠 저편을 망연히 응시하고 서 있던 늙은 _____은 옷에 금방 수북이 쌓인 눈을 털어 내며 _____로 들어'서고, '아직 기차를 타지 않고 _____ 한 사람(미친 여자)을 발견'함

선지 ➡ 열차의 출발은 서술의 초점이 역에 남아 있는 인물들에게 옮겨가는 계기가 된다고 볼 수 있다. ○ ✕

⑤ 작품
'_____을 경유하는 야간 완행열차는 두 시간을 연착 한 후에야 도착했'고, '막상 _____가 도착했을 때, 대합실 에서 그때까지 기다리고 있던 승객들은 _____보다는 차라리 피곤함과 허탈감에 젖은 모습으로 열차에 올라'탐

선지 ➡ 인물들이 간절히 기다리는 열차는 그들이 염원하는 이상적인 삶을 상징한다고 볼 수 있다. ○ ✕

현대소설 독해의 STEP 1

1 주요 인물에 ⬚ 표시를 하고, 빈칸에 적절한 말을 채우세요.

　다방을

　찾는 사람들은, 어인 까닭인지 모두들 구석진 좌석을 좋아하였다. 구보는 하나 남아 있는 가운데 탁자에 앉는 수밖에 없었다. 그래도, 그는 그곳에서 엘만의 「발스 센티멘털」을 가장 마음 고요히 들을 수 있었다. 그러나 그 선율이 채 끝나기 전에, 방약무인(傍若無人)한 소리가, 구포 씨 아니오── 구보는 다방 안의 모든 사람들의 시선을 온몸에 느끼며, 소리 나는 쪽을 돌아보았다. <u>구보는 _____에서 고요히 좋아하는 음악을 듣던 중 거리낌 없이 함부로 자신을 부르는 소리에 당혹스러움을 느껴.</u> 중학을 이삼 년 일찍 마친 사내, 어느 생명 보험 회사의 외교원이라는 말을 들었다. 평소에 결코 왕래가 없으면서도 이제 이렇게 알은체를 하려는 것은 오직 얼굴이 새빨개지도록 먹은 술 탓인지도 몰랐다. 구보는 무표정한 얼굴로 약간 끄떡하여 보이고 즉시 고개를 돌렸다. <u>___에 취해 구보를 부르는 _____에게 구보는 거부감을 느끼네.</u> 그러나 그 사내가 또 한 번, 역시 큰 소리로, 이리 좀 안 오시료, 하고 말하였을 때 구보는 게으르게나마 자리에서 일어나, 그의 탁자로 가는 수밖에 없었다. 이리 좀 앉으시오. 참, 최 군, 인사하지. 소설가, 구포 씨. <u>구보는 사내와 합석하는 것이 내키지 않았지만, 자꾸 큰 소리로 부르는 통에 어쩔 수 없이 그의 _____로 갔어.</u>

장면끊기 01 <u>구보는 혼자 다방을 찾아 음악을 듣던 중 평소에 별로 _____가 없던 한 사내의 부름에 마지못해 (거절/합석)을 해. 이어서 그의 탁자로 이동한 구보와 사내의 대화 장면이 나오겠지?</u>

　이 사내는, 어인 까닭인지 구보를 반드시 '구포'라고 발음하였다. 그는 맥주병을 들어 보고, 아이 쪽을 향하여 더 가져오라고 소리치고, 다시 구보를 보고, 그래 요새두 많이 쓰시우. 무어 별로 쓰는 것 '없습니다.' 구보는 자기가 이러한 사내와 접촉을 가지게 된 것에 지극한 불쾌를 느끼며, 경어를 사용하는 것으로 그와 사이에 간격을 두기로 하였다. <u>구보는 사내와 합석하게 된 것에 지극한 _____를 느끼고, 의도적으로 사내에게 _____를 사용하며 거리를 두려고 해. 구보가 보기에 큰 소리로 자신을 멋대로 부르고, 맥주병을 더 가져오라고 아이에게 소리치는 사내의 모습이 마음에 들지 않는 모양이야.</u> 그러나 이 딱한 사내는 도리어 그것에서 일종 득의감을 맛볼 수 있었는지도 모른다. 그뿐 아니라, 그는 한 잔 십 전짜리 차들을 마시고 있는 사람들 틈에서 그렇게 몇 병씩 맥주를 먹을 수 있는 것에 우월감을 갖고, 그리고 지금 행복이었을지도 모른다. <u>사내는 다른 사람들의 시선을 의식하며 _____을 갖는 부류의 인간이야. 소설가인 구보가 자신에게 경어를 사용하고, 남들과 달리 _____를 몇 병씩 주문할 수 있는 것에 행복감을 느끼지.</u> 그는 구보에게 술을 따라 권하고, 내 참 구포 씨 작품을 애독하지. 그리고 그러한 말을 하였음에도 불구하고 구보가 아무런 감동도 갖지 않는 듯싶은 것을 눈치 채자, 사실, 내 또 만나는 사람마다 보고,

　"구포 씨를 선전하지요."

　그러한 말을 하고는 혼자 허허 웃었다. 구보는 의미몽롱한 웃음을 웃으며, 문득, 이 용감하고 또 무지한 사내를 고급(高給)으로 채용하여 구보 독자 권유원을 시키면, 자기도 응당 몇 십 명의, 또는 몇 백 명의 독자를 획득할 수 있을지 모르겠다고 그런 난데없는 생각을 하여 보고, 그리고 혼자 속으로 웃었다. <u>구보는 사내의 무지한 태도와 자신의 상상이 어이가 없어 웃음을 지어.</u> 참 구보 선생, 하고 최 군이라 불린 사내

도 말참견을 하여, 자기가 독견(獨鵑)의 「승방비곡(僧房悲曲)」*과 윤백남(尹白南)의 「대도전(大盜傳)」*을 걸작이라 여기고 있는 것에 구보의 동의를 구하였다. 그리고, 이 어느 화재 보험 회사의 권유원인지도 알 수 없는 사내는, 가장 영리하게,

　"구보 선생님의 작품은 따루 치고……."

　그러한 말을 덧붙였다. 구보가 간신히 그것들이 좋은 작품이라 말하였을 때, <u>구보는 _____의 말에 동의하지 않으면서도 마지못해 인정해 주는 모습이야.</u> 최 군은 또 용기를 얻어, 참 조선서 원고료(原稿料)는 얼마나 됩니까. 구보는 이 사내가 원호료라 발음하지 않는 것에 경의를 표하였으나 물론 그는 이러한 종류의 사내에게 조선 작가의 생활 정도를 알려 주어야 할 아무런 의무도 갖지 않는다. <u>구보는 최 군이 소설에 대해 잘 알지도 못하는, 사내와 (같은/다른) 무지한 부류라 생각하네. 최 군과 자신은 (같은/다른) 종류의 사람이라 생각하고 그와 거리를 두려고 해.</u>

　그래, 구보는 혹은 상대자가 모멸을 느낄지도 모를 것을 알면서도, 불쑥, 자기는 이제까지 고료라는 것을 받아 본 일이 없어, 그러한 것은 조금도 모른다 말하고, 마침 문을 들어서는 벗을 보자 그만 실례합니다. 그리고 그들이 무어라 말할 수 있기 전에 제자리로 돌아와 노트와 단장을 집어 들고, 마악 자리에 앉으려는 벗에게,

　"나갑시다. 다른 데로 갑시다."

　밖에, 여름 밤, 가벼운 바람이 상쾌하다. <u>사내나 최 군과 불편한 대화를 이어 가던 구보는 벗과 함께 밖으로 나가서 _____을 느껴.</u>

장면끊기 02 <u>구보는 사내나 최 군과의 대화를 애써 이어 가는 과정에서 그들에게 거부감을 느끼고 ____을 만난 핑계로 다방을 빠져 나가.</u>

　　　　　　　　　　　　　− 박태원, 「소설가 구보 씨의 일일」 −

---

*「승방비곡」·「대도전」: 1930년대에 큰 인기를 얻었던 장편 소설.

현대소설 독해의 STEP 2

1 인물 간의 관계를 고려하여 구조도의 빈칸에 적절한 말을 채우세요.

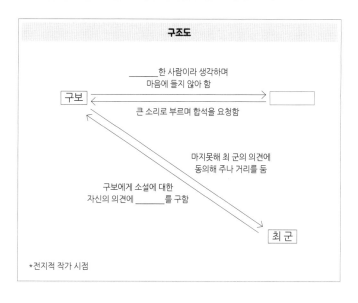

구조도

구보 ───── _____ 한 사람이라 생각하며
마음에 들지 않아 함 ─────▶ _____

◀───── 큰 소리로 부르며 합석을 요청함

마지못해 최 군의 의견에
동의해 주나 거리를 둠

구보에게 소설에 대한
자신의 의견에 _____를 구함

최 군

*전지적 작가 시점

2 1~2번 문제를 풀어 보세요.

1. 윗글에 등장하는 세 사람이 미술관에서 우연히 만나 대화를 나눈다고 가정할 때, 대화 내용으로 적절하지 <u>않은</u> 것은?

사내: 이 작품을 그린 사람이 내 후배라오. 대단하지요? 자, 대충 보았으니 이제 점심이나 먹으러 갑시다. 내가 한턱내지요. ………… ①

최 군: 요즘 많은 사람들 사이에서 저 작품이 화제랍니다. 저 작품 좀 보고 갑시다. 그래야 교양 있다는 소리를 들을 수 있어요. ……… ②

구보: 글쎄요. 사람들의 입에 자주 오르내린다고 훌륭한 작품이라고 말할 수 없지 않을까요? ………………………………… ③

최 군: 그래도 이런 작품 하나쯤 거실에 걸어 두면 폼이 날 텐데. 얼마면 살 수 있을까요? ………………………………… ④

구보: 아무튼 요즘은 모든 것을 돈으로만 따지려 해서 문제예요. 내가 소설을 쓰는 것은 그런 사람들의 생각을 바꾸기 위한 것이지요. …………………………………………………………… ⑤

2. 문학 개념어 OX 확인 문제

① 시간적 순서에 따라 사건을 배열하여 사건의 인과성을 밝히고 있다.   ○ ✕

② 직접 화법과 간접 화법을 활용하여 등장인물 간의 심리적 거리를 조절하고 있다.   ○ ✕

현대소설 독해의 STEP 3

1 선지 판단 공식을 활용하여 빈칸을 채우고 1번 문제의 선지를 OX로 판단해 보세요.

선지 판단의 공식

①
작품 사내는 구보와 '평소에 결코 왕래가 없으면서도' 굳이 '알은 체를 하는 사람임, 또한 '한 잔 십 전짜리 차들을 마시고 있는 사람들 틈에서 그렇게 몇 병씩 맥주를 먹을 수 있는 것에 _____'을 가짐

선지 **사내:** 이 작품을 그린 사람이 내 후배라오. 대단하지요? 자, 대충 보았으니 이제 점심이나 먹으러 갑시다. 내가 한턱 내지요.   ○ ✕

②
작품 최 군은 '자기가 독견의 「승방비곡」과 윤백남의 「대도전」을 _____이라 여기고 있는 것에 구보의 _____를 구'함

선지 **최 군:** 요즘 많은 사람들 사이에서 저 작품이 화제랍니다. 저 작품 좀 보고 갑시다. 그래야 교양 있다는 소리를 들을 수 있어요.   ○ ✕

③
작품 구보는 '독견의 「승방비곡」과 윤백남의 「대도전」을 걸작이라 여'긴다는 최 군의 말에 '_____ 그것들이 좋은 작품이라 말'해 줌

선지 **구보:** 글쎄요. 사람들의 입에 자주 오르내린다고 훌륭한 작품이라고 말할 수 없지 않을까요?   ○ ✕

④
작품 '최 군은 또 용기를 얻어' 구보에게 '조선서 _____는 얼마나' 되는지 물음

선지 **최 군:** 그래도 이런 작품 하나쯤 거실에 걸어 두면 폼이 날 텐데. 얼마면 살 수 있을까요?   ○ ✕

⑤
작품 구보는 '조선서 원고료는 얼마나' 되느냐고 묻는 최 군에게 '자기는 이제까지 _____라는 것을 받아 본 일이 없어, 그러한 것은 조금도 _____ 말'할 뿐임

선지 **구보:** 아무튼 요즘은 모든 것을 돈으로만 따지려 해서 문제예요. 내가 소설을 쓰는 것은 그런 사람들의 생각을 바꾸기 위한 것이지요.   ○ ✕

현대소설 독해의   STEP 1

1 주요 인물에 ☐ 표시를 하고, 빈칸에 적절한 말을 채우세요.

[앞부분의 줄거리] 전쟁이 나던 해 아버지가 행방불명되자 '나'는 가족과 떨어져 고향 진영에서 어렵사리 지낸다. 대구로 간 가족들은 장관동의 '마당 깊은 집'에 사글세살이를 시작하고 '나'는 3년 만에 가족들과 합치게 된다. '마당깊은 집'의 위채에는 주인집이 살고, 아래채에는 네 가구의 피난민들이 세를 들어 살고 있다. 어느 날 위채의 주인은 아들을 미국에 유학보내기 위해 관리들과 미군을 초대하여 파티를 연다.

나는 경기댁네 쪽마루에 경기댁과 나란히 앉아 추위로 오들오들 떨며, 샹들리에 전등을 대낮같게 환하게 밝힌 위채 대청 유리문 안쪽의 은은한 파티를 먼발치에서 치켜다보며 구경했다. 앞부분의 줄거리를 고려하면 '나'와 '경기댁'은 모두 마당깊은 집의 (위채/아래채)에 세 들어 사는 _____ 이겠지? 추위로 떨고 있는 피난민들과 환하게 전등을 밝히고 _____를 벌이는 사람들의 상황이 대비되네. 담요를 둘러쓴 경기댁은 초조하게 담배를 피우며 잘 차려입은 여러 사람 사이에 섞인 ⓐ자기 딸을, 마치 이리떼 놀이터에 풀어놓은 양을 지키듯 감시하고 있었다. 대청에는 대형 톱밥난로가 벌겋게 달아 있었고, 전축에서는 미국 대중 가요가 흘러 나왔다. 대청 한쪽에는 흰 보를 씌운 다리 긴 식탁이 있었고, 그 식탁 위에는 여러 종류의 음식과 술병이 즐비했다. 손님들은 쟁반을 들고 자기가 먹고 싶은 음식을 마음대로 골라 쟁반에 담았다. 자기 몫 음식이 따로 있지 않고 둥둥산같게 잰 음식을 저런 방법으로 양껏 먹을 수 있다니, 참으로 부러운 광경이 아닐 수 없었다. 연미 복에 나비넥타이를 맨 군방각에서 온 젊은이가 손님들 시중을 들고 있었다. 경기댁은 초조한 마음으로 _____을 감시하고 있고, '나'는 먹고 싶은 음식을 양껏 먹을 수 있는 사람들을 _____하고 있어.

"음식두 지랄같이 처먹네. 서서 낄낄거리며 먹는 저 서양식 짓거리가 대체 무슨 꼴이람. 음식 맛두 제대로 모르겠군."
경기댁의 빈정거림이었다.

"서양식 식사는 역시 통이 큼더. 음식 접시 앞을 돌아댕기미 지묵고 싶은 거마 골라 배 터지게 묵을 수 있으이까예." '나'와 달리 경기댁은 위채에서 벌인 서양식 파티에 대해 _____거리고 있어.

ⓑ"신문 배달하는 너는 어느 세월에 저렇게 차려놓구 서서 다니며 먹어보겠니. 길남이 너, 자신 있어?"
분명 비꼬는 말인데 나는 대답할 수 없었다. 추위 탓만도 아닌, 나는 평생 저런 방법으로 음식을 먹어볼 수는 없을 것 같은 절망에 몸을 떨었다. 경기댁은 서양식 식사를 부러워하는 '나'를 비꼬지만, '나'는 거기에 대답하지 못하고 _____을 느끼고 있어.

장면끊기 01 중략 이전까지를 하나의 장면으로 끊어서 살펴볼 수 있겠네. 이 장면에서는 _____에 함께 살지만 처지가 대조적인 주인집 식구들과 피난민들의 모습이 그려지고 있어.

(중략)

"아쁘지, 모른다. 나 모른다……."
누워 있던 길수가 기침 끝에 헛소리같게 중얼거렸다. 길수는 열이 높아 이틀 동안 헛소리를 내질렀고, 목이 부었는지 죽 이외는 아무것도 입 안에 넘기지 못했다. 사팔뜨기 짝눈을 이리저리 굴

리며 쉰 목소리로 헛소리를 내지를 때는 애처로워 차마 마주볼 수 없었다. 약 한 알 먹지 않았는데 아침에는 열이 내렸으나 기침은 쉬 가라앉지 않았다. 며칠 사이 길수는 얼굴이 더욱 핼쑥해져 머리통만 큰 기형아로 보였다.

"우리 길수가 어서 일어나야 할 낀데. 어이구, 저 불쌍한 내 새끼 ……."
어머니는 길수가 덮은 이불깃을 다독거려주며 혀를 찼다. 열이 높고 헛소리까지 하는 걸 보면 길수는 무척 아픈 것 같아. 그런데도 병원은커녕 _____도 먹지 못하고 있는 상황을 통해 피난민들의 곤궁한 삶을 엿볼 수 있네.

장면끊기 02 중략 이후는 길수가 몹시 아팠던 상황을 보여 주고 있어. 길수는 '나' (_____)의 동생이겠지? '나'는 아픈 길수를 애처로워하고 어머니도 길수를 _____하게 여기지만 가난한 형편으로 인해 아무것도 해 주지 못하고 있어. 이를 통해 첫 번째 장면과 마찬가지로 피난민들의 비참한 처지가 드러난다고 할 수 있겠네.

ⓒ어머니가 대구에 터를 잡았던 이듬해 이야기다. 어머니는 자주 그 이야기를 꺼내었고 당시 나는 진영에 있었기에 그 정황을 머릿 속에 그려볼 수밖에 없었다. 앞서 길수가 아팠던 상황은 '나'가 실제로 본 것이었다면, 지금부터 제시될 상황은 '나'가 어머니에게 _____ 것이구나. 어머니가 세 자식에게 하루 두 끼니는 근근이 입에 풀칠을 시키다, ⓓ어느 날 하루를 꼬박 굶긴 적이 있었다 했다. 이튿날 아침, 어머니가 이모 님댁에서 보리밥 한 그릇을 얻어와 그 밥을 불려 먹는다고 죽을 쑤어, 당신은 먹지 않고 세 자식에게 나누어주었다. 그런데 빈 뱃속에 뜨거운 죽을 너무 급하게 먹었던지 길중이가 먹은 죽을 죄 토해내고 말았다. 길중이는 방바닥에 위액과 더불어 토해놓은 죽을 긁어 다시 먹었음은 물론인데, 걸레로 방바닥을 훔치는 어머니를 길수가 눈여겨보았던지, 길수가 나중에 그 걸레를 빨아먹고 있더라 했다. "세 살밖에 안 된 것이 그때만은 머리가 잘 돌아갔는지 그 걸레에 죽이 묻었다꼬 빨아묵고 안있나." 어머니가 그렇게 말했고, 나 역시 그 말을 사실로 믿었다. 그러나 그뒤 어느 때부터인가 나는 어머니 말을 나름대로 고쳐 해석하게 되었다. 길수는 걸레에 묻은 죽 찌꺼기를 빨아먹기 위해서라기보다, 배가 고프면 시골 아이들이 부드러운 흙을 집어먹듯, 빈 뱃속을 채우려 무심히 걸레를 빨아먹 었으리라. 아이들을 하루종일 굶길 수밖에 없었던 어머니, 자신이 토한 죽까지 다시 먹는 _____, 걸레에 묻은 죽을 빨아먹는 _____의 모습을 통해 피난민들의 물질적 빈곤이 얼마나 심각했는지를 알 수 있어. 그러나 내 해석이야 어쨌든, 길수의 그런 일화를 회상할 때마다 그가 지금 이 지상에 살아 있지 않음으로써, 그를 향한 연민의 정이 내 마음을 늘 아프게 울린다.

밤마다 따뜻한 짐승 새끼이듯 내게 화로 구실을 해주던 길수는 그 질긴 독감으로부터 살아났으나, 그로부터 겨우 삼 년을 더 채우고, 우리 집안에 가난의 그림자가 걷히기 전 '더러운 세월'과 함께 죽었다. 그 아둔한 걸음과 어눌한 발음 탓으로 다른 아이들이 다가는 초등학교 입학조차 거절당한 채 병원 신세 한번 지지 못하고 ⓔ어느 추운 겨울날 뇌막염으로 숨을 닫았으니, 그의 나이 만 여덟 살 때였다. 두 번째 장면에서 길수가 열이 나고 기침이 났던 것은 _____에 걸렸기 때문이었구나. 다행히 길수는 그때 독감을 이겨냈지만 그로부터 ___ 년 뒤 만 여덟 살 때 뇌막염으로 죽게 되었군. '나'는 가난하게 살다가 _____도, 병원도 가보지 못하고 죽은 길수를 생각하며 연민을 느끼네.

장면끊기 03 _____에 터를 잡았던 이듬해 이야기가 시작되는 부분에서 장면을 끊어 볼 수 있겠지? 세 번째 장면에서는 어머니가 들려준, 끼니를 잇지 못할 정도로 가난했던 시절의 이야기를 현재의 '나'가 떠올리면서 _____을 드러내고 있어.

– 김원일, 「마당깊은 집」 –

현대소설 독해의 STEP 2

1 인물 간의 관계를 고려하여 구조도의 빈칸에 적절한 말을 채우세요.

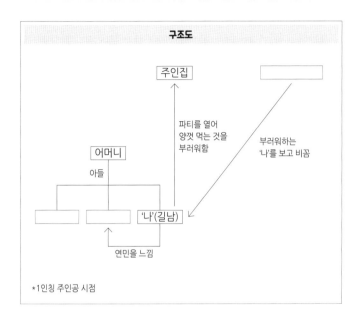

2 1~2번 문제를 풀어 보세요.

1. 윗글을 영화로 제작하고자 한다. ⓐ~ⓔ에 대해 감독이 요구할 수 있는 사항으로 적절하지 <u>않은</u> 것은?

① ⓐ: '딸'과 '경기댁'의 모습을 한 화면에 담아 딸을 바라보는 '경기댁'의 불안한 심리를 강조해야겠어.

② ⓑ: '경기댁'으로 하여금 자조적인 표정을 짓게 하여 '경기댁'의 자기 비하 감정이 드러나도록 요구해야겠어.

③ ⓒ: 오버랩(O.L)을 사용하여 장면을 교차함으로써 자연스럽게 시간을 전환시켜야겠어.

④ ⓓ: 애잔한 배경 음악으로 인물들이 처한 비참한 분위기를 조성해야겠어.

⑤ ⓔ: '나'의 서글픔과 쓸쓸함이 담긴 목소리를 내레이션(Nar)으로 처리해야겠어.

2. 문학 개념어 OX 확인 문제

① 방언을 사용하여 이야기를 생동감 있게 풀어가고 있다. ○ ✕

② 의식의 흐름 기법을 사용하여 인물의 내적 욕망을 드러내고 있다. ○ ✕

현대소설 독해의 STEP 3

1 선지 판단 공식을 활용하여 빈칸을 채우고 1번 문제의 선지를 OX로 판단해 보세요.

선지 판단의 공식

① 작품
경기댁은 '_____하게 담배를 피우며 잘 차려입은 여러 사람 사이에 섞인 ⓐ자기 딸을, 마치 이리떼 놀이터에 풀어 놓은 양을 _____하고 있었'음

선지➡ ⓐ: '딸'과 '경기댁'의 모습을 한 화면에 담아 딸을 바라보는 '경기댁'의 불안한 심리를 강조해야겠어. ○ ✕

② 작품
경기댁은 '나'에게 ⓑ'_____는 어느 세월에 저렇게 차려놓구 서서 다니며 먹어보겠니. 길남이 너, 자신 있어?'라고 함, '나'는 이에 '분명 _____'이지만 '대답할 수 없었다.'라고 함

선지➡ ⓑ: '경기댁'으로 하여금 자조적인 표정을 짓게 하여 '경기댁'의 자기 비하 감정이 드러나도록 요구해야겠어. ○ ✕

③ 작품
ⓒ 이전에는 길수가 '____이 높아 이틀 동안 헛소리를 내질렀고, 목이 부었는지 죽 이외는 아무것도 입 안에 넘기지 못했'던 때를 이야기함, ⓒ부터는 '⑥어머니가 대구에 터를 잡았던 _____ 이야기'를 제시함

선지➡ ⓒ: 오버랩(O.L)을 사용하여 장면을 교차함으로써 자연스럽게 시간을 전환시켜야겠어. ○ ✕

④ 작품
ⓓ에서는 '세 자식에게 하루 _____는 근근이 입에 풀칠을 시키'던 어머니가 'ⓓ어느 날 하루를 꼬박 _____이 있었'음을 이야기함

선지➡ ⓓ: 애잔한 배경 음악으로 인물들이 처한 비참한 분위기를 조성해야겠어. ○ ✕

⑤ 작품
'나는 길수를 향한 '_____이 내 마음을 늘 아프게 울린다.'라고 함, 길수는 '만 여덟 살 때' '초등학교 입학조차 거절당한 채 병원 신세 한번 지지 못하고 ⓔ어느 추운 겨울날 뇌막염으로 ____을 닫았'음

선지➡ ⓔ: '나'의 서글픔과 쓸쓸함이 담긴 목소리를 내레이션(Nar)으로 처리해야겠어. ○ ✕

현대소설 독해의 STEP 1

1 주요 인물에 ☐ 표시를 하고, 빈칸에 적절한 말을 채우세요.

무거운 침묵이 흐르는 가운데 문 앞의 감찰 완장들 중 한 명이 앞으로 한 걸음 내달리며 퉁명스럽게 내뱉었다. 딱 십 분을 주갔으니 잘 생각들 해서 정하우다. 뒷짐에서 풀려나 천천히 입으로 올라가는 손가락 사이에는 태를 먹어 금방이라도 산산이 부서져 내릴 듯한 허연 호루라기가 들려 있었다. 앙칼지게 불어제치는 호각 소리에 모두들 가슴이 철렁 내려앉았다. <u>감찰 완장들 중 한 명이 _____의 시간을 줄 테니 선택을 하라고 말하고는 _____를 불었어. 그러자 모두들 가슴이 철렁 내려앉았다고 해.</u> 처음엔 이것이 무슨 꿍꿍이속인가 싶어 숨들을 죽이고 있었는데 한 오 분쯤 지나자 몇 사람이 후다닥 양쪽으로 오고 갔다. 그러자 서로 기다렸다는 듯 이쪽저쪽으로 뒤죽박죽 오가는데 정신을 차릴 수 없었다. <u>십 분 안에 양쪽 중 한 곳을 선택해야 하는 상황인가 봐.</u>

아버지가 처음 앉았던 자리는 북으로 가는 자리였다. <u>아버지를 포함한 그곳의 사람들은 남과 ___ 중 한 곳을 선택해야 하는 상황에 처한 거네.</u> 머릿속이 휑뎅그렁하게 비어 버려 망창히 앉아 있던 아버지에게는 창문으로 쏟아져 들어오는 햇살이 그저 너무 좋다는 생각만 한심하게 다가왔다. <u>급박한 상황 속에서 아버지는 그저 창밖의 _____을 느끼고 있어.</u> 고개를 돌려 보니 수용소 안에서 가까이 지내던 사람들이 모두 이남 자리로 넘어가서는 아버지보고 그쪽에 남으면 죽으니 날래 넘어오라구 난리를 쳤다. 갑자기 겁이 더럭 올라붙은 아버지는 시적시적 이남 자리로 옮겨 갔다. <u>수용소 안에서 가까이 지내던 사람들의 성화에 갑자기 겁이 난 아버지는 _____ 자리로 갔어.</u> 그러나 개인적 안위를 걱정할 때가 아니라는 생각이 스쳤다. 잔뼈가 굵은 고향이 있었고 거기에 살고 있을 부모처자—아버지는 이미 전쟁 전에 장가를 들었다—모습이 눈앞에 밟혔던 것이다. 그래서 이번에는 후들거리는 다리를 끌고 이북 자리로 넘어갔다. <u>개인적 안위가 아닌 북에 남겨진 _____들이 생각나 아버지는 다시 _____ 자리로 갔네.</u> 그러나 자리에 앉고 보니 불현듯 물밑 쪽 같은 신세 이제 고향에 돌아가믄 뭘 하겠나 하는 생각이 들었다. 뭐가 뭔지 알 수가 없었다. <u>아버지는 남과 북 사이에서 어디를 택해야 할지 몰라 (혼란스러워/부끄러워) 하고 있어.</u>

그만 하는 소리와 함께 호각이 삑 울렸다. 아버지는 둔기로 뒷머리를 얻어맞은 사람처럼 온몸이 굳어져 왔다. <u>혼란스러움을 느끼던 중 십 분이 지나버린 거야.</u> 저 복도는 이미 단순한 복도가 아니라 삼팔선 바로 그것이었다. 아 이를 어쩐단 말이냐. 그때 아버지는 자신의 두 눈을 의심했다. 차오르는 숨을 가누지 못해 고개를 처든 아버지의 눈동자에는 퀀셋 들보 위를 살금살금 걸어가는 희끄무레한 물체가 들어왔다. 폭동의 와중에서 우연히 아버지를 깨우는 바람에 목숨을 건지게 해 준 그 흰쥐가 꼬랑지를 살랑살랑 흔들며 이남 쪽으로 걸음을 떼고 있었다. 아버지의 눈에 힘이 들어갔다. 복도 사이로는 감찰 완장들이 저벅저벅 걸어 들어오는 판국이었다. 아버지는 얼른 복도로 내려섰다. 너무 서두르는 통에 발목을 접질려 비틀거리자 지나가던 감찰 완장 하나가 이놈아 하며 엉덩이를 걷어찼다. <u>이북 자리에 있던 아버지는 _____가 이남 자리로 가는 모습을 보고 서둘러 자신도 이남 자리로 향했어.</u>

<u>**장면끊기 01** 6·25 전쟁으로 인해 남과 북이 대립하던 때 아버지는 수용소에서 남과 북 중 한 곳을 선택해야 하는 상황에 처했었어. 그 경계에서 혼란스러워 하던 아버지는 결국 _____ 자리로 향했지.</u>

내이가 왜 그랬겠니? 여기 한번 나와 있으니까니 못 가갔드란 말이야. 어딜 간들 하는 생각 때문에 도루 못 가갔드란 말이야. 기거이 바로 사람이야. 웬 쥐였냐고? 글쎄 모르지. 기러다 보니 맹탕 헷것이 눈에 끼었는지두. 언젠가 돌아가갔지 하며 살다 보니…… 암만 생각해 봐두 꿈 같기두 하구…… 기리고 이젠 모르갔어…… 정짜루다 돌아가구 싶은 겐지 그럴 맘이 없는 겐지…… 늙으니까니 암만해두. <u>아버지는 남과 북 중 한 곳을 택하도록 강요받던 순간을 (상상/회상)하고 있었던 것이니, 현재로 돌아오는 부분에서 장면을 나누어야 했어. 이후 남쪽에서 살아온 아버지는 이제는 _____고 싶은 것인지 아닌지도 잘 모르겠다고 해.</u>

짓물러진 눈자위를 손가락으로 지그시 누르고 있는 아버지의 어깨가 가늘게 떨렸다. 민홍은 뱃속에서 울컥하는 감정 덩어리가 솟구침을 느꼈다. 비껴 앉은 아버지의 야윈 잔등을 보면서 민홍은 박물관에서 본 적이 있는 고생대의 한 화석을 떠올렸다. 그 화석에 대한 일차적 기억은 앙상함이었고 그리고 가슴 답답한 세월의 무게였다. 그 누구도 자유롭지 못한. <u>순간적인 선택으로 남쪽에 오게 된 아버지는 오랜 세월 북으로 돌아가지 못하고 살아왔어. 괴로워하는 아버지를 바라보는 _____도 연민과 안타까움을 느껴. 개인에게 십 분 남짓한 시간을 주고 평생을 좌우할 선택을 강요하는 것에서 (인물 간/이념 간) 대립의 폭력성을 엿볼 수 있지.</u>

<u>**장면끊기 02** 아버지는 이렇게 오랜 세월 돌아가지 못하리라고는 생각하지 못하고 순간의 선택으로 북에 _____을 남겨둔 채 남쪽으로 와서 결혼을 하고 아들을 낳고 산 거네. 이후 중략 부분의 줄거리가 제시되고 있으니 여기서도 장면을 나누어 주자.</u>

[중략 부분의 줄거리] 대학생인 민홍은 시위에 참여했다가 화상을 입고 한 달간 병원 신세를 진 후 집으로 돌아온다. 아버지는 세상을 떠나고, 민홍은 어머니인 철원네로부터 쥐를 잡으라는 성화를 듣는다.

민홍은 철원네가 열고 나간 가게문을 닫기 위해 무심코 한 발을 방문턱에 올리는 순간 흠칫 몸이 굳어졌다. ⓐ그놈, 바로 철원네가 입버릇처럼 뇌던 그놈이 아주 느릿느릿한 동작으로 가게 문턱을 향해 기어가고 있었다. 철원네가 말한 용모파기와 일치했다. <u>민홍은 _____가 잡으라고 성화를 부렸던 바로 그 쥐를 발견하고 놀랐어.</u>

—에유, 어찌 된 애가 응, 기름병을 들고 불구뎅이 속으로까지 뛰어들었다는 애가 그래 그깟 쥐 한 마리를 못 잡는대서야 말이 되니? 기가 멕혀서. 이젠 그놈이 새끼까지 치고 아예 눌러앉으려는지 배가 이리 불룩하고 이만하게 늙은 놈이 등허리는 비루가 먹었는지 털이 홀떡 벗겨져서는……. <u>어머니는 학생 운동을 하며 _____을 들고 불 속에 뛰어들기도 했던 민홍이 쥐 한 마리를 잡지 못하는 것을 나무랐지.</u>

민홍은 입을 조금 벌렸다. 기름병을 들고 불구뎅이 속으로 뛰어들었다는 애가. 정수리 끝까지 뻗쳐오른 기운 때문에 미세한 오한에 휩싸였다. 녀석은 민홍을 슬쩍 쳐다보았으나 느린 동작에는 변함이 없었다. 저 정도면 잡을 수 있다. 녀석에게서 눈길을 떼지 않은 채 손을 가만히 내려 냉장고 옆에 세워 둔 연탄집게를 들어 올렸다. 이거면 족하다. 민홍은 손아귀에 힘을 주었다. 사정거리권 안으로 다가서는 민홍의 손아귀에서는 찐득한 땀이 배어 나왔다. <u>느릿하게 움직이는 쥐를 잡기 위해 민홍은 _____를 쥐고 (반가워/긴장)하며 쥐를 바라보고 있어.</u> 녀석이 버거운 뱃구레를 추스르며 문턱에 오르는 순간을 일격의 시기로 잡았다. 그래 서두를 건 없어. 민홍은 손아귀에서 힘을 빼고는 일부러 딴 데를 쳐다보는 여유를 부렸다.

"그래 죽여라 죽여. 이러고 더 살믄 뭐 하니? 너 죽고 나 죽자."

민홍의 눈이 빛나는 순간이었다.

아아, 나의 어리석음이여!

민홍은 낮은 신음을 흘리며 황급히 뒤쫓아 나갔지만 허사였다. 녀석의 굼뜬 동작은 괜히 상대방을 자만하게 만들기 위한 위장술이 틀림없어 보였다. 느릿하게 움직이던 쥐가 갑자기 빠르게 도망가면서 민홍은 쥐를 놓치고 말았어. 민홍은 자신이 방심했음을 깨닫고 스스로의 _____을 탄식하고 있지. 그것은 등허리의 털이 벗겨질 만큼 오랫동안 목숨을 부지하면서 터득한 경험과 새끼를 밴 암컷의 빈틈없고 대담한 산술이었으리라. 녀석은 문턱에 오르는가 싶더니 어느새 다람쥐보다 더 민첩한 동작으로 사라지고 말았다. 민홍이 맨발로 뛰쳐나갔을 때는 골목의 어둠 속으로 유유히 빨려 들어가는 꼬리만 설핏 눈에 들어왔을 뿐이었다. 민홍은 그 자리에 망부석처럼 우두망찰 서서 소리 없이 웃고 있는 어둠 속을 노려보았다.

–모르지 맹탕 헛것이 눈에 보였는지두.

아버지의 늘쩡한 목소리가 귓전에 와 달라붙었다. 민홍은 _____가 젊었을 적 남과 북 중 한 곳을 택해야 했을 때 보았던 쥐에 대해 한 말을 떠올리고 있어. 민홍은 찬찬히 고개를 가로저었다. 골목 저편에서 비닐봉지와 함께 다가온 바람이 이마 위로 흘러내린 머리칼을 달싹이고 갔다. 민홍은 입을 굳게 다물어 보았다. 그냥 그렇게 서 있고 싶었다. 불끈 쥐어 본 주먹에는 연탄집게가 알맞춤하게 들어 있었다. 왠지 느꺼운 감정이 밀려오면서 저만치서 채 시작되지도 않은 겨울의 출구가 보이는 듯했다. 그쪽은 맨발이었다. ___를 놓치고 아버지의 말을 떠올리던 민홍은 어떤 감정이 북받쳐 밀려오는 것을 느끼며 서 있었어.

장면끊기 03 _____가 돌아가신 뒤, 어머니가 잡으라고 성화였던 쥐를 민홍이 발견하지만 결국 _____고 마는 장면으로 지문이 끝나고 있어.

– 김소진, 「쥐잡기」 –

현대소설 독해의 STEP 2

1 인물 간의 관계를 고려하여 구조도의 빈칸에 적절한 말을 채우세요.

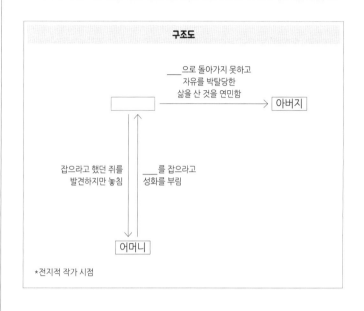

2 1~2번 문제를 풀어 보세요.

1. ⓐ와 관련하여 윗글을 이해한 내용으로 적절하지 않은 것은?

① '민홍'은 ⓐ와 관련해 '철원네'가 자신에게 한 말을 떠올리고 있다.

② '민홍'은 '철원네가 말한 용모파기와 일치'하는 ⓐ를 발견하고 긴장하고 있다.

③ '민홍'은 '저 정도면 잡을 수 있다.'라고 생각하고 ⓐ를 잡는 일에 집중하고 있다.

④ '민홍'은 ⓐ가 '골목의 어둠 속'으로 사라지자마자 소리 없이 웃으며 ⓐ에 대한 아버지의 말을 내뱉고 있다.

⑤ '민홍'은 ⓐ를 놓친 후 '나의 어리석음이여'라고 하며 자신이 적절하게 대응하지 못한 것에 대해 탄식하고 있다.

2. 문학 개념어 OX 확인 문제

① 인물의 표정 변화와 내면 변화를 반대로 서술하여 그 인물의 특성을 부각하고 있다. ○ ✕

② 서술자가 사건을 전개하며 그와 관련된 인물들의 내면 의식을 제시하고 있다. ○ ✕

현대소설 독해의 STEP 3

1 선지 판단 공식을 활용하여 빈칸을 채우고 1번 문제의 선지를 OX로 판단해 보세요.

선지 판단의 공식

① 작품 민홍은 '철원네가 입버릇처럼 뇌던 _____이 아주 느릿느릿한 동작으로 가게 문턱을 향해 기어가고 있'는 것을 발견함, 민홍은 @를 보고 철원네가 '그깟 _____를 못 잡'는'다며 나무란 것과 '배가 이리 불룩하고 이만하게 늙은 놈이 등허리는 비루가 먹었는지 털이 훌떡 벗겨'졌다고 묘사한 것을 떠올림

선지 '민홍'은 @와 관련해 '철원네'가 자신에게 한 말을 떠올리고 있다. ○ ✕

② 작품 민홍은 '_____가 입버릇처럼 뇌던 그놈이 아주 느릿느릿한 동작으로 가게 문턱을 향해 기어가고 있'는 것을 발견하고 손아귀에서 '_____이 배어 나'옴, @는 '철원네가 말한 _____와 일치했'음

선지 '민홍'은 '철원네가 말한 용모파기와 일치'하는 @를 발견하고 긴장하고 있다. ○ ✕

③ 작품 민홍은 '철원네가 입버릇처럼 뇌던 그놈이 아주 _____ _____으로 가게 문턱을 향해 기어가고 있'는 것을 발견함, 민홍은 '저 정도면 _____'고 생각하며 '손을 가만히 내려 냉장고 옆에 세워 둔 _____를 들어 올'림

선지 '민홍'은 '저 정도면 잡을 수 있다.'라고 생각하고 @를 잡는 일에 집중하고 있다. ○ ✕

④ 작품 @는 '어느새 다람쥐보다 더 _____ 동작으로 사라'지고, 민홍은 '_____ 속으로 유유히 빨려 들어가는 꼬리만 설핏' 봄, 민홍은 '소리 없이 웃고 있는 _____ 속을 노려보'며 아버지의 말을 떠올림

선지 '민홍'은 @가 '골목의 어둠 속'으로 사라지자마자 소리 없이 웃으며 @에 대한 아버지의 말을 내뱉고 있다. ○ ✕

⑤ 작품 민홍이 '일부러 딴 데를 쳐다보는 여유를 부'리자 @가 '어느새 다람쥐보다 더 민첩한 동작으로 사라'진 것에 대해 민홍은 '아아, 나의 _____이여'라고 하며 '낮은 _____을 흘'림

선지 '민홍'은 @를 놓친 후 '나의 어리석음이여'라고 하며 자신이 적절하게 대응하지 못한 것에 대해 탄식하고 있다. ○ ✕

3
주차

3주차
학습 안내

3주차에서는 <보기>가 포함된 문제의 선지를 정확하게 판단하기 위한 훈련을 할 거야. <보기>는 지문을 보다 깊이 이해할 수 있는 정보를 제공해. 즉 작품의 창작 배경이나 작가의 의도, 작품에 활용된 기법의 소개 등을 통해 제시된 지문을 어떻게 해석해야 하는지에 대한 단서를 제공하는 거지. <보기> 문제는 대체로 3점인 경우가 많고 오답률도 높은 편이야. <보기>가 포함된 문제를 풀 때는 선지의 진술이 지문의 내용뿐만 아니라 <보기>에 제시된 내용과도 부합하는지를 종합적으로 판단해야 하기 때문이지.

이에 대비해 3주차에서는 '<보기> 문제 선지 판단의 공식'을 통해 각 선지의 <보기> 속 근거, 작품 속 근거를 확인하여 정리할 수 있도록 했어. 이러한 훈련 과정을 반복하다 보면 작품-<보기>-선지 내용 간의 연결 관계를 유기적으로 판단할 수 있고, 그 과정에서 오답 선지가 구성되는 방식이 눈에 보일 거야. 3주차 훈련을 통해 <보기> 문제 앞에서도 흔들림 없이 선지를 판단해 보자.

현대소설 독해의　STEP 1

1 주요 인물에 ☐ 표시를 하고, 빈칸에 적절한 말을 채우세요.

한 평도 채 안 되는 구멍가게는 중풍으로 쓰러져 정상적 건강 상태가 아니었던 아버지의 유일한 수입원이자 생존 이유였다. 때문에 ㉠그 구멍가게에 대한 아버지의 몰두와 자존심은 각별했다.

‘나’의 아버지는 ＿＿＿＿＿으로 쓰러지신 뒤 건강 상태가 좋지 못했어. 그 때문에 유일한 ＿＿＿＿＿＿이자 생존 이유였던 ＿＿＿＿＿＿＿에 각별한 애정과 자존심을 갖고 있었지.

한번은 내가 아버지가 가게를 잠깐 비운 사이에 곁에 허연 인공 설탕 가루를 묻힌 ‘미키대장군’이라는 캐러멜을 하나 아무 생각 없이 널름 집어먹은 적이 있었다. 하나에 이 원, 다섯 개에 십 원이었다. 잠시 뒤에 돌아온 아버지는 단박에 그 사실을 알아 채고는 불같이 화를 내며 내 목덜미에 당수를 한 대 세게 내려 꽂는 것이었다. 그 캐러멜 갑 안에 미키대장군이 몇 개 들어 있는지조차 훤히 꿰차고 있는 아버지였다.

＿＿＿＿＿을 몰래 하나 집어먹은 ‘나’에게 아버지는 불같이 ＿＿를 냈어. 캐러멜 갑 안에 캐러멜이 몇 개 들어 있었는지조차 알고 있을 정도로 구멍가게에 대한 아버지의 애착은 대단하네.

—이런 민한 종간나래! 얌생이처럼 기러케 쏠라닥질을 허자면 이 가게 안에 뭐가 하나 제대로 남아나겠니, 응?

그러고 나서는 좀 머쓱했는지 입이 한 발쯤 튀어나와 뾰로통해서 서 있는 내게 미키대장군 네 개를 집어 내미는 거였다. 어차피 짝이 맞아야 파니까, 하면서 억지로 내 손아귀에 쥐어 주었다.

‘나’에게 화를 낸 후 아버지는 ＿＿＿＿＿하며 나머지 캐러멜 네 개를 서툴게 ‘나’의 ＿＿에 쥐어 주었어. ㉡나는 그 무허가 불량 식품인 캐러멜 네 개가 끈끈하게 녹아내릴 때까지 먹지 않고 쥔 채 서 있었다.

‘나’는 어린 마음에 아버지의 서툰 ＿＿＿＿＿에도 여전히 뾰로통한 채 캐러멜을 먹지 않고 손에 쥐고만 있어.

—닐큼 털어 넣지 못하겠니, 으잉?

목덜미에 아버지의 가벼운 당수를 한 대 더 얹은 다음에야 한입에 털어 넣고 돌아서 나왔다. **장면끊기 01** 이 장면에서는 ‘나’가 아버지의 구멍가게에서 ＿＿＿＿＿을 몰래 먹은 일로 아버지께 혼이 나는 모습이 나타나 있어. 바로 이어지는 내용은 캐러멜을 몰래 먹은 사건이 끝나고, ‘나’가 아버지의 구멍가게 ＿＿＿＿＿＿＿으로서 아버지와 함께 시장통 도매상을 다니던 일을 이야기하니 여기서 장면을 끊고 가자! 아버지도 가게 일을 수월하게 보려면 잔심부름꾼인 나를 무시하고는 아쉬울 때가 많을 터였다. 워낙 짧은 밑천으로 가게를 꾸려 가자니 아버지는 물건 구색을 맞추느라 하루에도 많을 때는 세 번까지 시장통 도매상으로 정부미 포대를 거머쥐고 종종걸음을 쳐야 했고, 막내인 나는 번번이 아버지의 뒤로 팔을 늘어뜨린 채 졸졸 따를 수밖에 없었다.

그땐 그게 죽도록 싫었다. 하마 시장통에서 야구 글러브를 끼거나 조립용 신형 무기 장난감 상자를 든 반 친구를 만나거나, 심지어 과외나 주산 학원을 가는 여자 아이들을 만나는 날에는 정말 그 자리에서 혀를 빼물고 죽고 싶은 생각뿐이었다. 궁핍한 형편 때문에 번번이 아버지를 따라 ＿＿＿＿＿＿＿으로 물건을 받으러 가야 했던 ‘나’는 반 친구나 여자 아이들을 마주치면 (분노를/**수치스러움을**) 느꼈다.

장면끊기 02 중략 이후 ‘어느 날이었다.’라고 (시간/**공간**)이 바뀌며 새로운 사건이 시작되고 있지? 여기에서 장면이 구분되고 있음을 쉽게 파악할 수 있을 거야. 이 장면에서는 ‘나’가 아버지의 가게 일을 돕기 위해 ＿＿＿＿＿으로 따라다니다가 자신의 처지와 다른 반 친구들을 보며 수치심을 느끼고 가난에 대한 상처를 갖게 된 모습이 나타나 있어.

(중략)

어느 날이었다. 아버지와 나는 앞서거니 뒤서거니 하면서 그 정부미 자루를 날라 왔다. 그런데 집에 도착해 한숨을 돌린 뒤 자루를 풀고 물건을 정리해 보니 스무 병이 와야 할 소주가 두 병이 모자란 채 열여덟 병만 온 것이었다.

㉢아버지의 얼굴은 맞보기가 민망할 정도로 금세 하얗게 질렸다.

아버지는 도매상에서 ＿＿＿＿＿를 두 병이나 모자라게 받아 온 것 때문에 얼굴이 하얗게 질리며 당황스러워했다. 왜냐하면 그 덜 온 두 병을 빼고 나면 나머지 것들을 몽땅 팔아 봤자 결국 본전치기일 뿐이었기 때문이다. 아버지는 내 등을 떼밀어 물건을 받아 온 수도상회의 흑부리 영감한테 내려 보냈다. 아버지는 말주변도 말주변이었지만 중풍 후유증 때문에 약간의 언어 장애가 있어 일부러 나를 보냈던 것이다. 소주 두 병을 마저 받아오지 못하면 장사를 해 봤자 남는 게 없기 때문에 아버지는 ‘나’를 도매상인 수도상회의 ＿＿＿＿＿＿＿＿＿에게 대신 보내게 된 거야. 중풍 후유증으로 인한 ＿＿＿＿＿＿＿ 때문에 직접 갈 수 없었던 아버지가 안쓰럽게 느껴지지?

—뭐 하러 왔네?

가게 안에 북적거리는 손님들에게 셈을 치러 주느라 몇 번이고 주판알을 고르는 데 바쁜 흑부리 영감의 눈길을 잡아 두는 데 성공한 나는 더듬더듬 자초지종을 말했다. 그러나 귓등에 연필을 꽂은 채 심술이 덕지덕지 모여 이뤄진 듯한 왼쪽 이마빡의 눈깔 사탕만 한 혹을 어루만지며 듣던 ㉣흑부리 영감은 풍기 때문에 왼쪽으로 힐끗 돌아간 두터운 입술을 떠들쳐 굵은 침방울을 내 얼굴에 마구 튀겼다. 애초 자기 눈앞에서 까 보이지 않은 것은 인정할 수 없다며 막무가내였다. 나중엔 아버지까지 함께 내려가서 하소연을 해 봤지만 돌아온 대답은 정 그렇게 우기면 거래를 끊겠다는 협박성 경고뿐이었다. 거래가 끊긴다면 아버지한테는 큰 타격이 아닐 수 없었다. 소주 두 병을 적게 받아 온 사정을 헤아려 달라며 ＿＿＿＿＿하는 ‘나’와 아버지를 향해 흑부리 영감은 실수임을 인정해 줄 수 없다며 오히려 ＿＿＿＿＿를 끊겠다고 협박하네.

흑부리 영감은 아버지한테 무슨 큰 특혜를 내려 주듯이 거래를 터 준다고 허락을 놓았다. 같은 함경도 동향이기 때문이라는 말을 덧붙이면서. 하긴 흑부리 영감한테는 매번 소주 열 병 안짝에다 새우깡 열 봉지, 껌 대여섯 개, 빵 예닐곱 개 등 일반 소매 가격 구매자보다 더 많은 물건을 떼어 가지도 않으면서 부득부득 도맷값으로 해 달라고 통사정을 해 쌓는 아버지 같은 사람 하나쯤 거래를 끊어도 장부상 거의 표가 나지 않을 것이었다. 많은 물건을 떼어 가지도 않으면서 ＿＿＿＿＿으로 해 달라고 사정했던 아버지와는 거래를 끊어도 (**이득**/손해) 볼 일이 없기 때문에 흑부리 영감은 인정사정없었던 거야.

결국 아버지는 자신의 과오를 인정하지 않을 수 없었다. ㉤당신의 자그마한 구멍가게로 돌아와 나머지 열여덟 병의 소주를 넋 나간 사람처럼 쓰다듬던 아버지는 기어코 아들인 내 앞에서 눈물을 보이고 말았다. 흑부리 영감의 협박성 경고로 어쩔 수 없이 소주 두 병을 받아오지 못한 채 아버지는 (**서러움을**/분노를) 느끼며 아들인 ‘나’ 앞에서 ＿＿＿＿＿을 보여. 아! 아버지…… 가난으로 인해 힘없는 아버지를 보며 ‘나’는 안타까워하지.

장면끊기 03 이 장면에서는 아버지가 소주 ＿＿ 병을 적게 받아 온 일로 흑부리 영감에게 하소연을 해 보지만 협박성 경고만을 듣게 되고, 결국 자신의 ＿＿＿를 인정하며 눈물을 흘리는 모습이 나타나 있지.

— 김소진, 「자전거 도둑」—

현대소설 독해의 STEP 2

1 인물 간의 관계를 고려하여 구조도의 빈칸에 적절한 말을 채우세요.

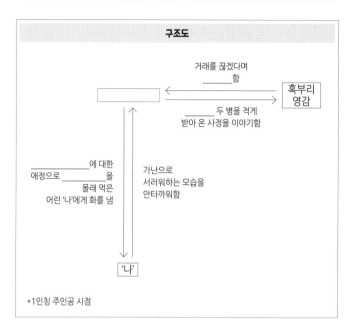

구조도

거래를 끊겠다며
_____함

_____두 병을 적게
받아 온 사정을 이야기함

혹부리
영감

_____에 대한
애정으로 _____을
몰래 먹은
어린 '나'에게 화를 냄

가난으로
서러워하는 모습을
안타까워함

'나'

*1인칭 주인공 시점

2 1~2번 문제를 풀어 보세요.

1. 〈보기〉를 참고할 때, ⊙~⑩에 대한 반응으로 적절하지 <u>않은</u> 것은?

〈보기〉

　이 소설의 서술자인 성인 '나'는 주로 세 가지 서술 방식을 활용한다. 첫째는 서술자가 등장인물의 내면 심리나 사건을 설명하는 것이다. 이 경우 독자는 서술자의 해석을 통해 사건을 이해하게 된다. 둘째는 서술자가 인물의 외양이나 행위만을 묘사하는 것이다. 이 경우 독자는 그 묘사가 갖는 의미를 스스로 해석해야 한다. 셋째는 서술자가 유년 '나'로 시선을 제한하여 유년 '나'의 눈에 보이는 다른 인물의 외양이나 행위를 묘사하는 것이다. 이 경우 독자는 사건의 현장을 직접 보는 듯한 느낌을 가질 수 있으며, 둘째 방식에서처럼 그 묘사에 대해 해석해야 한다. 셋째 방식에 유년 '나'의 심리가 함께 서술되면 독자는 인물의 심리에 쉽게 공감하게 된다.

① ⊙: 서술자가 아버지의 내면을 설명하여 독자는 서술자의 해석을 통해 상황을 이해하겠군.

② ⓒ: 서술자가 유년 '나'의 행위를 묘사하여 독자는 그 행위가 갖는 의미를 스스로 해석하겠군.

③ ⓒ: 유년 '나'로 시선을 제한하여 아버지의 내면이 직접적으로 서술되지 않았다고 생각한 독자라면 아버지의 내면을 스스로 해석하겠군.

④ ⓔ: 유년 '나'로 시선을 제한하여 혹부리 영감의 모습과 행동을 묘사했다고 생각한 독자라면 장면을 직접 보는 듯한 느낌을 받겠군.

⑤ ⓜ: 유년 '나'로 시선을 제한하여 아버지의 행위와 표정을 묘사하면서 유년 '나'의 심리를 함께 제시하여 독자는 그 심리에 공감하겠군.

2. 문학 개념어 OX 확인 문제

① 공간의 이동에 따라 서술자를 달리하여 사건에 대한 다양한 관점을 서술하고 있다.　　　　　　　　　　　　　　　　　　　　○ ✕

② 동시에 벌어진 사건들을 삽화처럼 나열하여 이야기의 흐름을 지연시킨다.
　　　　　　　　　　　　　　　　　　　　　　　　　○ ✕

현대소설 독해의   STEP 3

1 선지 판단 공식을 활용하여 빈칸을 채우고 1번 문제의 선지를 OX로 판단해 보세요.

〈보기〉 문제 선지 판단의 공식

① 〈보기〉 이 소설의 서술자인 성인 '나'는 등장인물의 _____ 나 사건을 설명함. 독자는 서술자의 _____을 통해 사건을 이해하게 됨

➕ 작품 '그 구멍가게에 대한 아버지의 _____와 자존심은 각별했다.'

선지➡ ㉠: 서술자가 아버지의 내면을 설명하여 독자는 서술자의 해석을 통해 상황을 이해하겠군.   ○ ✕

② 〈보기〉 이 소설의 서술자인 성인 '나'는 인물의 외양이나 _____만을 묘사함. 독자는 그 묘사가 갖는 의미를 _____ 해석해야 함

➕ 작품 '나는 그 무허가 불량 식품인 캐러멜 네 개가 끈끈하게 녹아내릴 때까지 _____ 쥔 채 서 있었다.'

선지➡ ㉡: 서술자가 유년 '나'의 행위를 묘사하여 독자는 그 행위가 갖는 의미를 스스로 해석하겠군.   ○ ✕

③ 〈보기〉 이 소설의 서술자인 성인 '나'가 _____로 시선을 제한하여 유년 '나'의 눈에 보이는 다른 인물의 _____이나 행위를 묘사함. 독자는 그 묘사에 대해 해석해야 함

➕ 작품 '아버지의 얼굴은 맞보기가 민망할 정도로 금세 하얗게 _____.'

선지➡ ㉢: 유년 '나'로 시선을 제한하여 아버지의 내면이 직접적으로 서술되지 않았다고 생각한 독자라면 아버지의 내면을 스스로 해석하겠군.   ○ ✕

④ 〈보기〉 이 소설의 서술자인 성인 '나'가 유년 '나'로 시선을 _____하여 유년 '나'의 눈에 보이는 다른 인물의 외양이나 행위를 묘사함. 독자는 사건의 현장을 _____ 보는 듯한 느낌을 가질 수 있음

➕ 작품 '혹부리 영감은 풍기 때문에 왼쪽으로 힐끗 돌아간 두터운 _____을 떠들쳐 굵은 침방울을 내 얼굴에 마구 튀겼다.'

선지➡ ㉣: 유년 '나'로 시선을 제한하여 혹부리 영감의 모습과 행동을 묘사했다고 생각한 독자라면 장면을 직접 보는 듯한 느낌을 받겠군.   ○ ✕

⑤ 〈보기〉 이 소설의 서술자인 성인 '나'는 유년 '나'로 시선을 제한하여 유년 '나'의 눈에 보이는 다른 인물의 외양이나 행위를 묘사함. 유년 '나'의 _____가 함께 서술되면 독자는 인물의 심리에 쉽게 _____하게 됨

➕ 작품 '당신의 자그마한 구멍가게로 돌아와 나머지 열여덟 병의 소주를 넋 나간 사람처럼 쓰다듬던 _____는 기어코 아들인 내 앞에서 _____을 보이고 말았다.'

선지➡ ㉤: 유년 '나'로 시선을 제한하여 아버지의 행위와 표정을 묘사하면서 유년 '나'의 심리를 함께 제시하여 독자는 그 심리에 공감하겠군.   ○ ✕

현대소설 독해의 STEP 1

1 주요 인물에 ☐ 표시를 하고, 빈칸에 적절한 말을 채우세요.

[앞부분의 줄거리] 화랑도를 숭상하는 '유종'과 당나라를 숭상하는 '금지'는 내심 서로 못마땅해한다. 이런 가운데 '금지'는 아들 '금성'과 '유종'의 딸 '주만'과의 혼사를 진행하려 한다. 유종(화랑도 숭상) ↔ ＿＿＿＿＿(당나라 숭상), 금지는 아들 금성과 주만(＿＿＿＿의 딸)의 혼사를 진행하려고 해.

　설령 금성이가 출중한 재주와 인물을 갖추었다 하더라도 유종은 이 혼인을 거절할밖에 없었으리라. 첫째로 금지는 당학파의 우두머리가 아니냐. 나라를 좀먹게 하는 그들의 소위만 생각해도 뼈가 저리거든 그런 가문에 내 딸을 들여보내다니 될 뻔이나 한 수작인가. 유종은 당나라를 숭상하는 금지가 못마땅하여 ＿＿＿＿과 자신의 딸 주만의 혼사를 ＿＿＿＿하고 싶어해. 도대체 당학*이 무에 그리 좋은고. 그 나라의 바로 전 임금인 당 명황(唐明皇)만 하더라도 양귀비란 계집에게 미쳐서 정사를 다스리지 않은 탓에 필경 안녹산(安祿山)의 난을 빚어 내어 오랑캐의 말굽 아래 그네들의 자랑하는 장안이 쑥밭을 이루고 천자란 빈 이름뿐, 촉나라란 두메 속에 오륙 년을 갇히어 있지 않았는가. 당학에 대해 유종이 비판하는 이유 첫 번째는, ＿＿＿＿를 돌보지 않은 당 ＿＿＿＿이 몰락했기 때문이야. 금지가 당대 제일 문장이라고 추어올리는 이백이만 하더라도 제 임금이 성색에 빠져 헤어날 줄을 모르는 것을 죽음으로 간하지는 못할지언정 몇 잔 술에 감지덕지해서 그 요망한 계집을 칭찬하는 글을 지어 도리어 임금을 부추겼다 하니 우리네로는 꿈에라도 생각 밖이 아니냐. 당학에 대해 유종이 비판하는 이유 두 번째는, 당대 문장가인 ＿＿＿＿이 자기 임금의 잘못을 간하지 않았기 때문이지. 그네들의 한문이란 난신적자를 만들어 내기에 꼭 알맞은 것이거늘 이것을 좋아라고 배우려 들고 퍼뜨리려 드니 참으로 한심한 노릇이 아니냐. 당학에 대해 유종이 비판하는 이유 세 번째는, 당의 ＿＿＿＿은 난신적자(나라를 어지럽히는 불충한 무리)를 만들어 내기에 알맞을 뿐이기 때문이래. 이 당학을 그대로 내버려 두었다가는 우리나라에도 오래지 않아 큰 난이 일어날 것이요, 난이 일어난다면 누가 감당해 낼 자이랴. 유종은 ＿＿＿＿에 강한 거부감을 갖고 있어.

　장면끊기 01 ＿＿＿＿를 숭상하는 유종은 당학을 숭상하는 금지를 못마땅하게 여겨 금성과 딸의 ＿＿＿＿을 거절해. 앞부분의 줄거리를 통해 주요 인물의 관계를 파악할 수 있었지? 이 장면에서는 유종이 혼사를 거절하게 된 이유가 드러나 있어. 금성의 아버지인 금지가 ＿＿＿＿였기 때문이지. 당학파에 대한 유종의 비판 의식을 중심으로 이야기가 전개되고 있는데, 이후에 중심 화제가 바뀌거나 서술 대상이 전환되면 장면을 한 번 끊어 주는 게 좋아. 이어지는 장면에서는 유종이 처한 상황을 주로 서술할 거야.

　"한 나이나 젊었더면!"

　유종은 이따금 시들어 가는 제 팔뚝의 살을 어루만지면서 한탄한다. 유종은 나이 들어가는 자신의 처지를 ＿＿＿＿하네. 몇 해 전만 해도 자기와 뜻을 같이하는 이가 조정에 더러는 있었지만 어느 결엔지 하나씩 둘씩 없어지고 인제는 무 밑둥과 같이 동그랗게 자기 혼자만 남았다. 속으로는 그의 주의에 찬동하는 이가 없지도 않으련만 당학파의 세력에 밀리어 감히 발설을 못 하는지 모르리라. 지금이라도 젊은이 축 속으로 뛰어 들어가면 동지를 얼마든지 찾아낼는지 모르리라. 아직도 이 나라의 명맥이 끊어지지 않은 다음에야 방방곡곡을 뒤져 찾으면 몇천 명 몇만 명의 화랑도를 닦는 이를 모을 수 있으리라. 유종은 지금이라도 자신과 뜻을 함께할 젊은 ＿＿＿＿를 찾고자 해.

　그러나 아들이 없는 그는 젊은이와 접촉할 기회조차 없었다. 이런 점에도 그는 아들이 없는 것이 원이 되고 한이 되었다. 자신과 함께 화랑도를 받들 후계자를 찾고자 하나, 유종은 ＿＿＿＿이 없어 젊은이와 접촉할 기회조차 없음을 한탄하지. 이 늙은 향도(香徒)에게 남은 오직 하나의 희망은 자기의 주의 주장에 공명하는 사윗감을 구하는 것이었다. 유종은 유일한 ＿＿＿＿으로 자신과 뜻을 함께할 사윗감을 구하고자 하는 거야. 벌써 수년을 두고 그럴 만한 인물을 내심으로 구해 보았지만 그리 쉽사리 눈에 뜨이지 않았다. 고르면 고를수록 사람 구하기란 하늘에 별따기보담 더 어려웠다. 유종은 기대고 있던 서안에서 쭉 미끄러지는 듯이 털요 바닥 위에 누웠다. 금지의 청혼을 그렇게 거절한 다음에는 하루바삐 사윗감을 구해야 된다. 금지로 하여금 다시 입을 열지 못 하도록 다른 데 정혼을 해 놓아야 한다. 그러면 신라를 두 손으로 떠받들고 나아갈 인물이 누가 될 것인가. 삼한 통일 당년의 늠름하고 씩씩한 기풍(氣風)이 당학에 지질리고 문약(文弱)에 흐르는 이 나라를 바로잡을 인물이 누가 될 것인가.

　장면끊기 02 유종은 화랑도를 받드는 자신의 신념에 동참해 줄 ＿＿＿＿을 구하고자 해. 중략 부분을 기점으로 장면을 끊자! 아래는 중략 부분의 줄거리가 제시되어 있는 것으로 보아, 중략 이후의 이야기를 이해하기 위해서 필요한 핵심 정보를 알려주는 것이니 눈여겨보아야 해.

[중략 부분의 줄거리] '유종'이 사위를 구하는 가운데, '주만'이 부여의 천민 석공 '아사달'을 사모하고 있음이 알려진다. 한편 '아사달'은 자신을 찾아온 아내 '아사녀'가 끝내 자신을 만나지 못하고 그림자못에서 죽은 사실을 알게 되자, 그 못 둑에서 '아사녀'를 그리워하는 마음을 돌에 담아 새겨 내는 작업에 몰입한다. 아사달은 죽은 ＿＿＿＿인 아사녀를 그리워하며 ＿＿에 새기는 작업에 몰두해.

　그러나 어느 결엔지 아사녀의 환영은 깜박 사라져 버렸다. 아까까지는 어렴풋이라도 짐작되던 그 흔적마저 놓치고 말았다. 아무리 눈을 닦고 돌 얼굴을 들여다보았으나 눈매까지는 그럴싸하게 드러났지마는 그 아래로는 캄캄한 밤빛이 쌓인 듯 아득할 뿐. 돌을 들여다보면 볼수록 골머리만 부질없이 힝힝 내어 둘리었다. 그러자 문득 그 돌 얼굴이 굼실 움직이는 듯하며 주만의 얼굴이 부시도록 선명하게 살아났다. 마치 어젯밤의 아사녀의 환영 모양으로. 아사달은 아사녀를 추모하기 위해 돌을 조각하던 중 갑자기 ＿＿＿＿의 얼굴이 선명하게 떠오르기 시작했어.

　그 눈동자는 띠룩띠룩 애원하듯 원망하듯 자기를 쳐다보는 것 같다.

　"이 돌에 나를 새겨 주세요. 네, 아사달님, 네, 마지막 청을 들어주세요."

　그 입술은 달싹달싹 속살거리는 것 같다.

　아사달은 정을 쥔 채로 머리를 털고 눈을 감았다. 돌 위에 나타난 주만의 모양은 그의 감은 눈시울 속으로 기어들어 오고야 말았다. 이 몇 달 동안 그와 지내던 가지가지 정경이 그림등 모양으로 어른어른 지나간다. 초파일 탑돌이할 때 맨 처음으로 마주치던 광경, 기절했다가 정신이 돌아날 제 코에 풍기던 야릇한 향기, 우레가 울고 악수가 쏟아질 적 불꽃을 날리는 듯한 그 뜨거운 입김들……. 아사달은 고개를 또 한 번 흔들었다. 그제야 저 멀리 돈짝만 한 아사녀의 초라한 자태가 아른거린다. 주만의 모양을 구름을 헤치고 둥둥 떠오르는 햇발과 같다 하면, 아사녀는 샐녘의 하늘에 반짝이는 별만 한 광채밖에 없었다. 주만의 환영을 통해 그녀와 함께했던 과거의 장면들이 더욱 강하게 떠올라 _____은 혼란스러워하지.

물동이를 이고 치마꼬리에 그 빨간 손을 씻으며 배시시 웃는 모양, 이별하던 날 밤 그린 듯이 도사리고 남편을 기다리던 앉음앉음, 일부러 자는 척하던 그 가늘게 떨던 눈시울, 버드나무 그늘에서 숨기던 눈물들……

아사달의 머리는 점점 어지러워졌다. _____와 주만 사이에서 아사달은 번민하여 괴로워하는구나. 아사녀와 주만의 환영도 흔들린다. 휘술레를 돌리듯 핑핑 돌다가 소용돌이치는 물결 속에서 조각조각 부서지는 달그림자가 이내 한 곳으로 합하듯이, 두 환영은 마침내 하나로 어우러지고 말았다. 아사달의 캄캄하던 머릿속도 갑자기 환하게 밝아졌다. 하나로 녹아들어 버린 아사녀와 주만의 두 얼굴은 다시금 거룩한 부처님의 모양으로 변하였다. 괴로워하던 아사달은 아사녀도 주만도 아닌 _____의 얼굴을 떠올리네.

아사달은 눈을 번쩍 떴다. 설레던 가슴이 가을 물같이 맑아지자, 그 돌 얼굴은 세 번째 제 원불(願佛)로 변하였다. 선도산으로 뉘엿뉘엿 기우는 햇발이 그 부드럽고 찬란한 광선을 던질 제 못물은 수멸수멸 금빛 춤을 추는데 흥에 겨운 마치와 정 소리가 자지러지게 일어나 저녁나절의 고요한 못 둑을 울리었다. 아사달은 결국 부처님의 얼굴을 ___에 새기기 시작해.

새벽만 하여 한가위 밝은 달이 홀로 정 자리가 새로운 돌부처를 비칠 제 정 소리가 그치자 은물결이 잠깐 헤쳐지고 풍 하는 소리가 부근의 적막을 한순간 깨트렸다.

장면끊기 03 아사달은 아사녀를 돌에 새기려 하지만 주만의 _____이 아사녀보다 선명하게 떠올라 혼란스러워해. 마침내 _____의 형상을 돌에 새긴 후 못에 뛰어들고 말지. 중략 부분의 줄거리에서는 아사달과 아사녀, 주만의 관계를 제시했었지? 이를 통해 중략 이후에 서술되는 아사달의 내적 갈등을 잘 이해할 수 있었을 거야.

– 현진건, 「무영탑」 –

*당학: 당나라의 학문.

현대소설 독해의 STEP 2

1 인물 간의 관계를 고려하여 구조도의 빈칸에 적절한 말을 채우세요.

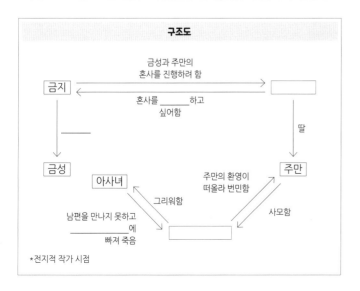

구조도

금지 ← 금성과 주만의 혼사를 진행하려 함 → [ ]
금지 ← 혼사를 ___하고 싶어함
금지 ↓
금성
아사녀
주만
딸
남편을 만나지 못하고 ___에 빠져 죽음
그리워함
주만의 환영이 떠올라 번민함
사모함

*전지적 작가 시점

---

2 1~2번 문제를 풀어 보세요.

1. 〈보기〉를 참고하여 윗글을 이해한 내용으로 적절하지 **않은** 것은?

〈보기〉

아사달과 아사녀의 이야기는 조선 후기의 설화(「서석가탑」)뿐만 아니라, 현진건의 기행문(「고도 순례 경주」, 1929)과 그의 소설(「무영탑」, 1939)에도 나타난다.

[자료 1]

불국사 창건 시 당나라에서 온 석공에게 아사녀라는 여인이 있었다. 아사녀가 갑자기 와서 석공과 만나기를 요구하였으나, 큰 공사가 끝나지 않았고 아사녀가 비루한 몸이라는 이유로 허락되지 않았다. 다음날 아침 아사녀가 남서쪽 십 리쯤에 있는 연못을 내려다보면 석공이 보일 듯하여, 가서 살펴보니 정말 석공의 모습이 비쳤다. 그러나 탑의 그림자는 비치지 않았다. 그래서 무영탑이라 불렀다.

– 「서석가탑」 –

[자료 2]

제 환상에 떠오른 사랑하는 아내의 모양은 다시금 거룩한 부처님의 모양으로 변하였다. 그는 제 예술로 죽은 아내를 살리고 아울러 부처님에게까지 천도(薦度)하려 한 것이다. 이 조각이 완성되면서 자기 역시 못 가운데 몸을 던져 아내의 뒤를 따랐다. 불국사 남서방에 영지(影池)란 못이 있으니 여기가 곧 아사녀와 당나라 석공이 빠져 죽은 데다.

– 현진건, 「고도 순례 경주」 –

① 윗글은 [자료 1]과 같은 설화를 차용하여 소설로 변용한 모습을 확인할 수 있는 작품이군.

② 윗글은 [자료 2]처럼 '아내'의 죽음을 종교적 상징으로 승화하고 있는 관점을 이어 간 작품이군.

③ 윗글은 [자료 1]과 [자료 2]의 이야기에 '유종'과 '주만' 등의 서사를 추가하고 있군.

④ 윗글과 [자료 2]의 '못'은 [자료 1]의 '연못'이 부부간의 비극적인 사랑 이야기를 환기하는 공간으로 변용된 것이군.

⑤ 윗글의 '새로운 돌부처' 형상에 석공의 얼굴이 새겨진 것은 윗글이 [자료 1]과 [자료 2]의 서사 모티프를 이어받은 것으로 볼 수 있군.

2. 문학 개념어 OX 확인 문제

① 인물들 간의 대화를 통해 특정 인물의 생각과 행동을 희화화하고 있다.

○ ✕

② 인물의 의식이 내적 갈등에 초점을 둔 서술 방식을 통해 드러나고 있다.

○ ✕

현대소설 독해의 STEP 3

1 선지 판단 공식을 활용하여 빈칸을 채우고 1번 문제의 선지를 OX로 판단해 보세요.

〈보기〉 문제 선지 판단의 공식

① 〈보기〉 아사달과 _____의 이야기는 조선 후기의 설화 「서석가탑」([자료 1])뿐만 아니라, 현진건의 소설 「무영탑」에도 나타남 ⊕ 작품 '부여의 천민 석공 '_____'', '자신을 찾아온 _____ '아사녀''

선지 ➡ 윗글은 [자료 1]과 같은 설화를 차용하여 소설로 변용한 모습을 확인할 수 있는 작품이군. ○ ✕

② 〈보기〉 [자료 2]: 그는 제 예술로 _____ 아내를 살리고 아울러 _____에게까지 천도하려 한 것이다 ⊕ 작품 아사달은 죽은 아내인 ''아사녀''를 그리워하는 마음을 ___에 담아 새겨 내는 작업에 몰입'함

선지 ➡ 윗글은 [자료 2]처럼 '아내'의 죽음을 종교적 상징으로 승화하고 있는 관점을 이어 간 작품이군. ○ ✕

③ 〈보기〉 [자료 1]: 불국사 창건 시 당나라에서 온 _____에게 아사녀라는 여인이 있었다
[자료 2]: 불국사 남서방에 영지란 못이 있으니 여기가 곧 _____와 당나라 석공이 빠져 죽은 데다 ⊕ 작품 '화랑도를 숭상하는 '_____'', ''_____'이 부여의 천민 석공 '아사달'을 사모하고 있음이 알려진다.'

선지 ➡ 윗글은 [자료 1]과 [자료 2]의 이야기에 '유종'과 '주만' 등의 서사를 추가하고 있군. ○ ✕

④ 〈보기〉 [자료 1]: 아사녀가 남서쪽 십 리쯤에 있는 _____을 내려다보면 석공이 보일 듯하여, 가서 살펴보니 정말 석공의 모습이 비쳤다
[자료 2]: 불국사 남서방에 영지란 못이 있으니 여기가 곧 아사녀와 당나라 석공이 _____ 데다 ⊕ 작품 '아내 '아사녀'가 끝내 자신을 만나지 못하고 _____에서 죽은 사실'

선지 ➡ 윗글과 [자료 2]의 '못'은 [자료 1]의 '연못'이 부부간의 비극적인 사랑 이야기를 환기하는 공간으로 변용된 것이군. ○ ✕

⑤ 〈보기〉 [자료 1]: 아사녀가 갑자기 와서 석공과 만나기를 요구하였으나, _____되지 않았고, 다음날 아침 아사녀가 연못을 내려다보면 석공이 보일 듯하여, 가서 살펴보니 정말 석공의 모습이 비쳤다
[자료 2]: 그는 제 예술로 죽은 _____를 살리고~이_____이 완성되면서 자기 역시 ___ 가운데 몸을 던져 아내의 뒤를 따랐다 ⊕ 작품 '하나로 녹아들어 버린 아사녀와 주만의 두 얼굴은 다시금 거룩한 _____의 모양으로 변하였다.~그 ___ 얼굴은 세 번째 제 원불로 변하였다.'

선지 ➡ 윗글의 '새로운 돌부처' 형상에 석공의 얼굴이 새겨진 것은 윗글이 [자료 1]과 [자료 2]의 서사 모티프를 이어받은 것으로 볼 수 있군. ○ ✕

현대소설 독해의 STEP 1

1 주요 인물에 ☐ 표시를 하고, 빈칸에 적절한 말을 채우세요.

석양이 오빠의 이마와 목덜미를 붉게 물들이며 방을 깊숙이 가로 질렀다.

내가 기억하는 한의 그 시간은 늘 그랬다.

함석지붕이 흐를 듯 뜨겁게 달아오르고 저녁 햇빛이 칼처럼 방 안에 깊숙이 꽂힐 즈음이면 어머니는 화장을 시작하고 오빠는 창가에 놓인, 붉은 꽃무늬의 도배지 바른 궤짝 앞에 앉아 꼼짝 않고 소리 높이 영어책을 읽었다. _____이 질 무렵, 어머니는 화장을 시작하고, 오빠는 큰 소리로 _____을 읽던 시간을 회상하고 있네. 나는 어머니의 곁에 앉아 갖가지 화장품이 담긴 병들을 만지작거리거나 창을 통해서 멀찍이 보이는 개울의 다리와 신작로, 그리고 더 멀리 황금빛으로 번쩍이는 국민학교의 창을, 점점이 붉은빛이 묻어나는 새털구름들을 바라보며 이유가 분명치 않은 조바심으로 어머니와 오빠 사이의, 은밀히 조성되어 가는 팽팽한 공기를 지켜보았다. 어머니와 오빠 사이에 조성되는 팽팽한 긴장감을 _____을 가지고 지켜보는 '나'를 보니 오빠와 어머니 사이에는 갈등이 있나 보군.

캔 유 텔 미 홧 히 이즈 두잉? 오빠가 밭은기침으로 목청을 돋우었다.

파마한 머리칼이 얽히었는지, 신경질적인 손놀림으로 빠르게 빗질을 하던 어머니가 손을 멈추고 거울에 바짝 머리를 들이대었다. 흰 머리가 뽑혀 나왔다.

벽에 버티어 놓은 거울에, 등지고 앉은 오빠의 몸이 고집스럽게 담겨 있었다. 뽑혀 나온 새치를 손가락 사이에 들고 잠시 들여다보던 어머니가 햇빛을 피하는 시늉으로 눈살을 찌푸리며 거울을 옮겨 놓고 화장을 계속했다. '나'는 고집스럽게 등지고 앉아 영어책을 읽는 오빠와 _____을 보는 어머니를 관찰하고 있고, 어머니는 목청을 돋우어 영어책을 읽고 있는 오빠를 무시하는 듯한 느낌이 드네. 나무궤 위에 쌓아 놓은 우리들의 때 묻은 이부자리가 거울면에 들이찼다. 오빠의 모습은 사라졌다. 대신 거친 손짓으로 책장을 넘기는 바람에 낡고 눅눅해진 종이가 힘들게 찢겨지는 소리가 났다. 오빠의, 긴장으로 경직된 등이 제물에 움찔했다. _____ 손짓으로 책장을 넘기는 오빠의 모습에서 무언가에 대한 불만스러운 심정이 느껴지는군.

어머니는 등 뒤의 작은 시위 — 그러나 오빠 나름대로는 필사적인 — 에 아랑곳하지 않고 분첩으로 탁탁 얼굴을 두들기고 가늘고 둥글게 눈썹을 그렸다. '나'는 오빠의 행동이 필사적인 작은 _____라 생각하지만, 어머니는 그런 오빠에게 무관심할 뿐이야. 나는 조마조마한 마음으로 어머니와 오빠를 번갈아 보며, 그러나 어쩔 수 없는 호기심과 찬탄으로 거울 속에서 점차 나팔꽃처럼 보얗게 피어나는 어머니의 얼굴을 바라보았다. 어린 '___'는 오빠와 어머니 사이에 조성된 긴장감에 조마조마해하면서도 화장을 하면서 바뀌어가는 어머니 얼굴을 호기심, 찬탄의 심정으로 바라보고 있어.

[A] 어머니가 시집올 때 해왔다는 등신대(等身大)의 거울은 이 방에서 유일하게 흠 없이 온전하고 훌륭한 물건이었다. 눈에 보이게 또는 보이지 않게 남루해져 가는 우리들의 가운데서 거울은, 어머니가 매일 닦는 탓도 있지만, 나날이 새롭게 번쩍이며 한구석에 버티고 있었다. 그 이물감 때문에 우리의 눈에는 실체보다 훨씬 더 커보이는 건지도 몰랐다. 전쟁으로 인한 피난 생활로 날로 _____해져 가는 우리 식구 가운데서 _____만이 유일하게 흠 없이 온전한 모습이래.

거울 속에는 언제나 좁은 방 안이 가득 담겨 있었다.

소꿉놀이를 하다가도, 게으르게 눈을 껌벅이며 잠에서 깨어나서도, 싸움질을 하다가도, 허겁지겁 밥을 먹다가도 문득 눈을 들면 방의 한구석에 버티어 선 거울이 자신은 볼 수 없는 등까지도 환히 비추는 바람에, 우리는 거울 속에서 낯설게 만나지는 자신에게 경원과 면구스러움을 느껴 옆으로 슬쩍 비켜서거나 남의 얼굴처럼 물끄러미 바라보곤 했다. 우리는 일상적인 생활을 하다가도 거울 속에 담긴 좁은 방 안의 _____ 자신의 모습을 보며 경원(꺼리어 멀리함)과 _____(낯을 들고 대하기에 부끄러운 데가 있음)을 느끼고 있어.

거울은 기울여 놓기에 따라 우리의 모습을 작게도 크게도 길게도 짧게도 자유자재로 바꾸어 비추었다. 언니와 나는 어머니가 없을 때면 끙끙대며 거울을 옮겨 놓고 그 앞에서 입을 크게 벌리고 노래를 부르거나 연극놀이를 했다. 비가 와서 밖에 나갈 수 없을 때 우리는 연극놀이를 했는데 내용은 늘 똑같았다.

장면끊기 01 이 장면에서는 작은 시위를 벌이는 오빠와 그런 오빠를 _____하는 어머니 사이의 갈등과 이로 인한 _____을 확인할 수 있어. '나'가 주목하고 있는 두 사람의 갈등과 남루하게 살아가는 우리 가족의 생활 및 그에 대한 '나'의 세밀한 (심리/대화) 서술에 유의해 보자.

(중략)

나는 낮의 일들이 꼭 꿈속의 일처럼 아주 몽롱하고 멀게 느껴지는 것이었다. 밤마다 술 취해 오는 어머니, 더러운 이불 속에서 쥐처럼 손가락을 빨아 대는 일 따위가 한바탕의 긴 꿈만 같이 여겨졌다. 진짜의 나는 안타까이 더듬어 보는 먼 기억의 갈피 짬에서 단편적인 감각으로 남아 있는 것이 아닐까. 밤마다 술 취해 오는 어머니와 가난한 삶을 현실이 아닌 ___처럼 느꼈대. 아버지처럼. 아버지는 키가 몹시 컸다. 아니 그것은 덩치 큰 오빠를 향해 하던, 아버지를 쏙 빼었다는 할머니의 말에서 비롯된 연상인지도 몰랐다.

저녁을 먹은 후 바람이 서늘해지면 아버지는 나를 목에 태우고 밖으로 나갔다. 아버지의 무등을 타면 어찌나 높던지 나 자신 풍선처럼 공중에 둥실 떠오르듯 눈앞이 어지러이 흔들렸다. '나'는 전쟁에 나가 지금은 곁에 안 계시는 아버지가 무등을 태워 주시던 _____를 회상하고 있어.

곧 동생이 태어날 거다. 아버지는 내 넓적다리를 꽉 쥐며 노래 부르듯 말했다. 엄마 뱃속에 아기가 들었단다.

꼭 잡아, 아버지의 말에 따라 아버지의 머리를 잡으면 손에서는 찐득찐득한 머릿기름이 묻어났다.

아버지는 내게 연약한 넓적다리, 혹은 발목을 잡던 악력(握力), 막연히 따스하고 부드러운 것, 보다 커다란 것, 땀으로 젖어 있던 등 허리로 남아 있었다. 그러나 이 모든 기억 역시 내 상상이 꾸며 낸 더 먼 꿈속의 일은 아니었을까. '나'는 아버지의 모습을 떠올리면서 아버지에 대한 자신의 기억이 꾸며진 _____이 아닐까 생각하고 있네.

전쟁이 끝나면 아버지가 돌아온다. 두 해가 지나도록 소식이 없었지만 할머니는 끈기 있게 기다렸다. 그러나 아버지에 대한 정다운 기억, 희망 없는 기다림에도 불구하고 아버지가 돌아온다는 사실에 우리는 모두 얼마쯤의 불안과 두려움을 갖고 있었다. 우리는 아버지의 귀환을 희망 없이 기다리면서도, 동시에 _____과 _____을 느껴. 매일 술취해 돌아오는 어머니를 향해, 다만, 아버지가 돌아오시면 뭐라고 하실까요, 차갑게 협박하는 오빠까지도. 오빠는 매일 술취해 돌아오는 어머니를 _____ 하네. 중략 이전에 오빠가 했던 _____는 매일 술취해 돌아오는 어머니를 향한 반항에서 비롯된 것으로 추측할 수 있겠지.

우리가 임자 없는 닭의 맛에 길들여지듯, 어머니의 지갑을 더 듬는 손길이 점차 담대해지고 빼내는 돈의 액수가 많아지듯, 할머 니가 단말마의 비명도 없이 도살(屠殺)의 비기(秘技)를 익혀 가듯, 그리고 종내는 눈의 정기만으로도 닭들이 스스로 죽지 밑에 고개를 묻고 너부러지듯 아버지 역시 달라져 있을 것이다. 전쟁으로 피난 온 우리가 달라졌듯 전쟁을 겪은 _____ 또한 달라졌을 거라고 생각하는 것에서 아버지가 귀환해도 전쟁으로 인한 상실감을 채울 수 없음이 환기된다고 해석할 수 있어. 아버지가 우리를 떠나있던 그 긴 시간의 갈피 짬마다 연기처럼 모호히 서린 낯설음은 새로운 전쟁으로 우리 사이에 재연(再燃) 될 것이기에 차라리 그립고 정답게 아버지를 추억하며 희망 없는 기다림으로 우리 모두 아버지가 영영 돌아오지 않기를 바라거나 돌아오지 않을 사람으로 치부하고 있음을 변명하고 용서를 구하는 것이나 아니었는지. 아버지를 (돌아올/돌아오지 않을) 사람으로 치부하고 있지 않은지 생각하고 있네.

멀리 산등성이 너머에서부터 들려 오는 대포 소리는 고즈넉이 가라앉은 이 마을에 문득 전쟁을 상기시켰고, 드문드문 흘러드는 피난민들은 아직도 바깥에서는 전쟁이 계속되고 있다고 말했다. 바깥의 _____를 통해 전쟁이 계속되고 있는 현실이 상기돼.

장면끊기 02 '나'는 _____의 그립고 정다운 모습을 떠올리면서도 아버지를 돌아 오지 않을 사람으로 치부하고 있지 않은지 생각하고 있어. 앞서 오빠와 어머니 사이의 갈등 의 (원인이/결과가) 무엇인지 확인할 수 있다는 점에서 두 장면을 연결할 수 있지.

– 오정희, 「유년의 뜰」 –

현대소설 독해의 STEP 2

1 인물 간의 관계를 고려하여 구조도의 빈칸에 적절한 말을 채우세요.

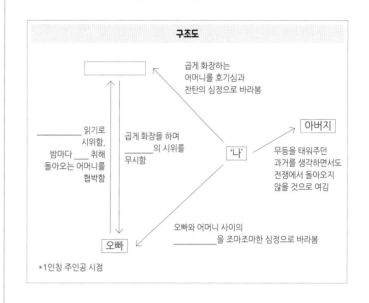

구조도

곱게 화장하는 어머니를 호기심과 찬탄의 심정으로 바라봄

_____ 읽기로 시위함, 밤마다 _____ 취해 돌아오는 어머니를 협박함

곱게 화장을 하며 _____의 시위를 무시함

'나'

아버지

무등을 태워주던 과거를 생각하면서도 전쟁에서 돌아오지 않을 것으로 여김

오빠와 어머니 사이의 _____을 조마조마한 심정으로 바라봄

오빠

*1인칭 주인공 시점

2 1~2번 문제를 풀어 보세요.

1. 〈보기〉를 바탕으로 [A]에서 '거울'의 서사적 의미를 추리한 것으로 적절하지 않은 것은?

〈보기〉

이 소설에서 전쟁 체험인 과거의 기억은 상징적 사물과 이미지의 재현으로 구현된다. 문학 작품에서 '거울'은 일상에서 볼 수 없는 또 다른 '나'를 보여 주거나, 현재와 다른 시간과 연결하고 인물의 내면을 드러내기도 한다. 이렇게 거울에 비춰진 현실 모습은 상징적 의미를 암시하는 역할을 하기도 한다.

① '나날이 새롭게 번쩍이며 한구석에 버티고' 서있는 거울은 피난지 현실의 남루함을 부각시킨다.

② '언제나 좁은 방 안이 가득 담겨' 있다는 것은 초라한 삶이 거울을 통해 이미지 화된 것을 암시한다.

③ '자신은 볼 수 없는 등까지도 환히 비추는' 거울은 일상과는 다른 자신의 모습을 확인하게 하는 매개이다.

④ 거울 속에서 '낯설게 만나지는 자신'은 자신과 대면하였을 때의 느낌을 나타 낸다.

⑤ '기울여 놓기에 따라' 모습을 '자유자재로 바꾸어' 비추는 거울은 현실에서 벗어나려는 '나'의 의지를 드러낸다.

2. 문학 개념어 OX 확인 문제

① 독백체 진술을 통해 과거의 경험을 회상하고 있다. ○ ×

② 비유적 수식어의 사용을 통해 인물의 내면을 표현하고 있다. ○ ×

현대소설 독해의　STEP 3

1 선지 판단 공식을 활용하여 빈칸을 채우고 1번 문제의 선지를 OX로 판단해 보세요.

〈보기〉 문제 선지 판단의 공식

① 〈보기〉 거울에 비춰진 _____ 모습은 상징적 의미를 암시하는 역할을 하기도 함

➕ 작품 '등신대의 거울은 이 방에서 유일하게 ____ 없이 온전하고 훌륭한 물건이었다. 눈에 보이게 또는 보이지 않게 _____ 해져 가는 우리들의 가운데서 거울은, 어머니가 매일 닦는 탓도 있지만, 나날이 _____ 한구석에 버티고 있었다.'

선지➡ '나날이 새롭게 번쩍이며 한구석에 버티고' 서있는 거울은 피난지 현실의 남루함을 부각시킨다.　　○　×

② 〈보기〉 전쟁 체험인 과거의 기억은 상징적 사물과 _____의 재현으로 구현되며 _____에 비춰진 현실의 모습은 상징적 의미를 암시하기도 함

➕ 작품 '거울은, 어머니가 매일 닦는 탓도 있지만, 나날이 새롭게 번쩍이며 한구석에 버티고 있었다.', '거울 속에는 언제나 _____ 방 안이 가득 담겨 있었다.'

선지➡ '언제나 좁은 방 안이 가득 담겨' 있다는 것은 초라한 삶이 거울을 통해 이미지화된 것을 암시한다.　　○　×

③ 〈보기〉 문학 작품에서 '거울'은 _____에서 볼 수 없는 또 다른 '나'를 보여주거나, 현재와 다른 시간과 연결하고 인물의 내면을 드러내기도 함

➕ 작품 '소꿉놀이를 하다가도, 게으르게 눈을 껌벅이며 잠에서 깨어나서도, 싸움질을 하다가도, 허겁지겁 밥을 먹다가도 문득 눈을 들면 방의 한구석에 버티어 선 거울이 자신은 볼 수 없는 등까지도 환히 비추는 바람에, 우리는 거울 속에서 _____ 만나지는 자신에게 경원과 면구스러움을 느껴 옆으로 슬쩍 비켜서거나 _____처럼 물끄러미 바라보곤 했다.'

선지➡ '자신은 볼 수 없는 등까지도 환히 비추는' 거울은 일상과는 다른 자신의 모습을 확인하게 하는 매개이다.　　○　×

④ 〈보기〉 문학 작품에서 '거울'은 일상에서 볼 수 없는 _____ _____를 보여주거나, 현재와 다른 시간과 연결하고 인물의 내면을 드러내기도 함

➕ 작품 '소꿉놀이를 하다가도, 게으르게 눈을 껌벅이며 잠에서 깨어나서도, 싸움질을 하다가도, 허겁지겁 밥을 먹다가도 문득 눈을 들면 방의 한구석에 버티어 선 거울이 자신은 볼 수 없는 등까지도 환히 비추는 바람에, 우리는 거울 속에서 낯설게 만나지는 _____에게 경원과 _____을 느껴 옆으로 슬쩍 비켜서거나 남의 얼굴처럼 물끄러미 바라보곤 했다.'

선지➡ 거울 속에서 '낯설게 만나지는 자신'은 자신과 대면하였을 때의 느낌을 나타낸다.　　○　×

⑤

〈보기〉
문학 작품에서 '거울'은 일상에서 볼 수 없는 또 다른 '나'를 보여주거나, 현재와 다른 시간과 연결하고 인물의 _____ 을 드러내기도 함

작품
'거울은 기울여 놓기에 따라 우리의 모습을 작게도 크게도 길게도 짧게도 자유자재로 바꾸어 비추었다. 언니와 나는 어머니가 없을 때면 끙끙대며 거울을 옮겨 놓고 그 앞에서 입을 크게 벌리고 노래를 부르거나 연극놀이를 했다. 비가 와서 밖에 나갈 수 없을 때 우리는 연극놀이를 했는데 내용은 _____.'

선지 '기울여 놓기에 따라' 모습을 '자유자재로 바꾸어' 비추는 거울은 현실에서 벗어나려는 '나'의 의지를 드러낸다.　　　　○　✕

30 하루 30분, 현대소설 트레이닝

현대소설 독해의　STEP 1

1 주요 인물에 ▢ 표시를 하고, 빈칸에 적절한 말을 채우세요.

　천대를 받아도 얻어맞는 것보다는 낫다! 그도 그럴 것이다. 미친 체하고 떡목판에 엎드러진다는 셈으로 미친 체하고 어리광 비슷한 수작을 하거나, 스라소니 행세를 하거나 하여, 어떻든지 저편의 호감을 사고 저편을 웃기기만 하면 목전에 닥쳐오는 핍박은 면할 것이다. 속으로는 요놈 하면서라도 얼굴에만 웃는 빛을 띠면 당장의 급한 욕은 면할 것이다. 공포(恐怖), 경계(警戒), 미봉(彌縫), 가식(假飾), 굴복(屈服), 도회(韜晦)*, 비굴(卑屈)…… 이러한 모든 것에 숨어 사는 것이 조선 사람의 가장 유리한 생활 방도요, 현명한 처세술이다. 실상 생각하면 우리의 이러한 생활 철학은 오늘에 터득한 것이 아니요, 오랫동안 봉건적 성장과 관료전제 밑에서 더께가 앉고 굳어 빠진 껍질이지마는, 그 껍질 속으로 점점 더 파고 들어 가는 것이 지금의 우리 생활이다.

> **장면끊기 01** 대화가 시작되기 전까지, 즉 '나'가 세태에 대해 성찰한 바를 언급한 부분까지를 하나의 장면으로 끊어볼 수 있겠네. '나'는 '공포, 경계, 미봉, 가식' 등과 같은 것에 '숨어 사는 것이 　　　　　　의 가장 유리한 생활 방도요, 현명한 처세술'이라고 해. 또한 '우리 (조선 사람)의 　　　　　　'이 '오랫동안 봉건적 성장과 관료전제 밑에서 더께가 앉고 굳어 빠진 껍질'이라고 하지. 이를 통해 조선의 세태와 조선 사람의 생활 철학에 대한 '나'의 (긍정적/비판적) 태도를 확인할 수 있네.

　"어떻든지 그저 내지인과 동등한 대우만 해 주면 나중엔 어찌되든지 살아갈 수 있겠죠."

　청년은 무엇에 쫓겨 가는 사람처럼 차 안을 휘휘 돌려다 보고 나서 목소리를 한층 낮추어서 다시 말을 잇는다.

　"가령 공동묘지만 하더라도 내지에도 그런 법률이 있다 하면 싫든 좋든 우리도 따라가는 수밖에 없겠죠. 하지만 우리에게는 또 우리의 유풍이 있지 않습니까? 대관절 내지에도 그런 법이 있나요?"

　의외에 이 장돌뱅이도 공동묘지 이야기를 꺼낸다. 나는 아까 형님한테 한참 설법을 듣고 오는 길에 또 이러한 질문을 받고 보니, 언제 규정이 된 것이요 어떻게 시행하라는 것인지는 나로서는 알고 싶지도 않고, 그까짓 것은 아무렇거나 상관이 없는 일이지마는, 아마 요사이 경향에서 모여 앉으면 꽤들 문젯거리, 화젯거리가 되는 모양이다. 나는 한번 껄껄 웃어 주고 싶었으나 그리할 수는 없었다.

> 조선에서 　　　　　　가 한창 '화젯거리'였던 시기였나 봐. '　　　　　　'도 '형님'도 모두 공동묘지 이야기를 꺼내지만, '나'는 '알고 싶지도 않고, 그까짓 것은 아무렇거나 상관이 없'다고 생각해.

　"일본에도 공동묘지야 있다우."

　나 역시 누가 듣거나 않는가 하고 아까부터 수상쩍게 보이던 저편 뒤로 컴컴한 구석에 금테를 한 동 두른 모자를 쓴 채 외투를 뒤집어쓰고 누웠는 일본 사람과, 김천서 나하고 같이 오른 양복쟁이 편을 돌려다 보았다. 나의 말이 조금이라도 총독정치를 비방하는 것은 아니지만, 그중에서 무슨 오해가 생길지 그것이 나에게는 염려되는 것이었다.

> '나'는 자신의 말이 '　　　　　　를 비방'하는 것으로 들릴까 봐 　　　　　　하고 있어. 일제 강점하를 시대적 배경으로 하고 있는 작품이구나.

　"정말 내지에도 공동묘지가 있어요? 하지만 행세하는 사람야 좀 다르겠죠?"

　"그야 좀 다르겠지마는, 어떻든지 일본에서는 주로 화장을 지내

기 때문에 타고 남은…… 아마 목구멍 뼈라든가를 갖다가 묻고 목패든지 비석을 세운다우. 그렇지 않아도 살아 있는 사람도 터전이 좁아서 땅 조각이 금 조각 같은데, 죽는 사람마다 넓은 터전을 차지하다가는 이 세상에는 무덤만 남고 말지 않겠소, 허허허."

> '　　　　　　도 터전이 좀'은'　　　　　　마다 넓은 터전을 차지하다가는 이 세상에 무덤만 남고 말지 않겠'냐고 말하는 것을 통해 '나'는 현실적인 인물임을 알 수 있어.

　나는 이러한 소리를 하면서도 묘지를 간략하게 하여 지면을 축소하고 남는 땅은 누구의 손으로 들어가고 마누 하는 생각을 하여 보았다.

　"그리구서니 자기의 부모나 처자를 죽었다구 금세루 살라야 버릴 수가 있습니까? 더구나 대대로 내려오는 제 집 산소까지를."

　이 사람은 나의 말이 옳다는 모양으로 고개를 끄덕끄덕하면서도 그래도 반대를 한다.

> '장돌뱅이'는 '나'의 말에 '　　　　　　를 끄덕끄덕하면서도' '자기의 　　　　　　를 죽었다구 금세루 살라야 버릴 수가 있'냐며 반대하고 있어. '장돌뱅이'는 봉건적인 사고 방식을 지닌 인물이라고 할 수 있겠네.

　"화장을 지낸다기루 상관이 뭐겠소. 예전에 애급이라는 나라에서는 왕후장상의 시체는 방부제를 쓰고 나무 관에 넣은 시체를 다시 석관까지에 튼튼히 넣어서 피라미드라는 큰 굴 속에 묻어 두었지만, 지금 와서는 미이라밖에는 되지 않고 만 것을 보면 죽은 송장에게 능라주의(綾羅紬衣)*를 입히고 백 평, 천 평 되는 땅에다가 아무리 굳게 파묻기로 그것이 무엇이란 말이오. 동상을 세우면 무얼 하고 송덕비를 세우면 무엇에 쓴다는 말이오."

> '나'는 '송장에게 　　　　　　를 입히고 백 평, 천 평 되는 땅'에 파묻는 것, '동상'이나 '　　　　　　'를 세우는 것을 허례허식으로 생각하고 비판하고 있어.

　내 앞에 앉았는 장꾼은 무슨 소리인지 귀에 자세히 들어오지 않는 모양이다.

　"네에, 그런 것이 있어요?"

하고 멀거니 앉았다.

　"하여간 부모를 생사장제(生事葬祭)에 예(禮)로써 받들어야 할 거야 더 말할 것 없지마는, 예로 하라는 것은 결국에 공경하는 마음이나 정성을 말하는 것 아니겠소?

> '나'는 형식보다는 '　　　　　　'이 중요하다고 생각해.

그러니 공동묘지 법이란 난 아직 내용도 모르지마는, 그것은 별문제로 치고라도, 그 근본정신은 생각지 않고 부모나 선조의 산소 치레를 해서 외화(外華)나 자랑하고 음덕(蔭德)이나 바란다는 것도 우스운 수작이란 것을 알아야 할 거 아니겠소. 지금 우리는 공동묘지 때문에 못살게 되었소? 염통 밑에 쉬스는 줄은 모른다구, 깝살릴* 것 다 깝살리고 뱃속에서 쪼르륵 소리가 나도 죽은 뒤에 파묻힐 곳부터 염려를 하고 앉았을 때인지? 너무도 얼빠진 늦둥이 수작이 아니오? 허허허."

> '나'는 산 사람의 살 궁리가 아닌 '　　　　　　부터 염려'를 하는 사람들에 대해 비판적 태도를 취하고 있어.

　나는 형님에게 하고 싶던 말을 장돌뱅이로 돌아다니는 이 자를 붙들고 한참 푸념을 하였다.

> **장면끊기 02** '나'와 '장돌뱅이'가 공동묘지에 대해 이야기를 나누는 장면을 두 번째 장면으로 생각해 볼 수 있겠네. '　　　　　　'는 관습에 젖어 있는 당대의 조선 사람들의 인식을 보여준다면, '나'는 이를 　　　　적으로 바라보는 지식인으로 볼 수 있어.

— 염상섭, 「만세전」 —

*도회: 재능이나 학식 따위를 숨겨 감춤.

*능라주의: 비단옷과 명주옷.

*깝살리다: 재물이나 기회 따위를 흐지부지 다 없애다.

현대소설 독해의 STEP 2

1 인물 간의 관계를 고려하여 구조도의 빈칸에 적절한 말을 채우세요.

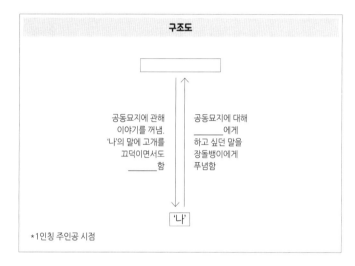

구조도

공동묘지에 관해
이야기를 꺼냄.
'나'의 말에 고개를
끄덕이면서도
_____ 함

공동묘지에 대해
_____에게
하고 싶던 말을
장돌뱅이에게
푸념함

'나'

*1인칭 주인공 시점

2 1~2번 문제를 풀어 보세요.

1. 〈보기〉를 참고하여 윗글을 감상할 때 적절하지 <u>않은</u> 것은?

〈보기〉

　1920년대 문학의 전개 과정에서, 염상섭은 개인의 발견과 현실 인식이라는 소설의 근대적인 특성을 분명하게 제시하고 있다. 특히 일인칭 시점을 적용한 소설을 통해 개인의 내면을 드러내는 방식을 모색하여, 개성의 표현으로서의 문학에 대한 인식을 구체화하였다. 나아가 그는 생활 현실에 근거한 문학으로 관심을 확장하였는데, 그에 따르면, 문예는 생활의 기록이요, 흔적이요, 주장이다. 생활에 대한 염상섭의 새로운 인식은 생활의 표현을 통해 삶의 문제를 총체적인 시각에서 조망하려는 근대 문학의 정신에 접근하고 있다.

① 시속의 '처세술'에 대해 성찰하여 평가한 점을 통해, 생활의 문제에 대한 작가의 주장을 확인할 수 있겠군.

② '생활 철학'을 터득하려는 개개인의 의지를 옹호한 점을 통해, 개인의 발견에 관한 작가의 의식을 이해할 수 있겠군.

③ '지금의 우리 생활'을 '봉건적' 의식과 문화에 견주어 문제 삼은 점을 통해, 삶의 문제를 총체적으로 조망하려는 작가의 시각을 엿볼 수 있겠군.

④ 일상적 관심사로 오르내리는 '화젯거리'를 이야기한 점을 통해, 생활의 흔적을 기록하려는 작가의 노력을 살필 수 있겠군.

⑤ 자신의 경험과 생각을 '나'가 서술하도록 설정한 점을 통해, 개성을 표현하는 문학의 방식을 모색하는 작가의 관심을 찾아볼 수 있겠군.

2. 문학 개념어 OX 확인 문제

① 냉소적 어조를 통해 세태에 대한 비판적 태도를 드러내고 있다.　　○ X

② 인물들의 체험을 삽화 형식으로 나열하여 주제를 다각적으로 조명하고 있다.

○ X

현대소설 독해의 STEP 3

1 선지 판단 공식을 활용하여 빈칸을 채우고 1번 문제의 선지를 OX로 판단해 보세요.

〈보기〉 문제 선지 판단의 공식

① 〈보기〉 염상섭은 _____에 근거한 문학으로 관심을 확장함

➕

작품 '공포, 경계, 미봉, 가식, 굴복, 도회, 비굴…… 이러한 모든 것에 숨어 사는 것이 조선 사람의 가장 유리한 생활 방도요, _____이다.'

선지 시속의 '처세술'에 대해 성찰하여 평가한 점을 통해, 생활의 문제에 대한 작가의 주장을 확인할 수 있겠군. ○ ✕

② 〈보기〉 염상섭은 _____과 현실 인식이라는 소설의 근대적 특성을 분명하게 제시하며, 특히 일인칭 시점을 적용한 소설을 통해 _____을 드러내는 방식을 모색함

➕

작품 '실상 생각하면 우리의 이러한 _____은 오늘에 터득한 것이 아니요, 오랫동안 봉건적 성장과 관료전제 밑에서 더께가 앉고 굳어 빠진 껍질'

선지 '생활 철학'을 터득하려는 개개인의 의지를 옹호한 점을 통해, 개인의 발견에 관한 작가의 의식을 이해할 수 있겠군. ○ ✕

③ 〈보기〉 생활에 대한 염상섭의 새로운 인식은 생활의 표현을 통해 삶의 문제를 _____에서 조망하려는 근대 문학의 정신에 접근하고 있음

➕

작품 '우리의 이러한 생활 철학은 오늘에 터득한 것이 아니요, 오랫동안 _____적 성장과 _____ 밑에서 더께가 앉고 굳어 빠진 껍질이지마는, 그 껍질 속으로 점점 더 파고 들어 가는 것이 지금의 우리 생활이다.'

선지 '지금의 우리 생활'을 '봉건적' 의식과 문화에 견주어 문제 삼은 점을 통해, 삶의 문제를 총체적으로 조망하려는 작가의 시각을 엿볼 수 있겠군. ○ ✕

④ 〈보기〉 염상섭에 따르면 문예는 _____의 기록이자, _____, 주장으로 볼 수 있음

➕

작품 '장돌뱅이'도 아까 만난 '형님'도 공동묘지 이야기를 꺼낼 정도로 이는 '요사이 경향에서 모여 앉으면 꽤들 문젯거리, _____가 되는' 것이었음

선지 일상적 관심사로 오르내리는 '화젯거리'를 이야기한 점을 통해, 생활의 흔적을 기록하려는 작가의 노력을 살필 수 있겠군. ○ ✕

⑤ 〈보기〉 염상섭은 _____을 적용한 소설을 통해 개인의 내면을 드러내는 방식을 모색하여, _____으로서의 문학에 대한 인식을 구체화함

➕

작품 '_____로서는 알고 싶지도 않고, 그까짓 것은 아무렇거나 상관이 없는 일', '그중에서 무슨 오해가 생길지 그것이 나에게는 염려되는 것이었다.'

선지 자신의 경험과 생각을 '나'가 서술하도록 설정한 점을 통해, 개성을 표현하는 문학의 방식을 모색하는 작가의 관심을 찾아볼 수 있겠군. ○ ✕

30 하루 30분, 현대소설 트레이닝

현대소설 독해의 STEP 1

1 주요 인물에 ☐ 표시를 하고, 빈칸에 적절한 말을 채우세요.

불을 끈 다음에 아내가 다시 소곤거려 왔다.

"당신두 보셨죠? 오늘사 말고 영기 엄마 배가 유난히 더 불러 보였어요. 혹시 쌍둥이나 아닌가 싶어서 남의 일 같잖아요. 여덟 달밖에 안 된 배가 그렇게 만삭이니 원……." ____는 영기 엄마 (권 씨 부인)의 만삭인 배를 걱정하고 있네.

"당신더러 대신 낳으라고 떠맡기진 않을 거야. 걱정 마."

나는 그날 밤 디킨즈와 램의 궁둥이를 번갈아 걷어차는 꿈을 꾸었다. 내가 권 씨의 궁둥이를 걷어차고 권 씨가 내 궁둥이를 걷어차는 꿈을 꾸었다.

아내가 권 씨네에 대해서 갑자기 관심을 보이기 시작했다. 좀 더 정확히 얘기해서 권 씨 부인의 그 금방 쏟아질 것만 같은 아랫배에 관한 관심이었다. 아내는 _____의 만삭 배에 관심을 보이고 있어. 말투로 볼 때 남자들이 집을 비우는 낮 동안이면 더러 접촉도 가지는 모양이었다. 예정일도 모르더라면서 아내는 낄낄낄 웃었다. 아내는 자신의 분만 예정일도 모르는 권 씨 부인을 ____고 있어. 임산부가 자기 분만 예정일도 몰라서야 말이 되느냐고 핀잔했더니, 까짓것 알아도 그만 몰라도 그만, 어차피 때가 되면 배 아프며 낳기는 마찬가지라면서 태평으로 있더라는 것이었다. 권 씨 부인은 만삭의 배로 자신의 분만 예정일도 모르지만 ____해.

장면끊기 01 '나'는 권 씨와 자신이 나오는 꿈을 꾸고, '나'의 아내는 ____이면서도 아무런 준비도 하지 않는 권 씨 부인을 걱정하면서도 비웃고 있어.

권 씨는 여전히 일자리를 구하지 못한 채였다. 일정한 직장이 없으면서도 아침만 되면 출근 복장을 차리고 뻔질나게 밖으로 나가곤 했다. 몸에 붙인 기술도, 그렇다고 타고난 뚝심도 없으면서 계속해서 공사판 같은 데 나가 막일을 하는 눈치였다. "동주운아, 노올자아!" 하고 둘이 합창하듯이 길게 외치면서 일단 안방까지 들어오는 데 성공한 권 씨의 아이들은 끼니 때가 되어도 막무가내로 버티면서 문간방으로 돌아가지 않는 적이 자주 있게 되었다. 문간방의 사정이 심상치 않다는 징조였다. '나'의 ____에 세들어 사는 권 씨는 일정한 ____ 없이 막일을 하는 듯하고, 권 씨네의 아이들은 '나'의 아들인 동준이와 논다는 핑계로 끼니를 얻어 먹는 일이 자주 있었대. 권 씨네의 경제적 사정이 (부유하다/궁핍하다)는 것을 알 수 있어. 그렇다고 권 씨나 권 씨 부인이 우리에게 터놓고 도움을 청한 적은 한 번도 없었다. 다만 우리로 하여금 그런 꼴을 목격하고도 도울 마음을 먹지 않으면 도무지 인간이 아니게시리 상황을 최악의 선까지 잠자코 몰고 갈 뿐이었다. 애당초 이 순경이 기대했던 그대로 산타클로스 비슷한 꼴이 되어 쌀이나 연탄 따위를 슬그머니 문간방 부엌에다 넣어 주고 온 날 저녁이면 아내는 분하고 억울해서 밥도 제대로 못 먹었다. 임부나 철부지 애들을 생각한다면 그까짓 알량한 선심쯤 아무렇지도 않다는 주장이었다. 하지만 제게 딸린 처자식조차 변변히 건사 못 하는 한 얼간이 사내한테까지 자기 선심의 일부나마 미칠 일을 생각하면 괘씸해서 잠이 안 올 지경이라고 생병을 앓았다. 아내는 임부인 _____이나 아이들을 생각해서 쌀이나 연탄을 가져다 주는 식으로 권 씨네를 도왔지만, 식구들을 건사하지 못하는 권 씨가 ____해서 분노하기도 해. 권 씨가 여간내기 아니라고 속삭이던 게 엊그제인 걸 벌써 잊고 아내는 셋방 잘못 내줬다고 두고두고 자탄하는 것이었다.

장면끊기 02 아내는 어려운 처지의 권 씨 가족을 돕지만, 동시에 ____의 무능력함에 분노해. 이후 권 씨 부인이 ____의 날을 맞게 되었다고 하여 시간이 흘렀음이 나타나므로 여기서 장면을 나누어야겠지.

남편이 여전히 벌이가 시원찮은 상태에서 권 씨 부인은 어언 해산의 날을 맞게 되었다. 진통이 시작된 지 꽤 오래되는 모양이었다. 아내의 귀띔으로는 점심 무렵이 지나서부터 그런다고 했다. 학교에서 돌아와 저녁을 먹다가 나는 문간방에서 울리는 괴상한 소리를 들었다. 처음에는 되게 몸살을 하듯이 끙끙 앓는 소리로 시작되었다. 그러다가 느닷없이 몸의 어딘가에 깊숙이 칼이라도 받는 양 한 차례 처절하게 부르짖고는 이내 도로 잠잠해지곤 하면서 이러기를 몇 번이고 되풀이하는 것이었다. 권 씨 부인이 문간방 안에서 진통을 겪고 있어. ____ 무렵이 지나서부터 저녁까지 오랜 시간 괴로워하고 있었겠지. 나로서는 그것이 방을 세내 준 이후로 처음 듣는 권 씨 부인의 목소리였다.

"당신이 한번 권 씰 설득해 보세요. 제가 서너 번 얘길 했는데두 무슨 남자가 실실 웃기만 하믄서 그저 염려 없다구만 그러네요." 병원 얘기였다. 아내는 권 씨 부인을 걱정하며 ____에 가보라고 했지만 권 씨는 염려 없다고 하며 웃기만 했어.

"권 씨가 거절하는 게 아니고 돈이 거절하는 거겠지." 권 씨네는 경제적으로 어려운 형편이었기 때문에 병원에 갈 돈이 부족했던 거지.

아내는 진즉부터 해산 준비가 전혀 되어 있지 않음을 더러는 흉보고 또 더러는 우려해 왔었다.

"남산만이나 한 배를 갖구서 요즘 세상에 그래 앨 집에서, 그것도 산모 혼잣힘으로 낳겠다니, 아무래두 꼭 무슨 일이 터질 것만 같애요. 달이 다 차도록 기저귓감 하나 장만 않는 여편네나 조산원 하나 부를 돈도 마련이 없는 사내나 어쩜 그리 짝짜꿍인지!" 아내는 해산이 다가오는데 아무런 준비를 하지 않은 권 씨 부인을 흉보기도, ____하기도 했었어. 또 경제적으로 무능해서 _____을 부를 돈도 마련하지 못하는 권 씨를 못마땅해하기도 하지.

서둘러 식사를 끝내고 나서 나는 권 씨를 마당으로 불러냈다. 듣던 대로 권 씨는 대뜸 아무 염려 말라면서 실실 웃었다. 마치 곤경에 빠진 나를 극진히 위로해 주는 투였다.

"둘째 때도 마누라 혼자서 거뜬히 해치웠거든요." 권 씨는 '나'의 충고에도 여전히 태평해.

"우리가 염려하는 건 권 선생네가 아니라 바로 우리를 위해서요. 물론 그럴 리야 없겠지만 만의 일이라도 일이 잘못될 경우 난 권 선생을 원망하겠소."

작자가 정도 이상으로 느물거린다 싶어 나는 엔간히 모진 소리를 남기고는 방으로 들어와 버렸다.

장면끊기 03 권 씨 부인이 칼에 찔린 듯한 ____을 지르며 난산을 겪고 있음에도 권 씨는 아내를 ____에 데려갈 생각도 없이 태평해. '나'와 아내는 한편으로 걱정하고 한편으로 못마땅해해.

– 윤흥길, 「아홉 켤레의 구두로 남은 사내」 –

현대소설 독해의　STEP 2

1 인물 간의 관계를 고려하여 구조도의 빈칸에 적절한 말을 채우세요.

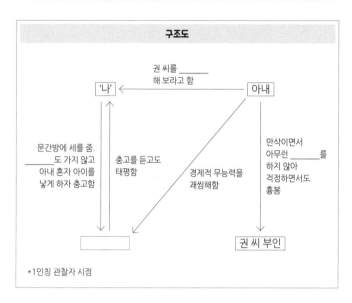

구조도

권 씨를 _____
해 보라고 함

'나' ← 아내

문간방에 세를 줌.
_____도 가지고
않고 아내 혼자 아이를
낳게 하자 충고함

충고를 듣고도
태평함

경제적 무능력을
괘씸해함

만삭이면서
아무런 _____를
하지 않아
걱정하면서도
흉봄

권 씨 부인

*1인칭 관찰자 시점

2 1~2번 문제를 풀어 보세요.

2. 문학 개념어 OX 확인 문제

① 인물 간의 대화를 통해 특정 인물의 어려운 처지를 드러내고 있다.　○ ✕

② 역사적인 사건을 회고적으로 서술하여 시대 배경을 부각시키고 있다.

○ ✕

1. 〈보기〉를 바탕으로 윗글을 감상한 내용으로 적절하지 <u>않은</u> 것은?

〈보기〉

1970년대 한국 소설에는 산업화 과정에서 공동체적 유대감이 파괴되고 개인주의가 팽배하면서 그 사이에서 고민하게 되는 소시민이 나타난다. 물질적 가치를 중시하는 세태가 심화되고 계층 분화가 일어나면서 주변부로 밀려난 도시 빈민과 같은 소외 계층이 등장하는데, 이들도 소설의 주요한 제재로 반영되고 있다.

① '나'가 '권 씨네'를 의식하면서도 '권 씨네'의 상황에 거리를 두려는 것은 소시민의 내적 갈등을 보여 주는군.

② '권 씨'가 일정한 직업 없이 막일을 할 수밖에 없는 것은 계층이 분화하면서 생겨난 도시 빈민의 처지를 나타내는군.

③ '아내'가 '권 씨네'를 대하는 이중적 태도는 공동체 의식과 개인주의 사이에 놓인 소시민의 모습을 반영하는군.

④ '권 씨 부인'이 혼자 힘으로 해산을 하려는 모습은 궁핍한 삶에 내몰린 소외 계층의 처지를 반영하는군.

⑤ '나'가 '권 씨네'에 대해 염려하며 '우리를 위해서'라고 말한 것은 공동체적 유대감을 회복하려는 소시민의 욕망을 드러내는군.

현대소설 독해의 STEP 3

1 선지 판단 공식을 활용하여 빈칸을 채우고 1번 문제의 선지를 OX로 판단해 보세요.

〈보기〉 문제 선지 판단의 공식

① 〈보기〉 1970년대 한국 소설에는 공동체적 유대감이 파괴되고 _____가 팽배하면서 그 사이에서 고민하는 _____이 나타남

➕ 작품 '그렇다고 권 씨나 권 씨 부인이 우리에게 터놓고 도움을 청한 적은 한 번도 없었다. 다만 우리로 하여금 그런 꼴을 목격하고도 _____을 먹지 않으면 도무지 인간이 아니게시리 상황을 _____까지 잠자코 몰고 갈 뿐이었다.'

선지 '나'가 '권 씨네'를 의식하면서도 '권 씨네'의 상황에 거리를 두려는 것은 소시민의 내적 갈등을 보여 주는군. ○ ✕

② 〈보기〉 1970년대 한국 소설에는 주변부로 밀려난 _____ 과 같은 소외 계층이 등장함

➕ 작품 '권 씨는 여전히 _____를 구하지 못한 채였다. 일정한 직장이 없으면서도 아침만 되면 출근 복장을 차리고 뻔질나게 밖으로 나가곤 했다. 몸에 붙인 기술도, 그렇다고 타고난 뚝심도 없으면서 계속해서 공사판 같은 데 나가 _____을 하는 눈치였다.'

선지 '권 씨'가 일정한 직업 없이 막일을 할 수밖에 없는 것은 계층이 분화하면서 생겨난 도시 빈민의 처지를 나타내는군. ○ ✕

③ 〈보기〉 _____ _____ _____ _____

➕ 작품 '쌀이나 연탄 따위를 슬그머니 문간방 부엌에다 넣어 주고 온 날 저녁이면 아내는 _____해서 밥도 제대로 못 먹었다.', '아내는 진즉부터 해산 준비가 전혀 되어 있지 않음을 더러는 _____고 또 더러는 _____해 왔었다.'

선지 '아내'가 '권 씨네'를 대하는 이중적 태도는 공동체 의식과 개인주의 사이에 놓인 소시민의 모습을 반영하는군. ○ ✕

④ 〈보기〉 1970년대 한국 소설에는 주변부로 밀려난 도시 빈민과 같은 _____이 등장함

➕ 작품 '남산만이나 한 배를 갖구서 요즘 세상에 그래 앨 집에서, 그것도 산모 _____으로 낳겠다니, 아무래두 꼭 무슨 일이 터질 것만 같애요.'

선지 '권 씨 부인'이 혼자 힘으로 해산을 하려는 모습은 궁핍한 삶에 내몰린 소외 계층의 처지를 반영하는군. ○ ✕

⑤ 〈보기〉 1970년대 한국 소설에는 _____ 이 파괴되고 개인주의가 팽배하면서 그 사이에서 고민하는 _____이 나타남

➕ 작품 "우리가 염려하는 건 권 선생네가 아니라 바로 _____를 위해서요. 물론 그럴 리야 없겠지만 만의 일이라도 일이 잘못될 경우 난 권 선생을 원망하겠소." 작자가 정도 이상으로 느물거린다 싶어 나는 엔간히 _____를 남기고는 방으로 들어와 버렸다.'

선지 '나'가 '권 씨네'에 대해 염려하며 '우리를 위해서'라고 말한 것은 공동체적 유대감을 회복하려는 소시민의 욕망을 드러내는군. ○ ✕

현대소설 독해의 STEP 1

1 주요 인물에 ☐ 표시를 하고, 빈칸에 적절한 말을 채우세요.

"누가 돈 쓰는 것을 아랑곳하랬나? 누가 저더러 돈을 쓰라니 걱정인가? 내 돈 가지고 내가 어떻게 쓰든지……."

"아버지께서 하시는 일에……."

조금 뜸하여지며 부친이 쌈지를 풀어서 담배를 담는 동안에 상훈이는 나직이 말을 꺼냈다. 부친은 아들인 상훈이 자신이 ___을 쓰는 일에 간섭하는 것을 못마땅하게 생각해.

"……돈 쓰신다고만 하는 것도 아닙니다마는 어쨌든 공연한 일을 만들어 내는 사람들이 첫째 잘못이란 말씀입니다."

"무에 어째 공연한 일이란 말이냐?" 상훈은 부친이 _____한 일에 돈을 쓴다고 생각하고 부친은 그런 상훈에게 반박하고 있어. 돈의 쓰임을 두고 상훈과 부친이 갈등하고 있네.

부친의 어기는 좀 낮추어졌다.

"대동보소만 하더라도 족보 한 질에 오십 원씩으로 매었다 하니 그 오십 원씩을 꼭꼭 수봉하면 무엇 하자고 삼사천 원이 가외로 들겠습니까?"

"삼사천 원은 누가 삼사천 원 썼다던?"

㉠영감은 아들의 말이 옳다고는 생각하였으나 실상 그 삼사천 원이란 돈이 족보 박이는 데에 직접으로 들어간 것이 아니라 ××조씨로 무후(無後)한 집의 계통을 이어서 일문일족에 끼려 한즉 군식구가 늘면 양반에 진국이 묽어질까 보아 반대를 하는 축들이 많으니까 그 입들을 씻기기 위하여 쓴 것이다. 하기 때문에 난봉자식이 난봉 피운 돈 액수를 줄이듯이 이 영감도 실상은 한 천 원 썼다고 하는 것이다. 중간의 협잡배는 이런 약점을 노리고 우려 쓰는 것이지만 이 영감으로서 성한 돈 가지고 이런 병신 구실 해 보기는 처음이다. 부친은 양반 가문의 _____에 이름을 올리기 위해 돈을 쓸 만큼 전근대적인 가치관을 가진 인물로, _____ 하는 이들의 입을 막기 위해 가외로 ___을 들인 것을 아까워하면서 아들에게는 이런 전후 사정을 말하는 것이 부끄러워 숨기고 있어.

"그야 얼마를 쓰셨던지요. 그런 돈은 좀 유리하게 쓰셨으면 좋겠다는 말씀입니다."

'재하자 유구무언(在下者 有口無言)'의 시대는 지났다 하더라도 노친 앞이라 말은 공손했으나 속은 달았다. 상훈은 _____에 돈을 쓰는 것은 돈을 _____하게 쓰는 게 아니라고 말해. 족보에 돈을 쓰는 문제에서 전근대적 가치관을 가진 부친과 갈등하는 상훈은 _____ 가치관을 가진 인물이라고 볼 수 있겠지.

"어떻게 유리하게 쓰란 말이냐? 너같이 오륙천 원씩 학교에 디밀고 제 손으로 가르친 남의 딸자식 유인하는 것이 유리하게 쓰는 방법이냐?"

아까부터 상훈이의 말이 화롯가에 앉아서 폭발탄을 만지작거리는 것 같아서 위태위태하더라니 겨우 간정되려던 영감의 감정에 또 불을 붙여 놓고 말았다. 부친은 족보에 돈 쓰는 것에 반대하는 상훈에게, 그가 과거에 _____에 돈을 쓰고 제자를 꾀었던 치부를 들추며 비난하고 있어.

상훈이는 어이가 없어서 얼굴이 벌게진다. 부친의 원색적인 비난에 상훈은 수치스러움을 느끼네.

장면끊기 01 이 장면에서는 부친과 상훈이 ___의 쓰임에 대한 가치관의 차이로 인해 _____ 하는 모습이 그려졌어. 양반 가문의 족보에 이름을 올리기 위해 많은 돈을 쓴 부친 조 의관과 이를 못마땅하게 여기는 상훈의 갈등이 두 인물의 대화와 내면 심리 서술로 제시되고 있음에 주목해 보자.

[중략 부분의 줄거리] 조 의관(덕기의 조부)이 죽고, 덕기가 재산 상속자가 된다. 조 의관의 유산 목록에 정미소가 없었다는 것을 안 상훈은 정미소를 차지하려고 한다. 상훈은 조 의관의 _____인 정미소를 차지할 욕심을 부려. 한편 상훈은 세간 값을 적은 종이들을 덕기에게 보내 값을 치르라고 한다.

"어제 그건 봤니?"

부친이 비로소 말을 붙이나 아들은 다음 말을 기다리고 가만히 앉았다.

"치를 수 없거든 거기 두고 가거라."

역정스러운 목소리나 여자 손들이 많은데 구차스럽게 세간 값으로 부자 충돌을 하는 꼴을 보이기 싫기 때문에 아들의 입을 미리 막으려는 것이다. 상훈은 덕기에게 _____을 치르도록 시키지만, 이 문제로 부자가 충돌하는 모습을 다른 사람들에게 보이는 것을 구차하게 여기는 데에서 타인의 시선을 의식함을 알 수 있어.

"안 치러 드린다는 것은 아닙니다마는……."

덕기는 너무 오래 잠자코 있을 수 없어서 말부리만 따고 또 가만히 고개를 떨어뜨리고 앉았다. 그러나 복통이 터져서 속은 끓었다. 속에 있는 말이나 시원스럽게 하고 싶으나 부친 앞에서, 더구나 조인광좌(稠人廣座)* 중에서 그럴 수도 없다. 덕기는 부친에게 하고 싶은 말이 있으면서도, 부친의 체면을 생각해 많은 사람 앞에서 말할 수 없어 ___을 끓이고 있네.

"이 판에 용이 이렇게 과하시면 어떡합니까. 여간한 세간 나부랭이야 저 집에 안 쓰고 굴리는 것만 갖다 놓으셔도 넉넉할 게 아닙니까?"

안방 치장 하나에 천여 원 돈을 묶어서 들인다는 것은 생돈 잡아먹는 것 같고, 누가 치르든지 간에 어려운 일이다.

"이 판이 무슨 판이란 말이냐? 그 따위 아니꼬운 소리 할 테거든 그거 내놓고 어서 가거라. 안 쓰고 굴리는 세간은 너나 쓰렴!"

영감은 자식에게라도 좀 점해서* 그런지 화만 버럭버럭 내고 호령이다. _____ 치장을 위해 쓴 세간 값을 과하다고 생각하는 덕기와 아들과 돈 얘기로 충돌하는 모습이 부끄러워 화를 내는 상훈의 갈등이 나타나.

"할아버지께서 산소에 돈 쓰신다고 반대하시던 걸 생각하시기로……."

"무어 어째? 널더러 먹여 살리라니? 걱정 마라. 아니꼽게 네가 무슨 총찰이냐? 그러나 정미소 장부는 이따라도 내게로 보내라."

부친은 이 말을 하려고 트집을 잡는 것이었다. 덕기는 과거에 _____에 돈을 쓰는 것을 두고 아버지 상훈이 할아버지인 조 의관에게 _____하던 것을 언급하며 충고하지만, 상훈은 덕기의 충고를 _____ 생각하면서 정미소를 차지하기 위해 트집을 잡고 있군.

"정미소 아니라 모두 내놓으라셔도 못 드릴 것은 아닙니다마는, 늘 이렇게만 하시면야 어디 드릴 수 있겠습니까?"

"드릴 수 있고 없고 간에, 내 거는 내가 찾는 게 아니냐?"

"왜 그렇게 말씀을 하셔요. 제게 두시면 어디 갑니까?"

"이놈 불한당 같은 소리만 하는구나? 돈 천도 못 되는 것을 치러 줄 수 없다는 놈이 무어 어째?"

부친은 신경질이 일어났는지 별안간 달려들더니 주먹으로 뺨을 갈기려는 것을 덕기가 벌떡 일어서니까 주먹이 어깨에 맞았다. 상훈의 씀씀이를 염려하는 덕기와 그런 덕기에게 분노하여 물리적 폭력을 행사하는 상훈

사이의 _____ 이 제시되었어. 병적인지 벌써 망녕인지는 모르겠으나 점점 흥분하게 해서는 아니 되겠다 하고 마루로 피해 나와 버렸다. 그러나 금시로 정이 떨어지는 것 같고, 그 속에 앉은 부친은 딴 세상 사람같이 생각이 들었다. 덕기는 흥분한 상훈을 피하며 ___이 떨어지는 것 같은 심정을 느껴, ⓛ신앙을 잃어버리고 사회적으로 활약할 야심이나 희망까지 길이 막히고 보면야, 생활이 거칠어 가는 수밖에는 없을 것이라고 동정도 하는 한편인데, 이미 신앙을 잃어버린 다음에야 가면을 벗어 버리고 파탈하고 나서는 것도 오히려 나은 일이라고도 하겠으나, 노래(老來)에 이렇게도 생활이 타락하여 갈까 하고, 덕기는 부친에게 반항하기보다도 다만 혼자 탄식을 하는 것이었다.

덕기는 신앙을 잃고, 사회적으로 활약할 길이 막힌 상훈의 삶을 _____하면서도, 생활이 타락해가는 부친의 삶에 대해 _____하고 있어.

장면끊기 02 중략 전에는 돈의 쓰임을 두고 _____과 상훈이 갈등했다면 중략 후에는 상훈과 _____가 갈등하고 있어. 두 장면은 가치관 차이로 인한 세대 간의 _____을 보여 준다는 점에서 연결지어 이해할 수 있어. 이 장면에서는 조 의관의 죽음 이후 덕기와 상훈 두 인물의 시각에서 각자의 심리와 내적 갈등, 외적 갈등을 제시하고 있다는 데 주목할 수 있어.

– 염상섭, 「삼대」 –

*조인광좌: 여러 사람이 빽빽하게 많이 모인 자리.

*점해서: 부끄럽고 미안해서.

현대소설 독해의 STEP 2

1 인물 간의 관계를 고려하여 구조도의 빈칸에 적절한 말을 채우세요.

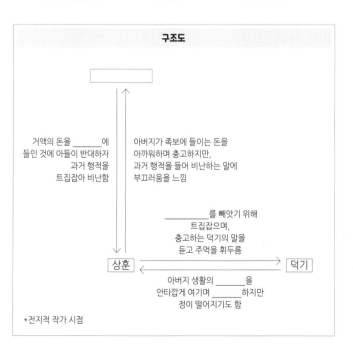

구조도

거액의 돈을 _____에 들인 것에 아들이 반대하자 과거 행적을 트집잡아 비난함

아버지가 족보에 들이는 돈을 아까워하며 충고하지만, 과거 행적을 들어 비난하는 말에 부끄러움을 느낌

_____를 빼앗기 위해 트집잡으며, 충고하는 덕기의 말을 듣고 주먹을 휘두름

상훈 ← → 덕기

아버지 생활의 _____을 안타깝게 여기며 _____하지만 정이 떨어지기도 함

*전지적 작가 시점

---

2 1~2번 문제를 풀어 보세요.

1. 〈보기〉를 바탕으로 ㉠과 ㉡을 설명한 내용으로 가장 적절한 것은?

〈보기〉

「삼대」의 서술자는 대체로 특정 인물의 시각에 의존하여 다른 인물을 서술 대상으로 포착한다. 이때 그 특정 인물은 장면에 따라 선택되며, 서술자는 특정 인물의 시각을 통해 서술 대상이 되는 인물들의 심리를 보여 준다. 이러한 서술 방식으로 서술자는 특정 인물이 지닌 의식과 행동 사이의 인과관계, 다른 인물과의 관계에서 겪는 심리적 갈등을 통해 인물의 성격과 그에 대한 평가를 복합적으로 드러낸다.

① ㉠에서는 서술자가 선택한 특정 인물이 영감에서 아들로 달라지는 반면, ㉡에서는 덕기로 고정되어 있다.

② ㉠에서는 서술 대상인 상훈의 의식과 행동 사이의 인과관계가, ㉡에서는 덕기가 포착한 상훈의 심리적 갈등이 드러난다.

③ ㉠에서는 영감의, ㉡에서는 덕기의 시각에서 서술 대상인 상훈을 낮게 평가하며 그와의 심리적인 갈등을 드러내고 있다.

④ ㉠에서는 서술 대상인 상훈에 대한 영감의 평가가 달라지는 반면, ㉡에서는 서술 대상인 상훈에 대한 덕기의 평가가 달라지지 않는다.

⑤ ㉠에서는 서술자가 선택한 특정 인물인 영감의 성격이, ㉡에서는 서술자가 선택한 특정 인물인 덕기와 서술 대상인 상훈의 성격이 드러난다.

2. 문학 개념어 OX 확인 문제

① 현재와 과거의 장면을 교차하여 인물의 성격이 변화하는 과정을 보여주고 있다.   ○ ✕

② 인물 간의 대화를 통해 가치관의 차이가 드러나고 있다.   ○ ✕

현대소설 독해의 STEP 3

1 선지 판단 공식을 활용하여 빈칸을 채우고 1번 문제의 선지를 OX로 판단해 보세요.

〈보기〉 문제 선지 판단의 공식

① 〈보기〉 「삼대」에서는 _____에 따라 특정 인물이 선택되며, 그 시각에 의존하여 다른 인물을 _____으로 포착함

➕ 작품
'㉠_____은 아들의 말이 옳다고는 생각하였으나~그 입들을 씻기기 위하여 쓴 것이다.',
'그 속에 앉은 _____은 딴 세상 사람같이 생각이 들었다. ㉡신앙을 잃어버리고 사회적으로 활약할 야심이나 희망까지 길이 막히고 보면야, 생활이 거칠어 가는 수밖에는 없을 것이라고 동정도 하는 한편인데,~ _____는 부친에게 반항하기보다도 다만 혼자 탄식을 하는 것이었다.'

🔵선지➡ ㉠에서는 서술자가 선택한 특정 인물이 영감에서 아들로 달라지는 반면, ㉡에서는 덕기로 고정되어 있다.   ○ ✕

② 〈보기〉 「삼대」에서는 장면에 따라 선택된 특정 인물의 _____에서 다른 인물을 서술 대상으로 포착하는 서술 방식을 통해 특정 인물의 의식과 행동 사이의 _____, 심리적 갈등으로 인물에 대한 평가를 드러냄

➕ 작품
'㉠_____은 아들의 말이 옳다고는 생각하였으나~그 입들을 씻기기 위하여 쓴 것이다.',
'㉡신앙을 잃어버리고 _____
_____ 보면야, 생활이 거칠어 가는 수밖에는 없을 것이라고 동정도 하는 한편인데,~덕기는 부친에게 반항하기보다도 다만 혼자 탄식을 하는 것이었다.'

🔵선지➡ ㉠에서는 서술 대상인 상훈의 의식과 행동 사이의 인과관계가, ㉡에서는 덕기가 포착한 상훈의 심리적 갈등이 드러난다.   ○ ✕

③ 〈보기〉 「삼대」에서는 장면에 따라 선택된 _____의 시각에서 다른 인물을 서술 대상으로 포착하는 서술 방식을 통해 다른 인물과의 관계에서 겪는 심리적 갈등으로 인물에 대한 _____를 드러냄

➕ 작품
'㉠영감은 아들의 말이 _____고는 생각하였으나',
'㉡신앙을 잃어버리고 사회적으로 활약할 야심이나 희망까지 길이 막히고 보면야, 생활이 거칠어 가는 수밖에는 없을 것이라고 _____도 하는 한편인데,~노래에 이렇게도 생활이 타락하여 갈까 하고.'

🔵선지➡ ㉠에서는 영감의, ㉡에서는 덕기의 시각에서 서술 대상인 상훈을 낮게 평가하며 그와의 심리적인 갈등을 드러내고 있다.   ○ ✕

④ 〈보기〉 「삼대」에서는 장면에 따라 선택된 특정 인물의 시각에서 다른 인물을 서술 대상으로 포착하는 서술 방식을 통해 다른 인물과의 관계에서 겪는 심리적 갈등으로 _____에 대한 평가를 드러냄

➕ 작품
'㉠영감은 아들의 말이 _____고는 생각하였으나',
'㉡신앙을 잃어버리고 사회적으로 활약할 야심이나 희망까지 길이 막히고 보면야, 생활이 거칠어 가는 수밖에는 없을 것이라고 _____도 하는 한편인데,~노래에 이렇게도 생활이 _____하여 갈까 하고.'

🔵선지➡ ㉠에서는 서술 대상인 상훈에 대한 영감의 평가가 달라지는 반면, ㉡에서는 서술 대상인 상훈에 대한 덕기의 평가가 달라지지 않는다.   ○ ✕

⑤

〈보기〉

「삼대」에서는 장면에 따라 선택된 특정 인물의 시각에서 다른 인물을 서술 대상으로 포착하는 서술 방식을 통해 인물의 _____을 드러냄

작품

'㉠영감은 아들의 말이 옳다고는 생각하였으나 실상 그 삼사천 원이란 돈이 _____ 박이는 데에 직접으로 들어간 것이 아니라~그 입들을 씻기기 위하여 쓴 것이다.',
'㉡_____을 잃어버리고 사회적으로 활약할 야심이나 _____까지 길이 막히고 보면야, 생활이 거칠어 가는 수밖에는 없을 것이라고 _____도 하는 한편인데,~덕기는 부친에게 반항하기보다도 다만 혼자 _____을 하는 것이었다.'

◆ ㉠에서는 서술자가 선택한 특정 인물인 영감의 성격이, ㉡에서는 서술자가 선택한 특정 인물인 덕기와 서술 대상인 상훈의 성격이 드러난다. ○ ✕

현대소설 독해의 STEP 1

1 주요 인물에 ☐ 표시를 하고, 빈칸에 적절한 말을 채우세요.

남을 주면 땅을 버린다고 여간 근실한 자국이 아니면 소작을 주지 않았고, 소를 두 필이나 매고 일꾼을 세 명씩이나 두고 적지 않은 전답을 전부 자농(自農)으로 버티어 왔다. 실속이 타작만 못하다는 둥, 일꾼 셋이 저희 농사 해 가지고 나간다는 둥 이해만을 따져 비평하는 소리가 많았으나 창섭의 아버지는 땅을 위해서는 자기의 이해만으로 타산하려 하지 않았다. 창섭의 아버지는 ___을 두고 이해관계를 따지는 일은 하지 않으려고 한 인물이구나. 이와 같은 임자를 가진 땅들이라 곡식은 거둔 뒤 그루만 남은 논과 밭이되, 그 바닥들의 고름, 그 언저리들의 바름, 흙의 부드러움이 마치 시루떡 모판이나 대하는 것처럼 누구의 눈에나 탐스럽게 흐뭇해 보였다. 창섭의 아버지는 땅을 이익을 얻기 위한 수단으로 여기지 않고 애정을 가지고 대했기 때문에 _____을 모두 거두어들인 논밭조차도 탐스러운 땅으로 보일 정도였다.

이런 땅을 팔기에는, 아무리 수입은 몇 배 더 나은 병원을 늘쿠기 위해서나 아버지께 미안하지 않을 수 없었다. 창섭은 _____ 운영을 위해 땅을 팔자고 권유하려는 상황에서 아버지에게 _____한 심정을 느끼고 있어. 그러나 잡히기나 해 가지고는 삼만 원 돈을 만들 수가 없었고, 서울서 큰 양관(洋館)을 손에 넣기란 돈만 있다고도 아무 때나 될 일이 아니었다. 하지만 창섭에게도 땅을 팔아 ___을 마련하는 것이 꼭 필요한 상황인 모양이군.

장면끊기 01 창섭의 아버지가 평소 땅에 깊은 _____을 가지고 있었다는 점과 창섭이 그 땅을 팔아 돈을 마련하려는 계획을 가지고 있음이 드러난 부분이었어. ___에 대한 두 사람의 태도를 중심으로 어떤 이야기가 전개되는지에 주목하며 중략 이후의 내용도 이어서 읽어보도록 하자.

(중략)

"웬일인데 어째 혼자만 오느냐?"

어머니는 손자 아이들부터 보이지 않음을 물으신다.

"오늘루 가야겠어서 아무두 안 데리구 왔습니다."

"오늘루 갈 걸 뭘 허 오누?"

"인전 어머니서껀 서울로 모셔 갈 채빌 허러 왔다우."

"서울루! 제발 아이들허구 한데서 살아 봤음 원이 없겠다."

하고 어머니는 땅보다, 조상님들 산소나 사당보다 손자 아이들에게 더 마음이 끌리시는 눈치였다. 어머니는 자신을 _____로 모셔가려 한다는 창섭의 말을 아주 반기고 있어. _____과 함께 살고 싶은 마음이 간절하신 거지. 그러나 아버지만은 그처럼 단순히 들떠질 마음이 아니었다. 이와 달리 아버지는 땅에 대한 애정이 깊은 분이기에, 그 땅을 팔고 서울로 향하는 것이 그다지 마음을 _____게 하는 일은 아니었겠지?

아버지는 아들의 뒤를 좇아 이내 개울에서 들어왔다.

아들은, 의사인 아들은, 마치 환자에게 치료 방법을 이르듯이, 냉정히 차근차근히 이야기를 시작하였다. 창섭은 본격적으로 아버지를 설득하기 위해 자신의 상황과 땅을 _____면 하는 이유에 대해 차분히 설명하기 시작해. 외아들인 자기가 부모님을 진작 모시지 못한 것이 잘못인 것, 한집에 모이려면 자기가 병원을 버리기보다는 부모님이 농토를 버리시고 서울로 오시는 것이 순리인 것, 병원은 나날이 환자가 늘어가나 입원실이 부족되어 오는 환자의 삼분지 일밖에 수용 못 하는

것, 지금 시국에 큰 건물을 새로 짓기란 거의 불가능의 일인 것, 마침 교통 편한 자리에 삼층 양옥이 하나 난 것, 인쇄소였던 집인데 전체가 콘크리트여서 방화 방공으로 가치가 충분한 것, 삼층은 살림집과 직공들의 합숙실로 꾸미었던 것이라 입원실로 변장하기에 용이한 것, 각층에 수도·가스가 다 들어온 것, 그러면서도 가격은 염한 것, 염하기는 하나 삼만 이천 원이라, 지금의 병원을 팔면 일만 오천 원쯤은 받겠지만 그것은 새 집을 고치는 데와, 수술실의 기계를 완비하는 데 다 들어갈 것이니 집값 삼만 이천 원은 따로 있어야 할 것, 시골에 땅을 둔대야 일 년에 고작 삼천 원의 실리가 떨어질지 말지 하지만 땅을 팔아다 병원만 확장해 놓으면, 적어도 일 년에 만 원 하나씩은 이익을 뽑을 자신이 있는 것, 땅을 판 돈으로 병원을 확장하여 더 많은 경제적 _____을 취하고자 하는 것이 창섭의 목적이었구나. 돈만 있으면 땅은 이담에라도, 서울 가까이라도 얼마든지 좋은 것으로 살 수 있는 것……

아버지는 아들의 의견을 끝까지 잠잠히 들었다. 그리고,

"점심이나 먹어라. 나두 좀 생각해 봐야 대답허겠다."

하고는 다시 개울로 나갔고, 떨어졌던 다릿돌을 올려놓고야 들어와 그도 점심상을 받았다.

장면끊기 02 창섭이 아버지에게 땅을 팔 것을 권유하며 그 _____를 조목조목 설명하는 내용이었어. 아버지는 _____을 해 보겠다며 바로 답을 주지 않는데, 이후 점심상을 받으면서 두 사람의 대화가 다시 이어진다는 점을 고려해 여기서 한 번 끊고 내용을 정리하도록 하자.

점심을 자시면서였다.

"원, 요즘 사람들은 힘두 줄었나 봐! 그 다리 첨 놀 제 내가 어려서 봤는데 불과 여남은이서 거들던 돌인데 장정 수십 명이 하나 잘을 씨름을 허다니!"

"나무다리가 있는데 건 왜 고치시나요?"

"너두 그런 소릴 허는구나. 나무가 돌만 허다든? 넌 그 다리서 고기 잡던 생각두 안 나니? 서울루 공부 갈 때 그 다리 건너서 떠나던 생각 안 나니? 시쳇사람들은 모두 인정이란 게 사람헌 테만 쓰는 건 줄 알드라! 내 할아버님 산소에 상돌을 그 다리로 건네다 모셨구, 내가 천잘 끼구 그 다리루 글 읽으러 댕겼다. 네 어미두 그 다리루 가말 타구 내 집에 왔어. 나 죽건 그 다리루 건네다 묻어라……. 난 서울 갈 생각 없다." 아버지에게 있어 ___로 만든 다리는 가족의 역사가 담긴 의미 있는 대상이야. 그러한 가치를 중요시하지 않는 창섭과 뭇사람들의 생각을 꼬집고는 자신은 서울로 갈 생각이 **(있음/없음)**을 밝히고 있네.

"네?"

"천금이 쏟아진대두 난 땅은 못 팔겠다. 내 아버님께서 손수 이룩허시는 걸 내 눈으루 본 밭이구, 내 할아버님께서 손수 피땀을 흘려 모신 돈으루 장만허신 논들이야. 돈 있다고 어디가 느르지논 같은 게 있구, 독시장밭 같은 걸 사? 느르지 논둑에 선 느티나문 할아버님께서 심으신 거구, 저 사랑 마당의 은행나무는 아버님께서 심으신 거다. 아버지는 집안 대대로 손수 일궈온 땅을 **(팔겠다는/팔지 않겠다는)** 단호한 의지를 드러내고 있어. 그 나무 밑을 설 때마다 난 그 어른들 동상(銅像)이나 다름없이 경건한 마음이 솟아 우러러보군 헌다. 땅이란 걸 어떻게 일시 이해를 따져 사구 팔구 허느냐? 땅 없어 봐라, 집이 어딨으며 나라가 어딨는 줄 아니? 땅이란 천지만물의 근거야. 돈 있다구 땅이 뭔지두 모르구 욕심만 내 문서 쪽으로 사 모기만 하는 사람들, 돈놀이처

럼 변리만 생각허구 제 조상들과 그 땅과 어떤 인연이란 건 도
시 생각지 않구 헌신짝 버리듯 하는 사람들, 다 내 눈엔 괴이한
사람들루밖엔 뵈지 않드라." _____의 근거가 되는 땅의 가치
와 그 안에 담긴 인연을 헤아리지 않고 그저 이익을 얻기 위해 땅을 사고파는 사람들을
(긍정적/부정적)으로 여기는 아버지의 인식이 드러나.

"……."

장면끊기 03 땅을 팔지 않겠다는 아버지의 대답이 드러나는 장면이었어. ___ 그 자체와
땅과 함께한 사람들의 _____을 경제적 이익보다 훨씬 더 중요하게 생각하는 아버지의
가치관을 확인할 수 있지.

– 이태준, 「돌다리」 –

현대소설 독해의 STEP 2

1 인물 간의 관계를 고려하여 구조도의 빈칸에 적절한 말을 채우세요.

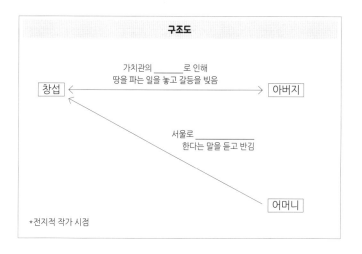

```
                    구조도

              가치관의 _____로 인해
              땅을 파는 일을 놓고 갈등을 빚음
    창섭  ←─────────────────────────────→  아버지

                서울로 _____
                한다는 말을 듣고 반김

                                          어머니

  *전지적 작가 시점
```

---

2 1~2번 문제를 풀어 보세요.

1. 〈보기〉를 참고하여 윗글을 감상한 내용으로 가장 적절한 것은?

――――〈보기〉――――

소설 속의 모든 인물은 자아이면서 동시에 세계의 일부이다. 자아를 작품
속에서 행동하는 주체라고 하면, 그 주체를 둘러싸고 있는 모든 것은 세계가
된다. 이러한 자아와 세계의 대립과 갈등으로 전개되는 것이 서사의 본질이다.

① '창섭'은 자아로서의 논리를 통해 세계와의 갈등을 해소하는 인물이다.

② '아버지'는 자아로서의 완고한 성격을 세계에 대해서도 유지하고 있는 인물
이다.

③ 자아로서의 '창섭'은 세계의 부정적 속성들을 들추어 고발하고 있다.

④ 자아로서의 '아버지'는 '창섭'과 '어머니'의 대립과 갈등을 중재하고 있다.

⑤ 자아로서의 '어머니'는 자신 속에 존재하는 또 다른 자아와 갈등하고 있다.

2. 문학 개념어 OX 확인 문제

① 대조적인 소재를 활용하여 주제 의식을 부각하고 있다.   ○ ✕

② 서술자가 인물의 발화 내용을 요약적으로 제시하고 있다.   ○ ✕

③
주차

현대소설 독해의 STEP 3

1 선지 판단 공식을 활용하여 빈칸을 채우고 1번 문제의 선지를 OX로 판단해 보세요.

〈보기〉 문제 선지 판단의 공식

① 〈보기〉 소설 속 모든 인물은 _____이면서 동시에 세계의 일부임, 서사는 자아와 세계의 _____을 통해 전개됨 **+** 작품 '한집에 모이려면~부모님이 농토를 _____고 서울로 _____는 것이 순리인 것', '난 서울 갈 생각 없다.', '천금이 쏟아진대두 난 땅은 못 팔겠다.'

선지▶ '창섭'은 자아로서의 논리를 통해 세계와의 갈등을 해소하는 인물이다. ○ ×

② 〈보기〉 자아는 작품 속 행동하는 주체, 세계는 _____를 둘러싸고 있는 _____을 말함 **+** 작품 '_____ 난 땅은 못 팔겠다.', '돈 있다구 땅이 뭔지두 모르구 욕심만 내 문서 쪽으로 사 모기만 하는 사람들,~다 내 눈엔 _____한 사람들루밖엔 뵈지 않드라.'

선지▶ '아버지'는 자아로서의 완고한 성격을 세계에 대해서도 유지하고 있는 인물이다. ○ ×

③ 〈보기〉 자아는 작품 속 행동하는 주체, 세계는 주체를 둘러싸고 있는 모든 것을 말함 **+** 작품 '땅을 팔아다 _____만 확장해 놓으면, 적어도 일 년에 만 원 하나씩은 _____을 뽑을 자신이 있는 것'

선지▶ 자아로서의 '창섭'은 세계의 부정적 속성들을 들추어 고발하고 있다. ○ ×

④ 〈보기〉 소설 속 모든 인물은 자아이면서 동시에 세계의 일부임, 서사는 _____의 대립과 갈등을 통해 전개됨 **+** 작품 '인전 어머니서건 서울로 모셔 갈 채빌 허러 왔다우.', '서울루! 제발 아이들허구 한데서 살아 봤음 _____.'

선지▶ 자아로서의 '아버지'는 '창섭'과 '어머니'의 대립과 갈등을 중재하고 있다. ○ ×

⑤ 〈보기〉 소설 속 모든 인물은 자아이면서 동시에 세계의 일부임, 서사는 자아와 세계의 대립과 갈등을 통해 전개됨 **+** 작품 '서울루! 제발 아이들허구 한데서 살아 봤음 원이 없겠다.', '어머니는 땅보다,~손자 아이들에게 더 _____ 였다.'

선지▶ 자아로서의 '어머니'는 자신 속에 존재하는 또 다른 자아와 갈등하고 있다. ○ ×

현대소설 독해의 STEP 1

1️⃣ 주요 인물에 ☐ 표시를 하고, 빈칸에 적절한 말을 채우세요.

[앞부분 줄거리] '나'는 할아버지 제사에 참석하기 위해 8년 만에 제주도를 찾는다. 제사를 기다리는 동안 방 안에 모인 사람들은 죽은 '순이 삼촌'(제주도에서는 촌수를 따지기 어려운 먼 친척 어른을 남녀 구별 없이 '삼촌'이라고 부름.) 이야기를 나누며 30년 전 마을에서 있었던 끔찍한 사건을 다시 떠올린다.

그의 속삭이는 말로는 순이 삼촌은 심한 신경 쇠약 환자라는 것이었다. 게다가 환청 증세까지 있어 시골에 있을 때도, 한 적이 없는 말을 들었노라고, 보지도 않은 흉을 봤다고 따지고 들기를 잘했다는 것이었다. 그러니 '밥 많이 먹는 식모'라는 것도, 우리에게 품은 오해도 모두 환청 때문에 생긴 것이 틀림없다고 말했다. 역시 그랬었구나. 옆에서 얘기를 듣던 아내는 방정맞게 안도의 한숨까지 내쉬었다. 순이 삼촌은 심한 _____ 환자로, 환청 증상이 있었다고 해. 그러한 사실을 듣고 '역시 그랬었구나.'라며 _____하는 아내는 순이 삼촌에게 어떠한 문제가 있었을 것이라는 것을 미리 짐작하고 있었나 봐.

당신의 신경 쇠약은 지독한 결벽증과도 서로 얽힌 것인데 이런 증세는 꽤나 해묵은 것이라고 했다. 그건 사오 년 전 콩 두 말을 훔쳤다는 억울한 누명을 썼을 때 얻은 병이었다. 장면끊기 01 '나'가 '그'로부터 _____의 신경 쇠약 증세에 대한 이야기를 듣는 장면이야. 이후 순이 삼촌이 신경 쇠약을 얻게 된 사건이 제시되니, 여기서 장면을 끊고 가자. 하루는 이웃집에서 길에 멍석을 펴고 내다 넌 메주콩 두 말이 감쪽같이 없어졌는데 그 혐의를 평소에 사이가 안 좋던 순이 삼촌에게 씌워 놓았다. 두 집은 서로 했느니 안 했느니 하면서 옥신각신 다투다가 그 집 여편네가 파출소에 가서 따지자고 당신의 팔을 잡아끌었던 모양인데 파출소 가자는 말에 당신은 대번에 기가 죽으면서 거기는 못 간다고 주저앉아 버리더라는 것이었다.

그러니 자연히 당신이 콩을 훔친 것으로 소문나 버릴 밖에. 당신이 그전부터 파출소를 피해 다니는 이상한 기피증이 있다는 걸 아는 사람은 알고 있었지만 그건 일단 씌워진 누명을 벗기는 데 별 도움이 되지 않았다. 당신은 1949년에 있었던 마을 소각 때 깊은 정신적 상처를 입어, 불에 놀란 사람 부지깽이만 봐도 놀란다는 격으로 군인이나 순경을 먼빛으로만 봐도 질겁하고 지레 피하던 신경 증세가 진작부터 있어 온 터였다. 순이 삼촌은 _____를 기피하는 성향 때문에 이웃집의 _____ 두 말을 훔쳤다는 누명을 썼어. 이때 군인이나 순경을 기피한 것은 1949년의 마을 소각, 즉 30년 전 마을에서 있던 끔찍한 사건으로 인해 얻은 _____에서 비롯된 것이었지. 30년 전부터 이어진 신경 증세는 누명을 쓴 사건을 계기로 심한 신경 쇠약으로 발전하게 되었나 봐.

장면끊기 02 사오 년 전에 '당신', 즉 순이 삼촌이 억울한 _____을 썼을 때의 이야기를 전해들은 '나'가, 서술자로서 자신이 들은 이야기를 독자에게 전달하는 장면이야. 중략 이후가 되나 여기서 장면을 끊자.

(중략)

군인들이 이렇게 돼지 몰듯 사람들을 몰고 우리 시야 밖으로 사라지고 나면 얼마 없어 일제 사격 총소리가 콩 볶듯이 일어나곤 했다. 통곡 소리가 천지를 진동했다. 할머니도 큰아버지도 길수

형도 나도 울었다. 우익 인사 가족들도 넋 놓고 엉엉 울고 있었다. 우는 것은 사람만이 아니었다. 마을에서 외양간에 매인 채 불에 타 죽는 소 울음소리와 말 울음소리도 처절하게 들려왔다. 중낮부터 시작된 이런 아수라장은 저물녘까지 지긋지긋하게 계속되었다. 군인들에게 사람들이 끌려 나간 후 일어났다는 _____와 천지를 진동시켰다는 _____ 소리, 외양간의 짐승들이 불에 타 죽어가며 냈다는 처절한 울음소리에서 당시의 끔찍한 상황이 생생하게 전해지고 있어.

장면끊기 03 '나'와 마을 사람들이 과거에 겪었던 아수라장을 제시하는 장면이야. 앞 장면에서 순이 삼촌에게 정신적 상처를 입히던 _____년의 일이겠지. '나'나 '우리'를 주체로 삼은 표현에서 알 수 있듯 이 장면에 제시된 사건은 서술자인 '나'가 직접 겪었던 일이야.

길수 형이 말했다.

"그때 혼자 살아난 순이 삼촌 허는 말을 들으난, 군인들이 일주도로변 옴팡진 밭에다가 사름들을 밀어붙였는디, 사름마다 밭이 안 들어가겐 밭담 우엔 엎더지언 이마빡을 쪼사 피를 찰찰 흘리멍 살려 달렌 하던 모양입디다." 순이 삼촌은 _____들에게 끌려 나갔던 사람들 중 기적적으로 살아남은 한 명이었나 봐. 군인들이 끌고 나간 사람들을 ___에 모아 놓고 사격을 했다는 정황이 나타나.

"쯧쯧쯧, 운동장에 벗겨져 널려진 임자 없는 고무신을 다 모아 놓으민 아매도 가매니로 하나는 실히 되었을 거여. 죽은 사람 몇 백 명이나 되까?"

하고 작은 당숙이 말하자 길수 형은 낯을 모질게 찌푸리며 말을 씹어뱉었다.

"면에서는 이 집에 고구마 몟 가마 내고 저 집에 유채 몟 가마 소출 냈는지는 알아 가도 그날 죽은 사람 수효는 이날 이때 한 번도 통계 잡아 보지 않으니, 내에 참. 내 생각엔 오백 명은 넘은 것 같은디, 한 육백 명 안 되까 마씸? 한 번에 오륙십 명씩 열한 번을 몰아가시니까." 당시의 사건으로 인해 수많은 희생이 있었다는 정황이 제시되고 있네. '쯧쯧쯧'하며 혀를 차는 _____과, 얼굴을 찌푸리며 말을 씹어뱉는 _____의 모습에서 안타까움과 분한 감정이 전해져.

장면끊기 04 현재의 시점에서 '나'가 길수 형과 작은 당숙이 나누는 대화를 옮겨서 서술한 장면이야. 중략 이후에는 과거에 체험했던 사건에 대한 '나'의 서술과 현재 시점에서 이루어지는 사건 당사자들 간의 대화가 제시되면서 _____년 전 마을에서 있었던 끔찍한 사건의 실체가 구체화되고 있어.

열한 번째로 끌려가던 사람들은 그야말로 운수 대통한 사람들이었다. 때마침 대대장 차가 도착하여 총살 중지 명령을 내렸던 것이다. 이 불행한 사건에도 예외 없이 '만약'이란 가정이 따라왔다. 만약 대대장이 읍에서부터 타고 오던 지프차가 도중에 고장만 나지 않았더라면 한 시간 더 일찍 도착했을 터이고, 그렇게 되면 삼백 명이나 사백 명은 더 살렸을 것이다. 따라서 희생자는 백 명 내외로 줄어들 것이고, 또 적에게 오염됐다고 판단된 부락을 토벌해서 백 명 정도의 이적 행위자를 사살했다면 그건 수긍할 만한 일이었을지 모른다. 그러나 피살자 육백 명이란 수효는 옥석을 가리지 않은 무차별 사격을 의미했다. 총살 중지 명령은 너무 늦게 내려졌어. 그동안 열 번에 걸쳐 끌려 나간 피살자는 _____ 명쯤까지 달해 있었지. '나'는 '만약'을 가정하면서 안타까워하고, 피살자의 수를 고려할 때 당시의 사건은 이적 행위자의 사살이라기보다는 옥석을 가리지 않은 _____이었다고 봐.

장면끊기 05 다시 과거의 사건에 대해 서술하고 있는 장면이야. 당시의 끔찍한 사건은 수많은 피살자를 남기고, 뒤늦게 도착한 대대장의 _____에 의해 겨우 끝이 났음이 나타나.

"고모부님, 대대장이 말한 차 고장은 핑계가 아니까 마씸? 일개 중대장이 대대장도 모르게 어떻게 그런 엄청난 일을 저지를 수가 이서 마씸?"

고모부는 그 당시 토벌군으로 애월면에 가 있었기 때문에 자세한 것은 알지 못할 터였다. 고모부는 한때 인근 부락인 함덕리에 주둔했던 서북청년으로만 구성된 중대에 소속되어 있었는데 마침 사건 수개월 전에 애월로 이동해 갔던 것이었다. 신혼 초라 고모도 따라갔다. 당시에 고모부는 _____의 일원으로, 고모와 함께 _____에 가 있었기에 마을에서 벌어졌던 사건의 상세까지는 알지 못해.

"그 당시엔 중대장 즉결 처분권이란 것이 있을 때랐쥬. 또 갸들이 전투 사령부의 작전 명령에 따라 행동했댄 해도 작전 명령을 잘못 해석하였을 공산이 커. 난 졸병 생활해서 잘은 모르지만 아마 그것도 견벽청야(堅壁淸野) 작전의 일부일 거라. 쉬운 말로 소개 작전이란 거쥬. 견벽청야 작전이란 것이 뭐냐믄 손자병법에서 따온 것이라는데, 공비를 소탕할 때 먼저 토벌군으로 벽을 쌓아 병풍을 만들고 그 후 들을 말끔히 청소하는 거라. 산간벽촌을 일일이 다 보호헐 수 없는 것 아니냔 말이여. 그러니 일정한 거점만 확보하고 나머지 지역은 인원과 물자를 비워 버려 공비가 발붙일 여지가 없게 하자는 궁리었쥬. 그런디 인원과 물자를 비워 버리라는 대목에서 그만 잘못 일이 글러진 거라. 작전 지역 내의 인원과 물자를 안전 지역으로 후송하라는 뜻이 인원을 전원 총살하고 물자를 전부 소각하라는 것으로 둔갑하고 말아시니 말이여." 고모부는 대대장도 모르게 그런 엄청난 일이 일어나는 게 가능한 일이냐는 물음에 대해, 당시에는 중대장 즉결 _____이 있었고, _____의 잘못된 해석이 이루어졌을 가능성이 있다고 답해. 견벽청야 작전에 따라 인원과 물자를 비우라는 대목이 인원의 _____과 물자의 _____으로 해석되었을 것이라고 말이야.

"아니, 고모부님도 참, 그 말을 곧이들엄수꽈? 그건 웃대가리들이 책임을 모면해 보젠 둘러대는 핑계라 마씸. 우리 부락처럼 떼죽음당한 곳이 한둘이 아니고 이 섬을 뺑 돌아가멍 수없이 많은데 그게 다 작전 명령을 잘못 해석해서 일어난 사건이란 말이우꽈? 말도 안 되는 소리우다. 이 작전 명령 자체가 작전 지역의 민간인을 전부 총살하라는 게 틀림없어 마씸." 그 말을 곧이들었냐는 물음에서 의견의 대립을 확인할 수 있어. 실제로 마을의 참상을 경험한 입장에서, 고모부의 추측은 _____을 모면하기 위한 _____로밖에 들리지 않아. 단순히 작전 명령의 잘못된 해석에서 비롯된 것이라고 보기에는 너무 많은 희생이 있었거든.

장면끊기 06 30년 전 마을에 있었던 사건에 대한 사건 당사자의 생각과, _____의 일원이면서 당시 마을에는 없던 고모부의 생각이 서로 대립되고 있음이 제시되는 장면이야.

— 현기영, 「순이 삼촌」 —

현대소설 독해의 STEP 2

1 인물 간의 관계를 고려하여 구조도의 빈칸에 적절한 말을 채우세요.

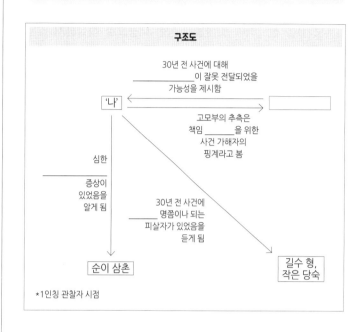

구조도

30년 전 사건에 대해 _____이 잘못 전달되었을 가능성을 제시함

'나'

고모부의 추측은 책임 _____을 위한 사건 가해자의 핑계라고 봄

심한 _____ 증상이 있었음을 알게 됨

30년 전 사건에 _____ 명쯤이나 되는 피살자가 있었음을 듣게 됨

순이 삼촌

길수 형, 작은 당숙

*1인칭 관찰자 시점

1~2번 문제를 풀어 보세요.

1. 〈보기〉를 참고하여 윗글을 감상한 내용으로 적절하지 <u>않은</u> 것은?

〈보기〉

과거의 사건에 대한 개인의 기억이 강렬할 경우, 이 기억은 개인의 삶에 지속적으로 영향을 미치고 여러 사람과 공유되면 기억의 집단화가 이루어지기도 한다. 그런데 기억은 같은 사건이라도 기억 주체가 처한 상황과 맥락에 따라 다르게 구성될 수 있다. 따라서 역사적 사건의 피해자들은 자신들의 기억과는 다르게 구성된 가해자들의 기억을 쉽게 받아들이지 못하며, 그들의 기억에 명분을 부여한 논리에 대해 비판적 인식을 갖게 된다.

① '전투 사령부'의 '견벽청야' 명령은 역사적 사건의 가해자들이 자신들의 기억에 스스로 명분을 부여하기 위해 나중에 꾸며낸 것이겠군.

② '길수 형'이 '순이 삼촌'에게 전해 들은 '그때'의 사건을 방 안에 모인 사람들에게 이야기하는 것은, 개인의 기억이 여러 사람과 공유되는 장면으로 볼 수 있겠군.

③ '군인이나 순경'을 먼빛으로만 봐도 질겁하고 피하는 '순이 삼촌'의 모습은, 과거에 대한 기억이 개인의 삶에 지속적으로 영향을 줄 수 있음을 보여 주는 것이겠군.

④ '그건 웃대가리들이 책임을 모면해 보젠 둘러대는 핑계라 마씸.'이라는 말에는, 가해자들의 기억을 구성한 논리에 대한 비판적 인식이 담겨 있다고 볼 수 있겠군.

⑤ 당시 토벌군이었던 '고모부'가 마을에서 벌어진 사건에 대해 '길수 형'이나 '나'와는 다르게 기억하고 있는 것은, 그가 처한 상황이 피해자들과는 확연히 달랐기 때문이겠군.

2. 문학 개념어 OX 확인 문제

① 감각적으로 배경을 묘사하여 인물의 심리 변화를 세밀하게 전달하고 있다.

○ ×

② 서술자는 전해 들은 이야기를 전달하는 방식과 직접 경험한 사건을 서술하는 방식을 모두 활용하고 있다.　　　　　　　　　　　○ ×

현대소설 독해의 **STEP 3**

1 선지 판단 공식을 활용하여 빈칸을 채우고 1번 문제의 선지를 OX로 판단해 보세요.

〈보기〉 문제 선지 판단의 공식

① 〈보기〉 역사적 사건의 피해자들은 자신의 기억과 다르게 구성된 _____들의 기억에 _____을 부여한 논리에 대해 비판적인 인식을 가짐

＋ 작품 '또 갸들이 _____의 작전 명령에 따라 행동했댄 해도 작전 명령을 잘못 해석하였을 공산이 커. 난 졸병 생활해서 잘은 모르지만 아마 그것도 _____ 작전의 일부일 거라.'

선지▶ '전투 사령부'의 '견벽청야' 명령은 역사적 사건의 가해자들이 자신들의 기억에 스스로 명분을 부여하기 위해 나중에 꾸며낸 것이겠군. ○ ×

② 〈보기〉 과거의 사건에 대한 개인의 강렬한 기억은 여러 사람과 _____되면서 기억의 _____가 이루어지기도 함

＋ 작품 '그때 혼자 살아난 _____ 허는 말을 들으난,~ 사름마다 밭이 안 들어가젠 밭담 우엔 엎디어전 이마빡을 쪼사 피를 찰찰 흘리멍 살려 달렌 하던 모양입디다.'

선지▶ '길수 형'이 '순이 삼촌'에게 전해 들은 '그때'의 사건을 방 안에 모인 사람들에게 이야기하는 것은, 개인의 기억이 여러 사람과 공유되는 장면으로 볼 수 있겠군. ○ ×

③ 〈보기〉 과거의 사건에 대한 개인의 강렬한 기억은 _____에 지속적으로 영향을 미침

＋ 작품 '당신은 1949년에 있었던 마을 소각 때 _____를 입어, 불에 놀란 사람 부지깽이만 봐도 놀란다는 격으로 군인이나 순경을 먼빛으로만 봐도 질겁하고 지레 피하던 _____가 진작부터 있어 온 터였다.'

선지▶ '군인이나 순경'을 먼빛으로만 봐도 질겁하고 피하는 '순이 삼촌'의 모습은, 과거에 대한 기억이 개인의 삶에 지속적으로 영향을 줄 수 있음을 보여 주는 것이겠군. ○ ×

④ 〈보기〉 역사적 사건의 _____들은 자신의 기억과 다르게 구성된 가해자들의 기억에 명분을 부여한 _____에 대해 _____인 인식을 가짐

＋ 작품 '아니, 고모부님도 참, 그 말을 곧이들엄수꽈? 그건 웃대가리들이 _____을 모면해 보젠 둘러대는 _____라 마씸.'

선지▶ '그건 웃대가리들이 책임을 모면해 보젠 둘러대는 핑계라 마씸.'이라는 말에는, 가해자들의 기억을 구성한 논리에 대한 비판적 인식이 담겨 있다고 볼 수 있겠군. ○ ×

⑤ 〈보기〉 기억은 같은 사건이라도 기억 주체가 처한 _____과 _____에 따라 다르게 구성될 수 있음

＋ 작품 '고모부는 그 당시 토벌군으로 _____에 가 있었기 때문에 자세한 것은 알지 못할 터였다.'

선지▶ 당시 토벌군이었던 '고모부'가 마을에서 벌어진 사건에 대해 '길수 형'이나 '나'와는 다르게 기억하고 있는 것은, 그가 처한 상황이 피해자들과는 확연히 달랐기 때문이겠군. ○ ×

현대소설 독해의 STEP 1

1 주요 인물에 ☐ 표시를 하고, 빈칸에 적절한 말을 채우세요.

㉠그렇게…… 그렇게도 배가 고프디야.

그 넓은 운동장을 다 걸어 나올 때까지 불현듯 어머니의 입에서 새어 나온 말은 꼭 그 한마디였다. 하지만 그것은 반드시 그를 향해 묻는 말이라기보다는 넋두리에 더 가까웠다. 교문을 나선 어머니는 집으로 가는 길을 제쳐 두고 웬일인지 곧장 다릿목에서 왼쪽으로 꺾어 드는 것이었다. 저만치 구호소 식당이 눈에 들어왔을 때 그는 까닭 모를 두려움과 수치심으로 뒷걸음질을 쳤다. 그는 _____ 식당을 보고 두려움과 _____을 느끼고 있어. 그런 그를 어머니는 별안간 무서운 힘으로 잡아끌었다.

㉡가자. 아무리 없어서 못 먹고 못 입고 살더래도 나는 절대로 내 새끼를 거지나 도둑놈으로 키울 수는 없응께. 시상에…… 시상에, 돌아가신 느그 아버지가 이런 꼴을 보시면 뭣이라고 그러시끄나이. 어머니는 아무리 가난하더라도 아들을 _____으로 키울 수는 없다고 해.

어머니의 음성은 돌연 냉랭하게 변해 있었다. 끝내 그는 와앙 울음을 터뜨려 버리고 말았다. 그러나 어머니는 기어코 구호소 식당 안의 때 묻은 널빤지 의자 위에 그를 끌어다가 앉혀 놓았다.

잠시 후 어머니가 손바닥에 받쳐 들고 온 것은 한 그릇의 국수였다. 긴 대나무 젓가락이 찔려져 있는 그것을 어머니는 그의 앞으로 밀어 놓으며 말했다.

㉢먹어라이. 어서 먹어 보란 말다이…….

어머니의 음성에는 어느새 아까의 냉랭함이 거의 지워져 있었다. 그는 몇 번 망설이다가는 젓가락을 뽑아 들고 무 조각 하나가 덩그러니 떠 있는 그 구호용 가락국수를 먹기 시작했다. 그러다가 문득 고개를 들었던 그는 그만 젓가락을 딸각 놓아 버리고 말았다. 마주 앉아서 그때까지 그를 줄곧 지켜보고 있었을 어머니의 눈에는 소리도 없이 눈물이 그득히 괴어오르고 있었기 때문이었다. 아들에게 구호소에서 구호용 _____를 먹이며 _____는 눈물이 차올랐어. 탁자 밑에 가지런히 모아져 있는 어머니의 낡은 먹고무신을 내려다보며 그는 갑자기 목구멍이 뻐근해져 옴을 느껴야 했다. 그는 어머니의 낡은 _____을 보며 서글픔을 느끼고 있어.

그 후, 그는 두 번 다시 그 빈민 구호소 식당 앞에서 얼쩡거리지 않았다. 아마도 그런 기억 때문이었는지는 몰라도, 두 아이의 아버지가 된 지금까지도 국수는 그에게 여전히 싫어하는 음식으로 남아 있었다. 그가 어른이 된 지금까지도 _____를 싫어하는 이유가 제시되어 있어.

장면끊기 01 그가 _____했던 어린 시절을 떠올리는 장면이 제시되어 있어. _____는 그를 빈민 _____으로 데려가 구호용 가락국수를 먹었고, 그는 가난과 슬픔의 기억으로 인해 어른이 되어서도 국수를 싫어한다고 하고 있어.

(중략)

어머니한테 뭔가 이상한 변화가 일어나고 있을지도 모른다는 불길한 조짐을 처음으로 느끼기 시작한 것은 두 달 전쯤부터였다. '그'는 _____ 전부터 어머니의 행동을 보고 불길함을 느꼈나 봐. 그날따라 겨울이 전에 없이 일찍 앞당겨 찾아온 듯한 늦가을 날씨로 밖은 유난히 썰렁했다. 젓가락으로 밥알을 헤아리듯 하며 맛없는 아침상을 받고 있노라니까 아내가 심상찮은 기색으로 곁에 쪼그려 앉는 것이

었다. 그녀가 미처 입을 열기도 전에 그는 짐짓 신경질적인 표정부터 준비했다. 그즈음은 마침 지난달의 봉급을 받지 못한 데다가 그달 봉급마저도 벌써 며칠째 넘기고 있던 참이었으므로, 이번에도 또 아내의 입에서 보나 마나 궁색한 소리가 튀어나오리라고 지레짐작했던 때문이었다. 그는 아내가 _____ 소리를 할 것을 짐작하고 _____인 표정을 짓고 있어. 급료도 제대로 나오지 않는 직장을 뭣 하러 나다녀야 하느냐는 당연한 투정 때문에 얼마 전에도 한바탕 말다툼을 벌였던 적이 있었던 것이다. 그러나 이날 아침은 그게 아니었다.

여보. 나가시기 전에 어머님 좀 잠시 들여다보세요. 암만 해도…….

아니 왜. 감기약을 지어 드렸는데도 여전히 차도가 없으시대?

며칠 전부터 몸이 편찮으시다고 누워 계시는 줄은 그도 알고 있었다. 병원에 가 보는 게 어떻겠느냐고 물었더니, 특별히 아픈 데는 없노라고, 아마도 고뿔인 것 같으니까 누워 있으면 곧 괜찮아질 거라고 하며 어머니는 손을 내젓던 것이었다.

그게 아니라, 저어, 암만해도 어머님이 좀 이상해지신 것 같단 말예요.

그, 그건 또 무슨 소리야.

아내는 뭔가 숨기고 있는 듯한 어정쩡한 표정으로 그의 눈치를 살피고 있었다. 문득 불길한 예감이 뒤통수를 때렸다. 무엇인가 숨기고 있는 듯한 _____의 태도를 보고 그는 _____을 느끼고 있어.

아무리 봐도 예전 같지가 않으시다구요. 그렇게 정신이 총총하시던 분이 별안간 무슨 말인지도 모를 헛소리를 하시기도 하고……. 어쩌다가는 또 말짱해 보이시는 것 같다가도 막상 물어보면 전혀 엉뚱한 대답을 하시는 거예요. 처음엔 일부러 그러시는가 했는데, 글쎄 그게 아니에요.

도대체 난데없이 무슨 소릴 하고 있는 거야, 지금.

설마 어머니가 그럴 리가 있을까 싶으면서도 왠지 섬뜩한 예감에 그는 숟가락을 놓고 곧장 건너가 보았다. 어머니가 헛소리와 _____한 대답을 한다는 아내의 말을 듣고 그는 _____ 예감을 하고 있어.

장면끊기 02 두 번째 장면에서는 어머니에게 이상이 생긴 것 같다는 _____의 말을 들은 그가 불길하고 섬뜩한 _____을 하는 모습이 제시되어 있어. 중략 이후부터 시작하는 두 번째 장면은 과거를 _____하는 첫 번째 장면과 달리 _____의 상황이 제시되고 있어.

어머니는 이불을 덮고 누워 무얼 생각하는지 멀거니 천장만 올려다보고 있었다. 의외로 안색이 나아 보였으므로 그는 적이 맘을 놓았다. 하지만 어머니는 두 번씩이나 부르는 아들의 목소리에도 대답이 없었다. 그저 꼼짝도 하지 않고 망연한 시선을 천장의 어느 한 점에 멈춰 두고 있을 뿐이었다. 한동안 멍청하게 앉아 있던 그가 자리에서 마악 일어서려 할 때였다.

㉣찬우야이!

어머니의 입에서 불쑥 그 한마디가 튀어나오는 순간 그는 가슴이 철렁했다. 직감적으로 어떤 불길한 예감이 전신을 휩싸 안는 것 같았다. 그는 _____가 평소와 다름을 직감하고 _____ 예감을 느낀 거야. 아직까지 어머니는 한 번도 그렇게 아들의 이름을 직접 부르는 적이 없었다. 적어도 그가 결혼한 후로는 그랬다. 하지만 그보다도 더 그가 놀랐던 것은 어머니의 음성에서였다. 그것은 이미 예전의 귀에 익은 음성이 아니었다. 언제나 보이지 않는 따뜻함과 부드러움으로 흘러나오곤 하던 그 목소리에는 대신 어딘가 냉랭하면서도

들떠 있는 듯한 건조함이 배어 있었다. 그 음성을 듣는 순간 그가 내심 섬찟했던 것은 바로 그 생경한 이질감 때문이었는지도 모른다. 그는 놀란 눈으로 황급히 어머니의 얼굴을 들여다보았다. 어머니의 목소리에서 느껴지는 _____ 때문에 그는 섬찟함을 느끼고 있어.

ⓜ찬웃야이. 어서 꼬두메로 돌아가자이. 느그 아부지랑 찬세가 얼마나 기다리겠냐아. 더 추워지기 전에 싸게싸게 집으로 가야 한단 말다이.

어머니는 나직하게, 그러나 힘이 서린 목소리로 그렇게 말하는 것이었다. 그가 너무 당황하여 그 말이 무슨 뜻인지를 얼른 쉽사리 가려낼 수가 없었다. 그는 '_____로 돌아가자'는 어머니의 힘이 서린 목소리를 듣고 _____해 하고 있어.

장면끊기 03 세 번째 장면은 평소와 다른 모습을 보이는 어머니를 보고 당황해 하는 그의 모습과 심리가 제시되었어.

– 임철우, 「눈이 오면」 –

현대소설 독해의 STEP 2

1 인물 간의 관계를 고려하여 구조도의 빈칸에 적절한 말을 채우세요.

구조도

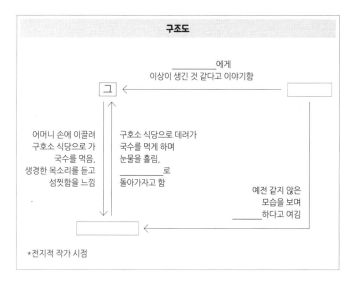

*전지적 작가 시점

2 1~2번 문제를 풀어 보세요.

1. 〈보기〉를 참고하여 ㉠~㉤을 감상한 내용으로 적절하지 **않은** 것은?

〈보기〉

「눈이 오면」에서는 어머니의 목소리가 발화 내용과 어우러져 '그'에게 특별한 메시지를 전달한다. 그 목소리는 '그'에게 수치심, 죄책감, 불길함, 섬찟함, 당혹감 등의 감정을 불러일으키거나 특정한 행동을 야기한다.

① ㉠에서 '어머니'가 넋두리에 가까운 말로 아들의 배고픔을 언급한 것은 '그'가 구호소 식당을 보았을 때 느낀 까닭 모를 두려움과 수치심으로 이어지는군.

② ㉡에서 '어머니'가 냉랭한 음성으로 '아버지'를 언급한 것은 '그'에게 죄책감을 불러일으켜 결국 '그'로 하여금 울음을 터뜨리게 하는군.

③ ㉢에서 '어머니'가 냉랭함이 사라진 음성으로 '그'에게 국수를 먹으라고 권하는 것은 '그'에게 불길함을 느끼게 하여 젓가락을 딸각 놓는 행동에 영향을 주는군.

④ ㉣에서 '어머니'가 생경한 이질감이 느껴지는 음성으로 '그'의 이름을 부른 것은 '그'에게 '어머니'의 변화를 인식하게 하여 섬찟함을 느끼게 하는군.

⑤ ㉤에서 '어머니'가 힘이 서린 목소리로 돌아가신 아버지가 있는 집으로 가자고 하는 것은 과거와 현재를 구분하지 못하는 '어머니'의 모습을 드러내어 '그'에게 당혹감을 갖게 하는군.

2. 문학 개념어 OX 확인 문제

① 특정 인물의 회상을 중심으로 이야기를 전개하고 있다.　　○　✕

② 공간의 변화에 따라 시점이 달라지고 있다.　　○　✕

현대소설 독해의 STEP 3

1 선지 판단 공식을 활용하여 빈칸을 채우고 1번 문제의 선지를 OX로 판단해 보세요.

〈보기〉 문제 선지 판단의 공식

① 〈보기〉 어머니의 목소리는 '그'에게 _____, 죄책감, 불길함, 섬찟함, 당혹감 등의 감정을 불러일으킴 ➕ 작품 '㉠그렇게…… 그렇게도 배가 고프디야. 그 넓은 운동장을 다 걸어 나올 때까지 불현듯 _____의 입에서 새어 나온 말은 꼭 그 한마디였다.~저만치 구호소 식당이 눈에 들어왔을 때 그는 까닭 모를 _____과 수치심으로 뒷걸음질을 쳤다.'

선지 ㉠에서 '어머니'가 넋두리에 가까운 말로 아들의 배고픔을 언급한 것은 '그'가 구호소 식당을 보았을 때 느낀 까닭 모를 두려움과 수치심으로 이어지는군. ○ ×

② 〈보기〉 어머니의 목소리는 '그'에게 수치심, _____, 불길함, 섬찟함, 당혹감 등의 감정을 불러일으킴 ➕ 작품 '㉡가자.~돌아가신 느그 _____가 이런 꼴을 보시면 뭣이라고 그러시끄나이. 어머니의 음성은 돌연 _____하게 변해 있었다. 끝내 ___는 와앙 _____을 터뜨려 버리고 말았다.'

선지 ㉡에서 '어머니'가 냉랭한 음성으로 '아버지'를 언급한 것은 '그'에게 죄책감을 불러일으켜 결국 '그'로 하여금 울음을 터뜨리게 하는군. ○ ×

③ 〈보기〉 어머니의 목소리는 '그'에게 수치심, 죄책감, _____, 섬찟함, 당혹감 등의 감정을 불러일으킴 ➕ 작품 '㉢먹어라이. 어서 먹어 보란 말다이……. 어머니의 음성에는 어느새 아까의 냉랭함이 거의 지워져 있었다.~그는 그만 _____을 딸각 놓아 버리고 말았다. 마주 앉아서 그때까지 그를 줄곧 지켜보고 있었을 _____의 눈에는 소리도 없이 _____이 그득히 괴어오르고 있었기 때문이었다.'

선지 ㉢에서 '어머니'가 냉랭함이 사라진 음성으로 '그'에게 국수를 먹으라고 권하는 것은 '그'에게 불길함을 느끼게 하여 젓가락을 딸각 놓는 행동에 영향을 주는군. ○ ×

④ 〈보기〉 어머니의 목소리는 '그'에게 수치심, 죄책감, 불길함, _____, _____, 당혹감 등의 감정을 불러일으킴 ➕ 작품 '㉣찬우야이!', '언제나 보이지 않는 따뜻함과 부드러움으로 흘러나오곤 하던 그 목소리에는~그 음성을 듣는 순간 그가 내심 _____했던 것은 바로 그 생경한 _____ 때문이었는지도 모른다.'

선지 ㉣에서 '어머니'가 생경한 이질감이 느껴지는 음성으로 '그'의 이름을 부른 것은 '그'에게 '어머니'의 변화를 인식하게 하여 섬찟함을 느끼게 하는군. ○ ×

⑤

〈보기〉

어머니의 목소리는 '그'에게 수치심, 죄책감, 불길함, 섬찟함, _____ 등의 감정을 불러일으킴

➕

작품

ⓜ찬우야이. 어서 _____로 돌아가자이. 느그 _____ _____랑 찬세가 얼매나 기다리겠냐아. 더 추워지기 전에 싸게싸게 집으로 가야 한단 말다이. _____는 나직하게, 그러나 ____이 서린 목소리로 그렇게 말하는 것이었다. 그가 너무 _____하여 그 말이 무슨 뜻인지를 얼른 쉽사리 가려 낼 수가 없었다.'

셀기➡ ⓜ에서 '어머니'가 힘이 서린 목소리로 돌아가신 아버지가 있는 집으로 가자고 하는 것은 과거와 현재를 구분하지 못하는 '어머니'의 모습을 드러내어 '그'에게 당혹감을 갖게 하는군.　　　　　　　　　　　　　　　　　　　　　　　　　　　　　　　　　　○ ✕

③ 추차

현대소설 독해의 STEP 1

1 주요 인물에 ☐ 표시를 하고, 빈칸에 적절한 말을 채우세요.

[앞부분의 줄거리] '나'는 도서관 자료실에서 우연히 신문 기사를 본 것을 계기로 과거를 떠올린다. '나'는 고향에서의 비참한 삶을 피해 서울로 도망쳐 산동네 자취방에서 삶의 의미를 찾지 못한 채 하루하루를 연명했다. 그러던 중 '나'는 우연히 민주화에 대한 열망이 담긴 책을 발간하기 위해 애쓰던 '안'을 만났고, 그의 제안에 따라 그 일을 함께 하게 되었다.

　나는 결국 책이 만들어진 것을 보지 못했다. 그리고 결국 인쇄소의 낡은 문에 내가 소중하게 간직하고 있는 열쇠를 꽂을 기회를 영원히 잃고 말았다.
　긴 주말 끝의 월요일. 나는 해가 기울어지기도 전에 방문을 나섰다. 그렇다고 아무 때나 인쇄소에 얼굴을 들이밀 처지가 못 되었던 만큼 인쇄소까지의 긴 길을 걸었다. 이번에는 한 장의 버스표를 아끼기 위해서가 아니었다. 낮에 인쇄소에서 일하는 사람들과의 마주침을 피하라는 안과 정의 원칙은 철저한 것이었고, 나는 정확히 알 수는 없어도 그것이 어떤 결과를 가져올는지를 상상하는 것은 어렵지 않았다. '안'과 '정'은 '나'가 낮에 인쇄소에서 일하는 사람들과 마주치지 않도록 _____을 정해 두었어. 나는 이를 지키며 일부러 인쇄소까지 가는 길을 _____ 가고 있네.
　평소처럼 골목을 돌아 뒷문에 이르는 길을 택하지 않은 것을 행운이라 이름 붙일 수 있을까. 당연히 셔터가 내려져 있어야 할 인쇄소의 입구가 먼발치에서 눈에 띄자마자 나는 단번에 모든 일이 틀어져 버린 것을 감지할 수 있었다. '나'는 먼발치에서 인쇄소의 _____를 보자마자 무언가 잘못되었다는 것을 감지했어. 지문 초반부에 언급된, '나'가 _____을 보지 못한 이유가 되는 사건이 제시되겠네. 올려진 셔터, 환하게 켜진 불빛, 활짝 열려져 있는 유리문. **문의 유리의 하반부가 깨어진 것**이 바로 눈앞에 있는 것처럼 확연하게 드러난 듯도 했다. 그 속에는 분명 누군가가 부산하게 움직이는 것 같았고 문밖에는 양복을 입은 두 명의 남자가 담배를 피며 등을 돌리고서 있는 것이 보였다. '나'로 하여금 모든 일이 _____을 직감하게 한 광경이 묘사되고 있어. 인쇄소에서 '_____에 대한 열망이 담긴 ___'을 만들고 있었다는 사실은 '양복을 입은 두 명의 남자'와 같은 타인에게 들켜서는 안 되는 것이었고, 이가 발각되었음을 추론할 수 있는 부분이지. 나의 가슴은 터질 것처럼 뛰고 있었다. 절대 황망히 뒤로 돌아서지 말아라. 뛰지 말고. 절대 서두르지 말고 길을 가로질러라. 제발 인쇄소 방향으로 고개를 돌리지 말고. 나는 떨리는 손을 주머니에 집어넣고 행인들 사이에 섞여 건널목 앞에 섰다. '나'는 강한 불안을 느끼면서도 자신이 _____로 향하고 있음을 들키지 않기 위해 평정을 가장하며 _____들 사이에 섞여있어.
　길의 통과를 무한히 금지하고 있는 것만 같던 건널목의 **적색등**. 이미 날은 어두워져 실제로 먼발치에 있는 그들이 나의 모습을 알아보거나 뒤쫓을 위험이 없었음에도 그 짧은 **기다림의 순간**에 세계는 위험한 밀고자들의 소굴로 변신했다. 당장이라도 옆의 행인이 나의 팔을 우악스럽게 잡고 "강하원이지. 순순히 나를 따라와." 하고 귓속에서 속삭일 것 같았다. 나를 앞뒤로 둘러싸고 있는 행인의 얼굴을 쳐다보고 싶은 유혹은 견뎌 내기 힘든 것이었다. '나'는 그럴 위험성이 낮은데도 금방이라도 누군가가 자신을 잡아갈 것만 같은 두려움을 느끼며, _____에서 신호를 기다리는 그 짧은 시간에 세계가 마치 _____

_____처럼 변해버린 것 같다고 생각해.

　길을 건너고 가장 가까운 골목으로 기어들어가고, 거기서 다시 큰길로 나오고 다시 골목으로 들어가고…… 충분히 인쇄소에서 멀어졌다고 판단되었을 때부터 나는 달리기 시작했다.
　장면끊기 01 _____에 무슨 일이 벌어졌음을 직감한 '나'가 평정을 가장하며 도망쳐 나오는 장면이야. 1인칭 시점으로 묘사되는 '나'의 불안한 내면 심리와, 최대한 자연스럽게 인쇄소로부터 멀어지기 위한 일련의 행동을 묘사하는 방식에서 긴장감이 느껴지지? 중략 이전에는 '나'가 인쇄소 현장에서 도망치는 사건이, 중략 이후에는 도주 이후 '나'의 생각과 일상이 다루어지고 있으니 여기서 장면을 끊고 가자!

(중략)

　우리가 기획하고 있던 책은 물론이요 다른 단체들을 위한 인쇄물을 끝내지도 않은 채 일이 터지고 만 것을 나는 신문을 보고 알았다. 연행된 사람들의 이름이 서넛 실려 있었지만 교정으로 낯이 익은 한 이름만 제외하고는 생소한 이름들이었다. 그들의 활동은 이런 종류의 기사가 늘 그렇듯이 신문의 눈에 띄지 않는 한구석에 서너 줄로 요약되어 있었다. 그것은 안을 비롯한 우리 인쇄 담당이 안전하다는 것을 보장해 주기에는 불충분했다. 만약 내가 알고 있는 그들의 이름이 본명이라면, 어떻든 그들의 이름은 신문에 나지 않았다. '나'가 일하던 인쇄소에서 기획하고 있던 책과 _____들은 결국 발간되지 못했어. 이러한 저서를 만들던 사람들이 _____되었다는 것을 통해, 작중 배경은 _____를 지향하는 사상의 표출이 사회적인 억압을 받았던 시기일 것임을 추론할 수 있어.
　장면끊기 02 '나'가 _____을 통해 인쇄소에서 일하던 사람들이 _____되었다는 사실을 파악하게 되는 장면이야. 하지만 자신과 함께한 대부분의 사람들의 _____을 확신하지는 못해. 이후에는 '나'가 이러한 불확실성으로 인해 보내게 되는 나날을 묘사하게 되니, 여기에서 장면을 끊고 가자.

　불안한 나날이 시작되었다. 문밖에서 조그만 소리만 들려도 나의 가슴은 두근거렸다. 정말 이상한 일이었다. 나의 가슴은 두려움 때문에 두근거리고 있는 것이 아니었다. 그것은 기다림이었고 그리움이었다. 그것은 더 구체적으로 말하면 안에 대한 기다림이었다. 안이 나의 주소를 알고 있는 단 하나의 사람이었기 때문에. 그러나 그보다는, 마치 어느 날 안이 나타나면 다시금 우리가 일을 시작할 수 있기라도 한 것처럼. '나'는 '안'의 소식을 기다리며 '안'에 대한 그리움과 그로 인한 _____을 느끼는 나날을 보내. 날씨가 조금씩 풀려 가고 있었다. 나는 며칠을 누워서 보냈다. 나는 병이 없는 신열을 앓고 있었고 단 하나의 치유법은 수면이었다. 가끔 집주인이 불안한 듯 방문을 살며시 열었다 닫았다. 그녀가 죽음의 확인을 하러 오는 것 같은 생각이 들었고 그 기대에 부응하기라도 하려는 듯이 나는 그럴 때마다 꼼짝도 하지 않았다. 기대의 두근거림이 포기의 심정으로 변했을 때 나의 아픔은 극에 달했다. **그들과 일할 수 있는 기회**가 어쩌면 영원히 오지 않을 수도 있다는 확신은 참을 수 없는 것이었다. 마치 나의 잘못으로, 나의 고발로 그들의 활동이 저지되기라도 한 것처럼 환각적인 죄의식에 시달리기도 했다. '나'는 온근한 _____를 가지고 '안'이 나타날 것을 기다리지만, 소식 없는 나날이 이어지자 결국 _____의 심정을 느끼게 돼. 그리고 극에 달한 _____ 속에서 마치 자신이 고발을 해서 이런 결과가 일어난 것 같은 _____에까지 시달리지.
　나는 **거리를 헤맸다.** 어디에고 그들과 연락을 취할 수 있는 방

법은 없었다. 그들과 보낸 서너 달이 남긴 흔적이라고는 하나도 없었다. 단 하나. 청계천의 헌책방이 있었다. 그러나 책방의 주인은 바뀌어 있었다. 어느 저녁 나는 인쇄소 쪽으로 가 보기도 했다. 그러나 **간판이 떨어진 인쇄소**는 아주 오래전부터 **폐쇄된 금지 구역**처럼 보였다. 수소문해 볼 사람도, 전화로 문의를 해 볼 만한 대상도 없이 나는 지쳐서 방으로 돌아오곤 했다. 그러나 설령 수소문을 할 건덕지가 있었다고 해도 나는 나의 어떤 행동이 그들에게 누를 끼칠 것이 두려워 아무것도 할 수 없었을 것이다. 이성적으로 다시는 그들을 만날 수가 없음을 알고 있음에도 나는 끈질기게 그들 중의 하나를 기다렸다. *'나'는 _____를 헤매면서 '안'이나 인쇄소 사람들과 연락을 취할 수 있는 수단을 찾아. 하지만 그들에 대한 단서가 될 _____ 주인은 바뀌어 있었고, 설령 그들을 _____ 해 보려 해도 그 행동 자체가 누가 될까 봐 섣불리 행동하지 못하지. 다시 재회하기는 어렵다는 것을 알면서도 끈질긴 기다림을 이어 가는 '나'의 심리가 나타나.*

장면끊기 03 '나'가 '안'이나 다른 인쇄소 사람들의 소식을 기다리며 불안한 나날을 보내는 장면이야. 더 세부적으로 장면을 끊는다면 '나는 거리를 헤맸다.'라는 문장으로 시작하는 문단에서도 장면이 한 번 전환되었다고도 볼 수 있지만, 이번에는 '나'의 기다림과 기대에 초점을 맞추어 여기서 장면을 끊을게.

　나의 초라한 육신을 관리하기에도 지쳐 있는 상태에서 한밤중 나는 깨어 일어났다. 나는 둔화된 기억의 촉수를 다시 갈아세우고 절망에서 벗어날 수 있는 전파를 보내기 시작했다. 수신자 없는 고독한 전파였다. *'나'는 기다림 끝에 느낀 _____에서 벗어나기 위해, 수신자 없는 _____를 보내듯 혼자서라도 무언가를 해 보려고 해.* 나는 책상에 공책을 펴고 앉았다. 나의 모든 기억을 동원하여, 내가 적어도 두 번 이상 교정을 본 바 있는, **준비하던 책자에 수록된 원고들**의 제목을 하나하나 공책에 쓰고, 생각나는 대로 각 원고의 내용을 거칠게 요점만이라도 정리해 내려가기 시작했다. 망각의 신비만큼 가끔 기억은 놀라운 힘을 발휘할 때가 있다. 가끔 한 문단 전체가 고스란히 기억에 되살아오는 것에 나 스스로 경악하기도 했다. 하룻밤에 나는 머리말까지 합쳐 모두 세 편의 논문을 그런대로 재구성할 수 있었다. 모두 열여덟 편의 논문이 있었고 그중의 두 편은 번역이었다. 그 중의 한 편은 내가 부분적으로 참여하기도 한 것이어서 나는 보따리 속에 뭉텅이로 갇혀 있던 종이 뭉치에서 복사한 원문을 찾을 수 있었고 다음날 하루 꼬박 걸려 그 논문의 번역도 끝을 맺었다. 되살아나는 기억이 사라질 것이 두려워 나는 감히 눈을 붙일 생각도 못 하고 미친 듯이 그 일에 매달렸다. 그것은 일종의 기도라면 기도였다. *'나'는 인쇄소의 사람들과 작업했던 내용을 최대한 _____ 해 내려 노력하며, _____하는 심정으로 원고들을 재구성하는 작업에 매달리게 돼.*

장면끊기 04 인쇄소 사람들로부터 소식을 기다리던 '나'가 절망을 떨쳐내기 위해 그들과 함께 작업했던 _____을 재구성하는 일에 매달리는 장면이야.

－ 최윤, 「회색 눈사람」 －

현대소설 독해의 STEP 2

1 인물 간의 관계를 고려하여 구조도의 빈칸에 적절한 말을 채우세요.

구조도

'나(강하원)'　————————————→　□

_____에서 함께 일하던 동료로, 인쇄소 일이 발각된 뒤 다시 만날 수 없을 것이라고 체념하면서도 함께 작업하던 _____을 재구성하며 간절하게 기다림

*1인칭 주인공 시점

2 1~2번 문제를 풀어 보세요.

1. 〈보기〉의 입장에서 윗글을 감상한 내용으로 적절하지 **않은** 것은?

〈보기〉

　결핍은 타자와의 관계에서 비롯되며 욕망은 결핍에서 발생한다. 이렇게 발생한 욕망은 충족되기 어려운 것이다. 「회색 눈사람」에서 '나'는 여러 가지 억압 속에서 결핍의 삶을 살아가는 인물이다. '나'는 끊임없이 결핍의 상황에 처하게 되기 때문에 '나'의 결핍은 완전하게 채워지지 않는다. '나'의 결핍은 '안'과의 관계에서도 비롯되고 있다. '안'은 '나'가 결핍의 상황에서 만난 인물로 '나'에게 타자이다. 그렇기에 '나'는 '안'의 욕망을 모방함으로써 욕망의 주체로 살아간다.

① '문의 유리의 하반부가 깨어진 것'은 '나'를 억압하는 요인이 폭력적 속성을 지녔음을 상징적으로 나타낸다고 볼 수 있어.

② '나'에게 '길의 통과를 무한히 금지'하는 것으로 여겨진 '적색등'은 '기다림의 순간'에 새롭게 만난 타자와 관계를 맺고자 하는 '나'의 욕망이 강화되었음을 나타낸다고 볼 수 있어.

③ '그들과 일할 수 있는 기회'를 얻기 위해 '거리를 헤맸'던 '나'의 모습은 '나'가 욕망의 주체로 살아가는 모습을 나타낸다고 볼 수 있어.

④ '폐쇄된 금지 구역'처럼 보인 '간판이 떨어진 인쇄소'는 '나'가 '안'과의 관계를 지속할 수 없는 결핍의 상황에 처하게 되었음을 나타낸다고 볼 수 있어.

⑤ '나'가 '준비하던 책자에 수록된 원고들'을 정리하고 재구성하는 것에 매달린 것은 '나'가 '안'의 욕망을 모방했음을 나타낸다고 볼 수 있어.

2. 문학 개념어 OX 확인 문제

① 자기 고백적인 서술을 통해 내면을 구체적으로 제시하고 있다. 　○　×

② 액자 구조를 통해 상이한 이야기가 갖는 유사한 의미를 강조하고 있다.

　○　×

현대소설 독해의 **STEP 3**

1 선지 판단 공식을 활용하여 빈칸을 채우고 1번 문제의 선지를 OX로 판단해 보세요.

〈보기〉 문제 선지 판단의 공식

①

〈보기〉 「회색 눈사람」에서 '나'는 여러 가지 _____ 속에서 결핍의 삶을 살아가는 인물임

➕

작품 '나는 단번에 모든 일이 _____을 감지할 수 있었다. 올려진 셔터, 환하게 켜진 불빛, 활짝 열려져 있는 유리문. 문의 유리의 하반부가 _____이 바로 눈앞에 있는 것처럼 확연하게 드러난 듯도 했다.'

선지 '문의 유리의 하반부가 깨어진 것'은 '나'를 억압하는 요인이 폭력적 속성을 지녔음을 상징적으로 나타낸다고 볼 수 있어. ○ ×

②

〈보기〉 결핍은 _____에서 비롯되며 욕망은 _____함, '나'는 끊임없이 _____ _____에 처함

➕

작품 '길의 통과를 무한히 금지하고 있는 것만 같던 건널목의 _____.', '그 짧은 기다림의 순간에 세계는 위험한 _____로 변신했다. 당장이라도 옆의 _____이 나의 팔을 우악스럽게 잡고 "강하원이지. 순순히 나를 따라와." 하고 귓속에서 속삭일 것 같았다.'

선지 '나'에게 '길의 통과를 무한히 금지'하는 것으로 여겨진 '적색등'은 '기다림의 순간'에 새롭게 만난 타자와 관계를 맺고자 하는 '나'의 욕망이 강화되었음을 나타낸다고 볼 수 있어. ○ ×

③

〈보기〉 '나'는 '안'의 욕망을 모방함으로써 _____로 살아감

➕

작품 '_____과 일할 수 있는 기회가 어쩌면 영원히 오지 않을 수도 있다는 확신은 참을 수 없는 것이었다.', '나는 _____를 헤맸다.'

선지 '그들과 일할 수 있는 기회'를 얻기 위해 '거리를 헤맸'던 '나'의 모습은 '나'가 욕망의 주체로 살아가는 모습을 나타낸다고 볼 수 있어. ○ ×

④

〈보기〉 '나'의 결핍은 '안'과의 _____에서도 비롯됨

➕

작품 '어느 저녁 나는 인쇄소 쪽으로 가 보기도 했다. 그러나 _____이 떨어진 인쇄소는 아주 오래전부터 폐쇄된 _____처럼 보였다.'

선지 '폐쇄된 금지 구역'처럼 보인 '간판이 떨어진 인쇄소'는 '나'가 '안'과의 관계를 지속할 수 없는 결핍의 상황에 처하게 되었음을 나타낸다고 볼 수 있어. ○ ×

⑤

〈보기〉 '나'는 '안'의 _____으로써 욕망의 주체로 살아감

➕

작품 '나의 모든 _____을 동원하여, 내가 적어도 두 번 이상 교정을 본 바 있는, 준비하던 책자에 수록된 _____의 제목을 하나하나 공책에 쓰고, 생각나는 대로 각 원고의 내용을 거칠게 요점만이라도 _____해 내려가기 시작했다.'

선지 '나'가 '준비하던 책자에 수록된 원고들'을 정리하고 재구성하는 것에 매달린 것은 '나'가 '안'의 욕망을 모방했음을 나타낸다고 볼 수 있어. ○ ×

현대소설 독해의 STEP 1

1 주요 인물에 ▢ 표시를 하고, 빈칸에 적절한 말을 채우세요.

"도대체 박준은 어째서 꼭 불을 밝혀 놓아야 잠이 들 수 있었을 까요. 그리고 전짓불을 보고는 왜 갑자기 발작을 일으킨 것입 니까?" '나'는 박준이 전짓불을 보고 _____을 일으키는 원인을 알아내려 해.

"중요한 걸 물으시는군요."

잠시 입을 다물고 있던 김 박사는 그동안 나에게서 그런 질문을 기다리고 있었기라도 한 듯 이번에는 박준의 버릇에 대해 다시 설명 을 시작했다. '나'는 _____라는 인물과 박준에 대해 대화하는 중이야. 박준이 어떤 버릇을 갖고 있는지 파악하며 읽어 보자.

"글쎄, 나 역시도 어젯밤 우연히 그런 발작이 나기 전까지는 환자 가 특히 어둠을 싫어하는 이유를 알아내지 못하고 있었거든요. 그야 물론 앞서도 말씀드렸듯이 그것도 다른 환자들에게서 볼 수 있는 일반적인 병증의 하나임엔 틀림없지요. 하지만 이제까지의 관찰로는 영 그 원인을 분석해 낼 재간이 없었단 말입니다. 한데 어젯밤 발작을 보고는 비로소 어떤 힌트를 얻을 수 있었어. 무슨 얘기냐 하면, 환자가 그토록 어둠을 싫어하게 된 것은 직접 적으로 그 어둠 자체를 싫어하기 때문이 아니라, 그 어둠으로부터 연상되는 어떤 다른 공포감이 있었기 때문이라는 겁니다. 이를 테면 그 전짓불 같은 것이 바로 그런 거지요. 환자가 진짜 발작 을 일으키도록 심한 공포감을 유발시킨 것은 어둠이 아니라 그 어둠 속에 나타난 전짓불이었단 말씀입니다. 환자에겐 그 어둠 이라는 것이 늘 전짓불을 연상시키는 공포의 촉매물이었지요." 김 박사는 어젯밤 박준의 발작을 관찰하던 중 그에게 심한 공포감을 유발시킨 것은 어둠이 아니라 어둠 속 _____이었음을 알게 되었대.

"그렇다면 앞으로의 문제는 박준이 무엇 때문에 그 전짓불에 공 포를 느끼게 되는지 그걸 알아내는 것이겠군요. 그게 바로 박사 님께서 자주 말씀하신 최초의 갈등 요인이 아니겠습니까."

"옳은 말씀이에요. 전짓불의 비밀이야말로 박준 씨의 치료에는 무엇보다 중요한 열쇠가 되고 있지요." 박준은 김 박사에게 발작과 관련 된 치료를 받는 중이구나. 박준의 치료를 위한 중요한 열쇠는 그가 전짓불에 _____를 느끼는 이유를 찾는 것이고.

"하지만 어젯밤 박준이 전짓불을 보고 놀랐던 것만으론 그가 어 째서 그것에 대해 공포감을 지니게 되었는지, 그리고 그 **전짓불의 공포**라는 것이 박준에게 어떤 의미를 지니고 있는 것인지 아직 설명하실 수가 없으신 것 아닙니까."

"아직까지는 그런 셈이지요."

"역시 그의 소설에 대해 관심을 좀 가져 보시는 게 어떨까요?"

나는 필시 박준의 소설들과 전짓불 사이엔 뭔가 썩 깊은 상관이 있는 듯한 예감에 사로잡히며 은근히 김 박사를 권해 보았다. 그 러나 김 박사는 박준의 소설에 대해서는 여전히 관심을 보이려 하지 않았다. '나'는 박준이 발작을 일으키는 원인을 그의 _____에서 찾고자 하나 김 박사 는 박준의 소설에 대해서는 여전히 관심이 없네.

"역시 그럴 필요는 없어요. 별로 기분 좋은 방법이 아니기는 하 지만, 이젠 최소한 환자로 하여금 전짓불의 내력을 포함한 모든 비밀을 털어놓게 할 마지막 방법은 찾아 놓고 있는 셈이니까요."

장면끊기 01 '나'는 김 박사와 박준의 발작에 대해 이야기하며 박준이 _____을 느끼는 이유를 알아내려 해. 중략 이후의 장면에서는 '나'가 박준을 인터뷰한 기사를 읽어

보는 것으로 내용이 바뀌고 있으니, 여기에서 장면을 끊어 보자.

(중략)

—이 달의 화제작, 화제 작가.

신문지는 벌써 이태쯤 전에 발간된 어떤 주간지의 한 조각이었 는데, 거기엔 우선 그런 제호가 크게 눈에 띄었다. 그리고 그 제호 한쪽으로 그 달에 발표된 박준의 소설이 한 편 몇몇 평론가들로부 터 합평되어 있고, 다른 한쪽엔 그 달의 화제 작가로서 박준을 인 터뷰한 기사가 실려 있었다.

나는 정신이 번쩍 들었다. 앞의 장면에서 '나'는 박준이 발작을 일으키는 원인을 그의 _____에서 찾고자 했었지? 박준의 소설과 관련된 _____ 기사를 발견한 '나'는 깜짝 놀라게 돼. 신문지 조각을 못에서 빼어 냈다. 그러나 금세 실망이 되고 말았다. 기사는 별로 읽을 만한 곳이 남아 있지 않았다. 대부분의 기사가 다른 조각으로 찢어져 나가 버리고 없었 다. 찢어져 나간 조각들은 찾아낼 수가 없었다. 이미 휴지로 사용 이 되고 만 모양이었다. 남아 있는 것은 그의 인터뷰 기사 중의 몇 마디뿐이었다. 나는 그것이나마 찢어지다 남은 데서부터 기사를 읽어 내려가기 시작했다. '나'는 박준의 인터뷰 기사가 찢겨져 나가고 일부만 남아 있어 아쉬워하지만, 남은 데서부터 _____를 읽어 보며 박준의 _____과 관련된 단서를 찾아보려 해.

—당신은 아까 내가 **위험한 질문**이라고 한 말의 뜻을 아직 잘 알아듣지 못한 모양이다. 그렇다면 내가 좀 더 설명을 하겠 다…….

아마 기사의 어떤 질문에 대한 답변을 부연하고 있는 모양이었다. 박준은 이야기를 꽤 길게 계속하고 있었다.

[A]
—어렸을 때 겪은 일이지만 난 아주 **기분 나쁜 기억**을 한 가지 가지고 있다. 6·25가 터지고 나서 우리 고향에는 한동안 우리 경찰대와 지방 공비가 뒤죽박죽으로 마을을 찾아 드는 일이 있었는데, 어느 날 밤 경찰인지 공비인지 알 수 없는 사람들이 또 마을을 찾아 들어왔다. 그리고 그 사람들 중의 한 사람이 우리 집까지 찾아 들어와 어머니하고 내가 잠들고 있는 방문을 열어젖혔다. 눈이 부시도록 밝은 전짓불을 얼굴 에다 내리비추며 어머니더러 당신은 누구의 편이냐는 것이 었다. 하지만 어머니는 그때 얼른 대답을 할 수가 없었다. 전 짓불 뒤에 가려진 사람이 경찰대 사람인지 공비인지를 구별 할 수 없었기 때문이다. 대답을 잘못했다가는 지독한 복수를 당할 것이 뻔한 사실이었다. 하지만 어머니는 상대방이 어느 쪽인지 정체를 모른 채 대답을 해야 할 사정이었다. 어머니의 입장은 절망적이었다. 나는 지금까지도 그 절망적인 순간의 기억을, 그리고 사람의 얼굴을 가려 버린 전짓불에 대한 공포 를 생생하게 간직하고 있다. 박준은 인터뷰에서 어린 시절 _____ 과 관련된 공포스러운 경험을 이야기하고 있어.

그런데 나는 요즘 나의 **소설 작업** 중에도 가끔 그 비슷한 느낌을 경험하곤 한다. 내가 소설을 쓰고 있는 것이 마치 그 얼굴이 보이지 않는 전짓불 앞에서 일방적으로 나의 진술만을 하고 있는 것 같다는 말이다. 문학 행위란 어떻게 보면 한 작 가의 가장 성실한 **자기 진술**이라고 할 수 있다. 그런데 나는 지금 어떤 전짓불 아래서 나의 진술을 행하고 있는지 때때로

엄청난 공포감을 느낄 때가 많다. 지금 당신 같은 질문을 받게
될 때가 바로 그렇다……. 박준은 어른이 되어서도 _____을 쓸 때나
인터뷰를 할 때 어린 시절 전짓불 앞에서 느꼈던 _____을 여전히 느끼고 있네.
박준의 말은 거기서 일단 끝나고 있는 듯 보였다. 그리고 신문이
찢어져 나가 버린 것도 거기서부터였다.

장면끊기 02 '나'는 _____ 조각에서 박준의 인터뷰 기사를 발견하고 읽어 내려
가며 전짓불에 담긴 공포의 이유를 알게 돼. 또한 박준이 현재 _____ 작업 중에도 전짓불
아래에서의 공포와 비슷한 느낌을 경험하고 있다는 사실도 알게 되지.

– 이청준, 「소문의 벽」 –

현대소설 독해의 STEP 2

1 인물 간의 관계를 고려하여 구조도의 빈칸에 적절한 말을 채우세요.

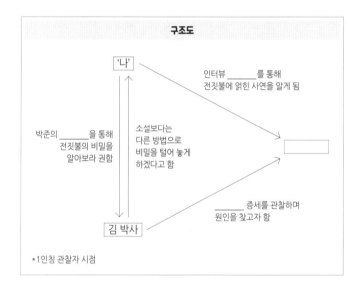

구조도

'나'

인터뷰 _____를 통해
전짓불에 얽힌 사연을 알게 됨

박준의 _____을 통해
전짓불의 비밀을
알아보라 권함

소설보다는
다른 방법으로
비밀을 털어 놓게
하겠다고 함

_____ 증세를 관찰하며
원인을 찾고자 함

김 박사

*1인칭 관찰자 시점

---

2 1~2번 문제를 풀어 보세요.

1. 〈보기〉를 참고하여 윗글을 감상한 내용으로 적절하지 **않은**
것은?

〈보기〉

정신적 외상(trauma)은 충격적 경험의 기억이 무의식에 잠재되었다가 정
신적 병증의 요인으로 작용하면서 모습을 드러낸다. 그 기억은 떠올리는 것
만으로도 고통스러울 수 있는데, 이를 들추어 '말문'을 트게 하는 것은 정신적
병증의 치유에서 중요한 과정이다. 개인뿐만 아니라 사회에서도 공동체의 위기
상황으로 인해 발생한 정신적 외상에 대해 '말문 트기'가 요구된다. 이런 점
에서 소설은 개인의 아픔은 물론 사회적 병증을 치유해 주는 개인적 · 사회적
말문 트기의 하나라 할 수 있다.

① '전짓불의 공포'를 강하게 느끼는 '박준'은, 일방적 진술을 강요하는 듯한
사회적 상황에 직면하여 고통 받는 이들을 상징하는 인물이겠군.

② '전짓불의 공포'와 '소설 작업'의 관계에 주목해 보면, 소설 쓰기를 통한
'박준'의 '자기 진술'은 치유 방법으로서의 말문 트기에 상응하는 것이겠군.

③ '자기 진술'을 어렵게 만드는 상황에 직면했다는 '박준'의 고백은, 일방적일
수밖에 없는 '자기 진술'의 상황 속에서 정신적 외상이 환기된다는 점을 드러
내는 것이겠군.

④ 유년의 '기분 나쁜 기억'이 전쟁으로 인한 공동체의 위기 상황과 관련되었다는
설정을 통해, '박준'의 정신적 외상이 사회적 차원의 문제와 관련이 있다는
점을 알 수 있겠군.

⑤ 정신적 외상의 최초 원인을 밝히기 위해 '김 박사'가 '박준'의 과거 기억을
진술하게 할 계획을 세웠다면, 이는 '위험한 질문'을 회피하기 위한 말문 트기
방법을 모색한 결과이겠군.

2. 문학 개념어 OX 확인 문제

① [A]는 인물의 행동을 객관적 시점에서 묘사하여 인물의 성격을 짐작하게 한다.
○ ✕

② [A]는 동일한 사건을 다각적으로 구성하여 사건에 대한 해석의 여지를 열어
놓는다.
○ ✕

현대소설 독해의 STEP 3

1 선지 판단 공식을 활용하여 빈칸을 채우고 1번 문제의 선지를 OX로 판단해 보세요.

〈보기〉 문제 선지 판단의 공식

① 〈보기〉 정신적 외상은 충격적 경험의 기억이 무의식에 잠재되었다가 _____의 요인으로 작용하면서 모습을 드러냄 ➕ 작품 '내가 소설을 쓰고 있는 것이 마치 그 얼굴이 보이지 않는 전짓불 앞에서 _____으로 나의 진술만을 하고 있는 것 같다', '그런데 나는 지금 어떤 전짓불 아래서 나의 진술을 행하고 있는지 때때로 엄청난 _____을 느낄 때가 많다.'

선지➡ '전짓불의 공포'를 강하게 느끼는 '박준'은, 일방적 진술을 강요하는 듯한 사회적 상황에 직면하여 고통 받는 이들을 상징하는 인물이겠군. ○ ✕

② 〈보기〉 정신적 외상을 일으키는 충격적 경험의 기억을 들추어 '_____'을 트게 하는 것은 정신적 병증의 _____에서 중요한 과정이며, 소설은 개인의 아픔을 치유하는 _____ _____의 하나로 볼 수 있음 ➕ 작품 '나의 _____ 작업 중에도 가끔 그 비슷한 느낌을 경험하곤 한다. 내가 소설을 쓰고 있는 것이 마치 그 얼굴이 보이지 않는 _____ 앞에서 일방적으로 나의 진술만을 하고 있는 것 같다'

선지➡ '전짓불의 공포'와 '소설 작업'의 관계에 주목해 보면, 소설 쓰기를 통한 '박준'의 '자기 진술'은 치유 방법으로서의 말문 트기에 상응하는 것이겠군. ○ ✕

③ 〈보기〉 정신적 외상은 충격적 경험의 기억에 의한 것으로, 그 기억을 들추는 말문 트기로 인해 _____스러울 수 있음 ➕ 작품 '나는 지금 어떤 전짓불 아래서 나의 _____을 행하고 있는지 때때로 엄청난 _____을 느낄 때가 많다.'

선지➡ '자기 진술'을 어렵게 만드는 상황에 직면했다는 '박준'의 고백은, 일방적일 수밖에 없는 '자기 진술'의 상황 속에서 정신적 외상이 환기된다는 점을 드러내는 것이겠군. ○ ✕

④ 〈보기〉 개인뿐만 아니라 사회에서도 _____의 위기 상황으로 인해 발생한 정신적 외상에 대해 '말문 트기'가 요구됨 ➕ 작품 '어렸을 때 겪은 일이지만 난 아주 기분 나쁜 _____을 한 가지 가지고 있다. 6·25가 터지고 나서 우리 고향에는 한동안 우리 _____와 지방 _____가 뒤죽박죽으로 마을을 찾아드는 일이 있었는데,'

선지➡ 유년의 '기분 나쁜 기억'이 전쟁으로 인한 공동체의 위기 상황과 관련되었다는 설정을 통해, '박준'의 정신적 외상이 사회적 차원의 문제와 관련이 있다는 점을 알 수 있겠군. ○ ✕

⑤ 〈보기〉 정신적 외상을 일으키는 _____의 기억을 들추어 '말문'을 트게 하는 것은 정신적 병증의 치유에서 중요한 과정임 ➕ 작품 '김 박사는 박준의 _____에 대해서는 여전히 관심을 보이려 하지 않았다.', '이젠 최소한 환자로 하여금 전짓불의 내력을 포함한 모든 _____을 _____ 할 마지막 방법은 찾아 놓고 있는 셈이니까요.'

선지➡ 정신적 외상의 최초 원인을 밝히기 위해 '김 박사'가 '박준'의 과거 기억을 진술하게 할 계획을 세웠다면, 이는 '위험한 질문'을 회피하기 위한 말문 트기 방법을 모색한 결과이겠군. ○ ✕

현대소설 독해의   STEP 1

1 주요 인물에 ☐ 표시를 하고, 빈칸에 적절한 말을 채우세요.

총수의 자택에 연못이 생긴 것은 그 며칠 전의 일이었다. 뜰 안에다 벽이고 바닥이고 시멘트를 들어부어 만들었으니 연못이라기보다는 수족관이라고 하는 편이 알맞은 시설이었다. 시멘트가 굳어지자 물을 채우고 울긋불긋한 비단잉어들을 풀어 놓았다.

비단잉어들은 화려하고 귀티 나는 맵시로 보는 사람마다 탄성을 자아내게 하였으나, 그는 처음부터 흘기눈을 떴다. 비행기를 타고 온 수입 고기라서가 아니었다. 그 회사 직원 몇 사람 치 월급을 합쳐도 못 미치는 상식 밖의 몸값 때문이었다. 총수는 자택에 시멘트를 부어 연못을 만들고 회사 직원 몇 사람 치 _____을 합쳐도 못 미치는 값비싼 _____ _____를 풀어 놓았어. _____을 떴다는 걸 보면 '그'는 상식 밖의 몸값을 지닌 비단잉어를 키우는 것을 못마땅하게 여기는 것 같지?

"대관절 월매짜리 고기간디그려?"

내가 물어보았다.

"마리당 팔십만 원쓱 주구 가져왔댜."

그 회사 직원들의 봉급 수준을 모르기에 나의 월급으로 계산을 해 보니, 자그마치 3년 4개월 동안이나 봉투째로 쌓아야 겨우 한 마리 만져 볼까 말까 한 값이었다.

"웬 늠으 잉어가 사람버덤 비싸댜냐?"

내가 기가 막혀 두런거렸더니,

"보통 것은 아닐러먼그려. 뱉어낸밴또(베토벤)라나 뭬라나를 틀어 주면 그 가락대루 따라서 허구, 차에코풀구싶어(차이콥스키)라나 뭬라나를 틀어 주면 또 그 가락대루 따라서 허구, 좌우간 곡을 틀어 주는 대루 못 추는 춤이 읎는 순전 딴따라 고기넝께. 물고기두 꼬랑지 흔들어서 먹구사는 물고기가 있다는 건 이번에 그 집에서 츰 봤구먼." '나'는 '그'에게 비단잉어의 가격을 듣고 _____하지. '그'는 비단잉어가 곡을 틀어 주는 대로 못 추는 ___이 읎다며 딴따라 고기라고 해.

그런데 이 비단잉어들이 어제 새벽에 떼죽음을 한 거였다. 자고 일어나 보니 죄다 허옇게 뒤집어진 채로 떠 있는 것이었다.

총수가 실내화를 꿴 발로 뛰어나왔지만 아무 소용없는 일이었다.

"어떻게 된 거야?"

한동안 넋 나간 듯이 서 있던 총수가 하고많은 사람 중에 하필이면 유자를 겨냥하며 물은 말이었다. 비단잉어들이 _____을 한 것을 보고 넋 나간 듯이 서 있던 _____는 유자에게 어떻게 된 일인지를 물어.

"글쎄유, 아마 밤새에 고뿔이 들었던 개비네유."

유자는 부러 딴청을 하였다.

"뭐야? 물고기가 물에서 감기 들어 죽는 물고기두 봤어?"

총수는 그가 마치 혐의자나 되는 것처럼 화풀이를 하려 드는 것이었다. 처음부터 흘기눈을 떴던 '그'(유자)는 딴청을 피우며 _____에 걸려 죽은 게 아니냐고 답하고, 이에 총수는 유자가 비단잉어들을 죽인 것처럼 _____를 해대지.

그는 비위가 상해서,

"그야 팔자가 사나서 이런 후진국에 시집와 살라니께 여러 가지루다 객고가 쌓여서 조시두 안 좋았을 테구…… 그런디다가 부룻쓰구 지루박이구 가락을 트는 대루 디립다 춰댔으니께 과로해서 몸살끼두 다소 있었을 테구…… 본래 받들어서 키우는 새끼덜일수록이 다다 탈이 많은 법이니께……."

그는 시멘트의 독성을 충분히 우려내지 않고 고기를 넣은 것이 탈이었으려니 하면서도 부러 배참*으로 의뭉을 떨었다.

"하는 말마다 저 말 같잖은 소리…… 시끄러 이 사람아."

총수는 말 가운데 어디가 어떻게 듣기 싫었는지 자기 성질을 못이기며 돌아섰다. 총수의 화풀이에 기분이 상한 _____는 의뭉을 떨며 대답하는데, _____는 그 대답이 못마땅했는지 말 같잖은 소리라며 돌아서.

장면끊기 01 중간 부분의 줄거리 이전까지를 하나의 장면으로 끊어볼 수 있겠네. 이 장면에서는 _____가 중심 소재로 등장하고 있어. 몇 사람의 월급보다도 비싼 비단잉어들을 기르고 잉어들이 한꺼번에 죽자 유자에게 화풀이를 하는 총수가 물질을 우선시하고 사치를 부리는 인물이라면, 총수의 그와 같은 소비에 불만을 갖고 총수의 다그침에도 의뭉을 떠는 유자는 물질 만능주의적 세태에 (순종/**비판**)적 시각을 가진 인물이라고 볼 수 있겠지.

[중간 부분의 줄거리] 불상을 닦는 일로 총수의 미움을 사게 된 유자는 총수의 개인 운전수 자리에서 쫓겨나 회사에 속한 차량의 교통사고를 처리하는 업무를 맡는다.

그가 다루는 사건도 태반이 가해자의 운전 윤리 마비증이 자아낸 것이었다. 그렇지만 가해자가 그룹 내의 동료 운전수라 하여 팔이 들이굽는다는 식의 적당주의를 취한 적은 거의 없었다. 유자는 결국 총수의 미움을 사서 _____ 자리에서 쫓겨나 교통사고 처리 업무를 담당하게 되었어. 그런데 그는 교통사고 가해자가 _____라고 하더라도 적당히 처리하지 않았다. 사리 분별이 분명하고 줏대 있는 유자의 성품이 드러나는군.

다만 사건 처리에 필요한 서류를 갖추기 위해 신상 기록 대장에 있는 주소를 찾아가 보면 일쑤 비탈진 산꼭대기에 더뎅이 진 무허가 주택에서 근근이 셋방살이를 하는 축이 많았고, 더욱이 인건비를 줄이느라고 임시로 쓰던 스페어 운전수들이 사는 꼴이 말이 아닐 때는, 그 운전자의 자질 여부를 떠나서 현실적인 딱한 사정에 괴로워하지 않을 수가 없었던 것이다. 사건 처리를 위해 스페어 운전수들이 사는 집을 찾아간 유자는 그들의 _____을 보고 괴로워하는 인간적인 인물이야.

스페어 운전수는 대체로 벌이가 시답지 않아 결혼도 못한 채 늙고 병든 홀어미와 단칸 셋방에 살고 있거나, 여편네가 집을 나가버려 어린것들만 있는 경우가 적지 않았고, 들여다보면 방구석에 먹던 봉지쌀이 남은 대신 연탄이 떨어지고, 연탄이 있으면 쌀이 없거나 밀가루 포대가 비어 있어, 한심해서 들여다볼 수가 없고 심란해서 돌아설 수가 없는 집이 허다한 것이었다. _____들은 대부분 가정 형편이 좋지 않았나 봐.

그는 결국 주머니를 털었다. 스페어 운전수의 사고에는 업무 추진비 명색도 차례가 가지 않아 자신의 용돈을 털게 되는 것이었다. 식구가 단출하면 쌀을 한 말 팔아 주고, 식구가 많은 집은 밀가루를 두 포대 팔아 주고, 그리고 연탄을 백 장씩 들여놓아 주는 것이 그가 용돈에서 여툴* 수 있는 한계였다.

그는 쌀가게에서 쌀이나 밀가루를 배달하고, 연탄 가게에서 연탄 백 장을 지게로 져 올려 비에 안 젖게 쌓아 주기를 마칠 때까지 그 집을 떠나지 않았다. 그리고 그 집을 나와서 골목을 빠져나오다 보면 늘 무엇인가를 빠뜨리고 오는 것처럼 개운치가 않았다.

그는 비탈길을 다 내려와서야 그것이 무엇이라는 것을 깨닫곤 하였다. 산동네 초입의 반찬 가게를 보고서야 아까 그 집의 부엌에 간장밖에 없었던 것이 뒤늦게 떠오른 것이었다.

그러면 다시 주머니를 뒤졌다.

그가 반찬 가게에서 집어 드는 것은 만날 얼간하여 엮어 놓은 새끼 굴비 두름이었다. 바다와 연하여 사는 탓에 밥상에 비린 것이 없으면 먹어도 먹은 것 같지 않아 하는 대천 사람의 속성이 그런 데서까지도 드티었던* 것이다.

도로 산비탈을 기어 올라가서 굴비 두름을 개 안 닿게 고양이 안 닿게 야무지게 매달아 주면서,

"뷕(부엌)에 제우(겨우) 지랑(간장)밲이 옳으니 뱁이구 수제비구 건건이가 있어야 넘어가지유. 탄불에 귀 자시든 뱁솥에 쩌 자시든 하면, 생긴 건 오죽잖어두 뇌인네 입맛에 그냥저냥 자셔볼 만헐规."

유자는 사건 처리를 위해 사고를 낸 스페어 운전수들을 찾아간 것이지만 그들의 딱한 사정을 보고 자신의 _____를 털어 쌀, 연탄, 반찬거리 같은 것들을 챙기지. 유자의 따뜻한 마음씨를 알 수 있네.

쌀이나 연탄을 들여 줄 때는 회사에서 으레 그렇게 돌봐 주는 것이거니 하고 멀건 눈으로 쳐다만 보던 노파도, 그렇게 반찬거리까지 챙겨 주는 자상함에는 그가 골목을 빠져나갈 때까지 눈시울을 적시고 있는 것이 보통이었다. 자상하게 챙겨 주는 유자의 모습에 노파 같은 스페어 운전수 가족들은 (무감정했군./감동했군.)

장면끊기 02 중간 부분의 줄거리 이후에는 _____를 처리하는 업무를 맡게 된 유자의 이야기가 제시되고 있어. 사건 처리를 위해 사고를 낸 운전수의 집을 방문한 유자는 그들의 딱한 _____을 그냥 지나치지 못하고 자신의 주머니를 털어 그들을 돕지. 이를 통해 인정 넘치는 유자에 대한 서술자의 긍정적 시선을 확인할 수 있어.

— 이문구, 「유자소전(俞子小傳)」 —

*배창: 꾸지람을 듣고 그 화풀이를 다른 데다 함.

*여투다: 돈이나 물건을 아껴 쓰고 나머지를 모아 두다.

*드티다: 밀리거나 비켜나거나 하여 약간 틈이 생기다.

2 1~2번 문제를 풀어 보세요.

1. 〈보기〉를 바탕으로 윗글을 감상할 때, 적절하지 않은 것은?

〈보기〉

「유자소전,은 제목에서 알 수 있듯이 인물의 행적을 사실적으로 기록하는 전(傳)의 형식을 빌려 와 전통적 삶의 양식을 현대적으로 재현하려고 했다. 또한 지역 방언과 익살스러운 표현을 적극적으로 활용하는 문체를 사용했고, 인간적 도리를 꾸준히 실천하는 평면적인 인물을 통해 산업화 속에 나타나는 부정적 가치관과 인간 소외의 문제를 들추어내고 있다. 이 작품은 양심적이고 인정미 넘치는 주인공의 삶을 조명하여 산업화 속에 사라지고 있는 전통적 삶의 양식을 보여 주고자 했던 작가 의식이 반영되어 있다.

① 유자가 사용하는 방언과 익살스러운 표현을 통해 토속적인 느낌과 인물에 대한 정감을 주고 있군.

② 유자가 소외된 사람들을 돕는 인정미 넘치는 모습을 통해 인간적 도리를 실천하는 인물의 모습을 보여주고 있군.

③ 유자에 얽힌 일화들을 소개하여 그가 한 일들을 서술하고 있다는 점에서 전의 형식을 빌려 온 것이라 할 수 있군.

④ 총수의 사치와 허영심에 대한 유자의 불만스러운 태도를 통해 산업화 시대의 물질주의적 가치관에 대한 문제를 드러내고 있군.

⑤ 총수의 운전수에서 교통사고를 처리하는 업무 담당자로 처지가 바뀌고 나서야 인간성을 회복하는 유자는 평면적 인물이라고 볼 수 있군.

2. 문학 개념어 OX 확인 문제

① 공간적 배경을 세밀하게 묘사하여 사건의 전개 방향을 암시하고 있다.

○ ×

② 사투리와 비속어의 사용으로 인물의 특성을 사실적이고 생동감 있게 표현하고 있다.

○ ×

현대소설 독해의 STEP 2

1 인물 간의 관계를 고려하여 구조도의 빈칸에 적절한 말을 채우세요.

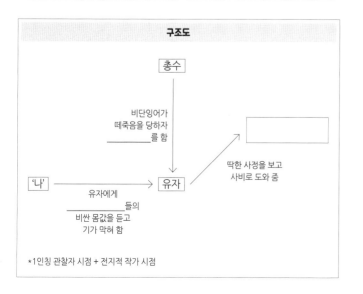

구조도

총수

비단잉어가
떼죽음을 당하자
_____를 함

'나' ——→ 유자

유자에게
_____들의
비싼 몸값을 듣고
기가 막혀 함

딱한 사정을 보고
사비로 도와 줌

*1인칭 관찰자 시점 + 전지적 작가 시점

현대소설 독해의   STEP 3

1 선지 판단 공식을 활용하여 빈칸을 채우고 1번 문제의 선지를 OX로 판단해 보세요.

〈보기〉 문제 선지 판단의 공식

① 〈보기〉 지역 _____과 익살스러운 표현을 적극적으로 활용하는 문체를 사용함 ➕ 작품 '붜(_____)에 제우(겨우) 지랑(간장)빽이 욿으니', '생긴 건 _____ 뇌인네 입맛에 그냥저냥 자셔볼 만헐뀨.'

선지 ➡ 유자가 사용하는 방언과 익살스러운 표현을 통해 토속적인 느낌과 인물에 대한 정감을 주고 있군.   ○ ✕

② 〈보기〉 _____를 꾸준히 실천하는 양심적이고 인정미 넘치는 주인공의 삶을 조명함 ➕ 작품 '그는 결국 주머니를 털었다.', '식구가 단출하면 ____을 한 말 팔아 주고, 식구가 많은 집은 _____를 두 포대 팔아 주고'

선지 ➡ 유자가 소외된 사람들을 돕는 인정미 넘치는 모습을 통해 인간적 도리를 실천하는 인물의 모습을 보여주고 있군.   ○ ✕

③ 〈보기〉 _____을 사실적으로 기록하는 전의 형식을 빌려 옴 ➕ 작품 총수가 기르던 비싼 '_____'에 관한 일화, '교통사고를 처리하는 업무를 맡'게 된 _____가 운전수 가족들을 챙겨 준 일화

선지 ➡ 유자에 얽힌 일화들을 소개하여 그가 한 일들을 서술하고 있다는 점에서 전의 형식을 빌려 온 것이라 할 수 있군.   ○ ✕

④ 〈보기〉 _____ 속에 나타나는 부정적 가치관과 인간 소외의 문제를 들추어내고 있음 ➕ 작품 '그는 처음부터 _____을 떴다. 비행기를 타고 온 수입 고기라서가 아니었다. 그 회사 직원 몇 사람 치 월급을 합쳐도 못 미치는 상식 밖의 _____ 때문이었다.'

선지 ➡ 총수의 사치와 허영심에 대한 유자의 불만스러운 태도를 통해 산업화 시대의 물질주의적 가치관에 대한 문제를 드러내고 있군.   ○ ✕

⑤ 〈보기〉 인간적 도리를 _____ 실천하는 평면적인 인물이 등장함 ➕ 작품 '총수의 미움을 사게 된 유자는 총수의 _____ 자리에서 쫓겨나 회사에 속한 차량의 교통사고를 처리하는 업무를 맡는다.'

선지 ➡ 총수의 운전수에서 교통사고를 처리하는 업무 담당자로 처지가 바뀌고 나서야 인간성을 회복하는 유자는 평면적 인물이라고 볼 수 있군.   ○ ✕

현대소설 독해의 STEP 1

1 주요 인물에 ☐ 표시를 하고, 빈칸에 적절한 말을 채우세요.

소년은 한길 한복판을 거의 쉴 사이 없이 달리는 전차에, 신기하지도 아무렇지도 않은 듯싶게 올라타고 있는 수많은 사람들의 얼굴에, 머리에, 등덜미에, 잠깐 동안 부러움 가득한 눈을 주었다. 익숙하게 전차에 올라타는 사람들을 보며 소년은 _____을 느끼고 있어.

"아버지. 우린, 전차, 안 타요?"

"아, 바로 저긴데, 전찬 뭘 하러 타니?"

아무리 '바로 저기'라도, 잠깐 좀 타 보면 어떠냐고, 소년은 적이 불평이었으나, 소년은 _____를 타 보고 싶지만 그러지 못해 불만스러워하고 있네. 다음 순간, 그는 언제까지든 그것 한 가지에만 마음을 주고 있을 수 없게, 이제까지 시골구석에서 단순한 모든 것에 익숙해 온 그의 어린 눈과 또 귀는 어지럽게도 바빴다. 하지만 불평도 잠시, _____에서는 본 적 없는 눈과 귀가 어지러울 만큼 낯선 풍경들에 금세 빠져드는 모습이야.

전차도 전차려니와, 웬 자동차며 자전거가 그렇게 쉴 새 없이 뒤를 이어서 달리느냐. 어디 '장'이 선 듯도 싶지 않건만, 사람은 또 웬 사람이 그리 거리에 넘치게 들끓느냐. 이 층, 삼 층, 사 층…… 웬 집들이 이리 높고, 또 그 위에는 무슨 간판이 그리 유난스레도 많이 걸려 있느냐. 탈 것과 _____들로 붐비고, 높은 _____과 간판들이 즐비한 도시 풍경에 놀라움을 금치 못하고 있어. 시골서, '영리하다' '똑똑하다', 바로 별명 비슷이 불려 온 소년으로도, 어느 틈엔가, 제풀에 딱 벌려진 제 입을 어쩌는 수 없이, 마분지 조각으로 고깔을 만들어 쓰고, 무엇인지 종잇조각을 돌리고 있는 사나이 모양에도, 그의 눈은, 쉽사리 놀라고, 수많은 깃대잡이 아이놈들의 앞장을 서서, 몽당수염 난 이가 신나게 부는 날라리 소리에도, 어린이의 마음은 걷잡을 수 없게 들떴다. 도시 풍경을 보고 한껏 _____이 들뜬 소년의 모습이 드러나고 있네.

장면끊기 01 낯설고 신기한 것들로 가득한 _____에서 _____이 느끼는 심리가 세세하게 나타난 부분이었어. 중략 이후의 내용도 소년의 심리와 태도에 주목하면서 읽어보도록 하자.

(중략)

그는 눈을 들어, 이번에는 빨래터 바로 위 천변의, 나뭇장 간판이 서 있는 곳을 바라보았다. 그곳에는 이미 윷을 놀지 않는 젊은이들이, 철망 친 그 앞에 앉아서들 잡담을 하고, 더러는 몸들을 유난스러이 전후좌우로 놀려 가며, 그것은 또 무슨 장난인지, 서로 주먹을 들어 때리는 시늉을 한다. 그것이 '권투'라는 것의 연습임을 배운 것은 그로부터 며칠 뒤의 일이거니와, 그러한 장난도 창수의 눈에는 퍽이나 재미스러웠다. 천변의 한켠에서 _____ 연습을 하는 사람들을 보며 _____를 느끼고 있네.

그러한 소년의 눈에, 천변을 오고 가는 모든 사람들이, 그 모두가, 한결같이 잘나만 보이는 것도 또한 어찌할 수 없는 일이 아니냐. 소년에게는 _____을 오가는 도시 사람들이 하나같이 대단하게만 보이는 모양이야. 임바네스* 입은 민 주사며, 중산모 쓴 포목전 주인이며, 인력거 위에 날아갈 듯이 앉아 있는 취옥이며, 그러한 모든 사람은 이를 것도 없거니와 **다리 밑**에 모여서들 지껄대고, 툭 치고, 아무렇게나 거적 위에서 뒹굴고, 그러는 깍정이* 떼들도, 이곳이 결코 시골이 아니라 서울일진댄, 그것들은 그만큼 **행복일 수 있지 않느냐.** 옷을 잘 차려

입은 사람들은 물론이고, 천변에서 할 일 없이 노니는 _____조차도 서울에 살고 있다는 점 하나만으로 충분히 _____한 삶을 누리는 것으로 볼 수 있지 않겠냐고 생각하고 있네.

더구나, 소년은, 줄창, 이곳에만 있어, 오직 이곳 풍경만 사랑하지 않아도 좋을 것이다.

'암만 좋은 구경이래두, **밤낮 본다면 물리고 만다……**'

그러나 이제 창수는 '화신상'도 가 볼 수 있고, '전차'도 탈 수 있고, 옳지, 또 가만히 서만 있어도 삼 층 꼭대기, 사 층 꼭대기로 데려다 준다는 '승강기'라는 것이 있다지 않나. 수길이 말을 들으면, 머리가 어찔하게 현기증이 나더라지만, 그것은 타는 법을 몰라 그럴 것이다. 천변 이외에도 _____, 전차, _____와 같은 서울의 다른 풍경과 문명들을 구경할 수 있다는 생각에 기대감을 드러내고 있어.

'눈을 꼭 감고만 있으면 아무 상관이 없다……'

장면끊기 02 천변의 풍경을 보고 감탄하던 소년이 앞으로의 서울 생활에 큰 설렘과 기대감을 느끼는 내용이었어. 중략 이전과 (달리/마찬가지로) 소년은 서울에 대해 (긍정적인/부정적인) 태도를 드러내고 있지. 이어지는 장면에서도 그러한 태도가 계속해서 유지되는지 눈여겨보도록 하자.

창수는, 말로만 들었지 정작 눈으로 본 일은 없는 '승강기'라는 물건을, 잠깐 머릿속에 아무렇게나 만들어 보느라 골몰이었으나, 어느 틈엔가 제 곁에 서너 명의 아이들이 모여 선 것을 깨닫고, 그들을 둘러보았다.

"얘가 시굴 아이다, 시굴 아이야."

칠팔 세나 그밖에 더 안 된 아이가, 옆에 있는 아이들을 둘러 보고 그렇게 말하니까, 모두 고만고만한 또래의 딴 아이들이,

"그래, 시굴 아이야, 시굴 아이……"

저마다 연방 고개를 끄덕이고, 열한두 살이나 그렇게 된 계집아이 등에 업혀 있는 두세 살 된 갓난애조차, 잘 안 돌아가는 혀끝을 놀리어,

"시구라, 시구라."

하고, 빤히 저를 쳐다보는 것에, 소년은 그러한 것에도 쉽사리 붉어지는 제 얼굴을 아무렇게도 하는 수 없이, 소년은 서울 아이들로부터 _____라는 놀림을 받고 얼굴을 붉히고 있어. 문득, 등 뒤에서 요란스러이 울린 **자전거 종소리**에, 그만 질겁을 하여 한옆으로 허둥대며 비켜서는 꼴을 보고, 그 결코 그렇게는 놀라는 일이 없는 '서울 아이'들이, "하, 하, 하" 하고 가장 재미있는 듯 싶게 한바탕을 웃었을 때, 소년은 귀밑까지 새빨개가지고 마음 속에 끝없는 모욕을 느끼지 않으면 안 되었다. 자전거 _____에 크게 놀라는 모습을 보고 서울 아이들이 재미있다는 듯 웃자, 소년은 부끄러움과 함께 _____까지 느끼고 있어.

그러나 저를 비웃은 아이는, 옆에 모여 선 그 애들뿐이 아니다. 개천 건너 이발소 창 앞에 앉아, 저보다 좀 큰 아이가 아까부터 제 편만 지켜보고 있었던 듯싶어,

"하, 하, 하…… 녀석, 놀라기는……"

하고, 그러한 말을 하더니, 눈이 마주치자,

"너, 약국에, 오늘 들왔구나?"

아주 **어른같이** 그러한 것을 묻는다. 창수는 또 변변치 못하게 얼굴을 붉히며, 가까스로 고개를 한 번 끄떡하고, 문득, 부모를 떠나 외따로이 이러한 곳에서 이제 어떻게 지내 가나 겁이 부썩 나며, 홀로 지내야 하는 _____ 생활에 처음으로 _____을 느끼게 되었어. 그저 아버지가 '전차'나 태워 주고, '화신상'이나 구경시켜 주고, 또

'승강기' 있다는 데로 데리고 가 주고, 그러한 다음에, 같이 **집으로나 다시 내려갔으면**, 그러면 퍽 좋겠다고 침을 몇 덩어리나 삼키며, 저 혼자 속으로 생각하지 않으면 안 되었다. 서울의 풍경을 보며 연신 놀라움과 감탄을 금치 못하던 소년이 다시 시골 집으로 _____면 좋겠다고 생각하며 달라진 태도를 보여 주고 있네.

장면끊기 03 소년이 _____로부터 놀림을 당한 뒤, 서울 생활에 갑자기 두려움을 느끼기 시작하며 (성격/태도)의 변화를 보여 주는 부분이었어. 이 지문은 전체적으로 소년의 심리와 태도에 초점을 맞추어 내용을 정리하는 것이 필요했다는 점 기억해 두자!

– 박태원, 「천변풍경」 –

*임바네스: 남자용 외투의 일종.

*깍정이: 거지.

현대소설 독해의 STEP 2

1 인물 간의 관계를 고려하여 구조도의 빈칸에 적절한 말을 채우세요.

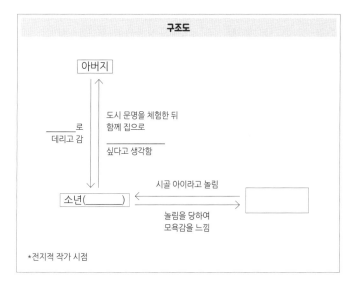

구조도

아버지

_____로 데리고 감

도시 문명을 체험한 뒤 함께 집으로 _____ 싶다고 생각함

소년(_____) ← 시골 아이라고 놀림 → [ ]
놀림을 당하여 모욕감을 느낌

*전지적 작가 시점

---

2 1~2번 문제를 풀어 보세요.

1. 〈보기〉를 참고하여 윗글을 감상한 내용으로 적절하지 <u>않은</u> 것은?

〈보기〉

도시에 처음 입성한 이들은 자신의 꿈과는 다른 현실에 직면하여 심리적 혼돈 속에서 크게 위축된다. 도시는 문명의 화려함을 내세워 그들을 매혹하지만 안정된 삶의 장소를 내주지는 않는다. 도시 문명에 가리어진 도시의 이면적 풍경, 인정이 메마른 도시인의 초상, 그리고 도시 현실에 대한 비판적 의식 등이 어우러져 도시 소설의 한 줄기를 이룬다.

① '창수'가 '다리 밑' 풍경조차도 '행복일 수 있지 않느냐'고 여기는 데서, 도시의 이면적 실상을 직시하지 못하는 인물의 의식을 엿볼 수 있군.

② '창수'가 도시의 풍경에 대해 '밤낮 본다면 물리고 만다'고 한 데서, 혼돈에서 벗어나 도시 문명을 비판적으로 인식하는 모습을 읽을 수 있군.

③ '창수'가 '자전거 종소리'에 허둥대는데도 계속 놀림을 당하는 장면에서, 도시에 입성한 인물이 현실에 직면하여 처하는 불안정한 상황을 짐작할 수 있군.

④ '창수'가, '어른같이' 묻는 물음에 선뜻 답하지 못하는 장면에서, 도시에 처음 입성한 인물이 겪는 심리적 위축 상태를 볼 수 있군.

⑤ '창수'가 '집으로나 다시 내려갔으면' 좋겠다고 생각하는 대목을 통해, 꿈과 현실 사이의 괴리에서 오는 혼란을 겪는 이의 마음을 엿볼 수 있군.

2. 문학 개념어 OX 확인 문제

① 간결한 문체를 사용하여 사건의 긴장감을 높이고 있다. ○ ✕

② 특정 인물의 시선을 중심으로 이야기가 전개되고 있다. ○ ✕

현대소설 독해의 STEP 3

1 선지 판단 공식을 활용하여 빈칸을 채우고 1번 문제의 선지를 OX로 판단해 보세요.

〈보기〉 문제 선지 판단의 공식

① 〈보기〉 도시 소설에는 도시 문명에 가리어진 도시의 _____적 풍경이 나타남

➕

작품 '다리 밑에 모여서들~아무렇게나 _____ 위에서 뒹굴고, 그러는 _____들도, 이곳이 결코 시골이 아니라 서울일진댄, 그것들은 그만큼 _____일 수 있지 않느냐,'

선지▶ '창수'가 '다리 밑' 풍경조차도 '행복일 수 있지 않느냐'고 여기는 데서, 도시의 이면적 실상을 직시하지 못하는 인물의 의식을 엿볼 수 있군. ○ ✕

② 〈보기〉 도시 소설에는 도시 현실에 대한 _____이 드러남

➕

작품 "암만 _____이래두, 밤낮 보면 물리고 만다……' 그러나 이제 창수는 '_____'도 가 볼 수 있고, '_____'도 탈 수 있고,~'승강기'라는 것도 있다지 않나.'

선지▶ '창수'가 도시의 풍경에 대해 '밤낮 본다면 물리고 만다'고 한 데서, 혼돈에서 벗어나 도시 문명을 비판적으로 인식하는 모습을 읽을 수 있군. ○ ✕

③ 〈보기〉 도시에 처음 입성한 이들은 꿈과 _____의 괴리를 경험하며 심리적 혼돈을 느끼는데, 도시는 이들에게 _____ 삶의 장소를 내주지 않음

➕

작품 '얘가 시굴 아이다, 시굴 아이야.', '등 뒤에서 요란스러이 울린 자전거 종소리에, 그만 _____을 하여 한옆으로 _____ 비켜서는 꼴을 보고,~'서울 아이'들이, "하, 하, 하" 하고 가장 _____ 있는 듯 싶게 한바탕을 웃었을 때'

선지▶ '창수'가 '자전거 종소리'에 허둥대는데도 계속 놀림을 당하는 장면에서, 도시에 입성한 인물이 현실에 직면하여 처하는 불안정한 상황을 짐작할 수 있군. ○ ✕

④ 〈보기〉 도시에 처음 입성한 이들은 꿈과 현실의 괴리를 경험하며 _____적 혼돈 속에서 크게 _____되는 모습을 보임

➕

작품 "'너, 약국에, 오늘 들었구나?" 아주 어른같이 그러한 것을 묻는다. 창수는 또 _____하게 얼굴을 붉히며, _____ 고개를 한 번 끄떡하고'

선지▶ '창수'가, '어른같이' 묻는 물음에 선뜻 답하지 못하는 장면에서, 도시에 처음 입성한 인물이 겪는 심리적 위축 상태를 볼 수 있군. ○ ✕

⑤ 〈보기〉 도시에 처음 입성한 이들은 꿈과 현실의 _____를 경험하며 심리적 _____을 느끼게 됨

➕

작품 '그저 아버지가 '전차'나 태워 주고, '화신상'이나 구경시켜 주고,~그러한 다음에, 같이 _____면, 그러면 퍽 좋겠다고~저 혼자 속으로 생각하지 않으면 안 되었다.'

선지▶ '창수'가 '집으로나 다시 내려갔으면' 좋겠다고 생각하는 대목을 통해, 꿈과 현실 사이의 괴리에서 오는 혼란을 겪는 이의 마음을 엿볼 수 있군. ○ ✕

현대소설 독해의 STEP 1

① 주요 인물에 ☐ 표시를 하고, 빈칸에 적절한 말을 채우세요.

젊은이는 사내가 새를 사 주지 않는 데 대한 원망의 기색은 손톱만큼도 나타내지 않았다. 그는 될수록 사내가 난처해질 소리들만 골라서 그를 괴롭게 몰아붙이는 것이었다. 그리하여 결국은 사내 스스로가 견디질 못하고 가게를 떠나게 하려는 것이었다. 젊은이는 사내를 _____하게 만들어서 가게를 떠나게 만들려고 한다.

─아드님을 기다리신답니다. 아드님이 시골에 궁전을 지어놓고 영감님을 모시러 오시는 중이랍니다.

그는 때로 새를 사러 들어온 손님을 상대로 해서까지 그렇게 무참스럽게 사내를 비웃고 무안을 주었다.

─어디만큼 왔나, 고개만큼 왔지…… 영감님은 날마다 효자 꿈에 행복하시지요. 젊은이는 새 가게에 온 _____에게 일부러 사내를 비웃고 무안을 주는 말을 해서 사내를 난처하게 만드는 거야.

사내는 그러나 그런 젊은이의 비웃음을 아랑곳하려는 기색이 조금도 없었다. 그는 젊은이의 공박에 할 말이 전혀 없는 사람처럼 주위를 짐짓 외면해 버리곤 하였다. 젊은이가 정 그를 못 견디게 매도하고 들 때면 차라리 그 젊은이의 얇은 소갈머리가 가엾어 죽겠다는 듯 슬픈 눈길로 그를 한참씩 건너다보고 있다가는 조용히 혼자 한숨을 짓고 말 뿐이었다. 젊은이가 무안을 주고 난처하게 만들어도 사내는 아랑곳하지 않았어. 오히려 젊은이를 _____게 여기며 슬픈 눈길로 건너다보고 _____을 지을 뿐이었지.

하면서도 사내는 좀처럼 젊은이의 새 가게를 떠날 생각을 않고 있었다. 아니 그는 젊은이의 그런 버릇없는 공박 따위로 가게를 아주 떠나 버릴 처지의 사람이 아니었다.

그에겐 아직도 할 일이 남아 있었다. 사내가 젊은이의 조롱에도 _____를 떠나지 않는 이유는 할 일이 남아서라고 하네.

"녀석들에게 모두 새를 사야…… 그래도 녀석들에게 빠짐없이 모두 한 마리씩은 새를 살 수가 있어야……" 사내는 혼자 속으로 중얼거리곤 하였다. 그는 아직도 가막소* 안에 남아 있는 친구들을 절대로 잊어서는 안 된다고 생각했다. 그 가엾은 친구들을 위해 새를 사지 않고 혼자서 이곳을 떠날 수는 없다고 몇 번씩 결심을 다졌다. 사내는 교도소 안에 남아 있는 친구들을 위해 한 마리씩 _____를 사야만 이곳을 떠날 수 있는 거야. 그는 그저 지금 당장은 새를 사는 일이 달갑게 여겨지지가 않고 있을 뿐이었다. 새를 사더라도 전날처럼 즐겁거나 기분이 가벼워지질 못하고 있는 것뿐이었다. 젊은이의 새 가게에서 새를 사는 일이 달갑게 여겨지지 않아서 새를 사지도, _____를 떠나지도 못하고 있는 거네.

하지만 사내는 그것도 그저 그 빌어먹을 잠자리의 악몽 때문일 거라 자신을 변명했다. 밤마다 그를 괴롭혀 대고 있는 빛줄기의 꿈만 꾸지 않게 되면 그는 다시 기분이 회복되어 새를 즐겁게 살 수 있으리라 자신을 기다렸다. 도대체가 새들이 낙엽처럼 빛을 맞고 떨어져 내리는 악몽이 계속되는 동안은, 그리고 그 빌어먹을 새들이 어째서 이 공원 숲을 떠나지 못하고 자꾸만 다시 조롱 속으로 붙잡혀 돌아오는지, 그런 사연을 석연히 이해하지 못하고는 새를 다시 사고 싶은 생각이 일어오질 않았다. 그건 마치 어린애들 숨바꼭질과도 같은 어리석은 장난일 뿐이었다. 사내가 새를 사는 일을 달갑게 여기지 못하는 이유가 나타나고 있어. 새들이 _____을 맞고 떨어져 내리는 빛줄기의 _____

때문이지. 또 새들이 공원을 떠나지 못하고 다시 조롱 속으로 붙잡혀 _____는 이유를 알게 되면 새를 다시 사고 싶어질 것이고, 그럼 교도소 동료들에게 모두 새를 사 준 뒤에 사내도 떠날 수 있다는 거야.

장면끊기 01 사내는 _____의 조롱과 비웃음에도 아랑곳하지 않으며 _____의 동료들을 위해 새를 사려고 해.

한데 그러던 어느 날 밤, 사내에겐 또 한 가지 이상스런 일이 일어났다.

사내는 이날 밤도 그 공원 숲 벤치 위에서 추운 새우잠을 견디고 있었는데, 자정을 한 시간쯤이나 지난 무렵이었을까, 예의 전짓불 빛이 다시 공원 숲 속을 훑어 대기 시작했다. 새 가게를 떠나지 못하고 있는 사내는 공원 숲 _____에서 밤을 지새우고 있었는데, _____이 공원 이곳저곳을 비추기 시작했어.

이번엔 물론 꿈이 아니었다. 실제로 빛줄기를 앞세운 밤새 사냥이 시작된 것이었다. 사내는 벌써부터 까닭을 알 수 없는 두려움 때문에 자신도 모르게 사지가 움츠러들고 있었다. 전짓불빛은 _____를 사냥하기 위한 것이었네.

하지만 이번엔 다행스럽게도 전번 날 밤과는 사정이 훨씬 달랐다.

빛줄기가 아직 사내를 찾아내지 못하고 있었다. 아니, 이날 밤은 그 밤새 사냥꾼이 제 편에서 미리 사내의 잠자리를 피해 주고 있었는지도 알 수 없는 노릇이었다.

불빛은 좀처럼 사내 쪽으로 다가들 기미를 안 보이고 있었다. 사내와는 한참 거리가 떨어진 숲들만 이리저리 분주하게 휘저어 대고 있었다. 불빛을 맞은 밤새들이 낙엽처럼 어둠 속을 휘날리고 있을 뿐이었다. 불빛이 _____ 쪽을 향하지는 않고 있어.

불빛은 거의 걱정을 할 필요가 없는 것 같았다.

하지만 이미 졸음기가 말끔 달아나 버린 사내는 모른 체하고 다시 잠을 청할 수도 없었다.

그는 이윽고 야전잠바 옷깃을 들추고 천천히 벤치 위로 몸을 일으켜 앉았다. 그리고는 차분한 손짓으로 야전잠바 주머니 속을 뒤져 꽁초 한 대를 찾아 물었다. _____가 달아나 버린 사내는 담배를 피우려 해.

사내가 그 야전잠바 옷깃으로 불빛을 가리며 입에 문 꽁초에다 막 성냥불을 그어 붙이려던 순간이었다.

후루룩─!

어둠 속 어느 방향으론가부터 느닷없이 사내의 잠바 깃 속으로 날아와 박히는 것이 있었다. 담뱃불을 붙이려다 말고 사내는 자신도 모르게 흠칫 놀라 손에 든 성냥불부터 날쌔게 꺼 없앴다. 그리고는 그의 가슴께 깃 속으로 박혀든 물체를 재빨리 더듬어 냈다.

사내는 이내 물체의 정체를 알 수 있었다. 다름 아니라 그것은 방금 숲 속의 불빛에 쫓겨 온 한 마리의 새였다. 부드럽고 따스한 감촉이 손에 닿을 때부터 사내는 벌써 그것을 알 수 있었다. 옷깃 밖으로 끌려 나온 새는 두려움 때문인지 가슴이 몹시 팔딱거리고 있었다. 사내가 담뱃불을 붙이기 위해 옷자락에 성냥불을 켰을 때 녀석은 그 불빛을 보고 달려든 게 분명했다. 공원 숲의 ___가 사내가 켠 성냥불의 빛을 보고 사내의 품 속으로 달려든 거야.

"빛에 쫓긴 녀석이 외려 또 불빛을 보고 덤벼들다니…… 역시 새 짐승이란……"

사내는 녀석의 분별없는 행동이 희한하기도 하고 우습기도 하였다. 사내는 불빛을 보고 달려든 새가 _____하기도 우습기도 해.

하지만 사내의 그런 생각이 오히려 오해였는지도 알 수 없었다.

사내는 잠시 녀석을 어떻게 해 주어야 좋을지를 생각해 보았다. 녀석을 금세 그냥 그대로 놓아 보낼 수는 없었다. 녀석은 몹시 겁을 먹고 있었다. 빛줄기에 쫓긴 녀석이 사내에게서 또 한 번 놀라고 있었다. 놀란 녀석을 무작정 다시 어둠 속으로 달아나게 할 수는 없었다.

그는 녀석에게 좀 안심을 시켜서 놓아주기로 작정했다. 사내는 자신의 품으로 달려든 새를 우선 _____시킨 뒤 놓아주려 하지.

장면끊기 02 사내는 ___들이 자꾸 붙잡혀 돌아오는 이유에 대해 궁금해하며 새를 사지 못하고 있었고, 어느 날 밤 _____에서 불빛에 쫓기던 새가 성냥불 빛을 보고 사내의 품으로 날아들게 돼.

– 이청준, 「잔인한 도시」 –

*가막소: 교도소.

현대소설 독해의 STEP 2

1 인물 간의 관계를 고려하여 구조도의 빈칸에 적절한 말을 채우세요.

구조도

가게에서 내보내기 위해 조롱함

[   ] ←——————————————→ 젊은이

가게에서 새를 사서 놓아주던 중
새들이 다시 _____ 이유를 궁금해함

*전지적 작가 시점

---

2 1~2번 문제를 풀어 보세요.

1. 〈보기〉를 바탕으로 윗글을 해석할 때 적절하지 않은 것은?

〈보기〉

이 소설은 폭력적이고 억압적인 세계에 맞서 그것의 정체를 드러내어, 이를 부정해야 함을 강조하고 있다. 그리고 억압적인 세계에 길들여져 있는 인간의 모습을 통해 현실 사회가 부정적인 공포의 공간이 되는 모순을 부각하고 있다. 이러한 모순은 공원 숲에서 멀리 달아나지 못하고 도리어 불빛 속으로 뛰어드는 새를 '사내'가 목격하고, 공원 숲이 더 이상 휴식의 공간이 될 수 없음을 깨닫는 데서 잘 드러난다. 또한 이 소설은 폭력적이고 억압적인 현실의 횡포와 기만에 대한 분노를 통해, 폭력과 억압이 존재하지 않는 세계를 집요하게 추구하고 있다.

① 폭력적이고 억압적인 세계는 '공원 숲 속을 훑어 대기 시작'하는 전짓불빛에 의해 만들어지고 있다.

② 억압적인 세계에 길들여져 있는 인간의 모습은 '공원 숲을 떠나지 못하고 자꾸만 다시 조롱 속으로 붙잡혀 돌아오는' 새들을 통해서 확인할 수 있다.

③ 현재의 공간이 부정적인 공간이 되는 것은 사냥꾼에 쫓긴 '밤새들이 낙엽처럼 어둠 속을 휘날리'는 것을 통해 확인할 수 있다.

④ 현실의 횡포와 기만에 대한 분노는 '졸음기가 말끔 달아나 버린 사내'가 '모른 체하고 다시 잠을 청할 수' 없는 데서 확인할 수 있다.

⑤ 자유를 억압하는 강압적인 폭력의 결과는 '새들이 낙엽처럼 빛을 맞고 떨어져 내리는' 상황을 통해서 암시되고 있다.

2. 문학 개념어 OX 확인 문제

① 인물이 추리 과정을 통해 특정 사건의 의미를 탐색하게 하고 있다. ○ ✕

② 짧고 감각적인 문장을 활용하여 공간적 배경을 세밀하게 그리고 있다. ○ ✕

현대소설 독해의 **STEP 3**

1 선지 판단 공식을 활용하여 빈칸을 채우고 1번 문제의 선지를 OX로 판단해 보세요.

〈보기〉 문제 선지 판단의 공식

① 〈보기〉 이 소설은 _____이고 억압적인 세계에 맞서 그것의 정체를 드러냄

➕ 작품 '예의 _____이 다시 공원 숲 속을 훑어 대기 시작했다.', '실제로 빛줄기를 앞세운 _____이 시작된 것이었다.'

선지 폭력적이고 억압적인 세계는 '공원 숲 속을 훑어 대기 시작'하는 전짓불빛에 의해 만들어지고 있다.　　　○ ✕

② 〈보기〉 이 소설은 _____인 세계에 길들여진 인간의 모습을 통해 현실 사회가 부정적인 _____이 되는 모순을 부각하며, 이러한 모순은 공원 숲에서 멀리 달아나지 못하고 도리어 불빛 속으로 뛰어드는 ___의 모습을 통해 드러남

➕ 작품 '빌어먹을 새들이 어째서 이 공원 숲을 _____ 자꾸만 다시 조롱 속으로 _____ 돌아오는지, 그런 사연을 석연히 이해하지 못하고는 새를 다시 사고 싶은 생각이 일어오질 않았다.'

선지 억압적인 세계에 길들여져 있는 인간의 모습은 '공원 숲을 떠나지 못하고 자꾸만 다시 조롱 속으로 붙잡혀 돌아오는' 새들을 통해서 확인할 수 있다.　　　○ ✕

③ 〈보기〉 현실 사회가 부정적인 _____이 되는 모순은 공원 숲에서 멀리 달아나지 _____ 도리어 불빛 속으로 뛰어드는 새를 '사내'가 목격하고, 공원 숲이 더 이상 _____이 될 수 없음을 깨닫는 데서 잘 드러남

➕ 작품 '실제로 빛줄기를 앞세운 _____이 시작된 것이었다.', '_____을 맞은 밤새들이 낙엽처럼 어둠 속을 휘날리고 있을 뿐이었다.'

선지 현재의 공간이 부정적인 공간이 되는 것은 사냥꾼에 쫓긴 '밤새들이 낙엽처럼 어둠 속을 휘날리'는 것을 통해 확인할 수 있다.　　　○ ✕

④ 〈보기〉 이 소설은 폭력적이고 억압적인 _____와 기만에 대한 분노를 통해, 폭력과 억압이 존재하지 않는 세계를 집요하게 추구함

➕ 작품 '불빛은 거의 걱정을 할 필요가 _____ 것 같았다. 하지만 이미 졸음기가 말끔 달아나 버린 _____는 모른 체하고 다시 잠을 청할 수도 없었다.'

선지 현실의 횡포와 기만에 대한 분노는 '졸음기가 말끔 달아나 버린 사내'가 '모른 체하고 다시 잠을 청할 수' 없는 데서 확인할 수 있다.　　　○ ✕

⑤ 〈보기〉 _____
_____
_____
_____
_____

➕ 작품 '도대체가 새들이 낙엽처럼 _____ 떨어져 내리는 악몽이 계속되는 동안은, 그리고 그 빌어먹을 새들이 어째서 이 공원 숲을 떠나지 못하고 자꾸만 다시 조롱 속으로 _____ 돌아오는지, 그런 사연을 석연히 이해하지 못하고는 새를 다시 사고 싶은 생각이 일어오질 않았다.'

선지 자유를 억압하는 강압적인 폭력의 결과는 '새들이 낙엽처럼 빛을 맞고 떨어져 내리는' 상황을 통해서 암시되고 있다.　　　○ ✕

4
주차

4주차
학습 안내

　　4주차에는 지금까지 배운 것을 적용하여 조금 더 수준 높고, 실전적인 학습을 해볼 거야. 우선 4주차부터는 '장면끊기'가 새로운 형태로 제시될 거야. 3주차까지 어떤 기준에 따라 장면을 끊을 수 있는지를 살펴보았으니 이를 바탕으로 스스로 장면을 끊어 가면서 지문의 흐름을 이해해 보자. 이후 '장면끊기' 표에 각 장면의 내용을 정리하면 돼. 장면을 구분하는 단서를 형광펜으로 표시해 두었으니 지문에서 해당하는 부분을 찾아 확인하면 빈칸을 채우기 어렵지 않을 거야.

　　4주차에 수록된 1번 문제들은 많은 학생들이 어려워했던, 비교적 오답률이 높은 것으로 골랐어. 하지만 지금까지 성실하게 학습해 왔다면 2주차와 3주차에 활용된 '선지 판단의 공식' 혹은 <보기> 문제 선지 판단의 공식'을 채워가며 선지의 정·오답을 정확하게 판단할 수 있을 거야. 이와 관련해 해설 책의 '함정 피하기'에서 오답을 피하고 실수를 최소화할 수 있는 방안을 설명해 두었으니, 이를 통해 헷갈리거나 어려운 문제를 맞닥뜨렸을 때 어떻게 대처할 수 있는지를 알아 보자.

현대소설 독해의 STEP 1

1 주요 인물에 [   ] 표시를 하고, 빈칸에 적절한 말을 채우세요.
2 시간, 공간, 서술 대상이 바뀌는 곳을 찾아 직접 장면을 5개로 나누어 보세요.

어둠이 쭉 깔려 간 밤하늘에는 별들이 빙판(氷板)에 얼어붙은 구슬들처럼 반짝이고 있었다. 찬바람이 나뭇가지를 흔들고 지나갈 때마다 낙엽이 우수수 발밑으로 떨어져 흩어졌다. 그는 [지금] 가로수에 기대어 서서 하늘을 쳐다보고 있었다. 무거운 마음이 좀처럼 가라앉지가 않았다.   그는 가로수에 기대어 밤하늘을 쳐다보며 _____ 마음을 느끼고 있어. 그는 즈봉 포켓 속에 구겨 넣은 신문지를 다시금 손으로 구겨 쥐었다. 어머니—그는 마음속으로 이렇게 부르짖었다. 그 순간 '아래는 아들의 소식을 듣고 실신한 노모'라는 신문 구절과 함께 노파의 주름진 얼굴이 어머니 얼굴과 겹쳐서 떠올랐다. 그가 마음이 무거웠던 _____가 나타나 있어. 그는 실신한 노파의 소식이 실린 신문을 보며 _____가 떠올라 괴로워했던 거야. 그러나 곧 '모두가 조국을 위해서다.' 하는 음성이 그의 마음을 뒤덮고 지나갔다.

'이미 우리는 조국을 위해서만이 있는 몸이다. 지금의 네 심정을 모르는 바 아니지만 보다 더 보람 있는 하나를 위해서 하나를 버려야지.' 그는 이내 모든 일은 _____을 위한 것이었다 말하는 음성을 떠올려.

약 이 개월 전 일이었다. 그가 투신하고 있는 비밀결사에서는 한 사람을 암살하지 않으면 안 될 경지에 놓여 있었다. 그리고 바로 계획된 [그날 밤] 오랜 신병 끝에 오직 한 분밖에 없는 그의 어머니가 숨져 가고 있었던 것이었다.   이 개월 전의 _____, 그는 한 사람을 _____해야 했는데 하나뿐인 어머니가 숨져 가고 있었어.

클랙슨 소리가 짧게 밖에서 또 한 번 울려 오고 있었다. 정각에서 삼십 분 전. 야광 초침이 파란 빛깔을 그으면서 아라비아 숫자가 나열된 동그란 원반 위를 움직이고 있었다. 클랙슨 소리가 다시 짧게 울렸다. 그는 묵묵히 고개를 들고 어둠과 마주 섰다.

"연기는 안 돼. 생각해 봐. 우리가 오늘 이 기회를 잡기 위해서 얼마나 시간과 정력을 소비했나를…… 그것뿐만이 아니라 오늘 실패하는 경우엔 이미 우리들의 계획은 모두 수포로 돌아가야 하는 거야. 그렇게 되면 우리는 하나에서부터 다시 시작해야 하는 거야. 지금 우리들은 삼이라는 성공 숫자 앞에 와 있다. 알겠지? 어머니는 우리가 맡을 테다. 조국을 위해서 이미 모든 것을 버리기로 한 우리들이 아니냐."

나직하면서도 몹시 초조한 음성이었다. _____과 어머니 사이에서 머뭇거리는 그를 보며 비밀결사 대원 중 누군가가 _____한 음성으로 결단을 요구해. 그는 조용히 문을 닫았다. 어머니의 신음 소리가 무겁게 방 안에서 울려 나오고 있었다.

(중략)

의식을 잃고 누워 있던 어머니는 방문이 부시시 열리는 소리에 눈을 떴다. 그가 문을 열고 들어오는 _____에 어머니가 눈을 뜬 거야. 천장이 축 처져서 내려앉은 방 안은 더욱 답답하고 어두웠다. 그는 어머니 앞으로 조용히 다가가서 꿇어앉았다. 고개를 약간 모로 눕히면서 아들 모습을 더듬어 가고 있는 그 눈빛은 다 꺼져 가는 모닥불처럼 희미하게 등잔불 빛에 반사되어 빛나고 있었다.

"어머니……."

노파는 아들의 음성을 알아들었는지 고개를 간신히 흔들어 보이는 것 같았다.

"어머니, 의사가 왔댔어요?"

그러나 노파는 가만히 있었다. 그는 어머니가 말귀를 못 알아들었는가 하여 다시 한 번 어머니 귀 가까이에 입을 대고 물어보았다. 그리고 나서 어머니 표정을 조용히 지켰다. 험하게 주름져 간 입술이 움직거리는 것 같았다. 어머니 손이 무엇인가를 찾아 헤매는 듯하므로 그는 어머니의 손을 마주 잡으며 물었다.

"왜 그러세요?"

어머니는 아무 말 없이 아들의 손만을 꼭 움켜쥐는 것이었다. 어머니는 죽어가면서도 _____만을 생각하는 모습이야. 어머니는 곧 아들의 손을 끌어당겨 자기 뺨 위로 가져갔다. 그리고 이미 시선과 손의 감각만으로써는 아들을 느껴 볼 수가 없는 듯이 아들의 손을 자기 입술에 가져다 대어 보는 것이었다. 그는 가슴이 뭉클 뜨거운 물결 속에 휩쓸려 들어가는 것 같았다. '그'는 죽어가는 어머니를 지켜보며 _____이 뜨거워지는 슬픔을 느껴. 그는 순간 [며칠 전] 집을 나갈 때 간신히 입을 열고 중얼거리던 어머니 말씀이 눈앞에 또렷이 아로새긴 것처럼 떠오르는 것이었다. 그는 _____ 전 어머니와 나누었던 대화를 떠올리게 돼.

"언제 돌아오냐?"

"오늘은 못 돌아올 것 같아요. 저 옆집 아주머니한테 부탁을 했어요. 그리고 좀 돌봐 달라고 돈도 드렸으니까 근심 마세요. 의사도 이따 저녁에 다시 한번 들를 거예요."

"오냐."

그리고 나서 어머니는 잠시 멍하니 허공에 눈 주고 있다가 혼잣말처럼 이렇게 중얼거리는 것이었다.

"어머니는 아들만을 위해서 있단다. 나이 들면 들어 갈수록……. 그러나 아들이야 그럴 수 있겠니, 제 할 일이 더 중한데……."
오늘은 돌아오지 ___한다는 아들을 만류할 수 없어 안타까워하는 _____의 모습이야.

그 말을 듣는 순간 노쇠한 어머니의 애틋한 기대를 깨닫지 못하는 바 아니었으나 그는 자리에서 일어섰던 것이었다.

그는 [지금] 이러한 생각에 사로잡힌 채 자기 손을 끌어당겨다 입술 위에 대고 어루만지고 있는 어머니의 모습을 잠시 지켜보고 있었다. 며칠 전 어머니를 뒤로 하고 ___을 나갔던 기억을 떠올렸다가, 다시 지금(_____을 계획한 그날 밤)으로 시간이 전환되어. 얼마 후 자기 손을 어루만지던 어머니의 손은 맥없이 그대로 멈추어졌다. 그는 뼈만이 앙상한, 여윈 어머니의 손가락으로부터 어머니 눈 위로 시선을 옮겼다. 자기를 쳐다보고 있는 희미한 어머니의 눈빛, 마치 그것은 먼지 속에 퇴색하여 버린 유리알처럼 빛을 잃고 있었다. 그 순간 어머니는 지금 아들의 모습을 바라다보고 있는 것이 아니라, 다만 마음속에서 느끼고 있을 뿐이라는 생각이 그의 마음에 어두운 선을 그으며 지나갔다. ___을 잃은 어머니의 눈을 보며 괴로워하는 그의 모습이야.

[다음날] 그는 밀회 시간을 어기고 그대로 어머니 곁에 있었다. 정오가 가까워서였다. 자동차의 엔진 소리가 요란하게 들리더니 집 앞에서 급히 브레이크 밟는 소리가 났다.

– 오상원, 「모반」 –

현대소설 독해의 STEP 2

1 형광펜이 그어진 부분을 근거로 장면을 다시 한번 나누어 보고, 장면별 내용을 요약해 보세요.

장면끊기 01	지금 '그'는 실신한 노모의 소식이 실린 ___ 을 보며 어머니에 대한 생각으로 ___ 하고 있음
장면끊기 02	이 개월 전 ___ 이 계획된 그날 밤, 비밀결사의 누군가가 찾아와 '그'를 설득하지만, '그'는 죽어가는 어머니를 지켜보며 슬퍼함
장면끊기 03	며칠 전 ___ ___
장면끊기 04	지금 ___ ___
장면끊기 05	'그'는 다음날 비밀결사와의 ___ 시간을 어기고 ___ 의 곁을 지킴

2 인물 간의 관계를 고려하여 구조도의 빈칸에 적절한 말을 채우세요.

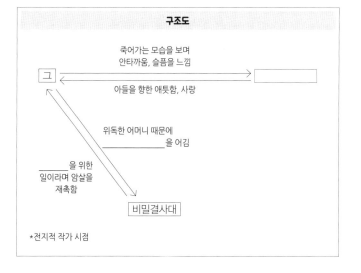

구조도

죽어가는 모습을 보며 안타까움, 슬픔을 느낌

'그' ← ___

아들을 향한 애틋함, 사랑

위독한 어머니 때문에 ___ 을 어김

___ 을 위한 일이라며 암살을 재촉함

비밀결사대

*전지적 작가 시점

---

3 1~2번 문제를 풀어 보세요.

1. 윗글의 서술상의 시간을 〈보기〉와 같이 정리했다. 이와 관련한 설명으로 적절하지 <u>않은</u> 것은?

〈보기〉

지금(1) → 그날 밤 → 며칠 전 → 지금(2) → 다음날

① '지금'(1)과 '지금'(2)는 공간적 배경이 다르다.
② '그날 밤'과 '지금'(2)는 시간적 배경이 동일하다.
③ '그날 밤'과 '며칠 전' 장면은 서술자의 시점이 서로 다르다.
④ 실제 시간 순으로 배열하면 '며칠 전'이 가장 먼저이다.
⑤ '다음날'에는 새로운 사건의 발생이 암시되어 있다.

2. 문학 개념어 OX 확인 문제

① 인물들의 상황을 요약하여 제시하고 있다. ○ ✕
② 외부 사물의 묘사로 복잡한 심리 상태를 암시하고 있다. ○ ✕

현대소설 독해의 STEP 3

1 선지 판단 공식을 활용하여 빈칸을 채우고 1번 문제의 선지를 OX로 판단해 보세요.

〈보기〉 문제 선지 판단의 공식

① 〈보기〉 지금(1) → 그날 밤 → 며칠 전 → 지금(2) → 다음날 ➕ 작품

'그는 지금 _____에 기대어 서서 하늘을 쳐다보고 있었다.', '그는 _____ 이러한 생각에 사로잡힌 채 자기 손을 끌어당겨다 입술 위에 대고 어루만지고 있는 _____ _____을 잠시 지켜보고 있었다.'

선지➡ '지금'(1)과 '지금'(2)는 공간적 배경이 다르다.   ○ ×

② 〈보기〉 지금(1) → 그날 밤 → 며칠 전 → 지금(2) → 다음날 ➕ 작품

'약 _____ 전 일이었다.~한 사람을 _____하지 않으면 안 될 경지에 놓여 있었다. 그리고 바로 계획된 그날 밤 오랜 신병 끝에 오직 한 분밖에 없는 그의 _____가 숨겨 가고 있었던 것', 비밀결사대의 누군가를 만난 뒤 다시 어머니가 계신 방으로 돌아온 '그는 지금 이러한 생각에 사로잡힌 채~얼마 후 자기 손을 어루만지던 어머니의 손은 _____ 그대로 멈추어졌다.'

선지➡ '그날 밤'과 '지금'(2)는 시간적 배경이 동일하다.   ○ ×

③ 〈보기〉 지금(1) → 그날 밤 → 며칠 전 → 지금(2) → 다음날 ➕ 작품

'그날 밤 오랜 신병 끝에 오직 한 분밖에 없는 ___의 어머니가 숨겨 가고 있었던 것', '그는 순간 며칠 전 집을 나갈 때 ~ ___는 자리에서 일어섰던 것이었다.'

선지➡ '그날 밤'과 '며칠 전' 장면은 서술자의 시점이 서로 다르다.   ○ ×

④ 〈보기〉 지금(1) → 그날 밤 → 며칠 전 → 지금(2) → 다음날 ➕ 작품

'약 이 개월 전 일이었다.~그리고 바로 계획된 _____ 오랜 신병 끝에 오직 한 분밖에 없는 그의 어머니가 숨겨 가고 있었던 것', 이 개월 전 그날 밤에 '그는 순간 _____ 집을 나갈 때 간신히 입을 열고 중얼거리던 어머니 말씀이 눈앞에 또렷이 아로새긴 것처럼 떠오르는 것이었다.'

선지➡ 실제 시간 순으로 배열하면 '며칠 전'이 가장 먼저이다.   ○ ×

⑤ 〈보기〉 지금(1) → 그날 밤 → 며칠 전 → 지금(2) → 다음날 ➕ 작품

'자동차의 엔진 소리가 요란하게 들리더니 _____에서 급히 브레이크 밟는 소리가 났다.'

선지➡ '다음날'에는 새로운 사건의 발생이 암시되어 있다.   ○ ×

현대소설 독해의 STEP 1

1 주요 인물에 ☐ 표시를 하고, 빈칸에 적절한 말을 채우세요.
2 시간, 공간, 서술 대상이 바뀌는 곳을 찾아 직접 장면을 3개로 나누어 보세요.

내가 태어난 날임을 상기시키는 아무런 특별함은 없다. 그해 봄날 바람이 불었는지 비가 내렸는지 맑았는지 흐렸는지, 이제는 층계를 오르는 일조차 잊어버린 치매 상태의 노모에게 묻는 것은 의미 없는 일이다. '나'가 태어난 날임을 상기시키는 _____이라곤 없다. 다산의 축복을 받은 농경민의 마지막 후예인 그녀에게 아이를 낳는 것은, 밤송이가 벌어 저절로 알밤이 툭 떨어지는 것, 봉숭아 여문 씨들이 바람에 화르르 흐트러지는 것처럼 자연스럽고 범상한 일이었을 것이다. '나'의 어머니는 _____을 축복으로 여기던 시대의 여성이었고, 아이를 낳는 일은 자연스럽고 예사로운 일이었을 거야.

나는 막냇동생이 태어나던 때를 기억하고 있다. 깨끗한 바가지에 쌀을 담고 그 위에 마른 미역을 한 잎 걸쳐 안방 시렁에 얹어 삼신에게 바친 다음 할머니는 또다시 깨끗한 짚을 한 다발 안방으로 들여갔다. 사람도 짐승처럼 짚북데기 깔자리에서 아기를 낳나? 누구에게도 물을 수 없었던 마음속의 의문에 안방 쪽으로 가는 눈길이 자꾸 은밀하고 유심해졌다. 하지만 '나'는 _____이 태어나던 때를 기억하고 있다. 어머니의 출산을 준비하는 _____의 모습을 보며 '나'는 생명의 탄생에 대해 궁금증을 느끼게 되었어.

할머니는 아궁이가 미어지게 나무를 처넣어 부엌의 무쇠솥에 물을 끓였다. 저녁 내내 어둡고 웅숭깊은 부엌에는 설설 물 끓는 소리와 더운 김이 가득 서렸다. 특별히 누군가 말해 준 적은 없지만 아이들은 무언가 분주하고 소란스럽고 조심스러운 쉬쉬함으로 어머니가 아기를 낳으려 한다는 눈치를 채게 마련이었다.

할머니는 언니에게, 해지기 전에 옛우물에서 물을 길어 와 독을 채워 놓으라고 말했다. 머리카락 빠뜨리지 마라. 쓸데없이 수다 떨다 침 떨구지 마라. 부정 탄다. 할머니는 엄하게 덧붙였다. 막냇동생이 태어나던 때, 할머니는 _____ 태도로 어머니의 출산을 준비했었지.

(중략)

한 사람의 생애에 있어서 사십오 년이란 무엇일까. '나'는 아마도 _____ 년이라는 세월을 살아온 것 같네. 부자도 가난뱅이도 될 수 있고 대통령도 마술사도 될 수 있는 시간일 뿐더러 이미 죽어서 물과 불과 먼지와 바람으로 흩어져 산하에 분분히 내리기에도 충분한 시간이다.

나는 창세기 이래 진화의 표본을 찾아 적도 밑 일천 킬로미터의 바다를 건너 갈라파고스 제도로 갈 수도, 아프리카에 가서 사랑의 의술을 펼칠 수도 있었으리라. 무인도의 로빈슨 크루소도, 광야의 선지자도 될 수 있었으리라. 피는 꽃과 지는 잎의 섭리를 노래하는 근사한 한 권의 책을 쓸 수도 있었을 테고 맨발로 춤추는 풀밭의 무희도 될 수 있었으리라. 질량 불변의 법칙과 영혼의 문제, 환생과 윤회에 대한 책을 쓸 수도 있었을 것이다. 납과 쇠를 금으로 만드는 연금술사도 될 수 있었고 밤하늘의 별을 보고 나의 가야 할 바를 알았는지도 모른다. '나'는 사십오 년이라는 시간이 가질 수 있는 다양한 _____의 가능성에 대해 상상해 보았어.

그러나 나는 지금 작은 지방 도시에서, 만성적인 편두통과 임신 중의 변비로 인한 치질에 시달리는 중년의 주부로 살아가고 있다. 유행하는 시와 에세이를 읽고 티브이의 뉴스를 보고 보수적인 것과 진보적인 것으로 알려진 두 가지의 일간지를 동시에 구독해 읽는 것으로 세상을 보는 창구로 삼고 있다. 한 달에 한 번씩 아들의 학교 자모회에 참석하고 일주일에 두 번 장을 보고 똑같은 거리와 골목을 지나 일주일에 한 번 쑥탕에 가고 매주 목요일 재활 센터에서 지체부자유자들의 물리 치료를 돕는 자원 봉사의 일을 하고 있다. 잦은 일은 아니지만 이름난 악단이나 연주자의 순회공연이 있을 때면 남편과 함께 성장을 하고 밤 외출을 하기도 한다. _____과는 다르게 사십오 년의 세월을 거쳐온 '나'는 현재 특별할 것 없는 _____의 주부로 살아가고 있어.

갈라파고스를 떠올린 것도 엊그제, '나'는 엊그제 _____를 떠올렸던 때를 회상하기 시작하네. 벌써 한 주일 이상이나 화재가 계속되어 희귀 생물의 희생이 걱정된다는 티브이 뉴스에 비친 광경이 의식의 표면에 남긴 잔상 같은 것일 테고 더 먼저는 아들이, 자신이 사용하는 물건들에 붙여 놓은, '도도'라는 말에서 비롯된 것일 수도 있다. 도도가 무엇인가를 묻자 아들은 4백 년 전에 사라진, 나는 기능을 잃어 멸종된 새였다고 말했었다. 누구나 젊은 한 시절 자신을 전설 속의, 멸종된 종으로 여기지 않겠는가. 관습과 제도 속으로 들어가야 하는 두려움과 항거를 그렇게 나타내지 않겠는가. '나'는 자신의 정체성을 탐색하다 문득 아들에게 들은 _____된 새 _____를 떠올렸어. 도도와 같이 자신의 _____도 관습과 제도 속으로 들어가는 사이 멸종되었다고 여기네.

우리 삶의 풍속은 그만큼 빈약한 상상력에 기대어 부박하다. 삶이 내게 도태시킨 가능성에 대해 별반 아쉬움도 없이 잠깐 생각해 본 것은 내가 새로 보태어진 나이테에 잠깐 발이 걸렸다는 뜻일 게다. '나'는 _____에게 자신의 모습을 비추어 보며 스스로를 _____이 도태된 존재로 여겨. 그러나 나는 이제 혼례에나 장례에 꼭 같은 한가지 옷으로 각각 알맞은 역할을 연출할 줄 알고 내 손으로 질서 지워지는 일들에 자부심을 갖고 있다. 그러나 '나'는 생활의 풍속에 의해 만들어진 자신의 삶의 방식에 대해 _____을 갖고 있어. 마늘과 생강이 어우러져 내는 맛을 알고 행주와 걸레의 질서를 사랑하지만 종종 무질서 속으로 피신하는 것도 한 방법이라는 것을 알고 있다. '나'는 일상의 (**질서**/무질서)를 사랑하지만, 상상의 (질서/**무질서**)를 통해 자신의 정체성을 탐색하고 싶었던 거야.

— 오정희, 「옛우물」 —

현대소설 독해의 STEP 2

1 형광펜이 그어진 부분을 근거로 장면을 다시 한번 나누어 보고, 장면별 내용을 요약해 보세요.

장면끊기 01	_____ 이 태어나던 때를 떠올리며 인간의 출생에 대해 생각함
장면끊기 02	사십오 년 동안 살아온 삶의 정체성을 찾기 위해 다양한 양상의 삶의 가능성과 그에 비해 평범한 _____ 로 살아가는 '나'의 일상을 떠올림
장면끊기 03	'나'는 엊그제 떠올린 갈라파고스를 생각하며 '도도'를 통해 _____

2 인물 간의 관계를 고려하여 구조도의 빈칸에 적절한 말을 채우세요.

구조도

'나' ——— [_____] ——→ '나'의 삶
정체성 탐색, 성찰
('나'는 누구인가?)

*1인칭 주인공 시점

3 1~2번 문제를 풀어 보세요.

1. 〈보기〉를 참고할 때 윗글에 대한 감상으로 적절하지 않은 것은?

〈보기〉

인간은 일생 동안 출생·성년·결혼·죽음의 과정을 겪는데, 이 과정에서 일상적 경험 세계와 현실 너머의 상상의 세계에서 새로운 정체성을 탐색한다. 이때 두 세계의 어느 편에도 온전히 편입되지 못하고 경계에 선 인간은 정체성의 혼란을 겪기도 한다.

「옛우물」에서는 경계 상황에 놓인 중년 여성 인물이 자신의 삶을 돌아보며 정체성을 탐색하는 모습을 보여 준다. 그 탐색의 과정에서 출생부터 죽음에 이르기까지 삶의 다양한 양상에 대해 성찰한다. 이를 통해, 생명과 죽음이 서로 대립되고 분리된 것이 아니라 자연의 순환 원리를 바탕으로 한다는 점이 부각된다.

① 주인공이 주기적으로 학교나 재활 센터 등에 오가면서도 밤 외출을 하는 행위에서, 일상 세계에서 안정된 삶을 영위하지 못하는 경계 상황에 놓여 있음을 읽을 수 있겠군.

② 죽음을 물과 불과 바람과 먼지로 산하에 흩어져 내리는 것으로 보는 주인공의 생각에서, 생명과 죽음이 자연의 순환 원리를 바탕으로 연결된 것이라는 인식을 엿볼 수 있겠군.

③ 막냇동생이 태어나던 때에 할머니가 조심스럽게 준비하는 장면을 주인공이 떠올리는 것에서, 출생이라는 생의 첫 과정에 주목하며 정체성을 탐색하려는 모습을 볼 수 있겠군.

④ 한 사람의 생애에서 사십오 년의 의미를 묻는 주인공이 아프리카나 광야를 상상하는 장면에서, 새로운 정체성을 일상과는 다른 세계에서 찾으려고 하는 것을 확인할 수 있겠군.

⑤ 질서 지워지는 일들에 자부심을 가지면서도 무질서 속으로 피신하는 것도 한 방법이라고 하는 부분에서, 질서와 무질서 사이를 오가며 정체성을 탐색할 수 있음을 알 수 있겠군.

2. 문학 개념어 OX 확인 문제

① 이야기 내부 서술자의 자기 고백적 진술을 통해 내면을 제시하고 있다. ○ X

② 사건에 대한 객관적 진술을 통해 사건의 전모를 제시하고 있다. ○ X

현대소설 독해의 STEP 3

1 선지 판단 공식을 활용하여 빈칸을 채우고 1번 문제의 선지를 OX로 판단해 보세요.

〈보기〉 문제 선지 판단의 공식

① 〈보기〉 「옛우물」에서는 _____ 상황에 놓인 중년 여성 인물이 자신의 ____을 돌아보며 정체성을 _____하는 모습을 보여 줌

➕

작품 '한 달에 한 번씩 아들의 _____ 자모회에 참석', '매주 목요일 재활 센터에서 지체 부자유자들의 물리 치료를 돕는 _____의 일', '잦은 일은 아니지만~밤 외출을 하기도 한다.', '내 손으로 _____ 지워지는 일들에 자부심을 갖고 있다.'

선지 주인공이 주기적으로 학교나 재활 센터 등에 오가면서도 밤 외출을 하는 행위에서, 일상 세계에서 안정된 삶을 영위하지 못하는 경계 상황에 놓여 있음을 읽을 수 있겠군. ○ ✕

② 〈보기〉 주인공은 출생부터 _____에 이르기까지 삶의 다양한 양상에 대해 성찰하고, 이를 통해 생명과 죽음이 서로 대립되고 _____된 것이 아니라 자연의 _____ 원리를 바탕으로 한다는 점이 부각됨

➕

작품 '죽어서 물과 불과 _____와 바람으로 흩어져 _____에 분분히 내리기에도 충분한 시간이다.'

선지 죽음을 물과 불과 바람과 먼지로 산하에 흩어져 내리는 것으로 보는 주인공의 생각에서, 생명과 죽음이 자연의 순환 원리를 바탕으로 연결된 것이라는 인식을 엿볼 수 있겠군. ○ ✕

③ 〈보기〉 주인공은 자신의 정체성을 탐색하는 과정에서 _____부터 죽음에 이르기까지 삶의 다양한 양상에 대해 성찰함

➕

작품 '무언가 분주하고 소란스럽고 _____스러운 쉬쉬함', 할머니는 '_____ 바가지에 쌀을 담고 그 위에 마른 미역을 한 잎 걸쳐 안방 시렁에 얹어 _____에게 바'치고, 언니에게 '_____' 타지 않게 '물을 길어' 오라고 함

선지 막냇동생이 태어나던 때에 할머니가 조심스럽게 준비하는 장면을 주인공이 떠올리는 것에서, 출생이라는 생의 첫 과정에 주목하며 정체성을 탐색하려는 모습을 볼 수 있겠군. ○ ✕

④ 〈보기〉 인간은 현실 너머의 _____의 세계에서 새로운 _____을 탐색함

➕

작품 '한 사람의 생애에 있어서 사십오 년이란 _____일까.', '아프리카에 가서 _____의 의술을 펼칠 수도 있었으리라.', '_____의 선지자도 될 수 있었으리라.'

선지 한 사람의 생애에서 사십오 년의 의미를 묻는 주인공이 아프리카나 광야를 상상하는 장면에서, 새로운 정체성을 일상과는 다른 세계에서 찾으려고 하는 것을 확인할 수 있겠군. ○ ✕

⑤ 〈보기〉 일상적 _____ 세계와 현실 너머의 상상의 세계에서 어느 편에도 온전히 편입되지 못하고 _____ 상황에 놓인 주인공은 자신의 삶을 돌아보며 정체성을 탐색함

➕

작품 '알맞은 역할을 연출할 줄 알고 내 손으로 질서 지워지는 일들에 _____을 갖고 있다.', '질서를 사랑하지만 종종 _____ 속으로 피신하는 것도 한 방법이라는 것을 알고 있다.'

선지 질서 지워지는 일들에 자부심을 가지면서도 무질서 속으로 피신하는 것도 한 방법이라고 하는 부분에서, 질서와 무질서 사이를 오가며 정체성을 탐색할 수 있음을 알 수 있겠군. ○ ✕

현대소설 독해의 STEP 1

1 주요 인물에 ☐ 표시를 하고, 빈칸에 적절한 말을 채우세요.

2 시간, 공간, 서술 대상이 바뀌는 곳을 찾아 직접 장면을 5개로 나누어 보세요.

[앞의 줄거리] 아들 성기가 역마살 때문에 떠돌이가 될까 봐 걱정하던 옥화는 그를 정착시키기 위해 체 장수 영감의 딸 계연과 맺어주려 하지만, 계연이 자기 동생이라는 것을 알고는 그녀를 떠나보내기로 한다. ＿＿＿는 아들 성기와 ＿＿＿을 혼인시키려 했지만, 계연이 자신의 ＿＿＿이라는 것을 알고 계연을 보내려 하고 있어.

계연의 시뻘겋게 상기한 얼굴은, 옥화와 그의 아버지가 그들을 지켜보고 있다는 것도 잊은 듯이 성기의 얼굴만 일심으로 바라보고 있었으나, 계연은 떠나는 자신을 ＿＿＿가 잡아 주기를 바라며 성기의 ＿＿＿만 바라보고 있어. 버드나무에 몸을 기댄 성기의 두 눈엔 다만 불꽃이 활활 타오를 뿐, 아무런 새로운 명령도 기적도 나타나지 않았다.

"오빠, 편히 사시오."

하고, 거의 울음이 다 된, 마지막 목소리를 남기고 돌아선 계연의 저만치 가고 있는 항라 적삼*을, 고운 햇빛과 늘어진 버들가지와 산울림처럼 울려오는 뻐꾸기 울음 속에, 성기는 우두커니 지켜보고 있을 뿐이었다. ＿＿＿은 우두커니 지켜만 보고 있는 성기에게 ＿＿＿를 하며 이별을 슬퍼하고 있어.

성기가 다시 자리에서 일어나게 된 것은 이듬해 우수(雨水)도 경칩(驚蟄)도 다 지나, 청명(淸明) 무렵의 비가 질금거릴 무렵이었다. 주막 앞에 늘어선 버들가지는 다시 실같이 푸르러지고 살구, 복숭아, 진달래 들이 골목 사이로 산기슭으로 울긋불긋 피고 지고 하는 날이었다.

아들의 미음상을 차려 들고 들어온 옥화는 성기가 미음 그릇을 비우는 것을 보자 이렇게 물었다.

"아직도, 너, 강원도 쪽으로 가 보고 싶냐?"

"……"

성기는 조용히 고개를 돌렸다.

"여기서 장가들어 나랑 같이 살겠냐?"

"……"

성기는 역시 고개를 돌렸다. 성기는 옥화의 질문에 아무 말 없이 ＿＿＿를 돌리고 있어.

그해 아직 봄이 오기 전, 보는 사람마다, 성기의 회춘을 거의 다 단념하곤 하였을 때 옥화는, 이왕 죽고 말 것이라면, 어미의 맘속이나 알고 가라고, 그래, 그 체 장수 영감은, 서른여섯 해 전 남사당을 꾸며 와 이 화개 장터에 하룻밤을 놀고 갔다는 자기의 아버지임에 틀림이 없었다는 것과, 계연은 그 왼쪽 귓바퀴 위의 사마귀로 보아 자기의 동생임이 분명하더라는 것을, 통정*하노라면서, 자기의 같은 왼쪽 귓바퀴 위의 검정 사마귀까지를 그에게 보여 주었다. 옥화는 아들 성기에게 ＿＿＿이 자신의 동생임을 밝히고 있어.

"나도 처음부터 영감이 '서른여섯 해 전'이라고 했을 때 가슴이 섬뜩하긴 했다. 그렇지만 설마 했지 그렇게 남의 간을 뒤집어 놀 줄이야 알았나. 하도 아슬해서 이튿날 악양으로 가 명도*까지 불러 봤더니, 요것도 남의 속을 빤히 들여다나 보는 듯이 재

잘대는구나, 차라리 망신을 했지."

옥화는 잠깐 말을 그쳤다. 성기는 두 눈에 불을 켜듯 한 형형한 광채를 띠고, 그 어머니의 얼굴을 쳐다보고 있었다. ＿＿＿는 옥화의 말을 듣고 충격을 받은 모양이야.

"차라리 몰랐으면 또 모르지만 한번 알고 나서야 인륜이 있는듸 어쩌겠냐."

그리고 부디 어미 야속타거나 생각지 말라고, 옥화는 아들의 뼈만 남은 손을 눈물로 씻었다. 옥화는 계연과 성기를 갈라놓을 수밖에 없었음을 고백하며 ＿＿＿을 흘리고 있어.

옥화의 이 마지막 하직같이 하는 통정 이야기에 의외로도 성기는 도로 힘을 얻은 모양이었다. 그 불타는 듯한 형형한 두 눈으로 천장을 한참 바라보고 있던 성기는 무슨 새로운 결심이나 하듯 입술을 지그시 깨물고 있었다. 성기는 옥화의 이야기를 듣고 새로운 ＿＿＿을 한 듯 보여.

아버지를 찾아 강원도 쪽으로 가 볼 생각도 없다, 집에서 장가들어 살림을 할 생각도 없다, 하는 아들에게 그러나, 옥화는 이제 전과 같이 고지식한 미련을 두는 것도 아니었다.

"그럼 어쩔라냐? 너 좋을 대로 해라." 옥화는 성기를 정착시키고자 했던 고지식한 ＿＿＿을 버리고, 성기에게 하고 싶은 대로 하라고 해.

"……"

성기는 아무런 말도 없이 도로 자리에 드러누워 버렸다.

그러고 나서 한 달포나 넘어 지난 뒤였다.

성기가 좋아하는 여러 가지 산나물이 화갯골에서 연달아 자꾸 내려오는 이른 여름의 어느 장날 아침이었다. 두릅회에 막걸리 한 사발을 쭉 들이켜고 난 성기는 옥화더러,

"어머니, 나 엿판 하나만 맞춰 줘." 성기는 ＿＿＿을 들고 떠돌아다니는 삶을 살기로 결심했나 봐.

하였다.

"……"

옥화는 갑자기 무엇으로 머리를 얻어맞은 듯이 성기의 얼굴을 멍하니 바라보고 있었다. 옥화는 떠돌이의 삶을 선택한 아들의 결심에 놀라서 멍하니 성기를 ＿＿＿＿＿ 있어.

그런 지도 다시 한 보름이나 지나, 뻐꾸기는 또다시 산울림처럼 건드러지게 울고, 늘어진 버들가지엔 햇빛이 젖어 흐르는 아침이었다. 새벽녘에 잠깐 가는 비가 지나가고, 날은 다시 유달리 맑게 갠 화개 장터 삼거리 길 위에서, 성기는 그 어머니와 하직을 하고 있었다. 마침내 성기가 떠나는 날이 되었나 봐. 갈아입은 옥양목 고의적삼에, 명주 수건까지 머리에 잘끈 동여매고 난 성기는, 새로 맞춘 새하얀 나무 엿판을 걸빵해서 느직하게 엉덩이 즈음에다 걸었다. 위 목판에는 새하얀 가락엿이 반나마 들어 있었고, 아래 목판에는 팔다 남은 이야기책 몇 권과 간단한 방물이 좀 들어 있었다.

그의 발 앞에는, 물과 함께 갈려 길도 세 갈래로 나 있었으나, 화갯골 쪽엔 처음부터 등을 지고 있었고, 동남으로 난 길은 하동, 서남으로 난 길이 구례, 작년 이맘때도 지나 그녀가 울음 섞인 하직을 남기고 체 장수 영감과 함께 넘어간 산모퉁이 고갯길은 퍼붓는 햇빛 속에 지금도 환히 장터 위를 굽이돌아 구례 쪽을 향했으나, 성기는 한참 뒤, 몸을 돌렸다. 그리하여 그의 발은 구례 쪽을 등지고 하동 쪽을 향해 천천히 옮겨졌다. 성기는 지금까지의 삶의 터전이었던

화갯골도, 작년 이맘때 계연이 떠난 구례 쪽도 아닌 _____ 쪽으로 발걸음을 옮기기 시작해. 더 이상 과거의 삶과 인연에 미련을 두지 않기로 한 것이지.

한 걸음, 한 걸음, 발을 옮겨 놓을수록 그의 마음은 한결 가벼워져, 멀리 버드나무 사이에서 그의 뒷모양을 바라보고 서 있을 어머니의 주막이 그의 시야에서 완전히 사라져 갈 무렵 해서는, 육자배기 가락으로 제법 콧노래까지 흥얼거리며 가고 있는 것이었다. 자신의 운명을 받아들이고 길을 떠나는 성기는 홀가분함을 느끼며 _____까지 흥얼거리고 있어.

– 김동리, 「역마」 –

*항라 적삼: 명주, 모시, 무명실 따위로 된 한 겹의 윗도리.
*통정: 통사정. 딱하고 안타까운 형편을 털어놓고 말함.
*명도: 마마를 앓다가 죽은 어린 계집아이의 귀신.

현대소설 독해의 STEP 2

1 형광펜이 그어진 부분을 근거로 장면을 다시 한번 나누어 보고, 장면별 내용을 요약해 보세요.

장면끊기 01	옥화는 계연이 자신의 _____ 이라는 것을 알고는 그녀를 떠나보내기로 하고, _____은 성기와 이별함
장면끊기 02	성기가 다시 자리에서 일어나게 된 청명 무렵, 성기는 옥화의 질문에 아무 말 없이 _____를 돌림
장면끊기 03	그해 아직 봄이 오기 전, 옥화는 성기에게 _____을 떠나보낸 이유를 설명하고, 옥화의 이야기를 들은 성기는 새로운 _____을 한 듯한 모습을 보임
장면끊기 04	한 달포나 넘어 지난 뒤, 이른 여름에 성기는 옥화에게 _____을 하나만 맞춰 달라고 함
장면끊기 05	다시 한 보름이나 지나 _____

2 인물 간의 관계를 고려하여 구조도의 빈칸에 적절한 말을 채우세요.

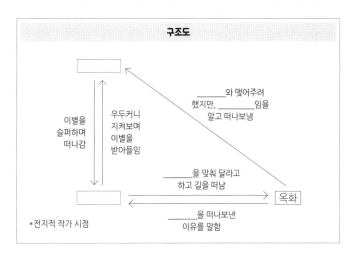

3 1~2번 문제를 풀어 보세요.

1. 〈보기〉를 참고하여, 윗글을 감상한 내용으로 적절하지 <u>않은</u> 것은?

〈보기〉

ㄱ. 김동리는 「역마」의 인물들을 통해, 운명을 수용하는 것이 운명에 패배하는 것이 아니라 세계와 조화되는 것이며, 이는 우리 민족의 전통적 삶의 방식이라고 여겼다.

ㄴ. 「역마」의 인물들이 보여 주는 생각과 행동은 적극적이지 않고 비합리적이어서, 주체적으로 자기 삶의 방향을 결정하는 현대인들이 공감하기 힘들다는 비판이 있다.

① ㄱ에 따르면, 성기와 계연의 이별 장면은 한국인의 전통적 삶의 방식을 보여 주는 장면이군.

② ㄱ에 따르면, 엿장수가 되어 떠나는 성기의 행동은 세계와 조화를 이루는 행동이군.

③ ㄴ에 따르면, 성기를 떠난 계연은 전통적 인물이면서도 삶의 방향을 스스로 결정하는 주체적인 인물이군.

④ ㄴ에 따르면, 명도를 불러 보고 그가 한 말을 받아들이는 옥화는 비합리적인 인물이군.

⑤ ㄴ에 따르면, 하동 쪽으로 발을 옮겨 놓는 성기는 소극적 삶의 자세를 보여 주는 인물이군.

2. 문학 개념어 OX 확인 문제

① 과거 장면을 삽입하여 인물들의 관계를 드러내고 있다. ○ ✕

② 상상적 공간을 배경으로 삼아 허구성을 강화하고 있다. ○ ✕

현대소설 독해의 STEP 3

1 선지 판단 공식을 활용하여 빈칸을 채우고 1번 문제의 선지를 OX로 판단해 보세요.

〈보기〉 문제 선지 판단의 공식

① 〈보기〉 ㄱ. 김동리는 _____ 을 수용하는 것은 우리 민족의 _____ _____ 삶의 방식이라고 여김 ➕ 작품 '"오빠, 편히 사시오." 하고, 거의 울음이 다 된, 마지막 목소리를 남기고 돌아선 계연의~성기는 _____ _____ 있을 뿐이었다.'

선지 ➤ ㄱ에 따르면, 성기와 계연의 이별 장면은 한국인의 전통적 삶의 방식을 보여 주는 장면이군. ○ ✕

② 〈보기〉 ㄱ. 김동리는 운명을 _____ 하는 것이 운명에 패배하는 것이 아니라 세계와 _____ 되는 것이라 여김 ➕ 작품 '_____ 을 걸빵해서 느직하게 엉덩이 즈음에다 걸'고, '성기는 한참 뒤, 몸을 돌렸다. 그리하여 그의 발은 구례 쪽을 등지고 _____ 쪽을 향해 천천히 옮겨졌다.'

선지 ➤ ㄱ에 따르면, 엿장수가 되어 떠나는 성기의 행동은 세계와 조화를 이루는 행동이군. ○ ✕

③ 〈보기〉 ㄴ. 「역마」의 인물들이 보여 주는 생각과 행동은 _____ 으로 자기 삶의 방향을 결정하는 _____ 이 공감하기 힘들다는 _____ 이 있음 ➕ 작품 '"오빠, 편히 사시오." 하고, 거의 울음이 다 된, 마지막 _____ 계연의~ 성기는 우두커니 지켜보고 있을 뿐이었다.'

선지 ➤ ㄴ에 따르면, 성기를 떠난 계연은 전통적 인물이면서도 삶의 방향을 스스로 결정하는 주체적인 인물이군. ○ ✕

④ 〈보기〉 ㄴ. 「역마」의 인물들이 보여 주는 생각과 행동은 _____ _____ 이어서 현대인들이 공감하기 힘들다는 비판이 있음 ➕ 작품 '하도 아슬해서 이튿날 악양으로 가 _____ 까지 불러 봤더니, 요것도 남의 속을 빤히 들여다나 보는 듯이 재잘대는구나, 차라리 _____ 을 했지.'

선지 ➤ ㄴ에 따르면, 명도를 불러 보고 그가 한 말을 받아들이는 옥화는 비합리적인 인물이군. ○ ✕

⑤ 〈보기〉 ㄴ. 「역마」의 인물들이 보여 주는 생각과 행동은 _____ 이지 않아 현대인들이 공감하기 힘들다는 비판이 있음 ➕ 작품 '성기는 한참 뒤, 몸을 돌렸다. 그리하여 그의 발은 구례 쪽을 등지고 _____ 쪽을 향해 천천히 옮겨졌다.'

선지 ➤ ㄴ에 따르면, 하동 쪽으로 발을 옮겨 놓는 성기는 소극적 삶의 자세를 보여 주는 인물이군. ○ ✕

현대소설 독해의　STEP 1

1. 주요 인물에 ☐ 표시를 하고, 빈칸에 적절한 말을 채우세요.
2. 시간, 공간, 서술 대상이 바뀌는 곳을 찾아 직접 장면을 2개로 나누어 보세요.

"지식인일수록 불만이 많은 법입니다. 그러나, 그렇다고 제 몸을 없애 버리겠습니까? 종기가 났다고 말이지요. 당신 한 사람을 잃는 건, 무식한 사람 열을 잃는 것보다 더 큰 민족의 손실입니다. 당신은 아직 젊습니다. 우리 사회에는 할 일이 태산 같습니다. 나는 당신보다 나이를 약간 더 먹었다는 의미에서, 친구로서 충고하고 싶습니다. 조국의 품으로 돌아와서, 조국을 재건하는 일꾼이 돼 주십시오. _____으로서의 책임을 강조하며 조국으로 돌아올 것을 제안하고 있어. 낯선 땅에 가서 고생하느니, 그쪽이 당신 개인으로서도 행복이라는 걸 믿어 의심치 않습니다. 나는 당신을 처음 보았을 때, 대단히 인상이 마음에 들었습니다. 뭐 어떻게 생각지 마십시오. 나는 동생처럼 여겨졌다는 말입니다. 만일 남한에 오는 경우에, 개인적인 조력을 제공할 용의가 있습니다. 어떻습니까?"

명준은 고개를 쳐들고, 반듯하게 된 천막 천장을 올려다본다. 한층 가락을 낮춘 목소리로 혼잣말 외듯 나직이 말할 것이다.

"중립국." 남한으로 오라는 설득에도 불구하고 _____은 _____으로 가겠다는 뜻을 밝히고 있네.

설득자는, 손에 들었던 연필 꼭지로, 테이블을 툭 치면서, 곁에 앉은 미군을 돌아볼 것이다. 미군은, 어깨를 추스르며, 눈을 찡긋하고 웃겠지. 명준의 확고한 태도를 보고 더 이상 그를 _____할 수는 없겠다고 판단한 모양이야.

나오는 문 앞에서, 서기의 책상 위에 놓인 명부에 이름을 적고 천막을 나서자, 그는 마치 재채기를 참았던 사람처럼 몸을 벌떡 뒤로 젖히면서, 마음껏 웃음을 터뜨렸다. 눈물이 찔끔찔끔 번지고, 침이 걸려서 캑캑거리면서도 그의 웃음은 멎지 않았다. 명준이 마음껏 _____을 터뜨리는 모습에는 중립국을 선택한 후 느끼는 후련함이나 그러한 선택을 할 수밖에 없었던 현실에 대한 자조 등의 복잡한 심정이 섞여 있을 것으로 짐작할 수 있어.

준다고 바다를 마실 수는 없는 일. 사람이 마시기는 한 사발의 물. 준다는 것도 허황하고 가지거니 함도 철없는 일. 바다와 한 잔의 물. 그 사이에 놓인 골짜기와 눈물과 땀과 피. 그것을 셈할 줄 모르는 데 잘못이 있었다. 세상에서 뒤진 가난한 땅에 자란 지식 노동자의 슬픈 환상. 자신은 그동안 슬픈 _____에 빠졌던 것이라고 하며 과거의 삶을 돌이켜보고 있어. 과학을 믿은 게 아니라 마술을 믿었던 게지. 바다를 한 잔의 영생수로 바꿔 준다는 마술사의 말을. 그들은 뻔히 알면서 권력이라는 약을 팔려고 말로 속인 꼬임을. 권력을 위해 사람들을 거짓으로 꾀어내었던 이들을 _____에 빗대며 비판적인 인식을 드러내고 있어. 어리석게 신비한 술잔을 찾아 나섰다가, 낌새를 차리고 항구를 돌아보자, 그들은 항구를 차지하고 움직이지 않고 있었다. 참을 알고 돌아온 바다의 난파자들을 그들은 감옥에 가둘 것이다. 못된 균을 옮기지 않기 위해서. 거짓을 통해 _____를 차지한 이들은 뒤늦게 진실이 무엇인지 알고 다시 돌아온 _____를 감옥에 가두어 버린다고 하네. 권력자의 허황한 말에 속은 이들이 부당하게 억압당하는 현실에 대해 말하는 것이겠지. 역사는 소걸음으로 움직인다. 사람의 커다란 모순과 업(業)에 비기면, 아무

자국도 못 낸 것이나 마찬가지다. 당대까지 사람이 만들어 낸 물질 생산의 수확을 고르게 나누는 것만이 모든 시대에 두루 맞는 가능한 일이다. 마찬가지 아닌가. 벌써 아득한 옛날부터 사람 동네가 알아낸 슬기. 사람이라는 조건에서 비롯하는 슬픔과 기쁨을 고루 나누는 것. 그래 봐야, 사람의 조건이 아직도 풀어 나가야 할 어려움의 크기에 대면, 아무것도 아니다. 사람이 이루어 놓은 것에 눈을 돌리지 않고, 이루어야 할 것에만 눈을 돌리면, 그 자리에서 그는 삶의 힘을 잃는다. 사람이 풀어야 할 일을 한눈에 보여 주는 것 — 그것이 '죽음'이다. 은혜의 죽음을 당했을 때, 이명준 배에서는 마지막 돛대가 부러진 셈이다. 명준은 은혜의 _____을 겪은 이후 크게 절망했던 모양이야. 이제 이루어 놓은 것에 눈을 돌리면서 살 수 있는 힘이 남아 있지 않다. 팔자소관으로 빨리 늙는 사람도 있는 법이었다. 사람마다 다르게 마련된 몸의 길, 마음의 길, 무리의 길. 대일 언덕 없는 난파꾼은 항구를 잊어버리기로 하고 물결 따라 나선다. 환상의 술에 취해 보지 못한 섬에 닿기를 바라며. 그리고 그 섬에서 환상 없는 삶을 살기 위해서. 무서운 것을 너무 빨리 본 탓으로 지쳐 빠진 몸이, 자연의 수명을 다하기를 기다리면서 쉬기 위해서. 그렇게 해서 결정한, 중립국행이었다. 명준이 중립국행을 택한 _____가 제시되었네. 이는 권력자들의 억압으로 인해 고통받아야 했던 (섬을/항구를) 떠나, 환상 없는 삶을 살 수 있는 (섬/항구)에 닿기를 바라며 물결에 몸을 맡긴 것과 같은 선택이었다는 거지.

중립국. 아무도 나를 아는 사람이 없는 땅. 하루 종일 거리를 싸다닌대도 어깨 한번 치는 사람이 없는 거리. 내가 어떤 사람이었던지도 모를뿐더러 알려고 하는 사람도 없다.

병원 문지기라든지, 소방서 감시원이라든지, 극장의 매표원, 그런 될 수 있는 대로 마음을 쓰는 일이 적고, 그 대신 똑같은 움직임을 하루 종일 되풀이만 하면 되는 일을 할 테다. 수위실 속에서 나는 몸의 병을 고치러 오는 사람들을 바라본다. 나는 문간을 깨끗이 치우고 아침저녁으로 꽃밭에 물을 준다. 명준은 아무도 자신을 _____ 이 없는 중립국에서 지극히 일상적인 삶을 누릴 수 있기를 소망하고 있어.

— 최인훈, 「광장」 —

현대소설 독해의 STEP 2

1 형광펜이 그어진 부분을 근거로 장면을 다시 한번 나누어 보고, 장면별 내용을 요약해 보세요.

| 장면끊기 01 | 천막 안에서 이루어진 _____ 측 설득자의 회유에도 불구하고 명준은 |
| 장면끊기 02 | 천막을 나선 명준은 자신의 지난 삶과 혼란스러운 현실을 돌아본 뒤, |

2 인물 간의 관계를 고려하여 구조도의 빈칸에 적절한 말을 채우세요.

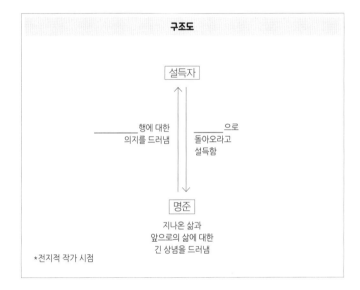

구조도

설득자
↑
_____ 행에 대한 의지를 드러냄   _____으로 돌아오라고 설득함
↓
명준
지나온 삶과 앞으로의 삶에 대한 긴 상념을 드러냄

*전지적 작가 시점

3 1~2번 문제를 풀어 보세요.

1. 〈보기〉를 참고하여 윗글을 감상할 때 적절하지 <u>않은</u> 것은?

〈보기〉

4 · 19 직후에 발표된 최인훈의 「광장」은 당대에 금기시되던 이념 대립의 문제를 정면으로 파헤친 점에서 전후 분단 소설의 대표작으로 평가받고 있다. 남북한 간 이념의 이분법적 구도로 인해, 한반도의 분단만이 아니라 각 체제 내의 사회적 모순과 문제점을 비판하고 고발하는 것조차 이념의 이름으로 은폐하거나 호도하는 사태가 발생하였다. 「광장」은 그러한 시대적 상황에 문제를 제기하고 이념적 대립을 극복할 비판적 대안을 제시하고자 하였던 것이다.

① 이념적 선택을 강요하는 억압적 상황에 처한 이의 심정이 드러나 있어. 주인공이 중립국 선택을 마치고 난 후에 보인 반응에서 이를 엿볼 수 있지.

② 개인의 이익보다 이념을 택하는 당대 지식인의 실천적 의지가 드러나 있어. 개인의 행복한 삶을 마다하고 낯선 땅으로 가려는 주인공의 선택에서 이를 엿볼 수 있지.

③ 현실의 문제를 감추거나 왜곡하기에 급급한 체제에 대한 냉소적 태도가 드러나 있어. 미래에 대한 환상으로 사람들을 꾀는 마술사의 속임수를 비꼬듯 이야기한 데에서 이를 엿볼 수 있지.

④ 사회적 모순을 직시하는 이들을 격리하려는 권력을 비판하고자 하는 의식이 드러나 있어. 항구를 차지한 이들이 바다에서 돌아온 이들을 감금하려 한다는 대목에서 이를 엿볼 수 있지.

⑤ 이념적 대립 구도에 갇힌 현실에 대한 대안으로, 일상적 삶을 자유롭게 누릴 수 있는 사회가 드러나 있어. 주인공이 중립국에서 누리고자 하는 삶의 모습을 기술한 데에서 이를 엿볼 수 있지.

2. 문학 개념어 OX 확인 문제

① 현재형 진술을 사용하여 인물의 내면 인식을 생생하게 드러내고 있다.　○ ✕

② 풍자적 어조를 통해 이야기의 비극성을 약화시키고 있다.　○ ✕

현대소설 독해의 STEP 3

1 선지 판단 공식을 활용하여 빈칸을 채우고 1번 문제의 선지를 OX로 판단해 보세요.

〈보기〉 문제 선지 판단의 공식

① 〈보기〉 「광장」은 _____의 문제를 정면으로 파헤친 소설로 평가됨

➕ 작품 '_____의 품으로 돌아와서, 조국을 재건하는 일꾼이 돼 주십시오.', '명준은 고개를 쳐들고,~나직이 말할 것이다. "중립국.", '그는 마치 재채기를 참았던 사람처럼~그의 _____은 멎지 않았다.'

선지 이념적 선택을 강요하는 억압적 상황에 처한 이의 심정이 드러나 있어. 주인공이 중립국 선택을 마치고 난 후에 보인 반응에서 이를 엿볼 수 있지.
○ ✕

② 〈보기〉 「광장」은 이분법적 구도를 가진 남북한 간 _____의 대립 문제를 정면으로 파헤친 소설로 평가됨

➕ 작품 '중립국. 아무도 ___를 아는 사람이 없는 땅.~그런 될 수 있는 대로 _____을 쓰는 일이 적고, 그 대신 똑같은 움직임을 하루 종일 _____만 하면 되는 일을 할 테다.'

선지 개인의 이익보다 이념을 택하는 당대 지식인의 실천적 의지가 드러나 있어. 개인의 행복한 삶을 마다하고 낯선 땅으로 가려는 주인공의 선택에서 이를 엿볼 수 있지.
○ ✕

③ 〈보기〉 「광장」은 사회적 모순과 문제점에 대한 비판이 _____ 되거나 호도당하던 시대적 상황에 _____를 제기함

➕ 작품 '과학을 믿은 게 아니라 _____을 믿었던 게지. 바다를 한 잔의 _____로 바꿔 준다는 마술사의 말을. 그들은 뻔히 알면서 권력이라는 약을 팔려고 말로 속인 _____을.'

선지 현실의 문제를 감추거나 왜곡하기에 급급한 체제에 대한 냉소적 태도가 드러나 있어. 미래에 대한 환상으로 사람들을 꾀는 마술사의 속임수를 비꼬듯 이야기한 데에서 이를 엿볼 수 있지.
○ ✕

④ 〈보기〉 「광장」은 _____과 문제점에 대한 비판이 은폐되거나 호도당하던 시대적 상황에 문제를 제기함

➕ 작품 '그들은 _____하고 움직이지 않고 있었다. 참을 알고 돌아온 바다의 난파자들을 그들은 _____ 것이다.'

선지 사회적 모순을 직시하는 이들을 격려하려는 권력을 비판하고자 하는 의식이 드러나 있어. 항구를 차지한 이들이 바다에서 돌아온 이들을 감금하려 한다는 대목에서 이를 엿볼 수 있지.
○ ✕

⑤ 〈보기〉 「광장」은 이념적 대립을 _____할 비판적 _____을 제시함

➕ 작품 '중립국. 아무도 나를 아는 사람이 없는 땅.', '수위실 속에서 나는~사람들을 바라본다. 나는 문간을 깨끗이 치우고 _____으로 꽃밭에 물을 준다.'

선지 이념적 대립 구도에 갇힌 현실에 대한 대안으로, 일상적 삶을 자유롭게 누릴 수 있는 사회가 드러나 있어. 주인공이 중립국에서 누리고자 하는 삶의 모습을 기술한 데에서 이를 엿볼 수 있지.
○ ✕

현대소설 독해의 STEP 1

1 주요 인물에 ☐ 표시를 하고, 빈칸에 적절한 말을 채우세요.

2 시간, 공간, 서술 대상이 바뀌는 곳을 찾아 직접 장면을 7개로 나누어 보세요.

형은 또 울었다. 밤이 깊도록 어머니까지 불러 가며 엉엉 소리 내어 울었다. _{형은 _____를 그리워하며 소리내어 울고 있어.}

동생도 형 곁에서 남모르게 소리를 죽여 흐느껴 울었다. 그저 형의 설움과 울음을 따라 울 뿐이었다. 동생도 이렇게 울면서 어쩐지 마음이 조금 흐뭇했다. _{형을 보며 _____도 그 울음을 따라 흐느껴 울고 있네. 형과 동생에게 무슨 일이 일어난 걸까?}

이날 밤의 감시는 밤새도록 엄했다.

바깥은 첫눈이 흩날리고 있었다. _{형과 동생은 어머니와는 떨어져서 밤새 엄한 _____를 받고 있는 상황인가 봐.}

형은 울음을 그치고 불쑥,

"야하, 눈이 내린다, 눈이, 눈이. 벌써 겨울이 다 됐네."

물론 감시병들의 감시가 심하니까 동생의 귀에다 입을 대지도 않고 이렇게 혼잣소리처럼 지껄였다. _{_____들의 감시를 피해 ___이 온다는 말을 하는 형의 모습에서 형의 순수한 성격이 드러나고 있어.}

"저것 봐, 저기 저기, 에에이, 모두 잠만 자구 있네."

동생의 허리를 쿡쿡 찌르기만 하면서……

어느새 양덕도 지났다. 하루하루는 수월히도 저물어 갔고 하늘은 변함없이 푸르렀을 뿐이었다. 산도 들판도 눈에 덮여 있었다. 경비병들의 겨울 복장을 바라보는 형의 얼굴에는 천진한 애들 같은 선망의 표정이 어려 있곤 했다. 날로 날로 풀이 죽어갔다. _{경비병을 따라 어딘가 끌려가면서 ___은 날로 풀이 죽어갔대.}

어느 날 밤이었다. 일행도 경비병들도 모두 잠들었을 무렵, 형은 또 동생의 귀에다 입을 대고, 이즈음에 와선 늘 그렇듯 별나게 가라앉은 목소리로,

"그 새끼 생각이 난다. 맘이 꽤 좋았댔이야이."

"……"

"난 원래 다리에 담증이 있는데이. 너두 알잖니. 요새 좀 이상한 것 같다야."

하고는 헤죽이 웃었다.

"……"

동생은 놀라 돌아다보았다. 여느 때 없이 형은 쓸쓸하게 웃으면서 두 팔로 동생의 어깨를 천천히 그러안으면서, _{동생은 _____가 이상하다는 형의 말에 걱정하고, 형은 동생을 생각하며 동생의 _____를 그러안아.}

"칠성아, 야하, 흠썩은 춥다."

"……"

"저 말이다, 엄만 날 늘 불쌍히 여깄댔이야. 잉. 야, 칠성아, 칠성아, 내 다리가 좀 이상헌 것 같다야이."

"……"

동생의 눈에선 다시 눈물이 비어져 나왔다. _{동생(칠성)은 다리가 아픈 형을 걱정하는 마음에 _____을 흘려.}

형은 별안간 두 눈이 휘둥그레져서 동생의 얼굴을 멀끔히 쳐다보더니,

"왜 우니, 왜 울어, 왜, 왜. 어서 그치지 못하겠니."

하면서도 도리어 제 편에서 또 울음을 터뜨리고 있었다. _{자신을 ___ ___하며 우는 동생을 보고 형도 함께 슬퍼하네.}

이튿날, 형의 걸음걸이는 눈에 띄게 절름거렸다. 혼잣소리도 풀이 없었다. _{날이 갈수록 형의 _____는 상태가 악화되고 있어.}

"그만큼 걸었음 무던히 왔구만서두. 에에이, 이젠 좀 그만 걷지덜, 무던히 걸었구만서두."

하고는 주위의 경비병들을 흘끔 곁눈질해 보았다. 경비병들은 물론 알은체도 안했다. 바뀐 사람들은 꽤나 사나운 패들이었다.

그날 밤 형은 동생을 향해 쓸쓸하게 웃기만 했다.

"칠성아, 너 집에 가거든 말이다, 집에 가거든……"

하고는 또 무슨 생각이 났는지 벌쭉 웃으면서,

"히히, 내가 무슨 소릴허니. 네가 집에 갈 땐 나두 갈 텐데, 안 그러니? 내가 정신이 빠졌어." _{형은 동생과 함께 ___으로 돌아가고 싶지만, 어쩐지 자신의 죽음을 예감한 듯한 모습이야.}

한참 뒤엔 또 동생의 어깨를 그러안으면서,

"야, 칠성아!"

동생의 얼굴을 똑바로 마주 쳐다보기만 했다.

바깥은 바람이 세었다. 거적문이 습기 어린 소리를 내며 열리고 닫히곤 하였다. 문이 열릴 때마다 눈 덮인 초라한 들판이 부유스름하게 아득히 뻗었다.

동생의 눈에선 또 눈물이 비어져 나왔다.

형은 또 벌컥 성을 내며,

"왜 우니, 왜? 흐흐흐."

하고 제 편에서 더 더 울었다. _{형과 동생은 자신들이 처한 상황을 슬퍼하며 속절없이 눈물만 흘릴 뿐이야.}

며칠이 지날수록 형의 걸음은 더 절룩거려졌다. 행렬 속에서도 별로 혼잣소릴 지껄이지 않았다. 평소의 형답지 않게 꽤나 조심스런 낯색이었다. 둘레를 두리번거리며 경비병의 눈치를 흘끔거리기만 했다. 이젠 밤에도 동생의 귀에다 입을 대고 이것저것 지껄이지 않았다. 그러나 먼 개 짖는 소리 같은 것에는 여전히 흠칫흠칫 놀라곤 했다. _{형은 자신의 _____을 강하게 직감할수록 조심스러워지고 두려워 하고 있어.} 동생은 또 참다못해 눈물을 흘렸다. 그러나 형은 왜 우느냐고 화를 내지도 않고 울음을 터뜨리지도 않았다. 동생은 이런 형이 서러워 더 더 흐느꼈다. _{동생은 달라진 형의 모습에 더욱 _____을 느끼지.}

그날 밤, 바깥엔 함박눈이 내렸다.

형은 불현듯 동생의 귀에다 입을 댔다.

"너, 무슨 일이 생겨두 날 형이라구 글지 마라, 어엉?"

여느 때답지 않게 숙성한 사람 같은 억양이었다.

"울지두 말구 모르는 체만 해, 꼭." _{형은 평소답지 않은 모습으로 동생에게 _____의 말을 전해.}

동생은 부러 큰 소리로,

"야하, 눈이 내린다."

형이 지껄일 소리를 자기가 지금 대신하고 있다고 생각했다. _{동생은 애써 ___ 소리로 밝게 이야기하며 분위기를 전환해보려 하네.}

"……"

그러나 이미 형은 그저 꾹하니 굳은 표정이었다. _{그러나 형은 이미 _____ 표정으로 체념한 듯한 모습을 보여.}

동생은 안타까워 또 울었다. 형을 그러안고 귀에다 입을 대고,
"형아, 형아, 정신 차려." 동생은 형이 죽을까 봐 걱정하며 슬퍼해.

이튿날, 한낮이 기울어서 어느 영 기슭에 다다르자, 형은 동생의
허벅다리를 쿡 찌르고는 걷던 자리에 털썩 주저앉고 말았다.

형의 걸음걸이를 주의해 보아 오던 한 사람이 뒤에서 따발총을
휘둘러 쏘았다.

형은 앉은 채 앞으로 꼬꾸라졌다. 그 사람은 총을 어깨에 둘러
메면서,

"메칠을 더 살겠다구 뻐득대? 뻐득대길." ___이 자리에 주저앉자 경비
병은 기다렸다는 듯이 뒤에서 _____을 쏴. 경비병은 인간성이라고는 전혀 느껴
지지 않는 모습이야.

— 이호철, 「나상(裸像)」 —

---

2 인물 간의 관계를 고려하여 구조도의 빈칸에 적절한 말을 채우세요.

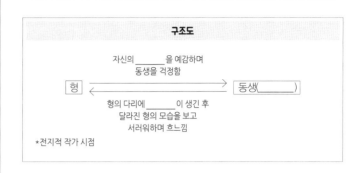

구조도

자신의 _____을 예감하며
동생을 걱정함

형 ← _____ → 동생(_____)

형의 다리에 _____이 생긴 후
달라진 형의 모습을 보고
서러워하며 흐느낌

*전지적 작가 시점

---

3 1~2번 문제를 풀어 보세요.

현대소설 독해의 STEP 2

1 형광펜이 그어진 부분을 근거로 장면을 다시 한번 나누어 보고,
장면별 내용을 요약해 보세요.

장면끊기 01	이날 밤 감시병들의 엄한 _____를 받으며 어디론가 끌려가는 형과 _____은 _____을 봄
장면끊기 02	양덕을 지나며 형은 점점 ____이 죽어감
장면끊기 03	어느 날 밤 형은 동생에게 _____가 이상한 것 같다고 말하고, 형과 동생은 눈물을 흘림
장면끊기 04	이튿날 형은
장면끊기 05	며칠이 더 지나고 _____을 예감하며 달라진 형의 모습을 본 ___은 안타깝고 서러운 마음에 흐느낌
장면끊기 06	그날 밤
장면끊기 07	이튿날 형이

1. 〈보기〉를 참조하여 윗글을 감상한 내용으로 적절하지 않은 것은?

〈보기〉

이 작품에서 작가는 북한군의 포로가 된 형제가 전쟁이라는 상황에서 어떤
모습을 보이는지를 실감 나게 그리고 있다. 특히 천진난만한 '벌거숭이 인간'인
'형'이 외부의 폭력에 희생되는 모습을 묘사하여 근원적인 인간성이 얼마나 소중
한지를 일깨워 준다. 또한 이 작품은 포로 호송이라는 상황을 빌려 구성원을
획일화하는 사회를 우회적으로 비판한다.

① 이 작품의 제목은 본연의 순수성을 그대로 드러내는 '형'의 모습을 형상화한
것이다.

② '경비병'은 폭력적 상황 속에서 인간 본연의 모습을 억압하고 길들이는 감시
망을 상징한다.

③ '형'과 '동생'이 계속 걸어야만 하는 강제적 상황은 구성원을 획일화하려는
현실을 반영한 것이다.

④ 자신을 압박해 오는 공포에 무감각한 '형'의 모습은 천진성을 파괴하려는
폭력에 대한 저항을 나타낸다.

⑤ '형'이 그를 지켜보던 '경비병'의 총에 맞는 것은 감시자의 요구를 수행할 수
없는 데 따른 희생을 보여 준다.

2. 문학 개념어 OX 확인 문제

① 현재와 과거를 교차 서술하여 주제를 부각하고 있다. ○ ✕

② 주인공의 반복적 행위를 서술하여 성격을 구체화하고 있다. ○ ✕

현대소설 독해의 STEP 3

1 선지 판단 공식을 활용하여 빈칸을 채우고 1번 문제의 선지를 OX로 판단해 보세요.

〈보기〉 문제 선지 판단의 공식

① 〈보기〉 천진난만한 _____ 인간인 ____이 등장함

＋

작품 '형은 _____을 그치고 불쑥, "야하, ____이 내린다, 눈이, 눈이. 벌써 _____이 다 됐네."'

선지 ➡ 이 작품의 제목은 본연의 순수성을 그대로 드러내는 '형'의 모습을 형상화한 것이다. ○ ✕

② 〈보기〉 북한군의 _____가 된 형이 외부의 _____에 희생되는 모습이 나타남

＋

작품 '물론 _____들의 감시가 심하니까 동생의 귀에다 입을 대지도 않고 이렇게 _____처럼 지껄였다.'

선지 ➡ '경비병'은 폭력적 상황 속에서 인간 본연의 모습을 억압하고 길들이는 감시망을 상징한다. ○ ✕

③ 〈보기〉 포로 호송이라는 상황을 빌려 구성원을 _____ _____를 우회적으로 비판함

＋

작품 '형의 걸음은 더 절룩거려졌다. _____ 속에서도 별로 혼잣 소릴 지껄이지 않았다.', '형의 걸음걸이를 주의해 보아 오던 한 사람이 뒤에서 _____을 휘둘러 쏘았다.'

선지 ➡ '형'과 '동생'이 계속 걸어야만 하는 강제적 상황은 구성원을 획일화하려는 현실을 반영한 것이다. ○ ✕

④ 〈보기〉 _____ 한 벌거숭이 인간인 형이 외부의 폭력에 _____되는 모습을 묘사함

＋

작품 '평소의 형답지 않게 꽤나 _____ 낯색이었다. 둘레를 _____거리며 경비병의 _____를 흘끔거리기만 했다.~먼 개 짖는 소리 같은 것에는 여전히 흠칫흠칫 _____했다.'

선지 ➡ 자신을 압박해 오는 공포에 무감각한 '형'의 모습은 천진성을 파괴하려는 폭력에 대한 저항을 나타낸다. ○ ✕

⑤ 〈보기〉 천진난만한 벌거숭이 인간인 ____이 외부의 폭력에 _____ 되는 모습을 묘사함

＋

작품 '형의 _____를 주의해 보아 오던 한 사람이 뒤 에서 따발총을 휘둘러 쏘았다. 형은 앉은 채 앞으로 _____ _____.'

선지 ➡ '형'이 그를 지켜보던 '경비병'의 총에 맞는 것은 감시자의 요구를 수행할 수 없는 데 따른 희생을 보여 준다. ○ ✕

현대소설 독해의 STEP 1

1 주요 인물에 ☐ 표시를 하고, 빈칸에 적절한 말을 채우세요.
2 시간, 공간, 서술 대상이 바뀌는 곳을 찾아 직접 장면을 4개로 나누어 보세요.

상처를 입은 노루는 설원에 피를 뿌리며 도망쳤다. 사냥꾼과 몰이꾼은 눈 위에 방울방울 번진 핏자국을 따라 노루를 쫓았다. 핏자국을 따라가면 어디엔가 노루가 피를 쏟고 쓰러져 있으리라는 것이었다. 〈나〉는 흰 눈을 선연하게 물들이고 있는 핏빛에 가슴을 섬뜩거리며 마지못해 일행을 쫓고 있었다. 총소리를 처음 들었을 때와 같은 후회가 가슴에서 끝없이 피어올랐다. 〈나〉는 차라리 노루가 쓰러져 있는 것을 보기 전에 산을 내려가 버리고 싶었다. 그러나 〈나〉는 망설이기만 할 뿐 가슴을 두근거리며 해가 저물 때까지도 일행에서 벗어나지 못하고 있었다. 핏자국은 끝나지 않았고, 〈나〉는 어스름이 내릴 때에야 비로소 일행에서 떨어져 집으로 되돌아갔다. 그리고 〈나〉는 곧 열이 심하게 앓아 누웠기 때문에, 다음날 그들이 산을 세 개나 더 넘어가서 결국 그 노루를 찾아냈다는 이야기는 자리에서 소문으로 듣게 되었다. 그러나 〈나〉는 그것만으로도 몇 번이고 끔찍스러운 몸서리를 치곤 했다. 사냥꾼, 몰이꾼과 함께 상처 입은 _____를 쫓던 〈나〉의 이야기가 제시되고 있어. 도망친 노루를 마지못해 쫓는 과정에서 끝없이 _____를 느끼고, 결국 그 노루를 찾아냈다는 소문에 _____를 쳤던 〈나〉의 과거가 드러나.

서장(序章)은 대략 그런 이야기였다. 물론 내가 처음에 이 서장을 읽은 것은 아니었다. 어느 중간을 읽다가 문득 긴장하여 처음부터 이야기를 다시 읽게 된 것이었지만, 여기에서도 나는 그 총소리 하며 노루의 핏자국이나 눈빛 같은 것들이 묘한 조화 속에 긴장기 어린 분위기를 이루고 있음을 느꼈다. 사실 여기서도 암시하고 있듯이 형의 소설은 전반에 걸쳐서 무거운 긴장과 비정기가 흐르고 있었다. 서술자 '나'는 노루와 〈나〉가 등장하는 형의 _____을 읽으며, 그 전반에 흐르는 _____과 비정기를 읽어 내고 있어.

형의 내력에 대한 관심도 문제였지만, 형의 소설이 나를 더욱 초조하게 하는 것은 그것이 이상하게 나의 그림과 관계가 되고 있는 것 같은 생각 때문이었다. '나'는 형의 소설과 나의 _____이 관계가 있다고 생각하며 _____을 느끼고 있어. 그것은 어쩌면 사실일 수도 있었다. 혜인과 헤어지고 나서 나는 갑자기 사람의 얼굴이 그리고 싶어졌다. 사실 내가 모든 사물에 앞서 사람의 얼굴을 한번 그리고 싶다는 생각은 막연하게나마 퍽 오래 지녀온 갈망이었다. 그러니까 혜인과 헤어지게 된 것이 그 모든 동기라고 할 수는 없지만, 어쨌든 그 무렵 그런 충동이 새로워진 것은 사실이었다. 사람의 _____을 그리고 싶었던 '나'의 막연한 바람이 혜인과의 이별을 계기로 새롭게 충동질되었다는 사연이 제시되고 있네.

나의 그림에 대해서는 더 이야기하고 싶지 않다. 그것은 견딜 수 없이 괴로운 일이다. 그리고 나는 내가 그것에 대해 생각하고 화필과 물감을 통해 의미를 부여하고자 하는 것의 10분의 1도 설명할 수 없을 것이다. '나'는 자신의 그림에 대해 이야기하는 것에서 _____을 느끼나 봐. 그리고 자신이 그림에 부여하고자 하는 _____를 조금도 설명할 수 없을 것 같다고 하네. 다만 나는 인간의 근원에 대해 생각을 좀 더 깊게 하지 않으면 안 된다는 느낌이 절실했던 점만은 지금도 고백할 수가 있을 것이다. 하여 에덴으로부터 그 이후로는 아벨이라든지 카인,

또 그 인간들이 지니고 의미하는 속성들을 즉흥적으로 생각해 보곤 하였다. 그러나 어느 것도 전부를 긍정할 수는 없었다. 단세포 동물처럼 아무 사고도 찾아볼 수 없는 에덴의 두 인간과 창세기적 아벨의 선 개념, 또 신으로부터 영원한 악으로 단죄받은 카인의 질투─그것은 참으로 인간의 향상 의지로서 신을 두렵게 했을는지도 모른다─그 이후로 나타난 수많은 분화, 선과 악의 무한정한 배합 비율……. '나'는 _____에 대해 생각해야겠다는 느낌을 절실히 받았다고 하며, 성경의 창세기에 등장하는 에덴이나 아벨, 카인에 대해 생각했다고 하네. 성경에 따르면 에덴은 최초의 인간인 아담과 하와가 살던 낙원으로, 두 사람은 금기를 어기는 죄를 지어 에덴에서 추방되었다고 해. 아벨과 카인은 아담과 하와의 두 아들인데, 형인 카인이 질투로 아벨을 죽이면서 최초의 살인이 이루어졌다고 해. 다만 이런 배경지식이 없더라도, 이 부분을 읽을 때는 '나'는 _____에 대해 깊이 고민하고 선과 악에 대해 고찰하는 과정에 있다는 점 정도만 파악해도 괜찮아. 그러나 감격으로 나의 화필이 떨리게 하는 얼굴은 없었다. 나는 실상 그 많은 얼굴들 사이를 방황하고 있었는지 모른다. 하지만 안타까운 것은 혜인 이후 나는 벌써 어떤 얼굴을 강하게 예감하고 있다는 사실이었다. 아직은 내가 그것과 만날 수 없었을 뿐이었다. 둥그스름한, 그러나 튀어 나갈 듯이 긴장한 선으로 얼굴의 외곽선을 떠 놓고 (그것은 나에게 있어 참 이상한 방법이었다) 나는 며칠 동안 고심만 하고 있었다. '나'가 인간의 근원을 생각하는 것은 '나'에게 그리고 싶은 _____이 있었기 때문이야. 하지만 강하게 _____하고 있는 어떤 얼굴을 아직 만나지 못했던 '나'는 얼굴의 _____만 떠 놓은 채 한참 _____만 하면서 내적으로 갈등하고 있었지.

그러던 어느 날, 그 소설이라는 것이 시작되기 바로 전날이었을 것이다. 형이 불쑥 나의 화실에 나타났다. 그는 낮부터 취해 있었다. 숫제 나의 일은 제쳐 놓고 학생들에게 매달려 있는 나에게 형이 시비조로 말했다.

"흠! 선생님이 그리는 사람은 외롭구나. 교합 작용이 이루어지는 기관은 하나도 용납하지 않았으니……."

얼굴의 윤곽만 떠 놓은 나의 화폭을 완성된 것에서처럼 형은 무엇을 찾아내려는 듯 요리조리 뜯어보고 있었다. 나는 물끄러미 그 형을 바라보았다. 형이 말한, _____이 이루어지는 기관은 눈, 코, 입, 귀와 같이 외부와 접하며 지각하며 소통하는 기관을 의미하는 것이겠지? 형은 _____만 그려진 그림을 마치 _____된 작품처럼 뜯어보고 있네.

"그건 아직 시작인걸요."

"뭐, 보기에 따라서는 다 된 그림일 수도 있는걸…… 하나님의 가장 진실한 아들일지도 몰라. 보지 않고 듣지 않고 오직 하나님의 마음만으로 살아가는. 하지만, 눈과 입과 코…… 귀를 주면…… 달라질 테지─한데, 선생님은 어느 편이지?"

형은 그림과 나를 번갈아 쳐다보았다. 그 눈이 무엇을 열심히 찾고 있었다. 그러나 그것은 이미 밖에서 찾을 것이 아무것도 없는 줄을 알고 있는 눈이었다. 나는 어리둥절해 있기만 했다. 형은 윤곽만 있는 얼굴이 하나님의 가장 진실한 아들일지도 모르며, 눈, 코, 입, 귀와 같은 기관이 붙으면 달라질 것이라고 이야기하고 있어. 보지도 듣지도 않고 오직 하나님의 _____살아가는 것은 바깥 세상과 직접 부딪치지 않고 마음속에서 완결된 생각으로 살아가는 태도를 뜻한다고 볼 수 있지. '나'는 그림과 '나'를 번갈아 보며 무언가 의미를 찾으려 하는 듯한 형의 모습에 _____해 하고 있어.

"흥, 나를 무시하는군. 사람의 안팎은 합리적 논리로만 설명될 수 있는 것이 아니라는 걸 예술가도 이 의사에게 동의해 줄 테지. 그렇다면 내 얘기도 조금은 맞는 데가 있을지 몰라. 어때, 말해

볼까?"

형은 도시 종잡을 수 없는 말을 했다. 무엇인가 열심이라는, 열심히 말하고 싶어 한다는 것만은 알 수 있었다.

[A] ┌ "그 새로 탄생할 인간의 눈은, 그리고 입은 좀더 독이 흐르는 쪽이어야 할 것 같은데…… 희망은ㅡ이건 순전히 나의 생각 └ 이지만, 선(線)이 긴장을 하고 있다는 것이야."

이상하게도 형은 나의 그림에 대해 이야기하고 있었다. 형이 '나'의 그림을 보고 자신의 견해를 이야기하고 있어. 인간의 _____을 성찰하면서 _____의 외곽선만 그려놓은 '나'의 그림에서 어떠한 의미를 발견하고, 그 안에 채워져야 할 눈이나 입과 같은 기관이 어떠한 형태여야 할 것인지를 제시하고 있지. 눈과 입에 ____이 흘러야 한다는 것은 좀 더 독기를 가지고 악착같이 사는 태도를 가지라는 것을 나타낸다고 볼 수 있고, 선에 담긴 긴장을 _____이라고 보는 것은 무기력하게 늘어져 있지만은 않은 태도를 긍정적으로 평가한 것이라고 볼 수 있어.

— 이청준, 「병신과 머저리」 —

현대소설 독해의 STEP 2

1 형광펜이 그어진 부분을 근거로 장면을 다시 한번 나누어 보고, 장면별 내용을 요약해 보세요.

장면끊기 01	소설 속 <나>는 상처 입은 노루를 쫓으며 끝없이 _____하고, 결국 그 노루를 찾아냈다는 소문에 _____쳤던 과거를 떠올림
장면끊기 02	'나'는 형의 소설이 나의 그림과 관계가 있다고 생각하며 _____을 느낌
장면끊기 03	'나'는 혜인과 헤어지고 나서 _____
장면끊기 04	어느 날 형이 '나'의 화실에 나타나 _____에 대해 이야기함

2 인물 간의 관계를 고려하여 구조도의 빈칸에 적절한 말을 채우세요.

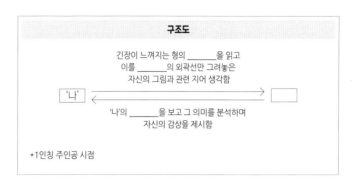

구조도

긴장이 느껴지는 형의 _____을 읽고 이를 _____의 외곽선만 그려놓은 자신의 그림과 관련 지어 생각함

'나' ←————————————————→ □

'나'의 _____을 보고 그 의미를 분석하며 자신의 감상을 제시함

*1인칭 주인공 시점

3 1~2번 문제를 풀어 보세요.

1. [A]에 대한 설명으로 적절하지 않은 것은?

① 동생의 예술적 견해를 집약해서 보여 준다.

② 형이 동생의 심리 상태를 간파하고 있음을 보여 준다.

③ 형이 동생의 그림에서 의미 있는 어떤 것을 찾았음을 시사한다.

④ 형이 동생의 그림에 채워지기를 원하는 얼굴 모습을 암시한다.

⑤ 동생의 삶의 태도가 변화하기를 바라는 형의 의식을 암시한다.

2. 문학 개념어 OX 확인 문제

① 개인과 사회의 갈등보다는 개인의 내면적 갈등에 깊은 주의를 기울여 읽어야 한다. ○ ✕

② 줄표(ㅡ)와 줄임표(……)의 활용을 통해 상황에 대한 서술자나 인물의 태도를 보여 주고 있다. ○ ✕

현대소설 독해의 STEP 3

1 선지 판단 공식을 활용하여 빈칸을 채우고 1번 문제의 선지를 OX로 판단해 보세요.

선지 판단의 공식

① 작품 : '희망은 – 이건 순전히 _____이지만, 선이 긴장을 하고 있다는 것이야.'

선지 ➡ 동생의 예술적 견해를 집약해서 보여 준다.   ○ ✕

② 작품 : '희망은 – 이건 순전히 나의 생각이지만, 선이 _____을 하고 있다는 것이야.'

선지 ➡ 형이 동생의 심리 상태를 간파하고 있음을 보여 준다.   ○ ✕

③ 작품 : '얼굴의 윤곽만 떠 놓은 나의 화폭'에서 '_____ 요리조리 뜯어보'던 형은 '내 얘기도 조금은 맞는 데가 있을지' 모른다고 하며, '새로 탄생할 인간'의 모습을 제시하고 '선이 긴장을 하고 있다는 것'을 짚어냄

선지 ➡ 형이 동생의 그림에서 의미 있는 어떤 것을 찾았음을 시사한다.   ○ ✕

④ 작품 : '그 새로 탄생할 인간의 눈은, 그리고 입은 좀더 _____ _____ 쪽이어야 할 것 같은데……'

선지 ➡ 형이 동생의 그림에 채워지기를 원하는 얼굴 모습을 암시한다.   ○ ✕

⑤ 작품 : 형은 '무엇을 열심히 찾'듯 '_____과 ____를 번갈아 쳐다보'는데, 그 눈은 '이미 밖에서 찾을 것이 아무것도 없는 줄을 알고 있는 눈'이었음, 그리고 형은 '나'에게 윤곽뿐인 얼굴을 채워 나갈 방향을 제시하며, '_____의 눈은, 그리고 입은 좀더 독이 흐르는 쪽이어야 할 것 같'다고 함

선지 ➡ 동생의 삶의 태도가 변화하기를 바라는 형의 의식을 암시한다.   ○ ✕

현대소설 독해의 STEP 1

❶ 주요 인물에 ▢ 표시를 하고, 빈칸에 적절한 말을 채우세요.

❷ 시간, 공간, 서술 대상이 바뀌는 곳을 찾아 직접 장면을 4개로 나누어 보세요.

아내는 너 밤새워 가면서 도적질하러 다니느냐, 계집질하러 다니느냐고 발악이다. 이것은 참 너무 억울하다. 나는 어안이 벙벙하여 도무지 입이 떨어지지를 않았다. '나'는 아내의 의심이 _____해 말문이 막혔다고 하네.

너는 그야말로 나를 살해하려던 것이 아니냐고 소리를 한번 꽥 질러 보고도 싶었으나 그런 긴가민가한 소리를 섣불리 입 밖에 내었다가는 무슨 화를 볼는지 알 수 있나. '나'는 아내야말로 자신을 _____하려던 것 아닌지 따지고 싶으나, 확신할 수 없어 하고 싶은 말을 속으로 삭이고 있어.

차라리 억울하지만 잠자코 있는 것이 우선 상책인 듯싶이 생각이 들길래 나는 이것은 또 무슨 생각으로 그랬는지 모르지만 툭툭 털고 일어나서 내 바지 포켓 속에 남은 돈 몇 원 몇 십 전을 가만히 꺼내서는 몰래 미닫이를 열고 살며시 문지방 밑에다 놓고 나서는 그냥 줄달음박질을 쳐서 나와 버렸다. '나'는 주머니에 있던 _____을 아내 방 문지방 밑에 놓고 몰래 집을 나와 버렸는데, 자신이 무슨 생각으로 그랬는지도 _____ 있네.

여러 번 자동차에 치일 뻔하면서 나는 그래도 경성역을 찾아갔다. 빈자리와 마주 앉아서 이 쓰디쓴 입맛을 거두기 위하여 무엇으로나 입가심을 하고 싶었다.

커피. 좋다. 그러나 경성역 홀에 한 걸음을 들여놓았을 때 나는 내 주머니에는 돈이 한 푼도 없는 것을, 그것을 깜빡 잊었던 것을 깨달았다. 또 아뜩하였다. 나는 어디선가 그저 맥없이 머뭇머뭇하면서 어쩔 줄을 모를 뿐이었다. 얼빠진 사람처럼 그저 이리 갔다 저리 갔다 하면서……. 커피를 마시려던 '나'는 돈이 없어 머뭇거리며, _____ 사람처럼 목적지도 없이 이리저리 돌아다닐 뿐이야.

[A] 나는 어디로 어디로 들입다 쏘다녔는지 하나도 모른다. 다만 몇 시간 후에 내가 미쓰꼬시* 옥상에 있는 것을 깨달았을 때는 거의 대낮이었다.

나는 거기 아무 데나 주저앉아서 내 자라 온 스물여섯 해를 회고하여 보았다. 몽롱한 기억 속에서는 이렇다는 아무 제목도 불거져 나오지 않았다. _____에서 자신의 지난 삶을 _____하는 '나'는 지난 스물여섯해의 삶을 _____하게 기억할 뿐 명확하게 인식하지 못하고 있어.

나는 또 나 자신에게 물어보았다. 너는 인생에 무슨 욕심이 있느냐고. 그러나 있다고도 없다고도, 그런 대답은 하기가 싫었다. 나는 거의 나 자신의 존재를 인식하기조차도 어려웠다. '나'는 _____를 인식하기조차 어려울 만큼 흐리멍텅한 상태에 있음을 드러내.

허리를 굽혀서 나는 그저 금붕어나 들여다보고 있었다. 금붕어는 참 잘들도 생겼다. 작은 놈은 작은 놈대로 큰 놈은 큰 놈대로 다 싱싱하니 보기 좋았다. 내리비치는 오월 햇살에 금붕어들은 그릇 바탕에 그림자를 내려뜨렸다. 지느러미는 하늘하늘 손수건을 흔드는 흉내를 낸다. 나는 이 지느러미 수효를 헤어 보기도 하면서 굽힌 허리를 좀처럼 펴지 않았다. 등허리가 따뜻하다. '나'는 자신의 스물여섯해를 회고하다가, 스스로에게 인생에 대해 _____이 있는지 고민하고, 이내 _____를 들여다보고 있어.

'나'의 내면에서 이루어지는 의식의 흐름을 있는 그대로 보여주고 있는 거지.

나는 또 회탁의* 거리를 내려다보았다. 거기서는 피곤한 생활이 똑 금붕어 지느러미처럼 흐늑흐늑 허비적거렸다. 눈에 보이지 않는 끈적끈적한 줄에 엉켜서 헤어나지들을 못한다. 나는 피로와 공복 때문에 무너져 들어가는 몸뚱이를 끌고 그 회탁의 거리 속으로 섞여 들어가지 않는 수도 없다 생각하였다. '나'는 _____를 내려다보면서, 그곳에 사는 사람들이 _____에 엉켜 헤어나오지 못하는 금붕어의 지느러미처럼 흐늑흐늑 허비적거리고 있다고 생각해.

나서서 나는 또 문득 생각하여 보았다. 이 발길이 지금 어디로 향하여 가는 것인가를…….

그때 내 눈앞에는 아내의 모가지가 벼락처럼 내려 떨어졌다. 아스피린과 아달린*. 행선지를 생각하던 '나'는 다시 _____가 '나'에게 먹인 ___이 아스피린인지 수면제인 아달린인지 의심해.

우리들은 서로 오해하고 있느니라. 설마 아내가 아스피린 대신에 아달린의 정량을 나에게 먹여 왔을까? 나는 그것을 믿을 수는 없다. 아내가 대체 그럴 까닭이 없을 것이니. '나'는 아내를 의심하면서도, 아내가 그럴 _____이 없다고 생각하고, '나'에 대한 아내의 의심이 사실이 _____라고 부정하는 복잡한 심경을 느끼고 있어.

그러면 나는 날밤을 새면서 도적질을, 계집질을 하였나? 정말이지 아니다.

우리 부부는 숙명적으로 발이 맞지 않는 절름발이인 것이다. 나나 아내나 제 거동에 로직을 붙일 필요는 없다. 변해할 필요도 없다. 사실은 사실대로 오해는 오해대로 그저 끝없이 발을 절뚝거리면서 세상을 걸어가면 되는 것이다. 그렇지 않을까? '나'는 우리 부부가 숙명적으로 _____처럼 맞지 않는 사이라고 생각하면서, 서로의 행동을 논리적으로 따질 필요 없이, 오해를 풀지 않은 채로 살아가도 되지 않을까 생각해. 이는 '나'에게 _____로 인식되는 세계와의 불화를 받아들이는 체념적 태도를 보여준다고 볼 수 있어.

그러나 나는 이 발길이 아내에게로 돌아가야 옳은가. 이것만은 분간하기가 좀 어려웠다. 가야 하나? 그럼 어디로 가나? '나'는 아내에게 돌아가야 할지 말아야 할지 _____하고 있어.

이때 뚜— 하고 정오 사이렌이 울었다. 사람들은 모두 네 활개를 펴고 닭처럼 푸드덕거리는 것 같고 온갖 유리와 강철과 대리석과 지폐와 잉크가 부글부글 끓고 수선을 떨고 하는 것 같은 찰나, 그야말로 현란을 극한 정오다. _____ 소리가 울리는 순간 사람들과 주변의 모습에서 현란함을 발견하고 주목하고 있네.

나는 불현듯이 겨드랑이가 가렵다. 아하 그것은 내 인공의 날개가 돋았던 자국이다. 정오의 사이렌이 울리자 '나'는 _____가 돋았던 겨드랑이가 가려움을 느껴. 오늘은 없는 이 날개, 머릿속에서는 희망과 야심의 말소된 페이지가 딕셔너리 넘어가듯 번뜩였다. '나'가 잊고 있던 _____이 번뜩이는 순간이야.

나는 걷던 걸음을 멈추고 그리고 어디 한번 이렇게 외쳐 보고 싶었다.

날개야 다시 돋아라.

날자. 날자. 날자. 한 번만 더 날자꾸나.

한 번만 더 날아 보자꾸나. 날개가 돋아 다시 _____고 외치고 싶어 하는 '나'의 모습에서 자유와 비상에 대한 열망을 읽을 수 있어.

– 이상, 「날개」 –

---

*미쓰꼬시: 일제 강점기에 서울에 있었던 백화점 이름.

*회탁의: 회색의 탁한.

*아달린: 수면제의 일종.

현대소설 독해의 STEP 2

1 형광펜이 그어진 부분을 근거로 장면을 다시 한번 나누어 보고, 장면별 내용을 요약해 보세요.

장면끊기 01	'나'는 아내의 _____에 억울해하다가, _____에서 줄달음박질을 쳐서 나와 버렸음
장면끊기 02	'나'는 집을 나와 경성역을 찾아가지만 _____이 없어 어쩔 줄 몰라 함
장면끊기 03	'나'는 몇 시간 후 미쓰꼬시 옥상에서 _____를 회고하면서 '_____'로 대표되는 세계와의 불화에 체념함
장면끊기 04	'나'는 정오 사이렌을 통해 무의식적인 사고에서 벗어나, 정오의 현란함을 바라보며 _____ _____

2 인물 간의 관계를 고려하여 구조도의 빈칸에 적절한 말을 채우세요.

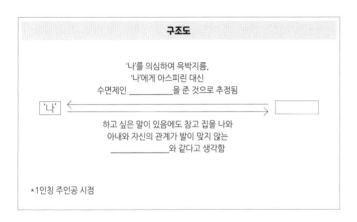

구조도

'나'를 의심하여 옥박지름,
'나'에게 아스피린 대신
수면제인 _____을 준 것으로 추정됨

'나' ⟷ [   ]

하고 싶은 말이 있음에도 참고 집을 나와
아내와 자신의 관계가 발이 맞지 않는
_____와 같다고 생각함

*1인칭 주인공 시점

3 1~2번 문제를 풀어 보세요.

1. 일제 강점기에 미쓰꼬시 백화점은 서울에서 매우 높은 건물이었다. 이 사실에 비추어 볼 때, [A]에서 '미쓰꼬시 옥상'이 가지는 기능에 대한 설명으로 적절하지 않은 것은?

① '나'로 하여금 내면적 성찰을 시도하게 한다.
② '나'에게 이전과는 다른 삶의 태도를 갖게 한다.
③ '회탁의 거리'를 압축적으로 조감할 수 있게 한다.
④ '나'와 '회탁의 거리' 사이의 괴리감을 드러내 준다.
⑤ '회탁의 거리'를 부자유와 체념의 공간으로 인식하게 한다.

2. 문학 개념어 OX 확인 문제

① 독백적인 어조로 현실과 단절된 의식 상태를 표현하고 있다.　○ ✕
② 단정적이고 객관적인 진술로 사건에 사실성을 부여하고 있다.　○ ✕

현대소설 독해의 STEP 3

1 선지 판단 공식을 활용하여 빈칸을 채우고 1번 문제의 선지를 OX로 판단해 보세요.

선지 판단의 공식

① **작품** '나'는 '미쓰꼬시 옥상'에 주저앉아 자신이 '자라 온 스물여섯 해를 _____'하고 있음

선지➡ '나'로 하여금 내면적 성찰을 시도하게 한다. ○ ✕

② **작품** '나'는 '미쓰꼬시 옥상'에서 '회탁의 거리'를 내려다보며 '_____한 생활', '피로와 _____'을 느낌. '발길'을 분간하기 어려워하며 '가야 하나? 그럼 어디로 가나?'라고 생각하던 '나'는 '_____' 소리를 듣고 '날개'가 다시 돋기를 바람

선지➡ '나'에게 이전과는 다른 삶의 태도를 갖게 한다. ○ ✕

③ **작품** '나'는 '미쓰꼬시 옥상'에서 '회탁의 _____'를 내려다보며 '금붕어 지느러미처럼' 허비적거리는 '피곤한 _____'과 '피로와 공복' 때문에 '무너져 들어가는 _____'를 생각함

선지➡ '회탁의 거리'를 압축적으로 조감할 수 있게 한다. ○ ✕

④ **작품** '미쓰꼬시' 백화점은 매우 _____ 곳으로 그 '옥상'에서 '나'는 _____를 들여다보듯 '회탁의 거리'를 내려다보며 '_____한 생활', '피로와 공복' 같은 부정적 감정을 느낌

선지➡ '나'와 '회탁의 거리' 사이의 괴리감을 드러내 준다. ○ ✕

⑤ **작품** '나'는 '미쓰꼬시 옥상'에서 '회탁의 거리'를 내려다보며 '_____처럼 흐늑흐늑 허비적거'리는 '피곤한 생활'과 '눈에 보이지 않는 끈적끈적한 ___에 엉켜서 헤어나지들을 못'하는 모습을 바라봄

선지➡ '회탁의 거리'를 부자유와 체념의 공간으로 인식하게 한다.
○ ✕

현대소설 독해의 STEP 1

1 주요 인물에 ☐ 표시를 하고, 빈칸에 적절한 말을 채우세요.
2 시간, 공간, 서술 대상이 바뀌는 곳을 찾아 직접 장면을 3개로 나누어 보세요.

[앞부분의 줄거리] 5년 전 실종된 사진작가 유종열의 아내로부터 유작 사진전에 초대받은 '나'는 그가 남긴 사진들을 보며 그녀와 대화를 나누고 그의 사진 찍기에 의구심을 품고 있던 일들을 떠올리게 된다.

그는 **좀처럼 다시 사진을 찍지 못하고 있었다**. 사진을 찍지 못하고 몇 주일 몇 달을 고심만 하고 있었다.

갈수록 사진이 두려워지고 있다는 것이었다. 알고 보니 그의 전쟁터 충격은 회사를 그만두는 것으로도 모두 정리된 것이 아니었다.

"난 도대체 감당할 수가 없어요. 그 무서운 현장들과 맞서기엔 나의 카메라는 너무도 무력하단 말이오. 나의 카메라는 번번이 그 대상의 시간을 정지시킬 뿐이었어요. 그 **시간의 벽을 뚫고 대상 안으로 들어가 함께 흐를 수가 없었어요**. 감당할 수가 없는 일이었어요. 그 두꺼운 벽을 허물 수가 없었어요." 그(유종열)는 _____라는 무서운 현장들을 카메라로 담는 것에서 _____을 느꼈나 봐. 아마도 카메라로는 찍는 대상의 시간을 정지시킬 뿐 그 생생한 현장을 담을 수 없었기에 _____할 수 없는 일이라고 한 걸 거야.

어느 날 그의 작업실을 찾아갔을 때 유 선배는 거의 탈진한 어조로 털어놓고 있었다.

나는 그의 말을 어느 정도 이해할 수 있을 것 같았다. 그는 아직도 전쟁터의 악몽을 벗어나지 못하고 있었다. 그래 고심을 하고 있는 것이었다. '나'는 그(유종열)가 전쟁터의 _____ 때문에 사진 찍기를 두려워한다고 생각하고 있어.

"사진 일이 이토록 두려워진 건 내 사진기가 살아 있는 현실 앞에 얼마나 무력한 것인가를 느꼈기 때문이 아니에요. 무력감을 느끼면 사진기를 버리면 그만인 게지요. 하지만 나는 그럴 수가 없어요……. **무서운 힘으로 맞서 오거든요**. 그 **전장터의 참상**들이, 그 얼굴들이 내게로 말이오. 내가 **카메라를 버릴 수 없도록** 순간순간 내게 맞서 오고 있어요……. 산이나 바다는 맞서오는 게 없지요. 그래 마음에 내키지 않을 땐 자리를 비켜서 버릴 수가 있었지요. 하지만 이건 그럴 수가 없어요. 그럴 수 없는 것이 고통인 게지요." 그(유종열)가 두려움을 느끼는 것은 사진기가 현실을 담아내지 못해 무력감을 느꼈기 때문이 아니라, 전장터의 _____들이 떠올라 카메라를 _____ 수 없는 것 때문이군.

그의 카메라 앞에 시간의 문을 열어 주지 않는 현상들, 그러면서도 눈을 감고 돌아설 수 없게 만들고 있는 인간사의 모습들, 그건 아닌 게 아니라 그의 고통이자 절망이 아닐 수 없었으리라. '나'는 그(유종열)가 _____을 열어 주지 않는 현상들을 카메라로 보면서, 이를 외면할 수 없기 때문에 _____과 절망을 느끼는 것이라고 여기고 있어.

(중략)

이게 도대체 어찌 된 노릇인가.

사진 속엔 분명히 유 선배로 보이는 사람의 모습이 하나 담겨 있었다. 그것도 물론 옛날에 미리 찍어 둔 것이 아니었다. 해상

유랑선을 찾아 헤매던 마지막 취재 길에서 찍힌 모습이다. 모습이 그리 분명한 것은 아니다. 사진의 화면은 사방이 바다다. 해무로 어슴푸레해진 바다 저편에 난민선으로 보이는 배가 한 척 떠 있고, 화면의 중간쯤엔 한 사내가 그 난민선을 향해 방금 작은 보트를 저어가는 중이다. 나는 유 선배(유종열)로 보이는 사람이 담긴 _____을 보고 있어. 그 사진은 마지막 취재 길에서 찍힌 모습으로, 한 사내가 _____을 향해 작은 보트를 저어가는 중인 모습이 담겨 있대.

카메라의 초점은 바로 그 난민선을 향해 해무 속으로 노를 저어 가고 있는 사내에게 맞춰지고 있는데, 마치 그 바다의 안개 속으로 배를 숨겨 올라가고 있는 듯한 사내의 모습은 유 선배의 그것으로 밖엔 읽힐 수가 없는 것이었다. 내게 느껴져 온 예감이 그러했고, 여자가 부러 그것을 지니고 와서 내게 보여 준 연유가 그러했다.

나는 도시 사연을 알 수 없었다. 여자는 그게 사정을 이해하는 데에 도움이 될 거라고 했지만, 그 사진은 내게 또 하나의 수수께끼거리가 될 수밖에 없었다. '나'는 여자가 건네 준 사진을 본 후 그 사진이 또 하나의 _____ 거리가 될 수밖에 없다고 생각하네. 사진을 보고도 정확한 _____을 알 수 없는 '나'의 답답한 심리가 드러나.

"이거 혹시 유 선배의 모습이 아닙니까. 그것도 그 난민선을 찾아다니는 바다 위에서의……."

나는 차라리 한 번 더 여자의 도움을 구하는 게 빠를 것 같았다. 그래 눈길을 여자 쪽으로 옮기면서 자신 없는 목소리로 확인을 구한다.

"맞아요. 그건 유종열씨예요……."

여자도 이젠 대답을 굳이 아끼고 싶은 생각이 없는 것 같다.

"그렇다면 유 선배님은 아직……?"

"아니 아직 살아 있다고 할 수는 없어요. 그렇다고 그냥 죽었다고 할 수도 없는 일이구요."

"……?" / "그는 그냥 그렇게 사라져간 거예요. 이게 그의 마지막 모습이니까요."

나는 이제 차라리 입을 다물어 버린다. 어디서부터 어떻게 무엇을 물어나가야 할지 물음의 순서가 떠오르질 않는다. '나'는 여자의 대답을 듣고 여러 가지 의문을 갖게 되지만, 혼란스러운 심정으로 인해 말문이 막혀 입을 _____ 버린 거야.

여자는 그러나 이미 나의 혼란을 짐작하고 있었다. 그녀는 마치 나의 혼란이 가라앉기를 기다리듯 한동안 말이 없이 술잔만 조용히 만지작거리고 있었다. 하다가 이윽고 그녀가 마지막 수수께끼의 열쇠를 움직이기 시작한다.

"이 편지를 한번 읽어보시겠어요? 제가 설명을 드리는 것보다 그편이 훨씬 빠르실 거예요."

여자가 다시 손가방 속에서 웬 편지 봉투 하나를 꺼내어 건네준다. 속 부피가 제법 두툼한 봉투다.

"여기 이런저런 내력들이 모두 설명되어 있어요. 몇 달 전에 뜻밖에 작업실로 온 건데요, 종열 씨가 마지막으로 얻어 탔던 배의 일본인 선장이 아까 보신 그 사진의 필름들과 함께 보내온 것이에요."

(…) 그 망망대해 한가운데서 예상치도 않게 우리는 다시 난민선 한 척을 만나게 된 것입니다. 그토록 먼 바다까지 나올 수 있었던 배이고 보니, 규모도 크고 사람도 많았습니다. 미구에 닥쳐올

참극의 규모도 그만큼 절망적일 수밖에 없는 배였습니다.

유 선생은 제게 다시 요구를 해 오기 시작하였습니다. 이제 **사진 같은 건 찍으려 하지도 않았습니다.** 배의 운명이 너무도 분명하므로 이번만은 그냥 지나쳐 갈 수가 없다는 것이었습니다. 배를 난민선까지 접근시켜 가서 가능한 구조를 베풀고 가자는 것이었습니다.

사전 다짐 같은 건 염두에도 없었습니다.

저는 이번에도 물론 단호하게 거절을 할 수밖에 없었습니다.

그러자 유 선생은 제게 마지막 요구를 해왔습니다. 배를 가까이 접근시킬 수 없다면, 자신이 난민선을 다녀오겠다는 것이었습니다. 그래 제게 보트를 내리라는 것이었습니다. 저는 물론 이번에도 허락을 할 수가 없었습니다. 유 선생의 신변이 염려스러웠기 때문입니다. 신변의 위험이 아니더라도 유 선생의 행동을 믿을 수 없는 일이었습니다. 예감이 좋을 리 없는 일이었으니까요. 선장은 유 선생 (유종열)이 _____에 가서 겪게 될 _____의 위험을 염려하고, 동시에 좋지 않은 예감을 느껴 걱정했던 모양이야. 저는 극력 유 선생을 말렸지요. 그러나 유 선생의 결심은 이미 움직일 수가 없었습니다.

더 긴 설명 드리지 않겠습니다.

저는 결국 보트를 내렸고, 유 선생은 혼자 보트를 저어 난민선으로 가셨습니다. 그리고 그것이 제가 아는 한의 유 선생의 마지막이었습니다. 난민선에 가기 위해 _____를 내려 달라는 유 선생(유종열)의 요구와 이를 허락할 수 없다는 _____의 의견이 대립했지만, 결국 유 선생(유종열)은 _____으로 갔어.

(…) 추신: 참 여기 유 선생을 찍은 저의 사진도 한 장 보내드립니다. 유 선생께서 저의 배를 떠나 **난민선을 향해 보트를 저어**가실 때의 **마지막 모습**입니다.

– 이청준, 「시간의 문」 –

2 인물 간의 관계를 고려하여 구조도의 빈칸에 적절한 말을 채우세요.

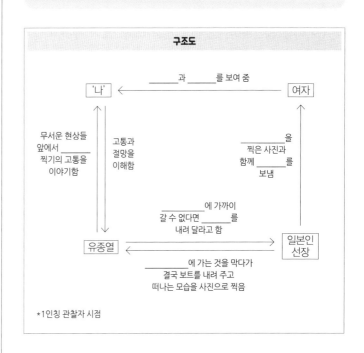

현대소설 독해의 STEP 2

1 형광펜이 그어진 부분을 근거로 장면을 다시 한번 나누어 보고, 장면별 내용을 요약해 보세요.

장면끊기 01	'나'는 어느 날 그의 작업실을 찾아갔을 때 유종열이 _____를 들고 _____ 현장들을 맞서는 것이 감당하기 어렵다고 한 말을 들음
장면끊기 02	'나'는 _____가 보여 준 사진 속엔 분명히 유 선배로 보이는 사람의 모습이 담겨 있는 것을 보고 놀라며 사진에 대한 의문을 가짐
장면끊기 03	여자는 유종열의 _____ 모습이 담긴 사진에 대해 설명해 줄 편지를 꺼내어 '나'에게 읽어보라고 하고, '나'는 유종열과 함께 배에 탔던 _____ 선장이 보낸 편지를 통해 유종열이 보트를 타고 _____을 향해 가게 된 사연을 알게 됨

■ 1~2번 문제를 풀어 보세요.

1. 〈보기〉를 참고하여 윗글을 감상한 내용으로 적절하지 <u>않은</u> 것은?

〈보기〉

「시간의 문」은 사진작가 유종열이 추구했던 예술 세계를 중심으로 그의 삶을 조명하고 있는 작품이다. 유종열은 과거와 현재가 미래로 흘러가는 인간의 삶 속에서 정지되지 않는 시간의 흐름을 사진 안에 담고자 했다. 대상을 찍는 것이 과거로 굳어진 시간을 단순히 현재화하는 것에 그친다면 이는 진정한 예술 행위가 아니며, 미래와의 연관을 담아내야 한다고 본 것이다. 그래서 유종열은 미래의 시간 속에서 그 의미가 열려 있는 사진을 찍으려는 노력을 포기하지 않는다. 그러나 그는 그러한 사진을 찍지 못해 괴로워하고, 결국 자신이 찍고자 했던 사진 속에 피사체가 되어 찍힘으로써 그가 추구한 예술의 본질과 예술가 로서의 소명이 무엇인지를 보여 주게 된다.

① 유종열이 '좀처럼 다시 사진을 찍지 못하고 있었'던 것은 자신의 사진이 단순히 과거의 순간을 현재화하는 것에 불과하다는 인식에서 비롯된 것이겠군.

② 유종열이 '시간의 벽을 뚫'고 '대상 안으로 들어가 함께 흐'르려고 한 것은 과거와 현재가 미래로 흘러가는 시간의 흐름을 사진을 통해 보여 주고자 한 것과 관련이 있겠군.

③ 유종열이 '전장터의 참상들'이 '무서운 힘으로 맞서 오'는데도 '카메라를 버릴 수 없'었던 것은 미래의 시간 속에서 그 의미가 열려 있는 사진을 찍으려는 노력과 관련이 있겠군.

④ 유종열이 배에서 '사진 같은 건 찍으려 하지도 않았'다는 것은 그가 추구한 예술 세계가 사진 찍기로 인해 무너져 버린 현실을 받아들이지 못한 괴로움을 드러낸 것이겠군.

⑤ 유종열이 '난민선을 향해 보트를 저어'가는 '마지막 모습'이 피사체가 되어 찍힌 사진에는 그가 추구하고자 했던 예술가로서의 소명이 담겨 있다고 볼 수 있겠군.

2. 문학 개념어 OX 확인 문제

① 특정 소재를 통해 인물들이 몰랐던 사실을 알게 된다.　　　　○ ✕

② 인물의 행동을 통해 인물의 혼란스러운 심리가 드러나고 있다.　　○ ✕

현대소설 독해의 STEP 3

■ 선지 판단 공식을 활용하여 빈칸을 채우고 1번 문제의 선지를 OX로 판단해 보세요.

〈보기〉 문제 선지 판단의 공식

① 〈보기〉 유종열은 과거와 현재가 미래로 흘러가는 인간의 삶 속에서 정지되지 않는 시간의 흐름을 사진 안에 담고자 함. 대상을 찍는 것이 과거로 굳어진 시간을 _____ 하는 것에 그친다면 이는 진정한 예술 행위가 아니며, _____ 을 담아내야 한다고 생각함

➕

작품 '그는 좀처럼 다시 _____을 찍지 못하고 있었다.', '그 무서운 현장들과 맞서기엔 나의 카메라는 너무도 _____ 하단 말이오. 나의 카메라는 번번이 그 대상의 시간을 _____ 시킬 뿐이었어요. 그 시간의 벽을 뚫고 대상 안으로 들어가 함께 _____ 수가 없었어요. 감당할 수가 없는 일이었어요.'

선지➡ 유종열이 '좀처럼 다시 사진을 찍지 못하고 있었'던 것은 자신의 사진이 단순히 과거의 순간을 현재화하는 것에 불과하다는 인식에서 비롯된 것이 겠군. ○ ✕

② 〈보기〉 유종열은 과거와 현재가 미래로 _____가는 인간의 삶 속에서 정지되지 않는 시간의 _____을 사진 안에 담고자 함

➕

작품 '그 _____을 뚫고 대상 안으로 들어가 함께 _____ 수가 없었어요. 감당할 수가 없는 일이었어요. 그 두꺼운 벽을 허물 수가 없었어요.'

선지➡ 유종열이 '시간의 벽을 뚫'고 '대상 안으로 들어가 함께 흐'르려고 한 것은 과거와 현재가 미래로 흘러가는 시간의 흐름을 사진을 통해 보여 주고자 한 것과 관련이 있겠군. ○ ✕

③ 〈보기〉 유종열은 _____의 시간 속에서 그 의미가 _____ 있는 사진을 찍으려는 _____을 포기하지 않음

➕

작품 '그 _____의 참상들이, 그 얼굴들이 내게로 말이오. 내가 카메라를 _____ 수 없도록 순간순간 내게 맞서 오고 있어요……'

선지➡ 유종열이 '전장터의 참상들'이 '무서운 힘으로 맞서 오'는데도 '카메라를 버릴 수 없'었던 것은 미래의 시간 속에서 그 의미가 열려 있는 사진을 찍으려는 노력과 관련이 있겠군. ○ ✕

④ 〈보기〉 유종열은 과거와 현재가 미래로 흘러가는 인간의 삶 속에서 정지되지 않는 시간의 흐름을 사진 안에 담고자 함. 대상을 찍는 것이 과거로 굳어진 시간을 단순히 현재화하는 것에 그친다면 이는 _____ 행위가 아니며, _____ 을 담아내야 한다고 생각함

➕

작품 '_____ 같은 건 찍으려 하지도 않았습니다. _____ _____이 너무도 분명하므로 이번만은 그냥 지나쳐 갈 수가 없다는 것이었습니다. 배를 _____까지 접근시켜 가서 가능한 구조를 베풀고 가자는 것이었습니다.'

선지➡ 유종열이 배에서 '사진 같은 건 찍으려 하지도 않았'다는 것은 그가 추구한 예술 세계가 사진 찍기로 인해 무너져 버린 현실을 받아들이지 못한 괴로움을 드러낸 것이겠군. ○ ✕

⑤ 〈보기〉 유종열은 자신이 찍고자 했던 사진 속에 _____가 되어 찍힘으로써 그가 _____한 예술의 본질과 예술가로서의 소명이 무엇인지를 보여 줌

➕

작품 '유 선생을 찍은 저의 사진도 한 장 보내드립니다. 유 선생 께서 저의 배를 떠나 _____을 향해 보트를 저어가실 때의 _____ 모습입니다.'

선지➡ 유종열이 '난민선을 향해 보트를 저어'가는 '마지막 모습'이 피사체가 되어 찍힌 사진에는 그가 추구하고자 했던 예술가로서의 소명이 담겨 있다고 볼 수 있겠군. ○ ✕

현대소설 독해의   STEP 1

❶ 주요 인물에 ☐ 표시를 하고, 빈칸에 적절한 말을 채우세요.
❷ 시간, 공간, 서술 대상이 바뀌는 곳을 찾아 직접 장면을 5개로 나누어 보세요.

[앞부분의 줄거리] 태희는 낮에 강도가 침입한 이웃 경주네 집에서 경주 엄마와 함께 밤을 지낸다. 소설에서 앞부분의 줄거리는 지문을 이해하는 데 필요한 핵심 정보를 담고 있어. '태희'와 '_____'가 낮에 _____가 침입했던 경주네 집에서 함께 ___을 지낸다는 상황을 고려하면서 아래 이어지는 지문을 읽어 보자.

개업식은 오후 두 시였지만 그녀는 일찌감치 집을 비워두고 시내로 나갔다. 긴 겨울 방학에 이어 다시 봄 방학까지, 남편과 같이 있던 날들의 답답한 호흡에 자신도 모르는 사이에 지쳐버렸다는 것인가. 남편의 출근이 시작되자마자 그녀 역시 바깥 세계로 나갈 작은 희망 사항을 하나 가슴에 품고 있던 중이었다. 그저 한가한 시내버스에 몸을 싣고 종점에서 종점까지 가보든가, 새로 개장한 백화점에 들러본다든가. 그것도 아니면 근처 국민학교를 찾아가서 뛰어다니는 신입생들의 가슴에 매달린 흰 손수건이라도 쳐다보든가. 아이를 갖지 못한 여자에게 하루는 터무니없이 길었다. 게다가 아이를 갖지 못한 남편과 아내가 같이 보내는 하루는 그 얼마나 멀고 먼 모래밭인지. 그녀는 개업식을 앞두고 _____로 나갔대. 여기서 그녀가 누구인지는 아직 확실하게 알 수 없지만, 앞부분의 줄거리에 나온 '_____'나 '경주 엄마' 중에 한 사람일 거라 짐작해 볼 수 있어. 그녀는 남편과 같이 있는 시간들을 답답하게 느끼는데, 그 이유는 _____를 갖지 못한 문제 때문인 것 같아. 그녀와 남편은 아이 문제로 인해 괴로움을 겪는 중으로 보여.

"모두가 운이에요. 사람이 다치지 않은 것만도 재수가 좋았다는 식으로 생각하기로 했어요……. 봐요, 이런 유의 가정 파괴범까지도 득시글거리는 세상인데."

젊은 나이답지 않게 여자는 팔자소관에 대해 이야기하고 있었다. 이상한 것은 재난을 당하지 않은 사람보다 오히려 당한 쪽의 편에서 팔자에 대해 한층 너그럽다는 사실이었다. 여자는 _____을 당한 쪽으로 볼 수 있겠지?

남편이 그해 여름 느닷없이 증발되었을 때, 그리고 일주일 만에 멍든 육신으로 되돌아 왔을 때 태희는 경악과 분노로 차라리 손가락을 깨물고 싶은 심정이었다. 태희의 남편은 '그해 여름' 갑작스럽게 _____되었다가 일주일 만에 _____ 몸으로 돌아왔대. 남편이 갑자기 실종되었다가 멍든 몸으로 나타났으니, 태희가 _____과 분노로 괴로웠을 심정이 이해가 되지? 앞 장면에서 그녀는 '_____'였음을 알 수 있어. 난 비교적 운이 좋았던 거야. 하기야 원래도 별다른 행동거지를 내보인 적도 없었고, 다들 들어갔다 하면 고장난 몸뚱이로 일 년 이상 썩는 게 예사니까. 푸른 물감 통 속에서 갓 빠져나온 듯한 몸뚱어리를 이리저리 뒤척이며 때때로 낮은 신음을 뱉어가며 그는 자신의 몸을 신통한 기계나 내려다보듯 구석구석 확인하고 또 확인했다. 그 스스로 확인했듯이 그는 결코 반골 기질 같은 것은 가지고 있지 못한 사람이었다. 그(태희의 남편)는 _____ 기질도 없고 별다른 행동거지를 보인 적도 없었지만 잡혀 갔던 거야. 그러면서 몸이 고장나지 않은 채 풀려나게 된 것을 다행이라고 여겨.

"강도보다도 더 미운 것은, 이 아파트에 사는 우리들의 이웃이었어요. 목청이 터지라고 소리를 질렀어요. 어디서 그런 힘이 솟았는지 번개처럼 복도 끝에서 끝으로 내달리며 살려달라고

아우성을 쳤었지요……. 아무도, 아무도 나오지 않았어요."

여자의 호흡이 다시 거세졌다. 몸을 일으켜 내려다보니 여자는 불끈 쥔 주먹으로 허공을 때려눕히는 시늉을 하고 있었다. 어둠 속 여자의 주먹은 비어 있는 허공의 어디쯤에 한 움큼의 슬픔으로 떠 있는 유영체처럼 보였다. 이제 여자는 앞부분의 줄거리에 나왔던 _____였음을 알 수 있겠지? (낮/밤)에 강도가 침입했던 때의 일을 집에 찾아온 태희에게 이야기하는 중인 거지.

복도의 이쪽 끝과 저쪽 끝을 내달리는 사이 어린 딸이 흉악범의 비수 아래 놓여 있었다. 그의 칼끝을 피해 뒷걸음치다가 삽시간에 현관문을 열고 뛰쳐나오긴 했지만 안에 남겨놓은 어린 생명에 대한 끝없는 불안을 어떻게 감당할 수 있단 말인가. 미친 듯이 203호를, 204호를, 205호를 두드렸다. 강도야! 내 딸이 죽을지도 몰라요. 206호를, 207호를 두들기며 또 소리쳤다. 강도야. 살인강도야. 도둑이야……. 아파트 전체가 으레 공명판이 되어 핀 떨어지는 소리까지 수십 배 확대시켜 들려주었건만 절박한 여자의 비명은 누구의 귀에도 닿지 않았다. 경주 엄마는 집에 들어온 강도를 피해 뛰쳐나왔고, 집에는 강도와 _____이 남게 된 거야. 공포스러운 상황에서 아파트 이웃들에게 _____을 지르며 도움을 요청했지만, 어느 누구도 도와주지 않았대.

"난 분명히 들었어요. 내가 막 문을 두드리려던 209호였던가요. 안에서 살그머니 문을 잠그더라구요. 그 순간 깨달았지요. 내 딸을 지킬 사람은 이 세상에서 오직 나 하나뿐이라는 걸. 눈에 보이는 게 없었어요. 다시 집으로 뛰어 들어갔죠." 이웃집들의 문을 두들기며 도움을 요청했지만 아무도 도와주지 않았고, 심지어 209호는 살그머니 ___을 잠그기까지 했어.

아무도 나오지 않았다, 아무도. 그것을 상상하는 일은 어렵지 않았다. 그러나 그것을 수긍하는 일은 아무래도 쉽지 않았다. 외출에서 돌아왔을 때 여자가 보여준 그 불타는 적의를 태희는 완벽하게 이해했다. 모든 위험이 사라진 뒤 사람들은 그제야 알았다는 듯 우르르 쏟아져 나와 혀를 차고 위로하면서 집 안을 기웃거렸을 것이다. 203호의 현관문에서 대뜸 뛰어 나왔어야 했던 그녀가 외출 중이었다는 사실을 그 순간 여자에게 믿으라고 하는 것은 무리였다. 태희는 _____호에 사는가 봐. 앞 장면에서 오후 2시 개업식 전에 일찍 _____했던 사이 경주네 집에 강도가 침입했던 거야.

"지금도 생각하면 소름끼쳐요. 난 분명히 보았어요. 현관문 저쪽에서 렌즈 구멍에 눈을 대고 허우적거리며 뛰어다니고 있는 내 모습을 구경하던 그들을, 나 또한 틀림없이 보아버린 기분 말이에요."

여자가 이번에는 손가락 관절 하나하나를 똑똑 분질러댔다. 여자는 도와달라는 비명 소리에도 문을 열지 않고 안에서 _____만 했던 이웃들에 대해 분노와 배신감, 소외감을 느끼고 있어. 이어서 몇 개의 벽을 사이에 두고 긴 항해를 떠나는 배의 고동소리 같은 것이 들려왔다. 두 번째의 커피. 남편은 여전히 책의 페이지 페이지를 넘기며, 행간마다의 의미 속으로 자진 출두해 들어가며 첫새벽이 오기를 기다리고 있을 것이다. 여자의 말을 듣는 사이 태희는 _____을 생각하네.

절벽이에요, 라고 여자가 다시 입을 열었을 때 태희 역시 똑같은 말을 입속에 굴리고 있었다.

"커다란 절벽을 손으로 만지고, 할퀴고 두들겼던 거예요. 엄청난 두께와 측량 못 할 부피의 절벽……."

무엇보다도 가장 큰 상처는 바로 그 절벽이 주는 것이었다. 태희는

여자가 깨달은 절벽을 향해 손을 뻗쳤다. 여자가 한숨을 쉬었다. 태희는 한숨조차도 쉴 수 없었다.

　남편이 증발해버린 일주일 동안에 상상할 수 있는 모든 불행을 다 떠올렸다. 이 세상의 어떤 악운도 그녀를 놀라게 하거나 절망케 하지는 않을 것이라는 믿음은 완전히 오산이었다. 결혼 후 두 달 만의 사건이었다. 그러나 그 이후 오 년이 되어가는 지금껏, 태희는 자신의 단순한 상상력을 향해 무수한 경멸을 거듭해왔다. 태희는 여자의 재난을 들으며 결혼 후 _____ 만에 일어났던 남편의 실종 사건을 떠올려.

- 양귀자, 「밤의 일기」 -

현대소설 독해의　STEP 2

1 형광펜이 그어진 부분을 근거로 장면을 다시 한번 나누어 보고, 장면별 내용을 요약해 보세요.

장면끊기 01	그녀는 오후 두 시가 되기 전, 남편이 _____ 하자 일찍 시내로 나가 남편과의 _____ 일상에 새로운 희망을 갖고 싶어 함
장면끊기 02	_____ 을 당한 여자는 팔자소관에 대해 이야기하며
장면끊기 03	태희는 그해 여름
장면끊기 04	여자는 낮에 _____ 를 만나 복도의 이쪽 끝과 저쪽 끝을 내달리는 사이 딸이 큰일을 당할까 두려워하며 _____ 의 문을 두들겨 도움을 요청했지만,
장면끊기 05	태희는 남편이 증발해버린 일주일 동안에 떠올린 온갖 _____ 을 생각하며, 자신의 단순한 상상력에 대한 _____ 을 거듭함

2 인물 간의 관계를 고려하여 구조도의 빈칸에 적절한 말을 채우세요.

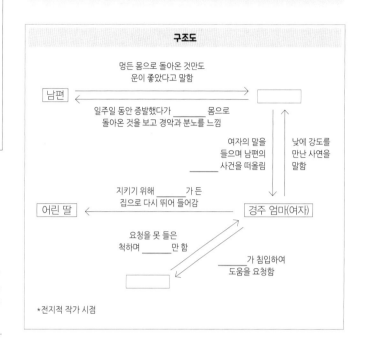

3 1~2번 문제를 풀어 보세요.

1. 〈보기〉의 밑줄 친 부분에 대한 단서를 윗글에서 찾을 때 가장 적절한 것은?

〈보기〉

　이 작품에서 작가는 폭력에 의해 나약한 개인들이 받게 되는 상처를 보여주는 한편, 폭력을 외면하는 이들에 대한 비판 의식을 드러낸다. 또한 부조리한 폭력이 작동하는 기제를 탐색하고 그 해결 방안을 모색한다. 이를 위해 작가는 우리의 삶에서 맞닥뜨릴 수 있는 사건들을 구조적으로 연결하고 있다.

① '여자'가 경험한 사건을 시간적 순서에 따라 나열한다.

② '여자'가 들려주는 폭력의 아픔을 '태희'를 매개로 '남편'에게 전달한다.

③ '태희'의 '아이'에 대한 소망을, '여자'의 폭력에 맞서는 모성을 통해 부각시킨다.

④ '여자'가 경험한 사건과 '남편'이 경험한 사건을 병치하여 문제 상황을 드러낸다.

⑤ '단순한 상상력'에 대한 '태희'의 태도를, '어린 딸'에 대한 '여자'의 태도와 일치시킨다.

2. 문학 개념어 OX 확인 문제

① '남편'을 대하는 '태희'의 심리 변화 과정이 나타나 있다.　　　○　✕

② 장면에 따라 '여자'와 '태희'가 교대로 서술자가 되고 있다.　　　○　✕

현대소설 독해의 STEP 3

1 선지 판단 공식을 활용하여 빈칸을 채우고 1번 문제의 선지를 OX로 판단해 보세요.

〈보기〉 문제 선지 판단의 공식

① 〈보기〉 우리의 삶에서 맞닥뜨릴 수 있는 사건들을 _____ 으로 연결함

➕ 작품 '낮에 _____가 침입한' 여자의 사연과 '_____이 그해 여름 느닷없이 증발되었'던 태희의 이야기가 번갈아 제시되고 있음

선지➡ '여자'가 경험한 사건을 시간적 순서에 따라 나열한다. ○ ✕

② 〈보기〉 우리의 삶에서 맞닥뜨릴 수 있는 사건들을 구조적으로 _____하여 _____이 발생하는 기제를 탐색하고 해결 방안을 모색함

➕ 작품 '두 번째의 커피. _____은 여전히 책의 페이지 페이지를 넘기며~ _____이 오기를 기다리고 있을 것이다.'

선지➡ '여자'가 들려주는 폭력의 아픔을 '태희'를 매개로 '남편'에게 전달한다. ○ ✕

③ 〈보기〉 우리의 삶에서 맞닥뜨릴 수 있는 사건들을 구조적으로 연결하여 부조리한 폭력이 발생하는 기제를 탐색하고 _____ _____을 모색함

➕ 작품 '_____를 갖지 못한 여자에게 하루는 터무니없이 길었다.', '안에 남겨놓은 어린 _____에 대한 끝없는 불안을~ 강도야! 내 ____이 죽을지도 몰라요.'

선지➡ '태희'의 '아이'에 대한 소망을, '여자'의 폭력에 맞서는 모성을 통해 부각시킨다. ○ ✕

④ 〈보기〉 우리의 삶에서 맞닥뜨릴 수 있는 사건들을 _____ _____하여 폭력에 의해 나약한 개인들이 받게 되는 _____와 폭력을 _____하는 이들에 대한 비판 의식을 드러냄

➕ 작품 '남편이 그해 여름 느닷없이 _____되었을 때, 그리고 일주일 만에 멍든 육신으로 되돌아 왔을 때', '강도보다도 더 미운 것은, 이 아파트에 사는 우리들의 _____이었어요.~ 아무도 _____ 않았어요.'

선지➡ '여자'가 경험한 사건과 '남편'이 경험한 사건을 병치하여 문제 상황을 드러낸다. ○ ✕

⑤ 〈보기〉 우리의 삶에서 맞닥뜨릴 수 있는 _____을 구조적으로 연결함

➕ 작품 '그의 칼끝을 피해 뒷걸음치다가 삽시간에 현관문을 열고 뛰쳐나오긴 했지만 안에 남겨놓은 어린 생명에 대한 끝없는 _____을 어떻게 감당할 수 있단 말인가.', '그 이후 오 년이 되어가는 지금껏, 태희는 자신의 단순한 상상력을 향해 무수한 _____을 거듭해왔다.'

선지➡ '단순한 상상력'에 대한 '태희'의 태도를, '어린 딸'에 대한 '여자'의 태도와 일치시킨다. ○ ✕

현대소설 독해의 STEP 1

1 주요 인물에 ▢ 표시를 하고, 빈칸에 적절한 말을 채우세요.

2 시간, 공간, 서술 대상이 바뀌는 곳을 찾아 직접 장면을 4개로 나누어 보세요.

[앞부분 줄거리] 광주 H 지역 신문사에 만화를 연재하는 일에 만족하며 살던 '나'는 어느 날 국장에게 지금이 언제라고 겁도 없이 이런 걸 만화라고 그려 냈느냐고 야단을 맞는다. 이튿날 낯선 사람들(그자들)에 의해 '나'는 텅 빈 사각형의 흰 방에 끌려가 앞으로는 잘 생각해서 그림을 그려야 되겠다는 이야기를 듣고 그곳에서 나온다. 그 후 코를 찌르는 듯한 이상한 독가스 냄새를 맡게 된다. 그리고 잡혀갔다가 나온 다음 날 새벽 비 오는 광장에서 '나'는 1980년 5월 18일 광주에서 죽은 시민들의 환영을 보게 된다. 그 후부터 나는 만화 그리기가 두려워지고 결국 신문사를 그만 둔다. 나는 계속 독가스 냄새 때문에 강한 심리적 불안 증세를 보인다. *앞부분이나 중략 부분의 줄거리 등이 제시 되는 이유는 이 부분 없이는 지문의 내용을 정확하게 이해하고 문제를 풀기 어렵기 때문인 만큼 꼼꼼하게 읽어야 해. 특히 이 지문에서처럼 일반적인 경우보다 길이가 유독 긴 줄거리는 시간이 좀 걸리더라도 정확히 읽고, 지문을 읽을 때에도 그 내용을 앞부분의 줄거리에서 제시된 내용과 연결해 가며 의미를 파악할 필요가 있어.*

'나'는 자신이 그린 _____ 때문에 '낯선 사람들'에게 끌려갔다 온 후 _____ 냄새를 맡게 돼. 또 잡혀갔다가 나온 다음 날에는 '1980년 5월 18일 _____ _____'을 보게 되고, 이후 만화를 그리지 못하고 불안 증세에 시달리고 있어. '나'를 잡아간 '낯선 사람들'의 발언, '1980년 5월 18일 광주' 등을 통해 이 작품은 정치적 억압과 감시가 심했던 1980년대의 상황과 관련하여 이해해야 함을 알 수 있겠네.

밖으로 이내 뛰쳐나가 무작정 거리를 쏘다니다가 아무 버스에나 올라탔지요. 휴일인데도 차안은 붐볐습니다. 프로 야구 결승전이 무등 경기장에서 있다나요. 무심코 고개를 들어보니, 거기 무수한 사람들의 손목이 하얀 고리형의 손잡이에 하나같이 나란히 꿰어져 있더군요. 그래요. 모두가 체포된 수인들이었어요. 차안에 갇힌 우리 모두는 팔목에 하얀 수갑이 채워진 채 어딘지도 모를 곳으로 한마디의 항변도 몸부림도 없이 묵묵히 압송되어져 가고 있었다구요. 썩어 문드러진 뱃가죽을 허옇게 드러낸 채 시체처럼 허공에 매달려 있는 그 숱한 손들을 바라보고 있으려니 또 독가스가 목을 짓눌려내는 느낌이었습니다. 차가 도청 앞에 이르렀을 때 허둥지둥 뛰어내리고 말았습니다. *'나'는 무작정 거리를 쏘다니다가 아무 버스에나 올라탄 날에 대해서 누군가에게 이야기하는 듯한 말투로 말하고 있어. '나'는 버스 _____를 잡고 있는 사람들을 팔목에 하얀 _____을 찬 체포된 수인들이라고 해. 앞부분의 줄거리에서 '나'가 심리적 _____ 증세를 보인다고 했던 것이 1번 문제의 <보기>를 고려하면, 이는 '나'의 환각인 것이겠지.*

휴일 하오의 거리는 한가로운 걸음의 행인들로 출렁이고 있었습니다. 하늘은 흐린 편이었지만 비가 올 듯한 날씨는 아니었지요. 전일 빌딩 앞 횡단보도를 건너 수협 건물 쪽으로 갔습니다. 난 예의 그 계단에 서서 꽤 오랫동안 눈앞의 광장과 분수대를 우두커니 바라보았지요. 이날따라 광장 중앙의 분수대는 시원스레 물을 뿜어 물줄기의 낙하음이 들렸습니다. 그것은 마치 지금 마악 임종하는 사람의 숨결처럼 나지막하면서도 집요하도록 끈질긴 소리였지요. 어찌 보면 지극히 평화스럽기만 한 그 광장의 풍경을 대하고 있으려니까 자꾸만 그 비 오는 날 밤, 바로 그 자리에서 보았던 소름 끼치는 광경이 뇌리에서 지워지지가 않았습니다. 그것은 정말 환영

이었을까. 억수같이 쏟아지는 비바람 속에서 얼결에 헛것을 보았던 것일까. 나는 북적이는 한길에 서서 여전히 어수선하고 흉흉한 꿈을 꾸고 있는 듯한 느낌이었습니다. *버스에서 내린 '나'는 광장과 분수대를 우두 커니 바라보다가 비 오는 날 밤, 바로 그 자리에서 보았던 소름 끼치는 광경을 떠올리게 되고 '그것은 정말 _____이었을까.'라고 생각해. 앞부분 줄거리를 고려하면 이는 '나'가 '잡혀 갔다가 나온 다음 날 _____'에서 보았던 '1980년 5월 18일 광주에서 죽은 시민들의 환영'을 뜻하는 거겠지? '나'는 어수선하고 _____한 꿈을 꾸고 있는 듯한 느낌이 들었대. '나'는 심리적으로 계속 불안한 상태에 있는 거지.*

그 사이에도 차량의 행렬이 분주히 스쳐 지나가고 시가지의 이 골목 저 골목으로부터 행인들이 개미떼처럼 구물구물 기어나와 끊임없이 흐르고 있었습니다. 정류장에선 수용소 막사의 번호판만 같은 숫자표를 달고 자신들을 실어갈 시내버스가 나타날 때마다 사람들은 그리로 우루루 몰려가곤 했습니다. 마치 등 뒤에서 누군가가 미친 듯 호루라기를 불어대기라도 하듯 저마다 어깨를 밀고 부딪치며 쫓기듯이 허겁지겁 차에 오르고 있는 시민들을 붙잡고 나는 이렇게 묻고 싶었습니다. 그해 오월, 바로 저 광장을 돌아 기다랗게 열을 지어 사라져 버린 숱한 사람들의 행방을 행여 알고 있느냐고. 선연하도록 붉고 고운 꽃이파리를 입에 물고 그들은 대관절 어디로 가버린 것이냐고. 그리고 그 많은 사람들은 왜 아무도 돌아오지 않느냐고. 어째서 해남댁 늙은이의 외아들은 아직까지 소식조차 알 수 없는 거냐고…… 하지만 끝내 아무 말도 해 보지 못하고 집으로 되돌아오고 말았습니다. *'나'는 허겁지겁 차에 오르고 있는 시민들에게 그해 _____에 사라져 버린 숱한 사람들의 행방을 묻고 싶다고 생각하지만, 아무 말도 해 보지 못하고 ____으로 되돌아오는군. '나'가 행방을 궁금해하는 그 사람들은 '1980년 ___월 ____일 광주에서 죽은 시민들'을 가리키겠지? 즉 '나'는 5·18 광주 민주화 운동의 희생자들에 대해 생각하고 있어.*

그날부터 나는 꼬박 이틀을 물만 마시며 누워 있었습니다. 입을 잔뜩 벌리고 꼼짝없이 누워 있어도 호흡이 막혀 오고 목구멍에서 바람이 새는 듯한 이상한 소리가 났습니다. 어디서 어떻게 시작되었는지조차 알 수 없는 그 지독한 냄새는 쓰러져 누운 내 가슴 위에 올라타서 끊임없이 목을 조르고 또 졸랐지요. 눈알이 벌겋게 충혈되면서 이윽고는 목구멍 안까지 퉁퉁 부어올라 침을 삼키기마저 어려워지더군요. 아아, 기어이 난 이렇게 죽어가는구나. 이렇게 죽고 마는구나. 그런 생각이 들자 나는 무지무지하게 분하고 억울하다는 느낌을 참을 수가 없더군요. 그래요. 난 그대로 죽을 수는 없었습니다. 절대로 이렇게 허망하게 눈을 감아서는 안 된다는 생각이 들더군요. *집으로 돌아온 '나'는 꼬박 _____을 누워만 있네. 독가스 냄새를 맡으며 '난 이렇게 죽어가는구나.'라고 생각하던 '나'는 분하고 억울해서 이렇게 _____하게 눈을 감아서는 안 된다는 생각을 해. 누워만 있던 '나'가 무언가 행동을 하려는 걸까?*

㉠나는 자리를 박차고 일어나 스케치북을 꺼냈지요. 실로 오랜만에 그려 보는 만화였습니다. 나는 거기에 그 비 오는 날 밤의 무서운 광경을, 꽃잎을 온몸에 붉게 붙인 채 어디론가 끌려가고 있는 사람들의 행렬을 쓱쓱 그려 넣었습니다. 그러고 나서 판자와 못을 찾아내어 표지판을 하나 만들고 거기에 굵은 글씨로 이렇게 썼습니다. 〈저는 지금 정체를 알 수 없는 독가스와 독극물로 인해 날마다 죽어가고 있습니다. 제발 저를 살려 주십시오. ─단식 사흘째〉 *앞부분 줄거리에 따르면 '나'는 _____가 두려워져서 신문사를 그만 두었는데, 자리를 박차고 일어난 '나'는 실로 오랜만에 스케치북에 그 _____의 무서운 광경을 그려. 그리고 자신이 독가스와 독극물로 인해 죽어가고 있다는 내용의 표지판을 만들지. 거기엔 '단식 사흘째'라고 써 있네.*

(중략)

그 이튿날도 마찬가지로 우체국 앞에 나갔지요.
〈……저를 살려 주세요.-단식 나흘째〉
그 다음날도 역시 그리로 나갔습니다. 닷새째가 되는 그날까지도
난 전혀 아무것도 입에 대지 않은 채로였지요. 그런데 바로 그 마
지막 날 오후에 혼자 표지판을 치켜들고 서 있으려니까 바로 그자
들이 나를 데리러 왔던 것이었습니다……. 며칠째 _____을 이어가며
표지판을 들고 서 있는 '나'를 '그자들'이 데리러 와. 앞부분 줄거리를 고려하면 '그자들'은
'나'를 끌고 가 '잘 생각해서 그림을 그려야 되겠다는 이야기'를 했던 사람들이지.

자아. 이것뿐입니다. 선생님이 내게 알아낼 수 있는 사실은 모두
이것밖에 없어요. 이젠 아무 얘기도 하고 싶지 않습니다. 아시겠
어요? 더는 계속하지 않을 거라구요. 으흐흐훗. 하지만 말예요,
선생님. 꼭 한 가지만 알고 싶은 게 있기는 합니다. 저, 말이죠. 나는
다시 만화를 그릴 수가 있을까요? 자를 대지 않고서도 그 빌어먹을
놈의 직선을 예전처럼 쓱쓱 그려낼 수 있겠느냐구요. 그리고 무엇
보다도 이 독가스, 지긋지긋하고 끔찍스러운 이 독가스 냄새는 대
관절 어디서 어떻게 꽃가루같이 풀풀풀 날아오는 것일까요. 네.
다른 사람들은 모두 아무렇지도 않게 살아가고 있는데 어째서 하필
나 혼자만 이렇게 고통을 당해야 하는 것인지, 정말이지 난 모르
겠다니까요, 선생님. '나'는 '_____'에게 자신이 겪었던 일들을 이야기하고
있었던 거네. 자신이 그린 만화 때문에 잡혀 갔다가 온 후로 독가스 냄새를 맡고 만화를
그리지 못하게 된 것을 고려하면, _____는 '나'가 만화를 그리지 못하게 하는 시대적
제약이나 억압을 상징한다고 볼 수 있겠군.

— 임철우, 「직선과 독가스 – 병동에서」 —

현대소설 독해의   STEP 2

1 형광펜이 그어진 부분을 근거로 장면을 다시 한번 나누어 보고,
장면별 내용을 요약해 보세요.

장면끊기 01	밖으로 이내 뛰쳐나간 '나'는 _____에서 압송되는 수인들의 환영을 보고, 5월 18일 _____에서 죽은 시민들에 대해 생각하다 집으로 되돌아옴
장면끊기 02	집으로 돌아온 '나'는 그날부터 꼬박 이틀을 누워만 있다가 일어나 만화를 그리고 단식 사흘째라고 표시한 _____을 만듦
장면끊기 03	단식 나흘째에 '_____'이 표지판을 들고 서 있던 '나'를 데리러 옴
장면끊기 04	'나'가 '선생님'에게 자신의 _____을 호소함

---

2 인물 간의 관계를 고려하여 구조도의 빈칸에 적절한 말을 채우세요.

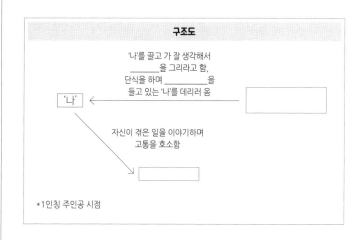

구조도

'나'를 끌고 가 잘 생각해서
_____을 그리라고 함,
단식을 하며 _____을
들고 있는 '나'를 데리러 옴

'나'

자신이 겪은 일을 이야기하며
고통을 호소함

*1인칭 주인공 시점

---

3 1~2번 문제를 풀어 보세요.

1. ㉠과 〈보기〉를 참고하여, 사건의 진행 과정에서 드러난 '환각의
역할'에 대해 발표한 내용 중 가장 적절한 것은?

〈보기〉

작가는 소설에서 감각적인 인식의 차원을 넘어선 환각적인 요소들을 사용
하는 경우가 있다. 이때 환각적인 요소에는 환영(幻影), 환청(幻聽), 환후(幻嗅)
등이 있다. 이런 환각적인 요소는 일정한 역할을 담당하는 경우가 있다.

① 인물이 지향하는 세계를 암시적으로 드러내고 있습니다.

② 인물이 현실에 대한 인식을 전환하는 계기로 작용하고 있습니다.

③ 인물이 저지른 과거의 잘못에 대한 죄책감을 부각시켜 주고 있습니다.

④ 현실에 대해 인물이 저항 의지를 포기하게 하는 촉매 역할을 하고 있습니다.

⑤ 현실과 대결하는 군중들의 모습을 보고 놀란 인물의 내면 의식을 드러내고
있습니다.

2. 문학 개념어 OX 확인 문제

① 비유적 표현을 사용하여 작품 상황에 대한 독자의 이해를 돕고 있다.   ○ ✕

② 배경과 인물의 심리를 대비하여 인물이 처한 상황을 효과적으로 제시하고
있다.   ○ ✕

현대소설 독해의 STEP 3

1 선지 판단 공식을 활용하여 빈칸을 채우고 1번 문제의 선지를 OX로 판단해 보세요.

〈보기〉 문제 선지 판단의 공식

① 〈보기〉 소설에서 환영, 환청, 환후 등의 환각적인 요소는 일정한 역할을 담당함 ➕ 작품 '나'는 '코를 찌르는 듯한 _____ 독가스 냄새를 맡'고 '1980년 5월 18일 광주에서 _____ _____'을 보며 괴로워함

선지 ➡ 인물이 지향하는 세계를 암시적으로 드러내고 있습니다. ○ ✕

② 〈보기〉 소설에서 환영, 환청, 환후 등의 환각적인 요소는 일정한 역할을 담당함 ➕ 작품 '코를 찌르는 듯한 이상한 독가스 냄새를 맡'고 '광주에서 죽은 시민들의 환영'을 보던 '나'는 '그 비 오는 날 밤' '_____의 행렬'을 만화로 그림

선지 ➡ 인물이 현실에 대한 인식을 전환하는 계기로 작용하고 있습니다. ○ ✕

③ 〈보기〉 소설에서 환영, 환청, 환후 등의 환각적인 요소는 일정한 역할을 담당함 ➕ 작품 '다른 사람들은 모두 아무렇지도 않게 살아가고 있는데 어째서 하필 _____을 당해야 하는 것인지, 정말이지 난 모르겠다니까요, 선생님.'

선지 ➡ 인물이 저지른 과거의 잘못에 대한 죄책감을 부각시켜 주고 있습니다. ○ ✕

④ 〈보기〉 소설에서 환영, 환청, 환후 등의 환각적인 요소는 일정한 역할을 담당함 ➕ 작품 '코를 찌르는 듯한 이상한 _____를 맡'고 '광주에서 죽은 시민들의 _____'을 보던 '나'는 '그 비 오는 날 밤' '어디론가 끌려가고 있는 사람들의 행렬'을 만화로 그림

선지 ➡ 현실에 대해 인물이 저항 의지를 포기하게 하는 촉매 역할을 하고 있습니다. ○ ✕

⑤ 〈보기〉 소설에서 환영, 환청, 환후 등의 환각적인 요소는 일정한 역할을 담당함 ➕ 작품 '그 사이에도 차량의 행렬이 분주히 스쳐 지나가고 시가지의 이 골목 저 골목으로부터 _____ _____ 끊임없이 흐르고 있었습니다.', '저마다 어깨를 밀고 부딪치며 쫓기듯이 _____'

선지 ➡ 현실과 대결하는 군중들의 모습을 보고 놀란 인물의 내면 의식을 드러내고 있습니다. ○ ✕

현대소설 독해의 STEP 1

1 주요 인물에 ☐ 표시를 하고, 빈칸에 적절한 말을 채우세요.

2 시간, 공간, 서술 대상이 바뀌는 곳을 찾아 직접 장면을 4개로 나누어 보세요.

[앞부분의 줄거리] '나'는 투병 중이던 최 교수의 부고를 듣고, 서울행 비행기를 탈지 말지 망설인다. '나'는 과거 최 교수의 모습을 떠올린다.

그는 응접실로 나오지도 못하고 안방에 딸린 침구 위에서 나를 맞았다. 전번에 찾아오려고 했을 때, 병원에 가고 안 계시다는 이야기를 들은 지 두 주일이 지나 있었다. _'나'가 최 교수를 병문안 갔던 때의 일이 제시되고 있어. _____ 위에서 '나'를 맞이하는 것으로 보아, 최 교수는 병이 상당히 위중한 모양이야._

"그렇겠지. 막살아왔다면, 그렇게 아무렇게나 살아왔다면, 어떻게든 살아보겠다고 무슨 짓이든 하겠지. 그러나…… 난 그렇지가 못하잖아. 그렇게 막살지도 못했잖아."

얼음 조각을 하듯 그렇게 사셨을 것이다. 깨뜨리면 잘못 부수면 회복이 안 되는 것으로 사신 시간들일 것이다. 선생님의 시간. _최 교수는 자신이 살아온 삶을 회고하고 있어. 막살거나 _____ 삶은 아니기에 살기 위한 발버둥은 치지는 않겠다고 하며, 죽음을 **(수용/회피)**하려는 태도를 드러내고 있지. 그런 그의 삶을 '나'는 _____을 하는 듯한 삶이었을 것으로 비유하고 있지._

"폭력적인 생각이 자꾸 들곤 해. 뛰어내릴까. 그래서라도 죽는 게 낫지 않나. 딱 죽는 약이 있으면 먹을까도 싶고. 이런 폭력적인 생각을 또 고쳐. 내가 이래선 안 된다, 안 된다 하고."

왜 그런 약한 생각을 하세요. 나는 겨우 그렇게 중얼거리려다가 목이 아프게 누르며 그 말을 참았다. 아무것도 선생님에게 위안이 될 수 있는 것을 나는 가지고 있지 못했다. _죽음을 오히려 앞당기고 싶어 하는 마음까지 토로하는 최 교수의 모습을 바라볼 수밖에 없는 '나'는 그에게 _____을 주지 못하는 것을 안타까워하고 있어._

"죽음이…… 화려하게까지 느껴지기도 해. 그게 두렵지가 않아. 이상하지. 전에 할아버지 무덤에 가 앉아 있을 때 생각이 나. 그때, 그 융단같이 푸른 잔디를 보며 앉았노라면 그렇게 좋고 평화스러울 수가 없었어. 내가 이제 여길 내려가서…… 얼마나 많은 고통을 받고, 얼마나 많은 나쁜 짓을 하고, 얼마나 많은 사람을 속이며 살아갈 건가. 그런 생각을 하곤 했었지. 물론 살아가며, 순간순간의 기쁨이야 있겠지. 그러나……" _최 교수는 죽음에 대해 _____을 느끼지 않고, 오히려 _____하게까지 느껴진다고 해. 그리고 삶 중에 얻을 순간순간의 _____보다도 죽음을 매력적으로 받아들이는 심정을 제시하고 있지._

이미 노오랗게 물들어 있는 선생님의 눈을 나는 가만히 바라보았다. 병이 저렇게 만든 것일까. 검고 컸던 선생님의 눈. 우리는 이다지도 무력한가. 우리가 무엇을 이룩하겠다고. 무엇을 남기겠다고 매일을 고단하게 살았단 말인가. _최 교수의 눈을 보며 '나'는 _____을 느끼면서, 삶의 덧없음을 생각하고 있어._ 메마른 입술을 적시며 선생님이 고개를 돌렸다. 그의 눈길이 커튼이 열려진 창에 가 멎었다. 텅 빈 하늘이 거기 가득했다.

"끊임없이 싸워. 정상적인 자아와 병든 자아가 이십사 시간을 싸워. 이게 나야. 내가, 두 개의 내가 살아 있어. 내가 나를, 정상적인 자아가 병든 자아를 두 시간만 재워 놓자. 그러면서 잠이 들어. 여덟 시에 깨우자. 그러면서 살아. 병든 자아를 달래서 약

을 먹이고, 병든 자아에게 사정해 가며 물도 몇 모금 먹고……"

_최 교수의 마음속에는 _____와 _____라는 두 가지 자아가 항상 서로 싸우고 있다고 해. 주로 한쪽이 다른 쪽을 잠을 재우고, 약을 먹이고, 물도 먹여 가며 삶을 연명해 간다고 하지. 죽음을 수용하려는 자아와 살고 싶다는 자아가 갈등하고 있는 상황으로 볼 수 있겠지._

그때, 왜 그 생각이 떠올랐을까. 그것은 내가 본 처음이자 마지막 한 번의 선생님이었다. 그때 선생님은 대학의 보직을 맡고 있었다. _최 교수의 말을 듣던 '나'는 문득 최 교수가 대학의 _____을 맡고 있던 때를 회상하네._ 마침 약속이 있어서 학교 본관의 처장실로 찾아갔을 때였다. 그때 다른 단과 대학의 학장을 했던 원로 교수 하나가, 최명하 너 이놈 하고 고함을 치며 처장실 문을 박차고 들어왔다. 그는 아마 선생님보다 스무 해는 나이가 위였을 게다. 그를 향해서 그때 선생님이 소리쳤다. 학자라는 게 나잇값도 못하고! 당신하고 할 이야기 없으니 당장 나가! _'나'의 회상 속에서 두 사람의 대화는 큰따옴표 없이 이루어지고 있네. 서술자 '나'의 서술 부분과, 인물의 발언이 직접 인용된 부분을 잘 구분해서 읽어야겠지? 다른 단과 대학의 학장인 _____가 최 교수(최명하)에게 무언가를 따지러 오자, 최 교수가 오히려 그를 비난하는 장면이 제시되었어._ 놀라서 집무실 한구석에 나는 서 있었고, 선생님은 그 노교수의 등을 밀어 밖으로 내몰았다. 문을 닫아걸며 선생님이 내뱉듯 말했다. 무슨 부정 입학생 명단을 수첩에 적어 가지고 합격을 시키자니! 그걸 내가 못 한다고 잘랐더니 저 주책이야! 그때는 마침 입시철이었다. _입시철에 _____들을 합격시키자는 제안에, 최 교수는 부정을 용납하지 않고 단호한 거부의 의지를 보였어._ 그처럼 격렬하고 단호했던 선생님의 모습이 갑자기 왜 떠오르는지 나는 알 수 없었다. 그때의 그 선생님, 또 다른 선생님의 자아를 생각했던 것일까. _'나'는 병석에서 두 가지 _____에 대해 이야기하는 최 교수의 말을 듣고, 현재의 약해진 모습과 달리 단호하고 격렬했던 과거의 최 교수를 떠올린 모양이야._

메마른 발을, 여윈 발을 당겨 앉은 자세를 바꾸며 그때 선생님이 중얼거렸다.

"황 교수, 그 사람이 뭔데 나보다 이십 년을 더 살아. 말이나 되는 소리야. 나보다 이십 년을 더 살다니."

황 교수. 그분은 선생님과는 가까웠던 국문과 교수였고, 원로 소설가였다. _다시 '나'가 최 교수의 병문안을 온 시공간적 배경으로 돌아왔어. 최 교수는 자신보다 _____가 오래 산다는 것을 인정하지 못하겠다고 해._

[A]
"오늘 비행기는 전연 예약이 안 되네요. 그냥 비행장으로 나가 보실래요. 좌석이 있으면 탈 수도 있을 테니까요."

아내의 그런 말을 들으며 그는 자신에게 말했다. 아니, 가지 않겠어. 병든 자아와 정상적인 자아가 아냐. 수없이 많은 내가 내 속에 있어. 그의 죽음을 지켜보며 나는 또 얼마나 많은 자아와 싸웠던가. 때로는 두려웠던 나. 때로는 슬펐던 나. 때로는 그의 병듦을 보며 살아있는 자신이 기뻤던 나도 있었어. 그의 무너져 가는 몸을 보며, 건강에 조심해야지 하고 쥐가 천장을 갉아대듯 속삭인 나도 있었어. _1인칭 주인공 시점이던 글이 3인칭 전지적 작가 시점으로 전환되었어. 아내의 말을 들은 '그'가 비행기를 타러 가지 않겠다고 생각하며 자신 안의 수많은 _____에 대해 생각하는 장면이 제시되고 있네. 앞부분의 줄거리를 참고하면, 이 상황은 최 교수의 조문을 가기 위해 '비행기를 탈지 말지 망설'이던 '나(그)'의 상황을 제시하고 있는 것이라고 볼 수 있겠어. '그'는 최 교수의 죽음을 지켜보며 두려움과 _____, 삶에 대한 기쁨 등을 느꼈었구나._

그는 새로 빤 와이셔츠를 입고 넥타이를 맸다. 비뚤어진

매듭을 거울 속으로 바라보며 다시 맬까 어쩔까를 그는 잠시 생각했다. 그는 양복을 걸치며, 넥타이를 고치지도 다시 매지도 않은 또 하나의 자신에게 말했다. 두 시의 약속을 미룰걸 그랬어. '그'는 지금 현실에서 _____를 고쳐 맬까 고민하고 있는 자신과 다른, 자신 안의 또 다른 자아에게 말을 걸고 있어. 가방을 들고 집을 나서기 위해 구두를 신으며 그는 오늘 저녁에는 술을 마시자고 스스로에게 약속했다. 많이 마시지는 마. '두 시의 약속을 미룰걸 그랬어.'나 '많이 마시지는 마.'는 실제 발화된 말이라기보다, '그'가 마음속으로 스스로에게 되뇐 생각에 가까워. 밖으로 나섰다. 바람이 빗발을 뿌려 그의 구두를 젖게 했다. 그는 우산을 바람 쪽으로 기울이며 걸음을 빨리했다. 비는 모래알같이 뿌려댔다. 골목에는 누구도 보이지 않았다. 사막 같았다. 비를 맞고 있는 집과 나무와 아스팔트 포장이 된 골목을 바라보았다. 사막. 순간 그는 자신 속에 아무도 살아 있지 않다고 느꼈다. 어떤 모습의 그도. 밖으로 나선 '그'는 비가 내리는, 텅 빈 골목을 바라보며 이 공간이 누구도 살아 있지 않은 _____과 같다고 생각해. 그리고 결국 자신 안에 있는 수많은 자신 가운데, 어떤 모습의 그도 살아 있지 않다고 느끼게 되지. 아마도 수많은 자아를 가지고 있더라도 그 가운데 진정한 자신은 존재하지 않는다는 것에 대한 깨달음을 나타낸 것일 거야.

– 한수산, 「타인의 얼굴」 –

현대소설 독해의 STEP 2

1 형광펜이 그어진 부분을 근거로 장면을 다시 한번 나누어 보고, 장면별 내용을 요약해 보세요.

장면끊기 01	'나'는 최 교수가 병원에 가고 없다는 이야기를 들은 지 두 주일 만에 그를 다시 찾아가고, _____을 앞둔 그로부터 두 가지 _____에 대한 이야기를 들음
장면끊기 02	'나'는 최 교수가 대학의 보직을 맡고 있던 입시철의 그때를 회상하며 _____을 합격시키자는 제안을 거부하던 최 교수의 모습을 떠올림
장면끊기 03	최 교수는 내가 병문안을 온 그때 자신보다 _____가 오래 살 것을 인정하지 못하겠다고 이야기함
장면끊기 04	아내는 '그(나)'가 비행기를 탈지 말지 망설이는 오늘 예약이 어려우니 _____으로 가 보라 하고, '그'는 자신 안의 수많은 _____를 생각하며 _____과 같은 골목으로 나서 _____ 느낌

2 인물 간의 관계를 고려하여 구조도의 빈칸에 적절한 말을 채우세요.

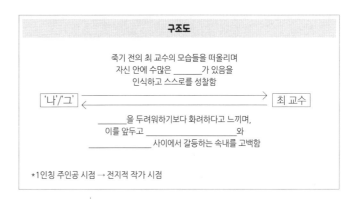

구조도

죽기 전의 최 교수의 모습을 떠올리며
자신 안에 수많은 _____가 있음을
인식하고 스스로를 성찰함

'나'/'그' ←——————————————→ 최 교수

_____을 두려워하기보다 화려하다고 느끼며,
이를 앞두고 _____와
_____ 사이에서 갈등하는 속내를 고백함

*1인칭 주인공 시점 → 전지적 작가 시점

3 1~2번 문제를 풀어 보세요.

1. 〈보기〉를 바탕으로 [A]를 감상한 내용으로 적절하지 않은 것은?

〈보기〉

우리는 타인들과 관계를 맺으며 살아간다. 타인에 대한 관찰을 통해 우리는 인식하지 못했던 또 다른 나를 발견하는 낯선 체험을 할 수 있다. 타인은 자신을 비추는 거울인 것이다. 또한 이러한 체험은 자아와 삶의 본질에 대한 사색으로 이어진다. 이 작품의 제목인 '타인의 얼굴'은 이런 점에서 상징적인 의미로 해석할 수 있다.

① 거울 속에 있는 '또 하나의 자신'은 '또 다른 나'에 해당하는 존재라고 할 수 있다.

② 선생님은 '나'가 삶의 본질에 대해 사색하게 하는 '타인의 얼굴'로 볼 수 있다.

③ '사막'은 삶의 본질에 대한 '나'의 인식과 내면을 보여 주는 상징적 이미지라 할 수 있다.

④ '나'가 '그'와 대화를 하는 행위는 자아와 삶의 본질에 대해 사색하는 행위로 해석할 수 있다.

⑤ '자신 속에 아무도 살아 있지 않다'고 느낀 것은 새로운 관계의 가능성을 암시하는 것으로 볼 수 있다.

2. 문학 개념어 OX 확인 문제

① '나'의 내면 의식 묘사를 중심으로 서술하고 있다. ○ X

② 동일한 사건이 '선생님'의 시각에서 새롭게 해석되고 있다. ○ X

현대소설 독해의 STEP 3

1 선지 판단 공식을 활용하여 빈칸을 채우고 1번 문제의 선지를 OX로 판단해 보세요.

〈보기〉 문제 선지 판단의 공식

① 〈보기〉 타인에 대한 관찰을 통해 우리는 인식하지 못했던 _____ _____를 발견하는 낯선 체험을 할 수 있음

➕ 작품 '비뚤어진 매듭을 _____ 속으로 바라보며 다시 맬까 어쩔까를 그는 잠시 생각했다. 그는 양복을 걸치며, 넥타이를 고치지도 다시 매지도 않은 _____ 에게 말했다.'

선지 ➡ 거울 속에 있는 '또 하나의 자신'은 '또 다른 나'에 해당하는 존재라고 할 수 있다. ○ ✕

② 〈보기〉 타인을 통한 또 다른 나의 발견이 삶의 본질에 대한 _____ 으로 이어진다는 점에서, 제목 '_____'은 상징적인 의미로 해석될 수 있음

➕ 작품 '수없이 많은 내가 내 속에 있어. _____ 을 지켜보며 나는 또 얼마나 많은 자아와 싸웠던가.~속삭인 나도 있었어.'

선지 ➡ 선생님은 '나'가 삶의 본질에 대해 사색하게 하는 '타인의 얼굴'로 볼 수 있다. ○ ✕

③ 〈보기〉 또 다른 나를 발견하는 낯선 체험은 _____에 대한 사색으로 이어짐

➕ 작품 '골목에는 누구도 보이지 않았다. _____ 같았다. 비를 맞고 있는 집과 나무와 아스팔트 포장이 된 골목을 바라보았다. 사막. 순간 그는 _____에 아무도 살아 있지 않다고 느꼈다.'

선지 ➡ '사막'은 삶의 본질에 대한 '나'의 인식과 내면을 보여 주는 상징적 이미지라 할 수 있다. ○ ✕

④ 〈보기〉 또 다른 나를 발견하는 낯선 체험은 삶의 본질에 대한 _____으로 이어짐

➕ 작품 '그는 _____에게 말했다. 아니, 가지 않겠어.~속삭인 나도 있었어.', '그는 양복을 걸치며, 넥타이를 고치지도 다시 매지도 않은 _____에게 말했다. 두 시의 약속을 미룰걸 그랬어.'

선지 ➡ '나'가 '그'와 대화를 하는 행위는 자아와 삶의 본질에 대해 사색하는 행위로 해석할 수 있다. ○ ✕

⑤ 〈보기〉 우리는 _____과 관계를 맺으며 살아가며, 그들에 대한 관찰을 통해 인식하지 못했던 또 다른 나를 발견함

➕ 작품 '순간 그는 자신 속에 _____ 고 느꼈다. 어떤 모습의 그도.'

선지 ➡ '자신 속에 아무도 살아 있지 않다'고 느낀 것은 새로운 관계의 가능성을 암시하는 것으로 볼 수 있다. ○ ✕

MEMO

현대소설 독해의 STEP 1

❶ 주요 인물에 ☐ 표시를 하고, 빈칸에 적절한 말을 채우세요.

❷ 시간, 공간, 서술 대상이 바뀌는 곳을 찾아 직접 장면을 2개로 나누어 보세요.

가로 세로 일 미터쯤의 유리 상자들이 벽을 따라 즐비하게 세워진 그곳은 들어서자마자 썩 좋지 않은 냄새를 풍겨주었다. 새들의 오물이나 잠겨 있는 실내 공기 탓이겠지만 냄새만으로도 이쪽 세상과 저쪽의 바깥세상을 확연히 구분짓게 한다. 새들이 _____ 안에 갇혀 있는 조류원에 와 있는 상황인가 봐. 그녀는 문득 남편을 생각했다. 냄새는, 특히 이런 유의 퀴퀴한 냄새는 언제나 남편 몫이었다. 악취가 풍겨오는 한은 어쩔 수 없노라고 그가 말하였다. 썩고 있는 쓰레기를, 막혀 있는 시궁창을 치우지 않고는 그는 견딜 수 없어했다. 좋지 않은 냄새가 풍겨오는 조류원에서 그녀는 자신의 남편을 떠올려. 그는 썩고 있는 쓰레기나 막힌 _____을 치우지 않고는 견딜 수 _____ 사람이래.

그녀는 이제 조류원 안에서 아무런 냄새도 맡지 못한다. 잠깐 사이에 후각은 마비되고 언제 냄새가 있었냐는 듯이 코는 말짱해져 큼큼거리던 짓도 멈추었다. 내맡겨지고 길들여지는 일에 익숙한 자들에게는 못 견딜 일이라곤 별로 없는 것이다. 그녀는 조류원의 _____에 적응되었는지 이제 악취가 잘 느껴지지 않나 봐.

그처럼 많은 새가 있었지만 어느 곳에서도 새소리는 들려오지 않았다. 박제되어 있는 듯한 동공과 차가운 발부리만이 일렬횡대로 즐비하게 늘어서 있을 뿐이다. 죽은 나뭇가지 위에 동그마니 얹혀져서 참새, 콩새, 종달새 들이 유리벽 바깥의 인간들을 노려보고 있었다. 전깃줄에서, 때로는 미풍의 보리밭 이랑에서 정답게 울어주던 바깥세상의 새들과는 전혀 닮지 않은 것처럼 보임은 무거운 침묵 때문인가. 고목의 둥치를 잘라 시멘트로 탄탄하게 세워두고 정돈된 가지마다엔 이파리 하나 매달리지 않았다. 조류원에는 많은 새들이 있지만 하나같이 _____하고 있어. 새들이 살고 있는 유리 상자도 _____ 하나 매달리지 않은 죽은 나뭇가지로 꾸며져 있지. 새들도, 새들이 있는 곳도 모두 **(생명력/정적감)**을 잃은 모습이야. 새들은 두툼한 가지 끝에서 미동도 하지 않고 있다가 별안간 후두둑 날아올라 다른 가지로 옮겨 앉는다. 그리고는 이내 부동의 자세이다. 아이들은 유리벽에 매달려 새들을 유혹하기 위해 손을 내밀기도 하고 후이익 후이익 새 울음을 만들어내기도 하였다. 새들은 울지 않고, 새들을 구경하는 아이들이 _____을 만들어내지.

조류원의 중간쯤에서 그녀는 방울새를 만났다. 부리나 깃털의 색깔로 방울새를 알아낸 것은 물론 아니었다. 팻말을 통해 잿빛 깃털의 음울한 눈매를 한 그것과 맞부딪치고 나서 그녀는 적잖이 실망을 한다. 방울새야 방울새야, 쪼로롱 방울새야. 노래를 부를 적마다 떠오르곤 했던 그 이슬 같은 느낌의 청명함은 어디에도 없었다. 조류원에서 그녀는 _____를 발견하는데, 잿빛 깃털의 음울한 눈매를 하고 있는 방울새의 모습이 아니라 _____을 통해 그것이 방울새라는 것을 알아서. 그리고 방울새 노래를 떠올리지. 감춰지거나 은유되지 않고 곧이곧대로 드러나 있는 사실 속의 새 앞에서 그녀는 잠시 의아해한다. 그리고 이내 깨닫는다. 노래, 아마도 노래가 사라진 탓이었다. 방울 같은 목소리로 목청껏 노래를 부르고 있을 때만 그것은 방울새로 불리워진다. 노래하지 않고 있는 방울새는 단지 잿빛 깃털을 가진 한 마리의

날것에 불과하였다. 그녀는 방울새를 바로 알아보지 못한 이유를 _____에서 찾았어.

"저 새가 바로 방울새란다."

그래도 그녀는 딸애에게 가르쳐 주어야 했다. 한 소절 한 소절을 따라 부르게 하면서 노래를 가르쳐 주었듯이. 간밤에 고 방울 어디서 따왔니. 쪼로롱 고 방울 어디서 따왔니…… 글쎄, 어디서 따왔을까. 방울이 어디에 있었는가를 경주는 물었고 그녀는 방울이 있었음 직한 곳을 찾기 위해 곰곰 생각해보곤 했었다. 그곳은 어디에 있을까. 그리고 지금은 왜 방울을 따오지 못한 것일까. 두터운 유리벽 안에 갇혀서, 푸른 하늘 대신 시멘트 천장을 이고 죽은 나뭇가지 위에 앉아 있는 한은 방울을 따올 수 없을 것이 분명했다. 그녀는 딸 경주에게 방울새 노래를 가르쳐 주었듯 조류원에서도 방울새에 대해 가르쳐 줘. 그리고 조류원 안의 방울새는 왜 _____을 따 오지 못한 것인지, 즉 왜 노래를 부르지 않는 것인지 생각하지.

경주는 신이 나서 노래를 부르기 시작한다. 그녀와 마찬가지로 경주 또한 방울새를 보는 것은 처음이었다. 노래 속에서만 있었던 새를 눈앞에 두고 아이는 쨍쨍한 목소리로 노래를 부르고 있었다. 동굴처럼 깊게 파들어 간 조류원 안에서 아이는 시방 노래와 만나고 있는 것이다.

"아, 방울새는 동굴에서 살고 있구나."

경주는 고개를 끄덕였다. 그녀는 갑자기 퍼뜩 놀라 아이를 쳐다본다. 그 말이 꼭 아빠는 동굴에서 살고 있구나 하는 말로 들린 까닭이었다. 한때는 함께 산 적도 있지만 지금은 없는 아빠가 아아, 여기 동굴 속에서 살고 있구나라고 아이가 소리친 줄로만 알았다. 그녀는 경주의 말에 깜짝 놀랐어. 방울새에 대해 한 말을 _____에 대해 한 말로 잘못 들은 거야. 그녀에게 _____는 남편을 떠오르게 하는 매개체인 듯해.

이제 아이는 방울새 노래를 부를 때마다 저 먼 곳에 살고 있는 방울새를 생각할 것이다. 방울새 대신 노래를 불러주면서, 방울새의 닫혀진 입을 대신해 주면서 아이는 방울새를 떠올리겠다. 조류원에 갇힌 방울새는 노래를 하지 않고, 방울새의 _____ 입을 대신해 경주가 노래를 부른다는 거야.

(중략)

그 경쾌하고 단순한 노랫가락이 끌고 가는 무거운 발걸음. 쪼로롱 방울새야. 쪼로롱을 부를 때의 아이 입은 새의 부리처럼 뾰족하고 그들의 걸음은 잠깐 허둥거린다. 쪼로롱 방울새야. 발길을 가다듬으며 그녀는 눈꺼풀의 떨림이 시작할 조짐을 느꼈다. 파드득 떨리는 눈꺼풀. 쪼로롱 방울새야. 미끄러질 듯한 걸음. 보이는 모든 것이 파들파들 몸을 떨고 아이는 나풀거리며 달려간다. 방울새 노래와 함께 그녀와 경주의 모습을 묘사하고 있어.

그녀는 떨리는 눈두덩을 지그시 누르면서 내일 모레쯤에는 남편을 찾아가야겠다고 마음먹는다. 이번에야말로 헛손질과 얼룩진 벽만 바라보고 있지는 않을 것 같기도 하다. 방울새가 저어기에 살고 있더라는 이야기를 해도 좋다. 배고파하는 동물들의 벌려진 입을 전해주고도 싶다. 경주의 방울새 노래가 듣고 싶지 않느냐고도 물어볼 것이다. 그녀는 _____을 찾아가기로 마음먹어. 그리고 남편에게 무슨 말이든 해야겠다고도 생각하지.

이야기가 술술 풀려만 간다면 아니 그러고도 시간이 남는다면 구더기의 강에 대해서도 소상히 들려줄 것이다. 지금 생각해도 머리칼 깊숙이 수십 수백 마리의 구더기가 털구멍에 처박혀 몸을 오그라뜨리고 있는 느낌이라고 제법 세밀하게 이야기할 수 있을지도 모른다. 이제야 말하지만 이 꿈을 홀로 간직하는 일이 정말 두려웠다고도 말해보자. 그녀는 자신이 꾼 _____의 악몽에 대해서도 남편에게 말하리라 마음먹어. 말이란 한 번만 눈 딱 감고 시작하면 실타래에서 풀려 나오는 명주실처럼 길고도 질기게 계속될 것이었다. 한 번만 입을 열어 모음과 자음을 발음한다면, 한 번만 부리를 벌려 방울 소리를 낸다면 그것만으로도 족히 견디어낼 것 같았다. 유리 상자 안에서 노래 하지 않던 _____와 달리 자신은 입을 열어 ___을 하겠노라 다짐하지.

　　　　　　　　　　　　　　　　　　　　　　- 양귀자, 「방울새」 -

현대소설 독해의　STEP 2

1 형광펜이 그어진 부분을 근거로 장면을 다시 한번 나누어 보고, 장면별 내용을 요약해 보세요.

장면끊기 01	그녀는 딸　　　와 함께 간 조류원에서　　　하지 않는 방울새를 보고, 경주가 방울새 노래를 부르며 달려가는 모습을 봄
장면끊기 02	그녀는 남편을 찾아가 소리 내어　　　하겠다고 다짐함

2 인물 간의 관계를 고려하여 구조도의 빈칸에 적절한 말을 채우세요.

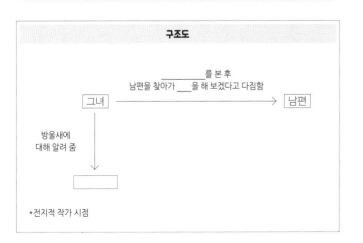

3 1~2번 문제를 풀어 보세요.

1. 〈보기〉를 참조하여 윗글을 감상한 내용으로 적절하지 **않은** 것은?

〈보기〉

　동물원에서 동물들이 거주하고 있는 공간은 인위적인 것이다. 창공과 대지, 그리고 강과 바다에서 자유롭게 살아왔던 동물들은 이제 자유를 잃고 주변적인 것으로 밀려났다. 이렇게 철저하게 주변적 존재가 되는 과정에서 동물원에 갇혀 있는 동물은 새로운 은유를 탄생시키게 된다. 강제에 의해 주변부로 밀려나는 행위가 이루어지는 모든 사회적 공간과 동물원은 공통점을 갖고 있기 때문이다.

① '조류원'의 '새'들의 모습은 주변부로 밀려나 갇혀 있는 자들의 실상이 어떠한 것인가를 짐작할 수 있게 해.

② '그녀'의 남편을 상징하는 것으로 보이는 '방울새'의 의미는 암울한 사회적 상황과 관련하여 이해할 수 있을 거야.

③ '가로 세로 일 미터쯤의 유리 상자' 속에 갇혀 있는 '새'들은 주어진 환경에 순응하는 삶을 상징적으로 보여주고 있어.

④ '갇힘'의 공간으로 설정된 '조류원'을 배경으로 삼은 것은 '풀림'을 소망하는 작가의 의식이 반영되어 있다고 봐야겠지.

⑤ '바깥세상'과 대비되어 있는 '조류원'은 인간을 일상적 삶에서 강제적으로 격리시키는 사회적 공간을 암시하는 것으로 보여.

2. 문학 개념어 OX 확인 문제

① 공간 이동의 경로를 따라 하나의 사건이 다른 사건을 낳는 방식으로 전개되고 있다.　　　　　　　　　　　　　　　　　　○ ✕

② 중간 중간에 삽입된 노래는 작품의 의미를 드러내는 데 기여하고 있다.
　　　　　　　　　　　　　　　　　　　　　　　　　　○ ✕

현대소설 독해의 STEP 3

1 선지 판단 공식을 활용하여 빈칸을 채우고 1번 문제의 선지를 OX로 판단해 보세요.

〈보기〉 문제 선지 판단의 공식

①

〈보기〉
_____
_____
_____
_____
_____

➕

작품
'많은 새가 있었지만 어느 곳에서도 _____는 들려오지 않았다. _____ 되어 있는 듯한 동공과 _____ 발부리만이 일렬횡대로 즐비하게 늘어서 있을 뿐이다. _____ _____ 위에 동그마니 얹혀져서 참새, 콩새, 종달새 들이 유리벽 바깥의 인간들을 노려보고 있었다.'

선지 '조류원'의 '새'들의 모습은 주변부로 밀려나 갇혀 있는 자들의 실상이 어떠한 것인가를 짐작할 수 있게 해.　○ ✕

②

〈보기〉
_____에 의해 주변부로 밀려나는 행위가 이루어지는 모든 사회적 공간과 _____은 공통점을 갖고 있음

➕

작품
'그 말이 꼭 _____는 동굴에서 살고 있구나 하는 말로 들린 까닭이었다. 한때는 함께 산 적도 있지만 _____ _____ 아빠가 아아, 여기 동굴 속에서 살고 있구나라고 아이가 소리친 줄로만 알았다.'

선지 '그녀'의 남편을 상징하는 것으로 보이는 '방울새'의 의미는 암울한 사회적 상황과 관련하여 이해할 수 있을 거야.　○ ✕

③

〈보기〉
동물원의 동물들이 자유를 잃고 _____인 것으로 밀려나는 과정에서 동물원에 _____ 동물은 새로운 은유를 탄생시키게 됨

➕

작품
'가로 세로 일 미터쯤의 유리 상자들이 벽을 따라 즐비하게 세워진 그곳은 들어서자마자 썩 좋지 않은 냄새를 풍겨주었다.', '_____의 새들과는 전혀 _____ 것처럼 보임은 무거운 _____ 때문인가.'

선지 '가로 세로 일 미터쯤의 유리 상자' 속에 갇혀 있는 '새'들은 주어진 환경에 순응하는 삶을 상징적으로 보여주고 있어.　○ ✕

④

〈보기〉
_____에 의해 주변부로 밀려나는 행위가 이루어지는 모든 _____과 동물원은 공통점을 갖고 있음

➕

작품
'두터운 유리벽 안에 _____, 푸른 하늘 대신에 시멘트 천장을 이고 _____ 위에 앉아 있는 한은 방울을 따올 수 없을 것이 분명했다.'

선지 '갇힘'의 공간으로 설정된 '조류원'을 배경으로 삼은 것은 '풀림'을 소망하는 작가의 의식이 반영되어 있다고 봐야겠지.　○ ✕

⑤

〈보기〉
동물원에서 동물들이 거주하고 있는 공간은 _____이며, _____에 의해 주변부로 밀려나는 행위가 이루어지는 모든 _____과 동물원은 공통점을 갖고 있음

➕

작품
'가로 세로 일 미터쯤의 _____이 벽을 따라 즐비하게 세워진 그곳은 들어서자마자 썩 좋지 않은 냄새를 풍겨주었다. 새들의 오물이나 잠겨 있는 실내 공기 탓이겠지만 냄새만으로도 이쪽 세상과 저쪽의 바깥세상을 확연히 _____ 한다.'

선지 '바깥세상'과 대비되어 있는 '조류원'은 인간을 일상적 삶에서 강제적으로 격리시키는 사회적 공간을 암시하는 것으로 보여.　○ ✕

현대소설 독해의 STEP 1

① 주요 인물에 ☐ 표시를 하고, 빈칸에 적절한 말을 채우세요.

② 시간, 공간, 서술 대상이 바뀌는 곳을 찾아 직접 장면을 4개로 나누어 보세요.

어머니는 조각마루 끝에 앉아 말이 없었다. 벽돌 공장의 높은 굴뚝 그림자가 시멘트 담에서 꺾어지며 좁은 마당을 덮었다. 동네 사람들이 골목으로 나와 뭐라고 소리치고 있었다. <u>조각마루 끝에 앉아 말이 없는 _____의 모습과 뭐라고 항의하는 _____의 모습이 대조되고 있어.</u> 통장은 그들 사이를 비집고 나와 방죽 쪽으로 걸음을 옮겼다. 어머니는 식사를 끝내지 않은 밥상을 들고 부엌으로 들어갔다. 어머니는 두 무릎을 곧추세우고 앉았다. 그리고, 손을 들어 ⊙부엌 바닥을 한 번 치고 가슴을 한 번 쳤다. <u>바닥을 한 번, _____을 한 번 치는 어머니의 모습에는 우리 가족이 처한 상황에 대한 답답한 심정이 담겨 있어.</u> 나는 동사무소로 갔다. ⓒ행복동 주민들이 잔뜩 몰려들어 자기의 의견들을 큰 소리로 말하고 있었다. 들을 사람은 두셋밖에 안 되는데 수십 명이 거의 동시에 떠들어대고 있었다. 쓸데없는 짓이었다. 떠든다고 해결될 문제는 아니었다. <u>동사무소 앞에는 _____ 주민들이 모여들어 자기 의견들을 말하고 있어. '나'는 그것을 보며 떠든다고 해결될 문제가 아니며 _____ 짓이라고 생각하는데, 여기에는 항의해도 문제가 해결되지 않을 것이라는 비관적인 인식이 드러난다고 볼 수 있어. 참고로 '나'의 가족들이 사는 집의 주소는 '낙원구 행복동'이지만, 이곳이 도시 빈민인 우리 가족에게는 결코 낙원이 아니며, 행복을 주지도 못한다는 점에서 _____적인 명칭으로 비극성이 강조되고 있지.</u>

나는 바깥 게시판에 적혀 있는 공고문을 읽었다. 거기에는 아파트 입주 절차와 아파트 입주를 포기할 경우 탈 수 있는 이주 보조금 액수 등이 적혀 있었다. 동사무소 주위는 시장바닥과 같았다. 주민들과 아파트 거간꾼들이 한데 뒤엉켜 이리 몰리고 저리 몰리고 했다. 나는 거기서 아버지와 두 동생을 만났다. 아버지는 도장포 앞에 앉아 있었다. 영호는 내가 방금 물러선 게시판 앞으로 갔다. 영희는 골목 입구에 세워 놓은 검정색 승용차 옆에 서 있었다. 아침 일찍 일들을 찾아 나섰다가 ⓒ철거 계고장이 나왔다는 소리를 듣고 돌아온 것이었다. 누군들 이런 날 일을 할 수 있을까. 나는 아버지 옆으로 가 아버지의 공구들이 들어 있는 부대를 둘러메었다. 영호가 다가오더니 나의 어깨에서 그 부대를 내려 옮겨 메었다. 나는 아주 자연스럽게 그것을 넘겨주면서 이쪽으로 걸어오는 영희를 보았다. 영희의 얼굴은 발갛게 상기되어 있었다. <u>행복동은 _____되고 그 자리에 _____가 생길 예정이야. 살고 있는 집은 철거 위기이며, 아파트 입주에도 돈이 필요해서 가난한 행복동 주민들은 그곳에 들어갈 수 없기 때문에 동사무소 앞에서 항의하고 있는 거야. '나'는 _____이 나왔다는 소식을 듣고 돌아온 아버지와 두 동생의 행동을 서술하고 있어.</u> 몇 사람의 거간꾼들이 우리를 둘러싸고 아파트 입주권을 팔라고 했다. 아버지가 책을 읽고 있었다. 우리는 아버지가 책을 읽는 것을 처음 보았다. 표지를 쌌기 때문에 무슨 책을 읽는지도 알 수 없었다. <u>몇몇 거간꾼이 우리에게 _____을 팔라고 하지만, 아버지는 무엇인지도 알 수 없는 ___만 읽고 있을 뿐이야.</u> 영희가 허리를 굽혀 아버지의 손을 잡아끌었다. 아버지는 우리들의 얼굴을 물끄러미 쳐다보더니 자리를 털고 일어났다. "난장이가 간다"고 처음 보는 사람들이 말했다. <u>도시 재개발은 노후화된 도시를 정비하고 거주 공간을 확장한다는 측면에서는 이점이 있지만, 그 과정에서 난장이 가족과 같은 도시 빈민이 오히려 소외된다는 문제적 현실이 이 작품에서 드러나고 있지.</u>

어머니는 대문 기둥에 붙어 있는 ⓔ알루미늄 표찰을 떼기 위해 식칼로 못을 뽑고 있었다. 내가 식칼을 받아 반대쪽 못을 뽑았다. 영호는 어머니와 내가 하는 일이 못마땅한 모양이었다. 그러나 마음에 드는 일이 우리에게 일어나 주기를 바랄 수는 없는 일이었다. 어머니는 무허가 건물 번호가 새겨진 알루미늄 표찰을 빨리 떼어 간직하지 않으면 나중에 괴로운 일이 생길 것이라는 것을 알고 있었다. <u>어머니는 대문 기둥에 붙어 있는 _____을 떼고, '나'는 _____ 건물 번호가 새겨진 표찰을 미리 떼 두지 않으면 나중에 괴로운 일이 생길 것을 예상한 어머니의 의도를 알아채고 돕지. 이를 못마땅해하는 _____와 달리 마음에 드는 일이 일어나 주기 바랄 수 없다고 생각하는 '나'에서 현재 상황에 대한 비관적, 체념적 인식을 확인할 수 있어.</u>

어머니는 손바닥에 놓인 표찰을 말없이 들여다보았다. 영희가 이번에는 어머니의 손을 잡아끌었다. <u>'나'는 아무 말도 없이 묵묵히 행동하는 우리 가족의 모습을 바라보고 있어.</u>

[중략 줄거리] 아버지는 병들고 지쳐 일을 할 수 없게 되고 '나', '영호', '영희'는 학교를 그만두게 된다. 어느 날 아버지는 말없이 집을 나간다.

나는 아버지가 놓고 나간 책을 읽고 있었다. 그것은 『일만 년 후의 세계』라는 책이었다. <u>병들고 지쳐 일을 할 수 없게 된 아버지가 집을 나간 후 '나'는 아버지가 읽던 『_____』라는 책을 보게 돼.</u> 영희는 온종일 팬지꽃 앞에 앉아 줄 끊어진 기타를 쳤다. '최후의 시장'에서 사온 기타였다. 내가 방송통신고교의 강의를 받기 위해 라디오를 사러 갈 때 영희가 따라왔다. 쓸 만한 라디오가 있었다. 그런데, 영희가 먼지 속에 놓인 기타를 들어 퉁겨 보는 것이었다. 영희는 고개를 약간 숙이고 기타를 쳤다. 긴 머리에 반쯤 가려진 옆얼굴이 아주 예뻤다. 영희가 치는 기타 소리는 영희에게 아주 잘 어울렸다. 나는 먼저 골랐던 라디오를 살 수 없었다. 좀 더 싼 것으로 바꾸면서 영희가 든 기타를 가리켰다. 그 라디오가 고장이 나고 기타는 줄이 하나 끊어졌다. 줄 끊어진 기타를 영희는 쳤다. <u>'나'는 줄이 끊어진 기타를 치는 영희를 보며, 최후의 시장에서 라디오와 기타를 샀던 과거의 일을 회상해.</u> 나는 아버지가 무슨 생각을 하고 있는지 알 수 없었다. 『일만 년 후의 세계』라는 책을 아버지는 개천 건너 주택가에 사는 젊은이에게서 빌렸다. 그의 이름은 지섭이었다. 지섭은 밝고 깨끗한 주택가 삼층집에서 살았다. 지섭은 그 집 가정교사였다. 아버지와 그는 서로 통하는 데가 있었다. 지섭이 하는 말을 나는 들었었다. 그는 이 땅에서 우리가 기대할 것은 이제 없다고 말했다.

"왜?"

아버지가 물었다.

지섭은 말했다.

"사람들은 사랑이 없는 욕망만 갖고 있습니다. 그래서 단 한사람도 남을 위해 눈물을 흘릴 줄 모릅니다. 이런 사람들만 사는 땅은 죽은 땅입니다."

"하긴!" <u>지섭은 아버지에게 사랑 없이 _____만 갖고 있는 사람들이 살고 있는 땅은 _____이라며 이 땅에서 우리가 기대할 것은 없다고 말해. 아버지는 그런 지섭에게 동조하고 있어.</u>

"아저씨는 평생 동안 아무 일도 안 하셨습니까?"

"일을 안 하다니? 일을 했지. 열심히 일했어. 우리 식구 모두가 열심히 일했네."

"그럼 무슨 나쁜 짓을 하신 적은 없으십니까? 법을 어긴 적 없으세요?"

"없어."

"그렇다면 기도를 드리지 않으셨습니다. 간절한 마음으로 기도를 드리지 않으셨어요."

"기도도 올렸지."

"그런데, 이게 뭡니까? 뭐가 잘못된 게 분명하죠? 불공평하지 않으세요? 이제 이 죽은 땅을 떠나야 됩니다."

"떠나다니? 어디로?"

"달나라로!" 지섭은 평생 동안 열심히 일했고, 나쁜 짓도 한 적 없으며, 간절하게 기도한 이들이 불안한 거주 환경에서 가난하게 살아갈 수밖에 없는 _____한 현실을 비판하고 있어. 그래서 죽은 땅을 벗어나 _____로 가자고 해. 그럼 지섭이 말하는 달나라는 사랑이 있고 공평한, 이상 세계와 같은 곳으로 볼 수 있겠지?

"얘들아!"

어머니의 ⓜ불안한 음성이 높아졌다. 나는 책장을 덮고 밖으로 뛰어나갔다. 영호와 영희는 엉뚱한 곳을 찾아 헤매고 있었다. 나는 방죽가로 나가 곧장 하늘을 처다보았다. 벽돌 공장의 높은 굴뚝이 눈앞으로 다가왔다. 그 맨 꼭대기에 아버지가 서 있었다. 바로 한 걸음 정도 앞에 달이 걸려 있었다. 과거를 회상하던 중 어머니의 _____한 음성을 듣고 현재로 돌아온 '나'는 밖으로 뛰어나가 공장 굴뚝 꼭대기에 서 있는 아버지를 발견해. 그런 아버지 앞에는 지섭이 말했던 ____이 보이는군.

– 조세희, 「난장이가 쏘아 올린 작은 공」 –

---

2 인물 간의 관계를 고려하여 구조도의 빈칸에 적절한 말을 채우세요.

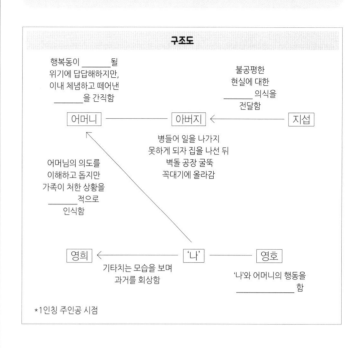

구조도

행복동이 _____ 될 위기에 답답해하지만, 이내 체념하고 떼어낸 _____을 간직함

불공평한 현실에 대한 _____ 의식을 전달함

어머니 ——— 아버지 ←——— 지섭

병들어 일을 나가지 못하게 되자 집을 나선 뒤 벽돌 공장 굴뚝 꼭대기에 올라감

어머님의 의도를 이해하고 돕지만 가족이 처한 상황을 _____적으로 인식함

영희 ——— '나' ——— 영호

기타치는 모습을 보며 과거를 회상함

'나'와 어머니의 행동을 _____함

*1인칭 주인공 시점

현대소설 독해의 STEP 2

1 형광펜이 그어진 부분을 근거로 장면을 다시 한번 나누어 보고, 장면별 내용을 요약해 보세요.

장면끊기 01	'나'는 조각마루 끝에 앉아 있던 어머니가 동네 사람들이 소리치는 것을 듣고 부엌으로 이동하여 _____ 해하는 것을 봄
장면끊기 02	동사무소에 가서 공고문을 읽은 '나'는 그곳에서 철거 계고장이 나왔다는 소식을 듣고 돌아온 아버지와 두 동생을 만남. 집에 돌아와 알루미늄 표찰을 떼는 어머니를 도우며 _____ 고 생각함
장면끊기 03	아버지가 읽던 『일만 년 후의 세계』라는 책을 읽던 '나'는 줄 끊어진 기타를 치는 영희를 보며 최후의 시장에서 기타와 라디오를 샀던 _____의 일을 떠올림. 이후 과거에 들었던 아버지와 지섭의 _____를 떠올림
장면끊기 04	어머니의 불안한 음성을 듣고 '나'는 상념에서 벗어남. 방죽가로 나가 하늘을 본 '나'는 공장 굴뚝 꼭대기에 서 있는 아버지를 보게 됨

---

3 1~2번 문제를 풀어 보세요.

1. '어머니'와 관련하여 ㉠~㉤을 이해한 내용으로 적절하지 않은 것은?

① ㉠: 사건에 대한 '어머니'의 심리적 반응을 행동으로 구체화하고 있다.

② ㉡: '어머니'가 처한 현실과 상반된 지명이 현실의 모순을 부각하고 있다.

③ ㉢: '어머니'에게 닥친 문제가 구체적으로 무엇인지 드러내고 있다.

④ ㉣: 생활의 의지마저 포기한 '어머니'의 절망적인 모습을 보여 주고 있다.

⑤ ㉤: '어머니'의 고조된 음성이 상황의 절박함을 암시하고 있다.

2. 문학 개념어 OX 확인 문제

① 서술자의 시각을 통해 상황에 대한 비관적 인식이 드러나고 있다.　○　✕

② 액자 구조를 통해 상이한 이야기가 갖는 유사한 의미를 강조하고 있다.

　○　✕

현대소설 독해의 STEP 3

1 선지 판단 공식을 활용하여 빈칸을 채우고 1번 문제의 선지를 OX로 판단해 보세요.

MEMO

선지 판단의 공식

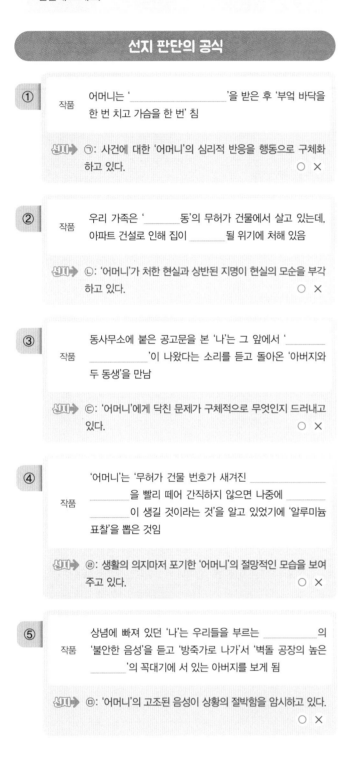

① 작품 어머니는 '_____'을 받은 후 '부엌 바닥을 한 번 치고 가슴을 한 번' 침

선지 ➡ ㉠: 사건에 대한 '어머니'의 심리적 반응을 행동으로 구체화하고 있다. ○ ×

② 작품 우리 가족은 '_____동'의 무허가 건물에서 살고 있는데, 아파트 건설로 인해 집이 _____될 위기에 처해 있음

선지 ➡ ㉡: '어머니'가 처한 현실과 상반된 지명이 현실의 모순을 부각하고 있다. ○ ×

③ 작품 동사무소에 붙은 공고문을 본 '나'는 그 앞에서 '_____ _____'이 나왔다는 소리를 듣고 돌아온 '아버지와 두 동생'을 만남

선지 ➡ ㉢: '어머니'에게 닥친 문제가 구체적으로 무엇인지 드러내고 있다. ○ ×

④ 작품 '어머니'는 '무허가 건물 번호가 새겨진 _____ _____을 빨리 떼어 간직하지 않으면 나중에 _____ _____이 생길 것이라는 것'을 알고 있었기에 '알루미늄 표찰'을 뽑은 것임

선지 ➡ ㉣: 생활의 의지마저 포기한 '어머니'의 절망적인 모습을 보여 주고 있다. ○ ×

⑤ 작품 상념에 빠져 있던 '나'는 우리들을 부르는 _____의 '불안한 음성'을 듣고 '방죽가로 나가'서 '벽돌 공장의 높은 _____'의 꼭대기에 서 있는 아버지를 보게 됨

선지 ➡ ㉤: '어머니'의 고조된 음성이 상황의 절박함을 암시하고 있다. ○ ×

현대소설 독해의 STEP 1

1 주요 인물에 □ 표시를 하고, 빈칸에 적절한 말을 채우세요.

2 시간, 공간, 서술 대상이 바뀌는 곳을 찾아 직접 장면을 3개로 나누어 보세요.

[A]
　　이윽고 서씨의 몸은 성벽의 저 너머로 사라져 버렸다. 그리고 잠시 후에 나는 더욱 놀라운 광경을 보게 되었다. 서씨가 성벽 위에 몸을 나타내고 그리고 성벽을 이루고 있는 커다란 금고만 한 돌덩이를 그의 한 손에 하나씩 집어서 번쩍 자기의 머리 위로 치켜 올린 것이었다. 지렛대나 도르래를 사용하지 않고서는 혹은 여러 사람이 달라붙지 않고서는 들어 올릴 수 없는 무게를 가진 돌을 그는 맨손으로 들어 올린 것이었다. 그는 나에게 보라는 듯이 자기가 들고 서 있는 돌을 여러 차례 흔들어 보이고 나서 방금 그 돌들이 있던 자리를 서로 바꾸어서 그 돌들을 곱게 내려 놓았다.

　　나는 꿈속에 있는 기분이었다. ＿＿＿의 놀라운 행동을 보고 마치 ＿＿＿을 꾸고 있는 듯한 비현실적인 기분을 느끼고 있네. 고담(古談) 같은 데서 등장하는 역사(力士)만은 나도 인정하고 있는 셈이지만 이 한밤중에 바로 내 앞에서 푸르게 빛나는 조명을 온몸에 받으며 성벽을 디디고 우뚝 솟아 있는 저 사내를 나는 무엇이라고 이름 붙여야 할지 몰랐다. ＿＿＿로서의 면모를 보여 준 서씨가 ＿＿ ＿＿＿＿＿ 조명을 받으며 서 있는 모습에서 경이로움을 느끼고 있어.

역사, 서씨는 역사다, 하고 내가 별수 없이 인정하며 감탄이라기보다는 차라리 그 귀기(鬼氣)에 찬 광경을 본 무서움에 떨고 있는 동안에 서씨가 보여 준 믿을 수 없는 광경은 '나'로 하여금 왠지 모를 ＿＿＿＿＿까지 느끼게 할 정도였다. 그는 어느새 돌아왔는지 유령처럼 내 앞에서 자랑스러운 웃음을 소리 없이 웃고 있었다. 서씨는 그러한 자신의 힘을 ＿＿＿＿＿하는 모습이야.

서씨는 역사였다. 그날 밤 나는 집으로 돌아와서 이제까지 아무에게도 들려주지 않았다는 서씨의 얘기를 들었다.

[B]
　　그는 중국인의 남자와 한국인의 여자 사이에서 난 혼혈아였다. 그의 선조들은 대대로 중국에서 이름 있는 역사들이었다. 족보를 보면 헤아릴 수 없이 많은 장수가 있다고 했다. 조상 대대로 이름난 ＿＿＿들이 있었다는 서씨의 집안 내력이 제시되고 있네. 그네들이 가졌던 힘, 그것이 그들의 존재 이유였고 유일한 유물이었던 모양이었다. 그 무형의 재산은 가보로서 후손에게 전해졌다. 그것으로써 그들은 세상을 평안하게 할 수 있었고 자신들의 영광도 차지할 수 있었다. 그러나 이 서씨에 와서도 그 힘이 재산이 될 수는 없었다. 이제 와서 그 힘은 서씨로 하여금 공사장에서 남보다 약간 더 많은 보수를 받게 하는 기능밖에 가질 수가 없게 된 것이다. 서씨의 조상들은 대대로 이어져 온 힘을 ＿＿＿로 여기며, 이를 ＿＿＿을 평안하게 하는 일에 사용해 왔나 봐. 하지만 시간이 흐르면서 집안의 가보인 힘은 더 이상 예전과 같은 가치를 발휘할 수는 없게 되었다. 결국 서씨는 그 약간 더 많은 보수를 거절하기로 했다. 남만큼만 벽돌을 날랐고 남만큼만 땅을 팠다. 선조의 영광은 그렇게 하여 보존될 수밖에 없었다. 그리고 서씨는 아무도 나다니지 않는 한밤중을 택하고 동대문의 성벽에서 그 힘이 유지되고 있음을 명부(冥府)의 선조들에게 알리고 있다는 것이었다. 그러한 상황에서 서씨는 자신의 힘을 ＿＿＿보다 약간 더

많은 ＿＿＿＿＿를 받는 정도의 사소한 일을 위해 사용하는 것은 거부하였대. 그 대신 한밤중 동대문 성벽의 ＿＿＿을 들어 올리는 행위를 통해 집안 대대로 이어받은 힘의 존재를 증명하고 보존해 왔다고 하네.

　　대낮에 서씨가, 동대문의 바로 곁에 서서 행인들 중 누구 한 사람도 성벽을 이루고 있는 돌 한 개의 위치 변화에 관심을 보내지 않고 지나다닐 때, 옮겨진 돌을 바라보며 빙그레 웃고 있는 그의 모습을 나는 쉽게 상상할 수 있었다. 그것이 서씨가 간직하고 있는 자기였고 내가 그와 접촉하면 할수록 빨려 들어갈 수 있었던 깊이였던 모양이었다. 서씨의 이야기를 들은 '나'는 그의 삶을 ＿＿＿＿＿하며, 자신이 서씨에게 인간적인 끌림을 느꼈던 이유를 깨닫게 돼.

　　그 집―그늘 많은 얼굴들이 살던 그 집에서 나는 나 자신 속에서 꿈틀거리는 안주(安住)에의 동경을 의식하지 않을 수 없었다. 그것은 그 사람들의 헤어날 길 없는 생활 속에 내가 휩쓸려 들어가게 되는 것이 무서웠기 때문이었던 모양이다. ＿＿＿ 많은 얼굴들이 살던 집에 있을 때, '나'는 자신의 삶이 그들의 생활과 (같아질까 봐/달라질까 봐) 두려움을 느꼈던 모양이야. 그러나 그곳을 뚝 떠나서 이 한결같은 곡이 한결같은 악기로 연주되는 집에 오자 그것은 견디어 낼 수 없는 권태와 이 집에 대한 혐오증으로 형체를 바꾸는 것이었다. 나란 놈은 아마 알 수 없는 놈인가 보다. '나'는 그 집에서 한결같은 곡이 한결같은 악기로 연주되는 집으로 이사를 왔군. 이사 오기 전의 그 집에서는 ＿＿＿에 대한 동경을 지니고 있었는데, 이사온 집에서는 견딜 수 없는 ＿＿＿와 집에 대한 혐오증을 느끼고 있다.

　　피아노 소리가 그쳤다. 무의식중에 나는 방바닥에서 팔목시계를 집어 올렸다. 내가 지금 무슨 행동을 했던가를 깨닫자 나는 쓴웃음이 나왔다. 피아노가 그친 시간을 재 보려고 했던 것이다. 그리고 나는 내일도 그 피아노가 그친 시간을 재서 그 시간들을 비교하며 이 집에 대한 혐오증의 이유를 강화시키려고 했던 것이다. 날마다 피아노가 그친 ＿＿＿을 잰 뒤 비교하면서 이 집에 ＿＿＿을 느끼는 이유를 강화하려 했다는 것을 볼 때, '나'는 기계적이고 규칙적으로 이루어지는 이 집의 생활 방식에 불만을 느끼고 있는 것 같아. 나는 자신에 대해서 어이가 없음을 느꼈다. 이런 느낌이 드는 것은, 그것은 조금 전에 내가 서씨의 그 거짓 없는 행위를 회상했던 덕분이 아니었을까? 서씨가 내게 보여 준 게 있다면 다소 몽상적인 의미에서의 성실이었고 그리고 그것은 이 양옥 속의 생활을 비판하는 데도 필수적으로 고려되어야 한다는 것이 아닌가고 내게 생각되는 것이었다. '나'는 조금 전 서씨에 대해 회상하면서 느낀 바를 토대로 양옥집에서의 생활에 ＿＿＿적인 인식을 드러내고 있어.

　　그러나 이 집으로 옮아온 다음날의 저녁, 식사 시간도 잡담 시간도 지나고 모든 사람들의 공부 시간이 되자 나는 홀로 내 방의 벽에 기대앉아서 기타를 퉁겨 보기 시작했던 때의 일을 기억하고 있다. 불현듯이 기타를 켜고 싶어지는 때가 있는 법이다. 그것은 감정의 요구이지만 그렇다고 비난할 건 못 되지 않는가. '나'는 ＿＿＿를 연주하고 싶다는 욕구가 들 때 자유롭게 이를 실행에 옮기는 것이 ＿＿＿받아야 할 일은 아니라고 생각해. 내가 줄을 고르며 음을 시험해 보고 있는데 다색(茶色) 나왕으로 된 내 방문이 열리며 할아버지가 들어왔다. 그리고 나의 기타 켜는 시간은 오전 열시부터 한 시간 동안 할머니와 며느리가 미싱을 돌리는 같은 시각으로 배치되었던 것이다. 위대한 가풍이 내게 작용한 첫 번이었다. 그런데 '나'가 이사 온 양옥집은 (원하는/정해진) 시간에 기타 연주를 해야 하는 (자유로운/자유롭지 못한) 공간인 거지. 그러나 그 이후 내가 내게 주어진 그 시간을 이용해 본 적은 하루도 없었다. 흥이 나지 않아서였다고 하면 적당한 표현이 되겠다. '나'는 양옥집의 규칙적

이고 기계적인 생활 방식에 싫증을 느껴 자신에게 _____ 기타 연주 시간을 한 번도 _____ 하지 않았대.

— 김승옥, 「역사(力士)」 —

현대소설 독해의 STEP 2

1 형광펜이 그어진 부분을 근거로 장면을 다시 한번 나누어 보고, 장면별 내용을 요약해 보세요.

장면끊기 01	서씨가 _____ 는 놀라운 광경을 보고, '나'는 서씨가 역사임을 인정함
장면끊기 02	'나'는 집으로 돌아온 뒤, _____ 는 서씨의 얘기를 듣고 그의 삶을 이해하게 됨
장면끊기 03	'나'는 과거에 살았던 그 집에서 느낀 _____, 그리고 지금 살고 있는 이 집(양옥)에서 느끼는 _____ 에 대해 생각함

2 인물 간의 관계를 고려하여 구조도의 빈칸에 적절한 말을 채우세요.

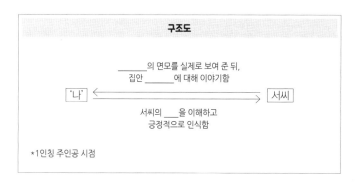

구조도

_____의 면모를 실제로 보여 준 뒤, 집안 _____에 대해 이야기함

'나' ←—————————————————→ 서씨

서씨의 ___을 이해하고 긍정적으로 인식함

*1인칭 주인공 시점

---

3 1~2번 문제를 풀어 보세요.

1. 〈보기〉를 바탕으로 [A], [B]를 감상한 내용으로 가장 적절한 것은?

〈보기〉

김승옥은 「역사」에서 일반적 통념의 범위를 넘어서는 새로운 차원의 사실성을 추구하였다. 이 작품의 창작 의도를 밝힌 글에서 그는, "우리의 눈에는 비사실적인 것도 외국인의 눈으로 보면 사실적으로 보일 수 있다."라고 했다. 작품 속의 '동대문 성벽의 돌덩이 옮겨 놓기'라는 소재는, 이를테면 '외국인의 눈'을 통해 새롭게 '변형'된 것이다. 작가는 '변형'의 효과를 살리기 위해, 작중 상황에 실감을 주는 소설적 장치들을 마련하고 있다.

① '금고만 한 돌덩이'는 '외국인의 눈'으로 보면 비사실적인 소재이겠군.

② '동대문'이라는 낯선 배경을 제시하여 독자들이 느끼는 실감을 떨어뜨리고 있군.

③ '서씨' 가계의 내력을 제시한 것은 '서씨'의 행위에 사실성을 부여하기 위한 장치이군.

④ '푸르게 빛나는 조명'은 '서씨'의 신성한 면모를 일상적인 모습으로 '변형' 하려는 의도에서 설정된 것이겠군.

⑤ '나'가 '꿈속에 있는 기분'이었다는 것은 '돌덩이 옮겨 놓기'가 사실이 아니라 환상이었음을 암시하고 있군.

2. 문학 개념어 OX 확인 문제

① 시대적 배경과 밀접한 어휘를 활용하여 주제 의식을 강화한다. ○ ✕

② 반어적 표현을 통해 '양옥'에서의 생활에 대한 '나'의 태도를 드러내고 있다. ○ ✕

현대소설 독해의 STEP 3

1 선지 판단 공식을 활용하여 빈칸을 채우고 1번 문제의 선지를 OX로 판단해 보세요.

〈보기〉 문제 선지 판단의 공식

①
〈보기〉 김승옥은 「역사」의 창작 의도를 밝힌 글에서 '_____의 눈에는 비사실적인 것도 _____의 눈으로 보면 사실적으로 보일 수 있다.'라고 함

➕

작품 '_____을 이루고 있는 커다란 _____ _____를 그의 한 손에 하나씩 집어서 번쩍 자기의 머리 위로 치켜 올린 것이었다.'

선지➡ '금고만 한 돌덩이'는 '외국인의 눈'으로 보면 비사실적인 소재이겠군.   ○ ✕

②
〈보기〉 「역사」에는 변형의 효과를 살리기 위해, 작중 상황에 _____ 을 주는 소설적 장치들이 사용됨

➕

작품 '_____의 성벽에서 그 힘이 유지되고 있음을 명부의 선조들에게 알리고 있다는 것이었다', '대낮에 서씨가, _____의 바로 곁에 서서~옮겨진 돌을 바라보며 빙그레 웃고 있는 그의 모습을'

선지➡ '동대문'이라는 낯선 배경을 제시하여 독자들이 느끼는 실감을 떨어뜨리고 있군.   ○ ✕

③
〈보기〉 김승옥은 「역사」에서 일반적 통념을 넘어서는 새로운 차원의 _____을 추구함, 「역사」에는 변형의 효과를 살리기 위해 작중 상황에 실감을 주는 소설적 _____들이 사용됨

➕

작품 '그의 _____들은 대대로 중국에서 이름 있는 역사들이 었다', '그네들이 가졌던 ____.~그 무형의 재산은 가보로서 _____에게 전해졌다.'

선지➡ '서씨' 가계의 내력을 제시한 것은 '서씨'의 행위에 사실성을 부여하기 위한 장치이군.   ○ ✕

④
〈보기〉 동대문 성벽의 돌덩이 옮겨 놓기라는 소재는 외국인의 눈을 통해 이루어진 _____의 예로 볼 수 있음

➕

작품 '이 한밤중에 바로 내 앞에서 푸르게 빛나는 _____을 온 몸에 받으며 성벽을 디디고 우뚝 솟아 있는 저 사내', '역사, _____는 역사다, 하고 내가 별수 없이 인정하며'

선지➡ '푸르게 빛나는 조명'은 '서씨'의 신성한 면모를 일상적인 모습으로 '변형'하려는 의도에서 설정된 것이겠군.   ○ ✕

⑤
〈보기〉 '우리의 눈에는 비사실적인 것도 외국인의 눈으로 보면 _____ 수 있다.', 동대문 성벽의 _____ 라는 소재는 외국인의 눈을 통해 이루어진 변형의 예로 볼 수 있음

➕

작품 '나는 _____에 있는 기분이었다.~이 한밤중에 바로 내 앞에서 푸르게 빛나는 조명을 온몸에 받으며 성벽을 디디고 우뚝 솟아 있는 저 사내', '서씨는 역사였다.'

선지➡ '나'가 '꿈속에 있는 기분'이었다는 것은 '돌덩이 옮겨 놓기'가 사실이 아니라 환상이었음을 암시하고 있군.   ○ ✕

도서출판 홀수
Holsoo Publishers

"매일 30분씩 꼼꼼하게 독해하면, 4주 후 현대소설 선지 판단력이 달라진다"

하루 30분,
현대소설 트레이닝

수능 국어 만점을 위한 **선지 판단력 강화** 프로그램

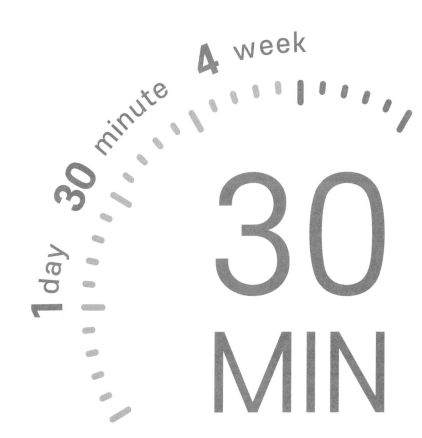

1 day 30 minute 4 week

30
MIN

하루 30분, 수능 국어 만점을 향해 가는 28일

DAY 01	DAY 02	DAY 03	DAY 04	DAY 05	DAY 06	DAY 07
트레이닝 날짜	트레이닝 날짜	트레이닝 날짜	트레이닝 날짜	트레이닝 날짜	트레이닝 날짜	트레이닝 날짜
월 일	월 일	월 일	월 일	월 일	월 일	월 일

DAY 08	DAY 09	DAY 10	DAY 11	DAY 12	DAY 13	DAY 14
트레이닝 날짜	트레이닝 날짜	트레이닝 날짜	트레이닝 날짜	트레이닝 날짜	트레이닝 날짜	트레이닝 날짜
월 일	월 일	월 일	월 일	월 일	월 일	월 일

DAY 15	DAY 16	DAY 17	DAY 18	DAY 19	DAY 20	DAY 21
트레이닝 날짜	트레이닝 날짜	트레이닝 날짜	트레이닝 날짜	트레이닝 날짜	트레이닝 날짜	트레이닝 날짜
월 일	월 일	월 일	월 일	월 일	월 일	월 일

DAY 22	DAY 23	DAY 24	DAY 25	DAY 26	DAY 27	DAY 28
트레이닝 날짜	트레이닝 날짜	트레이닝 날짜	트레이닝 날짜	트레이닝 날짜	트레이닝 날짜	트레이닝 날짜
월 일	월 일	월 일	월 일	월 일	월 일	월 일

하루의 학습이 끝나면 색을 채워가며 향상된 선지 판단력을 확인해 보세요.

1

주차

현대소설 독해의 STEP 1

❶ 다음 글을 읽고 주요 인물을 잘 파악했는지, 빈칸에 적절한 말을 채웠는지 확인해 보세요.

📅 **고3 2015학년도 6월 모평AB – 김정한, 「모래톱 이야기」**

나는 미안스런 생각으로 건우 어머니가 따라 주는 술잔을 받았다. 손이 유달리 작아 보였다. 유달리 자그마한 손이 상일에 거칠어 있는 양이 보기에 더욱 안타까울 정도였다. '나'는 건우 어머니에게 대접받는 것을 미안해하네. 건우 어머니의 거친 손을 보고 안타까운 마음이 들었던 거구나.

기어이 저녁까지 대접하겠다고 부엌으로 가 버린 뒤, 나는 건우를 앞에 두고 잔을 들면서, 그녀의 칠칠한 인사범절에 새삼 생각되는 바가 있었다.

나는 모든 것을 다시 보았다. '나'는 건우 어머니의 행동을 보고 건우 집에 대한 인식이 변화되었어. 농삿집치고는 유난히도 말끔한 마루청, 먼지를 뒤집어쓰고 있지 않은 장독대, 울타리 너머로 보이는 길찬 장다리꽃들…… 그 어느 것 하나에도 그녀의 손이 안 간 곳이 없으리라 싶었다. 이러한 집 안팎 광경들을 통해서 나는 건우 어머니가 꽤 부지런하고 친절한 여성이라는 것을 고대 짐작할 수가 있었다. 건우 집의 안팎 광경들을 보며 '나'는 건우 어머니의 성격을 짐작하고 있네. 건우 어머니의 부지런함과 친절한 모습을 보며 긍정적으로 반응하고 있는 거야. 젊음이 한창인 열아홉부터 악지 세게 혼자서 살아왔다는 것과, 어려운 가운데서도 외아들 건우를 나룻배를 태워가면서까지 먼 일류 중학에 보내고 있다는 사실, 그리고 농촌 아이라고는 믿어지지 않을 만큼 건우의 입성이 항시 깨끗했다는 사실들이 어련히 안 그러리 싶어지기도 했다. 얼핏 보아서는 어리무던한 여인 같기도 하지만 유난히 볼가진 듯한 이마라든가, 역시 건우처럼 짙은 눈썹 같은 데선 그녀의 심상치 않을 의지랄까, 정열 같은 것을 읽을 수가 있었다.

장면끊기 01 '나'가 건우네 집을 방문하여 건우 어머니를 만난 뒤, 그녀의 부지런하고 의지적인 성격을 짐작하는 장면이야. 이후 이어지는 장면에서는 건우 어머니가 저녁상을 차리는 동안 '나'가 건우의 공부방을 들여다보며 건우와 대화하는 장면이 나와.

나는 술상을 물리고서, 건우의 공부방을―어머니의 방일 테지만―잠깐 들여다보았다. 사과 꿰짝 같은 것에 종이를 발라 쓰는 책상 위에는 몇 권 안 되는 책들이 나란히 꽂혀 있었다. 그 가운데서 〈섬 얘기〉라고, 잉크로써 굵직하게 등마루에 씌어진 두툼한 책 한 권이 특별히 눈에 띄었다.

"섬 얘기? 저건 무슨 책이지?"

나는 건우를 돌아보고 물었다.

"암것도 아닙니더."

"소설?"

"아입니더."

"어디 가져와 봐!"

건우는 싫어도 무가내라 뽑아 오면서,

"일기랑 또 책 같은 거 보고 적은 김더."

부끄러운 내색을 하였다. 건우는 선생님인 '나'에게 자신이 쓴 책을 보이는 것에 부끄러움을 느끼나 봐.

"일기는 남의 비밀이니까 읽을 수가 없고, 어디 책 읽은 소감이나 봬 주게."

나는 책을 도로 돌렸다. 건우는 마지못해 여기저길 뒤적거리다가

한 군데를 펴 주었다. 또박또박 깨알같이 박아 쓴 글씨였다.

○○○ 여사는 어머니처럼 혼자 사시는 분이라 그런지 그분의 글에는 한결 감동되는 바가 있었다. 「내가 본 국도」 속의 한 구절―그래도 선거 때가 되면 소속 육지에서 똑딱선을 가지고 섬 백성을 모시러 오는 얄뜰한 정당이 있어, 이들은 다만, 그 배로 실려 가서 실상 자기네 실생활과는 무연한 정치를 위하여 지정해 주는 기호 밑에 도장을 찍어 주고 그 배에 실려 돌아온다는 것입니다.

장면끊기 02 '나'는 건우가 쓴 〈섬 얘기〉라는 책을 발견하고, 건우에게 이를 보여 달라고 해서 읽어. 여기까지가 중략 이전이니 장면을 한 번 끊어야겠지?

(중략)

건우 할아버지와 윤춘삼 씨가 들려준 조마이섬 이야기는 언젠가 건우가 써냈던 〈섬 얘기〉에 몇 가지 기막히는 일화가 붙은 것이었다. 건우 할아버지와 윤춘삼 씨에게 조마이섬 이야기를 들으며 '나'는 건우 집을 방문했을 때 읽은 〈섬 얘기〉의 내용을 떠올려.

"우리 조마이섬 사람들은 지 땅이 없는 사람들이오. 와 처음부터 없기싸 없었겠소마는 죄다 뺏기고 말았지요. 옛적부터 이 고장 사람들이 젖줄같이 믿어 오던 낙동강 물이 맨들어 준 우리 조마이섬은…….."

건우 할아버지는 처음부터 개탄조로 나왔다. 선조로부터 물려받은 땅, 자기들 것이라고 믿어 오던 땅이 자기들이 겨우 철 들락 말락할 무렵에 별안간 왜놈의 동척* 명의로 둔갑을 했더란 것이었다.

"이완용이란 놈이 '을사 보호 조약'이란 걸 맨들어 낸 뒤라 카더만!"

윤춘삼 씨의 통방울 같은 눈에도 증오의 빛이 이글거리기 시작했다. 건우 할아버지는 조마이섬 사람들의 땅을 두고 벌어진 부당한 일에 대해 한탄해. 식민지 시절 선조로부터 물려받은 조마이섬 땅을 빼앗긴 역사에 윤춘삼 씨는 분노하지.

1905년―을사년 겨울, 일본 군대의 포위 속에서 맺어진 '을사 보호 조약'이란 매국 조약을 계기로, 소위 '조선 토지 사업'이란 것이 전국적으로 실시되던 일, 그리고 이태 후인 정미년에 가서는 "한국 정부는 시정 개선에 관하여 통감의 지도를 수할 사"란 치욕적인 조목으로 시작된 '한일 신협약'에 따라, 더욱 그 사업을 강행하고 역둔토(驛屯土)의 대부분과 삼림원야(森林原野)들을 모조리 국유로 편입시키는 등 교묘한 구실과 방법으로써 농민으로부터 빼앗은 뒤, 다시 불하*하는 형식으로 동척과 일인(日人) 수중에 옮겨 놓던 그 해괴망측한 처사들이 문득 내 머리 속에도 떠올랐다. '나'는 '을사 보호 조약'을 계기로 농민들이 억울하게 동척과 일본인들에게 땅을 빼앗긴 역사를 떠올려.

"쥑일 놈들."

건우 할아버지는 그렇게 해서 다시 국회의원, 다음은 하천 부지의 매립 허가를 얻은 유력자…… 이런 식으로 소유자가 둔갑되어 간 사연들을 죽 들먹거리더니,

"이 꼴이 되고 보니 선조 때부터 둑을 맨들고 물과 싸워 가며 살아온 우리들은 대관절 우찌 되는기요?"

그의 꺽꺽한 목소리에는, 건우가 지각을 하고 꾸중을 듣던 날 "나릿배 통학생임더." 하던 때의, 그 무엇인가를 저주하듯한 감정이 꿈틀거리고 있는 것 같았다. 얼마나 그들의 땅에 대한 원한이

컸던가를 가히 짐작할 수가 있었다. 유력자들에 의해 본래 땅의 주인이었던 **조마이섬 사람들**과 무관하게 조마이섬 땅의 주인은 변화되어 온 거야. 자신들의 뿌리와도 같은 **땅**을 빼앗긴 것에 건우 할아버지는 억울함을 드러내며 **분노**하고 있어.

장면끊기 03 힘없는 **조마이섬** 사람들의 땅을 두고 끊임없이 권력 다툼이 벌어지던 모습을 개탄하는 건우 할아버지를 보고, '나'는 그들이 지니고 있는 **원한**의 크기에 대해 생각하게 돼.

– 김정한, 「모래톱 이야기」 –

*동척: 일제 강점기 '동양척식주식회사'의 준말.
*불하: 국가 또는 공공 단체의 재산을 개인에게 팔아넘기는 일.

현대소설 독해의 STEP 2

1 구조도의 빈칸에 적절한 말을 채웠는지 확인해 보세요.

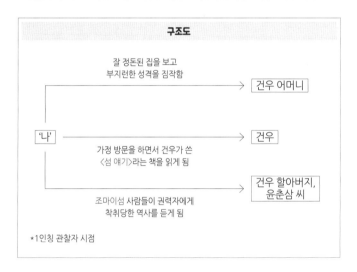

2 1~2번 문제의 정답과 해설을 확인해 보세요.

1. 윗글에 대한 이해로 적절하지 **않은** 것은?

② '일류 중학'은 건우 모자의 불화가 교육관의 차이에서 비롯되었음을 알려 준다.

> '외아들 건우를 나룻배를 태워가면서까지 먼 일류 중학에 보내고 있다는 사실'을 통해 건우 어머니가 건우의 교육에 열의를 갖고 있다는 것은 짐작할 수 있다. 하지만 윗글에서 건우 모자의 불화나 교육관의 차이는 나타나지 않는다.

① '손'은 어머니가 고된 생활을 감당해 왔음을 알려 준다.

> '유달리 자그마한 손이 상일에 거칠어 있고' '젊음이 한창인 열아홉부터 악지 세게 혼자서 살아왔다는 것'을 볼 때, 건우의 어머니가 고된 생활을 감당해 왔음을 짐작할 수 있다.

③ '책상'은 넉넉하지 못한 살림살이의 단면을 보여 준다.

> '사과 궤짝 같은 것에 종이를 발라 쓰는 책상'을 통해 건우네의 넉넉하지 못한 살림살이를 엿볼 수 있다.

④ '책 읽은 소감'은 정치 현실에 대한 건우의 관심을 드러내고 있다.

> 건우의 〈섬 얘기〉에 쓰여 있는 '책 읽은 소감'에는 선거 때 섬에 찾아오는 정당 사람과 그들의 손에 이끌려 '실상 자기네 실생활과는 무연한 정치를 위하여' 표를 행사하게 되는 섬 사람들의 이야기가 나타난다. 이러한 이야기를 썼다는 것은 건우가 정치 현실에 대해 관심을 갖고 있다는 것을 의미한다.

⑤ '둑'은 조마이섬 사람들의 삶의 내력을 담고 있다.

> '선조 때부터 둑을 맨들고 물과 싸워 가며 살아온 우리들'이라는 건우 할아버지의 말을 통해 '둑'은 조마이섬 사람들의 삶의 내력을 담고 있음을 알 수 있다.

2. 문학 개념어 OX 확인 문제

① ○

· 묘사: 어떤 대상이나 인물의 외양, 행동, 내면 등을 그림을 보여 주듯 표현하는 것.

> **근거** '농삿집치고는 유난히도 말끔한 마루청~길찬 장다리꽃들', '이러한 집 안팎 광경들을 통해서 나는 건우 어머니가 꽤 부지런하고 친절한 여성이라는 것을 고대 짐작할 수가 있었다.', '유난히 볼가진 듯한 이마라든가, 역시 건우처럼 짙은 눈썹 같은 데선 그녀의 심상치 않을 의지랄까, 정열 같은 것을 읽을 수가 있었다.'

② ○

· 열거: 여러 가지 예나 사실을 낱낱이 죽 늘어놓음.

> **근거** '농삿집치고는 유난히도 말끔한 마루청, 먼지를 뒤집어쓰고 있지 않은 장독대, 울타리 너머로 보이는 길찬 장다리꽃들……'

하루 30분, 현대소설 트레이닝

현대소설 독해의 STEP 1

1 다음 글을 읽고 주요 인물을 잘 파악했는지, 빈칸에 적절한 말을 채웠는지 확인해 보세요.

📅 **고3 2016학년도 9월 모평A – 허준, 「잔등」**

[앞부분의 줄거리] 해방 후 '나'는 벗인 '방(方)'과 함께, 장춘에서 서울에 이르는 귀로에 오른다. 회령에서 우연히 '방'과 헤어진 '나'는 수성에 이르러 뱀장어를 잡아 파는 한 소년을 만난다. 이후 '나'는 '방'과 재회하기 위해 청진에 도착하여 어느 **국밥집 할머니**를 만나게 된다. _{앞부분의 줄거리는 지문 이해를 돕기 위해 핵심적인 인물 정보를 제시하곤 해. 여기서는 '나'가 벗인 '방'과 재회하려던 길에 국밥집 할머니를 만난 사건을 제시하고 있어. 따라서 앞으로 이어지는 장면은 '나'가 **국밥집 할머니**를 만난 일을 중심으로 사건이 서술되겠지?}

노인은 대 끝으로 국 솥을 가리키며,

"이런 걸 하던 것도 아니요, 어려서부터 배운 것도 아니지마는, 그 **애**가 돌아가던 해 여름, 처음 얼마 동안은 어쩔 줄을 모르고 어리둥절해 있기만 하다가 늘 그러구 있을 수도 없고, 또 **아이 몇 잃어버리는** 동안에 생긴 잠 안 오는 나쁜 버릇이 다시 도져서 몇 해 만에 다시 남의 고궁살이*를 들어갔지요." _{노인(국밥집 할머니)은 '나'에게 자신의 과거를 이야기하네. 노인은 **아이 몇**을 먼저 떠나보낸 가슴 아픈 사연을 갖고 있어. 자식 중 하나인 '그 애'가 돌아가던 해 **여름** 남의 집 살이를 다시 시작했대.}

"네에, 그러세요."

"그 긴 다섯 해 동안을 그저 모진 일과 고단한 잠만으로 지어 나오다가, 하루아침은 문득 그것이 죽었으니 찾아가라는 기별이 감옥에서 나왔을 때에야 얼마나 앞이 아득하였겠어요." _{노인은 어느 날 자식이 죽었으니 시신을 **찾아가라**는 소식을 듣게 되어. 어머니로서 자식의 부고를 듣게 되니 노인의 절망감이 컸겠지.}

"그러셨겠습니다."

"사람의 가죽은 질기다고 했습니다. 병과 액으로 앞서도 자식새끼 몇 되던 것 하나씩 둘씩 이리저리 다 때우기는 하였지마는, 그런 땐들 왜 안 그럴 수야 있었겠나요마는, 이제는 힘을 줄 데라고는 하나 남지 않고 없어지고, 그것 하나만 믿고 산다 한 그 놈마저 죽어 없어졌는데도 사람의 목숨은 이렇게 모진 것이." _{노인은 마지막 하나 남은 자식마저 죽어 없어지자, 자식을 잃고도 모진 **목숨**을 연명해 가는 자신의 삶을 자조적으로 바라보네.}

마음이 제법 단단해 보이던 그도 한 번 내달으니 비로소 젊은이 앞에서 긴 한숨을 걷잡지 못하였다. 여기서 처음으로 나는 그를 위로할 기회를 얻었으므로,

"그럼 어떻게 하십니까. 그러고 가는 사람도 다 제 명이 아닙니까." 하여 드리니까 그는,

"하기야 명이지요. 하지만 명이란들 그럴 수야 있습니까. 해방이 되었다 해서 갇히었던 사람들은 이제 살인 강도 암질*이라도 다 옥문을 걷어차고 훨훨 튀어서 세상에 나오지 않습니까." 하였다.

"부질없는 말로 이가 어째 안 갈리겠습니까 — 해방이라는 단어가 나오는 것으로 보아 작품의 시대적 배경은 일본으로부터 독립한 때인가 봐. 해방이 되자 옥에 갇혔던 각종 범죄자들도 자유롭게 풀려나는 상황이 되었는데 노인의 자식은 이미 옥에서 죽어버린 거야. 자신의 자식을 옥에서 죽게 한 이들에 노인은 이를 갈며 분노하고

있어. 하지만 내 새끼를 갖다 가두어 죽인 놈들은 자빠져서 다들 무릎을 꿇었지마는, 무릎 꿇은 놈들의 꼴을 보면 눈물밖에 나는 것이 없이 되었습니다그려. 애비랄 것 없이 남편이랄 것 없이 잃어버릴 건 다 잃어버리고 못 먹고 굶주리어 피골이 상접해서 헌 너즐떼기에 깡통을 들고 앞뒤로 허친거리며*, 업고 안고 끌고 주추 끼고 다니는 꼴들 — 어디 매가 갑니까. 벌거벗겨 놓고 보니 매 갈 데가 어딥니까."

"……."

"만주서 오셨다니깐 혹 못 보셨는지 모르지마는, 낮에 보면 이 조그만한 장터에도 그 헐벗은 굶주린 것들이 뜨문히 바닥에 깔리곤 합니다. 그것들만 실어서 보내는 고무산*인가 아오지*인가 간다는 차가 저기 와 선 채 저 차도 벌써 나 알기에 닷새도 더 되는가 봅니다만. 참다 참다 못해 자원해 나오는 것들이 한 차 되기를 기다려 떠나는 것인데, 닷새 동안이면 닷새 동안 긴내 굶은 것인들 그 속에 어째 없겠어요."

그러지 아니하여도 나는 할머니의, 아까 그것들이 업고, 안고, 끼고 다닌다는 측은한 표현을 한 것으로부터, 낮에 수성서 들어오는 길로 맞닥뜨린 사람이 복작거리는 좁은 행상로 위에 일어난 한 장면의 짤막한 씬을 연상하기 시작하는 중이었는데, 노인은 이러고는 말을 끊고 흐응 깊은 한숨을 들여 쉬었다. _{'나'는 해방을 맞아 미처 본국(일본)으로 돌아가지 못한 잔류 일본인들을 **측은**하게 여기는 노인의 말을 들으며 **낮**에 있었던 일을 떠올리기 시작해.}

_{**장면끊기 01** '나'는 청진에서 우연히 한 노인을 만나게 돼. 노인은 **자식**을 죽게 한 일본인에 대해 **분노**하는 동시에 해방이 되어 미처 본국에 돌아가지 못하고 굶주린 잔류 일본인들을 **연민**하지. 노인의 말을 들으며 '나'는 낮에 있었던 일을 떠올리게 되는데, 아래 이어지는 장면은 '나'가 떠올리는 과거의 장면이야. 현재 → 과거로 시간이 변화되는 지점에서 장면을 끊어야겠지?}

참으로 그 **일본 여자**는 업고, 달고 또 하나는 손을 잡고, 아마 아오지 가기를 기다리는 차에서 기어 내려온 듯 품 가까운 행상로 위에 우두커니 서 있었다. 허옇게 퉁퉁 부어오른 낮에 기름때에 전 걸레 같은 헝겊 조각으로 머리를 질끈 동이고, 업고, 달리우고, 잡힌 채, 길 바추에 비켜 서 있었다. 머리를 동인 것만으로는 휘둘리우는 몸을 어찌할 수 없다는 모양으로, 골살을 몇 번 찌푸렸다가는 펴서, 하늘을 쳐다보고, 또 찌푸렸다가는 펴서 쳐다보고 하기를 한참이나 하며 애를 쓰는 것을 자기는 유심히 건너다보고 있었던 것이다. _{'나'는 낮에 마주쳤던 **일본 여자**를 떠올리고 있어. 여자의 외양 묘사를 통해 헐벗고 굶주린 상황임을 알 수 있지.}

이윽고 그는 정신이 들었는지 지척지척 걸어 들어와 광주리며 함지며, 채두렝이 같은 데에 여러 가지 먹을 것을 담아 가지고 나와, 혹은 섰기도 하고, 혹은 앉았기도 한, 여인 행상꾼들 앞을 지나쳐오다가 문득 한 여인 앞에 서서 발부리에 놓인 광주리의 속을 손가락으로 가리키는 것이었다.

"한 개에 오 원씩."

행상의 여인네는 허리를 꾸부리어 광주리에서 속에 담기었던 배 한 개를 집어 들고 다른 한 손을 활짝 펴서 **일본인 아낙네** 눈앞을 가리우매, 아낙네는 실심한 사람 모양으로 한참 동안이나 자기 눈앞을 가리운 활짝 편 그 손가락을 멀거니 바라만 보고 있었다.

뒤에 달린 여덟 살 난 **사내미***가 엉겁바치를 움켜잡고 비어 틀 듯이 앞으로 떠밀고 그보다 두어 살이나 덜 먹었을, 손을 잡혀 나

오던 **어린 계집아이**가 어미의 손을 끌어당기었다. 그리고 **업힌 것**이 띤 띠개*에서 넘나와 두 손을 내어 뻗으며 어미의 어깨 너머를 솟아오르려고 한다.

"이것들이 이렇게 야단이야요."

세 어린것의 어머니는 참다 못하여 일본말로 이러며 고개를 개우뜸하고는 행상 여인의 눈동자를 들여다보는 것이었다.

애걸이 없었다기로니 이것들이 어찌 그것만으로 덜 비참할 리가 있을 정경이었을 것이냐. '나'는 세 명의 아이를 데리고 있던 비참한 처지의 일본 여인을 떠올리며 동정하고 있어. '나'는 **노인**을 통해 무심코 지나쳤던 잔류 일본인에 대한 측은함을 느끼게 된 거야.

장면끊기 02 '나'는 노인과의 대화를 통해 길에서 봤던 **일본인 여자**를 떠올리며 연민을 느끼게 돼.

– 허준, 「잔등(殘燈)」 –

*고궁살이: 고공살이. 남의 집 살이.
*암질(暗質): 어리석은 천성이나 성질.
*허친거리며: 발을 헛디뎌 균형을 잡지 못해 이리저리 쏠리며.
*고무산, 아오지: 함경북도에 있는 곳으로, 고무산은 농산물과 목재의 집산지였고 아오지는 석탄 산업 시설이 있었음.
*사낼미: 사내아이의 방언.
*띠개: 주로 아이를 업을 때 쓰는, 너비가 좁고 기다란 천을 이르는 방언.

현대소설 독해의 STEP 2

1 구조도의 빈칸에 적절한 말을 채웠는지 확인해 보세요.

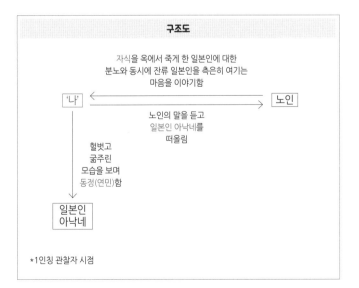

구조도

자식을 옥에서 죽게 한 일본인에 대한
분노와 동시에 잔류 일본인을 측은히 여기는
마음을 이야기함

'나' ←――――――――――→ 노인

노인의 말을 듣고
일본인 아낙네를
떠올림

헐벗고
굶주린
모습을 보며
동정(연민)함

일본인
아낙네

*1인칭 관찰자 시점

---

2 1~2번 문제의 정답과 해설을 확인해 보세요.

1. 윗글의 인물에 대한 설명으로 가장 적절한 것은?

정답풀이

④ '노인'은 마지막까지 살아남았던 자식이 옥중에서 죽는 순간을 보지 못했다.

> '하루아침은 문득 그것이 죽었으니 찾아가라는 기별이 감옥에서 나왔을 때에야 얼마나 앞이 아득하였겠어요.'를 통해 '노인'은 자식이 옥중에서 죽는 순간을 보지 못했고, 죽은 자식의 시신을 찾아가라는 소식만 전해 들은 것임을 알 수 있다. 또 '병과 액으로 앞서도 자식새끼 몇 되던 것~그것 하나만 믿고 산다 한 그놈마저 죽어 없어졌'다는 것에서 옥중에서 죽은 자식이 노인의 자식 중 마지막까지 살아남았던 자식이었음을 알 수 있다.

오답풀이

① '노인'은 '그 애'가 죽기 전에는 고공살이를 경험한 적이 없다.

> '그 애가 돌아가던 해 여름, 처음 얼마 동안은 어쩔 줄을 모르고 어리둥절해~다시 남의 고궁살이를 들어갔지요.'를 통해 '노인'은 '그 애'가 죽기 전에도 고공살이를 경험한 적이 있음을 알 수 있다.

② '아이 몇 잃어버리는' 슬픔에도 불구하고 '노인'은 불면의 고통을 겪지 않았다.

> '아이 몇 잃어버리는 동안에 생긴 잠 안 오는 나쁜 버릇이 다시 도져서'를 통해 '노인'이 아이들을 잃어버린 슬픔 때문에 불면의 고통을 겪었음을 알 수 있다.

③ '행상의 여인네'는 '일본인 아낙네'에게 돈을 받지 않고 과일을 주었다.

> '행상의 여인네'는 과일을 손가락으로 가리키는 '일본인 아낙네'에게 '한 손을 활짝 펴서' '배 한 개'에 '오 원'이라는 가격을 알려 주고 있을 뿐, 돈을 받지 않고 과일을 준 것은 아니다.

⑤ '사낼미', '어린 계집아이', '업힌 것' 등 '세 어린것'은 '행상의 여인네'에게 구걸하고 있었다.

> '사낼미가 엉것바치를 움켜잡고 비어 틀듯이 앞으로 떠밀고', '어린 계집아이가 어미의 손을 끌어당기'고, '업힌 것'이 '어미의 어깨 너머를 솟아오르려고' 하는 것은 '행상의 여인네'에게 구걸하는 것이 아니라, 아이들이 자신의 엄마(일본인 아낙네)를 보채는 행동이다.

2. 문학 개념어 OX 확인 문제

① O

> 근거 '마음이 제법 단단해 보이던 그도 한 번 내달으니 비로소 젊은이 앞에서 긴 한숨을 걷잡지 못하였다.' 등

② X

• 환상적: 현실적인 기초나 가능성이 없는 헛된 생각이나 공상.

현대소설 독해의 STEP 1

① 다음 글을 읽고 주요 인물을 잘 파악했는지, 빈칸에 적절한 말을 채웠는지 확인해 보세요.

📅 고2 2019학년도 9월 학평 – 김원일, 「노을」

[앞부분 줄거리] 숙부가 별세했다는 전보를 받은 저녁, '나'는 노을을 보고 핏빛을 연상한다. 숙부의 장례를 치르러 아들 '현구'와 함께 고향을 방문한 '나'는 백정인 아버지와 살던 어린 시절을 떠올린다.

갑득이가 뒤따르며 외쳤으나 나는 들은 척하지 않았다. 땀이 쏟아지고 숨이 턱에 닿았으나, 나는 내 눈으로 그 증거물을 빨리 찾아내고 싶었다. 집 마당으로 들어섰으나 또출이할머니는 잔칫집에 가버려 보이지 않았다. 나는 집 뒤란 채마밭을 빠져 대숲길로 들어섰다. 숨을 가라앉히고 걸으며 길섶을 샅샅이 훑었다. 땅을 판 자리나 웅덩이나, 양철통을 감출 만한 곳을 빠뜨리지 않고 대숲을 뒤져나갔다.

"새이야 머 찾노?"

뒤쫓아온 갑득이가 헐떡이며 물었다.

나는 대답 않고 대숲을 빠져나와 과녁판이 세워진 언덕길을 내려걸었다. '나'는 무언가의 증거물을 빨리 찾고 싶어 갑득이의 물음에도 답하지 않고 걸으며 '양철통을 감출 만한 곳'을 뒤지고 있어. 선달바우산과 중앙산이 골을 파며 마주친 곳이 개울이었고, 개울 건너 완만한 더기에 과녁판이 있었다. 물 마른 개울까지 내려갔을 때, 상류 쪽에 설핏 눈이 갔다. 사태진 돌 틈으로 무엇인가 희끔한 게 보였다. 나는 개울을 거슬러 올랐다. 물 마른 모래 바닥 웅덩이 옆에 작은 양철통이 쑤셔 박혀 있었다. 그 아가리에 횟가루 묻은 옷가지가 비어져 나왔다.

"그거 아부지 주봉 아인가?"

쨍쨍한 한낮 햇볕 아래 내가 펼쳐 든 바지를 보고 갑득이가 말했다. 웅덩이 옆 양철통에는 아버지의 바지가 있었어. 아버지 바지는 온통 흰 횟가루가 누덕누덕 묻어 있었다. 콩뜰이가 내 글씨보다 삐뚤삐뚤하더라고 말했는데, 그게 아버지 글씬가 하는 생각이 들었다. 그러나 아버지는 글자를 쓸 줄 모른다. 백묵으로 글자를 써놓으면 그걸 그대로 베껴낼 수는 있을 터이다. 백정인 아버지는 글자를 쓸 줄 모르는 사람이네. 나는 눈앞이 캄캄했다. 이제 나는 어느 누구 귀띔을 들어서가 아닌, 아버지 행적에 따른 실제 증거물을 손에 쥔 셈이었다. 내 앞을 막아선 선달바우산의 짙푸른 감나무잎도 그 위 더위로 끓는 하늘도 눈에 들어오지 않았다. 모든 게 물속처럼 흐릿하게 흘러갈 뿐이었다. 바지를 든 채 떨고 섰는 나를 보고 갑득이가 무엇인가 눈치를 챘는지 조그만 소리로 중얼거렸다.

"그라모 새이야, 아부지가 어젯밤에 미창에 갔단 말이가?"

나는 아우에게, 그 비밀을 누구에게도 말해서는 안 된다는 부탁도, 또 다른 어떤 말도 못 한 채 뙤약볕 아래 구슬땀을 흘리며 망연히 섰기만 했다. 아버지의 바지는 아버지가 어젯밤에 미창에 갔다는 증거물이 될 수 있나 봐. 그런데 바지를 발견하고 떨고 섰는 '나'의 모습이나 이를 '비밀'이라고 여기는 것 등에서 아버지가 거기에 간 것이 위험한 일임을 짐작해볼 수 있어. 아버지마저 삼돌이삼촌이나 우출이아저씨나 저 배도수씨처럼 우리 형제를 버리고 장터마당에서 사라진다면, 그렇게 되어 죽어버리거나 감옥소에 갇히거나 산사람이 되어버린다면, 정말 우리 형제는 이제

누구를 의지하고 살아야 할는지, 그 생각만이 크나큰 두려움으로 나를 슬픔 속에 내동댕이쳤다. 그 슬픔은 배가 고픈 따위의 서러움조차 우습게 여겨질 정도여서, 어떤 막강한 힘이 나와 갑득이를 엿가락처럼 꼬아 걸레 짜듯 쥐어짰다. 다 늙어 언제 죽을지 모르는 또출이할머니를 의지하고 살기엔 우리 형제는 아직 어렸다. 어느 집 꼴머슴으로 뿔뿔이 팔려가는 길밖에 없었다. 아버지의 행적이 밝혀지면 아버지는 죽거나 감옥에 갇힐 수도 있나 봐. 아버지가 사라져 형제가 의지할 곳이 없어질 상황을 걱정하는 '나'의 심리가 드러나네.

"새이야, 와 우노? 머시 슬퍼 우노? 아부지가 좌익, 그런 거 해서 우나? 그라모 우리가 아부지한테 그런 짓 하지 말라고 빌모 안 되나? 그런 짓 하모 학교도 안 가고 부산이나 마산으로 도망가 뿌리겠다고 말하지러?"

갑득이가 내 손을 잡고 흔들며 울먹이는 목소리로 애원했다. 울고 있는 '나'를 보고 갑득이는 아버지에게 '좌익'을 하지 말라고 설득해 보자고 해. 그렇다면 아버지가 미창에 간 것이나 사람들이 감옥에 가거나 죽은 것 등은 모두 현대사의 이념적 갈등과 관련지어 생각해 볼 수 있겠군.

"가자, 배 주사 집에. 우신에 묵고 바야제."

나는 아우에게 웃어 보이며 눈물을 닦았다. 나마저 울고 있을 수 없다는 생각이 내 다리에 힘을 뻗쳤다. 어느 사이 땀 밴 손에서 구겨지고 만 장 선생님 편지 쪽지를 나는 찢어 버렸다. 힘든 상황에서도 형으로서 동생인 갑득이를 챙기려는 '나'의 책임감이 드러나네.

장면끊기 01 중략 이전까지를 하나의 장면으로 끊어볼 수 있어. 이 장면은 숙부가 돌아가셨다는 소식을 듣고 고향을 방문한 '나'의 과거를 다루고 있는데, 어린아이의 시선으로 이념 갈등의 상황에 휩쓸린 아버지의 상황을 인식하며 그로 인한 두려움과 슬픔을 드러내고 있어.

(중략)

노을에 비낀 고향이 차츰 내 눈앞에서 빠르게 흘러간다. 이제 언제쯤 나는 다시 고향을 찾게 될는지 알 수 없다. 차창 밖으로 지나가는 여래리와 선달바우산이 눈앞에 스쳐간다. 숙모가 돌아가시면 그때쯤 내려오게 될는지, 어쩌면 영원히 고향을 찾지 못하는지도 모른다. 내가 고향을 버렸으므로 내려올 이유를 구태여 만들 필요는 없다. 그러나 고향을 떠나 산 스물아홉 해 동안 나는 하루도 고향을 잊어본 적이 없다. 치모 말처럼 고향을 잊으려 노력해 온 만큼 이곳은 나로 하여금 더욱 잊지 못하게 하는 어떤 힘을 지니고 있었다. '나'는 고향을 떠난 지 29년이나 되었고, 고향을 잊으려 노력했지만 하루도 고향을 잊어본 적이 없대. 그 점을 그 시절 폭동의 상처라 해도 좋고 굶주림이라 해도 좋다. 그런 이유를 떠나서라도 고향은 오늘의 나를 있게 한 모태가 된 것만은 사실이다. 인간은 누구나 두 군데 고향을 가질 수 없으므로 나는 객지의 햇살과 비와 눈발 속에 떠돌면서도 뿌리만은 언제나 고향에 내리고 살아왔다. 어린 시절 '나'는 고향에서 상처를 입었음에도 고향이 자신의 '모태'이며 뿌리만은 언제나 고향에 내리고 살아왔음을 인정하고 있어. 어른이 되어 고향에 돌아온 '나'는 유년의 상처를 피하지 않고 마주하며 자신의 정체성을 확인하고 있는 거지.

산 위에 걸린 쌘구름이 노을빛에 물들었다. 노을은 산과 가까운 쪽일수록 찬란한 금빛을 띠고 있다. 가운데는 벌겋게 타오르는 주황색, 멀어질수록 보라색 쪽으로 여리어져, 노을을 단순히 붉다고 볼 수만은 없다. 자세히 보면 그 속에는 여러 가지 색이 섞여 있음

에도 사람들은 노을을 단순히 붉다고 말한다. 핏빛만이 아닌, 진 노란색, 옅은 푸른색, 회색도 노을에 섞여 있다. 그런데도 사람들은 무엇인가 한 가지로 뭉뚱그려 말하기를 좋아한다. 앞부분의 줄거리에 따르면 '나'는 노을을 보고 '핏빛'을 연상했었는데, 이제 노을이 한 가지 색이 아닌 **여러 가지 색**이 섞여 이루어진 것임을 인식하게 돼. 또한 '**한 가지**'로 뭉뚱그려 말하기를 좋아하는 사람들에 대해 비판적 시선을 드러내지. 이를 통해 시간의 흐름에 따라 '나'의 인식이 이전과는 달라졌음을 알 수 있어. 문득 아버지와 헤어져 봉화산에서 내려온 저녁이 생각난다. 장마 뒤끝이라 노을이 아름다웠다. 폭동의 잔재도 소멸되고, 백태도 기수도 죽고 없는 텅 빈 장터마당에서 절름발이 미송이만이 홀로 종이비행기를 날리고 있었다. 제대로 걷지 못하기에 하늘로 날고 싶은 꿈을 키우던 병약한 미송이가 그날따라 날려 올리는 종이비행기는 유연하게 포물선을 그리며 노을빛 고운 하늘을 맴돌았다. "갑수야, 저 노을 있제? 저 노을꺼정 이 비행기가 날아 올라간데이. 내 태우고 말이데이." 미송이가 웃으며 말했다. 그는 노을에 힘차게 종이비행기를 띄워 보냈다. 미송이가 그렇게 나는 희망을 키우는 만큼, 그의 눈에 비친 하늘은 어둠을 맞는 핏빛 노을이 아니라 내일 아침을 기다리는 오색찬란한 무지갯빛일 터이다. 어둠을 맞는 '**핏빛 노을**'이 어린 시절 '나'의 고통과 상처와 관련된다면, 내일 아침을 기다리는 '**오색찬란한 무지갯빛**'은 이를 극복하고 맞이할 새로운 미래를 암시한다고 볼 수 있겠지.

지금 노을 진 차창 밖을 내다보는 현구 눈에 비친 아버지 고향도 반드시 어둠을 기다리는 상처 깊은 고향이기보다, 내일 아침을 예비하는 다시 오고 싶은 아버지 고향일 수 있으리라. 아들 현구 눈에 비친 고향이 '상처 깊은 고향'이 아닌 '**내일 아침을 예비**하는 다시 오고 싶은 아버지 고향'일 수 있다고 여기는 것에서, 아버지와 관련된 과거의 상처를 극복하고 치유하려는 현재의 '나'의 모습을 확인할 수 있네.

장면끊기 02 중략 이후는 숙부의 장례를 치른 후 다시 고향을 떠나는 길의 '나'의 인식을 드러내고 있어. 어린 시절의 '나'는 좌익에 가담했던 **아버지**로 인해 고통받고, 고향을 떠나 살았지. 하지만 시간이 흘러 어른이 된 '나'는 상처를 마주하고 아버지에 대한 미움과 상처를 극복해가는 모습을 보여 주고 있네.

– 김원일, 「노을」 –

현대소설 독해의 STEP 2

1 구조도의 빈칸에 적절한 말을 채웠는지 확인해 보세요.

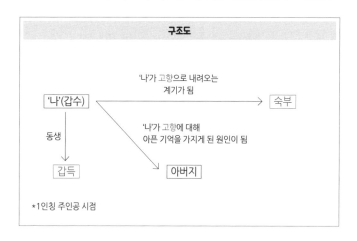

2 1~2번 문제의 정답과 해설을 확인해 보세요.

1. 윗글에 대한 설명으로 적절하지 않은 것은?

정답풀이

② '나'가 비밀을 지키지 못해 삼돌이삼촌과 배도수씨는 가족과 헤어져 살게 된다.

'나'는 '삼돌이삼촌'과 '배도수씨'처럼 아버지도 '장터마당에서 사라'질까 봐 걱정하지만, 윗글에서 '나'가 비밀을 지키지 못해 '삼돌이삼촌'과 '배도수씨'가 가족과 헤어져 살게 되었는지는 알 수 없다.

오답풀이

① '나'는 미송이가 종이비행기를 날리던 일을 회상하며 인지하지 못했던 것을 깨닫는다.

'나'는 '아버지와 헤어져 봉화산에서 내려온 저녁', '텅 빈 장터마당에서 절름발이 미송이만이 홀로 종이비행기를 날리'던 일을 회상하면서 '미송이가 그렇게 나는 희망을 키우는 만큼, 그의 눈에 비친 하늘은 어둠을 맞는 핏빛 노을이 아니라 내일 아침을 기다리는 오색찬란한 무지갯빛'이었을 것임을 깨닫는다.

③ '나'는 주봉에 묻은 가루와 콩뜰이가 이야기한 글씨가 연관이 있다고 생각한다.

'아버지 바지는 온통~아버지 글씬가 하는 생각이 들었다.'에서 알 수 있다.

④ '나'는 치모의 말을 떠올리며 고향에 대한 자신의 인식을 드러낸다.

'치모 말처럼 고향을 잊으려~힘을 지니고 있었다.'에서 알 수 있다.

⑤ '나'는 선달바우산에서의 일을 통해 아버지의 행적을 알게 된다.

'나'는 '선달바우산과 중앙산이 골을 파며 마주친 곳'에 있는 '개울'에서 '아버지 바지'를 발견하고 이를 통해 아버지가 '어젯밤에 미창에 갔'다는 행적을 알게 된다.

2. 문학 개념어 OX 확인 문제

① ✕

• 비판적: 현상이나 사물의 옳고 그름을 판단하여 밝히거나 잘못된 점을 지적하는 것.

② ○

• 매개: 둘 사이에서 양편의 관계를 맺어 줌.

근거 '나'는 노을 진 고향의 하늘을 보다가 '아버지와 헤어져 봉화산에서 내려온 저녁'에 미송이가 노을빛 하늘로 '종이비행기'를 날리던 장면을 떠올림. 그날 하늘은 '핏빛 노을이 아니라 내일 아침을 기다리는 오색찬란한 무지갯빛'이었을 것이라고 생각하고, 또한 노을 진 고향의 하늘을 바라보는 현구에게 있어서 '나'의 고향은 '내일 아침을 예비하는 다시 오고 싶은 아버지 고향일 수 있'겠다고 생각함. 따라서 과거와 현재를 매개하는 경험을 제시하여 '나'의 내면을 드러내고 있다고 볼 수 있음.

현대소설 독해의 STEP 1

1 다음 글을 읽고 주요 인물을 잘 파악했는지, 빈칸에 적절한 말을 채웠는지 확인해 보세요.

📅 2012학년도 6월 모평 – 오영수, 「화산댁이」

무슨 관청 같은 집도 화산댁이는 그리 달갑지 않았다. 아들을 만난 반가움보다도 수세미처럼 엉클리는 심사를 주체할 수 없었다.

<small>관청 같은 아들 집에 도착하여 아들을 만난 화산댁이는 기분이 **좋지** 않아.</small>

빨간 스웨터를 입고 너덧 살 되어 보이는 계집아이가 말끄러미 화산댁이를 바라보고,

"아부지, 이거 누고 응?"

화산댁이가 그렇게도 보고 싶어 하던 손녀딸이다.

"할매다!"

"우리 할매?"

"음!"

아들은 맥없는 대답을 하면서 헌 고무신 한 켤레를 내왔다. 화산댁이는 걸레로 터실터실 분 발뒤꿈치 더더기를 훔치면서,

"그렇기, 나고는 첨 보니……."

하는데, 아들은 손끝에 짚세기를 걸고 나가 쓰레기통에다 던져 버렸다. 고무신이 대견찮은 것은 아니다. 그러나 길 걷는 데는 짚세기가 고작인데 하니 아직 날도 안 드러난 짚세기가 화산댁이는 못내 아까웠다. <small>아들은 화산댁이가 신고 온 **짚세기(짚신)**를 함부로 버리고 고무신을 내오지.</small>

다다미방도 어색했지만, 눈이 부시도록 번들거리는 의롱이 두 개나 놓였고, 그 옆에는 앉은키만 한 경대도 놓였다. 벽에는 풀기 없는 무색옷들이 쭈르르 걸렸다. 모든 것이 낯선 것들이었다. 모든 것이 손도 못 댈 것 같고 주저스럽고 조심스럽기만 했다. 우선 어디가 구들목이며 어디 어떻게 앉아야 할지, 마치 종이 상전 방에 불려 온 것처럼 앉을 자리부터가 만만치 못했다. <small>아들의 집이 편안하게 느껴지지 않아 모든 것이 어색하고 **조심(주저)**스러운 화산댁이의 모습이 나타나네.</small>

<small>**장면끊기 01** 화산댁이는 **아들**의 집에 도착했지만 오히려 불편함과 언짢은 기분을 느껴.</small>

(중략)

화산댁이는 아들과 마주 앉고, 며느리는 저만치 떨어져 양말을 기웠다. 모두 말이 없다. <small>아들 내외와 손녀딸, 화산댁이가 한 공간에 있지만 서로 **대화**를 나누지는 않네.</small> 손녀만이 제 아버지 등에 매달렸다. 제 어미 젖가슴에 손을 넣었다가 하는 것을 눈으로 좇고 있던 화산댁이는 갑자기 생각이 나서,

"이런 내 정신 봐라."

그러면서 옆에 둔 보퉁이를 끌어당겨 풀기 시작했다. 더깨더깨 기운 꾀죄죄 때 묻은 버선을 들어내고 검은 보퉁이를 또 하나 들어냈다. 들어낸 보퉁이를 풀어 헤치고 아들과 며느리 어중간에 밀어 놓으면서,

"묵어 봐라, 꿀밤(도토리)떡이다. 급히 하느라고 진도 덜 빠진 거로 해 노니 좀 딸딸하다만……."

그러고는 한 덩이를 떼서 손녀를 주었다. 아들도 며느리도 손을 대지 않는다.

"애가 하도 즐긴다 싶어 해 왔다. 벨 맛은 없어도 귀한 거니 묵어

봐라!"

며느리는 힐끗하고 궁둥이만 달싹할 뿐이었고, 아들은 거들떠보지도 않았다. 한번 씹어 보던 손녀도 그만 페페 하고는 도로 갖다 놓는다. <small>아들을 위해 만들어 온 **꿀밤떡**을 꺼내지만 아들은 손도 대지 않아. 화산댁이는 서운한 마음이 들었겠지.</small> 그러자 아들이,

"저 방에 자리해라. 엄마 곤하겠다!"

"괜찮다. 벌써 잠이 오나!"

"일찍이 자소!"

이래서 화산댁이는 몇 해를 두고 벼른 아들네 집이었고 밤을 새워도 모자랄 쌓이고 쌓인 이야기를 할 사이도 경황도 없었다. <small>몇 해를 두고 벼른 아들네 집이었다고 하는 걸 보니 화산댁이는 아들의 집에 오게 되기를 오랫동안 바라 왔네. 그러나 쌓인 이야기를 나눌 틈도 없이 아들은 화산댁이에게 **일찍** 자라고 해.</small>

<small>**장면끊기 02** 아들을 생각하며 만들어 온 꿀밤떡을 아들 내외는 거들떠보지도 않고, 화산댁이에게 일찍 잠자리에 들라고 해. 화산댁이는 아들네 집에 와서 함께 이야기를 나누고 싶었지만 아들 내외는 화산댁이를 그리 반기지 않아.</small>

후끈후끈한 방에서 곤하면 입은 채 굴러 자던 습관은, 휘높은 판자 천장이며, 유리 바른 문이며, 싸늘해 보이는 횟가루 벽이며, 다다미방이 잠을 설레었다. 화산댁이는 자꾸만 쓸쓸했다. 뭣을 쥐었다가 놓친 것처럼 마음이 허전했다. '자식도 강보에 자식이지, 쯧쯧.' 돌아눕는다. 건넌방에서는 소곤소곤 이야기 소리가 들려왔다. <small>아들 집에 잠자리를 한 화산댁이는 **쓸쓸**해 하며 마음이 **허전**하다고 느끼고 있어.</small>

'저거 조면* 그만이지.' 또 고쳐 누웠다. 애써 잠을 청해 본다.

그러나 잠 대신 화산댁이는 어느새 오리나무 숲 사이로 황토 고갯길을 넘고 있다.

보리밭이 곧 마당인 낡은 초가집이다.

빈대 피가 댓잎처럼 긁은 토벽, 메주 뜨는 냄새가 코를 찌르는 갈자리 방에서 손자들이 아랫도리 벗은 채 제멋대로 굴러 자고, 쑥물 사발을 옆에 놓고 신을 삼고 있는 맏아들, 갈퀴손으로 누더기를 깁고 있는 맏며느리, 화산댁이는 그만 당장이라도 뛰어가고 싶다. 아들의 등을 쓰담아 기침을 내려 주고 며느리와 무르팍을 맞대고 실컷 울고나면 가슴이 후련해질 것만 같다. <small>모든 것이 낯선 아들 집에서 화산댁이는 시골의 낮은 **초가집**에 사는 **맏아들**네 식구들을 떠올려.</small>

또 뒤처눕는다.

'아무리 시에미가 시에미 같지 않기로니 첨 보는 시에미에게 인삿절도 없이, 본바없는 것 같으니, 그래도 마실 사람들은 작은아들 돈 잘 벌고 하리깔레* 메누리 봤다고 부러하더라만, 시장스럽고 가시롭다. 지가 탈기 없는 것도, 신양기가 있는 것도 다 기집 탓이지 머고. 여태껏 땅 한 뙈기 못 사는 것도 안살림 잘못 사는 탓이지 머고.' 화산댁이는 눈꼬리만 따갑고 잠은 점점 멀어 갔다. <small>쓸쓸함과 서운함을 느끼던 화산댁이는 처음 보는 자신에게 인사도 제대로 하지 않은 **며느리**도 못마땅해.</small>

'지만 하더라도 일본서 근 십 년 만에 나왔으면 그만 지 형 말대로 농사나 짓고 수더분한 색시나 골라 장가들었으면 등 따시고 배 부를 꺼로 머 공장을 하느니 하고 날뛰 댕기더니.' <small>시골에서 **농사**나 짓고 배불리 먹고 살았으면 했는데 도시에서 **공장**을 하겠다며 나간 작은아들도 화산댁이의 마음에 들지 않는 거지.</small>

화산댁이는 어서 날이 새면 싶었다. 잠도 안 오거니와 아까부터 뒤가 마려운 것을 참아 왔기 때문이다. 그러나 날은 언제 샐지 모

르겠고 뒤는 자꾸 급해 왔다. 화산댁이는 참다못해 조심조심 더듬어 부엌으로 내려갔다. 부엌에서 다시 더듬어 밖으로 나갔다. 비는 그쳤고 갈라진 구름 사이로 별이 보였다. 뒷간이 있음 직한 곳을 이리저리 찾았으나 없었다. 집을 두 바퀴나 돌았으나 뒷간은 역시 없었다. 화산댁이는 볼일을 보기 위해 집 밖에서 **뒷간**을 찾았지만 찾지 못했어. 대체 적산집* 뒷간이 밖에 있을 리가 없다. 아들네 집은 **적산집**이었기 때문에 집 안에 화장실이 있었겠지. 화산댁이는 뒷간이 없는 집이란 상상도 할 수 없었으나, 일이 급해서 그만 어수룩한 담 밑에다 대고 뒤를 보았다. 한결 개분했다. 문살만 훤하면 나와서 뒤본 자리를 챙기리라 맘먹고 다시 들어왔다.

　장면끊기 03　화산댁이는 일찍 잠자리에 누웠지만 소외감과 서운함으로 쉽게 잠에 들지 못해. 그러다 뒤를 보기 위해 뒷간을 찾았지만 찾지 못하고 담 밑에다 뒤를 보게 되지.

　화산댁이는 소스라쳐 일어났다. 날이 활짝 샜다. 화산댁이는 동이 트면 뒤본 자리를 치울 생각이었는데, 이미 날이 새 깜짝 놀란 거지. 아들 내외가 깰까 싶어 조심조심 밖으로 나왔다. 뒤본 자리는 공교롭게도 돌가루로 마련된 수채였다. 수채는 앞집으로 통했다. 아침에 봐도 역시 뒷간은 없었다.

　장면끊기 04　다음날 잠에서 깬 화산댁이는 뒤본 자리를 챙기기 위해 밖으로 나가 보았으나 여전히 뒷간을 찾지 못했어.

　　　　　　　　　　　　　　　　　　　－ 오영수, 「화산댁이」 －

*저거 조면: '자기네들끼리 좋으면'의 방언.
*하리깔레: 예전에 서양식 유행을 따르던 멋쟁이를 이르던 말.
*적산집: 해방 전에 일본인들이 지은 신식 가옥을 이르는 말.

현대소설 독해의　STEP 2

1 구조도의 빈칸에 적절한 말을 채웠는지 확인해 보세요.

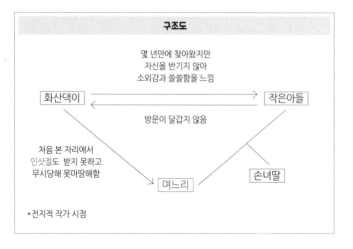

구조도

몇 년만에 찾아왔지만
자신을 반기지 않아
소외감과 쓸쓸함을 느낌

화산댁이　→　작은아들
　　　←
방문이 달갑지 않음

처음 본 자리에서
인삿절도 받지 못하고
무시당해 못마땅해함

며느리　　손녀딸

*전지적 작가 시점

2 1~2번 문제의 정답과 해설을 확인해 보세요.

1. '화산댁이'에 대한 이해로 가장 적절한 것은?

정답풀이 〉〉

④ 기대에 미치지 못하는 작은아들을 못마땅해 한다.

'지만 하더라도 일본서 근 십 년 만에 나왔으면 그만 지 형 말대로 농사나 짓고~머 공장을 하느니 하고 날뛰 댕기더니.'에서 화산댁이는 작은아들이 '농사나 짓고 수더분한 색시나 골라 장가'들기를 기대했지만, 그렇게 살지 않는 것에 대해 못마땅해하고 있음이 드러난다.

오답풀이 〉〉

① 작은아들이 내놓은 고무신이 마음에 들지 않는다.

'고무신이 대견찮은 것은 아니다.~짚세기가 화산댁이는 못내 아까웠다.'에서 화산댁이는 작은아들이 내놓은 고무신이 마음에 들지 않은 것이 아니라 '아직 날도 안 드러낸 짚세기'를 버리는 것이 마음에 들지 않았던 것이다.

② 꿀밤떡을 내뱉는 손녀의 행동에 노여움을 느낀다.

손녀가 '페페 하고' 먹던 꿀밤떡을 내뱉지만, 이런 손녀의 행동으로 인해 화산댁이가 노여움을 느끼는 모습은 나타나지 않는다.

③ 예의가 없는 며느리를 나무라고자 마음먹는다.

'아무리 시에미가 시에미 같지 않기로니 첨 보는 시에미에게 인삿절도 없이, 본바없는 것 같으니.'에서 화산댁이는 예의 없는 며느리를 못마땅하게 생각하지만 그런 며느리를 나무라고자 마음먹는 모습은 나타나지 않는다.

⑤ 시골로 돌아갈 생각에 설레서 날이 빨리 새기를 바란다.

'화산댁이는 어서 날이 새면 싶었다. 잠도 안 오거니와 아까부터 뒤가 마려운 것을 참아 왔기 때문이다.'에서 화산댁이는 뒤가 급해서 빨리 날이 새기를 바란 것이지 시골로 돌아갈 생각에 설레서 날이 빨리 새기를 바란 것은 아니다.

2. 문학 개념어 OX 확인 문제

① 〇

• 대비: 두 가지의 차이를 밝히기 위하여 서로 맞대어 비교함.

　근거　작은아들네 집의 방에 혼자 누워 쓸쓸함을 느끼고 있는 상황에서 시골 초가집에서 맏아들 내외와 정답게 지내던 장면을 떠올림으로써 화산댁이의 내적 갈등이 고조됨.

② ✕

• 병치: 두 가지 이상의 것을 한곳에 나란히 제시함.

현대소설 독해의 STEP 1

1 다음 글을 읽고 주요 인물을 잘 파악했는지, 빈칸에 적절한 말을 채웠는지 확인해 보세요.

📅 고3 2004학년도 10월 학평 – 임철우, 「아버지의 땅」

누군가가 헌 타올과 신문지를 가져왔다. 노인은 뼛조각을 하나씩 집어들고 수건으로 흙을 닦아낸 다음 그것을 펼쳐진 신문지 위에 가지런히 정리해 놓기 시작했다.

"그렇다면 이 치도 아마 빨갱이였겠구만, 안 그래요?"

소대장이 지휘봉의 뾰족한 끝으로 쿡쿡 찌르듯 유해를 가리키며 말했다. *소대장은 유해를 보고 빨갱이라고 추측하며 부정적인 태도를 드러내고 있군.* 인사계가 되물었다.

"어째서요."

"산을 타고 도망치던 빨치산들이 그리 많이 죽었다잖아. 이 치도 보기엔 군인은 아니었을 것 같고, 그렇다고 근처의 주민이었다면 가족이 있을 텐데 임자 없이 이 꼴로 팽개쳐 뒀으라구."

"그걸 누가 압니까. 그때야 워낙 피차에 서로 죽고 죽이던 판인데." *소대장과 인사계는 유골의 신원에 대해 이야기하고 있네.*

그때였다. 쭈그려 앉아서 손을 움직이고 있던 노인이 불쑥 소리치는 것이었다.

"어허, 대관절……, 대관절 그게 어떻다는 얘기요. 죽어서까지 원, 아무리 이렇게 죽어 누운 다음에까지 이쪽이니 저쪽이니 하고 그런 걸 굳이 따져서 무얼 하자는 말이오. 죽은 사람이 뭣을 알길래……, 죄다 부질없는 짓이지. 쯔쯧." *노인은 죽은 사람의 뼛조각을 두고 이쪽이니 저쪽이니 따지는 모습을 못마땅해 하고 있어. 이는 이데올로기로 인한 민족 간의 갈등에 대한 비판적 의식을 드러낸 것이기도 하지.*

노인의 음성은 낮았지만 강하고 무거웠다. 그러면서도 노인은 고개를 숙인 채 뼛조각에 묻은 흙을 정성스레 닦아내고 있었다. 무슨 귀한 물건이마냥 서두르는 기색도 없이 신중히 손질하고 있는 노인의 자그마한 체구를 우리는 둘러서서 지켜보았다. 모두들 한동안 입을 다물었고, 나는 흙에 적셔진 노인의 손끝이 가늘게 떨리고 있음을 깨달았다. *'나'는 뼛조각을 정성스레 다루는 노인의 모습을 지켜보고 있어.*

"땅속에 누운 사람의 잠을 살아 있는 사람이 깨워서야 되겠소. 또 그럴 수도 없는 법이고. 원통한 넋이니 죽어서라도 편히 눈감도록 해야지. 암, 그것이 산 사람들의 도리요……. 하기는, 이렇게 불편한 꼴로 묶여 있으니 그 잠인들 오죽했을까만." *노인은 불편한 꼴로 묶여 있던 뼛조각을 보며 안타까움을 느끼고 있어.*

노인은 어느 틈에 꾸짖는 듯한 말투로 혼자 중얼거리고 있었다. 두개골과 다리뼈를 꼼꼼히 문질러 닦은 뒤, 노인은 몸통뼈에 묶인 줄을 풀어내기 시작했다. 완강하게 묶인 매듭은 마침내 노인의 손끝에서 풀리어졌다. *노인은 죽은 사람이 편하게 잠들 수 있도록 몸통뼈에 묶인 줄을 풀어냈어.* 금방이라도 쩔걱쩔걱 쇳소리를 낼 듯한 철사줄은 싱싱하게 살아 있었다. 살을 녹이고 뼈까지도 녹슬게 만든 그 오랜 시간과 땅 밑의 어둠을 끝끝내 견뎌내고 그렇듯 시퍼렇게 되살아 나오는 그것의 놀라운 끈질김과 냉혹성이 언뜻 소름끼치도록 무서움증을 느끼게 했다. *'나'는 철사줄의 끈질김과 냉혹성을 인식하고 무서움증을 느끼고 있어.*

노인은 손목과 팔에 묶인 결박까지 마저 풀어낸 다음 허리를 펴고

일어서더니 줄 묶음을 들고 저만치 걸어나갔다. 그가 허공을 향해 그것을 멀리 내던지는 순간, 나는 까닭 모르게 마당가에서 하늘을 치어다보며 서 있는 어머니의 가녀린 목줄기와 그녀가 아침마다 소반 위에 떠서 올리곤 하던 하얀 물사발이 눈앞에 떠올랐다가 스러져버리는 것이었다. *'나'는 노인이 유골을 정성스레 수습한 후 철사줄을 허공으로 던지는 모습을 보며 어머니를 떠올리고 있어.*

장면끊기 01 죽은 사람의 신원에 대해 언쟁하는 다른 사람들과는 달리 정성스럽고 경건하게 유해를 수습하는 노인의 모습과 이를 보며 어머니에 대해 떠올리기 시작하는 '나'의 모습이 첫 번째 장면으로 제시되었어.

(중략)

아아, 나는 까맣게 잊고 있었던 것이다. 어머니가 그토록 오랫동안 누군가를 기다려왔음을. 내 유년 시절의 퇴락한 고가의 마루 밑 그 깜깜한 어둠 속에서 음습하고 불길한 냄새와 함께 나를 쏘아보고 있던 한 사내의 눈빛을, 그리고 청년이 된 지금까지도 가슴을 새까맣게 그슬려 놓으며 깊숙한 상흔으로만 찍혀져 있을 뿐인 그 증오스런 사내의 이름을, 어머니는 스물다섯 해가 넘도록 혼자서 몰래 불씨처럼 가슴속에 키워오고 있었던 것이다. 어머니한테 그 사내는 다른 아무것도 아니었다. 다만 곱고 자상한 눈매로서만, 나직한 음성으로서만 늘 곁에 남아 있었던 것이다. *'나'는 유년 시절을 떠올리며 한 사내에 대해 생각하고 있네. 어머니가 기다려왔다는 것으로 보아 그 사내는 '나'의 아버지일 거야. '나'는 그를 부정적으로 인식했지만, 어머니는 그의 긍정적 모습을 마음으로 간직하며 기다리고 있었어.*

하지만 그녀가 울고 있는 건 그 미련스럽도록 끈질긴 기다림 때문만은 아니었으리라. 아니, 사실상 어머니는 누구보다도 더 잘 알고 있을 터였다. 그녀의 기다림이 얼마나 까마득하게 손이 닿지 않는 먼 곳으로 자꾸만 자꾸만 밀려나가고 있는 것인가를 말이다. 스물다섯 해의 세월이, 스스로 묶어 놓은 그 완고한 기만이 목에 잠기어 흐느낌도 없이 지금 어머니는 울고 있는 것이었다. 밥상을 받아놓은 채 나는 고개를 처박고 앉아 있었다. 눈앞에는 우리 가족의 그 오랜 어둠과 같은 미역가닥이 국그릇 속에서 멀겋게 식어가고 있을 뿐이었다.

장면끊기 02 첫 번째 장면에서 '나'가 어머니를 떠올렸는데, 두 번째 장면에서는 '나'의 유년 시절 속 아버지에 대한 기억과 그를 기다리는 어머니의 모습이 구체적으로 제시되었어.

이제 노인의 모습은 더 이상 보이지 않았다. 그새 수북이 쌓인 눈을 밟으며 나는 오던 길을 천천히 되돌아가기 시작했다. *다시 현재의 상황으로 돌아왔어. 이제 노인은 보이지 않고 '나'는 눈을 밟으며 오던 길을 되돌아가기 시작했다.* 걸음을 옮길 때마다 어깨에 멘 소총이 수통과 부딪치며 쩔렁쩔렁 소리를 냈다. 나는 어깨로부터 전해오는 그 섬뜩한 쇠붙이의 촉감과 확실한 중량을 새삼스레 확인하고 있었다. 그리고 항상 누구인가를 겨누고 열려 있는 총구의 속성을, 그 냉혹함을, 또한 그 조그맣고 둥근 구멍 속에서 완강하게 똬리를 틀고 앉아 있는 소름끼치는 그 어둠의 깊이를 생각했다. *'나'는 총구의 냉혹함과 어둠의 깊이를 생각하고 있어.*

까우욱. 까우욱.

어느 틈에 날아왔는지 길 옆 밭고랑마다 수많은 까마귀들이 구물거리고 있었다. 온 세상 가득히 내려 쌓이는 풍성한 눈발 속에 저희들끼리만 모여서 새까맣게 구물거리며 놈들은 그 음산함과 불길함을

역병처럼 퍼뜨리고 있는 것이었다. 까마귀들은 눈발과 대비되어 어두운 분위기를 형성하고 있어.

얼핏, 쏟아지는 그 눈발 속에서 나는 얼어붙은 땅 밑에 새우등으로 웅크리고 누운 누군가의 몸 뒤척이는 소리를 들었다. 아버지였다. 손발이 묶인 아버지가 이따금 돌아누우며 낮은 신음을 토해 내고 있었다. 나는 황량한 들판 가운데에 서서 그 몸집이 크고 불길한 새들의 펄렁거리는 날갯짓과 구물거리는 모습을 오래오래 지켜보았다. '나'는 얼어붙은 땅 밑에 웅크리고 누운 채 손발이 묶인 아버지의 모습을 상상하고 있어.

머리 위로 눈은 하염없이 쏟아져 내리고 있었다. 함박눈이었다. 굵고 탐스러운 눈송이들은 세상을 가득 채워 버리려는 듯이 밭고랑을 지우고, 밭둑을 지우고, 그 위에 선 내 발목을 지우고, 구물거리는 검은 새떼를 지우고, 이윽고는 들판과 또 마주 바라뵈는 거대한 산의 몸뚱이마저도 하얗게 하얗게 지워 가고 있었다. 그것은 어머니가 새벽마다 샘물을 길어 와 소반 위에 떠서 올려놓곤 하던 바로 그 사기 대접의 눈부시도록 하얀 빛깔이었다.

장면끊기 03 다시 현재의 상황이 제시되었어. '나'는 오던 길을 되돌아가며 전쟁의 냉혹함을 생각하고, 손발이 묶인 아버지의 모습도 상상해 보지. 그리고 모든 것을 지우는 함박눈을 보며 새벽마다 어머니가 올려 놓던 사기 대접의 하얀 빛깔을 떠올려.

– 임철우, 「아버지의 땅」 –

현대소설 독해의 STEP 2

1 구조도의 빈칸에 적절한 말을 채웠는지 확인해 보세요.

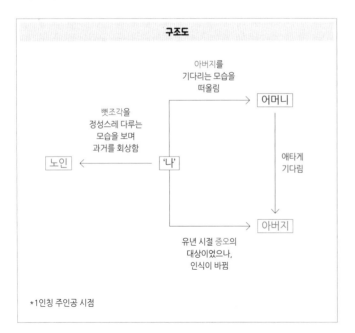

2 1~2번 문제의 정답과 해설을 확인해 보세요.

1. 윗글로 미루어 알기 어려운 것은?

정답풀이

② '나'는 철사줄에 묶여 잡혀가는 아버지의 모습을 목격하였다.

'나'는 유해를 수습하고 돌아오는 길에 눈발 속을 걸으며 '얼어붙은 땅 밑에 새우등으로 웅크리고 누운' 채 '손발이 묶인 아버지'의 모습을 상상으로 떠올린 것이지, 실제로 아버지가 철사줄에 묶여 잡혀가는 모습을 목격한 것은 아니다.

오답풀이

① 유해의 신원에 대해 소대장과 인사계는 다른 견해를 보였다.

소대장이 '지휘봉의 뾰족한 끝으로 쿡쿡 찌르듯 유해를 가리키며 '이 치도 아마 빨갱이'였을 것이라고 하자, 인사계는 '그걸 누가 압니까.'라며 유해의 신원에 대해 다른 견해를 보인다.

③ '나'는 어린 시절에 아버지로 인해 마음에 상처를 받았다.

'나'는 유년 시절 '깜깜한 어둠 속에서 음습하고 불길한 냄새와 함께 나를 쏘아보고 있던 한 사내', 즉 아버지의 눈빛을 떠올리며 그의 이름이 '청년이 된 지금까지도 가슴을 새까맣게 그을려 놓으며 깊숙한 상흔으로만 찍혀져 있다'고 했다. 이를 통해 '나'는 어린 시절에 아버지로 인해 마음에 상처를 받았음을 알 수 있다.

④ 어머니는 아버지의 죽음을 애써 부인하고 싶어했다.

'사실상 어머니는 누구보다도 더 잘 알고 있을 터였다. 그녀의 기다림이 얼마나 까마득하게 손이 닿지 않는 먼 곳으로 자꾸만 자꾸만 밀려나가고 있는 것인가를'을 통해 어머니는 아버지의 죽음을 애써 부인하며 아버지를 계속 기다렸음을 알 수 있다.

⑤ 어머니는 아버지를 자상한 한 남자로만 간직하고 있다.

어머니에게 아버지는 '다만 곱고 자상한 눈매로서만, 나직한 음성으로서만 늘 곁에 남아 있었다'고 한 것을 통해 알 수 있다.

2. 문학 개념어 OX 확인 문제

① ○

• 내적 독백: 발화되지 않은 혼잣말. 인물의 내면 심리를 그대로 옮겨 놓은 것.
근거 유해를 수습하는 과정에서 느끼는 생각과 유년 시절을 회상하는 장면 또는 아버지의 모습을 상상하는 장면 등에서 주인공 '나'의 내적 독백이 드러나고 있음.

② ✕

• 대비: 두 대상의 차이를 밝히기 위해 서로 맞대어 비교함.
근거 과거의 공간과 현재의 공간이 제시되고 있다고 볼 여지가 있으나, 이를 대비하고 있지는 않음.

현대소설 독해의 STEP 1

1 다음 글을 읽고 주요 인물을 잘 파악했는지, 빈칸에 적절한 말을 채웠는지 확인해 보세요.

📅 고3 2020학년도 7월 학평 – 염상섭, 「임종」

"큰 산소의 아버니 옆에 [내]가 들어갈 자리는 하나 넉넉히 되지마는 장비(葬費)*는 터무니없고, 이런 세대에 무어 볼 거 있소. 간략히 화장을 해서 뼈나 갖다 묻두룩 하우."

자기가 세상을 떠난 뒤에 아이들의 교육과 취직이며 생활 방도를 의논한 끝에 이러한 유언도 하고, 어떤 때는 유골을 갈아서 정한 산에 올라가 날려보내도 좋겠다는 지나는 말도 하여 [가족들]을 놀래기도 하였다. 자신이 죽은 뒤 남은 아이들의 교육이나 취직 등을 이야기하며 장례를 어떻게 치르라는 말까지 유언으로 남기는 '나'를 보며 가족들은 놀라기도 하였다. 그러나 그러한 유언은 언제나 한 번은 죽을 것이니, 이 기회에 미리 자기의 의사 표시를 하여 두자는 것이지, 다시는 일어나지 못하리라는 각오를 하고서 하는 말은 아니었다. 주사의 힘으로 버티어나가거니 하는 불안은 있으나, 주사를 놓고 나면 그 저리고 쑤시던 가슴이 훤히 터지고 부축을 하여서라도 몸을 가누고 일어나 앉을 수 있는 것을 보면, 자기의 원기에 대한 자신이 다시 생기고, 능히 소복되리라는 새 희망도 비치는 것이었다. '나'의 유언은 언젠가 한 번 죽을 것이니 미리 의사를 표시해두자는 것이지, 정말로 죽음을 담담하게 맞이하겠다는 의미는 아니었나 봐. 오히려 주사를 맞고 통증이 사라지면, '나'는 생에 대한 의지를 갖고 살고 싶어 하는 모습을 보여. **장면끊기 01** 죽음을 담담하게 받아들이지 못하고, 생을 이어가고 싶어하는 인물이 등장함. 이어지는 장면은 '어제'의 사건으로 시간이 변화되고 있으니 여기서 장면을 한 번 끊어야겠지? 사실 어제 퇴원을 하느니 마느니 하고, 한참 부산한 통에 [C]라는 젊은 위문객이 왔을 때는 이때까지 서둘던 가족들이 무색하리만큼, [병인]은 내일이라도 일어날 듯이 명랑한 낯빛으로 수작을 하는 것이었다.

"그동안 이렇게 편찮으신 줄은 몰랐습니다그려. 지금 ××재단을 설립 중인데 물론(物論) 돌아가는 것을 보니까, 어쩌면 선생을 부사장으로 추대할 듯싶더군요. 그야 이사 자리야 하나 안 드리겠습니까마는, 공교히 이렇게 누워 계셔서 안됐습니다. 어서 속히 일어만 나십쇼."

C 청년은 병인의 기를 돋워주려고 위로로 하는 말이 아니라, 그러한 내통을 하여주고, 또 그리하면 자기에게도 좋은 일이 없지 않겠다는 생각으로 찾아다니다가 병원까지 왔다는 말눈치였다. 어제 병원에 찾아온 C 청년으로 인해 병인은 생에 대한 의지를 더욱 갖게 되었대. C 청년은 병문안보다는 병인에게 내통하는 대신 좋은 대가를 얻으려는 기대감으로 병원을 찾아온 거야.

"흥, 그런 이야기가 있어! 좀 있으면 일어나게야 되겠지마는 하여간 그 축들 만나건 잘 부탁해주우…… 어, 오늘 C 군이 찾아 준 것도 의외지만, 아마 나두 인제 운이 틔려는군! 힘 좀 써주슈. 꼭 부탁하우."

병인은 젊은 친구의 손을 붙들고 은근한 정을 표하는 것이었다. 그러나 젊은 손은, 병 증세를 캐어묻고 병인의 가다가다 허청 나오는 목소리와 어떻게 보면 사색에 질린 낯빛을 이모저모 뜯어보는 눈치더니, 처음 달려들면서 떠벌려놓던 기세와는 딴판으로 차츰 기색이 달라지면서 꽁무니를 빼는 수작을 어름어름하고는 훌쩍 가버렸다.

C 청년은 병인의 **낯빛**을 살피고는 회복할 기미를 찾지 못하자 훌쩍 병실을 떠나버렸네.

병인은 그래도 신기(身氣)가 매우 좋아서, 아내더러 내일은 P에게 연락을 해서 그 ××재단의 내용을 알아보고, A에게 가서는 이러저러한 전달을 하고 부탁을 하여두라는 분별을 하고 누웠다. 옹위를 하고 앉았는 가족들은, 이 양반이 오늘 해를 못 넘기리라고 서둘던 양반인가? 하는 생각에 멀끄미 병인의 얼굴을 바라들 보며, 어쨌든 반갑고 기쁘기도 하며, 어떻게 보면 과시 병이 고황(膏肓)에 깊이 든 것이 아닌 것 같이도 보여 다시 새로운 희망도 생기는 것이었다. 퇴원을 재촉하고 장사 지낼 걱정을 끼리끼리 수군거리던 것이 우습기도 하였다. C 청년의 방문 이후 갑자기 기력을 회복하게 된 병인을 보며 **장사** 지낼 걱정을 하던 가족들은 다시 새로운 희망을 품게 되었대.

C 청년이 다녀간 뒤에 [의사]가 저녁때에야 들어왔다. 오늘도 가슴이 메어지고 숨이 막힐 때마다 K 선생을 불러오라 하고 출근을 아니 하였거든 자기 집에 전화를 걸라고 하던 K 의사가 들어왔다. 병자는 아까 놓은 주사 기운이 아직 남아 있어 그리 급한 지경은 아니나 의사의 얼굴만 보아도 되었다.

"오신 길에 주사를 또 한 번……."

환자는 조금 있으면 또 닥쳐올 고통이 무서워서, 좀처럼 만나기 어려운 의사를 붙든 김에 아주 미리 주사를 듬뿍 맞아두고 싶은 생각이었다.

"아, 놓아 드리죠." 병인은 사실 진통을 억제시키는 **주사**의 효력이 아니면 버티기 어려울 정도로 건강이 좋지 않은 상태야. 육체의 고통이 무서워서 의사를 만나기만 하면 주사를 놓아 달라고 사정을 하는 거지.

진찰을 대강 하여보고 의사가 주사약을 가지러 나가는 것을 보고 [명호]는 병자의 눈에 안 띄게 슬며시 뒤쫓아 나갔다.

"오늘 퇴원을 시킬까 하다가 선생두 안 오시구 해서 그만두고 있습니다마는 어떤 모양인가요?"

"오늘낼 새로 어떻겠습니까마는 퇴원하시죠."

퇴원한다는 말에, 의사는 도리어 반색을 하는 눈치였다. 명호는 병인의 상태가 호전되었을까 싶어 **의사**에게 퇴원에 대해 다시 한 번 물어보지만, 의사는 병인에 대한 긍정적 전망이 없어 보이지? **퇴원**한다는 말에 도리어 반색을 하는 눈치야.

장면끊기 02 C 청년을 만난 뒤 병인은 일시적으로 기력을 회복하는 듯싶었지만, 의사는 회복 가능성에 대해 회의적인 태도를 보여. 중략 부분의 줄거리에서는 '다음 날'로 시간이 변화하였으니 여기에서 끊자!

[중략 부분 줄거리] 다음 날 동생 명호와 함께 퇴원한 병인은 아내가 기다리고 있는 집으로 가는 도중 사망한다. 퇴원하여 집으로 가던 중 병인은 끝내 **사망**하고 말아. 병인의 죽음 이후 남겨진 가족들에게 어떤 사건이 일어날까?

발상(發喪) 전의 과수댁은 옆방에서 부리나케 보따리를 풀고 무엇을 찾았다. 명호가 오늘 반나절을 걸려서 땀을 뻘뻘 흘리며 지어온 약봉지가 먼저 방바닥에 떨어졌다. 병자가 이틀을 두고 성화를 대며 졸라서 먹으려던 것이다. 과수댁은 컵 속에 넣은 물 종지를 찾아내서 빈소로 가지고 가더니 신체의 주위에 말끔히 뿌렸다. 세를 붙이고 받아둔 성수였다.

발치께 서서 가만히 바라보던 명호가

"그럼, 장례는 어떻게 지내시렵니까? 제사는 일체 폐하시나요?" 하고 물으니까 과수댁은

"그렇게까지야 하겠습니까."

하고 다만 좋은 일이니, 교회 사람이 하라는 대로 한다는 것이었다.

초상집에서는 우선 삼일장이냐 오일장이냐 하는 의논이 벌어졌다.

"화장을 하라신 유언도 계셨으니 화장으로 모시면야 삼일장도
넉넉할 겁니다."

명호는 첫째 장비 걱정으로 화장을 앞세웠다. <u>명호는 병인의 장례를</u>
<u>치르기 위해 필요한 **장비**(비용)를 걱정하며 삼일장으로 끝낼 수 있는 **화장**을 주장하네.</u>

"그야 우리 형세에 삼일장이죠마는 화장은 아닙니다. 처음에는
그런 말씀이 계셨지만 나중에 다시 아무래두 아버님 곁으루 들어
가시겠댔는데요."

여기에 가서는 아무도 이렇다 저러하다 말할 나위가 없었다. 혹은
이 과수댁도 뒤미처 들어갈 테고 보니 자기부터 화장이 싫어서 그럴
지도 모르나, 돌아간 이도 아직 먼 앞일이거니 하고 가상적으로
여유를 두고 말할 때는 화장을 입 밖에 냈을는지 몰라도 당장 닥
쳐온 실제 문제가 되고 보니, 역시 선산에 묻히고 싶어 하였을 것도
넉넉히 짐작할 일이었다. 나 죽은 뒤에는 수의를 무슨 감으로 하여
달라느니, 관 속에는 이것저것을 넣어달라느니 하는 유언도 하거든,
자기 묻힐 자리를 초점(焦點)까지 해놓고서 거기에 못 묻힐까 보아
애를 쓰며 세상을 떠나는 것도 무리가 아닐지도 몰랐다.

"말이 삼 일이지, 오늘 해는 다 가구 내일 하루인데, 첫째 산역
(山役)*이 문제로군."

호상차지(護喪次知)*의 걱정이었다.

"영구차에 버스 한 대는 따라야 할 테니, 자동차 삯만 해두
두 대에 사만 원은 예산을 쳐야 할걸."

홍제원 화장장이면 고작해야 오륙천 원에 너끈할 것인데, 없는
돈에 찻삯이 사만 원 예산이라니 엄청나다는 말눈치였다. <u>호상차지</u>
<u>역시 **선산**에 병인의 시신을 묻을 경우 예산이 만만치 않다며 걱정하고 있어.</u>

"화장이나 매장이나 돌아간 뒤에야……."

젊은 축들은 저희끼리 이런 소리를 수군거리는 것이었다. <u>가족들</u>
<u>중에서 **젊은 축** 역시 화장이나 매장이나 돌아가신 뒤엔 큰 의미가 없지 않느냐고 수군거</u>
<u>리고 있어. 죽음을 얼마 남겨두지 않고 **병인**은 선산에 묻히기를 소망했지만, 가족들은 자</u>
<u>신들의 편의에 맞게 장례를 치르고 싶어 해.</u>

<u>**장면끊기 03**</u> <u>병인의 장례 문제를 둘러싸고 가족들은 **경제적** 이유와 편의를 근거로</u>
<u>선산에 매장되고 싶었을 병인의 의사와 무관하게 장례를 치르고 싶어 하는데, 이러한 모습</u>
<u>에서 그들의 이기적이고 냉정한 태도가 드러나.</u>

– 염상섭, 「임종」 –

*장비: 장사 비용.

*산역: 시체를 묻고 뫼를 만들거나 이장하는 일.

*호상차지: 초상 치르는 데에 관한 온갖 일을 책임지고 맡아 보살피는 사람.

현대소설 독해의 STEP 2

1 구조도의 빈칸에 적절한 말을 채웠는지 확인해 보세요.

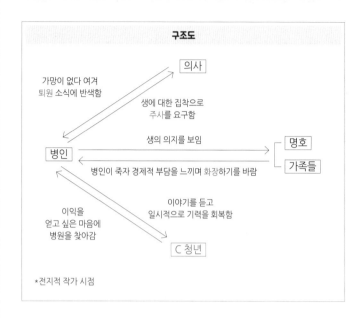

구조도

*전지적 작가 시점

2 1~2번 문제의 정답과 해설을 확인해 보세요.

1. 윗글에 대한 이해로 가장 적절한 것은?

정답풀이 ≫

③ 가족들은 C 군이 다녀간 뒤 병인의 행동을 살핀 후 병세가 호전될 수 있다고
생각한다.

가족들은 C 군이 전해준 소식을 들은 병인이 아내를 통해 주변 사람들에게
적극적으로 연락을 해 두라고 분별하는 모습을 보고 '이 양반이 오늘 해를
못 넘기리라고 서둘던 양반인가?'라고 생각하며 '반갑고 기쁘'게 여긴다.
이때 병인에 대한 '새로운 희망도 생기'게 되었다고 한 것을 통해 가족들은
병인의 병세가 호전될 수 있다고 생각하였음을 알 수 있다.

오답풀이 >>

① 병인은 자식들의 교육이나 취직을 걱정하여 병을 극복하기 위해 노력한다.

> 병인이 '자기가 세상을 떠난 뒤에 아이들의 교육과 취직'에 대한 유언을 한 것은 '언제나 한 번은 죽을 것이니' 지나가는 말로 한 것이라고 하였다. 병인이 남은 가족들을 걱정하며 병을 극복하기 위해 노력하는 모습은 찾아볼 수 없다.

② C 군은 병인의 병세를 살피기 위해 방문했다는 의도를 숨기려고 새로운 소식을 전한다.

> C 군은 병인이 '××재단'의 부사장으로 추대될 가능성이 높다는 새로운 소식을 전하면 '자기에게도 좋은 일이 없지 않겠다는 생각으로' 병인을 방문한 것이지 병인의 병세를 살피기 위한 의도로 방문한 것은 아니다.

④ 의사는 명호에게 병인의 증상이 나아질 수 있을 것이라 안심시키며 퇴원을 허락한다.

> 의사는 명호에게 '오늘낼 새로 어떻겠습니까마는 퇴원하시죠.'라고 말하며 병인의 병세가 크게 달라지지 않을 것임을 전한다. 또한 '퇴원한다는 말'을 듣고 '도리어 반색을 하'고 있으므로 의사는 병인의 증상이 나아질 수 있을 것이라고 생각한다고 보기 어렵다.

⑤ 과수댁은 명호의 반대에도 불구하고 가족의 형편을 생각하여 화장을 한 후 삼일장을 치르기를 원한다.

> 과수댁은 '장비 걱정으로 화장을 앞세'우는 명호의 의견에 '그야 우리 형세에 삼일장이죠마는'이라고 말하며 동의하면서도, '화장은 아닙니다.'라고 하여 병인의 마지막 당부에 따라 매장을 원하고 있다.

2. 문학 개념어 OX 확인 문제

> ① ✕
>
> **근거** 일관되게 전지적 작가 시점으로 서술되고 있음.
>
> ② ○
>
> **근거** '사실 어제 퇴원을 하느니 마느니 하고, 한참 부산한 통에 C라는 젊은 위문 객이 왔을 때는~병인은 내일이라도 일어날 듯이 명랑한 낯빛으로 수작을 하는 것이었다.', '병인의 얼굴을 바라들 보며, 어쨌든 반갑고 기쁘기도 하며,~다시 새로운 희망도 생기는 것이었다.'

현대소설 독해의 STEP 1

1 다음 글을 읽고 주요 인물을 잘 파악했는지, 빈칸에 적절한 말을 채웠는지 확인해 보세요.

📅 **고3 2009학년도 6월 모평 – 현길언, 「신열」**

재종숙은 아무래도 김만호 씨보다는 강 목사에 더 애착이 가는 것 같았다. *재종숙은 김만호 씨보다 강 목사에게 더 애착이 가는 모양이야.*

"둘은 소학교와 농업학교를 같이 다녔고, 이 지역에서는 그래도 똑똑하다고 소문이 나 있던 사람들이었지. 강 목사는 농업학교를 나온 후 이곳 소학교에서 교편을 잡으면서 밤이면 야학을 하였어. 나도 토요일이나 방학에 집에 와서는 그 일을 도와 드렸지." *과거를 회상하며 김만호와 강 목사에 대해 이야기하고 있네.*

그러는 사이에 강 목사와 김만호 씨는 자주 다투게 되었다. 한쪽에서는 일본 말을 가르치는 일을 못마땅히 생각하였고, 한편에서는 세상 돌아가는 형편을 외면한 채 저 잘난 척한다고 생각하였다. *일본 말을 가르치는 김만호를 못마땅하게 생각한 강 목사와 강 목사가 세상 돌아가는 형편(일제에 협력해야 하는 시대 분위기)을 외면한 채 잘난 척한다고 여긴 김만호의 갈등 상황이 나타나네.* 그러는 동안 결국 한글 강습소는 문을 닫아야 하였고 강 목사는 고향을 떠나야 하였다.

"이봐, 그때 그 한글 강습소를 폐쇄시킨 게 바로 김만호였어. 우리가 주재소에 가서 혼이 나도록 당한 것도 다 뒤에서 그 작자가 조종을 한 거야. 나도 학교를 마치지도 않고 고향에 있을 수가 없어서 일본으로 떠나 버렸어. 귀찮은 일이 자꾸 따라다녔지." *재종숙은 야학을 열어 한글 강습소를 한 강 목사를 긍정하고, 그런 한글 강습소를 폐쇄시킨 김만호를 못마땅하게 생각하네.*

재종숙은 그때 일을 바로 어제 일같이 말하였다.

"그 일뿐이 아니라고. 참으로 못할 짓 많이 하였지. 그런데 내가 해방이 되어서 고향에 돌아와 보니까, 아니 어디 숨어 있는 줄 알았던 그가 아주 요란스럽게 행세를 하고 있었어. 난 그 꼴이 보기 싫어서 다시 일본으로 들어가 버렸지만……." *해방 이후 고향으로 돌아와 요란스럽게 행세를 하는 김만호가 보기 싫었대.*

재종숙의 말은 자꾸 헷갈렸다.

김만호 씨는 면 농회 근무 3년 만에 서른이 안 된 나이로 면장이 됐다. 재종숙은 아마 그가 제일 악질적인 면장이었을 거라고 말하였다. 더구나 용서하지 못할 일은, 그가 가장 면민을 위하는 척하면서 제 할 일은 다 했다는 점이었다. 그는 젊은 면장으로서 이 제주 섬에서 가장 도사(島司)의 신임을 얻은 면장이 되었다. 재종숙의 말투는 점점 과격하여 갔다. 인생의 황혼기에서, 아무리 뼈에 사무친 일이라 하더라도 이 나이쯤이면 모두 이해하고 용서할 수 있을 터인데 그게 아니었다. *김만호에게 강한 반감을 가진 재종숙의 태도에 대한 '나'의 생각이 드러나는군.*

"생각해 보게. 어떻게 그런 사람에게 '선구적인 시민상'을 주어. 나라를 팔아먹는 데, 권력의 종노릇 하는 데 선구적이었어. 그건 김만호 개인의 문제가 아니여. 신문사 문제만도 아니고, 작은 문제가 아니여. 그 사람이 상을 타면 세상 사람의 본이 되는 건데, 아니 모두들 그렇게 살아도 된다는 거여? 안 되여, 안 돼." *재종숙은 과거에 나라를 팔아먹고, 권력의 종노릇을 하던 김만호가 선구적인 시민상을 받아 세상 사람의 본이 되어서는 안 된다고 생각하며 분노하고 있어.*

그는 언성을 높였다. 바로 교장 어른을 상대하여 말하는 투였다. *장면끊기 01* *'나'는 재종숙에게서 김만호에 대한 부정적 평가를 들어. 재종숙은 김만호의 행적들을 설명하며 그 같은 사람이 선구적인 시민상을 타는 것을 못마땅하게 생각하지. 이어지는 장면에서는 교장 어른에게 김만호에 대한 이야기를 듣는 장면이 나오므로 장면을 끊어볼 거야.*

그와 헤어져 거리로 나오자 이번에는 교장 어른을 만나고 싶었다. 역시 그에게서는 재종숙과는 정반대의 말을 들을 것이 뻔하지만, 재종숙에게 듣지 못했던 새로운 이야기를 들을 수 있을 것 같았다. *'나'는 김만호에 대한 새로운 이야기를 듣기 위해 교장 어른을 찾아갔어.*

"자네가 날 찾아올 줄 알았지."

교장 어른은 몸소 써서 만든 '반야심경' 열 폭 병풍 앞에서 한복 차림으로 앉았다가 일어서면서 나를 반갑게 맞았다. *교장 어른은 '나'가 자기를 찾아올 줄 알았다며 반갑게 맞이해.* 나는 그분에게서 곱게 늙고 있는 행복한 서민의 모습을 보았다. 육십 평생을 어린이 교육을 위해서만 살다 정년퇴임한 지 몇 해가 되지만, 그는 여전히 이곳 사람들의 선생으로 대접받고 있었다. 방 한편 구석 문갑 위에 있는 한란 분이 그 어른의 기품과 어울리는 것 같았다. 세배꾼들이 다녀갔는지 방석들이 즐비하니 널려 있었다. *교육자의 삶을 살아온 교장 어른은 많은 사람들에게 선생으로 대접받아.*

교장 어른은 아까 종갓집에서와는 다르게 나를 대하면서 벌써 찾아간 연유를 알고 있었다. 나는 신문사로부터 부여받은 일을 설명하고 나서,

"할아버님의 도움을 받아야 하겠습니다. 할아버님께서 그분과 오랜 교분을 갖고 계신 걸 알고 있습니다. 누구보다도 그분을 잘 알고 계시겠기에 밖으로 드러나지 않은 개인적인 일 같은 것을 듣고 싶습니다."

되도록 조심스럽게 말하였다. 사실 나 자신 한 인간의 사회적인 삶을 어떻게 인식하느냐 하는 뚜렷한 생각도 잡혀지지 않은 처지라서 우선 이렇게 얼버무릴 수밖에 없었다. *'나'는 신문사로부터 김만호에 대한 글을 쓰는 일을 받아 교장 어른에게서 그가 오랜 교분을 가졌던 김만호의 개인적인 일을 듣고 싶었던 거구나.*

"그분이 일제 시대에 관리 노릇을 하였고 더구나 면장을 오랫동안 지낸 것은 사실이지만, 그 시국에 누군들 면장을 해야 했을 거이고, 더구나 일본 사람이 면장을 했던 것보담야 훨씬 나았지. *일본 사람이 면장을 하는 것보다 김만호가 나았다고 생각하며 김만호의 행적을 두둔하고 있네.* 나도 일제 시대 여남은 해 동안 교단에 서서 식민지 교육에 앞장섰던 사람으로서 그분의 행적에 대하여 시비를 가릴 자격은 없어. *교장 본인은 일제 강점기 때 식민지 교육에 앞장섰다고 해.* 큰집에서 내가 좀 강경하게 말한 것은 자네 칠촌 말일세. 일본 가서 살아서 이곳 사정을 모르는 처지에 이러쿵저러쿵 하는 바람에 비위가 상했던 거야. 자기도 그곳에서 살았으면 아니, 일본 사람에게 협조하지 않고 독야청청 민족과 나라를 위하여 애국만 하며 살 수 있었겠냔 말이네. *일제 강점 하 조선에서 일본 사람에 협조하지 않고는 살아갈 수 없었다고 해명하고 있어.* 어림없어. 아마 먼저 더 철저하게 일본 사람들에게 붙어살았을지 누가 알아. 사실 이곳에서 살지 않았던 사람은 이곳에 살면서 좋은 일 궂은 일 모두 겪었던 사람들에 대해서는 말을 말아야 돼."

재종숙의 처사가 못마땅하다는 것이었다. *교장 어른은 일제 시대에 일본에 동조했던 김만호의 삶을 두둔하며, 일본에 가서 살아 조선의 사정을 모르면서 당시*

일제에 붙어 살았던 이들의 행동을 **부정적**으로 평가하는 재종숙을 **못마땅하게** 여기는군. 그런 교장 어른에게서도 새로운 김만호의 면모를 찾을 수 없을 것 같았다. '나'는 교장 어른에게서 김만호의 **새로운 면모**를 찾을 수 없을 것 같다고 생각해.

장면끊기 02 김만호에 대한 새로운 이야기를 듣고자 교장 어른을 찾아 간 '나'는 김만호를 두둔하는 교장 어른의 말을 듣고, 새로운 김만호의 면모를 찾을 수 없다고 생각하게 돼.

– 현길언, 「신열(身熱)」 –

현대소설 독해의 STEP 2

■ 구조도의 빈칸에 적절한 말을 채웠는지 확인해 보세요.

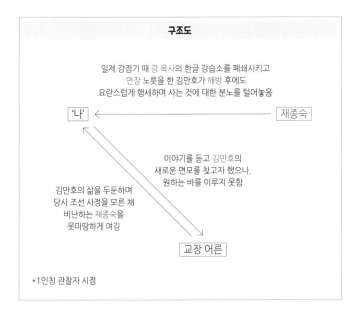

구조도

일제 강점기 때 강 목사의 한글 강습소를 폐쇄시키고 면장 노릇을 한 김만호가 해방 후에도 요란스럽게 행세하며 사는 것에 대한 분노를 털어놓음

'나' ← 재종숙

이야기를 듣고 김만호의 새로운 면모를 찾고자 했으나, 원하는 바를 이루지 못함

김만호의 삶을 두둔하며 당시 조선 사정을 모른 채 비난하는 재종숙을 못마땅하게 여김

교장 어른

*1인칭 관찰자 시점

■ 1~2번 문제의 정답과 해설을 확인해 보세요.

1. 윗글의 내용으로 미루어 알 수 없는 것은?

정답풀이

④ '나'는 '재종숙'과 '교장 어른'이 화해할 수 있다고 생각한다.

'재종숙'은 '강 목사'를 긍정적으로 평가하는 반면 '김만호'는 권력의 종노릇을 한 사람이라고 부정적으로 평가하고 있고, '교장 어른'은 '김만호'를 두둔하며 '재종숙'의 처사를 못마땅해 한다. '나'는 이 두 사람을 모두 만나 대화를 하면서 두 사람의 생각 차이를 확인하고 있을 뿐, 두 사람의 화해 가능성에 대해서는 생각하고 있지 않다.

오답풀이

① '김만호'는 현실의 변화를 재빨리 수용한다.

'김만호'가 일제 시대에 '면장'으로서 친일 행위를 했으면서 해방 이후에도 '요란스럽게 행세'를 했다는 '재종숙'의 말을 통해 알 수 있다.

② '김만호'와 '강 목사'는 삶의 태도와 관점이 매우 다르다.

'김만호'는 '일제 시대에 관리'로 일했고, '강 목사'는 '한글 강습소'를 운영하다가 강제 폐쇄를 당했다는 데서 두 사람의 삶의 태도와 관점이 매우 다르다는 것을 알 수 있다.

③ '교장 어른'은 '강 목사'보다는 '김만호'의 입장에 서 있다.

'일본 사람이 면장'을 하는 것보다 '김만호'가 하는 것이 나았다는 '교장 어른'의 말을 통해 알 수 있다.

⑤ '재종숙'은 '김만호'의 수상 문제가 사회 정의와 관련되어 있다고 본다.

'재종숙'이 '김만호'가 '선구적인 시민상'을 수상한 일에 대해 '나라를 팔아먹'고 '권력의 종노릇'을 한 사람이 수상할 상이 아니라고 한 것에서 수상 문제와 사회 정의가 관련되어 있다고 봄을 알 수 있다.

2. 문학 개념어 OX 확인 문제

① ○

• 간접적으로 제시: 인물의 성격, 심리를 외양, 대사, 행동을 통해 드러내는 것.
근거 '생각해 보게. 어떻게 그런 사람에게 '선구적인 시민상'을 주어. 나라를 팔아먹는 데, 권력의 종노릇 하는 데 선구적이었어.', '그분이 일제 시대에~그 시국에 누군들 면장을 해야 했을 거이고, 더구나 일본 사람이 면장을 했던 것보담야 훨씬 나았지.'

② ✕

• 상징적 소재: 추상적인 개념을 구체적인 대상으로 나타내는 방법, 비유와 달리 원관념이 나타나지 않고 보조 관념을 통해 함축적 의미를 전달함.

현대소설 독해의 STEP 1

1 다음 글을 읽고 주요 인물을 잘 파악했는지, 빈칸에 적절한 말을 채웠는지 확인해 보세요.

고3 2014학년도 6월 모평A – 채만식, 「미스터 방」

1945년 8월 15일, 역사적인 날.

이날도 신기료장수 **방삼복**은 종로의 공원 건너편 응달에 앉아서, 구두 징을 박으면서, 해방의 날을 맞이하였다. 그러나 삼복은 감격한 줄도 기쁜 줄도 모르겠었다. 지나가는 행인이, 서로 모르던 사람끼리면서 덥쑥 서로 껴안고 기뻐하고 눈물을 흘리고 하는 것이, 삼복은 속을 모르겠고 차라리 쑥스러 보일 따름이었다. **방삼복은 해방**을 기뻐하는 사람들에게 공감하지 못하고 있어. ㉠몰려 닫는 군중이 오히려 성가시고, 만세 소리가 귀가 아파 이맛살이 지푸려질 지경이었다.

몰려다니고 만세를 부르고 하기에 미쳐 날뛰느라고 정신이 없어, 손님이 없어, 손님이 부쩍 줄었다.

"우랄질! 독립이 배부른가?"

이렇게 그는 두런거리면서 반감이 솟았다. **방삼복은 손님**이 줄자 해방에 대한 반감을 드러내지.

장면끊기 01 해방의 날을 맞았지만 기뻐하기는커녕 손님이 줄어든 것에 **반감**을 가지는 방삼복의 모습이 첫 번째 장면으로 제시되었어.

이삼 일 지나면서부터야 삼복에게도 삼복에게다운 해방의 혜택이 나누어졌다.

십 전이나 십오 전에 박아 주던 징을, 오십 전을 받아도 눈을 부라리는 순사를 볼 수가 없었다. ㉡순사가 없어졌다면야, 활개를 쳐 가면서 무슨 짓을 하여도 상관이 없고 무서울 것이 없던 것이었었다.

"옳아, 그렇다면 독립도 할 만한 건가 보다." **방삼복은 돈**을 더 받을 수 있게 되자 비로소 해방을 기뻐해.

삼복은 징 열 개를 박아 주고 오 원을 받아 넣으면서 이렇게 속으로 중얼거리기까지 하였다.

장면끊기 02 첫 번째 장면에서는 해방 당일 방삼복의 모습이 나타났다면, 두 번째 장면에서는 그로부터 **이삼** 일이 흐른 시점에서의 방삼복의 모습을 보여 주고 있네. 손님이 줄었다는 이유로 독립에 반감을 가지던 방삼복은 며칠 뒤 **순사**가 사라져 돈을 더 받을 수 있다며 기뻐하지. 이 두 장면을 통해 역사의식 없이 자신의 경제적 이득에 따라 해방을 바라보는 방삼복의 태도를 비판적으로 인식해 볼 수 있어야겠지?

그러나 며칠이 못 가서 삼복은 다시금 해방을 저주하여야 하였다. 삼복이 저 혼자만 돈을 더 받으며, 더 받아 상관이 없는 것이 아니라, 첫째 도가(都家)들이 제 맘대로 재료 값을 올리던 것이었다. 징, 가죽, 고무, 실 모두가 오곱 십곱 비싸졌다. 그러니 ㉢신기료장수는 손님한테 아무리 비싸게 받는댔자 재료를 비싼 값으로 사야 하니, 결국 도가만 살찌울 뿐이지 소득은 전과 크게 다를 것이 없었다.

"이런 옘병헐! 그눔에 경제겐 다 어디루 가 뒈졌어. 독립은 우라진다구 독립을 헌담." **방삼복은 재료 값**이 비싸져 소득이 전과 다를 것이 없어지자 다시 독립에 대한 반감을 드러내.

석양 때 신기료 궤짝 어깨에 멘 채 홧김에 막걸리청으로 들어가, 서너 사발 들이켜고는 그는 이렇게 게걸거렸다.

장면끊기 03 다시 며칠 뒤의 상황이 제시되었어. **해방**한 날로부터 시간의 흐름에 따라 사건이 전개되고 있네. 이익에 따라 일희일비하며 일관성이 없어 보이는 방삼복의 태도를 파악하고 넘어가자.

[중략 부분의 줄거리] 영어 실력 덕에 미군 통역관이 된 방삼복은 권력을 얻는다. 친일 행위로 모은 재산을 해방 이후에 모두 빼앗긴 **백 주사**는 방삼복을 만나 자신의 재산을 되찾아 달라고 부탁한다.

㉣옛날의 영화가 꿈이 되고, 일보에 몰락하여 가뜩이나 초상집 개처럼 초라한 자기가 또 한번 어깨가 움츠러듦을 느끼지 아니치 못하였다. 그런데다 이 녀석이, 언제 적 저라고 무엄스럽게 굴어 심히 불쾌하였고, 그래서 엔간히 자리를 털고 일어설 생각이 몇 번이나 나지 아니한 것도 아니었다. 그러나 참았다. **백 주사는 방삼복으로 인해 불쾌함**을 느끼면서도 이를 참아.

보아 하니 큰 세도를 부리는 것이 분명하였다. 잘만 하면 그 힘을 빌려, 분풀이와 빼앗긴 재물을 도로 찾을 여망이 있을 듯싶었다. 분풀이를 하고, 더구나 재물을 도로 찾고 하는 것이라면야 코삐뚤이 삼복이는 말고, 그보다 더한 놈한테라도 머리 숙이는 것쯤 상관할 바 아니었다. **백 주사는 방삼복의 힘을 빌려 복수를 하고 재물**을 되찾고자 하지.

"그러니, 여보게 **미씨다 방**……."

있는 말 없는 말 보태 가며 일장 경과 설명을 한 후에, 백 주사는 끝을 맺기를,

"어쨌든지 그놈들을 말이네, 그놈들을 한 놈 냉기지 말구섬 죄다 붙잡아다가 말이네, 괴수놈일랑 목을 썰어 죽이구, 다른 놈들 일랑 뼉다구가 부러지두룩 두들겨 주구, 꿇어앉히구 항복 받구. 그리구 빼앗긴 것 일일이 도루 다 찾구. 집허구 세간 쳐부신 것 말끔 다 물리구…… 그렇게만 해 준다면, 내, 내, 재산 절반 노나 주문세, 절반. 응, 여보게 미씨다 방."

"염려 마슈."

미스터 방은 선뜻 쾌한 대답이었다.

"진정인가?"

"머, 지끔 당장이래두, 내 입 한 번만 떨어진다 치면, 기관총 들멘 엠피가 백 명이구 천 명이구 들끓어 내려가서, 들이 쑥밭을 만들어 놉니다, 쑥밭을."

"고마우이!"

백 주사는 복수하여지는 광경을 서언히 연상하면서, 미스터 방의 손목을 덥쑥 잡는다.

"백골난망이겠네."

"놈들을 깡그리 죽여 놀 테니, 보슈."

"자네라면야 어련하겠나."

"흰말이 아니라 참 ○○○ 박사두 내 말 한마디면 고만 다 제바리유." 자신을 도와주면 재산의 **절반**을 나눠 주겠다는 백 주사의 말에, 방삼복은 자신의 권력으로 쉽게 해결할 수 있다는 자신감을 보이며 **수락**하고 있네.

미스터 방은 그리고는 냉수 그릇을 집어 한 모금 물고 꿀쩍꿀쩍 양치를 한다. ㉤웬 버릇인지, 하여간 그는 미스터 방이 된 뒤로, 술을 먹으면서 양치하는 버릇이 생겼었다.

양치한 물을 처치하려고 휘휘 둘러보다, 일어서서 노대로 성큼성큼 나간다.

장면끊기 04 중략 부분의 줄거리부터는 새로운 인물인 **백 주사**가 등장하여 방삼복과 대화를 나누고 있지. 백 주사는 친일 행위를 통해 모은 재산을 되찾기 위해 불쾌함을 느끼면서도 방삼복에게 비굴하게 부탁을 하고, 이에 중략 이전과는 달리 미군 **통역관**이 된 방삼복은 으스대며 부탁을 들어주겠다 장담해. 두 인물을 통해 기회주의적으로 행동하며

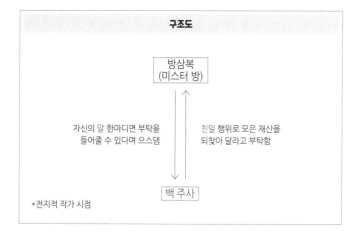
이익을 좇던 당대의 세태에 대한 작가의 비판 의식을 엿볼 수 있네.

– 채만식, 「미스터 방」 –

현대소설 독해의 STEP 2

1 구조도의 빈칸에 적절한 말을 채웠는지 확인해 보세요.

구조도

방삼복
(미스터 방)

자신의 말 한마디면 부탁을
들어줄 수 있다며 으스댐

친일 행위로 모은 재산을
되찾아 달라고 부탁함

백 주사

*전지적 작가 시점

---

2 1~2번 문제의 정답과 해설을 확인해 보세요.

1. ㉠~㉤에 대한 설명으로 적절한 것은?

정답풀이

③ ㉢: 물가 상승으로 대표되는 경제 상황에 대한 인물의 불편한 심경을 표현한다.

방삼복은 징을 박아 주던 값을 더 비싸게 받을 수 있어서 좋아하다가, ㉢에서는 자기 혼자 값을 올려 받는 것이 아니라 다른 재료를 파는 업자들도 값을 올려 받기 때문에 자신이 얻는 '소득은 전과 크게 다를 것이 없'다는 불만을 표현하고 있다. 따라서 ㉢은 당시 물가가 상승하는 경제 상황에 대한 방삼복의 불편한 심경을 표현한 것으로 볼 수 있다.

오답풀이

① ㉠: 새로운 국가의 미래를 비관적으로 전망하는 인물의 복잡한 심정을 표현한다.

㉠에서 방삼복은 조국이 해방된 상황에 대해 '기쁜 줄도 모르'고 기뻐하는 사람들을 그저 '성가시고' 시끄러운 존재로 느끼고 있을 뿐, 새로운 국가의 미래를 비관적으로 전망하고 있다고 볼 수 없다.

② ㉡: 치안 부재의 상황으로 인해 야기된 인물의 슬픔과 분노를 표현한다.

㉡에서 방삼복은 '순사가 없어'져 시장 질서가 무너진 상황에서, '무슨 짓을 하여도' 처벌받지 않으니 '무서울 것이 없'다고 생각하고 있을 뿐, 이로 인해 슬픔과 분노를 느끼고 있지는 않다.

④ ㉣: 전통 윤리를 회복해 타락한 세태를 견뎌내고자 하는 인물의 의지를 표현한다.

㉣에서는 친일 행위로 권력과 부를 누리던 과거의 '영화'는 사라지고 '몰락'하여 스스로에게 '초라'함을 느끼고 있는 백 주사의 심리가 나타날 뿐, 전통 윤리를 회복하여 타락한 세태를 견뎌내려는 의지는 드러나지 않는다.

⑤ ㉤: 새로운 생활 문화를 체험하며 나타나는 인물의 혼란스러운 내면을 표현한다.

신기료장수로 살던 방삼복이 '미스터 방'이 되었다는 것은 갑자기 득세하여 권력을 누리게 되었다는 것이다. ㉤은 권력을 입어 기세등등해진 방삼복이 '술을 먹으면서' 생긴 '버릇'에 대해 이야기하는 장면으로, 그의 혼란스러운 내면은 나타나지 않는다.

2. 문학 개념어 OX 확인 문제

① ○

• **전지적 작가 시점**: 작가가 등장인물의 행동과 태도는 물론 그의 내면세계까지도 분석·설명하며 이야기를 이끌어가는 방식.

　근거　'그러나 삼복은 감격한 줄도 기쁜 줄도 모르겠었다.', '백 주사는 복수하여지는 광경을 서언히 연상하면서'

② ✕

• **과거와 현재의 교차**: 시간의 흐름에 따라서가 아닌, 현재의 장면과 과거의 장면을 번갈아 제시하는 방식으로 서사를 전개하는 방식.

현대소설 독해의 STEP 1

1 다음 글을 읽고 주요 인물을 잘 파악했는지, 빈칸에 적절한 말을 채웠는지 확인해 보세요.

📅 고3 2007학년도 수능 – 김유정, 「만무방」

주재소는 그를 노려보았다. 툭하면 오라, 가라, 하는데 학질이었다. 어느 동리고 가 있다가 불행히 일만 나면 누구보다도 그부터 붙들려 간다. 왜냐하면 그는 전과 사범이었다. 처음에는 도박으로, 다음엔 절도로, 또 고 담에는 절도로, 절도로. 그는 도박과 **절도**로 전과 사범이기 때문에 동리에 범죄가 생기면 범인으로 의심받아 **주재소**로 불려 오는 것에 진이 빠진대.

그러나 이번 멀리 아우를 방문함은 생활이 궁하여 근대러 왔다거나 혹은 일을 해 보러 온 것은 결코 아니었다. 혈족이라고 단 하나의 동생이요, 또한 오래 못 본지라 때 없이 그리웠다. 그는 오래 못 본 동생에 대해 **그리움**을 느껴 방문한 거야. 그래 모처럼 찾아온 것이 뜻밖에 덜컥 일을 만났다.

지금까지 논의 벼가 서 있다면 그것은 성한 사람의 짓이라 안 할 것이다.

응오는 응고개 논의 벼를 여태 베지 않았다. 이미 논의 벼를 베었어야 할 시기에, 응오는 응고개 논의 벼를 **아직 베지 않아**. 물론 응오가 베어야 할 것이나, 누가 듣든지 그 형 응칠이를 먼저 의심하리라. 그럼 여기에 따르는 모든 책임을 응칠이가 혼자 지지 않으면 안 될 것이다.

응오는 진실한 농군이었다. 나이 서른하나로 무던히 철났다 하고 동리에서 쳐주는 모범 청년이었다. 그런데 벼를 베지 않는다. 남은 다들 거둬들였고 털기까지 하련만 그는 ⊙벨 생각조차 않는 것이다. 동리에서 인정하는 **모범 청년**이지만, 응오는 벼를 벨 생각조차 하지 않아.

지주라든 혹은 그에게 장리*를 놓은 김 참판이든 뻔찔 찾아와 벼를 베라 독촉하였다.

"얼른 털어서 낼 건 내야지."

하면 그 대답은,

"계집이 죽게 됐는데 벼는 다 뭐지유—"

하고 한결같이 내뱉는 소리뿐이었다. 응오는 얼른 벼를 털어 빚을 갚으라는 **지주**와 김 참판의 독촉에도 **아내**의 병환을 이유로 벼를 베지 않아.

하기는 응오의 아내가 지금 기지 사경이매 틈은 없었다 하더라도 돈이 놀아서 약을 못 쓰는 이 판이니 진시 벼라도 털어야 할 것이다.

그러면 왜 안 털었던가.

장면끊기 01 그리운 동생인 응오를 보기 위해 방문한 형 응칠에 대한 소개 이후 논의 벼를 아직 베지 않은 응오의 현재 상황이 제시되었어. 이후에 응오가 벼를 털지 않는 이유가 설명될 테니 여기서 장면을 끊자.

그것은 작년 응오와 같이 지주 문전에서 타작을 하던 친구라면 묻지는 않으리라. 한 해 동안 애를 졸이며 홑자식 모양으로 알뜰히 가꾸던 그 벼를 거둬들임은 기쁨에 틀림없었다. 꼭두새벽부터 엣, 엣, 하며 괴로움을 모른다. **작년**까지만 해도 응오는 한 해 동안 알뜰히 가꾸던 벼를 거둬들이는 **기쁨**에 꼭두새벽부터 이루어진 노동에도 **괴로움**을 모른 채 열심히 일했어.

그러나 캄캄하도록 털고 나서 지주에게 도지*를 제하고, 장리쌀을 제하고, 색초*를 제하고 보니 남은 것은 ⓒ등줄기를 흐르는 식은 땀이 있을 따름. 그것은 슬프다 하기보다 끝없이 부끄러웠다. 벼를

털고 난 후, 응오는 도지와 장리쌀, 색초를 제하고 남은 것이 없어 **부끄러움**을 느꼈대. 같이 털어 주던 동무들이 뻔히 보고 섰는데 빈 지게로 덜렁거리며 집으로 돌아오는 건 진정 열적기 짝이 없는 노릇이었다. 참다 참다 못해 응오는 눈에 눈물이 흘렸던 것이다. 벼를 털고 난 후 남은 것이 없어 빈 지게를 지고 초라하게 돌아오기 겸연쩍고 부끄러워, 응오는 슬퍼하며 **눈물**을 흘렸대.

장면끊기 02 응오가 지금 벼를 거두지 않는 이유는 **작년**에 벼를 거두고 나서도 남는 것이 없기 때문이야. 위 장면에서는 과거 일을 요약적으로 제시하고 있다는 점에 주목해 보자. 그리고 이제 다시 현재의 이야기가 진행될 테니 여기서 장면을 끊을게.

가뜩한데 엎치고 덮치더라고 올해는 고나마 흉작이었다. 샛바람과 비에 벼는 깨깨 비틀렸다. 이놈을 가을하다간 먹을 게 남지 않음은 물론이요 빚도 다 못 가릴 모양. 에라, 빌어먹을 거 너들끼리 캐다 먹든 말든 멋대로 하여라, 하고 내던져 두지 않을 수 없다. 벼를 거뒀다고 말만 나면 빚쟁이들은 우— 몰려들 거니깐. 농사가 작년보다 **흉작**이므로 이것을 가을(거둬들임)해도 남을 게 없을 것이 분명하기 때문에 응오는 벼를 베지 않은 거야.

장면끊기 03 현재로 돌아와 응오가 지금 벼를 베지 않은 이유를 현재의 상황 및 심정과 연관지어 제시했어. 이후에 응오 논의 벼와 관련해 응칠이가 벌인 또 다른 사건이 제시되므로 장면을 한 번 더 끊자.

응칠이의 죄목은 여기에서도 또렷이 드러난다. 국으로 가만만 있었다면 좋은 걸 이 사품에 뛰어들어 지주의 뺨을 제법 갈긴 것이 응칠이었다.

처음에야 그럴 작정이 아니었다. 그는 여러 곳 물을 마신 이만치 어지간히 속이 틘 건달이었다. 지주를 만나 까놓고 썩 좋은 소리로 의논하였다. 올 농사는 반실이니 도지도 좀 감해 주는 게 어떠냐고. 그러나 지주는 암말 없이 고개를 모로 흔들었다. 정 이러면 하여튼 일 년 품은 빼야 할 테니 나는 그 논에다 불을 지르겠수, 하여도 잠자코 응치 않는다. 응칠은 **지주**에게 도지를 감해 달라고 요청했구나. 지주로 보면 자기로도 그 벼는 넉넉히 거둬들일 수는 있다마는, 한번 버릇을 잘못 해 놓으면 여느 작인까지 행실을 버릴까 염려하여 겉으로 독촉만 하고 있는 터이었다. 실상이야 고까짓 벼쯤 있어도 고만 없어도 고만, 그 심보를 눈치 채고 응칠이는 화를 벌컥 낸 것만은 좋으나 저도 모르게 대뜸 주먹뺨이 들어갔던 것이다. 응칠은 **소작인**의 버릇을 잘못 들일 것을 염려해 요청을 거절한 지주의 심보를 알아채고, **화**가 나서 뺨을 주먹으로 친 거야.

장면끊기 04 응칠이는 응오를 위해 지주에게 도지를 감해 달라고 찾아갔지만, 요청을 거절당했을 뿐 아니라, 지주의 심보에 화가 나 뺨을 때렸어. 뒤에 장면끊기 01에서 언급된 응칠이에게 닥친 뜻밖의 일이 나오니 여기서 장면을 한번 더 끊자. 과거 회상이 나오면 이렇게 장면이 자주 끊길 수도 있어.

이렇게 문제 중에 있는 벼인데 ⓒ귀신의 놀음 같은 변괴가 생겼다. 다시 말하면 벼가 없어졌다. 그것도 병들어 쓰러진 쭉정이는 제쳐 놓고 무얼로 그랬는지 알장 이삭만 따 갔다. 그 면적으로 어림하면 아마 못 돼도 한 댓 말 가량은 되는지!

응칠이가 아침 일찍이 그 논께로 노닐자 이걸 발견하고 기가 막혔다. 누굴 성가시게 굴려고 그러는지. 응칠은 응오의 벼가 도둑맞은 현장을 목격(발견)하고 **기**가 막혔어. 산속에 파묻힌 논이라 아직 본 사람이 없는 모양 같다. 하나 동리에 이 소문이 퍼지기만 하면 저는 어느 모로든 혐의를 받아 폐는 좋이 입어야 될 것이다. 응칠은 응오의 벼가 도둑맞았다는 소문이 나면 **자신**이 의심 받을 것이라 염려한 거야.

장면끊기 05 응칠에게 닥친 뜻밖의 사건은 바로 응오 논의 벼가 도둑맞는 사건이었어. 응칠은 자신이 범인으로 의심 받을 것을 걱정하고 있지. 이 다음에 중략이 나오니 여기서 장면을 한 번 끊자.

(중략)

한 식경쯤 지났을까. 도적은 다시 나타난다. 논둑에 머리만 내놓고 사면을 두리번거리더니 그제야 기어 나온다. 얼굴에는 눈만 내놓고 수건인지 뭔지 헝겊이 가리었다. 봇짐을 등에 짊어 메고는 허리를 구붓이 **뺑소니를 놓는다.**

그러자 응칠이가 날쌔게 달려들며,

"이 자식, 남의 벼를 훔쳐 가니!"

하고 대포처럼 고함을 지르니 논둑으로 고대로 데굴데굴 굴러서 떨어진다. 얼결에 호되게 놀란 모양이다. 응오 논의 벼를 훔쳐간 범인을 잡기 위해 매복하고 있던 응칠의 고함에, **도적**은 놀라서 굴러떨어졌다.

응칠이는 덤벼들어 우선 허리께를 내려조졌다. 어이쿠쿠, 쿠— 하고 처참한 비명이다. 이 소리에 귀가 번쩍 띄어서 그 고개를 들고 팔부터 벗겨 보았다. 그러나 너무나 어이가 없었음인지 시선을 치걷으며 그 자리에 우두망찰한다. 도적의 비명 소리를 듣고 놀라 정체를 확인한 응칠은, **어이가 없고 얼떨떨해.**

그것은 ㉣무서운 침묵이었다. 살똥맞은 바람만 공중에서 북새를 논다.

한참을 신음하다 도적은 일어나더니,

"성님까지 이렇게 못살게 굴기유?"

제법 눈을 부라리며 몸을 홱 돌린다. 그리고 느끼며 울음이 복받친다. 봇짐도 내버린 채,

"내 것 내가 먹는데 누가 뭐래?"

하고 대퉁스러이 내뱉고는 비틀비틀 논 저쪽으로 없어진다.

형은 너무 ㉤꿈속 같아서 멍하니 섰을 뿐이다. 응칠에게 원망 섞인 말을 뱉고 흐느끼며 사라진 응오(동생)(=도적)에, 응칠은 복잡한 기분을 느껴.

장면끊기 06 이 장면에서는 응오 논의 벼를 훔쳐간 사람이 응오 본인이었다는 사실이 밝혀지고 있어. 빚을 갚으면 남는 것이 없기에 자기가 농사 지은 것을 훔쳐 먹을 수밖에 없는 가난한 소작농의 아이러니한 현실이 그려졌다는 데 주목해 볼 수 있어.

– 김유정, 「만무방」 –

*장리: 돈이나 곡식을 꾸어 주고, 받을 때는 한 해 이자로 본디 곡식의 절반 이상을 받는 변리.

*도지: 남의 논밭을 빌려서 부치는 대가로 해마다 내는 벼.

*색초: 잡초를 제거하는 데 들어가는 비용.

현대소설 독해의 STEP 2

1 구조도의 빈칸에 적절한 말을 채웠는지 확인해 보세요.

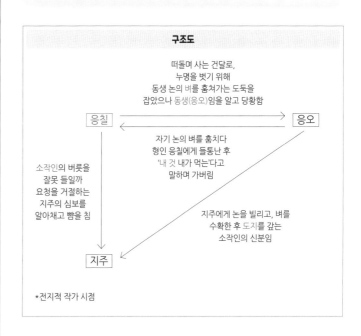

구조도

떠돌며 사는 건달로, 누명을 벗기 위해 동생 논의 벼를 훔쳐가는 도둑을 잡았으나 동생(응오)임을 알고 당황함

응칠 ⟶ 응오

자기 논의 벼를 훔치다 형인 응칠에게 들통난 후 '내 것 내가 먹는'다고 말하며 가버림

소작인의 버릇을 잘못 들일까 요청을 거절하는 지주의 심보를 알아채고 뺨을 침

지주에게 논을 빌리고, 벼를 수확한 후 도지를 갚는 소작인의 신분임

지주

*전지적 작가 시점

2 1~2번 문제의 정답과 해설을 확인해 보세요.

1. ㉠~㉤에 대한 설명으로 적절하지 않은 것은?

정답풀이 ▶

④ ㉣: 싸움 중에 잠시 찾아온 침묵으로, 상대방에 대한 경계심이 표현되어 있다.

응칠이가 논에 숨어 있다가 벼 도둑에게 달려들어 그를 잡고 얼굴을 확인할 때 '무서운 침묵'이 흐른다. 이는 응칠이가 잡은 벼 도둑이 동생 응오이기 때문에 나타난 반응으로, ㉣은 상대방에 대한 경계심 때문이 아니라 예상하지 못한 인물을 마주한 당황스러움 때문이라고 보는 것이 적절하다.

오답풀이 ▶

① ㉠: '진실한 농군'의 행위인 점에 비추어, 의도가 단순치 않음을 짐작할 수 있다.

㉠이 '진실한 농군'인 응오의 행위인 점을 고려하면 성실하게 농사를 짓는 이가 일부러 벼를 베지 않는 것에는 단순치 않은 의도가 숨겨져 있을 것이라고 짐작할 수 있다.

② ㉡: 노동의 결과가 남지 않았다는 점에서 쓸쓸함과 안타까움이 느껴진다.

한 해 동안 농사 지은 벼를 거둬들여도 '도지', '장리쌀', '색초'를 제하면 농민의 손에 쥐는 것이 없이 '식은땀'만 남는다는 것을 나타낸 ㉡에서 농민의 애환과 그에 대한 안타까움을 느낄 수 있다.

③ ⓒ: 새로운 문제의 발생으로 사건이 의외의 방향으로 흘러갈 것이라 예상된다.

> ⓒ에서는 '벼가 없어'진 사건을 '귀신의 놀음 같은 변괴'라고 표현하고 있다.
> 즉 ⓒ은 새로운 문제로 인해 사건이 의외의 방향으로 흘러갈 것임을 암시
> 하고 있다고 볼 수 있다.

⑤ ⓜ: 뜻밖의 상황을 당해 당혹스러워 하는 인물의 모습을 떠올리게 한다.

> ⓜ은 벼 도둑이 응오라는 뜻밖의 상황을 당해 당혹스러워 하는 응칠이의
> 모습을 표현한 것이라고 볼 수 있다.

2. 문학 개념어 OX 확인 문제

> ① ✕
>
> • 삽화: 어떤 이야기나 사건의 줄거리에 끼인 짤막한 토막 이야기.
>
> ② ○
>
> • 회상: 지난 일을 돌이켜 생각함. 또는 그런 생각. 단순 과거 회상과 과거
> 장면의 제시를 구분할 수 있어야 함. 단순히 과거 사건에 대해 언급한 것
> 이라면 단순 과거 회상이며, 시간적 배경이 과거로 바뀌어 인물의 대화나
> 행동이 묘사된다면 과거 장면의 제시로 볼 수 있음.
>
> 근거 '그것은 작년 응오와 같이 지주 문전에서 타작을 하던 친구라면 묻지는 않으
> 리라. 한 해 동안 애를 졸이며 홀자식 모양으로 알뜰히 가꾸던 그 벼를 거둬들임은
> 기쁨에 틀림없었다.~참다 참다 못해 응오는 눈에 눈물이 흘렀던 것이다.'

현대소설 독해의 STEP 1

1 다음 글을 읽고 주요 인물을 잘 파악했는지, 빈칸에 적절한 말을 채웠는지 확인해 보세요.

📅 고3 2018학년도 4월 학평 – 염상섭, 「탐내는 하꼬방」

"아! 아즈머니슈?"

컴컴한 속에서 자취도 없이 다가오다가 박일성이가 말을 건다. 조고만 체통에 비를 쪼르르 맞은 행색은 쪽제비 같고 삽살개 같으나 캄캄한 속에서 반짝이는 눈은 올빼미 눈 같다.

"수고하셨습니다."

필준이댁의 말에는 역시 가시가 품겨 있었다. 필준이댁은 박일성을 그다지 좋게는 생각하지 않는 모양이야.

"수고랄 거 있습니까. 애쓴 보람 없이 미안합니다. 하지만 아무 염려 마세요. 저기 가서 자리만 잡히면 곧 편지가 올 거니까 따라가서 편안히 사시게 될 겁니다."

이 집 살림을 제가 맡아보는 듯한 수작이다.

"그런데 하꼬방*은 꼭 헐라는 건지요?"

이 남자와 다시는 인사도 어울리기는 싫었으니 당장 급한 사정이라 말을 돌렸다. 필준이댁은 박일성과 되도록 엮이고 싶지 않지만, 지금은 그럴 수 없는 급한 사정이 있는 모양이군.

"그렇기는 하지만 어차피 가시게 될 텐데 그까짓 하꼬방쯤 내게 맡기구 가시구려."

㉠"가긴 어딜 가요? 누가 가라 마라 해요."

필준이댁은 발끈하며 핏대를 돌리다가 지금 말눈치 보아서는 당장 헐어 가라는 것은 아닌 모양이니 무슨 도리를 차리자면, 이 사람을 덧들여 놓아서는 안되겠다는 생각이 들어서 언성을 눅여 사정을 하였다. 박일성의 말과 달리 필준이댁은 그에게 하꼬방을 맡기고 떠날 생각이 없기 때문에 발끈해. 하지만 이내 자신의 현재 사정을 생각하고는 화를 참는 모습이네.

"혼잣손에 그나마 할 수 있어요. 작자만 나서면 팔아 버릴까 하는데……."

"글쎄…… 그래 얼마나 받으시게?"

역시 금시로 헐리지는 않을 것을 알고 하는 말눈치 같다. 하꼬방은 언젠가 헐릴 것이 예정되어 있으므로 그 전에 팔아서 손해를 면하고자 하는 상황인가 봐.

"하꼬방만 터값 합쳐 십만 원에 사구 솥 하나 걸었죠. 그 외에 그릇 나부렁이까지 껴서 십오만 원은 받을까 하는데요?"

동네 집에서 쫓겨 나가는 사람들이 반의 삯에도 쩔쩔매는 꼴을 보고 거의 빼앗다시피 헐가로 흥정을 붙여서 저희 동무들에게 넘기는 것이었지마는, 하여간 그런 자국에 소개도 곧잘 하는 박일성이기 때문에 이러한 말도 꺼낸 것이었다.

"아 언제 헐릴지 모르는 걸 십오만이라니 어림두 없습니다. 게다가 ㉡그까짓것 붙들구 앉았어야 세금은 점점 오르구……."

세금 노래를 꺼내는 것을 보니, 너 같은 빨갱이도 그런 줄이나 아는구나 하고 필준이댁은 속으로 웃자니까

"한 오만 원이라면 내가 살까!"

하고 씩 웃는다. 필준이 내외가 걷어붙이고 나서서 하꼬방 하나로 다섯 식구가 뜯어먹고 사는 것을 보고, 저희는 쌀배급 광목배급이니 소고기가 공짜로 들어왔으니 하고 떵떵거리고 살면서도 그 하꼬방이 부러워서 여편네를 그런 거나 시켜 보았으면 하고 배를 앓던

박일성이었으니 제가 사겠다는 말도 실없는 소리가 아닐 것 같기는 하다. 박일성은 평소에 필준 내외가 하꼬방으로 생계를 꾸려나가는 것을 보며 부러워하고 있었데. 그래서 오만 원 정도의 값이라면 자신이 하꼬방을 살 수도 있다며 나서는 것이군.

> **장면끊기 01** 필준이댁과 박일성이 대화를 나누는 상황이 하나의 장면으로 제시되었어. 필준이댁은 박일성을 **부정적**으로 여기고 있으며, 박일성은 필준 내외의 하꼬방을 평소 탐내어 왔네.

[중략 부분의 줄거리] 인민군에게 끌려갔던 필준은 겨우 도망쳐 집으로 돌아와 비밀 지하실에 숨어 지낸다. 그러나 며칠이 지나지 않아 평소 하꼬방을 탐내던 박일성 반장 내외가 이를 눈치 채고, 반장댁은 내무서원과 인민군을 대동하고 필준이댁(진숙 어머니)의 집으로 갑자기 들이닥친다. 박일성과 그의 아내인 반장댁이 인민군에게 **필준**의 행방을 신고한 모양이야.

"지하실은 어디야?"

이때까지 다다미를 밟는 투박스러운 구둣발자국 소리밖에는 무거운 침묵에 잠겨 있던 캄캄한 속에서 검은 그림자가 앞을 우뚝 막아서며 그 거센 목소리로 무덤 속같이 조용한 밤공기를 휘져 놓는다.

"이 동네 집에는 지하실이 없에요."

지하실이란 말에 남편의 얼굴이 또 떠오르면서 속이 떨렸다. 지하실에 숨어 있는 남편 필준이 발각될까 봐 두려워하고 있어.

"마루 밑에 없으면 다다미 밑에라도 팠겠지?"

진숙 어머니는 다시 머리가 어찔하였다.

'하누님 맙시사!'

하고 속으로 빌었다. 전신의 기운이 쪽 빠지고 다리가 풀려서 그대로 주저앉을 것 같은 것을 간신히 몸을 가누고 섰다. 다다미 밑까지 샅샅이 수색하려고 하자 진숙 어머니(필준이댁)가 느끼는 긴장과 초조함이 극에 달하고 있어.

"여보 이리 오슈."

마루 끝에서 치어다보고 섰는 병정에게 소리를 치고 내무서원이 앞장을 서 방으로 다시 들어간다.

아이들 옆의 빈자리를 구둣발로 걷어차며

"여길 열어 봐."

하고 호령을 한다.

뒤따라 들어온 진숙 어머니가 요를 걷어치우고 다다미를 들어 내려니까 어느 틈에 들어왔는지 반장 여편네도 머리맡으로 가서 거든다. 다다미를 들어내고 널판지를 벗긴 뒤에 회중전등을 비춰 보아야 별 수는 없었다. ㉢김이 빠져 머쓱해진 내무서원은 여전히 잠자코 온돌방을 거쳐 삼조 방으로 뚜벅뚜벅 건너간다. 아이들이 자는 방의 다다미를 뜯어 보라고 자신만만하게 명령하였는데, 아무것도 발견되지 않자 내무서원은 머쓱해하고 있어. 하지만 수색을 멈추지는 않고 있네.

아이들은 이 법석에도 세상 모르고 곤드라져 숨소리 없이 잔다.

인제는 될 대로 되라고 기진맥진한 진숙 어머니는 등신처럼 멀거니 섰기만 하다가 반장 여편네가

"여보 그래두 어떻게 됐는지 가 봅시다."

하고 등을 미는 바람에, 온돌방으로 들어서니 벌써 남편의 기어 나오는 허연 그림자가 눈에 힐끈 띈다. ㉣진숙 어머니는 그 자리에 우뚝 섰다. 자포자기한 심정이었던 진숙 어머니는 결국 내무서원과 인민군에게 발각된 필준을 보고는 그대로 굳어버리고 말아.

……철그럭……

수갑을 채우는 소리다. 다음 순간 남편은 고개를 푹 수그리고 앞장을 서고 내무서원 병정 반장 여편네…… 아무 소리도 없이 줄달아 나온다. 밖에 나와서도 반장 여편네는 진숙 어머니의 옆을 지날 때 외면을 하였다. 자신의 신고로 필준이 인민군에게 잡히게 된 것이므로 진숙 어머니를 **외면**하려는 거지.

얼이 빠져 섰던 진숙 어머니는 무슨 새 힘이 났는지 쭈르를 뛰어나가 남편 옆으로 가까이 다가섰다.

그러나 입이 벌어지지를 않는다. 다만 현관에서 고무신을 바로 놓아 주었다.

ⓜ"아이들하구 잘 있어!"

내무서원이 문을 열어 주니까 필준이는 멈칫하고 얼굴을 돌리며 한마디 던지듯이 하고 나간다.

"안녕히 가세요."

반장 여편네가 꼬박 인사를 하고 문밖에 나선 진숙 어머니에게는 알은체도 없이 달음질을 쳐서 저의 집으로 들어가 버린다. 진숙 어머니는 이를 악물었다.

진숙 어머니는 남편의 그림자가 골목 모퉁이를 곱뜨려 스러질 때까지 벙어리처럼 아무 소리 없이 멀거니 섰었다. 눈에는 눈물 한 점 스며나지 않았다. 대문도 거는 것을 잊어버리고 방으로 들어온 진숙 어머니는 자는 아이들 옆에 쓰러지며 고개를 파묻고 비로소 목이 메여 울음이 복받쳤다. 진숙 어머니는 인민군에게서 겨우 도망쳐 나와 집에 숨어 있던 남편이 다시금 **인민군**에게 끌려간 절망적인 상황으로 인해 오열하고 있어. 한 십 분은 그대로 인사 정신 없이 울었으리라. 어머니 울음 소리에 아이들이 부시시 눈을 뜨고 일어나자 진숙 어머니는 몸을 어떻게 지향할 수가 없는 듯이 별안간 벌떡 일어나서

"이놈의 원수를 어떻게 갚니—" **원수**는 남편이 잡혀간 일의 원흉인 박일성 내외나 인민군을 가리키는 말이겠지? 진숙 어머니는 이들을 향한 분노를 드러내고 있어. 하고 소리를 고래고래 지르는 바람에 잠이 덜 깨어 멀거니 앉았던 아이들은 혼이 나서 어머니가 미쳤다? 하고 덜덜 떨고 있다. 정확한 사정을 모르는 **아이들**은 오열하다가 고래고래 소리를 지르며 화를 내는 **어머니**의 모습을 보고 이상하게 생각하며 떨고 있네.

장면끊기 02 집안의 비밀 지하실에 숨어 있던 **필준(남편)**이 인민군에게 체포되어 가는 장면이야. 남편을 찾기 위해 수색하는 내무서원과 인민군을 보며 필준이댁이 느끼는 초조하고 불안한 심리, 남편이 잡혀간 뒤의 참을 수 없는 슬픔과 **분노**가 세밀하게 서술되어 있어. 중략 이전에 언급된 **하꼬방**에 대한 박일성의 욕심이 중략 이후의 사건을 발생하게 한 요인이 되었다는 점에서, 두 장면을 연결해서 정리해 볼 수 있지.

– 염상섭, 「탐내는 하꼬방」 –

*하꼬방: 판잣집을 뜻하는 일본어.

현대소설 독해의 STEP 2

1 구조도의 빈칸에 적절한 말을 채웠는지 확인해 보세요.

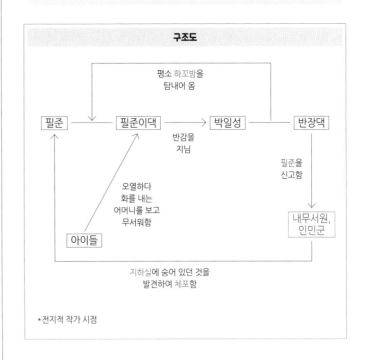

구조도

평소 하꼬방을 탐내어 옴

필준 → 필준이댁 → 박일성 → 반장댁

반감을 지님

아이들 — 오열하다 화를 내는 어머니를 보고 무서워함

필준을 신고함

내무서원, 인민군

지하실에 숨어 있던 것을 발견하여 체포함

*전지적 작가 시점

2 1~2번 문제의 정답과 해설을 확인해 보세요.

1. ㉠~㉤에 대한 설명으로 적절하지 <u>않은</u> 것은?

정답풀이 ≫

② ㉡: 박일성은 상황 판단에 어려움을 겪고 있는 필준이댁을 염려하고 있다.

박일성은 하꼬방을 '십오만 원' 정도에 팔고자 한다는 필준이댁의 말에 현재의 상황을 고려했을 때 그것이 너무 비싼 가격임을 주장하기 위해 ㉡과 같이 말하였다. 이때 박일성이 상황 판단에 어려움을 겪고 있는 필준이댁을 염려하는 모습이 나타나 있다고 보기는 어렵다.

MEMO

오답풀이

① ㉠: 필준이댁은 자신의 의사에 반하는 박일성의 말에 불편한 심기를 드러내고 있다.

> 필준이댁이 '그까짓 하꼬방쯤 내게 맽기구 가시구려.'라는 박일성의 말에 ㉠과 같이 말하며 발끈한 것은, 자신의 의사와는 반대되는 박일성의 말에 불편한 심기를 드러낸 것으로 볼 수 있다.

③ ㉢: 내무서원은 자신의 예측과 다른 결과에 멋쩍어 하면서도 하던 일을 지속하고 있다.

> 내무서원은 병정을 향해 '여길 열어 봐.'라고 호령하였으나 그곳에서 아무것도 발견하지 못한다. 이에 ㉢과 같이 '머쓱해'하면서도 '잠자코 온돌방을 거쳐 삼조 방으로 뚜벅뚜벅 건너'간 것은 자신의 예측과 다른 결과에 멋쩍어 하면서도 하던 일을 지속하는 모습으로 볼 수 있다.

④ ㉣: 진숙 어머니는 자신이 걱정하던 상황이 일어난 것에 대해 충격을 받고 있다.

> 온돌방에 들어섰을 때 '남편의 기어 나오는 허연 그림자'를 보게 된 진숙 어머니가 ㉣과 같이 '그 자리에 우뚝' 멈추어 서 버린 것은, 자신이 걱정하던 상황, 즉 남편인 필준이 내무서원과 인민군에게 발각되는 상황이 결국 일어나고 만 것에 충격을 받았기 때문으로 볼 수 있다.

⑤ ㉤: 필준은 자신이 처한 부정적 상황에서도 아내와 자식들을 걱정하고 있다.

> 내무서원과 인민군에게 잡혀 가는 상황에서도 필준이 ㉤과 같이 말한 것은, 자신이 처한 부정적 상황에서도 아내와 자식들을 걱정하는 모습으로 볼 수 있다.

2. 문학 개념어 OX 확인 문제

> ① ○
>
> • 외양 묘사: 인물의 얼굴 생김새, 복장, 머리 모양 등의 전반적인 겉모습을 그림을 그리듯이 구체적이고 감각적으로 표현함.
>
> > 근거 '조고만 체통에 비를 쪼르를 맞은 행색은 쪽제비 같고 삽살개 같으나 캄캄한 속에서 반짝이는 눈은 올빼미 눈 같다.'

> ② ✕
>
> • 서술자 교체: 서술자는 소설에서 말하는 사람을 가리키는 말로, 서술자의 교체는 구체적인 문맥과 서술 시점 변화에 따른 호칭어, 지칭어의 차이 등을 통해 확인할 수 있음.

현대소설 독해의 STEP 1

1 다음 글을 읽고 주요 인물을 잘 파악했는지, 빈칸에 적절한 말을 채웠는지 확인해 보세요.

📅 **고3 2020학년도 4월 학평 – 윤흥길, 「무제」**

물론 얼마든지 있을 수 있는 우연의 일치에 지나지 않는 일이겠지만, 봉무제 씨 그가 고모부와 마찬가지로 이북 출신이며 홀아비라는 사실이었다. 그들 두 가지 공통점이 어딘지 모르게 그들 두 사람을 하나로 비끄러매고 있다는 인상을 나는 강하게 받았으며, 따라서 내가 회사를 출발하여 인쇄소로 향해 오면서 얼핏 겪었던 착각 내지는 혼동이 반드시 착각이나 혼동만은 아닐 뿐더러 고모부와 봉무제 씨가 동일인임을 뒷받침하는 유력한 방증이 바로 그와 같은 공통점이었구나 하는 다른 또 하나의 기묘한 착각 속에 나도 모르게 빠져들고 있었다. *'나'는 봉무제 씨와 고모부가 **이북** 출신이며 홀아비라는 공통점을 갖고 있고, 그것이 두 사람을 **동일인**으로 착각하게끔 만들었다고 생각하고 있어.*

이번에는 내가 화제 속에 끼여들 차례였다.

㉠"조현봉 씨가 물질적인 손해를 감수하면서까지 무제를 고집하는 이유는 뭘까요?" *'나'는 조현봉 씨가 **무제**를 고집하는 이유를 궁금해하고 있어.*

앞서 과장의 지적도 있고 해서 나는 늙다리 문선공*을 구태여 본인이 싫어한다는 별명으로 부르지 않으려고 신경을 가외로 써야만 했다. 사실 봉무제란 별명이 나에겐 그럴 수 없이 친숙한 반면에 조현봉이란 본명은 너무 생소한 것이었다. *조현봉이 본명이고, 그의 별명이 **봉무제**인 거구나. '나'는 그를 본명으로 부르기 위해 애쓰고 있어.*

"그 영감 속셈이 워낙 굴속 같아서 어느 누구도 짐작을 못 하죠. 무제란 말이 무슨 뜻인지는 알고 있겠죠?"

"알고 있습니다."

"인생무상쯤으로 우리는 추측하고 있어요. 어쩌면 그게 맞는 해석일지도 모르죠. 영감이 느끼는 허무주의가 그런 식으로 표현되는 것 같습니다." *과장은 조현봉이 무제에 집착하는 이유가 그가 느끼는 **허무주의** 때문이라고 생각해.*

㉡"그렇게 거창한 내용이 아니라 매일 되풀이되는 단순한 작업에서 오는 무심한 장난이나 악의 없는 사보타주* 같은 건 혹 아닐까요?" *과장의 의견과 달리 '나'는 조현봉의 집착이 무심한 **장난**이나 사보타주 같은 게 아니냐고 하지.*

"한 선생이 조 영감한테 직접 질문해 보시지요."

"제가 물어 보면 제대로 대답을 해줄 것 같습니까?"

㉢"아마 하긴 할 겁니다. 영감은 틀림없이 이렇게 나올 겁니다. 갑자기 이맛살을 잔뜩 찌푸리면서 아무 말도 없이 돌아선 다음에 작업을 중단하고 유령같이 흐느적거리면서 밖으로 나가 버립니다. 그것이 바로 영감의 대답인 셈입니다." *과장은 조현봉에게 '나'가 직접 질문한다면 그는 **아무 말**도 없이 밖으로 나가 버릴 거라고 하네.*

말을 마치고 과장은 자기 휘하의 공원들을 감독하기 위해 외빈용 교정실을 떠났다. 그가 떠나고 난 자리에 커다란 의문부호 하나가 덩그렇게 남았다. *과장과의 대화로는 조현봉의 무제에 대한 집착에 관한 '나'의 의문이 **해소**되지 않았어.*

기계 돌아가는 소리가 꽤나 요란했다. 잠시 잊고 있던 인쇄 잉크 냄새도 다시 맡을 수 있었다. 활자들이 풍기는 납 냄새도 그 속엔 섞여 있을 거라고 나는 막연히 짐작을 해보았다. 납 같은 비철금속에도 과연 냄새다운 냄새가 있을까? 나는 틀림없이 있을 거라고 멋대로 단정을 내리고 있었다. 틀림없이 있어서 그 돌덩이처럼 무거운 냄새가 사람을 타고 누르면서 납작하게 바닥으로 끌어내리고 있을 거라고 생각했다.

장면끊기 01 *'나'는 봉무제 씨와 고모부가 동일인이라고 착각할 만큼 비슷하다고 생각하고 있어. 그리고 봉무제 씨가 무제에 집착하는 이유를 알기 위해 **과장**과 대화했지만 의문이 해소되지는 않았지.*

처음 출판사에 입사해서 내 몫의 교정지를 받아 보고 나는 적잖이 당황했다. 페이지마다 곳곳에서 발견되는 '무제'를 나는 이해할 수가 없었다. 그처럼 생경한 단어는 솔직히 말해서 난생 처음 대하는 처지여서 담당 문선공의 기계적인 실수 아니면 억지로 두들겨맞춘 조어로만 알았다. *'나'는 교정지에서 '무제'라는 말을 발견하게 되어 당황했어. 처음에는 기계적 실수나 억지로 만든 **조어**인 줄 알았지.*

뭔가 심상찮은 조짐을 느끼기 시작한 것은 초교 한 꼭지를 다 떼고 나서부터였다. 무제가 무슨 말이냐고 나는 옆자리의 동료에게 슬쩍 물어 보았다. 그 동료는 대뜸 입가에 쓴웃음을 머금는 것이었다. 그리고 가벼운 핀잔이 따랐다. 사전은 그런 때 안 쓰고 언제 쓸 거냐는 이야기였다. 듣고 보니 지당하신 말씀이기도 했다.

무제(霧堤) [명] 【해】 배 위에서 보면 마치 육지처럼 보이는 먼 바다의 안개.

이희승 씨의 국어대사전을 뒤져 본 결과 이런 설명이 나왔다.

장면끊기 02 *'나'가 처음 출판사에 입사했던 과거를 떠올리는 부분에서 장면을 나눌 수 있겠네. '무제'라는 말을 교정지에서 발견하고 **당황**했던 '나'는 동료의 말에 따라 무제의 사전적 정의를 확인하지.*

[중략 줄거리] 나는 평소 나에게 의지하려 했던 고모부를 부랑자로 위장시켜 갱생원에 보내려는 계획을 세우지만, 봉무제 씨의 외로운 죽음에 대해 전해 들은 후 고모부에게 죄의식을 느끼며 고민하게 된다.

아직도 방울져서 떨어지는 눈물을 수습할 생각도 없이 고모부는 내 얼굴을 멀뚱멀뚱 올려다보았다.

"생각이 안 나……."

들릴락말락한 소리로 고모부가 중얼거렸다. 나는 하도 어이가 없어 전등 스위치를 내려 버렸다. 그때까지 나는 스위치를 손으로 붙잡고 있었던 것이다.

"생각이 안 나……."

깜깜해진 방 안에서 도로 한 덩어리의 실루엣으로 돌아간 고모부가 나지막이 중얼거렸다.

"아무리 잠을 안 자고 머리를 쥐어짜 봐도 이름이 생각이 안 나……." *고모부는 어떤 **이름**을 생각해내려 애쓰고 있어.*

그 순간 나는 하마터면 아아 하고 큰 소리로 부르짖을 뻔했다. 이번에는 얼굴이 아니라 이름이었다. 지난번까지만 하더라도 얼굴은 이미 잊어버렸지만 이름만은 똑똑히 기억하고 있었다. 그때는 얼굴 잊은 것만 가슴아파하고 있었다. *누군가의 이름을 잊어버린 고모부가 그 이름을 떠올리려 애쓰는 모습을 본 '나'는 안타까움을 느끼고 있어. 이전에 고모부는 **얼굴**을 잊어버렸지만 이름만은 기억하고 있었는데, 이제 이름마저도 잊어버렸군.*

"우리 그 셋째 녀석 이름을 어떻게든 떠올려 보려고 밤새도록 방바닥에다 대가리를 찧어 보고 머리털을 쥐어뜯어 봐도 끝끝내 알아낼 도리가 없어. 날은 훤히 밝아 오는데, 날이 다 새기 전에 그 녀석 이름을 기어코 생각해 낼 작정이었는데 어디다 붙들어맨 것같이 ⓔ이놈의, 이 미련헌 놈의 대가리가 당최 꼼짝도 허질 않어." 고모부는 **셋째** 아들의 이름을 기억해내기 위해 애쓰고 있던 거였네.

한바탕 안타까운 중얼거림 끝에 퍽하고 머리통을 방바닥에 부딪는 둔탁한 소리가 났다. 알리바바의 형 카심이 아마 그랬을 것이다. 주문을 까먹는 바람에 바위굴 안에 갇혀 도둑들한테 죽음을 당하게 된 카심 같은 꼴이었다. 나는 '열려라 참깨!' 대신 '이승곤!' 하고 큰 소리로 외치고 싶었다. 이북에 남겨 두고 온 자신의 셋째 아들 이름을 두번 다시 망각하는 일이 없도록 벽력같이 일깨워 주고 싶은 심정이었다. '나'는 고모부가 기억해내려 애쓰는 그 셋째 아들의 **이름**을 고모부의 기억에 각인시켜 주고 싶다고 느끼지.

"ⓜ고모부, 끝내 기억이 안 나는 건 어쩔 수 없는 거예요. 기억이 안 나도 그건 결코 고모부 잘못이 아닙니다. 지난 일은 다 잊어 버리고 앞일이나 생각하면서 사세요."

그러나 나는 어느 틈에 고모부한테 이렇게 말하고 있었다. '나'는 결국 그 이름을 고모부에게 **알려 주지 않네.** 먼 바다의 안개를 육지로 착각하는 일이 고모부한테 다시는 없도록 하기 위함이었다. 이젠 이름조차도 기억이 안 난다고 울먹이는 소리를 들었을 바로 그때 나는 무슨 업보인지는 몰라도 고모부의 여생을 책임지는 일이 다른 누구 아닌 바로 내 발등에 떨어졌음을 이미 직감했던 것이다. 앞으로 내가 승곤이의 대역을 효과적으로 수행해 나가기 위해서는 나하고 동갑내기인 그의 이름을 끝까지 고모부한테 발설하지 않을 필요가 있었던 것이다. '나'가 승곤이의 이름을 고모부에게 알려 주지 않은 것은 고모부의 여생을 돌볼 책임이 바로 **자신**에게 있다고 생각했기 때문이야. 심신이 극도로 피폐해진 그에게 언제가 될지는 몰라도 조국이 통일되는 그날까지 연명하며 승곤이를 기다리라고 위로한다는 건 어떤 의미에서는 오히려 더 잔인한 행위가 될 것이었다. 고모부가 조국이 **통일**되어 아들인 승곤이를 만나게 되기를 기다리는 것은 곧 먼 바다의 안개를 육지로 **착각**하는 일과 같다는 거네.

"생각이 안 나……."

고모부의 중얼거림을 들으면서 나는 아내에게 갱생원이란 데가 원래 지낼 만한 곳이 못 된다는 사실을 넌지시 귀띔해 주었다. '나'는 고모부를 **갱생원**에 보내지 않고 자신이 돌보겠다고 다짐해.

장면끊기 03 '나'는 고모부가 자신의 셋째 아들의 이름을 떠올리기 위해 애쓰는 모습을 보며 안타까움을 느껴. 그리고 고모부에게 그 이름을 알려주기보다 자신이 직접 고모부를 부양하겠다고 결심하면서 장면이 마무리되지.

– 윤흥길, 「무제(霧堤)」 –

*문선공: 신문사나 인쇄소 등에서 활판 인쇄를 맡아서 하는 사람.

*사보타주: 노동이나 일을 게을리하여 사용자에게 손해를 끼치는 방법.

현대소설 독해의 STEP 2

1 구조도의 빈칸에 적절한 말을 채웠는지 확인해 보세요.

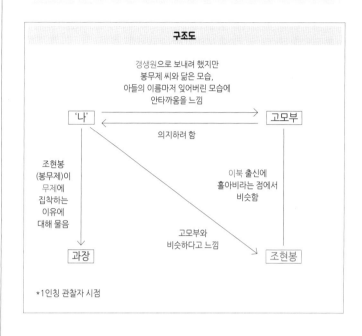

구조도

갱생원으로 보내려 했지만 봉무제 씨와 닮은 모습, 아들의 이름마저 잊어버린 모습에 안타까움을 느낌

'나' → 고모부
'나' ← 고모부 의지하려 함

조현봉(봉무제)이 무제에 집착하는 이유에 대해 물음

이북 출신에 홀아비라는 점에서 비슷함

과장

고모부와 비슷하다고 느낌

조현봉

*1인칭 관찰자 시점

2 1~2번 문제의 정답과 해설을 확인해 보세요.

1. ㉠~ⓜ에 대한 설명으로 적절하지 않은 것은?

정답풀이

⑤ ⓜ: 지난 일을 기억하지 못하는 고모부의 행동에 대한 '나'의 원망이 드러나 있다.

이북에 두고 온 아들의 얼굴은 물론 이름도 '생각이 안 나…….'라고 중얼거리는 고모부에 대해 '나'는 '안타까운 중얼거림'이라고 하였다. 그리고 ⓜ에서는 기억이 나지 않아도 '어쩔 수 없'다고 말하며 자신이 '고모부의 여생을 책임'지겠다는 의지를 드러낸다. 즉 '나'는 고모부를 연민하며 안타깝게 여기는 맥락에서 ⓜ과 같이 말한 것이므로, ⓜ에 고모부의 행동에 대한 '나'의 원망이 드러난다고 볼 수는 없다.

오답풀이

① ㉠: 이해되지 않는 조현봉 씨의 행동에 대한 '나'의 궁금증이 나타나 있다.

> ㉠에는 '물질적인 손해를 감수하면서까지 무제를 고집'하는 조현봉 씨의 행동에 대한 '나'의 궁금증이 나타나 있으므로 적절하다.

② ㉡: 인쇄소 과장의 생각과는 다른 '나'의 추측이 드러나 있다.

> ㉡에는 조현봉 씨가 고집하는 '무제'라는 단어의 의미가 '인생무상'이나 '허무주의'에서 비롯되었다고 보는 과장과 달리, '무심한 장난이나 악의 없는 사보타주' 같은 것이라고 생각하는 '나'의 추측이 드러나 있으므로 적절하다.

③ ㉢: 제대로 된 대답을 들을 수 없을 것이라는 '인쇄소 과장'의 짐작이 내재되어 있다.

> ㉢에는 '나'가 조현봉 씨에게 직접 '무제'에 집착하는 이유를 물어도 그가 '아무 말도 없이' '밖으로 나가 버'릴 것이므로 제대로 된 대답을 들을 수 없을 것이라는 과장의 짐작이 내재되어 있으므로 적절하다.

④ ㉣: 셋째 녀석의 이름을 떠올리지 못하는 것에 대한 '고모부'의 자책이 나타나 있다.

> ㉣에는 '셋째 녀석 이름을 어떻게든 떠올려 보려고 밤새도록' 애쓰지만 결국 떠올리지 못하고 '이 미련헌 놈의 대가리'라며 자책하는 고모부의 모습이 나타나 있으므로 적절하다.

2. 문학 개념어 OX 확인 문제

① ○

> **근거** '처음 출판사에 입사'했을 때 교정지에서 '무제'라는 말을 발견하고 당황했던 경험과 셋째 아들의 이름을 기억해 내려 애썼던 고모부와 관련된 경험을 제시하며 서술자인 '나'의 내면을 드러내고 있음.

② ✕

- 외양 묘사: 인물의 얼굴 생김새, 복장, 머리 모양 등의 전반적인 겉모습을 그림을 그리듯이 구체적이고 감각적으로 표현함.

30 하루 30분, 현대소설 트레이닝

현대소설 독해의 STEP 1

❶ 다음 글을 읽고 주요 인물을 잘 파악했는지, 빈칸에 적절한 말을 채웠는지 확인해 보세요.

📅 2014학년도 9월 모평A – 전광용, 「꺼삐딴 리」

[그]의 고객은 왜정 시대는 주로 일본인이었고 현재는 권력층이 아니면 재벌의 셈속에 드는 측들이어야만 했다. *시대의 변화에 발맞추어 권력이나 부를 지닌 이들만을 고객으로 삼는 그의 기회주의적인 성격이 드러나네.*

㉠그의 일과는 아침에 진찰실에 나오자 손가락 끝으로 창틀이나 탁자 위를 훑어 무테안경 속 음푹한 눈으로 응시하는 일에서 출발한다.

이때 손가락 끝에 먼지만 묻으면 불호령이 터지고, 간호원은 하루 종일 원장의 신경질에 부대껴야만 한다.

아무튼 단골 고객들은 그의 정결한 결백성에 감탄과 경의를 표해 마지않는다. *그는 작은 먼지 하나도 그냥 지나치지 않는 깔끔하고 까다로운 성격의 소유자인가 봐.*

1·4후퇴 시 청진기가 든 손가방 하나를 들고 월남한 [이인국 박사]다. 그는 수복되자 재빨리 셋방 하나를 얻어 병원을 차렸다. 그러나 이제는 평당 오십만 환을 호가하는 도심지에 타일을 바른 이층 양옥을 소유하게 되었다. 그는 자기 전문의 외과 외에 내과, 소아과, 산부인과 등 개인 병원을 집결시켰다. ㉡운영은 각자의 호주머니 셈속이었지만 종합 병원의 원장 자리는 의젓이 자기가 차지하고 있다.

장면끊기 01 이인국 박사의 성격과 간단한 내력이 제시되었어. 1·4후퇴 때에 **월남**한 이인국 박사는 수복 후 병원을 차리고 키우면서 **원장** 자리를 차지했대.

이인국 박사는 양복 조끼 호주머니에서 십팔금 회중시계를 꺼내어 시간을 보았다.

두 시 사십 분!

미국 대사관 브라운 씨와의 약속 시간은 이십 분밖에 남지 않았다. 이 시계에도 몇 가닥의 유서 깊은 이야기가 숨어 있다. 이인국 박사는 시계를 볼 때마다 참말 '기적'임에 틀림없었던 사태를 연상하게 된다. *이인국 박사는 시계를 보며 기적과도 같았던 과거의 일을 떠올리고 있어.*

왕진 가방과 함께 38선을 넘어온 피란 유물의 하나인 시계. 가방은 미군 의사에게서 얻은 새것으로 갈아매어 흔적도 없게 된 지금, 시계는 목숨을 걸고 삶의 도피행을 같이한 유일품이요, 어찌 보면 인생의 반려이기도 한 것이다. *자신과 함께 삶의 고비를 넘어온 시계에 특별한 애착을 느끼고 있군.*

밤에 잘 때에도 그는 시계를 머리맡에 풀어 놓거나 호주머니에 넣은 채로 버려두지 않는다. 반드시 풀어서 등기 서류, 저금통장 등이 들어 있는 비상용 캐비닛 속에 넣고야 잠자리에 드는 것이었다. 거기에는 또 그럴 만한 연유가 있었다. 이 시계는 제국 대학을 졸업할 때 받은 영예로운 수상품이다. 뒤쪽에는 자기 이름이 새겨져 있다. *이인국 박사는 **제국 대학** 졸업의 증표이기도 한 시계를 자랑스럽게 여기고 있어.*

그 후 삼십여 년, 자기 주변의 모든 것은 변하여 갔지만 시계만은 옛 모습 그대로다. 주변뿐만 아니라 자기 자신은 얼마나 변한 것인가. 이십 대 홍안을 자랑하던 젊음은 어디로 사라진 것인지 머리카락도 반백이 넘었고 이마의 주름은 깊어만 간다. 일제 시대,

소련군 점령하의 감옥 생활, 6·25 사변, 38선, 미군 부대, 그동안 몇 차례의 아슬아슬한 죽음의 고비를 넘긴 것인가.

'월삼* 십칠 석.'

우여곡절 많은 세월 속에서 아직도 제 시간을 유지하는 것만도 신기하다. *그동안 거쳐온 삶의 여러 고비 속에서도 변함없이 제 시간을 유지하고 있는 시계를 보며 **신기함**을 느끼고 있어. 이인국 박사와 시계가 함께 넘겨 온 고비들의 나열에서 근현대사의 흐름을 엿볼 수 있어.* 시간을 보고는 습성처럼 째각째각 소리에 귀 기울이는 때의 그의 가느다란 눈매에는 흘러간 인생의 축도가 서리는 것이었고, 그 속에서는 각모(角帽)와 쓰메에리(목단이) 학생복을 벗어 버리고 신사복으로 갈아입던 그날의 감회를 더욱 새롭게 해 주는 충동을 금할 길 없는 것이었다. *시계를 보며 사회에 첫발을 내딛던 때를 떠올리고 **감회**에 젖고 있네.*

장면끊기 02 현재 종합 병원의 원장으로 출세 가도를 달리고 있는 이인국 박사가 회중 시계를 보며 회상에 잠기는 모습이 제시되었어. 그가 과거에 겪어온 다양한 삶의 고비가 언급되어 있다는 점에 주목하면서, 중략 이전 부분에서 한 번 끊고 넘어가도록 하자!

(중략)

"아마 소련군이 들어오나 봐요. 모두들 야단법석이에요……."

숨을 헐레벌떡이며 이야기하는 [혜숙]의 말에 이인국 박사는 아무 대꾸도 없이 눈만 껌벅이며 도로 앉았다. 여러 날째 라디오에서 오늘 입성 예정이라고 했으니 인제 정말 오는가 보다 싶었다.

혜숙이 내려간 뒤에도 이인국 박사는 ㉢한참 동안 아무 거동도 못 하고 바깥쪽을 내려다보고만 있었다. *소련군이 들어온다는 소식을 듣고 이인국은 생각에 잠겨.*

무엇을 생각했던지 그는 움찔 자리에서 일어났다. 그리고는 벽장문을 열었다. 안쪽에 손을 뻗쳐 액자틀을 끄집어내었다.

國語常用(국어*상용)의 家(가).

해방되던 날 떼어서 집어넣어 둔 것을 그동안 깜박 잊고 있었다. 그는 액자틀 뒤를 열어 음식점 면허장 같은 두터운 모조지를 빼내어 ㉣글자 한 자도 제대로 남지 않게 손끝에 힘을 주어 꼼꼼히 찢었다.

이 종잇장 하나만 해도 일본인과의 교제에 있어서 얼마나 떳떳한 구실을 할 수 있었던 것인가. 야릇한 미련 같은 것이 섬광처럼 머릿속에 스쳐갔다. *소련군이 온다는 소식에 과거 자신이 한 친일 행적의 증거를 **없애려** 하면서도 한편으로는 **미련**을 느끼고 있네.*

환자도 일본말 모르는 축은 거의 오는 일이 없었지만 대외관계는 물론 집 안에서도 일체 일본말만을 써 왔다. 해방 뒤 부득이 써 오는 제 나라 말이 오히려 의사 표현에 어색함을 느낄 만큼 그에게는 거리가 먼 것이었다.

마누라의 솔선수범하는 내조지공도 컸지만 애들까지도 곧잘 지켜 주었기에 이 종잇장을 탄 것이 아니던가. 그것을 탄 날은 온 집안이 무슨 큰 경사나 난 것처럼 기뻐들 했다. *해방 이전, 일본어를 생활화하며 친일 행위를 해온 결과로 **국어상용의 가**라는 증서를 받았을 때, 이인국과 그의 가족들은 크게 **기뻐**했었어.*

"잠꼬대까지 국어로 할 정도가 아니면 이 영예로운 기회야 얻을 수 있겠소."

하던 국민총력연맹 지부장 의 웃음 띤 치하 소리가 떠올랐다.

ⓜ그 순간 자기 자신은 아이들을 소학교부터 일본 학교에 보낸 것을 얼마나 다행으로 여겼던 것인가. 자식들을 **일본 학교**에 보낸 것을 **다행**으로 여겼던 이인국의 모습이야. 그랬던 그가 '국어상용의 가'라고 적힌 종이를 찢어버리는 것에서, 시대의 흐름에 따라 기회주의적으로 행동하는 그의 면모를 엿볼 수 있어.

장면끊기 03 소련군의 입성 소식을 들은 이인국 박사가 **해방** 이전까지는 가문의 자랑이자 기쁨이었던 **친일**의 흔적(국어상용의 가)을 없애는 모습이 제시되었어. 중략 이전에서 언급되었던 과거의 여러 고비 중, 소련군 점령 당시로 시간적 배경이 바뀌어서 서사가 전개되었다는 점에 주목해야겠지?

– 전광용, 「꺼삐딴 리」 –

*월삼: 미국 시계 회사 '월섬'.

*국어: 일본어를 가리킴.

현대소설 독해의 STEP 2

① 구조도의 빈칸에 적절한 말을 채웠는지 확인해 보세요.

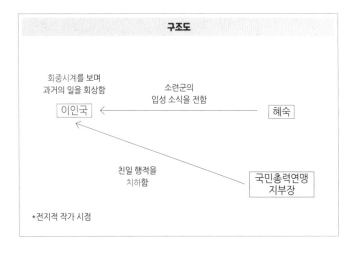

② 1~2번 문제의 정답과 해설을 확인해 보세요.

1. ㉠~㉲에 대한 설명으로 가장 적절한 것은?

정답풀이

① ㉠: 사소한 일도 쉽게 지나치지 않는 빈틈없고 까다로운 인물임을 보여 준다.

'손가락 끝으로 창틀이나 탁자 위를 훑'는 행위나 병원의 단골 고객들이 '그의 정결한 결백성에 감탄과 경의를 표'했다는 것을 통해 이인국 박사가 사소한 일도 쉽게 지나치지 않는 빈틈없고 까다로운 인물임을 알 수 있다.

---

② ㉡: 다른 사람의 이익을 우선시하는 인물의 사려 깊은 자세를 보여 준다.

이인국 박사가 '자기 전문의 외과 외에~개인 병원을 집결시'킨 것은 '종합 병원의 원장'이라는 지위를 차지하기 위함이었을 뿐이며, 이는 다른 사람의 이익을 우선시하는 사려 깊은 행동은 아니다.

③ ㉢: 일이 뜻대로 이루어진 기쁜 마음을 감춘 채 사태를 주시하는 주인공의 침착한 태도를 보여 준다.

'소련군이 들어'온다는 소식을 들은 뒤 변화하는 시류에 맞추어 어떻게 행동할지 고민하는 이인국 박사의 모습이 나타날 뿐, 일이 뜻대로 이루어진 기쁜 마음을 감추는 모습은 나타나지 않는다.

④ ㉣: 시류 변화에 적응하기 어려워 현실을 인정하지 않으려는 의지를 보여 준다.

'국어상용의 가'라고 적힌 종이를 '꼼꼼히 찢'는 행동을 통해 과거 자신이 한 친일의 흔적을 없애고 시류 변화에 적응하려는 이인국 박사의 모습이 나타날 뿐, 시류 변화에 적응하기 어려워 현실을 인정하지 않으려는 의지가 나타나지는 않는다.

⑤ ㉤: 새로운 환경에 적응해야 하는 아이들을 염려하는 아버지의 자상한 모습을 보여 준다.

일제 강점기에 자식들을 '일본 학교에 보낸' 자신의 행동을 '다행으로 여겼던' 모습이 드러나고 있을 뿐, 새로운 환경에 적응해야 하는 아이들을 염려하는 자상한 아버지의 모습은 나타나지 않는다.

2. 문학 개념어 OX 확인 문제

① ✕

• 대화의 빈번한 사용: 인물 간의 대화는 인물의 심리나 성격, 인물 간의 관계를 알려주고 사건을 진행시키는 역할을 함. 대화의 빈번한 사용은 경우에 따라 사건 전개 속도를 지연시키거나 작중 상황의 현장감을 높이기도 함.

② ✕

• 현학적: 학식의 두드러짐을 자랑하는 것. 한자어나 외국어 또는 전문어 등을 불필요하게 사용하는 경우가 이에 해당함.

현대소설 독해의 STEP 1

1 다음 글을 읽고 주요 인물을 잘 파악했는지, 빈칸에 적절한 말을 채웠는지 확인해 보세요.

📅 고3 2014학년도 3월 학평A – 황석영, 「삼포 가는 길」

세 사람은 감천 가는 도중에 있는 마지막 마을로 들어섰다. 마을 어귀의 얼어붙은 개천 위로 물오리들이 종종걸음을 치거나 주위를 선회하고 있었다. 마을의 골목길은 조용했고, 굴뚝에서 매캐한 청솔 연기 냄새가 돌담을 휩싸고 있었는데 나직한 창호지의 들창 안에서는 사람들의 따뜻한 말소리들이 불투명하게 들려왔다. 영달이가 정씨에게 제의했다.

"허기가 져서 속이 떨려요. 감천엔 어차피 밤에 떨어질 텐데, 여기서 뭣 좀 얻어먹구 갑시다."

"여긴 바닥이 작아 주막이나 가게두 없는 거 같군."

"어디 아무 집이나 찾아가서 사정을 해보죠." 영달은 허기가 져 요기라도 하고 가고 싶다며 정씨에게 제의하고 있어.

백화도 두 손을 코트 주머니에 찌르고 간신히 발을 떼면서 말했다.

"온몸이 얼었어요. 밥은 고사하고 뜨뜻한 아랫목에서 발이나 녹이구 갔으면." 백화 역시 온몸이 얼어 쉬었다 가기를 바라고 있어.

정씨가 두 사람을 재촉했다.

"얼른 지나가지. 여기서 지체하면 하룻밤 자게 될 테니, 감천엘 가면 하숙두 있구, 우리를 태울 기차두 있단 말요." 정씨는 지체하지 않고 감천으로 가고 싶어 해.

그들은 이 적막한 산골 마을을 지나갔다. 눈 덮인 들판 위로 물오리 떼가 내려앉았다가는 날아오르곤 했다. 길가에 퇴락한 초가 한 간이 보였다. 지붕의 한쪽은 허물어져 입을 벌렸고 토담도 반쯤 무너졌다. 누군가가 살다가 먼 곳으로 떠나간 폐가임이 분명했다. 영달이가 폐가 안을 기웃해 보며 말했다.

"저기서 신발이라두 말리구 갑시다."

장면끊기 01 영달, 정씨, 백화가 감천에 가는 도중에 있는 마지막 마을을 지나는 모습이 첫 번째 장면으로 제시되어 있어. 허기가 지고 온몸이 추워 오자 영달과 백화는 쉬었다가 가자고 하지만 정씨는 빨리 감천에 가자고 재촉하지. 그러다가 길가에 퇴락한 초가 한 간을 발견하고 잠시 머물기로 해.

백화가 먼저 그 집의 눈 쌓인 마당으로 절뚝이며 들어섰다. 안방과 건넌방의 구들장은 모두 주저앉았으나 봉당은 매끈하고 딴딴한 흙바닥이 그런대로 쉬어가기에 알맞았다. 정씨도 그들을 따라 처마 밑에 가서 엉거주춤 서 있었다. 영달이는 흙벽 틈에 삐죽이 솟은 나무 막대나 문짝, 선반 등속의 땔 만한 것들을 끌어모아다가 봉당 가운데 쌓았다. 불을 지피자 오랫동안 말라 있던 나무라 노란 불꽃으로 타올랐다. 불길과 연기가 차츰 커졌다. 정씨마저도 불가로 다가앉아 젖은 신과 바짓가랑이를 불길 위에 갖다대고 지그시 눈을 감았다. 불이 생기니까 세 사람 모두가 먼 곳에서 지금 막 집에 도착한 느낌이 들었고, 잠이 왔다. 영달, 백화, 정씨는 따뜻한 불가에 앉자 마치 집에 도착한 듯한 느낌을 느끼고 있어. 영달이가 긴 나무를 무릎으로 꺾어 불 위에 얹고, 눈물을 흘려가며 입김을 불어대는 모양을 백화는 이윽히 바라보고 있었다.

㉠"댁에…… 괜찮은 사내야. 나는 아주 치사한 건달인 줄 알았어."

영달에 대한 백화의 인식이 긍정적으로 변했음을 알 수 있어.

"이거 왜 이래. 괜히 나이롱 비행기 태우지 말어."

"아녜요. 볼때는 꼴이 제법 그럴듯해서 그래요."

정씨가 싱글벙글 웃으면서 영달에게 말했다.

"저런 무딘 사람 같으니, 이 아가씨가 자네한테 반했다…… 그 말이야."

장면끊기 02 첫 번째 장면에서 세 사람이 발견한 초가 안으로 들어와 불을 피우고 몸을 녹이는 장면이 두 번째 장면으로 제시되었어. 이렇게 공간이 바뀌면 장면끊기를 해 두는 게 좋아. 중략 이후에는 세 사람이 감천에 도착한 장면으로 이어지니 여기서 한 번 끊어가자.

(중략)

그들은 일곱시쯤에 감천 읍내에 도착했다. 마침 장이 섰었는지 파장된 뒤인데도 읍내 중앙은 흥청대고 있었다. 전 부치는 냄새, 고기 굽는 냄새, 곰국 냄새가 풍겨 왔다. 영달이는 이제 백화를 옆에서 부축하고 있었다. 영달의 행동에서 백화에 대한 배려심이 느껴져. 발을 디딜 때마다 여자가 얼굴을 찡그렸다. 정씨가 백화에게 물었다.

"어느 방향이오?"

"전라선이에요."

"나는 호남선 쪽인데. 여비는 있소?"

"군용차를 사정해서 타구 가면 돼요."

그들은 장터 모퉁이에서 아직도 따뜻한 온기가 남아 있는 팥시루 떡을 사먹었다. 백화가 자기 몫에서 절반을 떼어 영달이에게 내밀었다.

"더 드세요. 날 업구 왔으니 기운이 배나 들었을 텐데." 백화는 영달에게 고마움을 표시하고 있어.

역으로 가면서 백화가 말했다.

"어차피 갈 곳이 정해지지 않았다면 우리 고향에 함께 가요. 내 일자리를 주선해 드릴게."

"내야 삼포루 가는 길이지만, 그렇게 하지?"

정씨도 영달이에게 권유했다. 영달이는 흙이 덕지덕지 달라붙은 신발 끝을 내려다보며 아무 말이 없었다. 백화의 제안에 대한 영달의 망설임이 드러나네. 대합실에서 정씨가 영달이를 한쪽으로 끌고 가서 속삭였다.

"여비 있소?"

"빠듯이 됩니다. 비상금이 한 천원쯤 있으니까."

"어디루 가려우?"

㉡"일자리 있는 데면 어디든지……"

스피커에서 안내하는 소리가 웅얼대고 있었다. 정씨는 대합실 나무의자에 피곤하게 기대어 앉은 백화 쪽을 힐끗 보고 나서 말했다.

"같이 가시지. 내 보기엔 좋은 여자 같군."

"그런 거 같아요."

"또 알우? 인연이 닿아서 말뚝 박구 살게 될지. 이런 때 아주 뜨내기 신셀 청산해야지."

영달이는 시무룩해져서 역사 밖을 멍하니 내다보았다. 백화는 뭔가 쑤군대고 있는 두 사내를 불안한 듯이 지켜보고 있었다. 영달이가 말했다.

"어디 능력이 있어야죠."

㉢"삼포엘 같이 가실라우?"

"어쨌든……"

영달이가 뒷주머니에서 꼬깃꼬깃한 오백 원짜리 두 장을 꺼냈다.

"저 여잘 보냅시다." **영달**은 고민 끝에 함께 가자는 **백화의 권유를 거절하고**
백화를 떠나보내려 하고 있네.

ⓔ영달이는 표를 사고 삼립빵 두 개와 찐 달걀을 샀다. 백화에게
그는 말했다.

"우린 뒤차를 탈 텐데…… 잘 가슈."

영달이가 내민 것들을 받아 쥔 백화의 눈이 붉게 충혈되었다.

백화는 자신을 배려해준 것에 대한 고마움과 헤어져야 한다는 것에 대한 아쉬움을 느낀 거야.

그 여자는 더듬거리며 물었다.

"아무도…… 안 가나요?"

"우린 삼포루 갑니다. 거긴 내 고향이오."

영달이 대신 정씨가 말했다. 사람들이 개찰구로 나가고 있었다.
백화가 보통이를 들고 일어섰다.

"정말, 잊어버리지…… 않을게요."

백화는 개찰구로 가다가 다시 돌아왔다. 돌아온 백화는 눈이 젖은
채로 웃고 있었다. **두 사람(영달, 정씨)과 이별해야 하는 상황에서 느끼는 백화의**
안타까움이 눈이 젖은 채로 웃고 있는 모습을 통해 드러나고 있어.

ⓜ"내 이름 백화가 아니에요. 본명은요…… 이점례예요."

여자는 개찰구로 뛰어나갔다. 잠시 후에 기차가 떠났다.

장면끊기 03 마지막으로 **감천 읍내에 도착하여 역에서 백화를 먼저 떠나보내며 헤어지는**
장면이 제시되었어. 중략 이후에 '그들은 일곱시쯤에 감천 읍내에 도했다.'라고 시작하고
있는데, 여기에서 시간과 공간이 바뀐 것을 한눈에 확인할 수 있었을 거야. 장면끊기의
기본은 시·공간의 변화를 파악하는 거야.

– 황석영, 「삼포 가는 길」 –

현대소설 독해의 STEP 2

1 구조도의 빈칸에 적절한 말을 채웠는지 확인해 보세요.

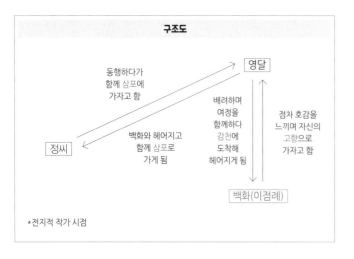

구조도

동행하다가
함께 삼포에
가자고 함

영달

배려하며
여정을
함께하다가
감천에
도착해
헤어지게 됨

점차 호감을
느끼며 자신의
고향으로
가자고 함

정씨

백화와 헤어지고
함께 삼포로
가게 됨

백화(이점례)

＊전지적 작가 시점

---

2 1~2번 문제의 정답과 해설을 확인해 보세요.

1. ㉠~㉤에 대한 이해로 적절하지 **않은** 것은?

정답풀이 ▶

② ㉡: 영달은 일자리를 찾을 수 있다는 희망에 부풀어 있음을 알 수 있다.

> ㉡은 영달이 목적지가 정해져 있지 않은 떠돌이 신세임을 알려 줄 뿐, 이를
> 통해 영달이 일자리를 찾을 수 있다는 희망에 부풀어 있다고 볼 수는 없다.

오답풀이 ▶

① ㉠: 백화가 영달에게 호감을 갖게 되었음을 알 수 있다.

> ㉠은 불을 지피는 영달의 모습을 보고 그에 대한 백화의 인식이 '치사한
> 건달'에서 '괜찮은 사내'로, 즉 긍정적인 방향으로 바뀌었음을 표현한 것이다.
> 이를 통해 백화가 영달에게 호감을 갖게 되었음을 알 수 있다.

③ ㉢: 정씨는 영달의 처지를 고려하여 함께 갈 것을 제안하고 있음을 알 수 있다.

> 백화는 영달에게 자신과 함께 가자고 제안하지만 영달은 '능력'이 부족하다며
> 백화의 제안을 포기하려 한다. ㉢은 정씨가 이러한 영달의 처지를 고려하여
> 자신과 함께 갈 것을 제안한 것이라 할 수 있다.

④ ㉣: 백화에 대한 영달의 따뜻한 마음을 알 수 있다.

> 영달은 자신의 여비가 빠듯함에도 '꼬깃꼬깃한 오백 원짜리 두 장을 꺼'내
> ㉣과 같이 행동한 것에서 백화를 생각하는 영달의 따뜻한 마음을 엿볼 수
> 있다.

⑤ ㉤: 정씨와 영달에 대한 신뢰와 고마움의 표현으로 볼 수 있다.

> ㉤은 백화에게 따뜻하게 대해 준 정씨와 영달에게 백화가 자신의 '본명'을
> 알려 준 것이다. 이는 백화가 정씨와 영달에 대한 신뢰와 고마움을 표현한
> 것이라 할 수 있다.

2. 문학 개념어 OX 확인 문제

> ① ○
>
> **근거** '영달이는 흙이 덕지덕지 달라붙은 신발 끝을 내려다보며 아무 말이 없었다.',
> '영달이가 내민 것들을 받아 쥔 백화의 눈이 붉게 충혈되었다.' 등
>
> ② ✕
>
> **근거** 영달, 정씨, 백화는 고향을 잃고 떠도는 인물들로, 이들의 동행 과정과 헤어
> 지는 장면이 제시될 뿐 유사한 사건이 반복적으로 등장하지는 않음.

하루 30분, 현대소설 트레이닝

현대소설 독해의 STEP 1

① 다음 글을 읽고 주요 인물을 잘 파악했는지, 빈칸에 적절한 말을 채웠는지 확인해 보세요.

📅 고3 2007학년도 9월 모평 – 이태준, 「복덕방」

주머니에는 단돈 십 전, 그도 안경다리를 고친다고 벌써 세 번째가 네 번째 딸에게서 사오십 전씩 얻어 가지고는 번번이 담뱃값으로 다 내어 보내고 말던 최후의 십 전, 안 초시는 주머니에 손을 넣어 그것을 집어내었다. 딸에게 **안경다리**를 고친다는 핑계로 몇 번씩 돈을 받아서 쓰는 것으로 보아, 안 초시는 딸에게 경제적으로 의지하고 있는 인물임을 추론할 수 있어. 백통화 한 푼을 얹은 야위 손바닥, 가만히 떨리었다. 서 참위(徐參尉)의 투박한 손을 생각하면 너무나 얇고 잘망스러운 손이거니 하였다. 그러나, 이따금 술잔은 얻어먹고, 이렇게 내 방처럼 그의 복덕방에서 잠까지 빌려 자건만 한 번도, 집 거간이나 해먹는 서 참위의 생활이 부럽지는 않았다. 안 초시는 서 참위에게 술도 얻어먹고, 그의 복덕방에서 잠까지 빌려 자는 처지지만 그에게 **부러움**을 느끼지는 않는다고 해. 그래도 언제든지 한번쯤은 무슨 수가 생기어 다시 한번 내 집을 쓰게 되고, 내 밥을 먹게 되고, 내 힘과 내 낯으로 다시 한번 세상에 부딪쳐 보려니 믿어졌다. 안 초시는 언젠가 돈을 벌어 자신의 힘으로 **세상**과 맞서 보려는 욕망을 가지고 있는 인물이야.

초시는 전에 어떤 관상장이의 "엄지손가락을 안으로 넣고 주먹을 쥐어야 재물이 나가지 않는다."는 말이 생각났다. 늘 그렇게 쥐노라고는 했지만 문득 생각이 나 내려다볼 때는, 으레 엄지손가락이 얄밉도록 밖으로만 쥐어져 있었다. 그래 **드팀전**을 하다가도 실패를 하였고, 그래집까지 잡혀서 장전*을 내었다가도 그만 화재를 보았거니 하는 것이다.

"이놈의 엄지손가락아, 안으로 좀 들어가아, 젠—장."

하고 연습 삼아 엄지손가락을 먼저 안으로 넣고 아프도록 두 주먹을 꽉 쥐어 보았다. 그리고 당장 내어 보낼 돈이면서도 그 십 전짜리를 그렇게 쥔 주먹에 단단히 넣고 담배 가게로 나갔다. 안 초시는 몇 번이나 사업의 **실패**를 겪었나 봐. 자신의 뜻대로 되지 않는 상황에 대한 답답함이 안 초시의 말과 **엄지손가락**을 안으로 넣어 주먹을 쥐는 행동으로 나타나네.

장면끊기 01 딸에게 경제적으로 의지하고, 서 참위에게 신세를 지면서도 언젠가 자신의 힘으로 돈을 벌어 남부럽지 않게 살아보고 싶어 하는 안 초시의 욕망과 그러한 욕망이 좌절되어 온 상황을 제시하는 장면이야. 이어서 복덕방에 모인 **세 늙은이**에 대해 서술하는 장면이 제시되니 여기에서 장면을 한 번 끊자.

이 복덕방에는 흔히 세 늙은이가 모였다.

언제 누가 와 집 보러 가잘지 몰라, 늘 갓을 쓰고 앉아서 행길을 잘 내다보는, 얼굴 붉고 눈방울 큰 노인이 주인 서 참위다. 안 초시에 이어, **복덕방** 주인인 서 참위에 대해 이야기하려 하는군. **참위**로 다니다가 합병 후에는 다섯 해를 놀면서 시기를 엿보았으나 별 수가 없을 것 같아서 이럭저럭 심심파적으로 갖게 된 것이 이 가옥 중개업이었다. 처음에는 겨우 굶지 않을 만한 수입이었으나 **대정 팔구 년** 이후로는 시골 부자들이 세금에 몰려, 혹은 자녀들의 교육을 위해 서울로만 몰려들고, 그런데다 돈은 흔해져서 관철동 다옥정(茶屋町) 같은 중앙 지대에는 그리 고옥만 아니면 만 원대를 예사로 훌훌 넘었다. 그 판에 봄가을로 어떤 달에는 삼사백 원 수입이 있어, 그러기를

몇 해를 지나 가회동에 수십 칸 집을 세웠고 또 몇 해 지나지 않아서는 창동 근처에 땅을 장만하기 시작하였다. 지금은 중개업자도 많이 늘었고 건양사 같은 큰 건축 회사가 생겨서 당자끼리 직접 팔고 사는 것이 원칙처럼 되어가기 때문에 중개료의 수입은 전보다 훨씬 준 셈이다. 그러나 이십여 칸 집에 학생을 치고 싶은 대로 치기 때문에 서 참위의 수입이 없는 달이라고 쌀값이 밀리거나 나무 값에 졸릴 형편은 아니다. 합병 후 **가옥 중개업**을 시작해, 호기에 번 돈으로 집과 땅을 장만해서 굶주리지 않을 경제력을 갖추게 된 인물인 **서 참위**의 내력을 압축적으로 제시하고 있네.

"세상은 먹구 살게는 마련이야……."

서 참위가 흔히 하는 말이다. 칼을 차고 훈련원에 나서 병법을 익힐 때는 한번 호령만 하고 보면 산천이라도 물러설 것 같던 그 기개와 오늘의 자기, 한낱 가쾌(家僧)*로 복덕방 영감으로 기생 작부 따위가 사글세 방 한 칸을 얻어 달래도 네네 하고 따라 나서야 하는 만인의 심부름꾼인 것을 생각하면 서글픈 눈물이 아니 날 수도 없는 것이다. 서 참위는 기개와 패기를 갖추고 있던 과거와 달리, 만인의 **심부름꾼**이 된 현재 자신의 모습을 돌아보며 서글픔을 느끼고 있네. 워낙 술을 즐기기도 하지만 어떤 때는 남몰래 이런 감회를 이기지 못해서 술집에 들어선 적도 여러 번이다.

장면끊기 02 복덕방을 운영하는 **서 참위**가 어떤 인물인지 설명하는 장면이야. 당당하게 호령하는 장교였다가 설 자리를 잃고 부동산 중개업을 시작한 서 참위는, 경제적 문제는 없지만 손님에게 공손히 따르며 적당히 먹고 사는 처지에 서글픔을 느끼고 있어. 중략 이전이니 장면을 한 번 끊어 읽으면 되겠지?

(중략)

박희완 영감이란 세 영감 중의 하나로 안 초시처럼 이 복덕방에 와 자기까지는 안 하나 꽤 쏠쏠히 놀러 오는 늙은이다. 안 초시, 서 참위에 이어 **박희완 영감**에 대해 서술하는군. 복덕방에 모이는 세 늙은이가 각각에 대한 설명이 제시되는 방식으로 내용이 전개되네. 아니, 놀러 오기만 하는 것이 아니라 와서는 공부도 한다. 재판소에 다니는 조카가 있어 대서업(代書業) 운동을 한다고 「속수국어독본(速修國語讀本)」을 노상 끼고 와 그 「삼국지」 읽던 투로,

"긴—상 도코—에 유키이마스카.(김 선생, 어디 가십니까.)"

어쩌고를 외고 있는 것이다. 박희완 영감은 **대서업**(남을 대신하여 관청 행정이나 법률 행위에 필요한 서류를 작성해 주고 보수를 받는 직업)을 하고 싶어서 서 참위의 복덕방에 와서 공부를 하는구나.

그러나 「속수국어독본」 뚜껑이 손때에 절고, 또 어떤 때는 목침 위에 받쳐 베고 낮잠도 자서 머리때까지 새까맣게 절어 조선총독부 편찬(朝鮮總督府編纂)이란 잔 글자들은 보이지 않게 되도록, 대서업 허가는 의연히 나오지 않는 모양이었다. 박희완 영감은 필사적으로 공부하지만, 노력과 달리 **대서업 허가**는 잘 나오지 않아.

"너나 내나 다 산 것들이 업은 가져 뭘 하니. 무슨 세월에……. 흥!"

하고 어떤 때, 안 초시는 한나절이나 화투패를 떼다 안 떨어지면 그 화풀이로 박희완 영감이 들고 중얼거리는 「속수국어독본」을 툭 채어 행길로 팽개치며 그랬다.

"넌 또 무슨 재술 바라고 밤낮 화투패나 떨어지길 바라니?"

"난 심심풀이지."

그러나 속으로는 박희완 영감보다 더 세상에 대한 야심이 끓었다.

안 초시는 박희완 영감에게 핀잔을 주며 늙은 나이에 노력해서 직업을 가지려 해 봤자 소용없다고 하지. 하지만 그건 말뿐이고, 속으로는 성공하고야 말겠다는 **야심**을 불태우고 있는 상황이야. 딸이 평양으로 대구로 다니며 지방 순회까지 하여서 제법 돈냥이나 걷힌 것 같으나 연구소를 내느라고 집을 뜯어 고친다, **유성기**를 사들인다, 교제를 하러 돌아다닌다 하느라고, 더구나 귀찮게만 아는 이 애비를 위해 쓸 돈은 예산에부터 들지 못하는 모양이었다. 안 초시의 **딸**은 여러 지역을 다니며 돈을 벌고 있지만, 안 초시의 야심에 돈을 투자하고 싶어 하지는 않는 모양이야.

　장면끊기 03　복덕방의 세 노인 중 마지막 한 명인 **박희완 영감**에 대해 설명하면서, 안 초시의 욕망을 다시 한 번 강조하는 장면이야. 박희완 영감은 책이 다 헐도록 열심히 공부하지만, 대서업으로 일하고 싶다는 욕구는 성취되지 못하지. 그런 박희완 영감에게 **안 초시**는 나이를 이유로 들어 핀잔을 주지만, 사실은 누구보다도 성공하고 싶어 하는 야심을 가지고 있어.

－ 이태준, 「복덕방」 －

*장전: 장롱과 찬장을 파는 가게.
*가쾌: 부동산 중개인.

현대소설 독해의 STEP 2

1 구조도의 빈칸에 적절한 말을 채웠는지 확인해 보세요.

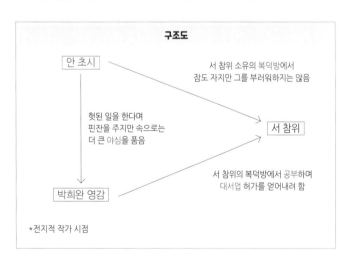

---

2 1~2번 문제의 정답과 해설을 확인해 보세요.

1. 〈보기〉와 같이 자료 조사를 하였다. 이를 바탕으로 윗글을 이해한 내용으로 적절하지 않은 것은?

〈보기〉

㉮ 드팀전: 베, 비단, 무명 같은 온갖 천을 팔던 가게. 인조 직물과 신식 상점의 등장으로 점차 퇴조함.
㉯ 참위: 대한제국기(1897~1910)의 장교 계급.
㉰ 대정 팔구 년: 1919~20년. 대정(大正)은 일본 국왕의 연호.
㉱ 속수국어독본: 총독부가 일본어 보급을 위해 펴낸 책자. 제목의 '국어'는 '일본어'를 뜻함. 당시 우리말은 '조선어'로 불렸음.
㉲ 유성기: 축음기. 전축. 당시 유성기는 신문화와 부(富)의 상징.

정답풀이
⑤ ㉲를 통해 '딸'은 가난한 '안 초시'와는 달리 부자임을 알 수 있어. 딸이 부자가 될 수 있었던 것은 결국 '안 초시'의 희생 덕분이었겠군.

㉲에 따르면 '유성기'는 '신문화와 부의 상징'이라고 하였다. 이렇듯 부의 상징인 '유성기'를 사들이고 집을 고치는 것을 통해 딸은 안 초시와 달리 부자임을 알 수 있다. 그러나 딸이 이처럼 부자가 된 것이 안 초시의 희생 덕분인지는 윗글에서 확인할 수 없다.

오답풀이
① ㉮를 보니 '드팀전'은 근대화에 따라 위축될 수밖에 없었을 거야. 그런데도 '안 초시'는 실패를 자기 운수 탓으로만 돌리고 있군.

㉮에 따르면 '드팀전'은 '인조 직물과 신식 상점의 등장으로 점차 퇴조'하였으므로, 안 초시가 '드팀전을 하다가도 실패를 하게 된 것은 근대화에 따른 결과라고 추론할 수 있다. 그런데 이러한 상황에 대해 안 초시는 관상장이가 한 말을 바탕으로 '엄지손가락이 알밉도록 밖으로만 쥐어져 있'는 주먹, 즉 재물이 빠져나가는 자신의 운수를 탓하고 있다.

② ㉯를 보니 '서 참위'의 전력을 확실히 알 수 있어. 이 점이 그의 처지와 심경을 이해하는 데 도움을 주는군.

㉯에 따르면 '참위'는 '대한제국기의 장교 계급'으로, '한번 호령만 하고 보면 산천이라도 물러설 것 같던' 기개가 있던 서 참위의 과거는, '만인의 심부름꾼'이 되어버린 현재의 상황과 대비되어 '서글픈 눈물'을 흘리는 서 참위의 처지와 심경을 이해할 수 있도록 도움을 준다.

③ ㉣를 통해 구체적인 연도와 상황을 알 수 있어. 1920년대에도 서울 집중 현상이 나타나고 부동산 값이 크게 올랐다는 것이 흥미롭군.

> ㉣에 따르면 '대정 팔구 년'은 '1919~20년'으로 일제 강점기에 해당한다. 윗글에서는 이때에 '시골 부자들'이 '서울로만 몰려'드는 서울 집중 현상이 나타나면서 '중앙 지대에는 그리 고옥만 아니면 만 원대를 예사로 훌훌 넘'는, 즉 부동산 값이 크게 오르는 상황이 제시되고 있다.

④ ㉤의 맥락을 몰랐다면 '국어'가 우리말인 줄 알았을 거야. 대서방을 차리기 위해 일본어를 익히고 있는 '박희완 영감'의 고충을 헤아릴 수 있어.

> ㉤에 따르면 '속수국어독본'에서 '제목의 국어'는 '일본어'를 뜻'하는데, 이러한 맥락을 모르고 '국어'가 우리말을 가리킨다고 생각했다면 '긴―상 도코―에 유키이마스카.'라고 외우며 일본어를 익히고 있는 박희완 영감의 고충을 헤아리기 어려웠을 것이다.

2. 문학 개념어 OX 확인 문제

> ① ○
>
> • 인물의 성격: 인물이 가지고 있는 근본적인 특성과 관련된 것으로, 인물이 특정 사건이나 대상에 대해 보이는 일시적인 태도와는 구분하여 파악해야 함. 사건의 진행에 따라 인물의 태도는 변화할 수 있지만, 인물이 가지고 있는 고유한 성격은 잘 변화하지 않음.
>
> 근거 안 초시, 서 참위, 박희완 영감의 성격이 서술자의 서술과 인물의 행동·대화를 통해 직·간접적으로 드러나고 있음.
>
> ② ○
>
> • 요약적 서술(요약적 제시): 사건 전개 과정에서 대화나 행동을 보여 주거나 장면을 풀어서 묘사하지 않고 간략하게 요약하여 서술하는 것.
>
> 근거 '참위로 다니다가 합병 후에는 다섯 해를 놀면서 시기를 엿보았으나~그러기를 몇 해를 지나 가회동에 수십 칸 집을 세웠고 또 몇 해 지나지 않아서는 창동 근처에 땅을 장만하기 시작하였다.' 등

하루 30분
선 지 판 단 력
강 화 프 로 그 램

현대소설 트레이닝

2

주차

현대소설 독해의 STEP 1

1 다음 글을 읽고 주요 인물을 잘 파악했는지, 빈칸에 적절한 말을 채웠는지 확인해 보세요.

📅 고3 2018학년도 수능 – 이문구, 「관촌수필」

조무래기들은 도깨비불만 보면 네 그르니 내 옳으니 하며 짜그락거리기 일쑤였고, 그러면 나이 좀 있는 사람이 얼른 쉬쉬하면서, 도깨비가 듣겠다고 나무라 주게 마련이었던 것이다. 마을의 **조무래기들**(어린아이들)은 도깨비불만 보면 서로 옳다고 짜그락거리고, 나이 좀 있는 사람은 **도깨비**가 듣는다며 쉬쉬했다. 도깨비불에 대한 아이들과 어른들의 반응이 대조적이지? 도깨비가 들으면 무엇이 어떻다고 불똥 끄듯 서두르며 말리려 들었을까. 그것은 아무도 가르쳐 주지 않았다. 알면서도 짐짓 모르는 시늉을 해 보이려 했지만, 그네들도 어려서부터 가르쳐 준 이가 없어 이렇다 하게 내놓지 못하는 눈치가 역연하던 것이다. 나이 좀 있는 사람들은 잘은 모르지만 도깨비 얘기를 금기시하며 조무래기들을 말렸어. 그것은 바지랑대에 등을 매달고 멍석에 둘러앉아 삼을 삼거나 태모시를 톺던* 늘그막의 아낙네들도 마찬가지로 가늠을 못 해, 도깨비불에 손가락질하면 도깨비가 쫓아온다는 것밖에 다른 말은 할 줄 모르고 있었다. 늘그막의 **아낙네들**도 도깨비불에 함부로 손가락질을 못하도록 막연하게 말리기만 했지. 그네들은 낮춘말로, 도깨비들이 벌거벗고 산다더라고 귀띔해 주었으며, 그것은 그것들이 여름내 왕대뫼 자드락이나 갯가에 나와 불놀이를 하다가도, ㉠기러기 그림자에 논두렁 콩노굿*이 지고 오려논에 자마구*가 일며부터는 아무도 모르게 간곳없이 사라지던 것을 보아 믿을 만한 말이라고 우길 따름이었다.

된내기* 빛에 두엄이 허옇게 쇤 위로 난초 치던 붓끝 같은 마늘싹이 솟고, 보리밭 머리에 장끼가 내리기 시작하여 이듬해 구렁찰 논배미에서 뜸— 뜸— 뜸부기 짝 찾는 소리로 개구리 논두렁 넘기 바쁘던 여름까지는 도깨비들이 감뭇하기도* 했었다. 그러나 아직 학령기에도 이르지 않았던 나는 정말 알지 못했다. 차지던 바람이 메져지고 개펄에 성에 엉기듯 허옇게 소금기가 끼는 철이 되면, 음습한 바람이 맴돌아야 난동하던 인화(燐火)가 전혀 일지 않던 것을.

어른들이 눈을 꿈적이며 먹탕곳 개펄께를 그만 보라고 타이른 밤이면 ㉡담 밑에 반딧불만 자주 날아도, 촛불 붙이려 혼자 사당(祠堂) 문을 열 때처럼 뒷덜미가 선뜩하고 떨떠름하여 담 밑에도 가지 못할 만큼이나 그 도깨비불은 여간 두려운 존재가 아니었다. 학교도 다니지 않았던 어린 '나'는 도깨비불에 대해 잘 알지 못한 상태였어. 다만 '나'는 어른들의 말을 듣고 도깨비불을 **두려워**하게 되었지. 그러므로 그런 날은 아무리 무더워도 모기가 떠메어간다는 핑계로 마실 마당에서 일찍 물러나곤 하였다.

장면끊기 01 어른들은 어린 '나'에게 도깨비불의 막연한 금기를 가르치고, '나'는 **도깨비불**을 두려워해. 중략 이전까지는 도깨비불을 두려워했던 **어린** '나'의 이야기가 서술되어 있지? 중략 이후의 장면에서 **시간**이 흘러 성장한 '나'가 등장할지, 아니면 어린 '나'에게 새로운 사건이 전개될지 이어지는 내용을 읽어보며 중략 이전에 장면을 끊은 이유를 찾아 보자!

(중략)

복산이가 자리를 만들 동안 나는 변소를 찾아 나섰다. 농가라면 흔히 그렇듯 그곳은 저만치 밭마당 구석에 따로 나와 있었다. ㉢나는 마당을 가로질러 가면서 무심결에 개펄 쪽을 둘러보다가 소스라쳐 놀라며 그 자리에 굳어 버리고 말았다.

아— 나는 참으로 오랜만에 가슴이 벅차오르는 것을 느꼈다. 도깨비불—— 그렇다. 왕대뫼 밑 먹탕곳 개펄에 푸른빛을 내뿜는 도깨비불이 즐비하게 늘어서 있던 것이다. '나'는 **개펄** 쪽에서 푸른빛의 도깨비불을 발견하고 소스라치게 놀라며 **가슴**이 벅차올랐네.

하나 둘 서이 너이…… 나는 어느새 도깨비불들을 손가락으로 헤아려 나가고 있었다. 변치 않은 것이 한 가지 더 있다는 반가움, 반가움과 즐거움에 들떠 그것들을 차곡차곡 빠뜨리지 않고 세어 나갔다. '나'는 도깨비불을 보고 **반가움**과 즐거움에 들떠 하나씩 수를 세어 나갔어.

"마흔다섯……."

하고 중얼거리며 나는 손가락을 떨었다. ㉣내일 새벽엔 안개도 볼 수 있으리라고 믿어, 가슴의 설렘에 손가락마저 떨린 거였다. 모를 일이었다. 옛날로 돌아가 혹시 길 잃은 여우가 울부짖게 되는지도.

"게서 뭣 허나?"

복산이가 같은 용무로 나오면서 허팅지거리를 했다.

"아, 도깨비불…… 생전 못 볼 줄 알았다가 보니 좋은데. 멋있는걸."

나는 건너편을 손가락질하면서 들뜬 소리로 말했다.

"무엇이?"

"저 도깨비불……."

"무엇 불?"

"옛날에 보던 도깨비불, 그거 아녀?"

"무슨 불? 허어 참, 그러게 장가를 가라구."

"……"

"도깨비불 좋아허네…… 저게? 술고래라서 안주두 고루 먹어 헛소리는 안 헐 중 알았더니……."

"그럼 모르겠는데……."

"뭘 몰러? 저건 서울서 온 낚시꾼들의 간드레 불이여. 명색 문화인이라면서 밤낚시 한 번두 못 해 봤구먼."

나는 무엇에 받혀 하늘 높이 떠올랐다가 거꾸로 떨어진 기분이었다. 오랜 꿈결에서 순간적으로 깨어난 것처럼 허망하고 민망했다. '옛날로 돌아가', '옛날'에 보던 도깨비불'이라는 표현을 통해 중략 이후의 '나'는 시간이 흘러 어른이 된 상태라고 짐작해볼 수 있겠지? '나'는 개펄의 **푸른빛**이 도깨비불이 아니라 낚시꾼들의 **간드레불**임을 깨닫고 충격과 허망함을 느껴.

"이리 죽 늘어앉은 디는 물길이구, 저쪽 저리 둘러앉은 디가 유수지여. 갯물이 들어오면 수문을 막았다가 쓸물 때 열어 물을 빼는디 민물고기 갯물 고기가 섞이구 해서 씨알두 게가 굵구, 물길에서는 잔챙이래두 붕어만 문다네. 남포, 청라 담에는 여기를 친다는 겨."

그제서야 나는 늘어앉은 불빛들이 제자리에 죽어 있음을 비로소 깨달았다. '나'는 도깨비불과 달리 제자리에 죽어 있는 간드레 불을 보고 그것을 살아 있는 도깨비불로 **착각**했음을 알게 되지. ㉤무등 타기와 숨바꼭질을 하던 살아 있는 불이 아니란 것만 진작 알았어도 마흔다섯까지 수효를 헤아리지는 않았을 터였다. 나는 무슨 재산붙이를 어둠 속에 잃고 찾지 못한 투로 무거워진 가슴을 안고 복산이 따라 방으로 들어갔다. 도깨비불이 아니었다는 사실에 '나'는 **무거워진 가슴**을 안고 방으로 들어갔어.

장면끊기 02 어른이 되어 도깨비불과 재회하고 반가워하던 '나'는 복산이와의 대화를

Top left section (continued text):

Footer: "정답 및 해설 041"

통해 불빛이 도깨비불이 아니었음을 알고 허망해하네. 중략을 기준으로 '시간의 **변화**'에 따라 장면을 묶은 거야. 즉, 이 글은 시간의 변화에 따라 '나'가 어른이 되어 '도깨비불'에 대한 인식이 변화되었음을 보여 주고 있어. 이처럼 장면이 변화하면 그에 따라 인물의 인식과 태도에도 변화가 생길 가능성이 높아.

– 이문구, 「관촌수필」 –

*둪던: 끝을 가늘고 부드럽게 하려고 톱으로 훑던.
*콩노굿: 콩의 꽃.
*자마구: 곡식의 꽃가루.
*된내기: 된서리.
*감뭇하기도: 보이던 것이 전연 보이지 않아 찾을 곳이 감감하기도.

현대소설 독해의 STEP 2

1 구조도의 빈칸에 적절한 말을 채웠는지 확인해 보세요.

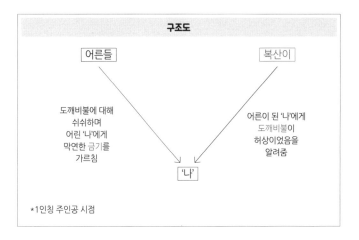

구조도

어른들		복산이
도깨비불에 대해 쉬쉬하며 어린 '나'에게 막연한 금기를 가르침		어른이 된 '나'에게 도깨비불이 허상이었음을 알려줌

'나'

*1인칭 주인공 시점

---

2 1~2번 문제의 정답과 해설을 확인해 보세요.

1. ㉠~㉤에 대한 이해로 적절하지 않은 것은?

정답풀이

② ㉡에는 착각으로 인해 연상된 상황을 궁금해 하는 '나'의 호기심이 나타난다.

> ㉡에서 '나'는 '담 밑에 반딧불'을 보고 도깨비불이 아닌가 착각하여 '뒷덜미가 선뜩하고 떨떠름'한 기분을 느끼며, 도깨비불이 '여간 두려운 존재가 아니었다'고 말한다. 또한 '나'가 도깨비불에 대해 두려움을 느끼고 '마실 마당에서 일찍 물러나곤' 하는 것으로 보아, '나'가 착각으로 인해 연상된 상황에 대해 호기심을 느꼈다고 보기는 어렵다.

오답풀이

① ㉠에는 어른들의 말을 온전하게 받아들이지는 않는 '나'의 미심쩍음이 드러난다.

> ㉠에서 '나'는 '도깨비불'에 대해 어른들이 한 말과 관련하여 '믿을 만한 말이라고 우길 따름'이라고 하였다. 이를 통해 '나'는 어른들의 말을 온전하게 받아들이지 않고 미심쩍어 한다고 볼 수 있다.

③ ㉢에는 우연히 발견한 대상에 대한 '나'의 반가움이 담겨 있다.

> ㉢에서 '나'는 '무심결에 개펄 쪽'에서 보고 불빛을 발견하고 그것이 도깨비불일 것이라고 생각한다. 이로 인해 '나'는 '오랜만에 가슴이 벅차오르는 것'을 느끼며 '변치 않은 것이 한 가지 더 있다는 반가움'을 느끼고 있다.

④ ㉣에는 예측하는 상황이 일어날 것이라는 짐작에서 비롯된 '나'의 기대감이 나타난다.

> 자신이 본 불빛이 도깨비불일 것이라고 확신한 '나'는 ㉣에서 '내일 새벽엔 안개도 볼 수 있으리라고 믿'으며 '설렘'을 느낀다. 즉 '나'는 자신이 예측하는 상황이 일어날 것이라고 짐작하며 기대감을 드러내고 있다.

⑤ ㉤에는 대상의 실체를 확인하기 전에 했던 자신의 행동에 대한 '나'의 허무감이 드러난다.

> ㉤에서 '나'는 자신이 본 불빛이 도깨비불이 아니라 낚시꾼들의 간드레 불이었다는 사실을 깨닫게 된 후, 도깨비불로 착각했던 그 불을 '손가락으로 헤아려 나가'던 자신의 행동에 대해 허무감을 느끼고 있다.

2. 문학 개념어 OX 확인 문제

① ○

- **인식의 변화**: 어떤 계기를 통해 몰랐던 것을 새롭게 알게 되거나, 잊고 있었던 것을 다시 상기하는 것.

  근거 과거와 현재를 매개하는 '도깨비불'과 관련된 경험을 제시하여 '나'의 인식의 변화(두려움→반가움, 즐거움)를 드러냄.

② ✕

- **시간의 역전**: 현재와 과거가 뒤바뀜.

[참고] 역전적 시간 구성: 작품 안에서 사건이 시간의 흐름에 따라 진행되지 않고 시간이 과거로 거슬러 올라가 사건이 진행되는 구성 방법.

현대소설 독해의 **STEP 3**

■ 1번 문제의 선지 판단 공식에 대한 답을 확인해 보세요.

선지 판단의 공식

① 작품
어른들은 '도깨비불에 손가락질하면 도깨비가 쫓아온다는 것밖에 다른 말은 할 줄' 몰랐음, 그저 '도깨비불'에 대해서는 '믿을 만한 말이라고 우길 따름이었다.'라고 '나'는 생각함

선지➡ ㉠에는 어른들의 말을 온전하게 받아들이지는 않는 '나'의 미심쩍음이 드러난다. ○

② 작품
'나'는 '담 밑에 반딧불만' 봐도 도깨비불로 착각하여 '뒷덜미가 선뜩하고' 기분이 '떨떠름하여 담 밑에도 가지' 못함, 도깨비불에 대한 두려움을 느낀 '나'는 '마실 마당'에서 일찍 물러나곤' 하였음

선지➡ ㉡에는 착각으로 인해 연상된 상황을 궁금해 하는 '나'의 호기심이 나타난다. ✕

③ 작품
'나'는 '무심결에 개펄 쪽을 둘러보다가' '푸른빛'을 보고 도깨비불이라고 생각하며, 고향에 '변치 않은 것이 한 가지 더 있다는 반가움'을 느낌

선지➡ ㉢에는 우연히 발견한 대상에 대한 '나'의 반가움이 담겨 있다. ○

④ 작품
'나'는 도깨비불을 보았다고 확신하며 반가움에 숫자를 세어본 뒤, '내일 새벽엔 안개도 볼 수 있으리라고 믿'으며 '가슴의 설렘'을 느낌

선지➡ ㉣에는 예측하는 상황이 일어날 것이라는 짐작에서 비롯된 '나'의 기대감이 나타난다. ○

⑤ 작품
'나'는 자신이 발견한 불빛이 도깨비불이 아닌 '서울서 온 낚시꾼들의 간드레 불'임을 깨닫고는, '살아 있는 불이 아니란 것만 진작 알았어도 마흔다섯까지 수효를 헤아리지는 않았을' 것이라고 함

선지➡ ㉤에는 대상의 실체를 확인하기 전에 했던 자신의 행동에 대한 '나'의 허무감이 드러난다. ○

현대소설 독해의 STEP 1

1 다음 글을 읽고 주요 인물을 잘 파악했는지, 빈칸에 적절한 말을 채웠는지 확인해 보세요.

📅 고2 2018학년도 11월 학평 – 김정한, 「어떤 유서」

[송노인]도 그 중의 한 사람이었다. 그는 더욱 심한 손해를 보았다. 〈원지본위〉란 환지* 원칙이 있는데도 불구하고 송노인의 경우는 도합 천오백열 평 중 원지로 받은 것은 불과 사백 평뿐이고 나머지 천백열 평은 말도 안 되는 박토——산을 깎은 개간지를 환지로서 받았던 것이다. 〈원지본위〉라는 **환지** 원칙에도 불구하고 환지에서 송노인은 심한 **손해**를 보았어.

㉠"죽일 놈들!"

송노인의 입에서는 또 이런 말이 나왔다. 환지에 불만을 가진 사람들은 모두 불평을 했다. 마을 환지위원들이 공정하지 못했다는 말이 떠돌았다. 송노인과 사람들은 불공정한 환지에 **불만**을 가지고 불평을 하지. 진흥공사의 ××사업소 사람들도 그리고 그랬으리란 소문도 나돌았다. 이런 소문들이 맹탕 거짓말이 아니란 것은, 가령 마을 환지위원들 가운데는 그런 억울한 변을 당한 사람이 없었다는 사실과 또 환지위원들과 가까이 지내는 사람들도 어느 정도 덕을 본 셈이라는 얘기들을 미루어서 능히 짐작할 수 있는 일이었다. **환지위원** 그리고 그들과 가까운 사람들은 환지에 있어 억울한 일이 없었다는 점에서 사람들은 환지 과정이 **불공정**했다고 생각하는 거야.

부당한 환지를 받은 사람은 모두 같은 기분들이었지만 그런 뜻을 모아서 어떻게 해 보자는 사람들은 없는 것 같았다. 가뜩이나 〈오리엔탈 골프장〉의 경우와는 달라서 이건 바로 정부에서 한 일이니까 어쩔 도리가 없다고 생각하는 눈치들이었다. 말하자면 다루기 쉬운 백성들로 잘 훈련이 되어 있었던 것이다. **부당한 환지**를 받았음에도 사람들은 어쩔 도리가 없다는 생각에 집단 행동을 하지 않아.

"망했다, 망했어!"

송노인의 불평은 한 계단 더 비약했다. 그는 자기에게 내려진 부당한 처사를 참을 수가 없었다. 늙은 몸으로 두 달을 계속 관계 요로에 〈부당 환지의 시정〉을 호소하고 다녔다. **송노인은 불평을 하는 데** 그치지 않고 이 문제와 관계된 중요한 직위에 있는 사람들에게 〈부당 환지의 시정〉을 호소하고 다녔어. 새어 나온 그의 유서 내용에 의하면 마을 환지위원장인 이성복 동장에게는 무려 15회, 농업진흥공사 ××사업소에는 6회나 찾아간 것으로 되어 있다. 그러나 모두가 허사였다. 시종일관 묵살을 당하고만 셈이니까. **마을 환지위원장, 농업진흥공사 ××사업소 등에 호소하러 다녔** 지만 **묵살**당한 송노인은 유서까지 남겨.

게다가 고속도로가 통하면 사람 왕래도 많아져서 송노인의 집에서는 가게도 차릴 수 있을 것이란 **메기입 이성복 동장**의 말도 턱도 아닌 헛나발이 되고 말았다. 고속도로를 다니는 차들은 아무데나 설 수도 없고 또 고속도로는 함부로 건너갈 수도 없다는 것을 시골 사람들은 길이 통한 뒤에야 비로소 알았다. **고속도로가 통하면 집** 에서 **가게를 차릴 수 있을 것이라는 기대가 좌절됐네.** 바로 길 너멋 논에 두엄을 내는 사람들도 먼 굴다리 쪽을 일부러 돌아야만 되었다.

"제-기, 이기 무슨 지랄고!"

짐이 무거울수록 그들의 입에서는 욕이 절로 나왔다. **사람들은 고속도로**로 인해 생활에 불편이 생겨 분노하지.

길에서 집이 가까운 송노인의 경우는 은근히 희망을 걸어보던 가게를 내긴커녕 지나가는 차들이 내뿜는 매연과 소음과 먼지 때문에 도리어 역정만 늘어날 판이었다. 그래서 처음에는 행여 구멍가게라도 될까싶어 일부러 길 쪽으로 내 보았던 마루방도 이내 문을 닫아걸었다. 길 쪽 창유리가 쉴 새 없이 밀어닥치는 먼지로 인해 마치 매가릿간의 그것처럼 뿌옇게 되어 버렸다.

㉡"망했다. 망했어!" **송노인은 가게를 낼 희망이 좌절되었을 뿐 아니라 고속도로에서 불어오는 먼지로 인해 낙담해.**

장면끊기 01 부당한 환지를 받은 송노인은 분노하여 마을 환지위원장과 진흥공사 ××사업소를 찾아갔지만 이는 모두 묵살당해 허사가 되었고 고속도로가 나면 집을 가게로 낼 희망마저 좌절됐어. 이후 내용은 중략되니 여기서 장면을 한 번 끊자.

[중략 부분의 줄거리] 마을의 농토는 공장부지 조성 등의 명목으로 자본가들에게 넘어간다. 이러한 상황을 심각하게 받아들이지 않고 가벼운 농담이나 하는 마을 젊은이들과 송노인은 갈등하게 된다.

"비꼬지 마이소."

이번에는 메기입의 친구요 역시 마을 환지위원의 한 사람인 [상출]이란 청년이 불쑥 나섰다.

"영감님이 젊었을 때 무슨 대단한 일이라도 했다고 툭하면 젊었을 때는——하고 나서는거요? 농민조합에 들어가서 경찰서 때리부수는 일에 가담했다는 것밖에 더 있소?" **상출이는 젊었을 때 농민조합**에 가담했을 뿐 무슨 대단한 일을 했냐고 송노인에게 따져.

청년회장까지 겸하고 있는 만큼 비교적 머리가 영리하고 옛날 일도 제법 알고 있는 편이다. 안다는 놈이 그러니 송영감은 더욱 부아가 치밀었다. **송노인은 상출이의 말에 부아가 치밀어.**

"그래 농민조합에 가담한 기 그렇게 나쁜 일인가?"

"농민조합은 빨갱이 단체 아니오?"

상출이는 숫제 위협 비슷하게 나왔다. 송노인은 드디어 부아통이 터지고 말았다. **농민조합을 빨갱이 단체**라 폄하며 위협하는 상출이의 말에 송노인은 **분노해.**

"머 빨갱이 단체? 이놈들이 몬하는 말이 없구나. 그래 왜놈의 경찰이 우리 경찰이더냐? 일제 때 고자질이나 하고 헌병 앞잽이나 돼서 독립운동하던 사람들을 괴롭히고 쏘아 죽이고 하던 놈들이 요새 와서는 자기 반공 투쟁을 했을 뿐이라고 도리어 큰 소릴 치고 돌아다닌다 카디이, ㉢바로 느그가 생사람 잡을 소릴 하는구나. 어데 그 소리 한 번 더 해 봐라!"

송노인은 뼈만 남은 팔을 걷어 올렸다. 금방 칼이나 창 구실을 하는지도 모를 그런 팔이었다.

"영감님 참으이소. 장난으로 한 소리 아잉기요."

송노인의 성깔을 누구보다도 잘 아는 메기입이 얼른 사이에 들었다. 다행히 별일은 없었다.

㉣"아나, 이놈아 어서 파출소에 가서 신고나 해라! 송기호는 늙은 빨갱이라고——."

송노인은 상출의 얼굴에 침이라도 뱉아 주려다 그대로 돌아섰다. 그러나 따지고 보면 송노인의 그러한 감정은 비단 상출이에게만이 아니라 아무런 주견도 패기도 없으면서 그래도 마을의 무슨 대표인 체하고 우쭐거리는 젊은 치 전체에 대한 것인지도 모른다. **송노인의 분노는 상출이에게만 해당하는 것이 아니라, 줏대도 패기도 없으면서 우쭐댈 뿐인**

2 주차

젊은 층 전체에 대한 불평이기도 해. 물론 모든 청년들이 다 그렇다는 것은 아니다. 이른바 세대교체의 탓인지도 모르되 옛날과 달라서 요즘은 어느 마을 할 것 없이 어른들은 다 뒤로 물러앉고 그런 젊은 치들이 마을 일을 도맡듯 해서 옳든 그르든 위에서 시키는 대로만 용춤을 추고 있는 판국이라고 송노인은 생각했다. 환지문제 기타로 인해 송노인과 같은 생각을 가진 사람들도 많았지만 노인네들은 그저 "세상이 그런 걸 머!" 할 뿐 드러내 놓고 말을 잘 안했다. 세대 차이 (마을 일을 전면에서 내맡고 있는 청년, 젊은 치들과 뒤로 물러앉은 어른들) 등에서 환지 문제에 대한 견해 차이가 드러난다는 거야. ── 요컨대 아직은 드러내 놓고 말은 하지 않더라도 마을 사람들 사이에는 눈에 보이지 않는 어떤 틈이 생기고 있는 것만은 숨길 수 없는 사실이었다. 멍청한 얼굴들에 나타나게 마련인 쓸쓸한 웃음들만 보아도 능히 짐작할 만한 일이었다. 마을의 젊은 층과 노인네들 사이에 눈에 보이지 않는 괴리가 생기고 있다고 느끼며, 세상이 그런 것이라 말하는 노인네들의 얼굴에서 체념 섞인 **쓸쓸**한 웃음을 발견하지.

ⓜ'철딱서니 없는 놈들……'

장면끊기 02 환지문제 기타에 대한 견해 차이에서 시작된 상출이와의 갈등은 과거 송노인의 농민조합 활동에 대한 싸움으로 번지고, 송노인은 줏대도, 패기도 없이 마을을 이끄는 젊은 층과 뒤로 물러앉아 세상에 대해 체념한 노인들 사이의 괴리를 생각하며 쓸쓸해 하고 있어.

– 김정한, 「어떤 유서」 –

*환지: 토지를 서로 바꿈. 또는 바꾼 땅. 환토(換土).

현대소설 독해의 STEP 2

1 구조도의 빈칸에 적절한 말을 채웠는지 확인해 보세요.

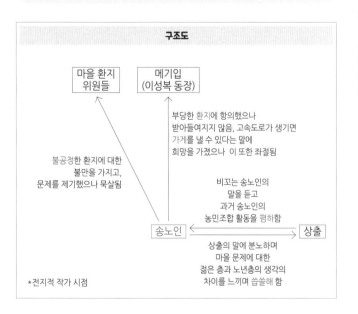

2 1~2번 문제의 정답과 해설을 확인해 보세요.

1. ㉠~㉤에 대한 설명으로 적절하지 <u>않은</u> 것은?

정답풀이

④ ㉣: 송노인은 폭력 행위에 적극적으로 가담했던 자신의 실수에 대해 인정하고 있다.

송노인은 과거 자신의 '농민조합' 활동을 '빨갱이'라고 하는 것에 화를 내고 있을 뿐, 자신의 실수에 대해 인정하고 있다고 보기 어렵다.

오답풀이

① ㉠: 송노인은 자신이 재산상의 피해를 입은 일로 인해 분노하고 있다.

'원지로 받은 것은 불과 사백 평뿐이고 나머지 천백열 평은 말도 안 되는 박토'를 받아 재산상의 피해를 입은 송노인이 '죽일 놈들!'이라며 분노하고 있으므로 적절하다.

② ㉡: 송노인은 자신의 기대와 다른 상황이 벌어진 것에 대해 실망하고 있다.

'고속도로'가 생기면 '가게도 차릴 수 있을 것'이라는 동장 이성복의 말에 넘어가 희망을 가졌던 송노인은 고속도로의 실상을 알게 된 후 가게를 내지 못할 뿐 아니라 불어오는 '먼지'에 낙담하고 있으므로 적절하다.

③ ㉢: 송노인은 과거에 그가 한 일을 왜곡하는 젊은이들에 대해 노여움을 드러내고 있다.

성출이가 과거 송노인이 '농민조합' 활동을 한 것을 '빨갱이'라고 폄하하자 송노인이 이에 대해 노여움을 드러내며, 그 분노가 '젊은 치 전체에 대한 것인지도 모른다.'라고 하였으므로 적절하다.

⑤ ㉤: 송노인은 자신이 생각하는 기준과는 다르게 행동하는 사람들의 모습에 대해 불편한 마음을 갖고 있다.

송노인은 환지문제에 있어 자신과 달리 행동하는 사람들에 대해 '철딱서니 없는 놈들'이라고 생각하고 있으므로 적절하다.

2. 문학 개념어 OX 확인 문제

① ○

• **특정 인물의 시각으로 서술**: 일반적으로 3인칭 전지적 작가 시점에서 특정 인물의 시각으로 그 인물의 경험과 인식을 반영하여 서술하는 것. 특정 인물의 입장에서 지칭어·호칭어를 사용하며, 다른 인물의 심리도 특정 인물의 입장에서 해석하여 나타냄.

> 근거 '길에서 집이 가까운 송노인의 경우는 은근히 희망을 걸어보던 가게를 내긴 커녕 지나가는 차들이 내뿜는 매연과 소음과 먼지 때문에 도리어 역정만 늘어날 판이었다.', '안다는 놈이 그러니 송영감은 더욱 부아가 치밀었다.' 등

② ×

• **병렬적 구성**: 사건의 서술이 시간적 순서에 따라 유기적으로 연결되지 않고 나란히 배치되어 독자적으로 존재하는 구성 방식.

현대소설 독해의 STEP 3

■ 1번 문제의 선지 판단 공식에 대한 답을 확인해 보세요.

선지 판단의 공식

①
작품
송노인은 부당한 환지로 '천오백열 평' 중 '사백 평'만 원지로 받아 재산상 '심한 손해'를 보고 불공정한 환지에 대해 불평, 분노하고 있음

선지→ ㉠: 송노인은 자신이 재산상의 피해를 입은 일로 인해 분노하고 있다. ○

②
작품
고속도로에서 집이 가까운 송노인은 메기입(이성복 동장)의 말을 듣고 '가게'를 낼 수 있다는 희망을 가지고 있었지만, 고속도로의 실상을 알고 가게를 내기는커녕 '먼지' 때문에 역정을 내고 있음

선지→ ㉡: 송노인은 자신의 기대와 다른 상황이 벌어진 것에 대해 실망하고 있다. ○

③
작품
과거에 송노인이 '농민조합에 가담'했던 것을 성출이 '빨갱이' 짓이라며 왜곡하자 송노인은 '생사람 잡을 소릴' 한다며 분노하고 있음

선지→ ㉢: 송노인은 과거에 그가 한 일을 왜곡하는 젊은이들에 대해 노여움을 드러내고 있다. ○

④
작품
송노인은 '농민조합' 활동을 '빨갱이 짓'으로 폄하하는 성출이에게 '어데 그 소리 한 번 더 해' 보라고 분노하며 '뼈만 남은 팔을 걷어 올'리고 있음

선지→ ㉣: 송노인은 폭력 행위에 적극적으로 가담했던 자신의 실수에 대해 인정하고 있다. ×

⑤
작품
'환지문제 기타로 인해 송노인과 같은 생각을 가진 사람들도 많'지만 노인네들은 '세상'이 그런 것이라며 체념적 태도를 보임, 한편 '주견도 패기도 없'는 젊은이들은 '마을의 무슨 대표인 체하고 우쭐거리'는데 송노인은 이에 대해 '철딱서니 없는 놈들'이라고 생각함

선지→ ㉤: 송노인은 자신이 생각하는 기준과는 다르게 행동하는 사람들의 모습에 대해 불편한 마음을 갖고 있다. ○

현대소설 독해의 STEP 1

❶ 다음 글을 읽고 주요 인물을 잘 파악했는지, 빈칸에 적절한 말을 채웠는지 확인해 보세요.

📅 고3 2017학년도 7월 학평 – 성석제, 「황만근은 이렇게 말했다」

마을 회관 앞, 황만근이 직접 심어놓은 등나무 덩굴 아래, 직접 짠 평상에 사람들이 모였다. 먼저 이장이 입을 열었다.

"만그인지 반그인지 그 바보자석 하나 따문에 소 여물도 못하러 가고 이기 뭐라. 스무 바리나 되는 소가 한꺼분에 밥 굶는 기 중요한가, 바보자석 하나가 어데 가서 술 처먹고 집에 안 오는 기 중요한가, 써그랄." 황만근이 집에 오지 않았나 봐. 그런데 이장은 황만근을 바보 취급하며 술 때문에 집에 오지 않았을 거라 짐작해. 황만근의 실종 때문에 소 여물도 못하러 가는 상황에 불만을 표하면서 말이야.

마을에서 연장자 축에 들고 가장 학식이 높아 해마다 한 번씩 지내는 용왕제(龍王祭)에 축(祝)을 초(草)하는 황재석 씨가 받았다.

"그래도 질래 있던 사람이 없어지만 필시 연유가 있는 기라. 사람이 바늘이라, 모래라, 기양 없어지는 기 어디 있어. 암만 그래도 우리 동네 사람 아이라. 반그이, 아이다, 만그이가 여게서 나서 사는 동안 한 분도 밖에서 안 들어온 적이 없는데 말이라." 황재석 씨는 황만근이 한 번도 밖에서 안 들어온 적이 없다며 그가 집으로 돌아오지 않는 데에는 틀림없이 연유가 있을 것이라고 생각해.

"아이지요, 어르신. 가가 군대간다 캤을 때 여운지 토깽인지하고 밤새도록 싸우니라고 하루는 안 들어왔심다."

용왕제에서 집사 역을 하는 황동수가 우스개처럼 말을 이었다. 황동수는 황만근이 안 들어온 적이 있다며 황재석 씨의 말에 반박해. 아침밥을 먹기도 전 황만근의 아들이 찾아와 황만근이 집에 돌아오지 않았다고 하길래 얼결에 동네 사람들을 불러 모으는 역할을 하게 된 민 씨는 분위기가 이상하게 돌아간다 생각하고 참견을 했다. 황만근의 아들로부터 황만근이 오지 않았다는 소식을 듣고 동네 사람들을 한자리에 불러 모은 것은 바로 민 씨구나.

"어제 궐기대회 한다 하고 간 사람이 누구누구십니까. 황만근 씨하고 같이 간 사람은요? 궐기대회 하는 동안 본 사람은 없나요?" 자리에 모인 대여섯 명의 황 씨들은 서로의 얼굴을 마주보더니 모두 고개를 흔들었다. 모인 마을 사람들 중에 황만근의 소재를 아는 사람은 아무도 없네.

"사람이라고 몇 밍이나 되나. 군 전체 사람이 모도 모였다는 기 백 밍이 될라나 말라나 한데 반그이는 돼지고기 반근만해서 그런지 안 보이더라칸께."

이장은 계속 빈정거리듯 말을 이었다. 민 씨는 이장이 궐기대회 전날 황만근을 따로 불러 무슨 말을 건네던 것을 기억해냈다.

"그제 밤에 내일 궐기대회 한다고 사람들 모였을 때 이장님이 황만근 씨에게 뭐라고 하셨죠. 모임 끝난 뒤에." 민 씨는 황만근의 실종과 이장이 궐기대회 전날 황만근을 따로 불러서 했던 말이 관련 있다고 생각하는 것 같지?

이장은 민 씨를 흘기듯 노려보았다.

"왜, 농민보고 농민궐기대회 꼭 나오라 캤는데, 뭐가 잘못됐나." 민 씨는 자신도 모르게 따지는 어조가 되었다.

"군 전체가 모두 모여도 몇 명 안되었다면서요. 그런 자리에 황

만근 씨가 꼭 가야 합니까. 아니, 황만근 씨만 가야 할 이유라도 있습니까. 따로 황만근 씨한테 부탁을 할 정도로."

"이 사람이 뭐라 카는 기라. 이장이 동민한테 농가부채 탕감촉구 전국농민 총궐기대회가 있다, 꼭 참석해서 우리의 입장을 밝히자 카는데 뭐가 잘못됐다 말이라." 전국적으로 궐기대회가 일어날 정도로 농민들이 부채(빚)에 허덕이는 상황임을 짐작해볼 수 있어.

"잘못이라는 게 아니고요, 다른 사람들은 다 돌아왔는데 왜 황만근 씨만 못 오고 있나 하는 겁니다." 황만근은 전국농민 총궐기대회에 갔다가 돌아오지 않는 상황이구나. 그래서 민 씨는 궐기대회 전날 이장이 황만근만 따로 불러 무슨 말을 했는지를 물었던 거고.

"내가 아나. 읍에 가보이 장날이더라고. 보나마나 어데서 술 처먹고 주질러앉았을 끼라. 백릿길을 깅운기를 끌고 갔으이 시간도 마이 걸릴 끼고."

다른 사람들은 말이 없었고 민 씨와 이장만이 공을 주고받는 꼴이 되어버렸다.

"글쎄, 그 자리에 꼭 황만근 씨만 경운기를 끌고 갔어야 했느냐 이말입니다. 그것도 고장난 경운기를."

"깅운기를 끌고 오라는 기 내 말이라? 투쟁방침이 그렇다카이. 깅운기도 그렇지, 고장은 무신 고장, 만그이가 그걸 하루이틀 몰았나. 남들이 못 몬다뿐이지." 황만근은 경운기를 끌고 오라는 이장의 말에 따라 고장난 경운기를 끌고 궐기대회로 갔던 거군. 그런데 이장은 경운기를 끌고 오라는 것은 자신의 말이 아니라 투쟁방침이었다면서 자신의 책임을 회피하고 있어.

장면끊기 01 중략 앞에서 장면을 끊어볼 수 있겠네. 중략 이전에는 황만근의 실종 소식을 들은 민 씨가 불러 모은 마을 사람들이 등장해. 이들은 황만근을 '반그이'라고 무시하며 그의 실종을 걱정하지 않는 비윤리적인 모습으로 그려져.

(중략)

전날 밤, 분명 꿈은 아니었다, 민 씨는 황만근의 말을 이렇게 들었다.

> "농사꾼은 빚을 지마 안된다 카이."

[A]
> (한번 빚을 지면 그 빚을 갚으려고 무리하게 일을 벌인다. 동네 곳곳에 텅 빈 우사(牛舍), 마른똥만 뒹구는 축사, 잡초만 무성한 비닐하우스를 보라. 농어민 복지, 소득향상, 생활개선? 다 좋다. 그걸 제 돈으로 해야 한다. 제 돈으로 하지 않으면 그건 노름이나 다를 바 없다. 빚은 만근산의 눈덩이, 처마의 고드름처럼 자꾸 커진다.)

"기계화 영농 카디마 집집마다 바퀴 달린 기계가 및이나 되나. 깅운기, 트랙터, 콤바인, 이앙기, 거다 탈곡기, 건조기에…… 다 빚으로 산 기라. 농사지봐야 그 빚 갚느라고 정신없다." 황만근은 기계화 영농이 농민에게 빚을 지게 한다고 생각해.

(한 집에서 일 년에 한 번 쓰는 이앙기를 들여놓으면 그게 일 년 내내 돌아가던가. 놀 때는 다른 집에 빌려주면 된다. 옛날에는 소를 그렇게 썼다. 그런데 지금은 그렇게 하지 않는다. 서로 도와가면서 농사짓던 건 옛날 말이다. 한 집에서 기계를 놀리면서도 안 빌려주면 옆집에서는 화가 나서라도 산다. 서로 도와가며 농사 짓던 농촌의 공동체 의식이 무너져 가는 현실을 엿볼 수 있네. 어차피 빚으로 사는데 사기가 어려울까. 기계에 들어가는 기름은 면세유(免稅油)다. 면세유 가지고 기계를 다 돌리기는 힘들다. 옆집에는 경운기가

두 댄데 면세유는 한 대분밖에 나오지 않는다. 경운기가 왜 두 대씩 필요할까. 한 사람이 한꺼번에 두 대를 모는 것도 아닌데.)

"그런 기 다 쌀값에 언차진다. 언차져야 하는데 사실로는 수매하마 먹고살기 간당간당한 돈을 준다. 그 대신에 빚을 준다, 자금을 대준다 카는데 둘 다 안했으마 좋겠다. 둘 다 농사꾼을 바보 멍텅구리로 만든다."

(따라서 제대로 된 농사꾼이 점점 없어진다.)

"지 입에 들어갈 양석, 곡석을 짓는 사람이 그 고마운 곡석, 양석한테 장난치겠나. 지도 남도 해로운 농약 뿌리고 비싸고 나쁜 비료 쳐서 보기만 좋은 열매를 뺐으마 그마이가?" 황만근은 정직하게 농사를 짓는 대신, 겉보기에만 좋은 작물을 생산하기 위해 몸에 해로운 **농약**과 나쁜 **비료**를 사용하는 농촌 현실을 비판하고 있어.

(모두 빚을 갚기 위해 그러는 것이다. 그러므로 빚을 제 주머니에서 아들 용돈 주듯이 내주는 사람, 기관은 다 농사꾼을 나쁘게 만든다. 정책자금, 선심자금, 농어촌구조 개선자금, 주택 개량 자금, 무슨무슨 자금 해서 빌려줄 때는 인심좋게 빌려주는 척하더니 이제 와서 그 자금이 상환능력도 없는 사람들을 파산지경으로 몰아넣고 있다. 이제 와서 그 빚을 못 갚겠다고 하는데 거기에는 충분한 이유가 있다.) 기관들이 지원하는 각종 **자금**이 오히려 농가를 힘들게 하는 원인이 된다는 거네.

"내가 왜 빚을 안 졌니야고. 아무도 나한테 빚 준다고 안캐. 바보라고 아무도 보증 서라는 이야기도 안했다. 나는 내 짓고 싶은 대로 농사지민서 안 망하고 백 년을 살끼라." 자신의 방식대로 소신껏 **농사**를 짓겠다는 황만근의 우직한 모습이 드러나는군.

장면끊기 02 중략 이후는 황만근이 **실종**되기 이전, 민 씨가 농사일에 대한 황만근의 신념을 들었던 때를 보여 주네. 사람들은 그를 바보 취급했지만 그는 농사일에 대한 소신이 뚜렷한 농부였지.

일주일 뒤에 황만근은 돌아왔다. 그의 아들이 그를 안고 돌아왔다. 한 항아리밖에 안되는 그의 **뼈**를 담고 돌아왔다. 경운기도 돌아왔다. 수레는 떼어내고 머리 부분만 트럭에 실려 돌아왔다. 황만근 아니면 그 누구도 작동시킬 수 없는 그 머리가, 바보처럼 주인을 태우지 않고 돌아왔다. 투쟁방침을 지키기 위해 **경운기**를 타고 궐기대회에 갔던 황만근은 결국 **죽고** 말았네. 황만근의 죽음은 원칙을 지키는 사람이 오히려 손해를 보는 현실을 보여 주지.

장면끊기 03 시간이 다시 바뀌어 황만근이 실종된 **일주일 뒤**를 보여 주니 장면을 끊어 볼 수 있겠지? 결국 황만근은 죽어서 돌아오게 되었네.

– 성석제, 「황만근은 이렇게 말했다」 –

현대소설 독해의 STEP 2

1 구조도의 빈칸에 적절한 말을 채웠는지 확인해 보세요.

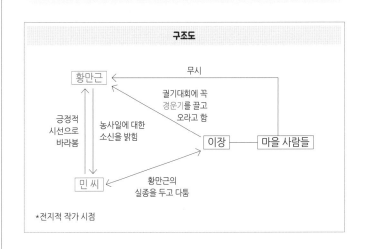

2 1~2번 문제의 정답과 해설을 확인해 보세요.

1. 궐기대회 의 서사적 기능으로 가장 적절한 것은?

정답풀이

① 황만근의 성품을 드러내며 비극적 사건을 유발한다.

황만근은 '농사꾼은 빚을 지마 안된'다고 생각하며 '농가부채 탕감촉구 전국 농민 총궐기대회'에 나가게 되는데, '깅운기를 끌고 오라'는 투쟁방침에 따라 '고장난 경운기'를 끌고 나갔다 돌아오지 않고, 일주일 뒤에 '한 항아리밖에 안되는 그의 뼈'만이 돌아오게 된다. 궐기대회의 지침을 지키기 위해 고장난 경운기를 끌고 가는 모습에서 황만근의 우직한 성품이 드러나며, 이로 인해 황만근이 죽게 되었으므로 궐기대회는 비극적 사건을 유발한다고 볼 수 있다.

오답풀이

② 이장의 행동 변화를 유도하여 사건 해결의 실마리를 제시한다.

윗글에서 궐기대회가 이장의 행동 변화를 유도하였다고 보기는 어려우며, 그것이 사건 해결의 실마리를 제시하고 있지도 않다.

③ 과거의 사건과 연결되어 민 씨의 피할 수 없는 운명을 암시한다.

윗글에서 궐기대회가 과거의 사건과 연결되어 있다고 볼 수 있는 근거는 없으며, 그것이 민 씨의 피할 수 없는 운명을 암시하고 있지도 않다.

④ 대립하던 마을 사람들이 화해하여 위기를 극복하는 계기를 마련한다.

> '기계를 놀리면서도 안 빌려주'는 현실을 궐기대회 이전에 대립하던 마을 사람들의 모습이라고 볼 수도 있지만, 윗글에서 궐기대회 이후에 마을 사람들이 화해했다고 볼 수 있는 근거는 없다.

⑤ 민 씨로 하여금 현실과 이상의 괴리를 깨닫게 하여 현실에 안주하게 한다.

> 윗글에 민 씨가 궐기대회로 인해 현실과 이상의 괴리를 깨달아 현실에 안주하게 된다는 내용은 없다.

2. 문학 개념어 OX 확인 문제

① ✕

- **내적 갈등**: 한 인물이 자신의 내면에서 일으키는 심리적 갈등, 고뇌, 괴로움. 개인의 심리적 모순이나 욕망의 대립으로 인해 일어남.

② ○

> **근거** [A] 앞부분에서 '민 씨는 황만근의 말을 이렇게 들었다.'라고 서술하고 있으므로, '농사꾼은 빚을 지마 안된다 카이.'라는 황만근의 말 다음에 이어지는 괄호 속의 말은, 황만근의 말을 민 씨의 입장에서 이해한 서술이라고 볼 수 있음.

현대소설 독해의 STEP 3

■ 1번 문제의 선지 판단 공식에 대한 답을 확인해 보세요.

선지 판단의 공식

① 작품
> '깅운기를 끌고 오라는' 투쟁방침에 따라 '고장난 경운기'를 끌고 궐기대회에 갔다가 일주일 뒤에 '한 항아리밖에 안되는 그의 뼈'만이 돌아옴

선지➡ 황만근의 성품을 드러내며 비극적 사건을 유발한다. ○

② 작품
> 이장은 '궐기대회 전날 황만근을 따로 불러' '농민궐기대회 꼭 나오라'고 했으며, '백릿길을 깅운기를 끌고' 가려면 '시간도 마이 걸릴' 것을 알면서도 '깅운기를 끌고 오라'고 함. 궐기대회 이후 황만근이 돌아오지 않지만 이장은 '바보자석 하나가 어데 가서 술 처먹고 집에 안 오는 기 중요한가'라고 말함

선지➡ 이장의 행동 변화를 유도하여 사건 해결의 실마리를 제시한다. ✕

③ 작품
> 궐기대회 이전 민 씨는 농사에 관한 '황만근의 말'을 듣고 있으며, 궐기대회 이후 민 씨는 황만근이 실종되자 '동네 사람들을 불러 모'아 이야기하고 있을 뿐임

선지➡ 과거의 사건과 연결되어 민 씨의 피할 수 없는 운명을 암시한다. ✕

④ 작품
> 궐기대회 이전 마을 사람들은 '한 집에서 기계를 놀리면서도 안 빌려주'고 있음. 궐기대회 이후에 마을 사람들은 황만근의 실종에 대해 이야기를 나누고 있을 뿐임

선지➡ 대립하던 마을 사람들이 화해하여 위기를 극복하는 계기를 마련한다. ✕

⑤ 작품
> 궐기대회 이전 민 씨는 농사에 관한 '황만근의 말'을 듣고 있으며, 궐기대회 이후 민 씨는 황만근이 실종되자 '동네 사람들을 불러 모'아 이야기하고 있을 뿐임

선지➡ 민 씨로 하여금 현실과 이상의 괴리를 깨닫게 하여 현실에 안주하게 한다. ✕

현대소설 독해의 STEP 1

1 다음 글을 읽고 주요 인물을 잘 파악했는지, 빈칸에 적절한 말을 채웠는지 확인해 보세요.

📖 고3 2013학년도 7월 학평B – 김성한, 「김가성론」

하루는 종로를 지나다가 박문서관에 들러 잡지를 보고 있었다. 사 볼 밑천이 없으니까 책방에 가서 이렇게 공짜로 보기가 일쑤다. 조그만 책방에서 이런 짓을 하다가는 담박 쫓겨날 것이지마는 큰 데는 사람이 우굴우굴하여 눈에 덜 뜨인다. '나'가 박문서관에 가는 것은 잡지를 사서 볼 밑천은 없기 때문이야. '나'가 아주 풍족한 생활을 하고 있지는 않음을 추론할 수 있겠네. 옆에 섰던 중학생 두 놈이 책을 뒤적거리면서 얘기를 한다.

"얘 이 책이 어때?"

힐끗 곁눈으로 보니 그 '化學의 徹底的研究(화학의 철저적 연구)'라는 책이다. 무어니무어니 해도 나와 관계 있는 사람의 책이다. 하물며 내가 경앙하여 마지않는 김가성 교수의 저서임에랴! 먹는 것 없이 나는 그 책이 좋다는 평이 내리고 이어서 두말없이 사 가기를 원했다. 원했을 뿐더러 조바심까지 났다. '나'는 김가성이라는 사람을 경앙한다고 하며 매우 긍정적으로 평가하네. 얼마나 김가성을 좋아하는지, 중학생들이 그의 저서를 얼른 사 갔으면 한다며 조바심까지 느끼고 있어.

그런데 이놈의 대답이 괘씸하기 짝이 없다.

"틀렸어, 왜말루 쓴 그…… 무슨 책이더라?…… 하여튼 무슨 화학 연구야. 꼭 그대룬 거 머. 그래두 볼라거든 내 걸 갖다 봐."

왜말로 쓴 책과 '꼭 그대룬 거'라고 하는 것으로 보아, 김가성의 책은 다른 책의 내용을 그대로 가져다 쓴 모양이야. 즉 표절을 했다는 거지.

적어도 신문에까지 난 사계의 권위자가 쓴 책이 그럴 리 없다고 생각하니 이따위 모욕적 언사를 감히 하는 학생놈이 아니꼽기 그지없다. 그렇다고 나 같은 것이 무어라고 하자니 알아야 핀잔도 줄 수 있는 것이 아닌가? '나'는 감히 자신이 경애하는 김가성의 저서를 모욕하는 중학생들을 아니꼽게 생각하지만, 한편으로 자신이 그에 대해 뭐라 핀잔을 줄 처지도 아님을 자각하고 있어. 보고 있노라니까 행하고 내던지고 나가 버렸다. 자세히 보니 그 책뿐 아니라 옆에는 '金可成著(김가성 저)'가 세 가지나 더 있다. 꼬마 점원이 무어라고 중얼거리면서 책을 바로잡는 것을 보고 나도 행하고 나와 버렸다.

장면끊기 01 어느 날 '나'가 서점에서 중학생들의 대화를 듣게 된 일화가 제시되는 장면이야. 김가성을 경애하며 그가 지은 책까지 찬양하는 '나'의 맹목적인 믿음이 드러나는 부분이지.

바로 추석날이다. 신문사에 볼일이 있어 들렀더니 세 사람이 둘러앉아 잡담을 하고 있다. 한 사람은 기자요 두 사람은 손님이었다.

"가성이란 놈, 죽일 놈이야. 지난 초열흘날 결혼했다는데 청첩장 하나 없잖아. 그 며칠 전에 길에서 만났는데두 아무 말 없구, 관호한테 물으니 동창이라고 부른 건 두민이밖에 없대."

"두민인 의살해서 돈냥 벌었겠다, 그럴 법허지 뭐야."

"고거 큰일났어. 뻔질뻔질 돌아만 댕기구…… 게다가 제깐엔 큰 권위자루 자처한다지."

"흥, 왜놈덕을 단단히 봤지, 무호동중에 이작호(無虎洞中狸作虎)* 야."

"일종의 새치기지."

"새치기의 권위잔가 하하……."

"새치길수록 껍데기는 점잖구 한다는 소리는 크거든."

"그 무슨 책인가 한 권 내구 꽤 벌었다지, 더 점잖아지겠군."

모두들 가성의 진짜 동창인 모양이다. 신문사에서 김가성의 동창들이 이야기를 나누고 있네. 김가성이 자신의 결혼식에 돈 잘 버는 의사만 초청했다고 하는 것으로 보아, 그가 돈과 권위에 따라 사람을 선별한 것을 알 수 있네. 동창들은 그런 김가성을 새치기의 권위자라 하며, 그의 위선적인 면모를 비판하고 있어.

―가성이가 그럴 리 있나? 그 일람첩기하던 가성이가, 다른 가성이겠지.

나는 변명하고 싶었다. 적어도 내가 아는 김가성은 절대 그렇지 않다는 소이연을 똑똑히 가르쳐 주고 싶었으나 아는 것이 없는데다가 말주변까지 없으니 가슴만 답답하였다.

새파란 청춘에 벌써 학계의 권위자가 되었으니 그의 앞날은 어쩌면 아인슈타인쯤 되는지도 모른다. 못되어도 일본의 유가와(湯川) 따위는 어림도 없다고 은근히 기대하고 혼자 좋아서 어깨를 으쓱해 왔는데 그럴 리가 있나? 다른 가성이겠지. '나'는 그 총명하던 김가성이 동기들 말대로의 인물일 리 없다며 부정하고, 김가성을 위해 변명을 해 주고 싶으면서도 능력이 부족하여 답답함을 느끼고 있어.

장면끊기 02 추석날 '나'가 신문사에서 김가성의 동기들이 나누는 대화를 듣게 되는 장면이야. 동기들의 대화 속에서 김가성은 위선적인 가짜 권위자에 불과하지만, '나'는 그런 그들의 평가를 부정하며 여전히 맹목적인 신뢰를 드러내지. 이 지문은 '나'가 겪은 일화가 삽화 형식으로 나열되는 형식으로 이루어져 있어서, 하나의 일화가 끝나면 바로 다음 일화가 시작됨을 나타내는 표지가 '하루는'이나 '바로 추석날이다.'와 같은 표현으로 드러나.

하루는 옆집 문간방에서 자취하는 S대학생이 도끼 빌리러 왔기에,

"김가성 교수님 잘 계셔요?"

하고 물었더니,

"네? 어떻게 아십니까?"

하고 반문하였다. 나는 그가 어려서 일람첩기하는 신동이었던 것과 제국대학을 나오고 미국 가서 깊이 연구한 학자요 권위자니 크게 이루는 바가 있으리라고 자랑삼아 선전삼아 퍼부었다. '나'는 S대학에 다니는 학생에게 자신이 아는 김가성의 뛰어난 면모를 전달하며 자랑스러워하고 있네.

"글쎄요…… 뜬소문에는 다섯 가지 위원을 겸하고 있다니까 그런지는 몰라두…… 참 요새는 또 어느 무역회사 중역이 됐다나 부던데요."

학생의 달갑지 않은 대답과는 달리 나는 여기서 실로 삼탄(三嘆)하였다. 교수 자리는 자리대로 차지하고 돈은 돈대로 벌고 행세는 행세대로 하고―될성부른 나무는 떡잎부터 푸르다더니 과연 그른 말이 아니다.

"잘 살구 출세하구 더 바랄 게 무에 있어요, 과연 모두들 기대하던 대루 됐군."

내가 이렇게 응수하니,

"그렇지만 사람이 어디……"

이렇게 말미를 떼는가 했더니 멍하니 건너편 산꼭대기를 바라보다가 일어서 도끼를 쥐고 나가 버렸다. 나 같은 신문배달 무식쟁이를 상대로 얘기해 보았자 얘기가 안되리라고 생각했던 모양이다. '나'의 칭찬에 대해 S대학생은 회의적인 반응을 보이네. 다섯 가지 위원을 겸하면서, 무역회사의 중역까지 되었다는 뜬소문을 전해 주면서 말이야. 앞 장면에서 김가성이 돈에 따라 사람을 차별했다고 한 동기들의 이야기와 연결 지어 보면, 김가성은 청렴한 학자가 아닌 속물적 인물로 보이네. 하지만 '나'는 그러한 모습에 대해 오히려 더욱 감탄하고 있어.

별놈이 별소리를 다해도 내가 경애하는 김가성 교수는 일인 십 역이라도 능히 감당할 천재요, 그 지식으로 말하면 고금과 동서를 전부는 몰라도 반쯤은 통했으리라 믿는 까닭에 그에게 대한 경애나 신뢰가 털끝만치라도 동요할 리 없다. 그는 단연 거리에 굴러 다니는 어중이떠중이와는 유가 다르다.

그 후 나는 그의 소식을 듣지 못하였다. 아마 지금쯤은 직함도 더 늘고 저서도 부쩍 많아져서 더욱더 접근하기 어렵게 되었으리라. '나'는 누구의 말을 들어도 김가성에 대한 자신의 **경애**와 **신뢰**가 흔들리지 않을 것이라며 굳건한 믿음을 보이고 있어. 하지만 이후에는 김가성의 소식을 듣지 못하게 되지.

장면끊기 03 S대학생에게 김가성의 칭찬을 늘어놓지만, 정작 S대학생으로부터는 좋은 반응을 받지 못하는 장면이야. 일관되게 들려오는 **부정적** 평가에도 김가성에 대한 '나'의 신뢰는 흔들리지 않네.

김가성론을 마친다. 이로써 내가 김가성 교수와 어떤 관계가 있다는 것이 분명하게 되었으니 나도 조금 잘나질까 남몰래 기대하고 있다. 말꼬리에 붙어서 천 리를 가려는 파리의 심사라고 험하지 말기를 바란다. 모로 가도 서울만 가면 된다는 우리 조상의 그 알뜰한 전통을 낸들 잊을까보냐. '나'는 김가성의 훌륭함을 열심히 주장하면서 그에 대한 내적인 친밀감을 일관되게 드러내고, 그런 훌륭한 김가성과의 관계성을 통해 자신도 **잘나질까** 하는 기대를 하고 있어.

장면끊기 04 김가성과 관련된 일화가 모두 마무리된 뒤, 마지막으로 김가성론을 짓게 된 이유를 밝히는 장면이야.

– 김성한, 「김가성론」 –

*무호동중에 이작호(無虎洞中狸作虎): 뛰어난 사람이 없는 곳에서 보잘것없는 사람이 득세함.

현대소설 독해의 STEP 2

1 구조도의 빈칸에 적절한 말을 채웠는지 확인해 보세요.

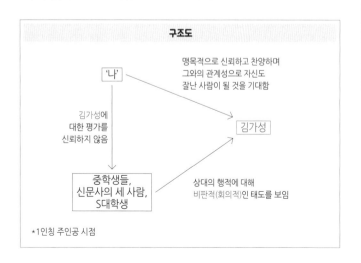

구조도

'나' → 맹목적으로 신뢰하고 찬양하며 그와의 관계성으로 자신도 잘난 사람이 될 것을 기대함

김가성에 대한 평가를 신뢰하지 않음

중학생들, 신문사의 세 사람, S대학생

상대의 행적에 대해 비판적(회의적)인 태도를 보임

김가성

*1인칭 주인공 시점

---

2 1~2번 문제의 정답과 해설을 확인해 보세요.

1. 등장인물을 중심으로 윗글을 이해할 때, 적절하지 <u>않은</u> 것은?

정답풀이

② '김가성'은 '나'를 통해 자신의 숨겨진 모습을 세상에 알린다.

> 윗글에는 '김가성'에 대한 '나'의 일관된 신뢰와, '나'가 주변 사람들로부터 듣게 되는 '김가성'의 위선적 면모에 대한 단서가 나타나고 있을 뿐이다. 즉 '나'의 주변 인물들은 이미 '김가성'의 실체에 대해 알고 있는 것이며, '나'를 통해 '김가성'의 숨겨진 모습이 세상에 알려지게 되는 것은 아니다.

오답풀이

① '나'의 어수룩함에 대비되어 '김가성'의 속물성이 부각된다.

> '나'는 주변 사람들의 이야기를 듣고도 '김가성'이 가지고 있는 문제점이나 위선적인 면모, 속물적인 모습을 파악하지 못하고 맹목적인 신뢰를 표하는 어수룩한 모습을 보인다. 이러한 '나'의 모습은 주변인의 평가를 통해 드러나는 '김가성'의 속물적인 성격과 대조되면서, 그의 속물성을 오히려 부각하여 나타내는 역할을 한다.

③ '김가성'에 대한 '나'와 타인의 평가는 확연하게 차이가 난다.

> '중학생', 신문사의 '세 사람', 'S대학생'은 '김가성'의 업적(책)과 성격에 대해 부정적으로 평가하지만, '나'는 '김가성'에 대해 일관되게 높게 평가하며 무조건적인 신뢰와 경애를 보인다.

④ '중학생', '세 사람', 'S대학생'을 통해 '김가성'의 위선적 실체가 드러난다.

> '중학생'은 김가성이 타인의 책을 표절했음을, 신문사의 '세 사람'은 김가성이 돈 잘 버는 친구만 결혼식에 초청했음을, 'S대학생'은 김가성이 물질적인 가치를 좇는 인물임을 제시하며 스스로 학계의 권위자를 자칭하는 '김가성'의 위선적인 실체를 보여 준다.

⑤ 일련의 사건을 겪으면서도 '김가성'에 대한 '나'의 생각은 크게 바뀌지 않는다.

> '중학생'과 신문사의 '세 사람', 옆집의 'S대학생'으로부터 '김가성'에 대해 부정적인 이야기를 전해 듣지만 '나'는 '별놈이 별소리를 다해도' '김가성'에 대한 '경애나 신뢰가 털끝만치라도 동요할 리 없다'고 하며 '김가성'에 대한 생각을 바꾸지 않고 있다.

2. 문학 개념어 OX 확인 문제

① **✕**

- **현재와 과거의 교차**: 시간의 흐름에 따라서가 아닌, 현재의 장면과 과거의 장면을 번갈아 제시하는 방식으로 서사를 전개하는 방식.

  근거 김가성에 대한 '나'의 인식을 보여 주는 일화를 보여 주고 있을 뿐, 현재와 과거의 사건을 교차 서술하고 있지는 않음.

② **◯**

- **삽화의 나열**: 특정 주제나 소재, 인물과 관련된 복수의 일화(삽화)를 연이어 제시하는 것.

  근거 중학생들이 김가성의 저서에 대해 이야기하는 내용을 듣게 된 일화, 신문사 사람들이 김가성의 위선적인 모습에 대해 비판하는 말을 듣게 된 일화, S대학생과 대화를 나누었던 일화를 나열하면서 김가성을 맹목적으로 신뢰하는 서술자 '나'의 생각을 드러내고 있음.

현대소설 독해의 **STEP 3**

■ 1번 문제의 선지 판단 공식에 대한 답을 확인해 보세요.

선지 판단의 공식

①

작품 '나'는 '김가성'의 책이 표절이라는 중학생에게 '나 같은 것이 무어라고 하자니 알아야 핀잔도 줄 수 있는 것이 아닌가?'라고 하고, '김가성'의 위선적 면모를 비판하는 그의 동창들에게 '내가 아는 김가성은 절대 그렇지 않'음을 '가르쳐 주고 싶었으나 아는 것이 없는데다가 말주변까지 없으니 가슴만 답답'했다고 함

선지 '나'의 어수룩함에 대비되어 '김가성'의 속물성이 부각된다.
◯

②

작품 '나'는 「김가성론」을 통해 '내가 김가성 교수와 어떤 관계가 있다는 것'을 분명하게 하여 '나도 조금 잘나질까 남몰래 기대'할 뿐임

선지 '김가성'은 '나'를 통해 자신의 숨겨진 모습을 세상에 알린다.
✕

③

작품 '나'는 '김가성'의 책에 대한 '중학생'의 부정적 평가에 '신문에까지 난 사계의 권위자가 쓴 책이 그럴 리 없다'고 하며, '김가성'이 돈 있는 동창만 결혼식에 초대했다는 '김가성'의 '진짜 동창'의 이야기에는 '내가 아는 김가성은 절대 그렇지 않다'는 생각을 하고, 'S대학생'이 '달갑지 않은' 듯 전한 '김가성'의 소문에 대해서는 '실로 삼탄'하며 '될성부른 나무는 떡잎부터 푸르'다고 함

선지 '김가성'에 대한 '나'와 타인의 평가는 확연하게 차이가 난다.
◯

④

작품 '중학생'은 '김가성'의 책이 '왜말'로 적힌 다른 책과 '꼭 그대로 된 거'라고 하며, 신문사의 '세 사람'은 '김가성'이 '의살해서 돈냥' 번 동기만 결혼식에 초대했다고 하고, 'S대학생'은 '다섯 가지 위원을 겸하고 있'는 '김가성'이 '어느 무역회사 중역'이 되었다고 함

선지 '중학생', '세 사람', 'S대학생'을 통해 '김가성'의 위선적 실체가 드러난다.
◯

⑤

작품 '나'는 '별놈이 별소리를 다해도 내가 경애하는 김가성 교수는 일인 십역이라도 능히 감당할 천재'라며 '그에게 대한 경애나 신뢰가 털끝만치라도 동요할 리 없다.'라고 함

선지 '일련의 사건을 겪으면서도 '김가성'에 대한 '나'의 생각은 크게 바뀌지 않는다.
◯

현대소설 독해의 STEP 1

❶ 다음 글을 읽고 주요 인물을 잘 파악했는지, 빈칸에 적절한 말을 채웠는지 확인해 보세요.

📅 **고3 2012학년도 4월 학평 – 김정한, 「산거족」**

[앞부분 줄거리] 낙동강 주변의 고지대 <u>'마삿등' 사람들</u>은 공공 수도가 설치되지 않아 고통을 겪는다. <u>황거칠</u> 씨는 마을 사람들과 함께 산에 우물을 파서 마을로 물을 끌어 쓰는 데 성공한다. 그런데 <u>호동팔</u>은 그 산이 자신의 형 호동수가 매입한 산이므로 수도 시설을 철거하라고 한다. 황거칠 씨는 재판에서 진 후, 강제로 우물을 헐고 수도 시설을 철거하던 사람들과 몸싸움을 벌이다 경찰에 연행된다. 호동수의 산에 설치한 수도 시설을 둘러싸고 황거칠을 포함한 **마삿등** 사람들과 호동팔이 서로 갈등 관계에 있음이 제시되었네.

일행이 구류간에서 풀려 나왔을 때는 산에 있는 황거칠 씨의 수도 시설은 완전히 철거되고, 파괴됐던 다섯 개의 우물은 호동팔 측에 의해서 복구 작업이 시작되고 있었다. 드디어 소원 성취를 한 동팔이가 '마삿등' 일대의 수도를 독차지하겠다는 것이다. 호동팔은 **마삿등** 일대의 **수도 시설**을 자신이 모두 차지하려는 욕망을 지니고 있군.

'죽일 놈!'

하고, 황거칠 씨가 이를 악물고 있는 판에 뜻밖에 동팔이 측에서 사람을 하나 보내 왔다. 황거칠은 그러한 **호동팔**에게 굉장한 반감을 느끼고 있어. 용건이 또 걸작이었다. – '마삿등' 일대의 배수 시설을 자기에게 팔든가(물론 헐값으로), 정 놓기 싫으면 자기와 공동 경영을 하자는 것이었다. 아니꼽게도 이쪽의 약점을 노린 수작이었다.

"가거라, 이 개 같은 놈아! 밥을 처먹는 놈이 그따위 심부름을 하고 다녀?"

황거칠 씨는 벼락같은 소릴 쳤다. 차라리 거저 내버렸음 내버렸지, 동팔이에게 시설을 판다든가, 더구나 공동 경영 따위 쓸개 빠진 것은 입에 담기조차 창피한 일이었다. 교섭을 왔던 사람이 코를 싸고 돌아간 뒤에도 그는 내처 주먹을 떨어 댔다.

'누굴 자기 같은 놈인 줄 알았던가? 뻔뻔스런 놈 같으니!'

아무리 생각해도 분했다. 황거칠은 마삿등 일대의 수도를 **독차지**하기 위한 호동팔의 수작을 아주 괘씸하게 여기고 있네.

배수 시설의 양도를 거절당한 동팔이는 어디 보자는 듯이 '마삿등' 일대에 자기대로의 시설을 하기 시작했다. 그 바람에 매일같이 많은 물을 쓰지 않으면 안 되는 콩나물 장수, 두부집, 그리고 두꺼비가 그려진 소주의 깃발을 늘어놓고 소주랑, 막걸리, 청주까지 만들어서 파는 '두꺼비집' 같은 데서는 만부득이 호동팔의 물이라도 쓰지 않을 수 없었다. 한편 호동팔은 자신의 제안이 **거절**당하자 자기 방식대로 수도 시설을 운영하면서 마삿등 일대 사람들의 **물** 사용에 압박을 가하기 시작해. 그 밖에도 동팔이와 특별한 관계 – 가령 그의 목수 허드렛일을 맡아 있다던가, 인척 관계인 몇몇 사람들도 그 물을 쓰기 시작했다.

한편 복수라기보다 자기의 권리를 되찾기 위해 여러 날 여러 밤을 골똘히 궁리해 오던 황거칠 씨는 드디어 호동수의 산이 아닌 다른 산에서 물을 끌어오기로 결심했다.

'어디 제 놈들의 산이 아니면 물이 없을까!'

이튿날부터 황거칠 씨는 예의 쇠 작대기를 찾아 들고 집을 나섰다. 수정암 훨씬 뒤 굴밤나뭇골이란 데 가서 새 수원을 찾기로 했다.

그곳은 안심할 수 있는 국유 임야였다. 수도 시설에 대한 **권리**를 되찾고자 한 황거칠은 호동수의 산이 아닌 **국유 임야**(나라에서 소유하고 관리하는 산림)에서 새로운 수원을 찾고자 해.

장면끊기 01 호동팔이 황거칠에게 마삿등 일대의 배수 시설을 자신에게 팔거나 **공동 경영**을 하자고 제안하자 황거칠이 분노하며 이를 거절하는 내용이었다. 황거칠이 호동팔의 횡포에 맞서기 위해 국유 임야에서 새로운 **수원**을 찾고자 한 것이 중략 이후에서 어떤 상황으로 이어지는지에 주목하면서 읽어보도록 하자.

(중략)

그날 밤 그는 <u>실근이</u>를 비롯해서 가까이 지내는 <u>통·반장 몇 사람</u>과 저번 날 일로 말미암아 함께 구류를 살던 <u>청년들</u>을 자기 집으로 불렀다.

먼저, 동팔이와 화해를 않음으로써 본의 아니게 주민들에게 물 곤란을 주고 있는 자기의 안타까운 심정을 사과 겸 말하고, 그날 낮 산을 돌아본 얘기와 자기의 ㉠새로운 계획을 비쳐 보았다. 황거칠은 마을 사람 몇 명을 집으로 불러 국유 임야에서 물을 끌어오겠다는 자신의 **계획**을 이야기해.

"한번 진다는 건 두 번 질 장본이라고 생각합니다. 결국 우리들은 지다가 지다가 지금 같은 꼴들이 된 게 아닐까요? 내가 그런 엄두를 낸 것은 결코 내 자신의 이익을 위해서만 그런 게 아닙니다. 아시겠어요?"

황거칠 씨는 자못 흥분된 어조로 말했다. 이번 계획은 **자신**의 이익이 아닌 **마삿등 전체**의 이익을 위한 일이라고 하며 목소리를 높이는 모습이야. 평소 말을 잘 안 하는 그의 입에서 어떻게 그런 말들이 쏟아져 나올까 의심스러울 정도였다. 새삼스레 어떤 희망이라기보다는 묵은 분노라도 되살아나는 듯 눈마저 이상스럽게 이글거리는 것 같았다. 호동팔의 횡포로 인해 생활의 기본이 되는 물 사용의 권리조차 침해받아야 했던 날들이 떠올라 **분노**가 되살아났던 모양이야.

"댔심더! 내일부터 당장 시작합시더. 그까짓 새미 몇 개쯤, 여러 사람이 가문 하리면 다 안 파겠능기요. 똥파리의 원수를 어서 갚아야 잠이 오지, 온……"

동팔이를 때렸다가 혼이 난 <u>인호</u>란 청년이 이렇게 말하자, 모두들 동조를 했다. 인호라는 마을 청년은 호동팔을 때린 일로 곤욕을 치른 적도 있어 그를 향한 반감이 특히나 큰 모양이야. 그가 황거칠의 계획에 **찬성**한 것을 시작으로 다른 마을 사람들도 모두 **동조**하는 모습을 보이고 있어.

소주를 큰 걸로 두병이나 사 온 황거칠 씨의 <u>할멈</u>도 못내 기쁜 표정을 지었다.

"호씨 형제들의 심보도 심보지만, 산에 나오는 물꺼정 마음대로 몬 묵구로 하는 법도 더럽지요!"

그녀는 새삼 억울하게 당한 일을 생각하곤 이렇게 빈정대기도 했다. 황거칠의 계획에 동의하는 사람들을 보며 **기뻐**하던 황거칠의 할머니도 호동수·호동팔 형제를 향한 비난을 한 마디 덧붙이고 있어.

마을 사람들이 떠난 뒤, 황거칠 씨의 할멈은 북창 위 시렁에 모셔 둔 세존 단지 곁에, 영감이 산에서 가져온 물풀을 얹어 두고는 성주 세손에게 한참 동안 기도를 올렸다. 황거칠의 계획이 잘 이루어지고, 그에게 별 다른 문제가 생기지 않기를 바라며 간절히 **기도**하는 것이겠지.

쇠뿔도 단김에 빼라는 격으로 날이 새기가 바쁘게 '마삿등' 남정들은 마을 뒤 언덕배기로 모여들었다. 실근이란 통장이 지난밤 황

씨 집에서 얘기된 계획을 말하자 죄다 물 곤란을 겪던 터이라 누구 하나 반대하는 사람이 없었다.

"그거 참 잘 생각했소. 더런 놈이 가져오는 물 묵을 뿐 했딩이!"

"그렇기 말임더."

모두 잘코사니*를 치며 돌아갔다. 그것은 비단 호동팔이 미워서만 하는 소리가 아닌 것 같았다. <mark>마삿등 사람들이 그동안 물 문제로 인해 얼마나 큰 곤란을 겪어왔는지를 짐작할 수 있어.</mark>

'마삿등' 따라지 – 그러나 악바리들은 조반을 끝내기가 바쁘게 괭이랑 삽들을 들고, 더러는 황거칠 씨 집 앞길에 모여 들고 더러는 바른총으로 굴밤나뭇골로 올라갔다. 골은 거기서 십 리나 떨어져 있었다.

좁은 골목길에는 호동팔의 인부들이 열심히 파이프를 묻고 있었다.

"우리들 것 다칠라, 단딩이 하소!"

동네 사람들은 지나오면서 동팔이의 인부들을 보고 이렇게 주의를 시켰다. 그들은 황거칠 씨의 것을 '우리들 것'이라고 말했다. 말하자면 그만큼 그 수도 시설을 아끼는 심정들이었던 것이다. <mark>마삿등 사람들은 수도 시설을 마을 공동의 소유물로 생각하며 소중히 여기고 있었구나.</mark>

<mark>장면끊기 02 마삿등 사람들이 황거칠의 계획(국유 임야에서 물을 끌어오는 것)에 모두 동의하면서 괭이와 삽 등을 챙겨 곧장 행동에 나서는 모습이 제시되었어. 마삿등 사람들이 보여 주는 말과 행동에서 그들이 그동안 겪어온 고통과 설움, 수도 시설에 대한 애착을 엿볼 수 있었다는 점을 정리해 두도록 하자.</mark>

– 김정한, 「산거족(山居族)」 –

*잘코사니: 고소하게 여기는 일. 주로 미운 사람이 불행을 당한 경우에 하는 말임.

현대소설 독해의 STEP 2

1 구조도의 빈칸에 적절한 말을 채웠는지 확인해 보세요.

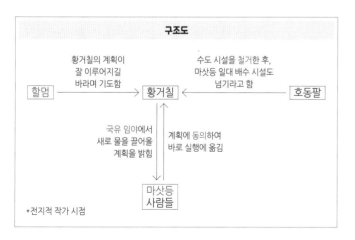

2 1~2번 문제의 정답과 해설을 확인해 보세요.

1. ㉠에 대한 설명으로 적절한 것은?

정답풀이

① '새 수원'을 찾아야 이룰 수 있는 것이다.

황거칠은 수도 시설에 대한 '자기의 권리를 되찾기 위해' '호동수의 산이 아닌 다른 산에서 물을 끌어오기로 결심'한다. 이를 위해 '굴밤나뭇골이란 데 가서 새 수원을 찾'아본 후, 마을 사람들을 집으로 불러 모아 이와 관련한 ㉠(새로운 계획)을 이야기하고 있다. 따라서 ㉠이 물을 끌어올 수 있는 '새 수원'을 찾아야 이룰 수 있는 것이라는 설명은 적절하다.

오답풀이

② '국유 임야'를 매입하여 '우물'을 파는 것이다.

황거칠이 '안심할 수 있는 국유 임야'에서 '새 수원을 찾'아 '물을 끌어오기로 결심'한 것은 맞지만, '국유 임야'를 매입하려고 계획한 것은 아니다.

③ '호동팔의 물'을 쓰는 사람들을 응징하는 것이다.

황거칠이 '호동팔의 물'을 쓰는 사람들을 응징하려고 계획하는 모습은 나타나지 않는다.

④ '호동팔'의 '시설'을 빌려서 물을 끌어다 쓰는 것이다.

'앞부분 줄거리'를 참고하면, 황거칠의 수도 시설이 있는 곳은 호동팔의 형인 '호동수가 매입한 산이므로 수도 시설을 철거'하게 된 것임을 알 수 있다. 이에 황거칠이 '호동수의 산이 아닌 다른 산에서 물을 끌어오기로 결심'하게 된 것이므로, ㉠을 호동팔의 시설을 빌려서 물을 끌어다 쓰는 것이라고 볼 수는 없다.

⑤ '우물'을 파서 물을 길어다 쓰는 것이 구체적인 내용이다.

마삿등 사람들은 이전에도 '산에 우물을 파서 마을로 물을 끌어' 사용하고 있었으나, 그 산의 소유자가 자신의 형 호동수임을 내세워 '수도 시설을 철거'하도록 만든 호동팔로 인해 황거칠은 '국유 임야'에서 '새 수원을 찾'고자 계획하게 되었다. 따라서 ㉠의 구체적인 내용이 '우물'을 파서 물을 길어다 쓰는 것만이라고 설명하는 것은 적절하지 않다.

2. 문학 개념어 OX 확인 문제

① ○

• 사투리 활용: 작품에 사투리가 활용된 경우, 향토적 분위기가 조성되며 전개되고 있는 사건에 현장감, 생동감을 부여하는 효과가 있음.

> 근거 '댔심더! 내일부터 당장 시작힙시더.', '산에 나오는 물꺼정 마음대로 몬 묵구로 하는 법도 더럽지요!' 등

② ✕

• 사건의 암시: 소설에서 서사 전개와 관련하여 앞으로 사건이 어떻게 될 것인가를 독자가 미리 알아차릴 수 있도록 하는 기법.

현대소설 독해의 STEP 3

1 1번 문제의 선지 판단 공식에 대한 답을 확인해 보세요.

선지 판단의 공식

① 작품 | 황거칠은 '호동수의 산이 아닌 다른 산에서 물을 끌어오기로 결심'하고 '굴밤나뭇골이란 데 가서 새 수원을 찾기로' 한 뒤, 마을 사람들 몇 명을 집으로 불러 '산을 돌아본 얘기와 자기의 ⑦새로운 계획'을 밝힘

선지➡ '새 수원'을 찾아야 이룰 수 있는 것이다.　　　　○

② 작품 | '호동수의 산이 아닌 다른 산에서 물을 끌어오기로 결심'한 황거칠은 '국유 임야'에서 '새 수원을 찾기로' 함

선지➡ '국유 임야'를 매입하여 '우물'을 파는 것이다.　　　✕

③ 작품 | '배수 시설의 양도를 거절당한' 호동팔이 '자기대로의 시설을 하기 시작'하면서 장사를 하느라 '매일같이 많은 물을 쓰지 않으면 안 되는' 사람들은 부득이하게 '호동팔의 물'을 쓸 수밖에 없게 됨

선지➡ '호동팔의 물'을 쓰는 사람들을 응징하는 것이다.　　✕

④ 작품 | 황거칠은 호동수의 산에 설치했던 '수도 시설을 철거'하게끔 만든 호동팔의 횡포로 인해 '호동수의 산이 아닌 다른 산에서 물을 끌어오기로 결심'하게 됨

선지➡ '호동팔'의 '시설'을 빌려서 물을 끌어다 쓰는 것이다.　✕

⑤ 작품 | 황거칠과 마삿등 사람들은 호동수의 산에 '우물을 파서 마을로 물을 끌어 쓰'고 있었음. 하지만 호동팔의 횡포로 수도 시설이 철거되자 황거칠은 '안심할 수 있는 국유 임야'에서 '새 수원을 찾기로' 함

선지➡ '우물'을 파서 물을 길어다 쓰는 것이 구체적인 내용이다.　✕

현대소설 독해의 STEP 1

1 다음 글을 읽고 주요 인물을 잘 파악했는지, 빈칸에 적절한 말을 채웠는지 확인해 보세요.

📅 고3 2008학년도 수능 – 최일남, 「흐르는 북」

연습이 끝나고 막걸리 집으로 옮겨 갔을 때도, 아이들은 민 노인을 에워싸고 역시 성규 할아버지의 북소리는, 우리 같은 졸개들이 도저히 흉내 낼 수 없는 명인의 경지라고 추어올렸다. 그것이 입에 발린 칭찬일지라도, 민 노인으로서는 듣기 싫지 않았다. 잊어버렸던 세월을 되일으켜 주는 말이기도 했다.

"애들아, 꺼져 가는 떠돌이 북쟁이 어지럽다. 너무 비행기 태우지 말아라." 아이들의 칭찬에 기분이 좋아진 민 노인의 모습을 엿볼 수 있어.

민 노인의 겸사에도 아이들은 수그러들지 않았다.

"아닙니다. 벌써 폼이 다른걸요."

"맞아요. 우리가 칠 때는 죽어 있던 북소리가, 꽹과리보다 더 크게 들리더라니까요."

"성규, 이번에 참 욕보았다."

난데없이 성규의 노력을 평가하는 녀석도 있었다. 민 노인은 뜻밖의 장소에서 의외의 술친구들과 어울린 자신의 마음이, 외견과는 달리 퍽 편안하다는 느낌도 곱씹었다. 민 노인은 젊은 세대와 어울리는 것이 의외로 편안하다고 느끼고 있어. 옛날에는 없었던 노인과 젊은이들의 이런 식 담합이, 어디에 연유하고 있는가를 딱히 짚어 볼 수는 없었으되.

장면끊기 01 공연 연습이 끝나고 민 노인과 성규의 친구들이 막걸리집에서 함께 어울리는 모습이 첫 번째 장면으로 제시되었어. 두어 번의 연습에 더 참가한 뒤, 본 공연이 열리던 날 새벽에 민 노인은 성규에게 일렀다.

"아무리 단역이라고는 해도, 아무 옷이나 걸치고는 못 나간다. 모시 두루마기를 입지 않고는 북채를 잡을 수 없어." 공연에서 단역을 맡았지만 최선을 다하려는 모습에서 북을 대하는 민 노인의 애정을 엿볼 수 있어.

"물론이지요. 할아버지 옷장에서 꺼내 놓으세요. 제가 따로 가지고 갈게요."

"두 시부터라고 했지?"

"네."

"이따 만나자."

장면끊기 02 공연이 열리던 날 새벽 민 노인과 성규의 대화가 두 번째 장면으로 제시되었어. 길이가 짧더라도 시간과 공간이 바뀌면 장면을 끊어 읽어 주는 것이 좋아.

일찍 점심을 먹고, 여느 날의 걸음걸이로 집을 나선 민 노인은, 나이에 어울리지 않는 설레임으로 흔들렸다. 오랜만에 북을 치게 된 것에 대한 민 노인의 설렘이 드러나고 있어. 아직은 눈치를 채지 못한 아들 내외에 대한 심리적 부담보다는, 자기가 맡은 일 때문이었다. 아들 내외는 민 노인이 북을 치는 것을 못마땅하게 여기나 봐. 하지만 민 노인은 이에 아랑곳하지 않고 자신이 공연에서 맡은 역할을 잘 해내고 싶어 해. 수십 명의 아이들이 어우러져 돌아가는 춤판에 영감쟁이 하나가 낀다는 사실이, 새삼스럽게 어색하기도 하고, 모처럼의 북 가락이 그런 모양으로밖에는 선보일 수 없다는 데 대한, 엷은 적막감도 씻어 내기 힘들었다. 민 노인은 젊은이들 사이에서 북을 치는 자신의 모습에서 어색함과 적막감을 느꼈나 봐.

장면끊기 03 공연을 하러 가면서 민 노인이 느끼는 감정이 제시되고 있어.

그러나 젊은 훈김들이 뿜어내는 학교 마당에 서자 그런 머뭇거림은 가당찮은 것으로 치부되었다. 시간이 되어 옷을 갈아입고 아이들 속에 섞여 원진(圓陣)을 이루고 있는 구경꾼들을 대하자, 그런 생각들은 어디론지 녹아 내렸다. 그 구경꾼들의 눈이 자기에게 쏠리는 것도 자신이 거쳐 온 어느 날의 한 대목으로 치면 그만이었다. 노장이 나오고 취발이가 등장하는가 하면, 목중들이 춤을 추며 걸쭉한 음담패설 등을 쏟아 놓을 때마다, 관중들은 까르르 웃었다. 민 노인의 북은 요긴한 대목에서 둥둥 울렸다. 째지는 소리를 내는 꽹과리며 장구에 파묻혀 제값을 하지는 못해도, 민 노인에게는 전혀 괘념할 일이 아니었다. 그전에도 그랬던 것처럼, 공연 전에 마신 술기운도 가세하여, 탈바가지들의 손끝과 발목에 한 치의 오차도 없이 그의 북소리는 턱 턱 꽂혔다. 그새 입에서는 얼씨구! 소리도 적시에 흘러나왔다. 아무 생각도 없었다. 가락과 소리와, 그것을 전체적으로 휩싸는 달착지근한 장단에 자신을 내맡기고만 있었다. 민 노인은 장단에 자신을 맡기고 신명을 느끼며 공연에 몰입하고 있어.

장면끊기 04 앞에서 느꼈던 부담감은 곧 사라지고 공연이 시작되자 자신감을 갖고 신명나게 공연에 몰입하는 민 노인의 모습이 제시되고 있어.

그날 밤, 민 노인은 근래에 흔치 않은 노곤함으로 깊은 잠을 잤다. 춤판이 끝나고 아이들과 어울려 조금 과음한 까닭도 있을 것이었다. 더 많이는, 오랜만에 돌아온 자기 몫을 제대로 해냈다는 느긋함이, 꿈도 없는 잠을 거쳐 상큼한 아침을 맞게 했을 것으로 믿었는데, 그런 흐뭇함은 오래 가지 않았다. 다 저녁때가 되어, 외출에서 돌아온 며느리는 집 안에 들어서자마자 성규를 찾았고, 그가 안 보이자 민 노인의 방문을 밀쳤다.

"아버님, 어저께 성규 학교에 가셨어요?"

예사로운 말씨와는 달리, 굳어 있는 표정 위로는 낭패의 그늘이 좍 깔려 있었다. 금방 대답을 못하고 엉거주춤한 형세로 며느리를 올려다보는 민 노인의 면전에서, 송 여사의 한숨 섞인 물음이 또 떨어졌다.

"북을 치셨다면서요." 며느리(송 여사)는 민 노인이 성규 학교에 가서 북을 치는 것을 못마땅하게 여기고 있어.

"그랬다. 잘못했니?"

우선은 죄인 다루듯 하는 며느리의 힐문에 부아가 꾸역꾸역 치솟고, 소문이 빠르기도 하다는 놀라움이 그 뒤에 일었다. 민 노인은 자신을 죄인 다루듯 하는 며느리의 태도에 노여워하면서도, 성규 학교에서 북을 치고 온 일을 며느리가 벌써 알고 있다는 사실에 놀라고 있어.

"아이들 노는 데 구경 가시는 것까지는 몰라도, 걔들과 같이 어울려서 북 치고 장구 치는 게 나이 자신 어른이 할 일인가요?"

"하면 어때서. 성규가 지성으로 청하길래 응한 것뿐이고, 나는 원래 그런 사람 아니니. 이번에도 내가 늬들 체면 깎았냐."

"아시니 다행이네요."

송 여사는 후닥닥 문을 닫고 나갔다. 며느리는 자신의 체면 때문에 민 노인이 북을 치는 것을 싫어하고 있어.

장면끊기 05 다섯 번째 장면은 '그날 밤'으로 시작해. 민 노인이 공연을 끝내고 집으로 돌아온 날 밤, 며느리는 민 노인에게 성규의 학교에 가서 북을 치고 왔냐고 물으며 질책하지. 이 장면에서는 민 노인과 며느리의 갈등이 드러나고 있어.

– 최일남, 「흐르는 북」 –

현대소설 독해의 STEP 2

1 구조도의 빈칸에 적절한 말을 채웠는지 확인해 보세요.

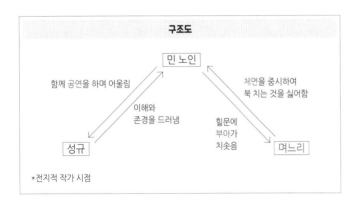

구조도

민 노인

함께 공연을 하며 어울림 / 체면을 중시하여 북 치는 것을 싫어함

이해와 존경을 드러냄

성규 / 힐문에 부아가 치솟음 / 며느리

*전지적 작가 시점

2 1~2번 문제의 정답과 해설을 확인해 보세요.

1. 윗글의 공간적 배경에 대한 해석으로 적절하지 <u>않은</u> 것은?

정답풀이

⑤ '집'은 '며느리'가 사회적 체면을 중시하여 자신의 허영심을 억압하는 공간이다.

> '집'은 공연을 마치고 돌아온 '민 노인'에게 '며느리'가 '성규'의 학교에 가서 북을 쳤냐고 물으며 갈등이 드러나는 공간이다. '민 노인'이 '이번에도 내가 늬들 체면 깎았냐.'라고 하자, '며느리'는 '아시니 다행이네요.'라고 답한다. 이를 통해 '며느리'가 사회적 체면을 중시한다는 것은 알 수 있지만, '집'이 며느리의 허영심을 억압하는 공간이라고 해석할 만한 근거는 찾아볼 수 없다.

오답풀이

① '막걸리 집'은 '민 노인'이 신세대와 만나 인간적인 소통을 하는 공간이다.

> '민 노인'은 연습이 끝나고 '막걸리 집'에서 손자인 성규와 그의 친구들과 함께 어울리며 '편안'함을 느낀다. 이를 통해 '막걸리 집'은 '민 노인'이 신세대와 만나 인간적인 소통을 하는 공간임을 알 수 있다.

② '춤판'은 '아이들'이 함께 어우러져 유대감을 확인하는 공간이다.

> '민 노인'은 '춤판'에서 '수십 명의 아이들'과 어우러져 신명나게 북을 치며 유대감을 확인하고 있다.

③ '춤판'은 '구경꾼들'이 공연 내용에 반응하며 전통 예술을 향유하는 공간이다.

> '노장이 나오고 취발이가 등장하는가 하면, 목중들이 춤을 추며 걸쭉한 음담 패설 등을 쏟아 놓을 때마다, 관중들은 까르르 웃었다.'를 통해 '춤판'에서 '구경꾼들'이 공연 내용에 반응하며 전통 예술을 향유하고 있음을 알 수 있다.

④ '춤판'은 '민 노인'이 신명 나게 북을 치며 자신감을 회복하는 공간이다.

> '민 노인의 북은 요긴한 대목에서 둥둥 울렸다.~그의 북소리는 턱 턱 꽂혔다. 그새 입에서는 얼씨구! 소리도 적시에 흘러나왔다.'를 통해 '민 노인'이 '춤판'에서 북을 치며 자신감을 회복했음을 알 수 있다.

2. 문학 개념어 OX 확인 문제

① ○

• 특정 인물의 시각으로 서술: 일반적으로 3인칭 전지적 작가 시점에서 특정 인물의 시각으로 그 인물의 경험과 인식을 반영하여 서술하는 것. 특정 인물의 입장에서 지칭어·호칭어를 사용하며, 다른 인물의 심리도 특정 인물의 입장에서 해석하여 나타냄.

> 근거 이 작품은 전지적 작가 시점으로 서술되어 있지만 '민 노인'의 시각으로 그의 생각이나 감정을 세세하게 전달하고 있음.

② ✕

• 요약적 서술(요약적 제시): 사건 전개 과정에서 대화나 행동을 보여 주거나 장면을 풀어서 묘사하지 않고 간략하게 요약하여 서술하는 것.

현대소설 독해의 STEP 3

 1번 문제의 선지 판단 공식에 대한 답을 확인해 보세요.

MEMO

선지 판단의 공식

① 작품
연습을 끝내고 옮겨간 '막걸리 집'에서 민 노인은 '의외의 술친구들과 어울린 자신의 마음이, 외견과는 달리 퍽 편안하다'고 느낌

선지 → '막걸리 집'은 '민 노인'이 신세대와 만나 인간적인 소통을 하는 공간이다. ○

② 작품
'수십 명의 아이들이 어우러져 돌아가는 춤판'에서 '민 노인의 북은 요긴한 대목에서 둥둥 울'림

선지 → '춤판'은 '아이들'이 함께 어우러져 유대감을 확인하는 공간이다. ○

③ 작품
'춤판'에 '노장이 나오고 취발이가 등장하는가 하면, 목중들이 춤을 추며 걸쭉한 음담패설 등을 쏟아 놓을 때마다, 관중들은 까르르 웃'음

선지 → '춤판'은 '구경꾼들'이 공연 내용에 반응하며 전통 예술을 향유하는 공간이다. ○

④ 작품
'그전에도 그랬던 것처럼' '춤판'에서 '탈바가지들의 손끝과 발목에 한 치의 오차도 없이 그의 북소리는 턱 턱 꽂'히고, '그새 입에서는 얼씨구! 소리도 적시에 흘러나'옴

선지 → '춤판'은 '민 노인'이 신명 나게 북을 치며 자신감을 회복하는 공간이다. ○

⑤ 작품
'집'으로 들어선 며느리는 아이들과 어울려 '북 치고 장구 치는 게 나이 자신 어른이 할 일'이냐며 민 노인을 질책함. 민 노인이 '이번에도 내가 늬들 체면 깎았냐.'라고 하자, 며느리는 '아시니 다행이네요.'라고 함

선지 → '집'은 '며느리'가 사회적 체면을 중시하여 자신의 허영심을 억압하는 공간이다. ×

현대소설 독해의 STEP 1

① 다음 글을 읽고 주요 인물을 잘 파악했는지, 빈칸에 적절한 말을 채웠는지 확인해 보세요.

📅 고3 2007학년도 6월 모평 – 이문열, 「금시조」

그런데 그 가을의 어느 날이었다. 이미 가끔씩 노환으로 자리보전을 하던 석담 선생은 그날도 병석에서 일어나기 바쁘게 종이와 붓을 찾았다. 그것도 그 무렵에는 거의 쓰지 않던 대필(大筆)과 전지(全紙)였다. 벌써 몇 달째 종이와 붓을 가까이 않던 고죽은 그런 스승의 집착에 까닭 모를 심화를 느끼며 먹을 갈기 바쁘게 스승 곁을 물러나고 말았다. 어딘가 모르게 스승의 과장된 집착에는 제자의 방황을 비웃는 듯한 느낌이 드는 데가 있었던 것이다. 성치 않은 몸으로 일어나자마자 붓글씨를 쓰는 스승의 집착에 고죽은 내심 화가 나고 있어. 왜냐하면 스승의 과한 집착이 마치 **방황**하는 자신을 비웃는 것 같기 때문이지. 그러나 한동안 뜰을 서성이는 사이에 그는 문득 늙은 스승의 하는 양이 궁금해졌다.

방에 돌아오니 석담 선생은 붓을 연적에 기대 놓고 눈을 감은 채 숨을 헐떡이고 있었다. 바닥에는 방금 쓰다가 그만 둔 것인 듯 '萬毫齊力(만호제력)' 넉 자 중에서 앞의 석 자만이 씌어져 있었다.

"소재(蘇齋)*는 일흔여덟에 참깨 위에 '天下泰平(천하태평)' 넉 자를 썼다고 한다. 나는 아직 일흔도 차지 않았는데 이 넉 자 '萬毫齊力'을 단숨에 쓸 힘도 남지 않았으니……."

그렇게 탄식하는 석담 선생의 얼굴에는 자못 처연한 기색이 떠올랐다. 일흔도 되지 않은 나이에 기력이 다해 붓글씨 쓰기를 제대로 끝마치지 못한 석담 선생은 탄식하고 있어. 그러나 고죽은 그 말을 듣자 억눌렀던 심화가 다시 솟아올랐다. 스승의 그 같은 표정은 그에게는 처연함이 아니라 오히려 자신만만함으로 비쳤다. 석담 스승의 탄식이 고죽에게는 **자신만만함**으로 보였대.

"설령 이 글을 단숨에 쓰시고, 여기서 금시조(金翅鳥)*가 솟아오르며 향상(香象)*이 노닌들, 그게 선생님을 위해 무슨 소용이 겠습니까?"

고죽은 자신도 모르게 심술궂은 미소를 띠며 물었다. 고죽은 석담 선생의 집념을 비웃으며 그게 무슨 **소용**이냐고 묻네. 이마에 송글송글 땀이 맺힌 채 기진해 있던 석담 선생은 처음 그 말에 어리둥절한 표정이었다. 그러나 이내 그 말의 참뜻을 알아들은 듯 매서운 눈길로 그를 노려보았다.

"무슨 소리냐? 그와 같이 드높은 경지는 글씨를 쓰는 이면 누구든 일생에 단 한 번이라도 이르러 보고 싶은 경지다." 고죽의 말을 알아들은 석담 선생은 화를 내고 있어. 예술적 경지에 오르는 데에 대한 집착과 집념은 당연한 것이라고 하지.

"거기에 이르러 본들 그것이 우리에게 무엇을 줄 수 있단 말입니까?"

고죽도 지지 않았다. 고죽은 예술적 경지가 현실적으로는 아무 이득도 되지 않는다고 말하고 있어.

"태산에 올라 보지도 않고, 거기에 오르면 그보다 더 높은 산이 없을까를 근심하는구나. 그럼 너는 일찍이 그들이 성취한 드높은 경지로 후세에까지 큰 이름을 드리운 선인들이 모두 쓸모없는 일을 하였단 말이냐?"

"자기를 속이고 남을 속인 것입니다. 도대체 종이에 먹물을 적시는 일에 도가 있은들 무엇이며, 현묘(玄妙)함이 있은들 그게 얼마나 대단하겠습니까? 도로 이름하면 백정이나 도둑에게도 도가 있고, 뜻을 어렵게 꾸미면 장인이나 야공(冶工)의 일에도 현묘함이 있습니다. 천고에 드리우는 이름이 있다 하나 이 나[我]가 없는데 문자로 된 나의 껍데기가 낯모르는 후인들 사이를 떠돈들 무슨 소용이 있겠으며, 서화가 남겨진다 하나 단단한 비석도 비바람에 깎이는데 하물며 종이와 먹이겠습니까? 거기다가 그것은 살아 그들의 몸을 편안하게 해 주지도 못했고 헐벗고 굶주리는 이웃을 도울 수도 없었습니다. 그들은 그 허망함과 쓰라림을 감추기 위해 이를 수도 없고 증명할 수도 없는 어떤 경지를 설정하여 자기를 위로하고 이웃과 뒷사람을 홀렸던 것입니다……." 고죽이 붓글씨로 예술의 경지에 오르는 것이 아무 소용 없다고 말한 근거가 제시되고 있어. 종이에 글씨를 쓰는 것에 도나 **현묘함**이 있을 수 없고, 예술적 경지가 담긴 붓글씨라 하더라도 종이와 먹이 오래 살아남을 수도 없으며, 그것이 다른 이들의 몸을 **편안**하게 하거나 어려운 이들을 **도울** 수도 없다는 것이지. 고죽은 예술에도 실용성, 효용성이 있어야 한다는 거야.

그때였다. 고죽은 불의의 통증으로 이마를 감싸 안으며 엎드렸다. 노한 석담 선생이 앞에 놓인 벼루 뚜껑을 집어던진 것이다. 샘솟듯 솟는 피를 훔치고 있는 고죽의 귀에 늙은 스승의 광기 어린 고함 소리가 들려 왔다.

"내 일찍이 네놈의 천골(賤骨)을 알아보았더니라. 가거라. 너는 진작부터 저잣거리에 나앉아야 할 놈이었다. 용케 천골을 숨기고 오늘날에 이르렀으니 이제 나가면 글씨 한 자에 쌀 뒷박은 후히 받을 게다……." 고죽의 말에 크게 화가 난 석담 선생은 그에게 **벼루 뚜껑**을 집어던지고 내쫓아.

결국 그 자리가 그들의 마지막 자리였다. 그 길로 석담 선생의 집을 나선 고죽이 다시 돌아온 것은 이미 스승의 시신이 입관된 뒤였다.

장면끊기 01 고죽과 그의 스승인 석담 선생이 서로 다른 예술관의 대립으로 인해 갈등하게 되는 장면이야. 붓글씨로 예술적 경지에 오르기 위해 집착하는 석담 선생과 그러한 스승의 모습을 이해하지 못하고 비웃는 고죽의 갈등이 첨예하게 드러나지. 이후 삼십여 년이 지난 시점에서 고죽이 이 일을 회상한 것임이 드러나므로 여기서 장면을 나누어야 해.

벌써 삼십여 년 전의 일이건만 고죽은 아직도 희미한 아픔을 느끼며 이제는 주름살이 덮여 흉터가 별로 드러나지 않는 왼쪽 이마 어름을 만져 보았다. 그러나 그와 함께 떠오르는 스승의 얼굴은 미움도 두려움도 아닌, 그리움 그것이었다. 고죽이 스승인 석담 선생과 싸우고 집을 나온 지 삼십여 년이 지났고, 고죽에게 스승은 미움이나 두려움이 아닌 **그리움**의 대상으로 남아 있어.

"아버님, 김 군이 왔습니다."

다시 추수의 목소리가 그를 끝 모를 회상에서 깨나게 하였다. 이어 방문이 열리며 초헌(草軒)의 둥글넓적한 얼굴이 나타났다. 대할 때마다 만득자(晚得子)를 대하는 것과 같이 유별난 애정을 느끼게 하는 제자였다. 제자인 초헌에 대한 고죽의 애정이 각별하네. 사람이 무던하다거나 이렇다할 요구 없이 일 년 가까이나 그가 없는 서실을 꾸려가고 있는 탓도 있겠지만 그보다는 글씨 때문이었다. 붓 쥐는 법도 익히기 전에 행서(行書)를 휘갈기고, 점획 결구(點劃結構)도 모르면서 초서(草書)며 전서(篆書)까지 그려 대는 요즈음 젊은 이들답지 않게 초헌은 스스로 정서(正書)로만 삼 년을 채웠다.

또 서력(書歷) 칠 년이라고는 하지만 칠 년을 하루같이 서실에만 붙어 산 그에게는 결코 짧은 것이 아닌데도 그 봄의 고죽 문하생 합동전에는 정서 두어 폭을 수줍게 내놓았을 뿐이었다. 초헌은 다른 젊은이들과 달리 **기본에 충실할** 줄 알고 자신의 실력을 자랑하기보다 겸손할 줄 아는 사람이야. 그러나 그의 글은 서투른 것 같으면서도 이상한 힘으로 충만돼 있어, 고죽에게는 남모를 감동을 주곤 했다. 젊었을 때는 그토록 완강하게 거부했지만 나이가 들수록 그윽하게 느껴지는 스승 석담의 서법을 연상케 하는 데가 있었기 때문이었다. 고죽이 제자 초헌을 아끼는 이유 중에는 그의 **서법**이 스승 석담을 연상시킨다는 점도 있네.

장면끊기 02 스승 석담 선생의 집에서 나온 뒤 삼십여 년이 흘렀고, 고죽은 스승을 떠올리며 그리움을 느껴. 그리고 제자 초헌의 모습에서도 스승을 떠올리지.

- 이문열, 「금시조(金翅鳥)」 -

*소재: 청나라 학자 옹방강의 호.

*금시조: 불경에 나오는 상상의 큰 새.

*향상: 상상의 큰 코끼리.

현대소설 독해의 STEP 2

1 구조도의 빈칸에 적절한 말을 채웠는지 확인해 보세요.

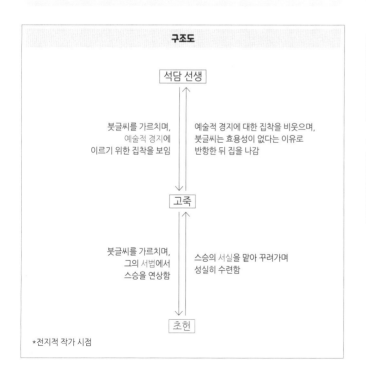

구조도

석담 선생

붓글씨를 가르치며, 예술적 경지에 이르기 위한 집착을 보임 | 예술적 경지에 대한 집착을 비웃으며, 붓글씨는 효용성이 없다는 이유로 반항한 뒤 집을 나감

고죽

붓글씨를 가르치며, 그의 서법에서 스승을 연상함 | 스승의 서실을 맡아 꾸려가며 성실히 수련함

초헌

*전지적 작가 시점

---

2 1~2번 문제의 정답과 해설을 확인해 보세요.

1. 윗글을 읽은 학생의 반응으로 적절하지 <u>않은</u> 것은?

정답풀이

④ 예술을 최고의 가치로 생각하는 태도에 대해 작가는 잘못되었다고 말하는군.

> 윗글은 석담 선생과 고죽의 예술관의 차이와 그로 인한 갈등을 보여 주고, 석담 선생이 죽은 이후 고죽이 석담 선생을 그리워하는 모습을 그려 내어 두 예술관의 합일을 보여 주고 있다. 따라서 윗글의 작가가 예술을 최고의 가치로 여기는 태도에 대해 잘못되었다고 생각하지는 않을 것이다.

오답풀이

① 예술이 갖는 효용성 문제에 대해 논란이 있군.

> 예술의 드높은 경지에 이르고자 하는 석담과 예술에 도나 현묘함이 있은들 아무런 효용이 없다고 보는 고죽이 충돌하고 있으므로, 예술이 갖는 효용성 문제에 대한 논란을 다루고 있다는 반응은 적절하다.

② 예술의 경지를 깨달아 가는 과정이 험난하다는 점을 암시하고 있군.

> 단숨에 글씨가 써지지 않아 탄식하는 석담 선생의 모습이나 예술관의 대립으로 인해 첨예하게 갈등하는 석담과 고죽의 모습을 통해 진정한 예술의 경지를 깨달아 가는 과정이 쉽지 않음을 엿볼 수 있다.

③ 예술가로서 스승과 제자의 만남과 헤어짐을 작가는 극적으로 그려 내었군.

> 윗글은 스승인 석담과 제자 고죽이 예술관의 차이로 인해 첨예하게 갈등하지만, 스승의 죽음 이후 그를 그리워하고 자신의 제자 초헌에게서 스승의 서법을 연상하는 고담의 모습을 그려 내고 있다. 즉 예술가로서 스승 석담과 제자 고죽의 만남과 헤어짐을 극적으로 서술하고 있는 것이다.

⑤ 예술을 창조하는 이들이 겪는 정신적 고뇌에 대해 어느 정도 이해할 수 있군.

> 예술로서 어떤 경지에 이르고자 하는 집착을 보이는 석담과 예술관의 차이로 인해 스승의 뜻에 함께하지 못하고 결국 떠나버리는 고죽의 모습에서 예술을 창조하는 이들의 정신적 고뇌를 엿볼 수 있다.

2. 문학 개념어 OX 확인 문제

① ○

- **비약:** 논리나 사고방식 따위가 그 차례나 단계를 따르지 아니하고 뛰어넘음.

  근거 고죽의 회상을 통해 시간의 흐름을 비약시킴으로써 고죽과 석담 선생이 예술관의 차이로 갈등했던 과거와, 삼십여 년이 지난 뒤 스승을 그리워하는 고죽의 현재 모습을 연계함.

② ○

- **갈등의 고조:** 갈등의 정도나 경지가 점점 깊어짐.

  근거 예술관의 차이로 인해 첨예하게 갈등하는 석담 선생과 고죽의 모습을 보여줌으로써 서사적 긴장감을 고조시킴.

현대소설 독해의 STEP 3

■ 1번 문제의 선지 판단 공식에 대한 답을 확인해 보세요.

선지 판단의 공식

①
작품 석담이 '드높은 경지는 글씨를 쓰는 이면 누구든 일생에 단한 번이라도 이르러 보고 싶은 경지'라고 하자, 고죽은 '거기에 이르러 본들 그것이 우리에게 무엇을 줄 수 있'냐고 물음, 고죽은 붓글씨가 '몸을 편안하게 해 주지도 못했고 헐벗고 굶주리는 이웃을 도울 수도 없'다고 했고, 이에 석담은 분노함

선지➡ 예술이 갖는 효용성 문제에 대해 논란이 있군. ○

②
작품 석담은 붓글씨를 쓰던 중 '아직 일흔도 차지 않았는데 이 넉 자 '萬毫齊力'을 단숨에 쓸 힘도 남지 않았'다고 탄식함, 고죽이 석담의 집착을 비웃자 석담은 '드높은 경지는 글씨를 쓰는 이면 누구든 일생에 단 한 번이라도 이르러 보고 싶은 경지'라고 함

선지➡ 예술의 경지를 깨달아 가는 과정이 험난하다는 점을 암시하고 있군. ○

③
작품 고죽의 비아냥에 노한 석담은 '벼루 뚜껑을 집어던'지며 그를 내쫓고, '삼십여 년'이 지난 뒤 고죽은 스승을 떠올리며 '그리움'을 느낌, 고죽은 아끼는 제자인 초헌의 서법에서 '젊었을 때는 그토록 완강하게 거부했지만 나이가 들수록 그윽하게 느껴지는 스승 석담의 서법을 연상'함

선지➡ 예술가로서 스승과 제자의 만남과 헤어짐을 작가는 극적으로 그려 내었군. ○

④
작품 붓글씨로 '드높은 경지'에 이르고자 하는 집착을 보이는 석담에게 고죽이 비아냥거린 일로 두 사람이 크게 갈등함, '삼십여 년'이 지난 뒤 고죽은 스승을 그리워하며, 아끼는 제자인 초헌의 서법에서 '스승 석담의 서법을 연상'함

선지➡ 예술을 최고의 가치로 생각하는 태도에 대해 작가는 잘못되었다고 말하는군. ×

⑤
작품 석담은 붓글씨를 쓰던 중 '아직 일흔도 차지 않았는데 이 넉 자 '萬毫齊力'을 단숨에 쓸 힘도 남지 않았'다고 탄식함, 고죽은 붓글씨에는 어떤 효용도 없으며 그러한 '허망함과 쓰라림을 감추기 위해 이를 수도 없고 증명할 수도 없는 어떤 경지를 설정'한 것이라며 예술적 경지에 대해 회의함

선지➡ 예술을 창조하는 이들이 겪는 정신적 고뇌에 대해 어느 정도 이해할 수 있군. ○

현대소설 독해의 STEP 1

1 다음 글을 읽고 주요 인물을 잘 파악했는지, 빈칸에 적절한 말을 채웠는지 확인해 보세요.

📅 고3 2021학년도 3월 학평 – 은희경, 「새의 선물」

한동안은 누가 **나**를 쳐다보고 수군거리기만 해도 엄마 이야기라고 지레짐작했으며 남에게 그것을 눈치채이기 싫어서 짐짓 고개를 숙여 버리곤 했다. 그러나 바로 그렇게 남에게 관찰당하는 것을 싫어했기 때문에 나는 누구보다 일찍 나를 숨기는 방법을 터득했다. 사람들이 수군거리는 것에 대해 '나'는 신경이 쓰이지만, 남에게 **눈치**이고 싶지 않아 해. 아무래도 '나'는 엄마와 관련된 사연이 있어 보여. '나'는 남이 자신을 관찰하지 못하도록 일찍부터 '나'를 **숨기는** 방법을 터득했대.

누가 나를 쳐다보면 나는 먼저 나를 두 개의 나로 분리시킨다. 하나의 나는 내 안에 그대로 있고 진짜 나에게서 갈라져 나간 다른 나로 하여금 내 몸 밖으로 나가 내 역할을 하게 한다.

내 몸 밖을 나간 다른 나는 남들 앞에 노출되어 마치 나인 듯 행동하고 있지만 진짜 나는 몸속에 남아서 몸 밖으로 나간 나를 바라보고 있다. 하나의 나로 하여금 그들이 보고자 하는 나로 행동하게 하고 나머지 하나의 나는 그것을 바라보는 것이다. 그때 나는 남에게 '보여지는 나'와 나 자신이 '바라보는 나'로 분리된다. '나'는 자신을 **두 개**의 '나'로 분리시켰구나. 사람들이 보고 싶어 하는 '나'의 모습은 '**보여지는 나**'가 몸 밖에서 행동하게 하고, 진짜 '나'는 그것을 바라보고 있대.

물론 그중에서 진짜 나는 '보여지는 나'가 아니라 '바라보는 나'이다. 남의 시선으로부터 강요를 당하고 수모를 받는 것은 '보여지는 나'이므로 '바라보는' 진짜 나는 상처를 덜 받는다. 이렇게 나를 두 개로 분리시킴으로써 나는 사람들의 눈에 노출되지 않고 나 자신으로 그대로 지켜지는 것이다. '나'가 진짜 자신은 숨긴 채 사람들에게 '보여지는 나'로써 자신을 드러내는 이유는 **상처**받지 않기 위해서였네.

진짜의 나 아닌 다른 나를 만들어 보인다는 점에서 그것이 위선이나 가식일지도 모른다는 생각을 한 적이 있다. 꾸며 보이고 거짓으로 행동하기 때문에 나를 두 개로 분리시키는 일은 나쁜 일일지도 모른다고 생각했던 것이다. '나'는 진짜 자신의 모습은 감추고, '보여지는 나'로 사람들을 대하는 게 **나쁜** 일일지도 모른다는 생각을 했었구나. 그러나 내가 '작위'라는 말을 알게 된 뒤부터 그런 의혹은 사라졌다. 나의 분리법은 ⓐ위선이 아니라 ⓑ작위였으며 작위는 위선보다 훨씬 복잡한 감정이지만 엄밀한 의미에서 부도덕한 일은 아니었다.

그러므로 이제 내가 아는 어른들의 비밀을 털어놓는 데에 나는 아무런 거리낌도, 빚진 마음도 갖고 있지 않다. '나'는 자신의 분리법은 **위선**이나 가식이 아닌 작위이고, 작위는 부도덕한 일은 아니라고 해. 자신이 아는 **어른들의 비밀**을 이제부터 거리낌 없이 털어놓겠다고 하는 것으로 보아 '나'는 어린아이임을 짐작해 볼 수 있어. 어린아이인 '나'가 사람들을 대할 때 진짜 '나'는 숨기고 사람들이 원하는 모습의 '나'로 행동했다니 평범한 어린아이와는 다른 것 같지?

장면끊기 01 '나'는 사람들에게 속마음을 숨기기 위해 자신을 '두 개의 나'로 분리시켰어. 중략 부분 줄거리 이후에 나오는 장면에서는 **이모**와 군인 이형렬의 펜팔과 관련된 사건으로 이야기가 전환되니, 여기서 장면을 끊어 보자.

[중략 부분 줄거리] **이모**는 군인인 **이형렬**과 펜팔을 하게 되고 할머니의 눈을 피해 편지 전하는 일을 '나'에게 시킨다.

그러나 일단 그 관문만 지나면 어려운 단어나 비유법 없이 평이한 문장이 죽죽 나열되므로 아주 읽기가 편하다는 것이, 짧다는 사실과 함께 그의 편지의 장점이었다.

내용을 간추려 본다면 대강 이런 이야기였다. '나'는 이모와 이형렬의 **펜팔**에 대해 이야기를 시작해. 먼저 이형렬의 편지 내용이 어떤지 소개해 주네.

[A]
나, 이형렬은 서울에서 사업을 하는 이 아무개 씨의 2남 1녀 중 막내로 태어났다. 나이는 22세. 대학에서의 전공은 토목과. 누나는 시집을 갔고 형은 가업을 물려받기 위해 아버지의 회사에서 사회 경험을 쌓는 중이다. 장래 소망은 전공을 살려 토목 회사에 취직을 하거나 공부를 계속하여 교수가 되는 것이다. 하지만 고리타분하게 살고 싶은 마음은 조금도 없으며 결혼을 빨리 해서 가정을 이룬 다음부터는 아내와 함께 테니스도 치고 여행도 다니며 즐겁게 살 계획이다. 다룰 줄 아는 악기는 하모니카이고 취미는 오토바이 타기인데 애인을 뒷자리에 태우고 숲길을 쌩 달려 보는 게 오랜 꿈이었지만 아직 애인이 없어서 그렇게 해 보진 못했다. 그동안은 공부밖에 몰랐고 아직 그럴 때가 아닌 것 같아서 여자를 사귀지 않았기 때문이다. **영옥 씨**의 사진을 받아 보고 특히 눈이 아름답다고 느꼈다. 그리고 그동안 영옥 씨의 편지를 받아 볼 때마다 어쩌면 이렇게 순수한 마음을 가졌을까 깜짝 놀라고 말았다. 아름답고 순수한 영옥 씨를 알게 된 것은 신의 은총이다…… 이형렬은 이모(**영옥 씨**)를 아름답고 **순수**하다고 생각하며 호감을 보이고 있어.

장면끊기 02 이모와 이형렬의 펜팔로 사건이 전환되었어. 먼저 '나'는 이형렬의 편지 내용을 간추려서 소개하고 있네.

이모가 편지를 쓰는 시간은 대개 할머니가 잠든 밤이었다. 할머니는 저녁 설거지를 마치고 들어오면 연속극을 듣기 위해 라디오 앞에 앉곤 했다. 하지만 초저녁잠이 많아서 그 좋아하는 연속극을 언제나 끝까지 듣지 못하고 코를 고는 것이었다. 할머니는 귀로 듣기만 하면 되는 라디오인데도 연속극 시간에는 다른 일을 모두 폐하고 꼭 그 앞에 바짝 앉아 굳이 라디오를 쳐다보면서 연속극을 듣곤 했다. 그렇게 보고 있지 않으면 그 사이에 이야기가 그냥 지나쳐 버리기라도 한다는 듯이 라디오에서 눈길을 떼지 못했다.

그러면서도 정작 중요한 대목에서 할머니 쪽을 쳐다보면 대개는 곤하게 잠이 들어 있기 일쑤였다. 내가 할머니를 흔들면서 "할머니, 할머니! 들어 보세요. 지금 드디어 그 딸이 엄마하고 만났어요. 지금요!"라고 연속극의 진행 상황을 설명해 주면 그토록 중요한 순간에 잠이 들어 버렸다는 데 무안해진 할머니는 전혀 졸지 않았던 사람처럼 목소리를 높게 내며 "나도 안다, 알어" 하고 눈꺼풀에 힘을 주지만 조금 있다 보면 어느새 또 푸푸, 하는 일정한 리듬의 숨소리를 내며 도로 잠들어 있었다.

할머니의 초저녁잠이 그렇게 깊었기 때문에 이모는 마음껏 금지된 편지를 썼고 나는 그동안 이모가 우리 미장원에서 빌려온 『선데이 서울』을 뒤적이고 있다가 이모가 맞춤법이나 표현에 대해서 물어 오면 자문관 역할을 해 줄 수 있었다. 할머니의 초저녁잠이 깊었기 때문에 이모는 들킬 걱정 없이 이형렬에게 마음껏 편지를 쓸 수 있었대. '나'는 이모의 **자문관** 역할을 하며 편지 쓰기를 도왔네.

장면끊기 03 초저녁잠이 많은 할머니가 잠든 밤이면 이모가 마음껏 금지된 편지를 쓸 수 있었던 상황을 설명하고 있어. 다음 장면에서는 앞서 이형렬의 편지 내용을 간추려 소개했던 것처럼, '나'가 알고 있는 **이모**의 편지 내용이 등장해.

　이모가 이형렬에게 보내는 편지는 대충 이런 식으로 이형렬이 이모에게 보내는 편지와 사이좋은 대구를 이루었다.

> 　　나, 전영옥은 경찰 고위직에 있었던 전 아무개 씨의 1남 1녀 중 막내이다. 오빠는 현재 법대 3학년이고 어머니가 농업과 건축업(가겟집 세놓은 일을 표현할 고상한 말을 찾던 이모는 집과 관계된 직업 중에 이 말이 가장 무난하다고 생각했다)에 종사한다. 아버지가 6·25 때 순직하여서 국가 유공자 집안이다. 나이는 21세. 서울에 있는 대학에 합격했지만 (이 사실은 나도 처음 듣는 일이었지만 이모가 원서를 낸 것까지는 사실이라고 얼굴을 붉혀 가며 주장했기 때문에 더 이상 진위를 가리지 않기로 했다) 이모가 어머니의 **직업**에 대해 '건축업'이라고 소개한 것이나, 자신이 서울에 있는 대학에 **합격**했다고 이야기하는 것을 보아 이모는 이형렬에게 잘 보이고 싶은 마음이 있다는 것을 알 수 있어.
> 　어머니 곁을 떠날 수 없어 학업을 포기하고 고향에서 영어를 가르치고 있다. 성격이 조용하여 취미는 독서와 음악 감상이고 장래 소망은 현모양처. 남자 친구는 전혀 없으며 기회는 많았지만 집안이 엄격하여 교제를 해 보지 못했다. 좋아하는 계절은 가을, 좋아하는 꽃은 '나를 잊지 마세요'라는 꽃말을 지닌 물망초. 그리고 이상적인 남성형은 변함없이 나를 아껴 주는 진실한 남성.

[B]

장면끊기 04 이번 장면에서는 **이형렬**에게 보내는 이모의 편지 내용을 소개했어.

　그러나 이모의 편지가 언제까지나 이런 입문 단계에 머물렀던 것은 아니었다. 시간이 지날수록 이모의 편지는 점점 센티멘털하게 변해 갔다. 그러더니 그리움이라는 단어가 이따금 눈에 띄고 애틋한 구절이 많아진다 싶을 무렵부터 더 이상 편지를 보여 주지 않았다. 그때부터는 표현에 대한 자문도 구하지 않았고 그런 형식적인 포장을 극복할 만큼은 이형렬과의 관계가 발전한 것인지 맞춤법을 물어 오는 일도 거의 없어졌다. 이제 그에게서 온 편지도 보여 주지 않았다. 처음과는 다르게 이모가 '나'에게도 편지의 내용을 숨기는 것으로 보아, 이모와 이형렬의 사이가 점점 **가까워졌음**을 알 수 있지?

　그래도 편지를 전해 주는 일은 여전히 내 소관이었으므로 나는 여전히 이모의 비밀을 혓바닥 밑에 감추고 있는 셈이었다.

장면끊기 05 이형렬과의 사이가 깊어지며 이모는 '나'에게 더 이상 **편지**를 보여 주지 않아. '나'가 앞에서 털어놓겠다던 **비밀**은 이모와 이형렬의 펜팔 사건과 관계된 것임을 짐작해 볼 수 있지.

－ 은희경, 「새의 선물」 －

현대소설 독해의 STEP 2

1 구조도의 빈칸에 적절한 말을 채웠는지 확인해 보세요.

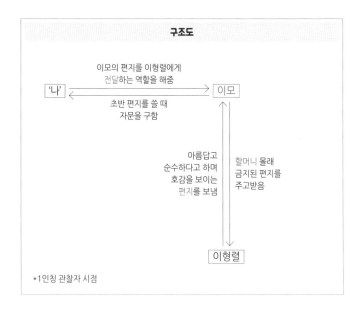

2 1~2번 문제의 정답과 해설을 확인해 보세요.

1. ⓐ와 ⓑ를 통해 '나'를 이해한 내용으로 가장 적절한 것은?

정답풀이

④ '나'는 '나 아닌 다른 나'를 만든 것을 ⓐ가 아닌 ⓑ로 규정함으로써 심리적 부담감에서 벗어나게 된다.

> '나'는 자신을 '두 개로 분리시키는 일'에 대해 '꾸며 보이고 거짓으로 행동하기 때문에' '나쁜 일일지도 모른다고 생각'했다가, 그것을 ⓑ라고 규정한 이후로는 '부도덕한 일은 아니'라고 여기며 '어른들의 비밀을 털어놓는' 것에도 '거리낌'과 '빚진 마음'을 갖지 않게 된다.

오답풀이

① '나'는 '보여지는 나'가 받았던 상처가 ⓐ를 통해 치유될 수 있다고 생각한다.

> '나'는 '남의 시선으로부터 강요를 당하고 수모를 받는 것은 '보여지는 나''라고 하였다. 이는 '진짜 나'가 '상처를 덜 받'기 위해 자신을 '두 개로 분리시킨' 것이지, ⓐ를 통해 '보여지는 나'의 상처를 치유하고자 함이 아니다.

② '나'는 ⓐ로 인해 발생한 의혹을 '바라보는 나'와 '보여지는 나'로 '나'를 분리함으로써 해소하고자 한다.

> '나'가 '바라보는 나'와 '보여지는 나'로 자신을 분리한 것은 '사람들의 눈에 노출되지 않고 나 자신으로 그대로 지켜지'기 위해서이지, ⓐ로 인해 발생한 의혹을 해소하기 위해서가 아니다.

③ '나'는 ⓑ로 인해 '바라보는 나'와 '보여지는 나' 사이의 내적 갈등이 심화될
수 있다고 생각한다.

> '나'는 ⓑ로 인해 자신을 '두 개로 분리시키는 일'이 '나쁜 일일지도 모른다'는
> 생각을 없앨 수 있었을 뿐, '바라보는 나'와 '보여지는 나' 사이의 내적 갈등이
> 심화될 수 있다고 하지 않았다.

⑤ '나'는 ⓐ보다 복잡한 감정인 ⓑ가 '나 아닌 다른 나'에 대한 주변의 비난을
더 많이 받게 할 수 있다고 생각한다.

> '나'는 ⓑ가 ⓐ보다 '훨씬 복잡한 감정'이라고 하였지만, ⓑ로 인해 '나 아닌
> 다른 나'가 주변의 비난을 더 많이 받게 된다고 생각하지는 않았다.

2. 문학 개념어 OX 확인 문제

① ✕

- 논평: 어떤 글이나 말 또는 사건 따위의 내용에 대하여 논하여 비평함.
또는 그런 비평.

② ○

> 근거 [B]에서는 '(가겟집 세놓은 일을 표현할~가장 무난하다고 생각했다)', '(이
> 사실은 나도 처음 듣는 일이었지만~더 이상 진위를 가리지 않기로 했다)'와 같이
> 이모의 편지 내용에 대해 '나'가 알고 있는 관련 내용을 괄호 안에 덧붙이고 있음.

현대소설 독해의 STEP 3

■ 1번 문제의 선지 판단 공식에 대한 답을 확인해 보세요.

선지 판단의 공식

① 작품
'남의 시선으로부터 강요를 당하고 수모를 받는 것은 '보여
지는 나''이기 때문에 그것을 "바라보는' 진짜 나는 상처를
덜 받는다'고 함

선지▶ '나'는 '보여지는 나'가 받았던 상처가 ⓐ를 통해 치유될 수
있다고 생각한다. ✕

② 작품
'나'는 자신을 '두 개로 분리시킴으로써' '사람들의 눈에 노출
되지 않고 나 자신으로 그대로 지켜지는 것'이라고 생각함

선지▶ '나'는 ⓐ로 인해 발생한 의혹을 '바라보는 나'와 '보여지는
나'로 '나'를 분리함으로써 해소하고자 한다. ✕

③ 작품
나는 '분리법'을 ⓐ위선이 아니라 ⓑ작위라고 생각함으로써
자신을 '두 개로 분리시키는 일'이 '부도덕한 일은 아니었다'
고 생각하게 됨

선지▶ '나'는 ⓑ로 인해 '바라보는 나'와 '보여지는 나' 사이의 내적
갈등이 심화될 수 있다고 생각한다. ✕

④ 작품
'나'는 '꾸며 보이고 거짓으로 행동하기 때문에' 자신을 '두
개로 분리시키는 일은 나쁜 일일지도 모른다고 생각'하다가,
자신의 분리법이 ⓑ작위라고 규정하면서 '엄밀한 의미에서
부도덕한 일은 아니었다'고 생각하게 됨

선지▶ '나'는 '나 아닌 다른 나'를 만든 것을 ⓐ가 아닌 ⓑ로 규정함
으로써 심리적 부담감에서 벗어나게 된다. ○

⑤ 작품
'나'는 'ⓑ작위는 ⓐ위선보다 훨씬 복잡한 감정이지만 엄밀한
의미에서 부도덕한 일은 아니었다'고 생각함

선지▶ '나'는 ⓐ보다 복잡한 감정인 ⓑ가 '나 아닌 다른 나'에 대한
주변의 비난을 더 많이 받게 할 수 있다고 생각한다. ✕

현대소설 독해의 STEP 1

1 다음 글을 읽고 주요 인물을 잘 파악했는지, 빈칸에 적절한 말을 채웠는지 확인해 보세요.

📅 고3 2019학년도 10월 학평 – 박영한, 「지상의 방 한 칸」

연재가 파탄에 직면한 것은 우묵배미의 맨 꼭대기 부잣집 김 씨네에서 어쩔 수 없이 맨 아랫집 붙들네로 방을 옮기면서부터였다. 붙들네 아이들 극성으로 머릿속에 든 이미지들은 박살이 나기 일쑤였고, 그런 이유 말고도 매달 덜미를 물고 늘어지는 생활비의 중압, 게다 여성지 연재인데 설마 어떠랴 싶은 다소 시건방진 속계산이 소설의 치열성을 많이 빼앗아가 버린 때문이었다. *'나'의 소설 연재는 다양한 이유로 파탄에 직면하게 되었어. 경제적 이유로 부잣집에서 아랫집으로 방을 옮기고, 매달 생활비의 중압을 느끼면서도 여성지 연재를 쉽게 생각하는 시건방진 생각들이 바로 그것이지. 이는 소설가로서 치열성을 잃은 '나'의 모습을 보여 줘.* 해서 「달래강」의 장편 연재는 그 희석되고 석고화된 관념의 두께와 원고 매수나 채우려는 군더더기로 인하여 사르트르도 무엇도 아닌 어중간한 것으로 끝장을 보게 된 것이다. *「달래강」의 장편 연재가 어중간하게 끝나 작가로서 불만족스러움을 느끼고 있군.* 그놈의 식어 빠진 「달래강」의 연재를 『소설계』에까지 끌고 가 2부를 써 내지 않을 수 없었던 것은, 1년 안에 장편 하나를 넘겨주기로 하고 그 잡지사로부터 미리 타 쓴 계약금 2백만 원 때문이었다. 자기 자신도 감동시키지 못하는 소설을 끄적이기 위해 책상 앞에 앉는다는 것은 마치 도살장에 끌려가는 거나 다름없었다. *계약금 때문에 자신도 감동시키지 못하는 소설을 억지로 쓰고 있는 상황을 괴로워하고 있어.*

독서를 게을리하기 시작한 지도 오래였다. 책들은 반도 채 못 읽어서 방바닥을 굴러다니다 관심권 밖으로 사라졌고, 아랫마을 출입이 잦아지고 쓸데없는 술추렴이 늘고, 공연히 남의 집 우사를 들랑거리며 송아지 자랑이나 떠벌리고…… 위기였다. 이겨 낼 방법이 없었다. *창작과는 거리가 먼 일상의 일들로 시간을 보내며 창작의 위기를 겪고 있군.*

아내에게는 감히 말을 꺼낼 엄두도 못 내면서 혼자 곰곰이 또 이사 갈 생각만 하고 있었다. 집안의 시끌짝한 분위기 탓이었다. *'나'는 소설 창작에 전념하지 못할 집안 분위기에 이사 갈 생각만 하고 있대.* 그들을 한 가구씩 차례차례 내보내야 했다. 안주인에게 애당초의 약속을 상기시키면서 그들 중 한두 가구를 내보내라고 종용했다. 우리가 이사 들어 올 때 달이 차면 정 씨를 내보내고 싼값에 안채를 준다는 조건으로 계약을 한 것이었는데, 그러나 이제 와서 안주인은 난색을 표했다. 그리고 딴 방들도 방세가 네댓 달씩 밀려 있었고 또 그들은 선뜻 방을 비워 줄 사람들이 못 되었다.

ⓐ아니었다. 그것은 분위기를 탓할 일이 아니었다. 그것은 이미 쓸모없는 비계로 가득 찬 나의 대뇌 탓이었다. 더 이상 샘물을 저어 올릴 수 없는 나의 소설적 비재(非才) 탓이었다. 고갈되고 고갈된 나머지 나는 농부보다 못한 상상력을 갖고 있었다. *잡생각으로 인해 만족스러운 창작을 하지 못하고 있는 상황을 자신의 비재(재주가 없음) 탓으로 돌리고 있군. 소설 창작에 전념하지 못하는 상황에서 '나'가 내적 갈등 중이라고 볼 수 있어.*

ⓑ아니었다. 그건 나 혼자만이 감당해야 할 죄가 아니었다. 제2, 제3 장편이 연이어 안겨다 준 물질적 궁핍 때문이었다. 출판

경기의 지독한 불황 때문이었다. 그리고 그래서 앙가주망적 지식인의 황금기였다고도 말할 수 있는 70년대 말기 정치 경제 사회 현상의 전 분야에다 겁도 없이 진찰기를 들이댈 수 있었던, 저 끝간 데 없이 치솟던 문학 종사자들의 야심을 일거에 잠재워 버리고 만 일련의 격변 때문이었다. *처음에 집안 분위기를 탓했던 '나'는 이후 자신의 재능 없음을 탓하더니, 이제는 출판 경기의 불황, 70년대 말 사회 전 분야의 격변을 탓하고 있어.* 한차례의 폭설과 함께 느닷없이 들이닥친 이 겨울의 주인은 입에다 마스크를 대지 않고 함부로 거리를 나돌아 다니지 말 것, 그리고 가능한 한 방 안에서 텔레비전이나 보고 앉아 있을 것 등등의 몇 가지 시민적 준수 사항을 공개리에 엄격히 하달했다. *개인의 일상 생활에 '시민적 준수 사항'이라는 억압이 가해진 70년대의 경직된 분위기가 표현되어 있군.* 글을 쓰는 우리 동료들은 연신 아얏아얏 소리를 내며 흩어져 가고 있었다. 문인들의 발길이 뜸해진 광화문과 낙원동의 술집들은 장사가 안 된다고 은근히 걱정이었다. 광장을 잃은 급진주의자들은 피켓을 철수하고 지하로 강당으로 기어들어 가고 있었다. *개인의 자유를 억압하는 사회적 분위기로 인해 문인들은 흩어지고 급진주의자들도 모습을 감추었대.* 인세를 받으며 할랑하게 방구석에 틀어박혀 대작을 꿈꾸고 있던 몇몇 동지들은 어쩔 수 없이 끼니에 덜미를 잡혀 천방지축 출판사로 기업체로 신문 연재로 대학원으로 속속 복귀하고 있었다. *문인들은 대작을 쓰겠다는 꿈 대신에 생계를 위해 생활 전선에 뛰어들 수밖에 없던 상황이군.* 비평가와 신문 문화 면은 연일 작품 기근, 신인 부재를 속삭여 대고, 소설에의 기대치가 절정에 이르렀던 70년대가 막을 내리자 기대를 잃은 다수의 독자 대중은 도시락을 싸서 들로 산으로 전자오락실로 TV의 스포츠 화면 속으로 뒤돌아볼 새 없이 떼를 지어 달아나고 있었다. *독자 대중들은 소설에 기대를 잃고 전자오락실, TV의 스포츠 화면 등 무비판적인 대중 문화 콘텐츠로 시선을 돌렸지.*

장면끊기 01 *'나'는 소설 연재의 파탄에 직면하고, 그 원인을 집안 분위기, 자기 자신, 70년대 말 사회 분위기 등으로 돌렸어. 소설 창작에 전념하지 못한 '나'의 내면 심리와 당시 사회에 대한 '나'의 인식에 주목해 보자.*

[중간 부분의 줄거리] 조용한 방 한 칸을 구하기 위해 '나'는 여름 내내 고군분투한다. *글을 쓰기 위한 조용한 방 한 칸을 구하기 위해 노력하는 '나'의 모습은 소설에 대한 열정을 보여 줘.* 겨우 이사를 하게 된 '나'는 절친인 유 형이 작품전을 한다는 사실을 뒤늦게 떠올리고 급히 전시장을 찾는다.

"뭐, 대충대충 고르지. 그까짓 방 하나 구하는 걸 갖구선 뭘 그래? 방 구한다는 게 대체 언제부터야?"

말은 거칠고 화를 참느라고 그의 얼굴은 붉게 상기되어 있었다. *조용한 방 한 칸을 구하기 위해 오랜 시간을 들인 '나'를 이해하지 못하는 유 형의 모습이야.* 사실 뜨끔했던 나는 슬쩍 농으로 받아들일 속셈이었는데 그러나 그의 비난은 세찬 것이었다. 나는 이 야속한 친구에게 무언가 중요한 말 한마디를 해 주고 싶었으나 무안을 참으며 자리를 피했다. *'나'는 유 형의 비난을 듣고 야속함, 무안함을 느끼고 있어.* 그날 밤 친구들이 모인 간단한 술자리에서도 친구에 관한 생각으로 가득 차 있었다. 그는 친구에게 잊을 수 없는 말을 남긴 것이었고, 그는 왜 친구 한 사람이 방 한 칸 때문에 그토록 많은 땀을 흘리며 전전긍긍하고 있었던가를 이해해 보기를 어언간 싫어하게 된 것인지도 몰랐다. *'나'를 비난한 유 형의 말을 계속 떠올리며, 내가 방 한 칸을 구하기 위해 전전긍긍하는 모습을 이해하지 못한 그에 대해 생각하고 있네.*

원주 가기 전의 문막은 유 형의 고향이었고 그쪽에는 그의 고향 동료들이 많았다. 그가 문막 읍내에서 썩 떨어진 시골 마을에다 아틀리에를 마련한 것은 그다운 일이었다. 그러나 그가 비단 친구뿐만이 아니라 인간의 고통에 동참하기를 싫어하게 된 것은 어쩌면 그 자가용을 굴리는 편한 상식인들과 상대하지 않을 수 없게 되면서부터일지도 몰랐다. **'나'는 읍내에서 떨어진 시골 마을에 화실을 마련했던 그가 상식인들을 상대하면서 인간의 고통을 이해하는 것을 싫어하게 된 것인가 하고 짐작해 봐.** 인간은, 특히 예술가는, 고통에 대한 사랑과 그 진정한 초월을 통해서만 존립이 가능하다는 소신을 그에게 들려줄 용기를 나는 못 갖고 있었다. 그건 나 자신부터가 충분히 생생한 신념을 껴안고 살아가고 있을 때만 가능한 얘기였다. **예술가는 고통에 대한 사랑과 초월을 통해서 존재할 수 있다고 생각하면서, 자신도 그렇게 살아가지 못하기 때문에 그에게 그런 소신을 전해줄 용기가 없다고 하네.** 그가 궁극적으로 원하는 그 자기 구원과 천상적 가치를 성취하기 위해서는 그 과정에 놓인 이 구질구질한 지상의 눈물들을 생략해 버려야 한다고 그는 믿는 것일까? 그는 어쩌면 그까짓 방 한 칸 때문에 쩔쩔맨 저 한여름의 고투가 한갓 생선 장수의 고민이나 다름없는 것이라고 치부해 버린 것이었을까. 친구가 던진 그 슬픈 말 한마디가 잠시의 실수였으면 하고 간절히 바랐다. **'나'는 유 형이 던진 말 한마디에 슬픔을 느끼며 그 말이 잠시의 실수였기를 바랄 뿐이야.**

장면끊기 02 **'나'는 창작에 전념하기 위해 조용한 방 한 칸을 찾으려 고군분투한 '나'의 고통을 이해하지 못하는 유 형의 말을 듣고 예술가의 신념과 소신에 대해 생각하고 있어. 중략을 기준으로 경제적 궁핍과 대중 문화의 범람으로 문인들이 흩어진 현실과, 유 형의 비난을 들은 '나'가 진정한 예술가에 대해 고찰하는 내용이 연결되고 있어.**

– 박영한, 「지상의 방 한 칸」 –

현대소설 독해의 STEP 2

1 구조도의 빈칸에 적절한 말을 채웠는지 확인해 보세요.

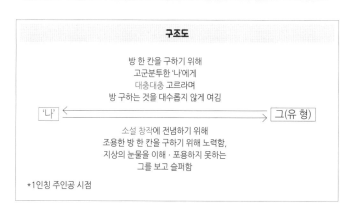

구조도

방 한 칸을 구하기 위해
고군분투한 '나'에게
대충대충 고르라며
방 구하는 것을 대수롭지 않게 여김

'나' ←————————————→ 그(유 형)

소설 창작에 전념하기 위해
조용한 방 한 칸을 구하기 위해 노력함,
지상의 눈물을 이해 · 포용하지 못하는
그를 보고 슬퍼함

*1인칭 주인공 시점

---

2 1~2번 문제의 정답과 해설을 확인해 보세요.

1. ⓐ와 ⓑ에 대한 설명으로 가장 적절한 것은?

정답풀이

⑤ ⓐ와 ⓑ가 연결되면서, 자신의 창작을 가로막고 있는 것이 개인적인 문제를 넘어 사회적인 문제와도 관련되어 있다는 인물의 인식을 보여 주고 있다.

> ⓐ(아니었다)는 '나'가 창작에 집중할 수 없었던 이유가 단순히 집 주변의 '분위기를 탓할 일'이 아니라 '이미 쓸모없는 비계로 가득 찬 나의 대뇌 탓'이고 '나의 소설적 비재 탓'이라고 생각하고 있음을 보여 준다. 그러나 '나'는 ⓑ(아니었다)에서 이것이 자기 '혼자만이 감당해야 할 죄'가 아니며, 이는 '문학 종사자들의 야심'을 잠재워 버리게 한 사회적인 문제와도 관련되어 있다고 보고 있다. 따라서 ⓐ와 ⓑ가 연결되면서 '나'의 창작을 가로막고 있는 것이 개인적인 문제를 넘어 사회적인 문제와도 관련되어 있다는 인물의 인식을 보여 준다고 볼 수 있다.

오답풀이

① ⓐ는 ⓑ와 달리 창작과 관련된 인물의 자존감이 자기 성찰을 통해 견고해지고 있음을 보여 주고 있다.

> ⓐ에서 '나'는 '집안의 시끌짝한 분위기 탓'이 아니라, '이미 쓸모없는 비계로 가득 찬 나의 대뇌'와 '나의 소설적 비재 탓'을 하고 있다. 즉 ⓐ는 창작과 관련된 인물의 자존감이 견고해지고 있음을 보여 준다고 볼 수 없다.

② ⓑ는 ⓐ와 달리 인물이 추구해 온 예술 세계가 자신의 의식 속에서 부정되고 있음을 보여 주고 있다.

> ⓐ와 ⓑ에서 '나'는 자신이 추구해 온 예술 세계를 부정하고 있지 않으므로 적절하지 않다.

③ ⓐ에서는 개인적인 문제를 해결하려는 인물의 의지를, ⓑ에서는 정치적인 문제를 해결하려는 인물의 의지를 보여 주고 있다.

> ⓐ에서 '나'는 자신의 '소설적 비재'를 탓하고 있을 뿐 개인적인 문제를 해결하려는 의지를 보이고 있지 않다. 또한 ⓑ에서 '나'는 '문학 종사자들의 야심'을 잠재워 버리는 격변 속에서 엄격한 '시민적 준수 사항' 같은 문제를 마주한 상황을 보여 주고 있을 뿐 이를 해결하려는 의지는 보이고 있지 않다.

④ ⓐ에 이어 ⓑ를 제시하여, 인물이 작가로서 바라보는 현실에 대한 인식이 호의적인 것에서 비판적인 것으로 전환되고 있음을 보여 주고 있다.

> ⓑ에서 '나'는 '문학 종사자들의 야심'을 잠재워 버리는 격변 속에서 엄격한 '시민적 준수 사항' 같은 현실의 억압을 마주하고 있으므로 ⓑ에서 '나'가 바라보는 현실에 대한 인식은 비판적이라고 볼 수 있다. 하지만 ⓐ에서 '나'는 자신의 '소설적 비재'를 탓하고 있을 뿐 작가인 '나'가 바라보는 현실에 대한 인식이 호의적이라고 볼 수는 없다.

2. 문학 개념어 OX 확인 문제

① ○

> **근거** '그것은 이미 쓸모없는 비계로 가득 찬 나의 대뇌 탓이었다. 더 이상 샘물을 저어 올릴 수 없는 나의 소설적 비재 탓이었다.', '인간은, 특히 예술가는, 고통에 대한 사랑과 그 진정한 초월을 통해서만 존립이 가능하다는 소신을 그에게 들려줄 용기를 나는 못 갖고 있었다. 그건 나 자신부터가 충분히 생생한 신념을 껴안고 살아가고 있을 때만 가능한 얘기였다.'

② ✕

- **갈등의 해소:** 갈등을 일으키던 요인이 해결된 상태. 반드시 행복한 결말만을 말하지는 않으며, 어느 한쪽의 승리 혹은 비극적인 결말 또한 갈등의 해소라 할 수 있음.

현대소설 독해의 STEP 3

1 1번 문제의 선지 판단 공식에 대한 답을 확인해 보세요.

선지 판단의 공식

① **작품** ⓐ에서 '나'는 자신의 '소설적 비재'와 '농부보다 못한 상상력'을 지니고 있다는 점을 탓하고 있음

선지 ⓐ는 ⓑ와 달리 창작과 관련된 인물의 자존감이 자기 성찰을 통해 견고해지고 있음을 보여 주고 있다. ✕

② **작품** ⓐ에서 '나'는 '고갈된' 자신의 '상상력'에 불만족하고 있을 뿐임, ⓑ에서 '나'는 '야심'을 지니고 있던 '문학 종사자들'이 사회의 격변 속에 흩어지는 상황과 소설에 기대를 잃은 독자 대중이 대중 문화에 집중하는 현실을 안타까워함

선지 ⓑ는 ⓐ와 달리 인물이 추구해 온 예술 세계가 자신의 의식 속에서 부정되고 있음을 보여 주고 있다. ✕

③ **작품** ⓐ에서 '나'는 자신의 '소설적 비재'를 탓하고 있을 뿐임, ⓑ에서 '나'는 '문학 종사자들의 야심'을 잠재워 버리는 격변 속에서 엄격한 '시민적 준수 사항' 같은 문제를 마주한 상황을 보여 주고 있을 뿐임

선지 ⓐ에서는 개인적인 문제를 해결하려는 인물의 의지를, ⓑ에서는 정치적인 문제를 해결하려는 인물의 의지를 보여 주고 있다. ✕

④ **작품** ⓐ에서 '나'는 자신의 '소설적 비재'를 탓하고 있을 뿐 작가인 '나'가 바라보는 현실에 대한 인식이 호의적이라고 볼 수는 없음, ⓑ에서 '나'는 '문학 종사자들의 야심'을 잠재워 버리는 격변 속에서 엄격한 '시민적 준수 사항' 같은 현실의 억압을 마주함

선지 ⓐ에 이어 ⓑ를 제시하여, 인물이 작가로서 바라보는 현실에 대한 인식이 호의적인 것에서 비판적인 것으로 전환되고 있음을 보여 주고 있다. ✕

⑤ **작품** '집안의 시끌짝한 분위기' 때문에 창작에 전념할 수 없다고 생각하던 '나'는 ⓐ에서 '분위기를 탓할 일'이 아니며 자신의 '소설적 비재'에 원인을 돌렸는데 이는 개인적 문제가 창작을 가로막고 있다고 보는 것임, 이내 '나'는 창작에 전념할 수 없는 것이 '나 혼자만이 감당해야 할 죄'는 아니라며 ⓑ에서 이를 '문학 종사자들의 야심'을 잠재운 사회의 '격변'과 관련 지음

선지 ⓐ와 ⓑ가 연결되면서, 자신의 창작을 가로막고 있는 것이 개인적인 문제를 넘어 사회적인 문제와도 관련되어 있다는 인물의 인식을 보여 주고 있다. ○

현대소설 독해의 STEP 1

1 다음 글을 읽고 주요 인물을 잘 파악했는지, 빈칸에 적절한 말을 채웠는지 확인해 보세요.

📅 고3 2014학년도 10월 학평AB – 이동하, 「밝고 따뜻한 날」

[앞부분의 줄거리] 어릴 적 가난하게 살았던 나기배 씨는 치열한 경쟁 끝에 기업의 이사로 승진한다. 어느 봄날, 나기배 씨는 마당의 정원을 가꾸다 누군가 숨겨 놓은 녹슨 깡통을 발견한다.

깡통을 기울이자 소리를 내며 땅바닥에 쏟아진 것은 수백 개의 유리구슬이었던 것이다.

설사 핵탄두를 파냈다고 해도 그렇게 놀라지는 않았으리라. 녹슨 깡통에 들어 있던 유리구슬을 본 나기배 씨가 깜짝 놀라는 모습이야. 나기배 씨는 땅바닥에 아예 털썩 주저앉아 버렸다. 그리고는 구슬을 한 주먹 집어 들고 무슨 진기한 보석이라도 감정하듯 진지하게 들여다보았다. 의심의 여지가 없었다. 그것은 분명 유리구슬이었고, 그것도 속에 바람개비 모형의 색띠가 들어 있는 놀이용 색 구슬들이었다.

"아, 이거야말로 보물단지를 캐낸 거로군……."

나기배 씨는 비로소 미소를 머금었다. 보배…… 그는 기억해 냈다. 우리는 이것을 보배라고 했지. 보통 구슬 열 개 맞잡이로 생각할 만큼 귀중하게 여기던 물건이다. 그는 다시 웃음을 지었다. 진지하게 유리구슬을 들여다보던 나기배 씨는 어린 시절의 추억을 환기하는 보물을 발견한 것에 반가움과 기쁨을 느끼고 있어. 하지만 왠지 가슴의 울림이 깊이 남았다.

아이들 방을 향해 그는 소리쳤다.

"얘들아, 너희들 뭐 하고 있니?"

텔레비전 탓이다. 아이들이 알아듣기까지는 네댓 차례나 목청을 돋우어야만 하였다. 텔레비전의 볼륨이 낮아지더니 큰 녀석이 얼굴만 내밀었다.

"나 불렀어, 아빠?"

"이리 좀 나와 보렴."

"왜요?"

"와서 보면 안다……." 유리구슬을 보고 느낀 감회를 아이들과도 나누고 싶어 하는 모습이야.

"뭔데 그래요? 우리 테레비 보구 있는데……."

녀석은 선뜻 나오려 들지 않는다. 만화나 타잔영화라도 방영 중인 모양이다. 그놈의 텔레비전……, 나기배 씨는 속으로 투덜댔다. 백 프로 황당무계한 스토리에다가 엉뚱한 연애심리 같은 걸 비벼 넣어 아이들의 순결한 넋을 홀리는……. 하지만 아이들은 텔레비전에 푹 빠져서 아버지의 부름을 반기지 않는 눈치네. 나기배 씨는 텔레비전이 아이들의 순결한 넋을 홀린다고 생각하며 부정적 인식을 드러내고 있어.

장면끊기 01 녹슨 깡통에서 유리구슬을 발견한 나기배 씨가 추억과 감회에 젖어 아이들을 부르는 모습이 나타나 있어. 이때 아이들을 부른 것은 유리구슬을 보여 주며 어린 시절의 즐거웠던 추억을 함께 공유하고 싶어서일 것으로 짐작해 볼 수 있겠지?

(중략)

끌끌 혀를 차며 나기배 씨는 또 생각하였다. 우리들의 손은 어떠했던가? 누구 한 사람 예외 없이 거칠고 투박하기 짝이 없었던

손……, 그러나 우리들의 손은 매사에 얼마나 기민하고 강인하였던가. 거칠고 투박했지만 한편으로는 매사에 기민하고 강인했던 어린 시절 자신들의 손에 대해 떠올리고 있어.

"아니야, 그렇게 하는 게 아니라니깐 그래……."

나기배 씨는 안타깝게 소리쳤다. 그는 되풀이하여 시범을 보이고 난 후 아이들을 따라 하게 하였다. 중략 이전의 내용을 고려했을 때, 나기배 씨가 시범을 보인 것은 구슬치기임을 짐작할 수 있어. 나기배 씨는 구슬치기를 해 본 적이 없어 서툰 아이들을 향해 안타깝게 소리치며 답답함을 드러내고 있어. 그러자 녀석들은 차츰 짜증을 내기 시작하더니 오래잖아 큰 녀석이 먼저 손을 털고 냉큼 물러서 버렸다.

"시시껄렁해!"

조금은 열적은 표정인 채로 녀석은 단호하게 선언하였다.

"재미도 없이 손만 더러워졌잖아!"

그러자 둘째도 형을 뒤따랐다.

"그래, 아주 시시껄렁해. 지저분하게 놀았다구 엄마한테 혼날 거야 아마……." 결국 아이들은 짜증을 내며 시시껄렁한 구슬치기를 그만두겠다고 해.

나기배 씨는 왠지 비참한 기분이 들었다. 지금껏 집념을 가지고 땀 흘려 쌓아 올렸던 무언가를 녀석들이 일고의 미련도 없이 허물어 버리고 마는 듯한 기분이었기 때문에 그 감정은 거의 배신감에 가까운 그런 것이었다. 갑자기 끓어오르는 분노를 느끼며 그는 큰 녀석의 이마를 쥐어박았다. 나기배 씨는 구슬치기에 싫증을 내는 아이들을 보고 마치 자신이 지금껏 열심히 쌓아 올려왔던 업적이 모두 허물어진 것만 같은 느낌을 받으며 분노하고 있어.

"뭐야? 시시껄렁하다구?"

고함치듯 그는 말했다.

"네 녀석들이 멍청하니깐 그렇지 이게 왜 시시껄렁해? 뭐, 지저분하다구? 야 임마, 이 흙이 어째서 지저분하단 말이냐? 어째서 불결해? 병이 든 건 차라리 네놈들의 고 하얀 손이다 이놈들아……." 분노를 참지 못하고 애꿎은 아이들을 과도하게 꾸짖는 모습이네.

울컥 넘어오는 열기를 토해 내다 말고 나기배 씨는 멍해졌다. 이 무슨 맹랑한 짓인가. 그는 풀썩 웃고 말았다. 나기배 씨도 자신의 행동이 맹랑한 것이었음을 문득 깨닫고 허탈해하고 있어. 느닷없이 머리통을 쥐어박혀 잔뜩 부어터진 낯짝을 하고 있던 큰 녀석이 호되게 쏘아붙였다.

"아빠 괜히 신경질이야. 재미있음 아빠 혼자서나 해!"

그러자 머쓱해 있던 둘째도 금세 기를 폈다. 녀석은 호주머니 속에 쓸어 담았던 구슬들을 한 줌씩 꺼내 팽개쳤다.

"그래 아빠 혼자서나 해. 형, 우리 테레비 보자. 은하철도 999 같은 거." 아이들은 결국 나기배 씨에게 한 마디씩 쏘아붙이고 텔레비전을 보러 들어가 버리네.

의기투합한 두 녀석은 그 즉시 텔레비전 앞으로 달려가 버렸다. 모든 것—일테면, 밝고 따뜻한 봄볕과 파 뒤집어 놓은 흙과, 거기 점점이 흩뿌려져 있는 색색의 고운 구슬들과 함께 그들의 아버지까지도 죄다 미련 없이 내버려둔 채 말이다……

혼자가 된 나기배 씨는 한동안 우두커니 서 있기만 하였다. 더이상 삽질하고픈 생각이 없었다. 어찌, 흙을 파 뒤집는 일만이겠는가. 지금까지 열심히 매달려 씨름해 왔던 온갖 일들은 물론, 앞으로 새로이 부딪치게 될 작업들에 대해서조차도 아무런 기대나 의욕을 느낄 것 같지 않았다. 참 맹랑한 노릇이군. 그는 속으로 중

얼댔다. 불혹의 생애가 너무나 가볍게 흔들렸다. 아이들이 들어간 후 혼자 남은 나기배 씨는 모든 일에 기대와 의욕을 잃은 것만 같은 허망함에 사로잡혀. 그는 고개를 꺾은 채 땅바닥을 내려다보았다. 이제는 아무도 미련 두지 않는 색 구슬들이 파헤친 흙더미 위 여기저기에 점점이 흩어져 있었다. 마침 비스듬히 기운 햇빛을 받아 그것들은 잘디잔 별떨기처럼 곱게 빛나고 있었다. ㉠다시 땅속 깊이 은닉해 둘 필요는 없으리라. 그것들은 이제 뜨락이나 길바닥에 아무렇게나 굴러다니며 잠깐씩 보는 이의 향수 같은 것을 희미하게 자극하다가 끝내는 발길에 채여 시궁창이나 쓰레기더미 같은 데로 영영 모습을 감추리라. 색 구슬을 내려다보던 나기배 씨는 어린 시절의 보배였던 구슬이 예전과 같은 가치를 지니지 않는 현실을 인식하게 되었어.

장면끊기 02   아이들에게 구슬치기를 가르쳐 주던 나기배 씨가 이를 시시껄렁한 것으로 여기는 아이들을 보며 허망함을 느끼는 장면이야. 나기배 씨는 구슬을 자신이 지금껏 쌓아온 모든 업적과 동일시하며, 아이들의 반응을 보고 불혹의 생애 전체가 흔들리는 듯한 충격을 느껴.

— 이동하, 「밝고 따뜻한 날」 —

현대소설 독해의   STEP 2

1 구조도의 빈칸에 적절한 말을 채웠는지 확인해 보세요.

┌─────────────────────────────────────┐
│ **구조도** │
│ │
│ 우연히 발견한 유리구슬로 │
│ 구슬치기를 가르치다가 │
│ 아이들이 싫증을 내는 것을 보고는 화를 냄 │
│ ┌────────┐ ─────────────────→ ┌──────┐ │
│ │ 나기배 │ ←───────────────── │ 아이들 │ │
│ └────────┘ └──────┘ │
│ 구슬치기를 시시껄렁한 것으로 여기며 │
│ 이를 가르치는 아버지(나기배)에게 짜증을 냄 │
│ │
│ *전지적 작가 시점 │
└─────────────────────────────────────┘

---

2 1~2번 문제의 정답과 해설을 확인해 보세요.

1. '색 구슬'에 대해 ㉠과 같이 판단한 이유로 가장 적절한 것은?

정답풀이 ▷▷

④ 과거에 지녔던 가치가 이제는 외면받기 때문에

> 나기배 씨는 정원에서 우연히 발견한 유리구슬을 보며 이를 '보배'로 여겼던 과거의 추억을 떠올린다. 이후 아이들을 불러 구슬치기 시범을 보이다가 이를 '시시껄렁'하다고 여기며 싫증을 내는 아이들을 보고 분노와 허망함을 느껴 ㉠과 같이 생각하게 된다. 이는 자신의 어린 시절에는 '보배'로 여겨졌던 구슬이 지금의 아이들에게는 더 이상 그만큼의 가치가 없다는 사실을 인식한 것에 따른 판단으로 볼 수 있다.

오답풀이 ▷▷

① 원래부터 가치가 없던 것임을 알고 있었기 때문에

> 나기배 씨는 유리구슬을 보며 '이것을 보배라고 했'던 어린 시절의 추억을 떠올리고 있으므로, ㉠을 색 구슬이 원래부터 가치가 없던 것임을 알고 있었음에 따른 판단이라고 볼 수는 없다.

② 앞으로 그 가치가 점점 더 높아질 것이기 때문에

> 나기배 씨는 색 구슬이 '이제 뜨락이나 길바닥에 아무렇게나 굴러다니'다 '끝내는 발길에 채여 시궁창이나 쓰레기더미 같은 데로 영영 모습을 감'출 것이라고 생각하므로, ㉠을 색 구슬의 가치가 앞으로 점점 더 높아질 것이라는 인식에 따른 판단으로 볼 수는 없다.

③ 이제야 그 가치를 드러낼 마음이 생겼기 때문에

> ㉠은 나기배 씨가 '보배'라고 여겼던 색 구슬의 가치를 지금에서야 드러낼 마음이 생겼음에 따른 판단이 아니라, '이제는 아무도 미련 두지 않는 색 구슬'을 보게 된 것에 따른 판단으로 볼 수 있다.

⑤ 예전의 가치가 지금까지 유지되고 있기 때문에

> ㉠은 나기배 씨가 '보배'로 여겼던 색 구슬의 가치가 지금은 더 이상 유지되고 있지 않은 상황에 따른 판단으로 볼 수 있다.

2. 문학 개념어 OX 확인 문제

① X

• 객관적 태도: 제삼자의 입자에서 대상, 사건을 바라보거나 생각하는 태도. 서술자가 3인칭이거나 관찰자 시점일 때, 비교적 객관적인 태도에서 사건을 전달하는 서술 경향이 나타남. 객관적 태도에 따른 서술은 이야기의 사실성을 높이는 효과가 있음.

② X

• 빈번한 장면 전환: 일반적으로 장면 전환은 시·공간적 배경의 변화, 서술 초점(주된 대상, 제재, 상황 등)의 변화를 기준으로 판단함. 빈번한 장면 전환이 이루어졌다고 판단하려면 한 지문 내에서 적어도 4~5회 정도의 장면 전환이 나타나야 함.

현대소설 독해의 STEP 3

1 1번 문제의 선지 판단 공식에 대한 답을 확인해 보세요.

선지 판단의 공식

① 작품 유리구슬을 본 나기배 씨는 '보물단지를 캐낸' 것이라고 하며, '이것을 보배라고 했'던 과거의 추억을 떠올림

선지 ▶ 원래부터 가치가 없던 것임을 알고 있었기 때문에　✕

② 작품 나기배 씨는 자신의 어린 시절에는 '보배'와도 같았던 유리구슬이 이제는 '뜨락이나 길바닥에 아무렇게나 굴러다니'다 '시궁창이나 쓰레기더미 같은 데로 영영 모습을 감'출 것이라고 생각함

선지 ▶ 앞으로 그 가치가 점점 더 높아질 것이기 때문에　✕

③ 작품 나기배 씨는 어린 시절 유리구슬을 '보배'라고 여겼지만, 이제는 유리구슬에 아무도 미련을 두지 않음. 나기배 씨는 그런 유리구슬이 '시궁창이나 쓰레기더미 같은 데로 영영 모습을 감'출 것이라고 생각함

선지 ▶ 이제야 그 가치를 드러낼 마음이 생겼기 때문에　✕

④ 작품 나기배 씨는 유리구슬을 보고 '이것을 보배라고 했'던 과거의 추억을 떠올리지만, 아이들이 구슬치기를 '시시껄렁'한 것으로 여기는 모습을 보며 이제는 아무도 구슬에 미련을 두지 않는 현실을 인식함

선지 ▶ 과거에 지녔던 가치가 이제는 외면받기 때문에　◯

⑤ 작품 나기배 씨는 아이들이 구슬치기를 '시시껄렁'한 것으로 여기는 모습을 보며 이제는 아무도 구슬에 미련을 두지 않는 현실을 인식함

선지 ▶ 예전의 가치가 지금까지 유지되고 있기 때문에　✕

현대소설 독해의 STEP 1

❶ 다음 글을 읽고 주요 인물을 잘 파악했는지, 빈칸에 적절한 말을 채웠는지 확인해 보세요.

📅 고3 2013학년도 3월 학평A – 임철우, 「사평역」

> 그러는 사이에도, 밖은 간간이 어둠 저편으로부터 바람이 불어왔고, 그때마다 창문이 딸그락거렸다. 전신주 끝을 물고 윙윙대는 바람 소리, 싸륵싸륵 눈발이 흩날리는 소리, 난로에서 톡톡 튀어오르는 톱밥. 그런 크고 작은 소리들이 간헐적으로 토해 내는 늙은이의 기침 소리와 함께 대합실 안을 채우고 있을 뿐, 사람들은 각기 골똘한 얼굴로 생각에 빠져 있다.

장면끊기 01 대합실 밖과 안의 배경이 묘사되면서, 각자의 생각에 빠진 사람들의 모습이 첫 번째 장면으로 제시되었어.

> 대학생은 문득 고개를 들어 말없이 모여 있는 그들의 얼굴을 하나하나 눈여겨본다. 모두의 뺨이 불빛에 발갛게 상기되어 있다. 청년은 처음으로 그 낯선 사람들의 얼굴에서 어떤 아늑함이랄까 평화스러움을 찾아내고는 새삼 놀라고 있다. 대학생은 대합실 안에 모여 있는 낯선 사람들의 얼굴을 눈여겨보며 그들의 얼굴에서 아늑함과 평화스러움을 발견하고는 놀라고 있어. 정말이지 산다는 것이란 때로는 저렇듯 한 두름의 굴비, 한 광주리의 사과를 만지작거리며 귀향하는 기분으로 침묵해야 하는 것인지도 모른다. 이 부분은 곽재구 시인의 시 「사평역에서」의 일부를 인용하고 있어. 참고로 이 작품은 「사평역에서」를 주요 모티프로 삼았어.

> 청년은 무릎을 굽혀 바께쓰 안에서 톱밥 한 줌을 집어 든다. 그리고 그것을 난로의 불빛 속에 가만히 뿌려 넣어 본다. 호르르르. 삐비꽃이 피어나듯 주황색 불꽃이 타오르다가 이내 사그라져 들고 만다. 청년은 그 짧은 순간의 불빛 속에서 누군가의 얼굴을 본 것 같다. 어머니다. 어머니가 주름진 얼굴로 활짝 웃고 있었다. 대학생(청년)은 톱밥을 불빛 속에 넣으며 어머니의 얼굴을 떠올리고 있어.

> 다시 한 줌 집어넣는다. 이번엔 아버지와 동생들의 모습이 보였다. 또 한 줌을 조금 천천히 흩뿌려 넣는다. 친구들과 노교수의 얼굴, 그리고 강의실의 빈 의자들과 잔디밭과 교정의 풍경이 차례로 떠오르기 시작한다. 대학생이 톱밥을 불빛에 넣을 때마다 가족, 친구, 노교수, 대학의 풍경이 떠오르고 있어. 톱밥은 그리움의 대상들을 떠올리게 하는 매개체 역할을 하고 있어.

장면끊기 02 두 번째 장면에서는 대학생(청년)이 다른 사람들의 얼굴을 눈여겨보는 모습과 불빛에 톱밥을 던지며 어머니를 비롯한 그리움의 대상들을 떠올리는 모습이 제시되었어.

> 음울한 표정의 중년 사내는 대학생이 아까부터 톱밥을 뿌려 대고 있는 모습을 곁에서 줄곧 지켜보고 있는 참이다. 대학생의 얼굴은 줄곧 상기되어 있다. 대학생의 시선에서 중년 사내의 시선으로 관점이 바뀌었어.

> 이 젊은 친구가 어쩌면 꿈을 꾸고 있는지도 모르겠군. 중년 사내는 대학생의 모습을 지켜 보며 그의 심정을 짐작하고 있어. 그러면서도 사내 역시 톱밥을 한 줌 집어낸다. 그리고는 대학생이 하듯 달아오른 난로에 톱밥을 뿌려 준다.

> 호르르르. 역시 삐비꽃 같은 불꽃이 환히 피어오른다. 사내는 불빛 속에서 누군가의 얼굴을 얼핏 본 듯하다. 허 씨 같기도 하고 전혀 낯모르는 다른 사람인 것도 같은, 확실치 않은 얼굴이었다. 사내의 음울한 눈동자가 간절한 그리움으로 반짝 빛나기 시작한다. 중년 사내도 톱밥을 난로에 뿌리며 그리운 대상을 떠올리고 있어. 사내는 다시 한 줌

> 의 톱밥을 집어 불빛 속에 던져 넣고 있다.

> 어느새 농부도, 아낙네들도, 서울 여자와 춘심이도 이젠 모두 그 두 사람의 치기 어린 장난을 지켜보고 있다. 누구도 입을 열지 않았다.

장면끊기 03 세 번째 장면에서는 중년 사내의 내면 서술을 중심으로 이야기가 전개되고 있어. 이 작품은 특정 인물을 주인공으로 내세우지 않고 여러 인물들의 내면을 서술하는 방식을 취하고 있어. 이렇듯 시·공간의 변화가 나타나지 않더라도 서술의 중심이 되는 인물이 바뀌면 장면끊기를 하며 읽는 것이 좋아.

> 사평역을 경유하는 야간 완행열차*는 두 시간을 연착한 후에야 도착했다. 열차가 두 시간이나 늦게 도착했어.

> 막상 열차가 도착했을 때, 대합실에서 그때까지 기다리고 있던 승객들은 반가움보다는 차라리 피곤함과 허탈감에 젖은 모습으로 열차에 올라탔다. 너무 늦게 온 열차에, 승객들은 피곤함과 허탈감을 느끼고 있네. 늙은 역장은 하얗게 눈을 맞으며 깃발을 흔들어 출발 신호를 보냈고, 이어 열차는 천천히 미끄러져 가기 시작했다. 얼핏, 누군가가 아직 들어가지 않고 열차 난간에 기대어 서 있는 게 보였다. 열차는 출발했지만, 누군가 열차 난간에 기대어 있는 것을 역장이 발견했어. 이번에는 역장의 시선으로 상황을 보여 주고 있네. 역장은 그 사람이 재 너머 오 씨 큰아들임을 알았다. 고개를 반쯤 숙인 채 난간 손잡이에 위태로운 자세로 기대어 있는 청년의 모습이 역장은 왠지 마음에 걸렸다. 역장은 난간에 위태롭게 기대어 있는 오 씨 큰아들의 모습을 보며 마음을 쓰고 있어. 이내 열차는 어둠 속으로 길게 기적을 남기며 사라져 버렸다.

장면끊기 04 네 번째 장면에서는 역장이 늦게 도착한 열차를 출발시키고 주변을 둘러보며 열차 난간에 기대어 선 청년(오 씨 큰아들)을 바라보는 장면이 제시되었어.

> 한동안 열차가 달려가 버린 어둠 저편을 망연히 응시하고 서 있던 늙은 역장은 옷에 금방 수북이 쌓인 눈을 털어 내며 대합실로 들어섰다. 난로를 꺼야 하기 때문이었다. 역장이 난로를 끄기 위해 대합실 안으로 들어서고 있어. 거기서 역장은 뜻밖에도 아직 기차를 타지 않고 남아 있는 한 사람을 발견했다. 미친 여자였다. 지금껏 난로 곁에 가지 않았던 유일한 사람이었던 그녀는 이제 난로를 독차지한 채, 아까 병든 늙은이가 앉았던 의자에 비스듬히 앉아 있었다.

> 그녀의 집이 어디며, 또 어디서 왔는지 역장은 전혀 모른다. 다만 이따금 그녀가 이 마을을 찾아왔다가는 열차를 타고 떠나곤 했다는 정도만 기억할 뿐이었다. 오늘은 왜 이 여자가 다른 사람들을 따라 열차를 타지 않았을까 하고 역장은 의아하게 생각했다. 아마 그 여자에겐 갈 곳이 없었을지도 모른다. 그녀에게 있어서 출발이란 것은 이 하룻밤, 아니 단 몇 분 동안이나마 홀로 누릴 수 있는 난로의 따뜻한 불기만큼의 의미조차도 없는 까닭이리라. 역장은 대합실에서 미친 여자를 발견하고 아마도 갈 곳이 없어서 여기에 남은 것이라고 짐작하고 있어.

> 역장은 문득 그녀가 걱정스러웠다. 올겨울 같은 혹독한 추위에 아직 얼어 죽지 않고 여기까지 흘러들어 왔다는 사실이 신기했다. 꿈이라도 꾸는 중인지 땟국물에 젖은 여자의 입술 한 귀퉁이엔 보일락 말락 웃음이 한 조각 희미하게 남아 있었다.

> 이거 참 난처한걸. 난로를 그대로 두고 갈 수도 없고……

> 하지만 결국 역장은 김 씨를 깨우러 가기 전에 톱밥을 더 가져다가 난로에 부어 줘야겠다고 생각하며 천천히 사무실로 돌아가고 있었다. 눈은 밤새 내내 내릴 모양이었다. 역장은 미친 여자가 걱정되어 난로를 끄지 못하고 톱밥을 더 가져오려 하고 있어.

장면끊기 05 마지막 장면은 역장이 대합실 안으로 들어와 미친 여자를 발견하고 그녀를

걱정하는 모습이 제시되었어. 네 번째 장면과 마찬가지로 역장의 시선과 내면이 중심이 되고 있지만, 대합실 밖에서 안으로 공간이 바뀌면서 관심 대상도 바뀌었으니 이때에도 장면 끊기를 하며 읽는 것이 좋겠지?

– 임철우, 「사평역」 –

*완행열차: 빠르지 않은 속도로 달리며 각 역마다 멎는 열차.

현대소설 독해의 STEP 2

1 구조도의 빈칸에 적절한 말을 채웠는지 확인해 보세요.

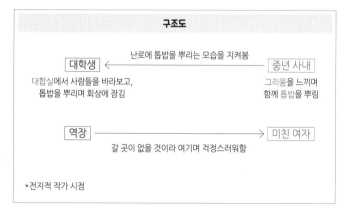

2 1~2번 문제의 정답과 해설을 확인해 보세요.

1. 야간 완행열차 의 의미를 탐색해 보았다. 그 내용으로 적절하지 않은 것은?

정답풀이 ▷

⑤ 인물들이 간절히 기다리는 열차는 그들이 염원하는 이상적인 삶을 상징한다고 볼 수 있다.

'야간 완행열차'가 도착하자 대합실에서 '기다리고 있던 승객들은 반가움보다는 차라리 피곤함과 허탈감에 젖은 모습으로 열차에 올라'탄다. 이를 고려하면 '열차'가 사람들이 염원하는 이상적인 삶을 상징한다고 보기는 어렵다.

오답풀이 ▷

① 야간 완행열차는 고달픈 삶을 살아가는 인물들의 처지에 어울리는 소재로 볼 수 있다.

사평역 대합실에서 사람들은 '두 시간을 연착한 후에야 도착'한 '야간 완행열차'를 '피곤함과 허탈감에 젖은 모습으로' 올라탄다. 이를 고려하면 사평역을 경유해서 천천히 가는 '야간 완행열차'는 고달픈 삶을 살아가는 인물들의 처지에 어울리는 소재라고 볼 수 있다.

② 열차가 두 시간 연착하게 설정함으로써 인물들의 이야기가 전개될 수 있는 시간이 확보된 것으로 볼 수 있다.

'사평역을 경유하는 야간 완행열차는 두 시간을 연착한 후에야 도착'하는데, 열차를 기다리는 시간 동안 대합실 안에 있는 다양한 인물들의 이야기가 전개된다.

③ 인물들이 완행열차에 오르는 것은 이들이 인생의 여정을 이어감을 상징적으로 보여 준다고 할 수 있다.

열차를 기다리던 사람들이 '두 시간을 연착한 후에야 도착'한 '야간 완행열차'에 올라타고, 역장이 출발 신호를 보내자 '열차는 천천히 미끄러져 가기 시작'한다. 이렇게 저마다의 사연을 지닌 인물들이 완행열차에 오르는 것은 이들이 인생의 여정을 이어감을 상징적으로 보여 준다고 할 수 있다.

④ 열차의 출발은 서술의 초점이 역에 남아 있는 인물들에게 옮겨가는 계기가 된다고 볼 수 있다.

'역장'은 열차가 출발한 후 대합실 안으로 들어와서는 '아직 기차를 타지 않고 남아 있는 한 사람(미친 여자)을 발견'한다. 따라서 열차의 출발은 서술의 초점을 역에 남아 있는 인물들에게 옮겨가게 하는 계기가 된다고 볼 수 있다.

2. 문학 개념어 OX 확인 문제

① ○

• 감각적 이미지: 언어에 의해 마음속에 떠오르는 구체적인 모습, 움직임, 상태 등의 감각적 영상을 '이미지(심상)'라고 함. 시각적, 청각적, 후각적, 미각적, 촉각적 이미지가 있으며 이 중 청각적 이미지는 귀로 듣는 것과 관련된 이미지를 말함.

근거 '창문이 딸그락거렸다. 전신주 끝을 물고 윙윙대는 바람 소리, 싸륵싸륵 눈발이 흩날리는 소리, 난로에서 톡톡 튀어 오르는 톱밥.' 등

② ✕

• 묘사: 어떤 대상이나 인물의 외양, 행동, 내면 등을 그림을 보여 주듯 표현하는 것.

현대소설 독해의　STEP 3

■ 1번 문제의 선지 판단 공식에 대한 답을 확인해 보세요.

MEMO

선지 판단의 공식

① 작품
'사평역을 경유하는 야간 완행열차는 두 시간을 연착한 후에야 도착했'고, '막상 열차가 도착했을 때, 대합실에서 그때까지 기다리고 있던 승객들은 반가움보다는 차라리 피곤함과 허탈감에 젖은 모습으로 열차에 올라'탐

선지 ➡ 야간 완행열차는 고달픈 삶을 살아가는 인물들의 처지에 어울리는 소재로 볼 수 있다. ○

② 작품
열차를 기다리는 대합실 안에서 '각기 골똘한 얼굴로 생각에 빠져 있'는 사람들 중 '대학생'과 '중년 사내'가 '한 줌의 톱밥을 집어 불빛 속에 던져 넣'는 내용은 '사평역을 경유하는 야간 완행열차'가 '두 시간을 연착한 후에야 도착'하기까지의 시간 동안에 전개됨

선지 ➡ 열차가 두 시간 연착하게 설정함으로써 인물들의 이야기가 전개될 수 있는 시간이 확보된 것으로 볼 수 있다. ○

③ 작품
'열차가 도착했을 때, 대합실에서 그때까지 기다리고 있던 승객들은~열차에 올라'탐, '늙은 역장은 하얗게 눈을 맞으며 깃발을 흔들어 출발 신호를 보냈고, 이어 열차는 천천히 미끄러져 가기 시작'함

선지 ➡ 인물들이 완행열차에 오르는 것은 이들이 인생의 여정을 이어감을 상징적으로 보여 준다고 할 수 있다. ○

④ 작품
열차가 출발하자 '한동안 열차가 달려가 버린 어둠 저편을 망연히 응시하고 서 있던 늙은 역장은 옷에 금방 수북이 쌓인 눈을 털어 내며 대합실로 들어'서고, '아직 기차를 타지 않고 남아 있는 한 사람(미친 여자)을 발견'함

선지 ➡ 열차의 출발은 서술의 초점이 역에 남아 있는 인물들에게 옮겨가는 계기가 된다고 볼 수 있다. ○

⑤ 작품
'사평역을 경유하는 야간 완행열차는 두 시간을 연착한 후에야 도착했'고, '막상 열차가 도착했을 때, 대합실에서 그때까지 기다리고 있던 승객은 반가움보다는 차라리 피곤함과 허탈감에 젖은 모습으로 열차에 올라'탐

선지 ➡ 인물들이 간절히 기다리는 열차는 그들이 염원하는 이상적인 삶을 상징한다고 볼 수 있다. ✕

현대소설 독해의 STEP 1

1 다음 글을 읽고 주요 인물을 잘 파악했는지, 빈칸에 적절한 말을 채웠는지 확인해 보세요.

📅 고3 2008학년도 6월 모평 – 박태원, 「소설가 구보 씨의 일일」

다방을
찾는 사람들은, 어인 까닭인지 모두들 구석진 좌석을 좋아하였다. 구보는 하나 남아 있는 가운데 탁자에 앉는 수밖에 없었다. 그래도, 그는 그곳에서 엘만의 「발스 센티멘털」을 가장 마음 고요히 들을 수 있었다. 그러나 그 선율이 채 끝나기 전에, 방약무인(傍若無人)한 소리가, 구포 씨 아니오── 구보는 다방 안의 모든 사람들의 시선을 온몸에 느끼며, 소리 나는 쪽을 돌아보았다. 구보는 다방에서 고요히 좋아하는 음악을 듣던 중 거리낌 없이 함부로 자신을 부르는 소리에 당혹스러움을 느껴. 중학을 이삼 년 일찍 마친 사내, 어느 생명 보험 회사의 외교원이라는 말을 들었다. 평소에 결코 왕래가 없으면서도 이제 이렇게 알은체를 하려는 것은 오직 얼굴이 새빨개지도록 먹은 술 탓인지도 몰랐다. 구보는 무표정한 얼굴로 약간 끄떡하여 보이고 즉시 고개를 돌렸다. 술에 취해 구보를 부르는 사내에게 구보는 거부감을 느껴. 그러나 그 사내가 또 한 번, 역시 큰 소리로, 이리 좀 안 오시료, 하고 말하였을 때 구보는 게으르게나마 자리에서 일어나, 그의 탁자로 가는 수밖에 없었다. 이리 좀 앉으시오. 참, 최 군, 인사하지. 소설가, 구포 씨. 구보는 사내와 합석하는 것이 내키지 않았지만, 자꾸 큰 소리로 부르는 통에 어쩔 수 없이 그의 탁자로 가.

장면끊기 01 구보는 혼자 다방을 찾아 음악을 듣던 중 평소에 별로 왕래가 없던 한 사내의 부름에 마지못해 합석을 해. 이어서 그의 탁자로 이동한 구보와 사내의 대화 장면이 나오겠지?

이 사내는, 어인 까닭인지 구보를 반드시 '구포'라고 발음하였다. 그는 맥주병을 들어 보고, 아이 쪽을 향하여 더 가져오라고 소리치고, 다시 구보를 보고, 그래 요새두 많이 쓰시우. 무어 별로 쓰는 것 '없습니다.' 구보는 자기가 이러한 사내와 접촉을 가지게 된 것에 지극한 불쾌를 느끼며, 경어를 사용하는 것으로 그와 사이에 간격을 두기로 하였다. 구보는 사내와 합석하게 된 것에 지극한 불쾌를 느끼고, 의도적으로 사내에게 경어를 사용하며 거리를 두려고 해. 구보가 보기에 큰 소리로 자신을 멋대로 부르고, 맥주병을 더 가져오라고 아이에게 소리치는 사내의 모습이 마음에 들지 않는 모양이야. 그러나 이 딱한 사내는 도리어 그것에서 일종 득의감을 맛볼 수 있었는지도 모른다. 그뿐 아니라, 그는 한 잔 십 전짜리 차들을 마시고 있는 사람들 틈에서 그렇게 몇 병씩 맥주를 먹을 수 있는 것에 우월감을 갖고, 그리고 지금 행복이었을지도 모른다. 사내는 다른 사람들의 시선을 의식하며 우월감을 갖는 부류의 인간이야. 소설가인 구보가 자신에게 경어를 사용하고, 남들과 달리 맥주를 몇 병씩 주문할 수 있는 것에 행복감을 느끼지. 그는 구보에게 술을 따라 권하고, 내 참 구포 씨 작품을 애독하지. 그리고 그러한 말을 하였음에도 불구하고 구보가 아무런 감동도 갖지 않는 듯싶은 것을 눈치 채자, 사실, 내 또 만나는 사람마다 보고,

"구포 씨를 선전하지요."

그러한 말을 하고는 혼자 허허 웃었다. 구보는 의미몽롱한 웃음을 웃으며, 문득, 이 용감하고 또 무지한 사내를 고급(高給)으로 채용하여 구보 독자 권유원을 시키면, 자기도 응당 몇 십 명의, 또는 몇 백

명의 독자를 획득할 수 있을지 모르겠다고 그런 난데없는 생각을 하여 보고, 그리고 혼자 속으로 웃었다. 구보는 사내의 무지한 태도와 자신의 상상이 어이가 없어 웃음을 지어. 참 구보 선생, 하고 최 군이라 불린 사내도 말참견을 하여, 자기가 독견(獨鵑)의 「승방비곡(僧房悲曲)」*과 윤백남(尹白南)의 「대도전(大盜傳)」*을 걸작이라 여기고 있는 것에 구보의 동의를 구하였다. 그리고, 이 어느 화재 보험 회사의 권유원인지도 알 수 없는 사내는, 가장 영리하게,

"구보 선생님의 작품은 따루 치고……."

그러한 말을 덧붙였다. 구보가 간신히 그것들이 좋은 작품이라 말하였을 때, 구보는 최 군의 말에 동의하지 않으면서도 마지못해 인정해 주는 모습이야. 최 군은 또 용기를 얻어, 참 조선서 원고료(原稿料)는 얼마나 됩니까. 구보는 이 사내가 원고료라 발음하지 않는 것에 경의를 표하였으나 물론 그는 이러한 종류의 사내에게 조선 작가의 생활 정도를 알려 주어야 할 아무런 의무도 갖지 않는다. 구보는 최 군이 소설에 대해 잘 알지도 못하는, 사내와 같은 무지한 부류라 생각하네. 최 군과 자신은 다른 종류의 사람이라 생각하고 그와 거리를 두려고 해.

그래, 구보는 혹은 상대자가 모멸을 느낄지도 모를 것을 알면서도, 불쑥, 자기는 이제까지 고료라는 것을 받아 본 일이 없어, 그러한 것은 조금도 모른다 말하고, 마침 문을 들어서는 벗을 보자 그만 실례합니다. 그리고 그들이 무어라 말할 수 있기 전에 제자리로 돌아와 노트와 단장을 집어 들고, 마악 자리에 앉으려는 벗에게,

"나갑시다. 다른 데로 갑시다."

밖에, 여름 밤, 가벼운 바람이 상쾌하다. 사내나 최 군과 불편한 대화를 이어 가던 구보는 벗과 함께 밖으로 나가서 상쾌함을 느껴.

장면끊기 02 구보는 사내나 최 군과의 대화를 애써 이어 가는 과정에서 그들에게 거부감을 느끼고 벗을 만난 핑계로 다방을 빠져 나가.

– 박태원, 「소설가 구보 씨의 일일」 –

*「승방비곡」·「대도전」: 1930년대에 큰 인기를 얻었던 장편 소설.

현대소설 독해의 STEP 2

1 구조도의 빈칸에 적절한 말을 채웠는지 확인해 보세요.

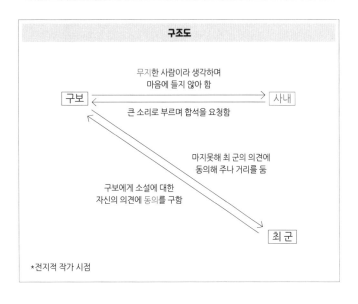

구조도

무지한 사람이라 생각하며
마음에 들지 않아 함

구보 ⟶ 사내

큰 소리로 부르며 합석을 요청함

마지못해 최 군의 의견에
동의해 주나 거리를 둠

구보에게 소설에 대한
자신의 의견에 동의를 구함

최 군

*전지적 작가 시점

2 1~2번 문제의 정답과 해설을 확인해 보세요.

1. 윗글에 등장하는 세 사람이 미술관에서 우연히 만나 대화를 나눈다고 가정할 때, 대화 내용으로 적절하지 **않은** 것은?

정답풀이

⑤ **구보:** 아무튼 요즘은 모든 것을 돈으로만 따지려 해서 문제예요. 내가 소설을 쓰는 것은 그런 사람들의 생각을 바꾸기 위한 것이지요.

> 윗글에서 구보는 동의할 수 없는 문제에 대해서 내키지 않지만 마지못해 상대방에게 동의하는 모습을 보인다. 그래서 원고료를 묻는 최 군에게 '그러한 것은 조금도 모른다 말'할 뿐, 문제 의식을 직접적으로 드러내지는 않는다. 따라서 미술 작품을 보고 '얼마면 살 수 있을까요?'라고 묻는 최 군의 말에 구보가 '요즘은 모든 것을 돈으로만 따지려 해서 문제'라는 답변을 했을 것이라고 보기는 어렵다. 또한 윗글에서 구보가 소설을 쓰는 이유가 모든 것을 돈으로만 따지려 하는 사람들의 생각을 바꾸기 위해서라고 볼 근거도 찾을 수 없다.

오답풀이

① **사내:** 이 작품을 그린 사람이 내 후배라오. 대단하지요? 자, 대충 보았으니 이제 점심이나 먹으러 갑시다. 내가 한턱내지요.

> 윗글에서 사내는 '평소에 결코 왕래가 없으면서도' 구보에게 알은체를 하고 다방에서 '몇 병씩 맥주를 먹을 수 있는 것에 우월감을 갖고' 있는 듯한 모습을 보인다. 따라서 작품 자체보다 작품을 그린 사람과의 관계를 중시하고, 점심을 사겠다며 과시하는 것은 사내의 반응으로 적절하다.

② **최 군:** 요즘 많은 사람들 사이에서 저 작품이 화제랍니다. 저 작품 좀 보고 갑시다. 그래야 교양 있다는 소리를 들을 수 있어요.

> 윗글에서 최 군은 '자기가 독견의 「승방비곡」과 윤백남의 「대도전」을 걸작이라 여기고 있는 것'에 대해 구보의 동의를 구한다. 이는 자신의 교양을 뽐내고 싶어 하는 태도를 나타낸다고 할 수 있다. 따라서 미술 작품을 '교양 있다는 소리'를 듣기 위해 감상하는 것은 최 군의 반응으로 적절하다.

③ **구보:** 글쎄요. 사람들의 입에 자주 오르내린다고 훌륭한 작품이라고 말할 수 없지 않을까요?

> 윗글에서 최 군이 '독견의 「승방비곡」과 윤백남의 「대도전」을 걸작이라 여기고 있는 것'에 대해 구보의 동의를 구하자, 구보는 '간신히 그것들이 좋은 작품이라'고 말한다. 즉 구보는 당대에 큰 인기를 끌었다는 이유만으로 작품의 가치가 정해진다고 보지는 않는 것이다. 따라서 최 군의 말에 대해 '훌륭한 작품이라고 말할 수 없지 않을까요?'라며 조심스러운 말투로 의견을 완곡하게 드러내는 것은 구보의 반응으로 적절하다.

④ **최 군:** 그래도 이런 작품 하나쯤 거실에 걸어 두면 폼이 날 텐데, 얼마면 살 수 있을까요?

> 윗글에서 최 군은 '조선서 원고료는 얼마나 됩니까.'라고 구보에게 물어 보며 작품의 경제적 가치를 따지는 모습을 보인다. 따라서 작품의 가격을 궁금해 하는 것은 최 군의 반응으로 적절하다.

2. 문학 개념어 OX 확인 문제

① ×

> 근거 시간의 흐름에 따라 진행되고 있으나, 구보의 의식의 흐름에 따라 사건이 전개되므로 사건의 인과성이 나타난다고 보기 어려움.

② ○

- **직접 화법:** 인물의 말을 그대로 전달하는 화법. 인용 부호("")를 사용하여 나타냄.
- **간접 화법:** 인물의 말을 인용할 때 현재 말하는 서술자의 입장에서 인칭이나 시제 따위를 고쳐서 말하는 화법.

> 근거 '이리 좀 안 오시료, 하고 말하였을 때', '다시 구보를 보고, 그래 요새두 많이 쓰시우. 무어 별로 쓰는 것 '없습니다.'', '구보가 간신히 그것들이 좋은 작품이라 말하였을 때' 등은 간접 화법을 통해 사내와 최 군에게 구보가 심리적 거리감을 갖고 있음을 나타냄. "나갑시다. 다른 데로 갑시다."는 직접 화법으로 구보가 심리적으로 가깝게 여기는 벗에게 하는 말임.

현대소설 독해의 STEP 3

▣ 1번 문제의 선지 판단 공식에 대한 답을 확인해 보세요.

선지 판단의 공식

① 작품
사내는 구보와 '평소에 결코 왕래가 없으면서도' 굳이 '알은 체를 하는 사람'임. 또한 '한 잔 십 전짜리 차들을 마시고 있는 사람들 틈에서 그렇게 몇 병씩 맥주를 먹을 수 있는 것에 우월감'을 가짐

선지 ➡ **사내:** 이 작품을 그린 사람이 내 후배라오. 대단하지요? 자, 대충 보았으니 이제 점심이나 먹으러 갑시다. 내가 한턱 내지요. ○

② 작품
최 군은 '자기가 독견의 「승방비곡」과 윤백남의 「대도전」을 걸작이라 여기고 있는 것에 구보의 동의를 구'함

선지 ➡ **최 군:** 요즘 많은 사람들 사이에서 저 작품이 화제랍니다. 저 작품 좀 보고 갑시다. 그래야 교양 있다는 소리를 들을 수 있어요. ○

③ 작품
구보는 '독견의 「승방비곡」과 윤백남의 「대도전」을 걸작이라 여'긴다는 최 군의 말에 '간신히 그것들이 좋은 작품이라 말'해 줌

선지 ➡ **구보:** 글쎄요. 사람들의 입에 자주 오르내린다고 훌륭한 작품이라고 말할 수 없지 않을까요? ○

④ 작품
'최 군은 또 용기를 얻어' 구보에게 '조선서 원고료는 얼마나' 되는지 물음

선지 ➡ **최 군:** 그래도 이런 작품 하나쯤 거실에 걸어 두면 폼이 날 텐데, 얼마면 살 수 있을까요? ○

⑤ 작품
구보는 '조선서 원고료는 얼마나' 되느냐고 묻는 최 군에게 '자기는 이제까지 고료라는 것을 받아 본 일이 없어, 그러한 것은 조금도 모른다 말'할 뿐임

선지 ➡ **구보:** 아무튼 요즘은 모든 것을 돈으로만 따지려 해서 문제예요. 내가 소설을 쓰는 것은 그런 사람들의 생각을 바꾸기 위한 것이지요. ✕

현대소설 독해의 STEP 1

❶ 다음 글을 읽고 주요 인물을 잘 파악했는지, 빈칸에 적절한 말을 채웠는지 확인해 보세요.

📅 **고3 2011학년도 7월 학평 – 김원일, 「마당깊은 집」**

[앞부분의 줄거리] 전쟁이 나던 해 아버지가 행방불명되자 '나'는 가족과 떨어져 고향 진영에서 어렵사리 지낸다. 대구로 간 가족들은 장관동의 '마당 깊은 집'에 사글세살이를 시작하고 '나'는 3년 만에 가족들과 합치게 된다. '마당깊은 집'의 위채에는 주인집이 살고, 아래채에는 네 가구의 피난민들이 세를 들어 살고 있다. 어느 날 위채의 주인은 아들을 미국에 유학보내기 위해 관리들과 미군을 초대하여 파티를 연다.

　나는 경기댁네 쪽마루에 경기댁과 나란히 앉아 추위로 오들오들 떨며, 샹들리에 전등을 대낮같게 환하게 밝힌 위채 대청 유리문 안쪽의 은성한 파티를 먼발치서 치켜다보며 구경했다. 앞부분의 줄거리를 고려하면 '나'와 '경기댁'은 모두 마당깊은 집의 아래채에 세 들어 사는 피난민 이겠지? 추위로 떨고 있는 피난민들과 환하게 전등을 밝히고 파티를 벌이는 사람들의 상황이 대비되네. 담요를 둘러쓴 경기댁은 초조하게 담배를 피우며 잘 차려 입은 여러 사람 사이에 섞인 ⓐ자기 딸을, 마치 이리떼 놀이터에 풀어놓은 양을 지키듯 감시하고 있었다. 대청에는 대형 톱밥난로가 벌겋게 달아 있었고, 전축에서는 미국 대중 가요가 흘러나왔다. 대청 한쪽에는 흰 보를 씌운 다리 긴 식탁이 있었고, 그 식탁 위에는 여러 종류의 음식과 술병이 즐비했다. 손님들은 쟁반을 들고 자기가 먹고 싶은 음식을 마음대로 골라 쟁반에 담았다. 자기 몫 음식이 따로 있지 않고 등등산같게 잰 음식을 저런 방법으로 양껏 먹을 수 있다니, 참으로 부러운 광경이 아닐 수 없었다. 연미복에 나비넥타이를 맨 군방각에서 온 젊은이가 손님들 시중을 들고 있었다. 경기댁은 초조한 마음으로 자기 딸을 감시하고 있고, '나'는 먹고 싶은 음식을 양껏 먹을 수 있는 사람들을 부러워하고 있어.

　"음식두 지랄같이 처먹네. 서서 낄낄거리며 먹는 저 서양식 짓 거리가 대체 무슨 꼴이람. 음식 맛두 제대로 모르겠군."
　경기댁의 빈정거림이었다.
　"서양식 식사는 역시 통이 큼더. 음식 접시 앞을 돌아댕기미 지 묵고 싶은 거마 골라 배 터지게 묵을 수 있으이까예." '나'와 달리 경기댁은 위채에서 벌인 서양식 파티에 대해 빈정거리고 있어.
　ⓑ"신문 배달하는 너는 어느 세월에 저렇게 차려놓구 서서 다니며 먹어보겠니. 길남이 너, 자신 있어?"
　분명 비꼬는 말인데 나는 대답할 수 없었다. 추위 탓만도 아닌, 나는 평생 저런 방법으로 음식을 먹어볼 수는 없을 것 같은 절망에 몸을 떨었다. 경기댁은 서양식 식사를 부러워하는 '나'를 비꼬지만, '나'는 거기에 대답 하지 못하고 절망을 느끼고 있어.

　장면끊기 01 　중략 이전까지를 하나의 장면으로 끊어서 살펴볼 수 있겠네. 이 장면에서는 마당깊은 집에 함께 살지만 처지가 대조적인 주인집 식구들과 피난민들의 모습이 그려지고 있어.

(중략)

　"아뿌지, 모른다. 나 모른다……."

　누워 있던 길수가 기침 끝에 헛소리같게 중얼거렸다. 길수는 열이 높아 이틀 동안 헛소리를 내질렀고, 목이 부었는지 죽 이외는 아무것도 입 안에 넘기지 못했다. 사팔뜨기 짝눈을 이리저리 굴리며 쉰 목소리로 헛소리를 내지를 때는 애처로워 차마 마주볼 수 없었다. 약 한 알 먹지 않았는데 아침에는 열이 내렸으나 기침은 쉬 가라앉지 않았다. 며칠 사이 길수는 얼굴이 더욱 핼쑥해져 머리통만 큰 기형아로 보였다.
　"우리 길수가 어서 일어나야 할 낀데. 어이구, 저 불쌍한 내 새끼 ……."
　어머니는 길수가 덮은 이불깃을 다독거려주며 혀를 찼다. 열이 높고 헛소리까지 하는 걸 보면 길수는 무척 아픈 것 같아. 그런데도 병원은커녕 약 한 알도 먹지 못하고 있는 상황을 통해 피난민들의 곤궁한 삶을 엿볼 수 있네.

　장면끊기 02 　중략 이후는 길수가 몹시 아팠던 상황을 보여 주고 있어. 길수는 '나'(길남)의 동생이겠지? '나'는 아픈 길수를 애처로워하고, 어머니도 길수를 불쌍하게 여기지만 가난한 형편으로 인해 아무것도 해 주지 못하고 있어. 이를 통해 첫 번째 장면과 마찬가지로 피난민 들의 비참한 처지가 드러난다고 할 수 있겠네.

　ⓒ어머니가 대구에 터를 잡았던 이듬해 이야기다. 어머니는 자주 그 이야기를 꺼내었고 당시 나는 진영에 있었기에 그 정황을 머릿 속에 그려볼 수밖에 없었다. 앞서 길수가 아팠던 상황은 '나'가 실제로 본 것 이었다면, 지금부터 제시될 상황은 '나'가 어머니에게 들은 것이구나. 어머니가 세 자식에게 하루 두 끼니는 근근이 입에 풀칠을 시키다, ⓓ어느 날 하루를 꼬박 굶긴 적이 있었다 했다. 이튿날 아침, 어머니가 이모 님댁에서 보리밥 한 그릇을 얻어와 그 밥을 불려 먹는다고 죽을 쑤어, 당신은 먹지 않고 세 자식에게 나누어주었다. 그런데 빈 뱃 속에 뜨거운 죽을 너무 급하게 먹었던지 길중이가 먹은 죽을 죄 토해내고 말았다. 길중이는 방바닥에 위액과 더불어 토해놓은 죽을 긁어 다시 먹었음은 물론인데, 걸레로 방바닥을 훔치는 어머니를 길수가 눈여겨보았던지 길수가 나중에 그 걸레를 빨아먹고 있더라 했다. "세 살밖에 안 된 것이 그때만은 머리가 잘 돌아갔는지 그 걸레에 죽이 묻었다꼬 빨아묵고 안있나." 어머니가 그렇게 말했고, 나 역시 그 말을 사실로 믿었다. 그러나 그뒤 어느 때부터인가 나는 어머니 말을 나름대로 고쳐 해석하게 되었다. 길수는 걸레에 묻은 죽 찌꺼기를 빨아먹기 위해서라기보다, 배가 고프면 시골 아이들이 부드러운 흙을 집어먹듯, 빈 뱃속을 채우려 무심히 걸레를 빨아먹 었으리라. 아이들을 하루종일 굶길 수밖에 없었던 어머니, 자신 또한 죽까지 다시 먹는 길중이, 걸레에 묻은 죽을 빨아먹는 길수의 모습을 통해 피난민들의 물질적 빈곤이 얼마나 심각했는지를 알 수 있어. 그러나 내 해석이야 어쨌든, 길수의 그런 일화를 회상할 때마다 그가 지금 이 지상에 살아 있지 않음으로써, 그를 향한 연민의 정이 내 마음을 늘 아프게 울린다.

　밤마다 따뜻한 짐승 새끼이듯 내게 화로 구실을 해주던 길수는 그 질긴 독감으로부터 살아났으나, 그로부터 겨우 삼 년을 더 채 우고, 우리 집안에 가난의 그림자가 걷히기 전 '더러운 세월'과 함께 죽었다. 그 아둔한 걸음과 어눌한 발음 탓으로 다른 아이들이 다 가는 초등학교 입학조차 거절당한 채 병원 신세 한번 지지 못하고 ⓔ어느 추운 겨울날 뇌막염으로 숨을 닫았으니, 그의 나이 만 여덟 살 때였다. 두 번째 장면에서 길수가 열이 나고 기침이 나던 것은 독감에 걸렸기 때문 이었구나. 다행히 길수는 그때 독감을 이겨냈지만 그로부터 삼 년 뒤 만 여덟 살 때 뇌막염 으로 죽게 되었군. '나'는 가난하게 살다가 학교도, 병원도 가보지 못하고 죽은 길수를 생각 하며 연민을 느끼네.

장면끊기 03 대구에 터를 잡았던 이듬해 이야기가 시작되는 부분에서 장면을 끊어볼 수 있겠지? 세 번째 장면에서는 어머니가 들려준, 끼니를 잇지 못할 정도로 가난했던 시절의 이야기를 현재의 '나'가 떠올리면서 **연민**을 드러내고 있어.

– 김원일, 「마당깊은 집」 –

현대소설 독해의 STEP 2

1 구조도의 빈칸에 적절한 말을 채웠는지 확인해 보세요.

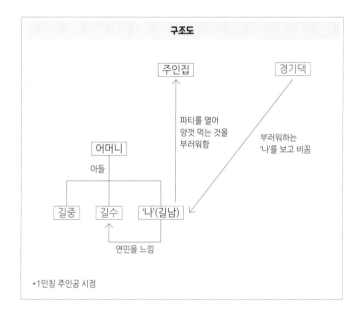

구조도

*1인칭 주인공 시점

2 1~2번 문제의 정답과 해설을 확인해 보세요.

1. 윗글을 영화로 제작하고자 한다. ⓐ~ⓔ에 대해 감독이 요구할 수 있는 사항으로 적절하지 <u>않은</u> 것은?

정답풀이

② ⓑ: '경기댁'으로 하여금 자조적인 표정을 짓게 하여 '경기댁'의 자기 비하 감정이 드러나도록 요구해야겠어.

> ⓑ에서는 경기댁이 '신문 배달'을 하면서 '어느 세월에 저렇게 차려놓구 서서 다니며 먹어보겠'냐며 '나'(길남이)를 '비꼬'고 있다. 따라서 ⓑ에서 경기댁의 자조적인 표정을 통해 자기 비하 감정이 드러나도록 요구하는 것은 적절하지 않다.

오답풀이

① ⓐ: '딸'과 '경기댁'의 모습을 한 화면에 담아 딸을 바라보는 '경기댁'의 불안한 심리를 강조해야겠어.

> ⓐ에서는 '잘 차려입은 여러 사람 사이에 섞인' 경기댁의 '딸'과 이를 '초조하게 담배를 피우며' '지키듯 감시'하는 경기댁의 모습을 한 화면에 담아 딸을 바라보는 경기댁의 불안한 심리를 강조할 수 있다.

③ ⓒ: 오버랩(O.L)을 사용하여 장면을 교차함으로써 자연스럽게 시간을 전환시켜야겠어.

> ⓒ에서는 길수가 아팠던 사건에서 '어머니가 대구에 터를 잡았던 이듬해 이야기'로 전환이 일어나므로 오버랩(하나의 화면이 끝나기 전에 다음 화면이 겹치면서 먼저 화면이 차차 사라지게 하는 기법)을 통해 장면을 교차하여 시간을 더 과거로 전환하는 것은 적절하다.

④ ⓓ: 애잔한 배경 음악으로 인물들이 처한 비참한 분위기를 조성해야겠어.

> ⓓ에서는 '세 자식'을 '하루를 꼬박 굶'길 수밖에 없는 비참한 처지를 강조하기 위해 애잔한 배경 음악을 활용할 수 있다.

⑤ ⓔ: '나'의 서글픔과 쓸쓸함이 담긴 목소리를 내레이션(Nar)으로 처리해야겠어.

> ⓔ에서는 '만 여덟 살 때' 죽은 길수에 대한 '나'의 '연민의 정'이 드러나도록 서글픔과 쓸쓸함이 담긴 목소리를 내레이션(영화 속 등장인물이 말하는 것이 아닌 화면 밖에서 목소리만으로 하는 해설)으로 처리할 수 있다.

2. 문학 개념어 OX 확인 문제

> ① 　○
> • 방언: 어느 한 지방에서만 쓰는, 표준어가 아닌 말.
>
> 근거 '역시 통이 큼더.', '묵을 수 있으이까예.'

> ② 　✕
> • 의식의 흐름: 등장인물의 머릿속에 떠오르는 생각, 기억, 마음에 스치는 느낌 등을 그대로 적는 것.

현대소설 독해의 **STEP 3**

1 1번 문제의 선지 판단 공식에 대한 답을 확인해 보세요.

선지 판단의 공식

① 작품
경기댁은 '초조하게 담배를 피우며 잘 차려입은 여러 사람 사이에 섞인 ⓐ자기 딸을, 마치 이리떼 놀이터에 풀어놓은 양을 지키듯 감시하고 있었'음

선지➔ ⓐ: '딸'과 '경기댁'의 모습을 한 화면에 담아 딸을 바라보는 '경기댁'의 불안한 심리를 강조해야겠어.　　　　○

② 작품
경기댁은 '나'에게 ⓑ'신문 배달하는 너는 어느 세월에 저렇게 차려놓구 서서 다니며 먹어보겠니. 길남이 너, 자신 있어?' 라고 함, '나'는 이에 '분명 비꼬는 말'이지만 '대답할 수 없었다.' 라고 함

선지➔ ⓑ: '경기댁'으로 하여금 자조적인 표정을 짓게 하여 '경기댁'의 자기 비하 감정이 드러나도록 요구해야겠어.　　　　✕

③ 작품
ⓒ 이전에는 길수가 '열이 높아 이틀 동안 헛소리를 내질렀고, 목이 부었는지 죽 이외는 아무것도 입 안에 넘기지 못했'던 때를 이야기함, ⓒ부터는 'ⓒ어머니가 대구에 터를 잡았던 이듬해 이야기'를 제시함

선지➔ ⓒ: 오버랩(O.L)을 사용하여 장면을 교차함으로써 자연스럽게 시간을 전환시켜야겠어.　　　　○

④ 작품
ⓓ에서는 '세 자식에게 하루 두 끼니는 근근이 입에 풀칠을 시키'던 어머니가 'ⓓ어느 날 하루를 꼬박 굶긴 적이 있었'음을 이야기함

선지➔ ⓓ: 애잔한 배경 음악으로 인물들이 처한 비참한 분위기를 조성해야겠어.　　　　○

⑤ 작품
'나'는 길수를 향한 '연민의 정이 내 마음을 늘 아프게 울린 다.'라고 함, 길수는 '만 여덟 살 때' '초등학교 입학조차 거절 당한 채 병원 신세 한번 지지 못하고 ⓔ어느 추운 겨울날 뇌 막염으로 숨을 닫았'음

선지➔ ⓔ: '나'의 서글픔과 쓸쓸함이 담긴 목소리를 내레이션(Nar) 으로 처리해야겠어.　　　　○

현대소설 독해의 STEP 1

1 다음 글을 읽고 주요 인물을 잘 파악했는지, 빈칸에 적절한 말을 채웠는지 확인해 보세요.

📅 고3 2018학년도 3월 학평 – 김소진, 「쥐잡기」

무거운 침묵이 흐르는 가운데 문 앞의 감찰 완장들 중 한 명이 앞으로 한 걸음 내달리며 통명스럽게 내뱉었다. 딱 십 분을 주갔으니 잘 생각들 해서 정하우다. 뒷짐에서 풀려나 천천히 입으로 올라가는 손가락 사이에는 태를 먹어 금방이라도 산산이 부서져 내릴 듯한 허연 호루라기가 들려 있었다. 앙칼지게 불어제치는 호각 소리에 모두들 가슴이 철렁 내려앉았다. _{감찰 완장들 중 한 명이 **십 분**의 시간을 줄 테니 선택을 하라고 말하고는 **호루라기**를 불었어. 그러자 모두들 가슴이 철렁 내려앉았다고 해.} 처음엔 이것이 무슨 꿍꿍이속인가 싶어 숨들을 죽이고 있었는데 한 오 분쯤 지나자 몇 사람이 후다닥 양쪽으로 오고 갔다. 그러자 서로 기다렸다는 듯 이쪽저쪽으로 뒤죽박죽 오가는데 정신을 차릴 수 없었다. _{십 분 안에 양쪽 중 한 곳을 선택해야 하는 상황인가 봐.}

[아버지]가 처음 앉았던 자리는 북으로 가는 자리였다. _{아버지를 포함한 그곳의 사람들은 남과 **북** 중 한 곳을 선택해야 하는 상황에 처한 거네.} 머릿속이 휑뎅그렁하게 비어 버려 망창히 앉아 있던 아버지에게는 창문으로 쏟아져 들어오는 햇살이 그저 너무 좋다는 생각만 한심하게 다가왔다. _{급박한 상황 속에서 아버지는 그저 창밖의 **햇살**을 느끼고 있어.} 고개를 돌려 보니 수용소 안에서 가까이 지내던 사람들이 모두 이남 자리로 넘어가서는 아버지보고 그쪽에 남으면 죽으니 날래 넘어오라구 난리를 쳤다. 갑자기 겁이 더럭 올라붙은 아버지는 시적시적 이남 자리로 옮겨 갔다. _{수용소 안에서 가까이 지내던 사람들의 성화에 갑자기 겁이 난 아버지는 **이남** 자리로 갔어.} 그러나 개인적 안위를 걱정할 때가 아니라는 생각이 스쳤다. 잔뼈가 굵은 고향이 있었고 거기에 살고 있을 부모처자─아버지는 이미 전쟁 전에 장가를 들었다─모습이 눈앞에 밟혔던 것이다. 그래서 이번에는 후들거리는 다리를 끌고 이북 자리로 넘어갔다. _{개인적 안위가 아닌 북에 남겨진 **가족**들이 생각나 아버지는 다시 **이북** 자리로 갔네.} 그러나 자리에 앉고 보니 불현듯 물밑 쪽 같은 신세 이제 고향에 돌아가믄 뭘 하겠나 하는 생각이 들었다. 뭐가 뭔지 알 수가 없었다. _{아버지는 남과 북 사이에서 어디를 택해야 할지 몰라 **혼란스러워** 하고 있어.}

그만 하는 소리와 함께 호각이 삑 울렸다. 아버지는 둔기로 뒷머리를 얻어맞은 사람처럼 온몸이 굳어져 왔다. _{혼란스러움을 느끼던 중 **십 분**이 지나버린 거야.} 저 복도는 이미 단순한 복도가 아니라 삼팔선 바로 그것이었다. 아 이를 어쩐단 말이냐. 그때 아버지는 자신의 두 눈을 의심했다. 차오르는 숨을 가누지 못해 고개를 쳐든 아버지의 눈동자에는 퀀셋 들보 위를 살금살금 걸어가는 희끄무레한 물체가 들어왔다. 폭동의 와중에서 우연히 아버지를 깨우는 바람에 목숨을 건지게 해 준 그 흰쥐가 꼬랑지를 살랑살랑 흔들며 이남 쪽으로 걸음을 떼고 있었다. 아버지의 눈에 힘이 들어갔다. 복도 사이로는 감찰 완장들이 저벅저벅 걸어 들어오는 판국이었다. 아버지는 얼른 복도로 내려섰다. 너무 서두르는 통에 발목을 접질려 비틀거리자 지나가던 감찰 완장 하나가 이눔아 하며 엉덩이를 걷어찼다. _{이북 자리에 있던 아버지는 흰쥐가 이남 자리로 가는 모습을 보고 서둘러 자신도 이남 자리로 향했어.}

_{**장면끊기 01** 6·25 전쟁으로 인해 남과 북이 대립하던 때 아버지는 수용소에서 남과 북 중 한 곳을 선택해야 하는 상황에 처했어. 그 경계에서 혼란스러워 하던 아버지는 결국 이남 자리로 향했지.}

내이가 왜 그랬겠니? 여기 한번 나와 있으니까니 못 가갔드란 말이야. 어딜 간들 하는 생각 때문에 도루 못 가갔드란 말이야. 기거이 바로 사람이야. 웬 쥐였냐고? 글쎄 모르지. 기러다 보니 맹탕 헷것이 눈에 끼었는지두. 언젠가 돌아가갔지 하며 살다 보니…… 암만 생각해 봐두 꿈 같기두 하구…… 기리고 이젠 모르갔어…… 정짜루다 돌아가구 싶은 겐지 그럴 맘이 없는 겐지…… 늙으니까니 암만해두. _{아버지는 남과 북 중 한 곳을 택하도록 강요받던 순간을 **회상**하고 있던 것이니, 현재로 돌아오는 부분에서 장면을 나누어야 했어. 이후 남쪽에서 살아온 아버지는 이제는 **돌아가**고 싶은 것인지 아닌지도 잘 모르겠다고 해.}

짓물러진 눈자위를 손가락으로 지그시 누르고 있는 아버지의 어깨가 가늘게 떨렸다. [민홍]은 뱃속에서 울컥하는 감정 덩어리가 솟구침을 느꼈다. 비껴 앉은 아버지의 야윈 잔등을 보면서 민홍은 박물관에서 본 적이 있는 고생대의 한 화석을 떠올렸다. 그 화석에 대한 일차적 기억은 앙상함이었고 그리고 가슴 답답한 세월의 무게였다. 그 누구도 자유롭지 못한. _{순간적 선택으로 남쪽에 오게 된 아버지는 오랜 세월 북으로 돌아가지 못하고 살아왔어. 괴로워하는 아버지를 바라보는 민홍도 연민과 안타까움을 느껴. 개인에게 십 분 남짓한 시간을 주고 평생을 좌우할 선택을 강요하는 것에서 **이념** 간 대립의 폭력성을 엿볼 수 있지.}

_{**장면끊기 02** 아버지는 이렇게 오랜 세월 돌아가지 못하리라고는 생각하지 못하고 순간의 선택으로 북에 **가족**을 남겨둔 채 남쪽으로 와서 결혼을 하고 아들을 낳고 산 거네. 이후 중략 부분의 줄거리가 제시되고 있으니 여기서도 장면을 나누어 주자.}

[중략 부분의 줄거리] 대학생인 민홍은 시위에 참여했다가 화상을 입고 한 달간 병원 신세를 진 후 집으로 돌아온다. 아버지는 세상을 떠나고, 민홍은 [어머니]인 [철원네]로부터 쥐를 잡으라는 성화를 듣는다.

민홍은 철원네가 열고 나간 가게문을 닫기 위해 무심코 한 발을 방문턱에 올리는 순간 흠칫 몸이 굳어졌다. ⓐ그놈, 바로 철원네가 입버릇처럼 뇌던 그놈이 아주 느릿느릿한 동작으로 가게 문턱을 향해 기어가고 있었다. 철원네가 말한 용모파기와 일치했다. _{민홍은 **어머니**가 잡으라고 성화를 부렸던 바로 그 쥐를 발견하고 놀랐어.}

─에유, 어찌 된 애가 응, 기름병을 들고 불구뎅이 속으로까지 뛰어들었다는 애가 그래 그깟 쥐 한 마리를 못 잡는대서야 말이 되니? 기가 멕혀서. 이젠 그눔이 새끼까지 치고 아예 눌러앉으려는지 배가 이리 불룩하고 이만하게 늙은 놈이 등허리는 비루가 먹었는지 털이 홀떡 벗겨져서는……. _{어머니는 학생 운동을 하며 **기름병**을 들고 불 속에 뛰어들기도 했던 민홍이 쥐 한 마리를 잡지 못하는 것을 나무랐다.}

민홍은 입을 조금 벌렸다. 기름병을 들고 불구뎅이 속으로 뛰어들었다는 애가. 정수리 끝까지 뻗쳐오른 기운 때문에 미세한 오한에 휩싸였다. 녀석은 민홍을 슬쩍 쳐다보았으나 느린 동작에는 변함이 없었다. 저 정도면 잡을 수 있다. 녀석에게서 눈길을 떼지 않은 채 손을 가만히 내려 냉장고 옆에 세워 둔 연탄집게를 들어 올렸다. 이거면 족하다. 민홍은 손아귀에 힘을 주었다. 사정거리권 안으로 다가서는 민홍의 손아귀에서는 찐득한 땀이 배어 나왔다. _{느릿하게 움직이는 쥐를 잡기 위해 민홍은 **연탄집게**를 쥐고 **긴장**하며 쥐를 바라보고 있어. 녀석이} 버거운 뱃구레를 추스르며 문턱에 오르는 순간을 일격의 시기로 잡았다. 그래 서두를 건 없어. 민홍은 손아귀에서 힘을 빼고는 일부러 딴 데를 쳐다보는 여유를 부렸다.

"그래 죽여라 죽여. 이러고 더 살믄 뭐 하니? 너 죽고 나 죽자."

민홍의 눈이 빛나는 순간이었다.

아아, 나의 어리석음이여!

민홍은 낮은 신음을 흘리며 황급히 뒤쫓아 나갔지만 허사였다. 녀석의 굼뜬 동작은 괜히 상대방을 자만하게 만들기 위한 위장술이 틀림없어 보였다. 느릿하게 움직이던 쥐가 갑자기 빠르게 도망가면서 민홍은 쥐를 놓치고 말았어. 민홍은 자신이 방심했음을 깨닫고 스스로의 어리석음을 탄식하고 있지. 그것은 등허리의 털이 벗겨질 만큼 오랫동안 목숨을 부지하면서 터득한 경험과 새끼를 밴 암컷의 빈틈없고 대담한 산술이었으리라. 녀석은 문턱에 오르는가 싶더니 어느새 다람쥐보다 더 민첩한 동작으로 사라지고 말았다. 민홍이 맨발로 뛰쳐나갔을 때는 골목의 어둠 속으로 유유히 빨려 들어가는 꼬리만 설핏 눈에 들어왔을 뿐이었다. 민홍은 그 자리에 망부석처럼 우두망찰 서서 소리 없이 웃고 있는 어둠 속을 노려보았다.

─모르지 맹탕 헛것이 눈에 보였는지두.

아버지의 늘쩡한 목소리가 귓전에 와 달라붙었다. 민홍은 아버지가 젊었을 적 남과 북 중 한 곳을 택해야 했을 때 보았던 쥐에 대해 한 말을 떠올리고 있어. 민홍은 찬찬히 고개를 가로저었다. 골목 저편에서 비닐봉지와 함께 다가온 바람이 이마 위로 흘러내린 머리칼을 달싹이고 갔다. 민홍은 입을 굳게 다물어 보았다. 그냥 그렇게 서 있고 싶었다. 불끈 쥐어 본 주먹에는 연탄집게가 알맞춤하게 들어 있었다. 왠지 느꺼운 감정이 밀려오면서 저만치서 채 시작되지도 않은 겨울의 출구가 보이는 듯했다. 그쪽은 맨발이었다. 쥐를 놓치고 아버지의 말을 떠올리던 민홍은 어떤 감정이 북받쳐 밀려오는 것을 느끼며 서 있었어.

장면끊기 03 아버지가 돌아가신 뒤, 어머니가 잡으라고 성화였던 쥐를 민홍이 발견하지만 결국 놓치고 마는 장면으로 지문이 끝나고 있어.

— 김소진, 「쥐잡기」 —

현대소설 독해의 STEP 2

1 구조도의 빈칸에 적절한 말을 채웠는지 확인해 보세요.

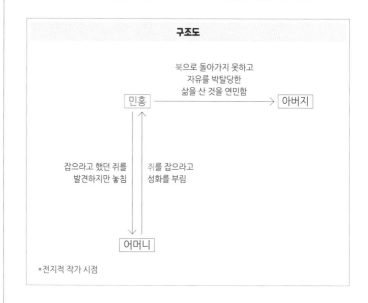

구조도

북으로 돌아가지 못하고 자유를 박탈당한 삶을 산 것을 연민함

민홍 → 아버지

잡으라고 했던 쥐를 발견하지만 놓침

쥐를 잡으라고 성화를 부림

어머니

*전지적 작가 시점

2 1~2번 문제의 정답과 해설을 확인해 보세요.

1. ⓐ와 관련하여 윗글을 이해한 내용으로 적절하지 않은 것은?

정답풀이

④ '민홍'은 ⓐ가 '골목의 어둠 속'으로 사라지자마자 소리 없이 웃으며 ⓐ에 대한 아버지의 말을 내뱉고 있다.

> 민홍은 ⓐ가 '골목의 어둠 속으로' 사라지자 '망부석처럼 우두망찰 서' 있었으며 '소리 없이 웃고 있는 어둠 속을 노려'본 것이지, 민홍이 소리 없이 웃은 것은 아니다. 또한 '모르지 맹탕 헛것이 눈에 보였는지두.'는 남과 북 중 한 곳을 선택해야 했을 때 본 '흰쥐'에 대한 아버지의 말로, 민홍은 이 말을 떠올린 것이지 직접 내뱉고 있지는 않다.

오답풀이

① '민홍'은 ⓐ와 관련해 '철원네'가 자신에게 한 말을 떠올리고 있다.

> 민홍은 '아주 느릿느릿한 동작으로 가게 문턱을 향해 기어가고 있'는 ⓐ를 발견하게 되며, 이와 관련해 철원네가 자신에게 '그깟 쥐 한 마리를 못 잡는대서야 말이 되'냐며 나무란 말과 '배가 이리 불룩하고 이만하게 늙은 놈이 등허리는 비루가 먹었는지 털이 훌떡 벗겨'졌다며 ⓐ를 묘사한 말을 떠올리고 있다.

② '민홍'은 '철원네가 말한 용모파기와 일치'하는 ⓐ를 발견하고 긴장하고 있다.

민홍은 '아주 느릿느릿한 동작으로 가게 문턱을 향해 기어가고 있'는 ⓐ를 발견하며, 그것이 '철원네가 말한 용모파기와 일치'한다는 것을 인식하고는 손아귀에서 '찐득한 땀이 배어 나'오도록 긴장한다.

③ '민홍'은 '저 정도면 잡을 수 있다.'라고 생각하고 ⓐ를 잡는 일에 집중하고 있다.

민홍은 '아주 느릿느릿한 동작으로' 기어가는 ⓐ를 발견하고 '저 정도면 잡을 수 있다.'라고 생각하며 '연탄집게를 들어 올'린다.

⑤ '민홍'은 ⓐ를 놓친 후 '나의 어리석음이여'라고 하며 자신이 적절하게 대응하지 못한 것에 대해 탄식하고 있다.

민홍이 '일부러 딴 데를 쳐다보는 여유를 부'리자 ⓐ가 '민첩한 동작으로 사라'진 것에 대해 민홍은 '아아, 나의 어리석음이여!'라고 탄식한다.

2. 문학 개념어 OX 확인 문제

① ✕

근거 인물의 표정 변화나 내면 변화가 반대로 서술되고 있다고 볼 수 없으며, 이를 통해 인물의 특성을 부각하고 있지도 않음.

② ○

근거 전지적 서술자는 아버지가 포로로 잡혀 남과 북 중 한 곳을 선택해야 했던 장면을 서술하며 '갑자기 겁이 더럭 올라붙은 아버지는', '개인적 안위를 걱정할 때가 아니라는 생각이 스쳤다.'와 같이 아버지의 내면 의식을 제시함. 또한 민홍이 쥐를 발견했다가 놓치게 되는 장면에서는 '저 정도면 잡을 수 있다.', '이거면 족하다.' 등 민홍의 내면을 드러내는 내적 독백을 제시함.

현대소설 독해의 **STEP 3**

■ 1번 문제의 선지 판단 공식에 대한 답을 확인해 보세요.

선지 판단의 공식

① 작품 민홍은 '철원네가 입버릇처럼 뇌던 그놈이 아주 느릿느릿한 동작으로 가게 문턱을 향해 기어가고 있'는 것을 발견함. 민홍은 ⓐ를 보고 철원네가 '그깟 쥐 한 마리를 못 잡는'다며 나무란 것과 '배가 이리 불룩하고 이만하게 늙은 놈이 등허리는 비루가 먹었는지 털이 훌떡 벗겨'졌다고 묘사한 것을 떠올림

선지 ➡ '민홍'은 ⓐ와 관련해 '철원네'가 자신에게 한 말을 떠올리고 있다. ○

② 작품 민홍은 '철원네가 입버릇처럼 뇌던 그놈이 아주 느릿느릿한 동작으로 가게 문턱을 향해 기어가고 있'는 것을 발견하고 손아귀에서 '찐득한 땀이 배어 나'옴, ⓐ는 '철원네가 말한 용모파기와 일치했'음

선지 ➡ '민홍'은 '철원네가 말한 용모파기와 일치'하는 ⓐ를 발견하고 긴장하고 있다. ○

③ 작품 민홍은 '철원네가 입버릇처럼 뇌던 그놈이 아주 느릿느릿한 동작으로 가게 문턱을 향해 기어가고 있'는 것을 발견함. 민홍은 '저 정도면 잡을 수 있다'고 생각하며 '손을 가만히 내려 냉장고 옆에 세워 둔 연탄집게를 들어 올'림

선지 ➡ '민홍'은 '저 정도면 잡을 수 있다.'라고 생각하고 ⓐ를 잡는 일에 집중하고 있다. ○

④ 작품 ⓐ는 '어느새 다람쥐보다 더 민첩한 동작으로 사라'지고, 민홍은 '골목의 어둠 속으로 유유히 빨려 들어가는 꼬리만 설핏' 봄, 민홍은 '소리 없이 웃고 있는 어둠 속을 노려보'며 아버지의 말을 떠올림

선지 ➡ '민홍'은 ⓐ가 '골목의 어둠 속'으로 사라지자마자 소리 없이 웃으며 ⓐ에 대한 아버지의 말을 내뱉고 있다. ✕

⑤ 작품 민홍이 '일부러 딴 데를 쳐다보는 여유를 부'리자 ⓐ가 '어느새 다람쥐보다 더 민첩한 동작으로 사라'진 것에 대해 민홍은 '아아, 나의 어리석음이여!'라고 하며 '낮은 신음을 흘'림

선지 ➡ '민홍'은 ⓐ를 놓친 후 '나의 어리석음이여'라고 하며 자신이 적절하게 대응하지 못한 것에 대해 탄식하고 있다. ○

하루 30분
선 지 판 단 력
강 화 프 로 그 램
현대소설 트레이닝

3
주차

현대소설 독해의 STEP 1

1 다음 글을 읽고 주요 인물을 잘 파악했는지, 빈칸에 적절한 말을 채웠는지 확인해 보세요.

📅 **고3 2020학년도 수능 – 김소진, 「자전거 도둑」**

한 평도 채 안 되는 구멍가게는 중풍으로 쓰러져 정상적 건강 상태가 아니었던 **아버지**의 유일한 수입원이자 생존 이유였다. 때문에 ⊙그 구멍가게에 대한 아버지의 몰두와 자존심은 각별했다. '나'의 아버지는 **중풍**으로 쓰러지신 뒤 건강 상태가 좋지 못했어. 그 때문에 유일한 **수입원**이자 생존 이유였던 **구멍가게**에 각별한 애정과 자존심을 갖고 있었지.

한번은 **내**가 아버지가 가게를 잠깐 비운 사이에 곁에 허연 인공 설탕 가루를 묻힌 '미키대장군'이라는 캐러멜을 하나 아무 생각 없이 널름 집어먹은 적이 있었다. 하나에 이 원, 다섯 개에 십 원이었다. 잠시 뒤에 돌아온 아버지는 단박에 그 사실을 알아 채고는 불같이 화를 내며 내 목덜미에 당수를 한 대 세게 내려 꽂는 것이었다. 그 캐러멜 갑 안에 미키대장군이 몇 개 들어 있는지조차 훤히 꿰차고 있는 아버지였다. **캐러멜**을 몰래 하나 집어먹은 '나'에게 아버지는 불같이 화를 냈어. 캐러멜 갑 안에 캐러멜이 몇 개 들어 있는지조차 알고 있을 정도로 구멍가게에 대한 아버지의 애착은 대단하네.

―이런 민한 종간나래! 얌생이처럼 기러케 쏠라닥질을 허자면 이 가게 안에 뭐이가 하나 제대로 남아나겠니, 응?

그리고 나서는 좀 머쓱했는지 입이 한 발쯤 튀어나와 뾰로통해서 있는 내게 미키대장군 네 개를 집어 내미는 거였다. 어차피 짝이 맞아야 파니까, 하면서 억지로 내 손아귀에 쥐어 주었다. '나'에게 화를 낸 후 아버지는 **머쓱**하며 나머지 캐러멜 네 개를 서툴게 '나'의 **손아귀**에 쥐어 주었지. ⓒ나는 그 무허가 불량 식품인 캐러멜 네 개가 끈끈하게 녹아 내릴 때까지 먹지 않고 쥔 채 서 있었다. '나'는 어린 마음에 아버지의 서툰 **사과**에도 여전히 뾰로통한 채 캐러멜을 먹지 않고 손에 쥐고만 있어.

―닐큼 털어 넣지 못하겠니, 으잉?

목덜미에 아버지의 가벼운 당수를 한 대 더 얹은 다음에야 한입에 털어 넣고 돌아서 나왔다. **장면끊기 01** 이 장면에서는 '나'가 아버지의 구멍가게에서 **캐러멜**을 몰래 먹은 일로 아버지께 혼이 나는 모습이 나타나 있어. 바로 이어지는 내용은 캐러멜을 몰래 먹은 사건이 끝나고, '나'가 아버지의 구멍가게 잔심부름꾼으로서 아버지와 함께 시장통 도매상을 다니던 일을 이야기하니 여기서 장면을 끊고 가자!

아버지도 가게 일을 수월하게 보려면 잔심부름꾼인 나를 무시하고는 아쉬울 때가 많을 터였다. 워낙 짧은 밑천으로 가게를 꾸려 가자니 아버지는 물건 구색을 맞추느라 하루에도 많을 때는 세 번까지 시장통 도매상으로 정부미 포대를 거머쥐고 종종걸음을 쳐야 했고, 막내인 나는 번번이 아버지의 뒤로 팔을 늘어뜨린 채 졸졸 따를 수밖에 없었다.

그땐 그게 죽도록 싫었다. 하마 시장통에서 야구 글러브를 끼거나 조립용 신형 무기 장난감 상자를 든 반 친구를 만나거나, 심지어 과외나 주산 학원을 가는 여자 아이들을 만나는 날에는 정말 그 자리에서 혀를 빼물고 죽고 싶은 생각뿐이었다. 궁핍한 형편 때문에 번번이 아버지를 따라 **시장통 도매상**으로 물건을 받으러 가야 했던 '나'는 반 친구나 여자 아이들을 마주치면 **수치스러움**을 느꼈어.

장면끊기 02 중략 이후 '어느 날이었다.'라고 **시간**이 바뀌며 새로운 사건이 시작되고 있지? 여기에서 장면이 구분되고 있음을 쉽게 파악할 수 있었을 거야. 이 장면에서는 '나'가 아버지의 가게 일을 돕기 위해 **시장통**으로 따라다니다가 자신의 처지와 다른 반 친구들을 보며 수치심을 느끼고 가난에 대한 상처를 갖게 된 모습이 나타나 있어.

(중략)

어느 날이었다. 아버지와 나는 앞서거니 뒤서거니 하면서 그 정부미 자루를 날라 왔다. 그런데 집에 도착해 한숨을 돌린 뒤 자루를 풀고 물건을 정리해 보니 스무 병이 와야 할 소주가 두 병이 모자란 채 열여덟 병만 온 것이었다.

ⓒ아버지의 얼굴은 맞보기가 민망할 정도로 금세 하얗게 질렸다. 아버지는 도매상에서 **소주**를 두 병이나 모자라게 받아 온 것 때문에 얼굴이 하얗게 질리며 당황스러워했다. 왜냐하면 그 덜 온 두 병을 빼고 나면 나머지 것들을 몽땅 팔아 봤자 결국 본전치기일 뿐이었기 때문이다. 아버지는 내 등을 떼밀어 물건을 받아 온 수도상회의 **혹부리 영감**한테 내려 보냈다. 아버지는 말주변도 말주변이었지만 중풍 후유증 때문에 약간의 언어 장애가 있어 일부러 나를 보냈던 것이다. 소주 두 병을 마저 받아오지 못하면 장사를 해 봤자 남는 게 없기 때문에 아버지는 '나'를 도매상인 수도상회의 **혹부리 영감**에게 대신 보내게 된 거야. 중풍 후유증으로 인한 **언어 장애** 때문에 직접 갈 수 없었던 아버지가 안쓰럽게 느껴지지?

―뭐 하러 왔네?

가게 안에 북적거리는 손님들에게 셈을 치러 주느라 몇 번이고 주판알을 고르는 데 바쁜 혹부리 영감의 눈길을 잡아 두는 데 성공한 나는 더듬더듬 자초지종을 말했다. 그러나 귓등에 연필을 꽂은 채 심술이 덕지덕지 모여 이뤄진 듯한 왼쪽 이마빡의 눈깔 사탕만 한 혹을 어루만지며 듣던 ⓔ혹부리 영감은 풍기 때문에 왼쪽으로 힐끗 돌아간 두터운 입술을 떠들쳐 굵은 침방울을 내 얼굴에 마구 튀겼다. 애초 자기 눈앞에서 까 보이지 않은 것은 인정할 수 없다며 막무가내였다. 나중엔 아버지까지 함께 내려가서 하소연을 해 봤지만 돌아온 대답은 정 그렇게 우기면 거래를 끊겠다는 협박성 경고뿐이었다. 거래가 끊긴다면 아버지한테는 큰 타격이 아닐 수 없었다. 소주 두 병을 적게 받아 온 사정을 헤아려 달라며 **하소연**하는 '나'와 아버지를 향해 혹부리 영감은 실수임을 인정해 줄 수 없다며 오히려 **거래**를 끊겠다고 협박하네.

혹부리 영감은 아버지한테 무슨 큰 특혜를 내려 주듯이 거래를 터 준다고 허락을 놓았었다. 같은 함경도 동향이기 때문이라는 말을 덧붙이면서. 하긴 혹부리 영감한테는 매번 소주 열 병 안짝에다 새우깡 열 봉지, 껌 대여섯 개, 빵 예닐곱 개 등 일반 소매 가격 구매자보다 더 많은 물건을 떼어 가지도 않으면서 부득부득 도맷값으로 해 달라고 통사정을 해 쌓는 아버지 같은 사람 하나쯤 거래를 끊어도 장부상 거의 표가 나지 않을 것이었다. 많은 물건을 떼어 가지도 않으면서 **도맷값**으로 해 달라고 사정했던 아버지와는 거래를 끊어도 **손해** 볼 일이 없기 때문에 혹부리 영감은 인정사정없던 거야.

결국 아버지는 자신의 과오를 인정하지 않을 수 없었다. ⓜ당신의 자그마한 구멍가게로 돌아와 나머지 열여덟 병의 소주를 넋 나간 사람처럼 쓰다듬던 아버지는 기어코 아들인 내 앞에서 눈물을 보이고 말았다. 혹부리 영감의 협박성 경고로 어쩔 수 없이 소주 두 병을 받아오지 못한 채 아버지는 **서러움**을 느끼며 아들인 '나' 앞에서 **눈물**을 보여. 아! 아버지…… 가난으로 인해 힘없는 아버지를 보며 '나'는 안타까워하지.

장면끊기 03 이 장면에서는 아버지가 소주 두 병을 적게 받아 온 일로 혹부리 영감에게 하소연을 해 보지만 협박성 경고만을 듣게 되고, 결국 자신의 **과오**를 인정하며 눈물을 흘리는 모습이 나타나 있지.

― 김소진, 「자전거 도둑」 ―

현대소설 독해의 STEP 2

1 구조도의 빈칸에 적절한 말을 채웠는지 확인해 보세요.

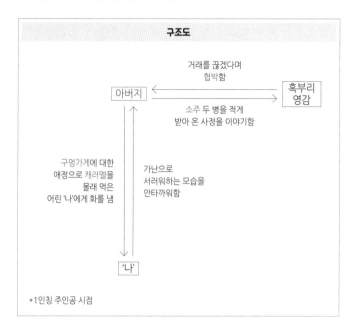

구조도

거래를 끊겠다며
협박함

아버지 ← → 혹부리 영감

소주 두 병을 적게
받아 온 사정을 이야기함

구멍가게에 대한
애정으로 캐러멜을
몰래 먹은
어린 '나'에게 화를 냄

가난으로
서러워하는 모습을
안타까워함

'나'

*1인칭 주인공 시점

2 1~2번 문제의 정답과 해설을 확인해 보세요.

1. 〈보기〉를 참고할 때, ㉠~㉤에 대한 반응으로 적절하지 <u>않은</u> 것은?

〈보기〉

이 소설의 서술자인 성인 '나'는 주로 세 가지 서술 방식을 활용한다. _{서술자:} _{성인 '나'} 첫째는 서술자가 등장인물의 내면 심리나 사건을 설명하는 것이다. _{서술 방식 ① 서술자가 등장인물의 내면 심리, 사건 설명} 이 경우 독자는 서술자의 해석을 통해 사건을 이해하게 된다. 둘째는 서술자가 인물의 외양이나 행위만을 묘사하는 것이다. _{서술 방식 ② 서술자가 인물의 외양, 행위만 묘사} 이 경우 독자는 그 묘사가 갖는 의미를 스스로 해석해야 한다. 셋째는 서술자가 유년 '나'로 시선을 제한하여 유년 '나'의 눈에 보이는 다른 인물의 외양이나 행위를 묘사하는 것이다. _{서술 방식 ③ 서술자가 유년 '나'로 시선을 제한 → 유년 '나'의 눈에 보이는 다른 인물의 외양이나 행위를 묘사} 이 경우 독자는 사건의 현장을 직접 보는 듯한 느낌을 가질 수 있으며, 둘째 방식에서처럼 그 묘사에 대해 해석해야 한다. 셋째 방식에 유년 '나'의 심리가 함께 서술되면 독자는 인물의 심리에 쉽게 공감하게 된다.

⑤ ㉤: 유년 '나'로 시선을 제한하여 아버지의 행위와 표정을 묘사하면서 유년 '나'의 심리를 함께 제시하여 독자는 그 심리에 공감하겠군.

〈보기〉에서 윗글의 서술자인 성인 '나'는 '유년 '나'로 시선을 제한하여 유년 '나'의 눈에 보이는 다른 인물의 외양이나 행위를 묘사'하고 있다고 설명한다. ㉤은 서술자가 유년의 '나'로 시선을 제한하여 당시 구멍가게로 돌아온 아버지가 '나머지 열여덟 병의 소주를 넋 나간 사람처럼 쓰다듬'고 '눈물을 보이'는 장면을 서술함으로써 다른 인물의 행위와 표정을 묘사하고 있을 뿐, 유년 '나'의 심리를 함께 제시하고 있지는 않다.

① ㉠: 서술자가 아버지의 내면을 설명하여 독자는 서술자의 해석을 통해 상황을 이해하겠군.

㉠은 〈보기〉에 제시된 세 가지 서술 방식 중 첫 번째에 해당하는 것이다. 구멍가게에 대한 아버지의 각별한 몰두와 자존심에 대해 서술자가 직접 설명하고 있는 부분으로, 독자는 서술자의 해석을 통해 상황을 이해하게 된다.

② ㉡: 서술자가 유년 '나'의 행위를 묘사하여 독자는 그 행위가 갖는 의미를 스스로 해석하겠군.

㉡은 〈보기〉에 제시된 세 가지 서술 방식 중 두 번째에 해당하는 것이다. 이는 아버지가 손아귀에 쥐어 주신 '캐러멜 네 개가 끈끈하게 녹아내릴 때까지 먹지 않고 쥔 채 서 있었'던 '나'의 행위를 묘사한 것으로 독자는 '나'의 행위가 갖는 의미를 스스로 해석해야 한다.

③ ㉢: 유년 '나'로 시선을 제한하여 아버지의 내면이 직접적으로 서술되지 않았다고 생각한 독자라면 아버지의 내면을 스스로 해석하겠군.

〈보기〉에 제시된 세 가지 서술 방식 중 세 번째에 해당하는 경우, '둘째 방식에서처럼 그 묘사에 대해 해석해야 한다'고 하였다. 따라서 ㉢을 이 경우에 해당한다고 보면 독자는 '아버지의 얼굴'이 왜 '맞보기가 민망할 정도로' 금세 하얗게 질'려 버렸는지 스스로 해석해야 한다.

④ ㉣: 유년 '나'로 시선을 제한하여 혹부리 영감의 모습과 행동을 묘사했다고 생각한 독자라면 장면을 직접 보는 듯한 느낌을 받겠군.

〈보기〉에 제시된 세 가지 서술 방식 중 세 번째에 해당하는 경우, '독자는 사건의 현장을 직접 보는 듯한 느낌을 가질 수 있다'고 하였다. 따라서 ㉣을 이 경우에 해당한다고 보면 독자는 혹부리 영감의 모습과 행동을 직접 보는 것처럼 생생하게 느낄 수 있을 것이다.

2. 문학 개념어 OX 확인 문제

① ✕
• 서술자 교체: 서술자는 소설에서 말하는 사람을 가리키는 말로, 서술자의 교체는 구체적인 문맥과 서술 시점 변화에 따른 호칭어, 지칭어의 차이 등을 통해 확인할 수 있음.

② ✕
• 삽화: 어떤 이야기나 사건의 줄거리에 끼인 짤막한 토막 이야기.

현대소설 독해의　STEP 3

1 1번 문제의 선지 판단 공식에 대한 답을 확인해 보세요.

〈보기〉 문제 선지 판단의 공식

① 〈보기〉 이 소설의 서술자인 성인 '나'는 등장인물의 내면 심리나 사건을 설명함. 독자는 서술자의 해석을 통해 사건을 이해하게 됨　➕　작품 '그 구멍가게에 대한 아버지의 몰두와 자존심은 각별했다.'

선지➡ ㉠: 서술자가 아버지의 내면을 설명하여 독자는 서술자의 해석을 통해 상황을 이해하겠군.　○

② 〈보기〉 이 소설의 서술자인 성인 '나'는 인물의 외양이나 행위만을 묘사함. 독자는 그 묘사가 갖는 의미를 스스로 해석해야 함　➕　작품 '나는 그 무허가 불량 식품인 캐러멜 네 개가 끈끈하게 녹아내릴 때까지 먹지 않고 쥔 채 서 있었다.'

선지➡ ㉡: 서술자가 유년 '나'의 행위를 묘사하여 독자는 그 행위가 갖는 의미를 스스로 해석하겠군.　○

③ 〈보기〉 이 소설의 서술자인 성인 '나'가 유년 '나'로 시선을 제한하여 유년 '나'의 눈에 보이는 다른 인물의 외양이나 행위를 묘사함. 독자는 그 묘사에 대해 해석해야 함　➕　작품 '아버지의 얼굴은 맞보기가 민망할 정도로 금세 하얗게 질렸다.'

선지➡ ㉢: 유년 '나'로 시선을 제한하여 아버지의 내면이 직접적으로 서술되지 않았다고 생각한 독자라면 아버지의 내면을 스스로 해석하겠군.　○

④ 〈보기〉 이 소설의 서술자인 성인 '나'가 유년 '나'로 시선을 제한하여 유년 '나'의 눈에 보이는 다른 인물의 외양이나 행위를 묘사함. 독자는 사건의 현장을 직접 보는 듯한 느낌을 가질 수 있음　➕　작품 '혹부리 영감은 풍기 때문에 왼쪽으로 힐끗 돌아간 두터운 입술을 떠들쳐 굵은 침방울을 내 얼굴에 마구 튀겼다.'

선지➡ ㉣: 유년 '나'로 시선을 제한하여 혹부리 영감의 모습과 행동을 묘사했다고 생각한 독자라면 장면을 직접 보는 듯한 느낌을 받겠군.　○

⑤ 〈보기〉 이 소설의 서술자인 성인 '나'는 유년 '나'로 시선을 제한하여 유년 '나'의 눈에 보이는 다른 인물의 외양이나 행위를 묘사함. 유년 '나'의 심리가 함께 서술되면 독자는 인물의 심리에 쉽게 공감하게 됨　➕　작품 '당신의 자그마한 구멍가게로 돌아와 나머지 열여덟 병의 소주를 넋 나간 사람처럼 쓰다듬던 아버지는 기어코 아들인 내 앞에서 눈물을 보이고 말았다.'

선지➡ ㉤: 유년 '나'로 시선을 제한하여 아버지의 행위와 표정을 묘사하면서 유년 '나'의 심리를 함께 제시하여 독자는 그 심리에 공감하겠군.　✕

현대소설 독해의 STEP 1

❶ 다음 글을 읽고 주요 인물을 잘 파악했는지, 빈칸에 적절한 말을 채웠는지 확인해 보세요.

📅 고3 2015학년도 수능AB – 현진건,「무영탑」

[앞부분의 줄거리] 화랑도를 숭상하는 '유종'과 당나라를 숭상하는 '금지'는 내심 서로 못마땅해한다. 이런 가운데 '금지'는 아들 '금성'과 '유종'의 딸 '주만'과의 혼사를 진행하려 한다. 유종(화랑도 숭상) ↔ 금지(당나라 숭상), 금지는 아들 금성과 주만(유종의 딸)의 혼사를 진행하려고 해.

설령 금성이가 출중한 재주와 인물을 갖추었다 하더라도 유종은 이 혼인을 거절할밖에 없었으리라. 첫째로 금지는 당학파의 우두머리가 아니냐. 나라를 좀먹게 하는 그들의 소위만 생각해도 뼈가 저리거든 그런 가문에 내 딸을 들여보내다니 될 뻔이나 한 수작인가. 유종은 당나라를 숭상하는 금지가 못마땅해 금성과 자신의 딸 주만의 혼사를 거절하고 싶어해. 도대체 당학*이 무에 그리 좋은고. 그 나라의 바로 전 임금인 당 명황(唐明皇)만 하더라도 양귀비란 계집에게 미쳐서 정사를 다스리지 않은 탓에 필경 안녹산(安祿山)의 난을 빚어 내어 오랑캐의 말굽 아래 그네들의 자랑하는 장안이 쑥밭을 이루고 천자란 빈 이름뿐, 촉나라란 두메 속에 오륙 년을 갇히어 있지 않았는가. 당학에 대해 유종이 비판하는 이유 첫 번째는, 정사를 돌보지 않은 당 명황이 몰락했기 때문이야. 금지가 당대 제일 문장이라고 추어올리는 이백이만 하더라도 제 임금이 성색에 빠져 헤어날 줄을 모르는 것을 죽음으로 간하지는 못할지언정 몇 잔 술에 감지덕지해서 그 요망한 계집을 칭찬하는 글을 지어 도리어 임금을 부추겼다 하니 우리네로는 꿈에라도 생각 밖이 아니냐. 당학에 대해 유종이 비판하는 이유 두 번째는, 당대 문장가인 이백이 자기 임금의 잘못을 간하지 않았기 때문이지. 그네들의 한문이란 난신적자를 만들어 내기에 꼭 알맞은 것이거늘 이것을 좋아라고 배우려 들고 퍼뜨리려 드니 참으로 한심한 노릇이 아니냐. 당학에 대해 유종이 비판하는 이유 세 번째는, 당의 한문은 난신적자(나라를 어지럽히는 불충한 무리)를 만들어 내기에 알맞을 뿐이기 때문이래. 이 당학을 그대로 내버려 두었다가는 우리나라에도 오래지 않아 큰 난이 일어날 것이요, 난이 일어난다면 누가 감당해 낼 자이랴. 유종은 당학에 강한 거부감을 갖고 있어.

장면끊기 01 화랑도를 숭상하는 유종은 당학을 숭상하는 금지를 못마땅하게 여겨 금성과 딸의 혼인을 거절해. 앞부분의 줄거리를 통해 주요 인물의 관계를 파악할 수 있었지? 이 장면에서는 유종이 혼사를 거절하게 된 이유가 드러나 있어. 금성의 아버지인 금지가 당학파이기 때문이지. 당학파에 대한 유종의 비판 의식을 중심으로 이야기가 전개되고 있는데, 이후에 중심 화제가 바뀌거나 서술 대상이 전환되면 장면을 한 번 끊어주는 게 좋아. 이어지는 장면에서는 유종이 처한 상황을 주로 서술할 거야.

"한 나이나 젊었더면!"
유종은 이따금 시들어 가는 제 팔뚝의 살을 어루만지면서 한탄한다. 유종은 나이 들어가는 자신의 처지를 한탄하네. 몇 해 전만 해도 자기와 뜻을 같이하는 이가 조정에 더러는 있었지만 어느 결엔지 하나씩 둘씩 없어지고 인제는 무 밑둥과 같이 동그랗게 자기 혼자만 남았다. 속으로는 그의 주의에 찬동하는 이가 없지도 않으련만 당학파의 세력에 밀리어 감히 발설을 못 하는지 모르리라. 지금이라도 젊은 이 축 속으로 뛰어 들어가면 동지를 얼마든지 찾아낼는지 모르리라. 아직도 이 나라의 명맥이 끊어지지 않은 다음에야 방방곡곡을

뒤져 찾으면 몇천 명 몇만 명의 화랑도를 닦는 이를 모을 수 있으리라. 유종은 지금이라도 자신과 뜻을 함께할 젊은 동지를 찾고자 해. 그러나 아들이 없는 그는 젊은이와 접촉할 기회조차 없었다. 이런 점에도 그는 아들이 없는 것이 원이 되고 한이 되었다. 자신과 함께 화랑도를 받들 후계자를 찾고자 하나, 유종은 아들이 없어 젊은이와 접촉할 기회조차 없음을 한탄하지. 이 늙은 향도(香徒)에게 남은 오직 하나의 희망은 자기의 주의 주장에 공명하는 사윗감을 구하는 것이었다. 유종은 유일한 희망으로 자신과 뜻을 함께할 사윗감을 구하고자 하는 거야. 벌써 수년을 두고 그럴 만한 인물을 내심으로 구해 보았지만 그리 쉽사리 눈에 뜨이지 않았다. 고르면 고를수록 사람 구하기란 하늘에 별따기보담 더 어려웠다. 유종은 기대고 있던 서안에서 쭉 미끄러지는 듯이 털요 바닥 위에 누웠다. 금지의 청혼을 그렇게 거절한 다음에는 하루바삐 사윗감을 구해야 된다. 금지로 하여금 다시 입을 열지 못 하도록 다른 데 정혼을 해 놓아야 한다. 그러면 신라를 두 손으로 떠받들고 나아갈 인물이 누가 될 것인가. 삼한 통일 당년의 늠름하고 씩씩한 기풍(氣風)이 당학에 지질리고 문약(文弱)에 흐르는 이 나라를 바로잡을 인물이 누가 될 것인가.

장면끊기 02 유종은 화랑도를 받드는 자신의 신념에 동참해 줄 사윗감을 구하고자 해. 중략 부분을 기점으로 장면을 끊자! 아래는 중략 부분의 줄거리가 제시되어 있는 것으로 보아, 중략 이후의 이야기를 이해하기 위해서 필요한 핵심 정보를 알려주는 것이니 눈여겨 보아야 해.

[중략 부분의 줄거리] '유종'이 사위를 구하는 가운데, '주만'이 부여의 천민 석공 '아사달'을 사모하고 있음이 알려진다. 한편 '아사달'은 자신을 찾아온 아내 '아사녀'가 끝내 자신을 만나지 못하고 그림자못에서 죽은 사실을 알게 되자, 그 못 둑에서 '아사녀'를 그리워하는 마음을 돌에 담아 새겨 내는 작업에 몰입한다. 아사달은 죽은 아내인 아사녀를 그리워하며 돌에 새기는 작업에 몰두해.

그러나 어느 결엔지 아사녀의 환영은 깜박 사라져 버렸다. 아까까지는 어렴풋이라도 짐작되던 그 흔적마저 놓치고 말았다. 아무리 눈을 닦고 돌 얼굴을 들여다보았으나 눈매까지는 그럴싸하게 드러났지마는 그 아래로는 캄캄한 밤빛이 쌓인 듯 아득할 뿐. 돌을 들여다보면 볼수록 골머리만 부질없이 힝힝 내어 둘리었다. 그러자 문득 그 돌 얼굴이 굼실 움직이는 듯하며 주만의 얼굴이 부시도록 선명하게 살아났다. 마치 어젯밤의 아사녀의 환영 모양으로. 아사달은 아사녀를 추모하기 위해 돌을 조각하던 중 갑자기 주만의 얼굴이 선명하게 떠오르기 시작했어.

그 눈동자는 띠룩띠룩 애원하듯 원망하듯 자기를 쳐다보는 것 같다.
"이 돌에 나를 새겨 주세요. 네, 아사달님, 네, 마지막 청을 들어주세요."
그 입술은 달싹달싹 속살거리는 것 같다.
아사달은 정을 쥔 채로 머리를 털고 눈을 감았다. 돌 위에 나타난 주만의 모양은 그의 감은 눈시울 속으로 기어들어 오고야 말았다. 이 몇 달 동안 그와 지내던 가지가지 정경이 그림등 모양으로 어른어른 지나간다. 초파일 탑돌이할 때 맨 처음으로 마주치던 광경, 기절했다가 정신이 돌아날 제 코에 풍기던 야릇한 향기, 우레가 울고 악수가 쏟아질 적 불꽃을 날리는 듯한 그 뜨거운 입김들…… 아사달은 고개를 또 한 번 흔들었다. 그제야 저 멀리 돈짝

만 한 아사녀의 초라한 자태가 아른거린다. 주만의 모양을 구름을 헤치고 둥둥 떠오르는 햇발과 같다 하면, 아사녀는 샐녘의 하늘에 반짝이는 별만 한 광채밖에 없었다. 주만의 환영을 통해 그녀와 함께했던 과거의 장면들이 더욱 강하게 떠올라 아사달은 혼란스러워하지.

물동이를 이고 치마꼬리에 그 빨간 손을 씻으며 배시시 웃는 모양, 이별하던 날 밤 그린 듯이 도사리고 남편을 기다리던 앉음앉음, 일부러 자는 척하던 그 가늘게 떨던 눈시울, 버드나무 그늘에서 숨기던 눈물들…….

아사달의 머리는 점점 어지러워졌다. 아사녀와 주만 사이에서 아사달은 번민하여 괴로워하는구나. 아사녀와 주만의 환영도 흔들린다. 휘술레를 돌리듯 핑핑 돌다가 소용돌이치는 물결 속에서 조각조각 부서지는 달그림자가 이내 한 곳으로 합하듯이, 두 환영은 마침내 하나로 어우러지고 말았다. 아사달의 캄캄하던 머릿속도 갑자기 환하게 밝아졌다. 하나로 녹아들어 버린 아사녀와 주만의 두 얼굴은 다시금 거룩한 부처님의 모양으로 변하였다. 괴로워하던 아사달은 아사녀도 주만도 아닌 부처님의 얼굴을 떠올리네.

아사달은 눈을 번쩍 떴다. 설레던 가슴이 가을 물같이 맑아지자, 그 돌 얼굴은 세 번째 제 원불(願佛)로 변하였다. 선도산으로 뉘엿뉘엿 기우는 햇발이 그 부드럽고 찬란한 광선을 던질 제 못물은 수멸수멸 금빛 춤을 추는데 흥에 겨운 마치와 정 소리가 자지러지게 일어나 저녁나절의 고요한 못 둑을 울리었다. 아사달은 결국 부처님의 얼굴을 돌에 새기기 시작해.

새벽만 하여 한가위 밝은 달이 홀로 정 자리가 새로운 돌부처를 비칠 제 정 소리가 그치자 은물결이 잠깐 헤쳐지고 풍 하는 소리가 부근의 적막을 한순간 깨트렸다.

장면끊기 03 아사달은 아사녀를 돌에 새기려 하지만 주만의 환영이 아사녀보다 선명하게 떠올라 혼란스러워해. 마침내 부처님의 형상을 돌에 새긴 후 못에 뛰어들고 말지. 중략 부분의 줄거리에서는 아사달과 아사녀, 주만의 관계를 제시했었지? 이를 통해 중략 이후에 서술되는 아사달의 내적 갈등을 잘 이해할 수 있었을 거야.

– 현진건, 「무영탑」 –

*당학: 당나라의 학문.

현대소설 독해의 STEP 2

1 구조도의 빈칸에 적절한 말을 채웠는지 확인해 보세요.

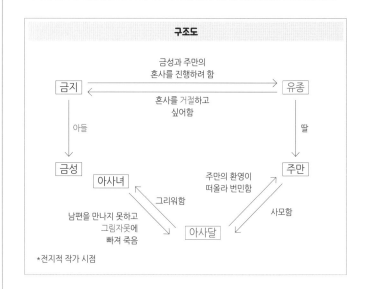

구조도

금지 ← 금성과 주만의 혼사를 진행하려 함 → 유종
금지 ← 혼사를 거절하고 싶어함 ← 유종

금지 —아들→ 금성
유종 —딸→ 주만

아사녀 ←그리워함→ 아사달
주만 —사모함→ 아사달
주만의 환영이 떠올라 번민함

남편을 만나지 못하고 그림자못에 빠져 죽음

*전지적 작가 시점

■ 1~2번 문제의 정답과 해설을 확인해 보세요.

1. 〈보기〉를 참고하여 윗글을 이해한 내용으로 적절하지 <u>않은</u> 것은?

〈보기〉

아사달과 아사녀의 이야기는 조선 후기의 설화(『서석가탑』)뿐만 아니라, 현진건의 기행문(『고도 순례 경주』, 1929)과 그의 소설(『무영탑』, 1939)에도 나타난다.

[자료 1]

불국사 창건 시 당나라에서 온 석공에게 아사녀라는 여인이 있었다. 아사녀가 갑자기 와서 석공과 만나기를 요구하였으나, 큰 공사가 끝나지 않았고 아사녀가 비루한 몸이라는 이유로 허락되지 않았다. 다음날 아침 아사녀가 남서쪽 십 리쯤에 있는 연못을 내려다보면 석공이 보일 듯하여, 가서 살펴보니 정말 석공의 모습이 비쳤다. 그러나 탑의 그림자는 비치지 않았다. 그래서 무영탑이라 불렀다.

– 『서석가탑』 –

[자료 2]

제 환상에 떠오른 사랑하는 아내의 모양은 다시금 거룩한 부처님의 모양으로 변하였다. 그는 제 예술로 죽은 아내를 살리고 아울러 부처님에게까지 천도(薦度)하려 한 것이다. 이 조각이 완성되면서 자기 역시 못 가운데 몸을 던져 아내의 뒤를 따랐다. 불국사 남서방에 영지(影池)란 못이 있으니 여기가 곧 아사녀와 당나라 석공이 빠져 죽은 데다.

– 현진건, 「고도 순례 경주」 –

정답풀이 ▷

⑤ 윗글의 '새로운 돌부처' 형상에 석공의 얼굴이 새겨진 것은 윗글이 [자료 1]과 [자료 2]의 서사 모티프를 이어받은 것으로 볼 수 있군.

윗글은 [자료 1]과 [자료 2]에 나타난 서사 모티프(아사달을 그리워하던 아사녀가 아사달을 찾아오지만 만나지 못하고 연못에 빠져 죽게 됨)를 반영하고 있다. 하지만 '새로운 돌부처' 형상은 '아사녀'와 '주만'의 두 얼굴을 떠올리며 혼란스러워하던 '아사달'이 내적 갈등에서 벗어나 두 얼굴(아사녀와 주만)이 하나로 녹아들어 거룩한 부처님의 모양으로 변한 것을 돌에 새긴 것이지, '아사달'이 자신의 얼굴을 새긴 것으로 볼 수 없다.

오답풀이 ▷

① 윗글은 [자료 1]과 같은 설화를 차용하여 소설로 변용한 모습을 확인할 수 있는 작품이군.

〈보기〉의 '아사달과 아사녀의 이야기는~그의 소설(『무영탑』, 1939)에도 나타난다.'를 통해 윗글은 [자료 1]과 같은 설화를 차용하여 소설로 변용한 것임을 알 수 있다.

② 윗글은 [자료 2]처럼 '아내'의 죽음을 종교적 상징으로 승화하고 있는 관점을 이어 간 작품이군.

[자료 2]의 '그는 제 예술로 죽은 아내를 살리고 아울러 부처님에게까지 천도하려 한 것이다.'와 윗글에서 아사달이 죽은 아내인 '아사녀'를 그리워하는 마음을 담아 돌에 새기려 했다는 내용을 통해, '아내'의 죽음을 종교적 상징으로 승화하고 있음을 알 수 있다.

③ 윗글은 [자료 1]과 [자료 2]의 이야기에 '유종'과 '주만' 등의 서사를 추가하고 있군.

[자료 1]과 [자료 2]에는 '아사달'과 '아사녀'의 이야기만 나타나는데, 윗글에는 '유종'과 '주만' 등 새로운 인물이 추가되었다.

④ 윗글과 [자료 2]의 '못'은 [자료 1]의 '연못'이 부부간의 비극적인 사랑 이야기를 환기하는 공간으로 변용된 것이군.

[자료 1]의 '연못'은 '아사녀'가 석공의 모습을 비춰 보는 소재로만 사용되었으나, [자료 2]와 윗글에서의 '못'은 '아사달'과 '아사녀'의 비극적인 사랑을 환기하는 공간으로 변용되었다.

2. 문학 개념어 OX 확인 문제

① ✕

• 희화화: 의도적으로 우스꽝스럽게 그림.

② ◯

• 내적 갈등: 한 인물이 자신의 내면에서 일으키는 심리적 갈등, 고뇌, 괴로움. 개인의 심리적 모순이나 욕망의 대립으로 인해 일어남.

근거 '유종은 이따금~살을 어루만지면서 한탄한다.', '아들이 없는 그는~원이 되고 한이 되었다.', '아사달은 정을 쥔 채로 머리를 털고 눈을 감았다.~아사달의 머리는 점점 어지러워졌다. 아사녀와 주만의 환영도 흔들린다.'

현대소설 독해의 STEP 3

1 1번 문제의 선지 판단 공식에 대한 답을 확인해 보세요.

〈보기〉 문제 선지 판단의 공식

① 〈보기〉 아사달과 아사녀의 이야기는 조선 후기의 설화 「서석가탑」([자료 1])뿐만 아니라, 현진건의 소설 「무영탑」에도 나타남 ➕ 작품 '부여의 천민 석공 '아사달'', '자신을 찾아온 아내 '아사녀''

선지 윗글은 [자료 1]과 같은 설화를 차용하여 소설로 변용한 모습을 확인할 수 있는 작품이군. ○

② 〈보기〉 [자료 2]: 그는 제 예술로 죽은 아내를 살리고 아울러 부처님에게까지 천도하려 한 것이다 ➕ 작품 아사달은 죽은 아내인 "아사녀"를 그리워하는 마음을 돌에 담아 새겨 내는 작업에 몰입'함

선지 윗글은 [자료 2]처럼 '아내'의 죽음을 종교적 상징으로 승화하고 있는 관점을 이어 간 작품이군. ○

③ 〈보기〉 [자료 1]: 불국사 창건 시 당나라에서 온 석공에게 아사녀라는 여인이 있었다
[자료 2]: 불국사 남서방에 영지란 못이 있으니 여기가 곧 아사녀와 당나라 석공이 빠져 죽은 데다 ➕ 작품 '화랑도를 숭상하는 '유종', "주만'이 부여의 천민 석공 '아사달'을 사모하고 있음이 알려진다.'

선지 윗글은 [자료 1]과 [자료 2]의 이야기에 '유종'과 '주만' 등의 서사를 추가하고 있군. ○

④ 〈보기〉 [자료 1]: 아사녀가 남쪽 십 리쯤에 있는 연못을 내려다보면 석공이 보일 듯하여, 가서 살펴보니 정말 석공의 모습이 비쳤다
[자료 2]: 불국사 남서방에 영지란 못이 있으니 여기가 곧 아사녀와 당나라 석공이 빠져 죽은 데다 ➕ 작품 '아내 '아사녀'가 끝내 자신을 만나지 못하고 그림자못에서 죽은 사실'

선지 윗글과 [자료 2]의 '못'은 [자료 1]의 '연못'이 부부간의 비극적인 사랑 이야기를 환기하는 공간으로 변용된 것이군. ○

⑤ 〈보기〉 [자료 1]: 아사녀가 갑자기 와서 석공과 만나기를 요구하였으나, 허락되지 않았고, 다음날 아침 아사녀가 연못을 내려다보면 석공이 보일 듯하여, 가서 살펴보니 정말 석공의 모습이 비쳤다
[자료 2]: 그는 제 예술로 죽은 아내를 살리고~이 조각이 완성되면서 자기 역시 못 가운데 몸을 던져 아내의 뒤를 따랐다 ➕ 작품 '하나로 녹아들어 버린 아사녀와 주만의 두 얼굴은 다시금 거룩한 부처님의 모양으로 변하였다.~그 돌 얼굴은 세 번째 제 원불로 변하였다.'

선지 윗글의 '새로운 돌부처' 형상에 석공의 얼굴이 새겨진 것은 윗글이 [자료 1]과 [자료 2]의 서사 모티프를 이어받은 것으로 볼 수 있군. ✕

현대소설 독해의 STEP 1

❶ 다음 글을 읽고 주요 인물을 잘 파악했는지, 빈칸에 적절한 말을 채웠는지 확인해 보세요.

📅 고3 2010학년도 4월 학평 – 오정희, 「유년의 뜰」

석양이 [오빠]의 이마와 목덜미를 붉게 물들이며 방을 깊숙이 가로 질렀다.

[내]가 기억하는 한의 그 시간은 늘 그랬다.

함석지붕이 흐를 듯 뜨겁게 달아오르고 저녁 햇빛이 칼처럼 방 안에 깊숙이 꽂힐 즈음이면 [어머니]는 화장을 시작하고 오빠는 창가에 놓인, 붉은 꽃무늬의 도배지 바른 궤짝 앞에 앉아 꼼짝 않고 소리 높이 영어책을 읽었다. <u>석양이 질 무렵, 어머니는 화장을 시작하고, 오빠는 큰 소리로 영어책을 읽던 시간을 회상하고 있네.</u> 나는 어머니의 곁에 앉아 갖가지 화장품이 담긴 병들을 만지작거리거나 창을 통해서 멀찍이 보이는 개울의 다리와 신작로, 그리고 더 멀리 황금빛으로 번쩍이는 국민학교의 창을, 점점이 붉은빛이 묻어나는 새털구름들을 바라보며 이유가 분명치 않은 조바심으로 어머니와 오빠 사이의, 은밀히 조성되어 가는 팽팽한 공기를 지켜보았다. <u>어머니와 오빠 사이에 조성되는 팽팽한 긴장감을 조바심을 가지고 지켜보는 '나'를 보니 오빠와 어머니 사이에는 갈등이 있나 보군.</u>

캔 유 텔 미 홧 히 이즈 두잉? 오빠가 밭은기침으로 목청을 돋우었다.

파마한 머리칼이 얽히었는지, 신경질적인 손놀림으로 빠르게 빗질을 하던 어머니가 손을 멈추고 거울에 바짝 머리를 들이대었다. 흰 머리가 뽑혀 나왔다.

벽에 버티어 놓은 거울에, 등지고 앉은 오빠의 몸이 고집스럽게 담겨 있었다. 뽑혀 나온 새치를 손가락 사이에 들고 잠시 들여다 보던 어머니가 햇빛을 피하는 시늉으로 눈살을 찌푸리며 거울을 옮겨 놓고 화장을 계속했다. <u>'나'는 고집스럽게 등지고 앉아 영어책을 읽는 오빠와 거울을 보는 어머니를 관찰하고 있고, 어머니가 목청을 돋우어 영어책을 읽고 있는 오빠를 무시하는 듯한 느낌이 드네.</u> 나무궤 위에 쌓아 놓은 우리들의 때 묻은 이부자리가 거울면에 들이찼다. 오빠의 모습은 사라졌다. 대신 거친 손짓으로 책장을 넘기는 바람에 낡고 눅눅해진 종이가 힘들게 찢겨지는 소리가 났다. 오빠의, 긴장으로 경직된 등이 제풀에 움찔했다. <u>거친 손짓으로 책장을 넘기는 오빠의 모습에서 무엇인가에 대한 불만스러운 심정이 느껴지는군.</u>

어머니는 등 뒤의 작은 시위 ― 그러나 오빠 나름대로는 필사적인 ― 에 아랑곳하지 않고 분첩으로 탁탁 얼굴을 두들기고 가늘고 둥글게 눈썹을 그렸다. <u>나는 오빠의 행동이 필사적인 작은 시위라 생각하지만, 어머니는 그런 오빠에게 무관심할 뿐이야.</u> 나는 조마조마한 마음으로 어머니와 오빠를 번갈아 보며, 그러나 어쩔 수 없는 호기심과 찬탄으로 거울 속에서 점차 나팔꽃처럼 보얗게 피어나는 어머니의 얼굴을 바라보았다. <u>어린 '나'는 오빠와 어머니 사이에 조성된 긴장감에 조마조마해하면서도 화장을 하면서 바뀌어가는 어머니 얼굴을 호기심, 찬탄의 심정으로 바라보고 있어.</u>

[A] 어머니가 시집을 때 해왔다는 등신대(等身大)의 거울은 이 방에서 유일하게 흠 없이 온전하고 훌륭한 물건이었다. 눈에 보이게 또는 보이지 않게 남루해져 가는 우리들의 가운데서 거울은, 어머니가 매일 닦는 탓도 있지만, 나날이 새롭게 번쩍이며 한구석에 버티고 있었다. 그 이물감 때문에 우리의

눈에는 실체보다 훨씬 더 커보이는 건지도 몰랐다. <u>전쟁으로 인한 피난 생활로 날로 남루해져 가는 우리 식구 가운데서 거울만이 유일하게 흠 없이 온전한 모습이래.</u>

거울 속에는 언제나 좁은 방 안이 가득 담겨 있었다.

소꿉놀이를 하다가도, 게으르게 눈을 껌벅이며 잠에서 깨어나서도, 싸움질을 하다가도, 허겁지겁 밥을 먹다가도 문득 눈을 들면 방의 한구석에 버티어 선 거울이 자신은 볼 수 없는 등까지도 환히 비추는 바람에, 우리는 거울 속에서 낯설게 만나지는 자신에게 경원과 면구스러움을 느껴 옆으로 슬쩍 비켜서거나 남의 얼굴처럼 물끄러미 바라보곤 했다. <u>우리는 일상적인 생활을 하다가도 거울 속에 담긴 좁은 방 안의 낯선 자신의 모습을 보며 경원(꺼리어 멀리함)과 면구스러움(낯을 들고 대하기에 부끄러운 데가 있음)을 느끼고 있어.</u>

거울은 기울여 놓기에 따라 우리의 모습을 작게도 크게도 길게도 짧게도 자유자재로 바꾸어 비추었다. 언니와 나는 어머니가 없을 때면 끙끙대며 거울을 옮겨 놓고 그 앞에서 입을 크게 벌리고 노래를 부르거나 연극놀이를 했다. 비가 와서 밖에 나갈 수 없을 때 우리는 연극놀이를 했는데 내용은 늘 똑같았다.

장면끊기 01 이 장면에서는 작은 시위를 벌이는 오빠와 그런 오빠를 무시하는 어머니 사이의 갈등과 이로 인한 긴장감을 확인할 수 있어. '나'가 주목하고 있는 두 사람의 갈등과 남루하게 살아가는 우리 가족의 생활 및 그에 대한 '나'의 세밀한 심리 서술에 유의해 보자.

(중략)

나는 낮의 일들이 꼭 꿈속의 일처럼 아주 몽롱하고 멀게 느껴지는 것이었다. 밤마다 술 취해 오는 어머니, 더러운 이불 속에서 쥐처럼 손가락을 빨아 대는 일 따위가 한바탕의 긴 꿈만 같이 여겨졌다. 진짜의 나는 안타까이 더듬어 보는 먼 기억의 갈피 짬에서 단편적인 감각으로 남아 있는 것이 아닐까. <u>밤마다 술 취해 오는 어머니와 가난한 삶을 현실이 아닌 꿈처럼 느꼈대.</u> [아버지]처럼. 아버지는 키가 몹시 컸다. 아니 그것은 덩치 큰 오빠를 향해 하던, 아버지를 쑥 빼었다는 할머니의 말에서 비롯된 연상인지도 몰랐다.

저녁을 먹은 후 바람이 서늘해지면 아버지는 나를 목에 태우고 밖으로 나갔다. 아버지의 무등을 타면 어찌나 높던지 나 자신 풍선처럼 공중에 둥실 떠오르듯 눈앞이 어지러이 흔들렸다. <u>'나'는 전쟁에 나가 지금은 곁에 안 계시는 아버지가 무등을 태워 주시던 과거를 회상하고 있어.</u>

곧 동생이 태어날 거다. 아버지는 내 넓적다리를 꽉 쥐며 노래 부르듯 말했다. 엄마 뱃속에 아기가 들었단다.

꼭 잡아, 아버지의 말에 따라 아버지의 머리를 잡으면 손에서는 찐뜩찐뜩한 머릿기름이 묻어났다.

아버지는 내게 연약한 넓적다리, 혹은 발목을 잡던 악력(握力), 막연히 따스하고 부드러운 것, 보다 커다란 것, 땀으로 젖어 있던 등 허리로 남아 있었다. 그러나 이 모든 기억 역시 내 상상이 꾸며 낸 더 먼 꿈속의 일은 아니었을까. <u>'나'는 아버지의 모습을 떠올리면서 아버지에 대한 자신의 기억이 꾸며진 상상이 아닐까 생각하고 있네.</u>

전쟁이 끝나면 아버지가 돌아온다. 두 해가 지나도록 소식이 없었지만 할머니는 끈기 있게 기다렸다. 그러나 아버지에 대한 정다운 기억, 희망 없는 기다림에도 불구하고 아버지가 돌아온다는 사

3 주차

실에 우리는 모두 얼마쯤의 불안과 두려움을 갖고 있었다. 우리는 아버지의 귀환을 희망 없이 기다리면서도, 동시에 불안과 두려움을 느껴. 매일 술취해 돌아오는 어머니를 향해, 다만, 아버지가 돌아오시면 뭐라고 하실까요, 차갑게 협박하는 오빠까지도. 오빠는 매일 술취해 돌아오는 어머니를 협박하네. 중략 이전에 오빠가 했던 시위는 매일 술취해 돌아오는 어머니를 향한 반항에서 비롯된 것으로 추측할 수 있겠지.

우리가 임자 없는 닭의 맛에 길들여지듯, 어머니의 지갑을 더듬는 손길이 점차 담대해지고 빼내는 돈의 액수가 많아지듯, 할머니가 단말마의 비명도 없이 도살(屠殺)의 비기(秘技)를 익혀 가듯, 그리고 종내는 눈의 정기만으로도 닭들이 스스로 죽지 밑에 고개를 묻고 너부러지듯 아버지 역시 달라져 있을 것이다. 전쟁으로 피난 온 우리가 달라졌듯이 전쟁을 겪은 아버지 또한 달라졌을 거라고 생각하는 것에서 아버지가 귀환해도 전쟁으로 인한 상실감을 채울 수 없음이 환기된다고 해석할 수 있어. 아버지가 우리를 떠나있던 그 긴 시간의 갈피 짬마다 연기처럼 모호히 서린 낯설음은 새로운 전쟁으로 우리 사이에 재연(再燃)될 것이기에 차라리 그립고 정답게 아버지를 추억하며 희망 없는 기다림으로 우리 모두 아버지가 영영 돌아오지 않기를 바라거나 돌아오지 않을 사람으로 치부하고 있음을 변명하고 용서를 구하는 것이나 아니었는지. 아버지를 돌아오지 않을 사람으로 치부하고 있지 않은지 생각하고 있네.

멀리 산등성이 너머에서부터 들려 오는 대포 소리는 고즈넉이 가라앉은 이 마을에 문득 전쟁을 상기시켰고, 드문드문 흘러드는 피난민들은 아직도 바깥에서는 전쟁이 계속되고 있다고 말했다. 바깥의 대포 소리를 통해 전쟁이 계속되고 있는 현실이 상기돼.

장면끊기 02 '나'는 아버지의 그립고 정다운 모습을 떠올리면서도 아버지를 돌아오지 않을 사람으로 치부하고 있지 않은지 생각하고 있어. 앞서 오빠와 어머니 사이의 갈등의 원인이 무엇인지 확인할 수 있다는 점에서 두 장면을 연결할 수 있어.

– 오정희, 「유년의 뜰」 –

현대소설 독해의 STEP 2

1 구조도의 빈칸에 적절한 말을 채웠는지 확인해 보세요.

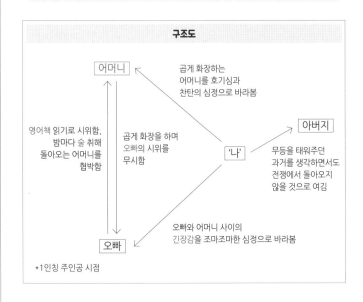

2 1~2번 문제의 정답과 해설을 확인해 보세요.

1. 〈보기〉를 바탕으로 [A]에서 '거울'의 서사적 의미를 추리한 것으로 적절하지 않은 것은?

〈보기〉

이 소설에서 전쟁 체험인 과거의 기억은 상징적 사물과 이미지의 재현으로 구현된다. 과거의 전쟁 체험은 상징적 사물 + 이미지의 재현으로 구현됨 문학 작품에서 '거울'은 일상에서 볼 수 없는 또 다른 '나'를 보여주거나, 현재와 다른 시간과 연결하고 인물의 내면을 드러내기도 한다. '거울': 일상적인 '나' 외의 또 다른 '나'를 보여줌, 현재와 다른 시간의 인물의 내면을 보여줌 이렇게 거울에 비춰진 현실 모습은 상징적 의미를 암시하는 역할을 하기도 한다. 거울에 비춰진 현실은 상징적 의미 암시

정답풀이

⑤ '기울여 놓기에 따라' 모습을 '자유자재로 바꾸어' 비추는 거울은 현실에서 벗어나려는 '나'의 의지를 드러낸다.

'우리는 거울 속에서 낯설게 만나지는 자신에게~남의 얼굴처럼 물끄러미 바라보곤 했'으며 '기울여 놓기에 따라 우리의 모습을 작게도 크게도 길게도 짧게도 자유자재로 바꾸어 비추'는 거울을 보며 '늘 똑같'은 내용의 연극 놀이를 했을 뿐이므로 '거울'이 현실에서 벗어나려는 '나'의 의지를 드러낸다고 볼 수 없다.

① '나날이 새롭게 번쩍이며 한구석에 버티고' 서있는 거울은 피난지 현실의 남루함을 부각시킨다.

〈보기〉에서 '거울에 비춰진 현실 모습은 상징적 의미를 암시하는 역할을 하기도 한다.'라고 했다. '눈에 보이게 또는 보이지 않게 남루해져 가는 우리들'과 달리 '나날이 새롭게 번쩍이며 한구석에 버티고 있'는 '거울'은 전쟁을 피해 온 피난지에서 우리 가족이 경험하는 현실의 남루함을 부각시킨다고 볼 수 있다.

② '언제나 좁은 방 안이 가득 담겨' 있다는 것은 초라한 삶이 거울을 통해 이미지화된 것을 암시한다.

〈보기〉에서 '전쟁 체험인 과거의 기억은 상징적 사물과 이미지의 재현으로 구현'되며 '거울에 비춰진 현실 모습은 상징적 의미를 암시'하기도 한다고 했다. '거울 속'에 가득 담긴 '좁은 방 안'은 우리 가족의 초라한 삶이 거울을 통해 이미지화된 것이라고 볼 수 있다.

③ '자신은 볼 수 없는 등까지도 환히 비추는' 거울은 일상과는 다른 자신의 모습을 확인하게 하는 매개이다.

〈보기〉에서 '거울'은 '일상에서 볼 수 없는 또 다른 '나'를 보여'준다고 했다. '소꿉놀이를 하다가도,~허겁지겁 밥을 먹다가도 문득 눈을 들면 방의 한구석에 버티어 선 거울이 자신은 볼 수 없는 등까지도 환히 비추'어 '거울 속'의 자신을 '낯설게' 느끼며 '남의 얼굴처럼' 바라보는 것은 거울을 통해 일상과는 다른 자신의 모습을 확인하는 것으로 볼 수 있다.

④ 거울 속에서 '낯설게 만나지는 자신'은 자신과 대면하였을 때의 느낌을 나타낸다.

〈보기〉에서 '거울'은 '일상에서 볼 수 없는 또 다른 '나'를 보여'주며 '인물의 내면을 드러내기도 한다.'라고 했다. '나'는 '거울 속'의 자신을 '낯설게' 느끼고 '남의 얼굴처럼' 바라보며 '경원'과 '면구스러움'을 느끼므로 적절하다.

2. 문학 개념어 OX 확인 문제

① ○

• 독백: 혼자서 중얼거림. 또는 그런 대사.

• 회상: 지난 일을 돌이켜 생각함. 또는 그런 생각. 단순 과거 회상과 과거 장면의 제시를 구분할 수 있어야 함. 단순히 과거 사건에 대해 언급한 것이라면 단순 과거 회상이며, 시간적 배경이 과거로 바뀌어 인물의 대화나 행동이 묘사된다면 과거 장면의 제시로 볼 수 있음.

　근거 '나는 낮의 일들이 꼭 꿈속의 일처럼 아주 몽롱하고 멀게 느껴지는 것이었다. 밤마다 술 취해 오는 어머니, 더러운 이불 속에서 쥐처럼 손가락을 빨아 대는 일 따위가 한바탕의 긴 꿈만 같이 여겨졌다. 진짜의 나는 안타까이 더듬어 보는 먼 기억의 갈피 짬에서 단편적인 감각으로 남아 있는 것이 아닐까.', '아버지는 내게 연약한 넓적다리, 혹은 발목을 잡던 악력, 막연히 따스하고 부드러운 것, 보다 커다란 것, 땀으로 젖어 있던 등허리로 남아 있었다.' 등

② ○

• 비유: 표현하고자 하는 대상을 다른 대상에 빗대어 표현하는 방법.

　근거 '낯설게 만나지는 자신에게 경원과 면구스러움을 느껴 옆으로 슬쩍 비켜서거나 남의 얼굴처럼 물끄러미 바라보곤 했다.', '더러운 이불 속에서 쥐처럼 손가락을 빨아 대는 일 따위가 한바탕의 긴 꿈만 같이 여겨졌다.'

현대소설 독해의 STEP 3

■ 1번 문제의 선지 판단 공식에 대한 답을 확인해 보세요.

〈보기〉 문제 선지 판단의 공식

① 〈보기〉 거울에 비춰진 현실 모습은 상징적 의미를 암시하는 역할을 하기도 함 작품 '등신대의 거울은 이 방에서 유일하게 흠 없이 온전하고 훌륭한 물건이었다. 눈에 보이게 또는 보이지 않게 남루해져 가는 우리들의 가운데서 거울은, 어머니가 매일 닦는 탓도 있지만, 나날이 새롭게 번쩍이며 한구석에 버티고 있었다.'

선지➡ '나날이 새롭게 번쩍이며 한구석에 버티고' 서있는 거울은 피난지 현실의 남루함을 부각시킨다. ○

② 〈보기〉 전쟁 체험인 과거의 기억은 상징적 사물과 이미지의 재현으로 구현되며 거울에 비춰진 현실의 모습은 상징적 의미를 암시하기도 함 작품 '거울은, 어머니가 매일 닦는 탓도 있지만, 나날이 새롭게 번쩍이며 한구석에 버티고 있었다.', '거울 속에는 언제나 좁은 방 안이 가득 담겨 있었다.'

선지➡ '언제나 좁은 방 안이 가득 담겨' 있다는 것은 초라한 삶이 거울을 통해 이미지화된 것을 암시한다. ○

③ 〈보기〉 문학 작품에서 '거울'은 일상에서 볼 수 없는 또 다른 '나'를 보여주거나, 현재와 다른 시간과 연결하고 인물의 내면을 드러내기도 함 작품 '소꿉놀이를 하다가도, 게으르게 눈을 껌벅이며 잠에서 깨어나서도, 싸움질을 하다가도, 허겁지겁 밥을 먹다가도 문득 눈을 들면 방의 한구석에 버티어 선 거울이 자신은 볼 수 없는 등까지도 환히 비추는 바람에, 우리는 거울 속에서 낯설게 만나지는 자신에게 경원과 면구스러움을 느껴 옆으로 슬쩍 비켜서거나 남의 얼굴처럼 물끄러미 바라보곤 했다.'

선지➡ '자신은 볼 수 없는 등까지도 환히 비추는' 거울은 일상과는 다른 자신의 모습을 확인하게 하는 매개이다. ○

④ 〈보기〉 문학 작품에서 '거울'은 일상에서 볼 수 없는 또 다른 '나'를 보여주거나, 현재와 다른 시간과 연결하고 인물의 내면을 드러내기도 함 작품 '소꿉놀이를 하다가도, 게으르게 눈을 껌벅이며 잠에서 깨어나서도, 싸움질을 하다가도, 허겁지겁 밥을 먹다가도 문득 눈을 들면 방의 한구석에 버티어 선 거울이 자신은 볼 수 없는 등까지도 환히 비추는 바람에, 우리는 거울 속에서 낯설게 만나지는 자신에게 경원과 면구스러움을 느껴 옆으로 슬쩍 비켜서거나 남의 얼굴처럼 물끄러미 바라보곤 했다.'

선지➡ 거울 속에서 '낯설게 만나지는 자신'은 자신과 대면하였을 때의 느낌을 나타낸다. ○

⑤ 〈보기〉 문학 작품에서 '거울'은 일상에서 볼 수 없는 또 다른 '나'를 보여주거나, 현재와 다른 시간과 연결하고 인물의 내면을 드러내기도 함 작품 '거울은 기울여 놓기에 따라 우리의 모습을 작게도 크게도 길게도 짧게도 자유자재로 바꾸어 비추었다. 언니와 나는 어머니가 없을 때면 끙끙대며 거울을 옮겨 놓고 그 앞에서 입을 크게 벌리고 노래를 부르거나 연극놀이를 했다. 비가 와서 밖에 나갈 수 없을 때 우리는 연극놀이를 했는데 내용은 늘 똑같았다.'

선지➡ '기울여 놓기에 따라' 모습을 '자유자재로 바꾸어' 비추는 거울은 현실에서 벗어나려는 '나'의 의지를 드러낸다. ✕

현대소설 독해의 STEP 1

1 다음 글을 읽고 주요 인물을 잘 파악했는지, 빈칸에 적절한 말을 채웠는지 확인해 보세요.

📅 고3 2014학년도 6월 모평B – 염상섭, 「만세전」

천대를 받아도 얻어맞는 것보다는 낫다! 그도 그럴 것이다. 미친 체하고 떡목판에 엎드러진다는 셈으로 미친 체하고 어리광 비슷한 수작을 하거나, 스라소니 행세를 하거나 하여, 어떻든지 저편의 호감을 사고 저편을 웃기기만 하면 목전에 닥쳐오는 핍박은 면할 것이다. 속으로는 요놈 하면서라도 얼굴에만 웃는 빛을 띠면 당장의 급한 욕은 면할 것이다. 공포(恐怖), 경계(警戒), 미봉(彌縫), 가식(假飾), 굴복(屈服), 도회(韜晦)*, 비굴(卑屈)…… 이러한 모든 것에 숨어 사는 것이 조선 사람의 가장 유리한 생활 방도요, 현명한 처세술이다. 실상 생각하면 우리의 이러한 생활 철학은 오늘에 터득한 것이 아니요, 오랫동안 봉건적 성장과 관료전제 밑에서 더께가 앉고 굳어 빠진 껍질이지마는, 그 껍질 속으로 점점 더 파고 들어 가는 것이 지금의 우리 생활이다.

장면끊기 01 대화가 시작되기 전까지, 즉 '나'가 세태에 대해 성찰한 바를 언급한 부분 까지를 하나의 장면으로 끊어 볼 수 있겠네. '나'는 '공포, 경계, 미봉, 가식' 등과 같은 것에 '숨어 사는 것이 **조선 사람**의 가장 유리한 생활 방도요, 현명한 처세술'이라고 해. 또한 '우리'(조선 사람)의 '**생활 철학**'이 '오랫동안 봉건적 성장과 관료전제 밑에서 더께가 앉고 굳어 빠진 껍질'이라고 하지. 이를 통해 조선의 세태와 조선 사람의 생활 철학에 대한 '나'의 **비판적 태도**를 확인할 수 있네.

"어떻든지 그저 내지인과 동등한 대우만 해 주면 나중엔 어찌 되든지 살아갈 수 있겠죠."

청년은 무엇에 쫓겨 가는 사람처럼 차 안을 휘휘 돌려다 보고 나서 목소리를 한층 낮추어서 다시 말을 잇는다.

"가령 공동묘지만 하더라도 내지에도 그런 법률이 있다 하면 싫든 좋든 우리도 따라가는 수밖에 없겠죠. 하지만 우리에게는 또 우리의 유풍이 있지 않습니까? 대관절 내지에도 그런 법이 있나요?"

의외에 이 장돌뱅이도 공동묘지 이야기를 꺼낸다. 나는 아까 형님한테 한참 설법을 듣고 오는 길에 또 이러한 질문을 받고 보니, 언제 규정이 된 것이요 어떻게 시행하라는 것인지는 나로서는 알고 싶지도 않고, 그까짓 것은 아무렇거나 상관이 없는 일이지마는, 아마 요사이 경향에서 모여 앉으면 꽤든 문젯거리, 화젯거리가 되는 모양이다. 나는 한번 껄껄 웃어 주고 싶었으나 그리할 수는 없었다.

조선에서 **공동묘지**가 한창 '화젯거리'였던 시기였나 봐. '**장돌뱅이**'도 '형님'도 모두 공동 묘지 이야기를 꺼내지만, '나'는 '알고 싶지도 않고, 그까짓 것은 아무렇거나 상관이 없'다고 생각해.

"일본에도 공동묘지야 있다우."

나 역시 누가 듣지나 않는가 하고 아까부터 수상쩍게 보이던 저 편 뒤로 컴컴한 구석에 금테를 한 동 두른 모자를 쓴 채 외투를 뒤 집어쓰고 누웠는 일본 사람과, 김천서 나하고 같이 오른 양복쟁이 편을 돌려다 보았다. 나의 말이 조금이라도 총독정치를 비방하는 것은 아니지만, 그중에서 무슨 오해가 생길지 그것이 나에게는 염려되는 것이었다. '나'는 자신의 말이 '**총독정치**'를 비방하는 것으로 들릴까 봐 **염려**하고 있어. 일제 강점하를 시대적 배경으로 하고 있는 작품이구나.

"정말 내지에도 공동묘지가 있어요? 하지만 행세하는 사람야 좀 다르겠죠?"

"그야 좀 다르겠지마는, 어떻든지 일본에서는 주로 화장을 지내 기 때문에 타고 남은…… 아마 목구멍 뼈라든가를 갖다가 묻고 목패든지 비석을 세운다우. 그러지 않아도 살아 있는 사람도 터전 이 좁아서 땅 조각이 금 조각 같은데, 죽는 사람마다 넓은 터전을 차지하다가는 이 세상에는 무덤만 남고 말지 않겠소, 허허허."

'**살아 있는 사람**도 터전이 좀'은데 '**죽는 사람**마다 넓은 터전을 차지하다가는 이 세상에 무덤만 남고 말지 않겠'다고 말하는 것을 통해 '나'는 현실적인 인물임을 알 수 있어.

나는 이러한 소리를 하면서도 묘지를 간략하게 하여 지면을 축소하고 남는 땅은 누구의 손으로 들어가고 마누 하는 생각을 하여 보았다.

"그리구서니 자기의 부모나 처자를 죽였다구 금세루 살아야 버 릴 수가 있습니까? 더구나 대대로 내려오는 제 집 산소까지를."

이 사람은 나의 말이 옳다는 모양으로 고개를 끄덕끄덕하면서도 그래도 반대를 한다. '**장돌뱅이**'는 '나'의 말에 **고개**를 끄덕끄덕하면서도 '자기의 **부모**나 **처자**를 죽었다구 금세루 살아야 버릴 수가 있'냐며 반대하고 있어. '**장돌뱅이**'는 봉건 적인 사고 방식을 지닌 인물이라고 할 수 있겠네.

"화장을 지낸다기루 상관이 뭐겠소. 예전에 애급이라는 나라 에서는 왕후장상의 시체는 방부제를 쓰고 나무 관에 넣은 시체를 다시 석관까지에 튼튼히 넣어서 피라미드라는 큰 굴 속에 묻어 두었지만, 지금 와서는 미이라밖에는 되지 않고 만 것을 보면 죽은 송장에게 능라주의(綾羅紬衣)*를 입히고 백 평, 천 평 되는 땅에다가 아무리 굳게 파묻기로 그것이 무엇이란 말이오. 동상 을 세우면 무얼 하고 송덕비를 세우면 무엇에 쓴다는 말이오."

'**나**'는 '송장에게 **능라주의**를 입히고 백 평, 천 평 되는 땅'에 파묻는 것, '**동상**'이나 '**송덕비**'를 세우는 것을 허례허식으로 생각하고 비판하고 있네.

내 앞에 앉았는 장꾼은 무슨 소리인지 귀에 자세히 들어오지 않는 모양이다.

"네에, 그런 것이 있어요?"

하고 멀거니 앉았다.

"하여간 부모를 생사장제(生事葬祭)에 예(禮)로써 받들어야 할 거야 더 말할 것 없지마는, 예로 하라는 것은 결국에 공경하는 마음이나 정성을 말하는 것 아니겠소. '**나**'는 형식보다는 '마음이나 정성'이 중요하다고 생각해. 그러니 공동묘지 법이란 난 아직 내용도 모르지마는, 그것은 별문제로 치고라도, 그 근본정신은 생각지 않고 부모나 선조의 산소 치레를 해서 외화(外華)나 자랑하고 음덕(蔭德)이나 바란다는 것도 우스운 수작이란 것을 알아야 할 거 아니겠소. 지금 우리는 공동묘지 때문에 못살게 되었소? 염통 밑에 쉬스는 줄은 모른다구, 깝살릴* 것 다 깝살리고 뱃속 에서 쪼르륵 소리가 나도 죽은 뒤에 파묻힐 곳부터 염려를 하고 앉았을 때인지? 너무도 얼빠진 늦둥이 수작이 아니오? 허허허."

'**나**'는 산 사람의 살 궁리가 아닌 '**죽은 뒤**에 **파묻힐 곳**부터 염려'를 하는 사람들에 대해 비판적 태도를 취하고 있어.

나는 형님에게 하고 싶던 말을 장돌뱅이로 돌아다니는 이 자를 붙들고 한참 푸념을 하였다.

장면끊기 02 '**나**'와 '**장돌뱅이**'가 공동묘지에 대해 이야기를 나누는 장면을 두 번째 장면 으로 생각해 볼 수 있겠네. '**장돌뱅이**'는 관습에 젖어 있는 당대의 조선 사람들의 인식을 보여준다면, '**나**'는 이를 **비판적**으로 바라보는 지식인으로 볼 수 있어.

– 염상섭, 「만세전」 –

*도회: 재능이나 학식 따위를 숨겨 감춤.

*능라주의: 비단옷과 명주옷.

*깝살리다: 재물이나 기회 따위를 흐지부지 다 없애다.

현대소설 독해의 STEP 2

1 구조도의 빈칸에 적절한 말을 채웠는지 확인해 보세요.

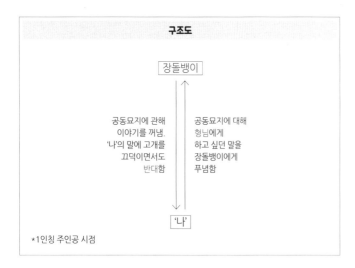

구조도

장돌뱅이

공동묘지에 관해 이야기를 꺼냄. '나'의 말에 고개를 끄덕이면서도 반대함

공동묘지에 대해 형님에게 하고 싶던 말을 장돌뱅이에게 푸념함

'나'

*1인칭 주인공 시점

---

2 1~2번 문제의 정답과 해설을 확인해 보세요.

1. 〈보기〉를 참고하여 윗글을 감상할 때 적절하지 않은 것은?

〈보기〉

1920년대 문학의 전개 과정에서, 염상섭은 개인의 발견과 현실 인식이라는 소설의 근대적인 특성을 분명하게 제시하고 있다. 염상섭: 소설의 근대적 특성 제시 특히 일인칭 시점을 적용한 소설을 통해 개인의 내면을 드러내는 방식을 모색하여, 개성의 표현으로서의 문학에 대한 인식을 구체화하였다. ① 일인칭 시점 적용 → 개인의 내면을 드러냄 나아가 그는 생활 현실에 근거한 문학으로 관심을 확장하였는데, 그에 따르면, 문예는 생활의 기록이요, 흔적이요, 주장이다. 생활에 대한 염상섭의 새로운 인식은 생활의 표현을 통해 삶의 문제를 총체적인 시각에서 조망하려는 근대 문학의 정신에 접근하고 있다. ② 생활의 표현 → 삶의 문제를 총체적 시각에서 조망

정답풀이

② '생활 철학'을 터득하려는 개개인의 의지를 옹호한 점을 통해, 개인의 발견에 관한 작가의 의식을 이해할 수 있겠군.

윗글에서 '생활 철학'을 터득하려는 개인의 의지는 드러나지 않으므로 서술자나 작가가 이를 옹호했다고 볼 수 없다. 또한 〈보기〉에서 '일인칭 시점을 적용한 소설을 통해 개인의 내면을 드러내는 방식'을 사용하여 '개인의 발견'이라는 특성을 구체화하였다고 했으므로, '생활 철학'을 터득하려는 개개인의 의지를 옹호함으로써 '개인의 발견에 관한 작가의 의식'이 드러난다고 할 수 없다.

오답풀이

① 시속의 '처세술'에 대해 성찰하여 평가한 점을 통해, 생활의 문제에 대한 작가의 주장을 확인할 수 있겠군.

'나'는 식민지 현실에 관한 조선 사람들의 처세술에 관해 '현명한 처세술'이라고 평가한다. 식민지 지식인의 시선으로 바라본 조선의 나약하고 비굴한 모습을 성찰하고 있는 것이다. 이를 통해 생활 현실에 근거한 근대 문학의 정신에 접근하려 한 작가의 주장을 확인할 수 있다.

③ '지금의 우리 생활'을 '봉건적' 의식과 문화에 견주어 문제 삼은 점을 통해, 삶의 문제를 총체적으로 조망하려는 작가의 시각을 엿볼 수 있겠군.

'나'가 '지금의 우리 생활'을 '봉건적 성장과 관료전제 밑에서' 생겨난 것으로 인식하는 모습을 통해, 삶의 문제를 총체적으로 바라보고자 하는 작가의 시각을 엿볼 수 있다.

④ 일상적 관심사로 오르내리는 '화젯거리'를 이야기한 점을 통해, 생활의 흔적을 기록하려는 작가의 노력을 살필 수 있겠군.

> 당시의 '화젯거리'인 '공동묘지 법'과 그 법에 대한 조선 사람들의 태도에 대해 이야기하고 있으므로 작가는 생활의 흔적을 기록하려 했다고 볼 수 있다.

⑤ 자신의 경험과 생각을 '나'가 서술하도록 설정한 점을 통해, 개성을 표현하는 문학의 방식을 모색하는 작가의 관심을 찾아볼 수 있겠군.

> 〈보기〉에서 작가가 '일인칭 시점을 적용한 소설을 통해 개인의 내면을 드러내는 방식을 모색하여, 개성의 표현으로서의 문학에 대한 인식을 구체화하였다.'라고 하였다. 이를 통해 윗글의 작가는 1인칭 서술자 '나'를 통해 자신의 경험과 생각을 개성있게 표현하는 문학의 방식을 모색한 것으로 볼 수 있다.

2. 문학 개념어 OX 확인 문제

① ○

• 냉소: 쌀쌀한 태도로 비웃음.

> 근거 '그러니 공동묘지 법이란~너무도 얼빠진 늦둥이 수작이 아니오?'

② ✕

• 삽화: 어떤 이야기나 사건의 줄거리에 끼인 짤막한 토막 이야기.

현대소설 독해의 STEP 3

1 1번 문제의 선지 판단 공식에 대한 답을 확인해 보세요.

〈보기〉 문제 선지 판단의 공식

① 〈보기〉 염상섭은 생활 현실에 근거한 문학으로 관심을 확장함

➕ 작품 '공포, 경계, 미봉, 가식, 굴복, 도회, 비굴…… 이러한 모든 것에 숨어 사는 것이 조선 사람의 가장 유리한 생활 방도요, 현명한 처세술이다.'

선지➡ 시속의 '처세술'에 대해 성찰하여 평가한 점을 통해, 생활의 문제에 대한 작가의 주장을 확인할 수 있겠군.   ○

② 〈보기〉 염상섭은 개인의 발견과 현실 인식이라는 소설의 근대적 특성을 분명하게 제시하며, 특히 일인칭 시점을 적용한 소설을 통해 개인의 내면을 드러내는 방식을 모색함

➕ 작품 '실상 생각하면 우리의 이러한 생활 철학은 오늘에 터득한 것이 아니요, 오랫동안 봉건적 성장과 관료전제 밑에서 더께가 앉고 굳어 빠진 껍질'

선지➡ '생활 철학'을 터득하려는 개개인의 의지를 옹호한 점을 통해, 개인의 발견에 관한 작가의 의식을 이해할 수 있겠군.   ✕

③ 〈보기〉 생활에 대한 염상섭의 새로운 인식은 생활의 표현을 통해 삶의 문제를 총체적인 시각에서 조망하려는 근대 문학의 정신에 접근하고 있음

➕ 작품 '우리의 이러한 생활 철학은 오늘에 터득한 것이 아니요, 오랫동안 봉건적 성장과 관료전제 밑에서 더께가 앉고 굳어 빠진 껍질이지마는, 그 껍질 속으로 점점 더 파고들어 가는 것이 지금의 우리 생활이다.'

선지➡ '지금의 우리 생활'을 '봉건적' 의식과 문화에 견주어 문제 삼은 점을 통해, 삶의 문제를 총체적으로 조망하려는 작가의 시각을 엿볼 수 있겠군.   ○

④ 〈보기〉 염상섭에 따르면 문예는 생활의 기록이자, 흔적, 주장으로 볼 수 있음

➕ 작품 '장돌뱅이'도 아까 만난 '형님'도 '공동묘지 이야기를 꺼'낼 정도로 이는 '요사이 경향에서 모여 앉으면 꽤들 문젯거리, 화젯거리가 되는' 것이었음

선지➡ 일상적 관심사로 오르내리는 '화젯거리'를 이야기한 점을 통해, 생활의 흔적을 기록하려는 작가의 노력을 살필 수 있겠군.   ○

⑤ 〈보기〉 염상섭은 일인칭 시점을 적용한 소설을 통해 개인의 내면을 드러내는 방식을 모색하여, 개성의 표현으로서의 문학에 대한 인식을 구체화함

➕ 작품 '나로서는 알고 싶지도 않고, 그까짓 것은 아무렇거나 상관이 없는 일', '그중에서 무슨 오해가 생길지 그것이 나에게는 염려되는 것이었다.'

선지➡ 자신의 경험과 생각을 '나'가 서술하도록 설정한 점을 통해, 개성을 표현하는 문학의 방식을 모색하는 작가의 관심을 찾아볼 수 있겠군.   ○

하루 30분, 현대소설 트레이닝

현대소설 독해의 STEP 1

❶ 다음 글을 읽고 주요 인물을 잘 파악했는지, 빈칸에 적절한 말을 채웠는지 확인해 보세요.

📅 고3 2016학년도 수능B –
윤흥길, 「아홉 켤레의 구두로 남은 사내」

불을 끈 다음에 아내가 다시 소곤거려 왔다.

"당신두 보셨죠? 오늘사 말고 영기 엄마 배가 유난히 더 불러 보였어요. 혹시 쌍둥이나 아닌가 싶어서 남의 일 같잖아요. 여덟 달밖에 안 된 배가 그렇게 만삭이니 원……." 아내는 영기 엄마(권 씨 부인)의 만삭인 배를 걱정하고 있네.

"당신더러 대신 낳으라고 떠맡기진 않을 거야. 걱정 마."

나는 그날 밤 디킨즈와 램의 궁둥이를 번갈아 걷어차는 꿈을 꾸었다. 내가 권 씨의 궁둥이를 걷어차고 권 씨가 내 궁둥이를 걷어차는 꿈을 꾸었다.

아내가 권 씨네에 대해서 갑자기 관심을 보이기 시작했다. 좀 더 정확히 얘기해서 권 씨 부인의 그 금방 쏟아질 것만 같은 아랫배에 관한 관심이었다. 아내는 권 씨 부인의 만삭 배에 관심을 보이고 있어. 말투로 볼 때 남자들이 집을 비우는 낮 동안이면 더러 접촉도 가지는 모양이었다. 예정일도 모르더라면서 아내는 낄낄낄 웃었다. 아내는 자신의 분만 예정일도 모르는 권 씨 부인을 비웃고 있어. 임산부가 자기 분만 예정일도 몰라서야 말이 되느냐고 핀잔했더니, 까짓것 알아도 그만 몰라도 그만, 어차피 때가 되면 배 아프며 낳기는 마찬가지라면서 태평으로 있더라는 것이었다. 권 씨 부인은 만삭의 배로 자신의 분만 예정일도 모르지만 태평해.

장면끊기 01 '나'는 권 씨와 자신이 나오는 꿈을 꾸고, '나'의 아내는 만삭이면서도 아무런 준비도 하지 않는 권 씨 부인을 걱정하면서도 비웃고 있어.

권 씨는 여전히 일자리를 구하지 못한 채였다. 일정한 직장이 없으면서도 아침만 되면 출근 복장을 차리고 뻔질나게 밖으로 나가곤 했다. 몸에 붙인 기술도, 그렇다고 타고난 뚝심도 없으면서 계속해서 공사판 같은 데 나가 막일을 하는 눈치였다. "동주운아, 노올자아!" 하고 둘이 합창하듯이 길게 외치면서 일단 안방까지 들어오는 데 성공한 권 씨의 아이들은 끼니 때가 되어도 막무가내로 버티면서 문간방으로 돌아가지 않는 적이 자주 있게 되었다. 문간방의 사정이 심상치 않다는 징조였다. '나'의 문간방에 세들어 사는 권 씨는 일정한 직장 없이 막일을 하는 듯하고, 권 씨네의 아이들은 '나'의 아들인 동준이와 논다는 핑계로 끼니를 얻어 먹는 일이 자주 있었다. 권 씨네의 경제적 사정이 궁핍하다는 것을 알 수 있어. 그렇다고 권 씨나 권 씨 부인이 우리에게 터놓고 도움을 청한 적은 한 번도 없었다. 다만 우리로 하여금 그런 꼴을 목격하고도 도울 마음을 먹지 않으면 도무지 인간이 아니게시리 상황을 최악의 선까지 잠자코 몰고 갈 뿐이었다. 애당초 이 순경이 기대했던 그대로 산타클로스 비슷한 꼴이 되어 쌀이나 연탄 따위를 슬그머니 문간방 부엌에다 넣어 주고 온 날 저녁이면 아내는 분하고 억울해서 밥도 제대로 못 먹었다. 임부나 철부지 애들을 생각한다면 그까짓 알량한 선심쯤 아무렇지도 않다는 주장이었다. 하지만 제게 딸린 처자식조차 변변히 건사 못 하는 한 얼간이 사내한테까지 자기 선심의 일부나마 미칠 일을 생각하면 괘씸해서 잠이 안 올 지경이라고 생병을 앓았다. 아내는 임부인 권 씨 부인이나 아이들을 생각해서 쌀이나

연탄을 가져다 주는 식으로 권 씨네를 도왔지만, 식구들을 건사하지 못하는 권 씨가 괘씸해서 분노하기도 해. 권 씨가 여간내기 아니라고 속삭이던 게 엊그제인 걸 벌써 잊고 아내는 셋방 잘못 내줬다고 두고두고 자탄하는 것이었다.

장면끊기 02 아내는 어려운 처지의 권 씨 가족을 돕지만, 동시에 권 씨의 무능력함에 분노해. 이후 권 씨 부인이 해산의 날을 맞게 되었다고 하여 시간이 흐름이 나타나므로 여기서 장면을 나누어야겠어.

남편이 여전히 벌이가 시원찮은 상태에서 권 씨 부인은 어언 해산의 날을 맞게 되었다. 진통이 시작된 지 꽤 오래되는 모양이었다. 아내의 귀띔으로는 점심 무렵이 지나서부터 그런다고 했다. 학교에서 돌아와 저녁을 먹다가 나는 문간방에서 울리는 괴상한 소리를 들었다. 처음에는 되게 몸살을 하듯이 끙끙 앓는 소리로 시작되었다. 그러다가 느닷없이 몸의 어딘가에 깊숙이 칼이라도 받는 양 한 차례 처절하게 부르짖고는 이내 도로 잠잠해지곤 하면서 이러기를 몇 번이고 되풀이하는 것이었다. 권 씨 부인이 문간방 안에서 진통을 겪고 있어. 점심 무렵이 지나서부터 저녁까지 오랜 시간 괴로워하고 있겠지. 나로서는 그것이 방을 세내 준 이후로 처음 듣는 권 씨 부인의 목소리였다.

"당신이 한번 권 씰 설득해 보세요. 제가 서너 번 얘길 했는데두 무슨 남자가 실실 웃기만 하믄서 그저 염려 없다구만 그러네요." 병원 얘기였다. 아내는 권 씨 부인을 걱정하며 병원에 가보라고 했지만 권 씨는 염려 없다고 하며 웃기만 했어.

"권 씨가 거절하는 게 아니고 돈이 거절하는 거겠지." 권 씨네는 경제적으로 어려운 형편이었기 때문에 병원에 갈 돈이 부족했던 거지.

아내는 진즉부터 해산 준비가 전혀 되어 있지 않음을 더러는 흉보고 또 더러는 우려해 왔다.

"남산만이나 한 배를 갖구서 요즘 세상에 그래 앨 집에서, 그것도 산모 혼잣힘으로 낳겠다니, 아무래두 꼭 무슨 일이 터질 것만 같애요. 달이 다 차도록 기저귓감 하나 장만 않는 여편네나 조산원 하나 부를 돈도 마련이 없는 사내나 어쩜 그리 짝짜꿍인지!" 아내는 해산이 다가오는데 아무런 준비를 하지 않던 권 씨 부인을 흉보기도, 걱정하기도 했어. 또 경제적으로 무능력해서 조산원을 부를 돈도 마련하지 못하는 권 씨를 못마땅해하기도 하지.

서둘러 식사를 끝내고 나서 나는 권 씨를 마당으로 불러냈다. 듣던 대로 권 씨는 대뜸 아무 염려 말라면서 실실 웃었다. 마치 곤경에 빠진 나를 극진히 위로해 주는 투였다.

"둘째 때도 마누라 혼자서 거뜬히 해치웠거든요." 권 씨는 '나'의 충고에도 여전히 태평해.

"우리가 염려하는 건 권 선생네가 아니라 바로 우리를 위해서요. 물론 그럴 리야 없겠지만 만의 일이라도 일이 잘못될 경우 난 권 선생을 원망하겠소."

작자가 정도 이상으로 느물거린다 싶어 나는 엔간히 모진 소리를 남기고는 방으로 들어와 버렸다.

장면끊기 03 권 씨 부인이 칼에 찔린 듯한 비명을 지르며 난산을 겪고 있음에도 권 씨는 아내를 병원에 데려갈 생각도 없이 태평해. '나'와 아내는 한편으로 걱정하고 한편으로 못마땅해하지.

– 윤흥길, 「아홉 켤레의 구두로 남은 사내」 –

현대소설 독해의 STEP 2

1 구조도의 빈칸에 적절한 말을 채웠는지 확인해 보세요.

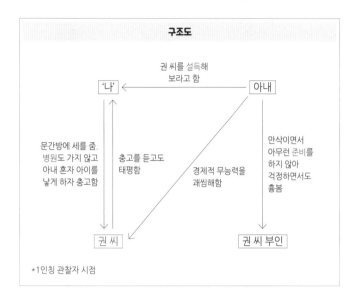

2 1~2번 문제의 정답과 해설을 확인해 보세요.

1. 〈보기〉를 바탕으로 윗글을 감상한 내용으로 적절하지 않은 것은?

〈보기〉

　1970년대 한국 소설에는 산업화 과정에서 공동체적 유대감이 파괴되고 개인주의가 팽배하면서 그 사이에서 고민하게 되는 소시민이 나타난다. 공동체적 유대감과 개인주의 사이에서 갈등하는 소시민이 등장 물질적 가치를 중시하는 세태가 심화되고 계층 분화가 일어나면서 주변부로 밀려난 도시 빈민과 같은 소외 계층이 등장하는데, 이들도 소설의 주요한 제재로 반영되고 있다. 도시 빈민과 같은 소외 계층 등장

정답풀이

⑤ '나'가 '권 씨네'에 대해 염려하며 '우리를 위해서'라고 말한 것은 공동체적 유대감을 회복하려는 소시민의 욕망을 드러내는군.

　〈보기〉를 통해 산업화 사회의 소시민은 공동체적 유대감과 개인주의 사이에서 갈등하게 됨을 알 수 있다. 윗글에서 '나'는 세입자인 '권 씨네'를 걱정하는 공동체적 유대감을 드러내기도 하지만, '나'가 '권 씨네'에 대해 염려하며 '우리를 위해서'라고 말한 것에서는 개인주의를 드러낸다. 따라서 '나'가 '우리를 위해서'라고 말한 것을 통해 공동체적 유대감을 회복하려는 소시민의 욕망이 드러난다고 볼 수는 없다.

오답풀이

① '나'가 '권 씨네'를 의식하면서도 '권 씨네'의 상황에 거리를 두려는 것은 소시민의 내적 갈등을 보여 주는군.

　〈보기〉에 따르면 '나'가 '권 씨네'를 걱정하는 것은 공동체적 유대감이 반영된 것이고, '권 씨네'의 상황에 거리를 두려는 것은 소시민적 개인주의가 반영된 것이라고 볼 수 있다. 따라서 이 둘 사이에서 고민하는 '나'는 〈보기〉에서 언급한 소시민의 내적 갈등을 겪고 있는 것이라고 할 수 있다.

② '권 씨'가 일정한 직업 없이 막일을 할 수밖에 없는 것은 계층이 분화하면서 생겨난 도시 빈민의 처지를 나타내는군.

　〈보기〉에 따르면 일정한 직업 없이 막일을 하는 '권 씨'의 상황은 주변부로 밀려난 도시 빈민의 처지를 나타낸다고 볼 수 있다.

③ '아내'가 '권 씨네'를 대하는 이중적 태도는 공동체 의식과 개인주의 사이에 놓인 소시민의 모습을 반영하는군.

　'임부나 철부지 애들을 생각한다면~생병을 앓았다.'와 '아내는 진즉부터 해산 준비가 전혀 되어 있지 않음을 더러는 흉보고 또 더러는 우려해 왔었다.'에서 나타나는 아내의 이중적 태도는 〈보기〉에서 언급된 공동체적 유대감과 개인주의 사이에서 고민하는 소시민의 모습을 반영한 것이라 할 수 있다.

④ '권 씨 부인'이 혼자 힘으로 해산을 하려는 모습은 궁핍한 삶에 내몰린 소외 계층의 처지를 반영하는군.

　〈보기〉에 따르면 '권 씨 부인'이 만삭이 되도록 출산 준비를 하지 못하고, 병원이 아닌 집에서 혼자서 해산하려는 모습은 경제적으로 궁핍한 삶에 내몰린 소외 계층의 처지를 반영한 것이라 할 수 있다.

2. 문학 개념어 OX 확인 문제

① ○

　근거 '권 씨가 거절하는 게 아니고 돈이 거절하는 거겠지.~달이 다 차도록 기저귓감 하나 장만 않는 여편네나 조산원 하나 부를 돈도 마련이 없는 사내나 어쩜 그리 짝짜꿍인지!'라는 '나'와 아내의 대화에서 권 씨네가 경제적으로 어려운 처지임이 드러남.

② ✕

• 회고: 지나간 일을 돌이켜 생각함.

현대소설 독해의 STEP 3

■ 1번 문제의 선지 판단 공식에 대한 답을 확인해 보세요.

〈보기〉 문제 선지 판단의 공식

①

〈보기〉 1970년대 한국 소설에는 공동체적 유대감이 파괴되고 개인주의가 팽배하면서 그 사이에서 고민하는 소시민이 나타남

작품 '그렇다고 권 씨나 권 씨 부인이 우리에게 터놓고 도움을 청한 적은 한 번도 없었다. 다만 우리로 하여금 그런 꼴을 목격하고도 도울 마음을 먹지 않으면 도무지 인간이 아니게 시리 상황을 최악의 선까지 잠자코 몰고 갈 뿐이었다.'

선지➡ '나'가 '권 씨네'를 의식하면서도 '권 씨네'의 상황에 거리를 두려는 것은 소시민의 내적 갈등을 보여 주는군.   ○

②

〈보기〉 1970년대 한국 소설에는 주변부로 밀려난 도시 빈민과 같은 소외 계층이 등장함

작품 '권 씨는 여전히 일자리를 구하지 못한 채였다. 일정한 직장이 없으면서도 아침만 되면 출근 복장을 차리고 뻔질나게 밖으로 나가곤 했다. 몸에 붙인 기술도, 그렇다고 타고난 뚝심도 없으면서 계속해서 공사판 같은 데 나가 막일을 하는 눈치였다.'

선지➡ '권 씨'가 일정한 직업 없이 막일을 할 수밖에 없는 것은 계층이 분화하면서 생겨난 도시 빈민의 처지를 나타내는군.   ○

③

〈보기〉 1970년대 한국 소설에는 공동체적 유대감이 파괴되고 개인주의가 팽배하면서 그 사이에서 고민하는 소시민이 나타남

작품 '쌀이나 연탄 따위를 슬그머니 문간방 부엌에다 넣어 주고 온 날 저녁이면 아내는 분하고 억울해서 밥도 제대로 못 먹었다.', '아내는 진즉부터 해산 준비가 전혀 되어 있지 않음을 더러는 흉보고 또 더러는 우려해 왔다.'

선지➡ '아내'가 '권 씨네'를 대하는 이중적 태도는 공동체 의식과 개인주의 사이에 놓인 소시민의 모습을 반영하는군.   ○

④

〈보기〉 1970년대 한국 소설에는 주변부로 밀려난 도시 빈민과 같은 소외 계층이 등장함

작품 '남산만이나 한 배를 갖구서 요즘 세상에 그래 앨 집에서, 그것도 산모 혼잣힘으로 낳겠다니, 아무래두 꼭 무슨 일이 터질 것만 같애요.'

선지➡ '권 씨 부인'이 혼자 힘으로 해산을 하려는 모습은 궁핍한 삶에 내몰린 소외 계층의 처지를 반영하는군.   ○

⑤

〈보기〉 1970년대 한국 소설에는 공동체적 유대감이 파괴되고 개인주의가 팽배하면서 그 사이에서 고민하는 소시민이 나타남

작품 '"우리가 염려하는 건 권 선생네가 아니라 바로 우리를 위해서요. 물론 그럴 리야 없겠지만 만의 일이라도 일이 잘못될 경우 난 권 선생을 원망하겠소." 작자가 정도 이상으로 느물거린다 싶어 나는 엔간히 모진 소리를 남기고는 방으로 들어와 버렸다.'

선지➡ '나'가 '권 씨네'에 대해 염려하며 '우리를 위해서'라고 말한 것은 공동체적 유대감을 회복하려는 소시민의 욕망을 드러내는군.   ×

③ 주제

현대소설 독해의 STEP 1

1 다음 글을 읽고 주요 인물을 잘 파악했는지, 빈칸에 적절한 말을 채웠는지 확인해 보세요.

📅 고3 2017학년도 6월 모평 – 염상섭, 「삼대」

"누가 돈 쓰는 것을 아랑곳하랬나? 누가 저더러 돈을 쓰라니 걱정인가? 내 돈 가지고 내가 어떻게 쓰든지……."

"아버지께서 하시는 일에……."

조금 뜸하여지며 부친이 쌈지를 풀어서 담배를 담는 동안에 상훈이는 나직이 말을 꺼냈다. 부친은 아들인 상훈이 자신이 돈을 쓰는 일에 간섭하는 것을 못마땅하게 생각해.

"……돈 쓰신다고만 하는 것도 아닙니다마는 어쨌든 공연한 일을 만들어 내는 사람들이 첫째 잘못이란 말씀입니다."

"무에 어째 공연한 일이란 말이냐?" 상훈은 부친이 공연한 일에 돈을 쓴다고 생각하고 부친은 그런 상훈에게 반박하고 있어. 돈의 쓰임을 두고 상훈과 부친이 갈등하고 있네.

부친의 어기는 좀 낮추어졌다.

"대동보소만 하더라도 족보 한 질에 오십 원씩으로 매었다 하니 그 오십 원씩을 꼭꼭 수봉하면 무엇 하자고 삼사천 원이 가외로 들겠습니까?"

"삼사천 원은 누가 삼사천 원 썼다던?"

㉠영감은 아들의 말이 옳다고는 생각하였으나 실상 그 삼사천 원이란 돈이 족보 박이는 데에 직접으로 들어간 것이 아니라 ×× 조씨로 무후(無後)한 집의 계통을 이어서 일문일족에 끼려 한즉 군식구가 늘면 양반에 진국이 묽어질까 보아 반대를 하는 축들이 많으니까 그 입들을 씻기기 위하여 쓴 것이다. 하기 때문에 난봉 자식이 난봉 피운 돈 액수를 줄이듯이 이 영감도 실상은 한 천 원 썼다고 하는 것이다. 중간의 협잡배는 이런 약점을 노리고 우려 쓰는 것이지만 이 영감으로서 성한 돈 가지고 이런 병신 구실 해 보기는 처음이다. 부친은 양반 가문의 족보에 이름을 올리기 위해 돈을 쓸 만큼 전근대적인 가치관을 가진 인물로, 반대하는 이들의 입을 막기 위해 가외로 돈을 들인 것을 아까워하면서 아들에게는 이런 전후 사정을 말하는 것이 부끄러운지 숨기고 있어.

"그야 얼마를 쓰셨던지요. 그런 돈은 좀 유리하게 쓰셨으면 좋겠다는 말씀입니다."

'재하자 유구무언(在下者 有口無言)'의 시대는 지났다 하더라도 노친 앞이라 말은 공손했으나 속은 달았다. 상훈은 족보에 돈을 쓰는 것은 돈을 유리하게 쓰는 게 아니라고 말해. 족보에 돈을 쓰는 문제에서 전근대적 가치관을 가진 부친과 갈등하는 상훈은 근대적 가치관을 가진 인물이라고 볼 수 있겠지.

"어떻게 유리하게 쓰란 말이냐? 너 같이 오륙천 원씩 학교에 디밀고 제 손으로 가르친 남의 딸자식 유인하는 것이 유리하게 쓰는 방법이냐?"

아까부터 상훈이의 말이 화롯가에 앉아서 폭발탄을 만지작거리는 것 같아서 위태위태하더니 겨우 간정되려던 영감의 감정에 또 불을 붙여 놓고 말았다. 부친은 족보에 돈 쓰는 것에 반대하는 상훈에게, 그가 과거에 학교에 돈을 쓰고 제자를 꾀었던 치부를 들추며 비난하고 있어.

상훈이는 어이가 없어서 얼굴이 벌게진다. 부친의 원색적인 비난에 상훈은 수치스러움을 느끼네.

장면끊기 01 이 장면에서는 부친과 상훈이 돈의 쓰임에 대한 가치관의 차이로 인해

갈등(대립)하는 모습이 그려졌어. 양반 가문의 족보에 이름을 올리기 위해 많은 돈을 쓴 부친 조 의관과 이를 못마땅하게 여기는 상훈의 갈등이 두 인물의 대화와 내면 심리 서술로 제시되고 있음에 주목해 보자.

[중략 부분의 줄거리] 조 의관(덕기의 조부)이 죽고, 덕기가 재산 상속자가 된다. 조 의관의 유산 목록에 정미소가 없었다는 것을 안 상훈은 정미소를 차지하려고 한다. 상훈은 조 의관의 유산인 정미소를 차지할 욕심을 부려. 한편 상훈은 세간 값을 적은 종이들을 덕기에게 보내 값을 치르라고 한다.

"어제 그건 봤니?"

부친이 비로소 말을 붙이나 아들은 다음 말을 기다리고 가만히 앉았다.

"치를 수 없거든 거기 두고 가거라."

역정스러운 목소리나 여자 손들이 많은데 구차스럽게 세간 값으로 부자 충돌을 하는 꼴을 보이기 싫기 때문에 아들의 입을 미리 막으려는 것이다. 상훈은 덕기에게 세간 값을 치르도록 시키지만, 이 문제로 부자가 충돌하는 모습을 다른 사람들에게 보이는 것을 구차하게 여기는 데에서 타인의 시선을 의식함을 알 수 있어.

"안 치러 드린다는 것은 아닙니다마는……."

덕기는 너무 오래 잠자코 있을 수 없어서 말부리만 따고 또 가만히 고개를 떨어뜨리고 앉았다. 그러나 복통이 터져서 속은 끓었다. 속에 있는 말이나 시원스럽게 하고 싶으나 부친 앞에서, 더구나 조인광좌(稠人廣座)* 중에서 그럴 수도 없다. 덕기는 부친에게 하고 싶은 말이 있으면서도, 부친의 체면을 생각해 많은 사람 앞에서 말할 수 없어 속을 끓이고 있네.

"이 판에 용이 이렇게 과하시면 어떡합니까. 여간한 세간 나부랭이야 저 집에 안 쓰고 굴리는 것만 갖다 놓으셔도 넉넉할 게 아닙니까?"

안방 치장 하나에 천여 원 돈을 묶어서 들인다는 것은 생돈 잡아먹는 것 같고, 누가 치르든지 간에 어려운 일이다.

"이 판이 무슨 판이란 말이냐? 그 따위 아니꼬운 소리 할 테거든 그거 내놓고 어서 가거라. 안 쓰고 굴리는 세간은 너나 쓰렴!"

영감은 자식에게라도 좀 접해서* 그런지 화만 버럭버럭 내고 호령이다. 안방 치장을 위해 쓴 세간 값을 과하다고 생각하는 덕기와 아들과 돈 얘기로 충돌하는 모습이 부끄러워 화를 내는 상훈의 갈등이 나타나.

"할아버지께서 산소에 돈 쓰신다고 반대하시던 걸 생각하시기로……."

"무어 어째? 널더러 먹여 살리라니? 걱정 마라. 아니꼽게 네가 무슨 총찰이냐? 그러나 정미소 장부는 이따라도 내게로 보내라."

부친은 이 말을 하려고 트집을 잡는 것이었다. 덕기는 과거에 산소에 돈을 쓰는 것을 두고 아버지 상훈이 할아버지인 조 의관에게 반대하던 것을 언급하며 충고하지만, 상훈은 덕기의 충고를 아니꼽게 생각하면서 정미소를 차지하기 위해 트집을 잡고 있군.

"정미소 아니라 모두 내놓으라셔도 못 드릴 것은 아닙니다마는, 늘 이렇게만 하시면야 어디 드릴 수 있겠습니까?"

"드릴 수 있고 없고 간에, 내 거는 내가 찾는 게 아니냐?"

"왜 그렇게 말씀을 하셔요. 제게 두시면 어디 갑니까?"

"이놈 불한당 같은 소리만 하는구나? 돈 천도 못 되는 것을 치러 줄 수 없다는 놈이 무어 어째?"

부친은 신경질이 일어났는지 별안간 달려들더니 주먹으로 **뺨**을 갈기려는 것을 덕기가 벌떡 일어서니까 주먹이 어깨에 맞았다. 상훈의 씀씀이를 염려하는 덕기와 그런 덕기에게 분노하여 물리적 폭력을 행사하는 상훈 사이의 **갈등**이 제시되었어. 병적인지 벌써 망녕인지는 모르겠으나 점점 흥분하게 해서는 아니 되겠다 하고 마루로 피해 나와 버렸다. 그러나 금시로 정이 떨어지는 것 같고, 그 속에 앉은 부친은 딴 세상 사람같이 생각이 들었다. 덕기는 흥분한 상훈을 피하며 정이 떨어지는 것 같은 심정을 느껴. ⓛ신앙을 잃어버리고 사회적으로 활약할 야심이나 희망까지 길이 막히고 보면야, 생활이 거칠어 가는 수밖에는 없을 것이라고 동정도 하는 한편인데, 이미 신앙을 잃어버린 다음에야 가면을 벗어 버리고 파탈하고 나서는 것도 오히려 나은 일이라고도 하겠으나, 노래(老來)에 이렇게도 생활이 타락하여 갈까 하고, 덕기는 부친에게 반항하기보다도 다만 혼자 탄식을 하는 것이었다. 덕기는 신앙을 잃고, 사회적으로 활약할 길이 막힌 상훈의 삶을 **동정**하면서도, 생활이 타락해가는 부친의 삶에 대해 **탄식**하고 있어.

장면끊기 02 중략 전에는 돈의 쓰임을 두고 **조 의관**과 상훈이 갈등했다면 중략 후에는 상훈과 덕기가 갈등하고 있어. 두 장면은 가치관 차이로 인한 세대 간의 **갈등**을 보여 준다는 점에서 연결지어 이해할 수 있지. 이 장면에서는 조 의관의 죽음 이후 덕기와 상훈 두 인물의 시각에서 각자의 심리와 내적 갈등, 외적 갈등을 제시하고 있다는 데 주목할 수 있어.

– 염상섭, 「삼대」 –

*조인광좌: 여러 사람이 빽빽하게 많이 모인 자리.
*점해서: 부끄럽고 미안해서.

현대소설 독해의 STEP 2

1 구조도의 빈칸에 적절한 말을 채웠는지 확인해 보세요.

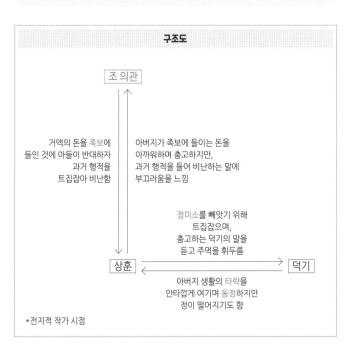

2 1~2번 문제의 정답과 해설을 확인해 보세요.

1. 〈보기〉를 바탕으로 ㉠과 ㉡을 설명한 내용으로 가장 적절한 것은?

〈보기〉

「삼대」의 서술자는 대체로 특정 인물의 시각에 의존하여 다른 인물을 서술 대상으로 포착한다. 이때 그 특정 인물은 장면에 따라 선택되며, 서술자는 특정 인물의 시각을 통해 서술 대상이 되는 인물들의 심리를 보여 준다. 장면에 따라 선택되는 특정 인물의 시각에서 서술 대상(= 다른 인물)의 심리를 보여 줌 이러한 서술 방식으로 서술자는 특정 인물이 지닌 의식과 행동 사이의 인과관계, 다른 인물과의 관계에서 겪는 심리적 갈등을 통해 인물의 성격과 그에 대한 평가를 복합적으로 드러낸다. 인물의 의식과 행동 사이의 인과관계, 심리적 갈등 → 인물의 성격, 인물에 대한 평가를 드러냄

정답풀이

⑤ ㉠에서는 서술자가 선택한 특정 인물인 영감의 성격이, ㉡에서는 서술자가 선택한 특정 인물인 덕기와 서술 대상인 상훈의 성격이 드러난다.

㉠에서는 서술자가 선택한 특정 인물인 영감의 의식과 행동 사이의 인과 관계를 통해 영감의 성격이 드러난다. ㉡에서는 서술자가 선택한 특정 인물인 덕기의 시선을 통해 상훈에 대한 덕기의 심정이 드러나는 한편, 서술 대상인 상훈의 타락한 성격이 드러난다.

오답풀이

① ㉠에서는 서술자가 선택한 특정 인물이 영감에서 아들로 달라지는 반면, ㉡에서는 덕기로 고정되어 있다.

㉠에서는 서술자가 선택한 특정 인물이 영감으로 고정되어 있으며, ㉡에서는 덕기로 고정되어 있다.

② ㉠에서는 서술 대상인 상훈의 의식과 행동 사이의 인과관계가, ㉡에서는 덕기가 포착한 상훈의 심리적 갈등이 드러난다.

㉡에서는 '신앙을 잃어버리고 사회적으로 활약할 야심이나 희망까지 길이 막'힌 상훈의 심리적 갈등이 덕기에 의해 포착되고 있다고 볼 수 있으나, ㉠에서는 영감의 심리가 드러날 뿐 상훈의 의식과 행동 사이의 인과관계는 드러나지 않는다.

③ ㉠에서는 영감의, ㉡에서는 덕기의 시각에서 서술 대상인 상훈을 낮게 평가하며 그와의 심리적인 갈등을 드러내고 있다.

㉠에서는 영감의 시각에서 상훈을 낮게 평가하는 부분을 찾아볼 수 없으며, 상훈과의 심리적인 갈등 역시 드러나지 않는다. ㉡에서는 덕기의 시각에서 서술 대상인 상훈을 부정적으로 평가하면서도 '동정'하는 등 복잡한 심리를 드러낸다.

④ ㉠에서는 서술 대상인 상훈에 대한 영감의 평가가 달라지는 반면, ㉡에서는
서술 대상인 상훈에 대한 덕기의 평가가 달라지지 않는다.

㉠에서 영감은 '아들의 말이 옳다고는 생각'하지만 상훈에 대한 영감의
평가가 달라지지는 않는다. ㉡에서는 서술 대상인 상훈에 대한 덕기의
동정심, 안타까움 등 복합적인 감정이 드러날 뿐, 상훈에 대한 덕기의
평가가 달라지지는 않는다.

2. 문학 개념어 OX 확인 문제

① ✕

• 현재와 과거의 교차: 시간의 흐름에 따라서가 아닌, 현재의 장면과 과거의
장면을 번갈아 제시하는 방식으로 서사를 전개하는 방식.

근거 중략 이전에는 '조 의관'과 '상훈' 사이의 갈등이, 중략 이후에는 '상훈'과 그의
아들 '덕기' 사이의 갈등이 제시되고 있을 뿐, 현재와 과거의 교차나 이를 통한 인물의
성격 변화 과정은 나타나지 않음.

② ○

근거 '그야 얼마를 쓰셨던지요. 그런 돈은 좀 유리하게 쓰셨으면 좋겠다는 말씀입
니다.'(상훈) ↔ '어떻게 유리하게 쓰란 말이냐? 너같이 오륙천 원씩 학교에 디밀고
제 손으로 가르친 남의 딸자식 유인하는 것이 유리하게 쓰는 방법이냐?'(조 의관),
'이 판에 용이 이렇게 과하시면 어떡합니까. 여간한 세간 나부랭이야 저 집에 안 쓰고
굴리는 것만 갖다 놓으셔도 넉넉할 게 아닙니까?'(덕기) ↔ '이 판이 무슨 판이란
말이냐? 그 따위 아니꼬운 소리 할 테거든 그거 내놓고 어서 가거라. 안 쓰고 굴리는
세간은 너나 쓰렴!'(상훈)

현대소설 독해의 **STEP 3**

■ 1번 문제의 선지 판단 공식에 대한 답을 확인해 보세요.

〈보기〉 문제 선지 판단의 공식

①

〈보기〉 「삼대」에서는 장면에 따라 특정 인물이 선택되며, 그 시각에 의존하여 다른 인물을 서술 대상으로 포착함

➕ 작품 '㉠영감은 아들의 말이 옳다고는 생각하였으나~그 입들을 씻기기 위하여 쓴 것이다.',
'그 속에 앉은 부친은 딴 세상 사람같이 생각이 들었다. ㉡신앙을 잃어버리고 사회적으로 활약할 야심이나 희망까지 길이 막히고 보면야, 생활이 거칠어 가는 수밖에는 없을 것이라고 동정도 하는 한편인데,~덕기는 부친에게 반항하기보다도 다만 혼자 탄식을 하는 것이었다.'

선지 ➤ ㉠에서는 서술자가 선택한 특정 인물이 영감에서 아들로 달라지는 반면, ㉡에서는 덕기로 고정되어 있다. ✕

②

〈보기〉 「삼대」에서는 장면에 따라 선택된 특정 인물의 시각에서 다른 인물을 서술 대상으로 포착하는 서술 방식을 통해 특정 인물의 의식과 행동 사이의 인과관계, 심리적 갈등으로 인물에 대한 평가를 드러냄

➕ 작품 '㉠영감은 아들의 말이 옳다고는 생각하였으나~그 입들을 씻기기 위하여 쓴 것이다.',
'㉡신앙을 잃어버리고 사회적으로 활약할 야심이나 희망까지 길이 막히고 보면야, 생활이 거칠어 가는 수밖에는 없을 것이라고 동정도 하는 한편인데,~덕기는 부친에게 반항하기보다도 다만 혼자 탄식을 하는 것이었다.'

선지 ➤ ㉠에서는 서술 대상인 상훈의 의식과 행동 사이의 인과관계가, ㉡에서는 덕기가 포착한 상훈의 심리적 갈등이 드러난다. ✕

③

〈보기〉 「삼대」에서는 장면에 따라 선택된 특정 인물의 시각에서 다른 인물을 서술 대상으로 포착하는 서술 방식을 통해 다른 인물과의 관계에서 겪는 심리적 갈등으로 인물에 대한 평가를 드러냄

➕ 작품 '㉠영감은 아들의 말이 옳다고는 생각하였으나',
'㉡신앙을 잃어버리고 사회적으로 활약할 야심이나 희망까지 길이 막히고 보면야, 생활이 거칠어 가는 수밖에는 없을 것이라고 동정도 하는 한편인데,~노래에 이렇게도 생활이 타락하여 갈까 하고,'

선지 ➤ ㉠에서는 영감의, ㉡에서는 덕기의 시각에서 서술 대상인 상훈을 낮게 평가하며 그와의 심리적인 갈등을 드러내고 있다. ✕

④

〈보기〉 「삼대」에서는 장면에 따라 선택된 특정 인물의 시각에서 다른 인물을 서술 대상으로 포착하는 서술 방식을 통해 다른 인물과의 관계에서 겪는 심리적 갈등으로 인물에 대한 평가를 드러냄

➕ 작품 '㉠영감은 아들의 말이 옳다고는 생각하였으나',
'㉡신앙을 잃어버리고 사회적으로 활약할 야심이나 희망까지 길이 막히고 보면야, 생활이 거칠어 가는 수밖에는 없을 것이라고 동정도 하는 한편인데,~노래에 이렇게도 생활이 타락하여 갈까 하고,'

선지 ➤ ㉠에서는 서술 대상인 상훈에 대한 영감의 평가가 달라지는 반면, ㉡에서는 서술 대상인 상훈에 대한 덕기의 평가가 달라지지 않는다. ✕

⑤

〈보기〉 「삼대」에서는 장면에 따라 선택된 특정 인물의 시각에서 다른 인물을 서술 대상으로 포착하는 서술 방식을 통해 인물의 성격을 드러냄

➕

작품 '㉠영감은 아들의 말이 옳다고는 생각하였으나 실상 그 삼사천 원이란 돈이 족보 박이는 데에 직접으로 들어간 것이 아니라~그 입들을 씻기기 위하여 쓴 것이다.',

'㉡신앙을 잃어버리고 사회적으로 활약할 야심이나 희망까지 길이 막히고 보면야, 생활이 거칠어 가는 수밖에는 없을 것이라고 동정도 하는 한편인데,~덕기는 부친에게 반항하기보다도 다만 혼자 탄식을 하는 것이었다.'

선지➡ ㉠에서는 서술자가 선택한 특정 인물인 영감의 성격이, ㉡에서는 서술자가 선택한 특정 인물인 덕기와 서술 대상인 상훈의 성격이 드러난다.   ○

현대소설 독해의 STEP 1

❶ 다음 글을 읽고 주요 인물을 잘 파악했는지, 빈칸에 적절한 말을 채웠는지 확인해 보세요.

📅 고3 2012학년도 수능 – 이태준, 「돌다리」

남을 주면 땅을 버린다고 여간 근실한 자국이 아니면 소작을 주지 않았고, 소를 두 필이나 매고 일꾼을 세 명씩이나 두고 적지 않은 전답을 전부 자농(自農)으로 버티어 왔다. 실속이 타작만 못하다는 둥, 일꾼 셋이 저희 농사 해 가지고 나간다는 둥 이해만을 따져 비평하는 소리가 많았으나 창섭의 아버지는 땅을 위해서는 자기의 이해만으로 타산하려 하지 않았다. 창섭의 아버지는 땅을 두고 이해관계를 따지는 일은 하지 않으려고 한 인물이구나. 이와 같은 임자를 가진 땅들이라 곡식은 거둔 뒤 그루만 남은 논과 밭이되, 그 바닥들의 고름, 그 언저리들의 바름, 흙의 부드러움이 마치 시루떡 모판이나 대하는 것처럼 누구의 눈에나 탐스럽게 흐뭇해 보였다. 창섭의 아버지는 땅을 이익을 얻기 위한 수단으로 여기지 않고 애정을 가지고 대했기 때문에 곡식을 모두 거두어들인 논밭조차도 탐스러운 땅으로 보일 정도였대.

이런 땅을 팔기에는, 아무리 수입은 몇 배 더 나은 병원을 늘꾸기 위해서나 아버지께 미안하지 않을 수 없었다. 창섭은 병원 운영을 위해 땅을 팔자고 권유하려는 상황에서 아버지에게 미안한 심정을 느끼고 있어. 그러나 잡히기나 해 가지고는 삼만 원 돈을 만들 수가 없었고, 서울서 큰 양관(洋館)을 손에 넣기란 돈만 있다고도 아무 때나 될 일이 아니었다. 하지만 창섭에게도 땅을 팔아 돈을 마련하는 것이 꼭 필요한 상황인 모양이군.

장면끊기 01 창섭의 아버지가 평소 땅에 깊은 애정을 가지고 있었다는 점과 창섭이 그 땅을 팔아 돈을 마련하려는 계획을 가지고 있음이 드러난 부분이었어. 땅에 대한 두 사람의 태도를 중심으로 어떤 이야기가 전개되는지에 주목하며 중략 이후의 내용도 이어서 읽어 보도록 하자.

(중략)

"웬일인데 어째 혼자만 오느냐?"
어머니는 손자 아이들부터 보이지 않음을 물으신다.
"오늘루 가야겠어서 아무두 안 데리구 왔습니다."
"오늘루 갈 걸 뭘 허 오누?"
"인전 어머니서껀 서울로 모셔 갈 채빌 허러 왔다우."
"서울루! 제발 아이들허구 한데서 살아 봤음 원이 없겠다."
하고 어머니는 땅보다, 조상님들 산소나 사당보다 손자 아이들에게 더 마음이 끌리시는 눈치였다. 어머니는 자신을 서울로 모셔가려 한다는 창섭의 말을 아주 반기고 있어. 손자 아이들과 함께 살고 싶은 마음이 간절하신 거지. 그러나 아버지만은 그처럼 단순히 들떠질 마음이 아니었다. 이와 달리 아버지는 땅에 대한 애정이 깊은 분이기에, 그 땅을 팔고 서울로 향하는 것이 그다지 마음을 들뜨게 하는 일이 아니었겠지?

아버지는 아들의 뒤를 쫓아 이내 개울에서 들어왔다.
아들은, 의사인 아들은, 마치 환자에게 치료 방법을 이르듯이, 냉정히 차근차근히 이야기를 시작하였다. 창섭은 본격적으로 아버지를 설득하기 위해 자신의 상황과 땅을 팔았으면 하는 이유에 대해 차분히 설명하기 시작해.
외아들인 자기가 부모님을 진작 모시지 못한 것이 잘못인 것, 한 집에 모이려면 자기가 병원을 버리기보다는 부모님이 농토를 버리

시고 서울로 오시는 것이 순리인 것, 병원은 나날이 환자가 늘어가나 입원실이 부족되어 오는 환자의 삼분지 일밖에 수용 못 하는 것, 지금 시국에 큰 건물을 새로 짓기란 거의 불가능의 일인 것, 마침 교통 편한 자리에 삼층 양옥이 하나 난 것, 인쇄소였던 집인데 전체가 콘크리트여서 방화 방공으로 가치가 충분한 것, 삼층은 살림집과 직공들의 합숙실로 꾸미었던 것이라 입원실로 변장하기에 용이한 것, 각층에 수도·가스가 다 들어온 것, 그러면서도 가격은 염한 것, 염하기는 하나 삼만 이천 원이라, 지금의 병원을 팔면 일만 오천 원쯤은 받겠지만 그것은 새 집을 고치는 데와, 수술실의 기계를 완비하는 데 다 들어갈 것이니 집값 삼만 이천 원은 따로 있어야 할 것, 시골에 땅을 둔대야 일 년에 고작 삼천 원의 실리가 떨어질 말지 하지만 땅을 팔다 병원만 확장해 놓으면, 적어도 일 년에 만 원 하나씩은 이익을 뽑을 자신이 있는 것, 땅을 판 돈으로 병원을 확장하여 더 많은 경제적 이익을 취하고자 하는 것이 창섭의 목적이었구나. 돈만 있으면 땅은 이담에라도, 서울 가까이라도 얼마든지 좋은 것으로 살 수 있는 것……

아버지는 아들의 의견을 끝까지 잠잠히 들었다. 그리고,
"점심이나 먹어라. 나두 좀 생각을 해 봐야 대답허겠다."
하고는 다시 개울로 나갔고, 떨어졌던 다릿돌을 올려놓고야 들어와 그도 점심상을 받았다.

장면끊기 02 창섭이 아버지에게 땅을 팔 것을 권유하며 그 이유를 조목조목 설명하는 내용이었어. 아버지는 생각을 해 보겠다며 바로 답을 주지 않는데, 이후 점심상을 받으면서 두 사람의 대화가 다시 이어진다는 점을 고려해 여기서 한 번 끊고 내용을 정리하도록 하자.

점심을 자시면서였다.
"원, 요즘 사람들은 힘두 줄었나 봐! 그 다리 첨 놀 제 내가 어려서 봤는데 불과 여남은이서 거들던 돌인데 장정 수십 명이 한나 잘을 씨름을 허다니!"
"나무다리가 있는데 건 왜 고치시나요?"
"너두 그런 소릴 허는구나. 나무가 돌만 허다든? 넌 그 다리서 고기 잡던 생각두 안 나니? 서울루 공부 갈 때 그 다리 건너서 떠나던 생각 안 나니? 시쳇사람들은 모두 인정이란 게 사람헌테만 쓰는 건 줄 알드라! 내 할아버님 산소에 상돌을 그 다리로 건네다 모셨구, 내가 천잘 끼구 그 다리루 글 읽으러 댕겼다. 네 어미두 그 다리루 가말 타구 내 집에 왔어. 나 죽건 그 다리루 건네다 묻어라……. 난 서울 갈 생각 없다." 아버지에게 있어 돌로 만든 다리는 가족의 역사가 담긴 의미 있는 대상이야. 그러한 가치를 중요시하지 않는 창섭과 뭇사람들의 생각을 꼬집고는 자신은 서울로 갈 생각이 없음을 밝히고 있네.
"네?"
"천금이 쏟아진대두 난 땅은 못 팔겠다. 내 아버님께서 손수 이룩허시는 걸 내 눈으루 본 밭이구, 내 할아버님께서 손수 피땀을 흘려 모신 돈으루 장만허신 논들이야. 돈 있다고 어디가 느르지논 같은 게 있구, 독시장밭 같은 걸 사? 느르지 논둑에 선 느티나문 할아버님께서 심으신 거구, 저 사랑 마당의 은행나무는 아버님께서 심으신 거다. 아버지는 집안 대대로 손수 일궈온 땅을 팔지 않겠다는 단호한 의지를 드러내고 있어. 그 나무 밑에를 설 때마다 난 그 어룬들 동상(銅像)이나 다름없이 경건한 마음이 솟아 우러러보군 헌다. 땅이란 걸 어떻게 일시 이해를 따져 사구팔구 허느냐? 땅 없어 봐라, 집이 어딨으며 나라가 어딨는 줄 아니? 땅이란 천지만물의 근거야. 돈 있다구 땅이 뭣지두 모르구 욕심만

정답 및 해설 107

내 문서 쪽으로 사 모기만 하는 사람들, 돈놀이처럼 변리만 생각허구 제 조상들과 그 땅과 어떤 인연이란 건 도시 생각지 않구 헌신짝 버리듯 하는 사람들, 다 내 눈엔 괴이한 사람들루밖엔 뵈지 않드라." **천지만물**의 근거가 되는 땅의 가치와 그 안에 담긴 인연을 헤아리지 않고 그저 이익을 얻기 위해 땅을 사고파는 사람들을 **부정적**으로 여기는 아버지의 인식이 드러나.

"……."

장면끊기 03 땅을 팔지 않겠다는 아버지의 대답이 드러나는 장면이었어. 땅 그 자체와 땅과 함께한 사람들의 **인연**을 경제적 이익보다 훨씬 더 중요하게 생각하는 아버지의 가치관을 확인할 수 있지.

– 이태준, 「돌다리」 –

현대소설 독해의 STEP 2

❶ 구조도의 빈칸에 적절한 말을 채웠는지 확인해 보세요.

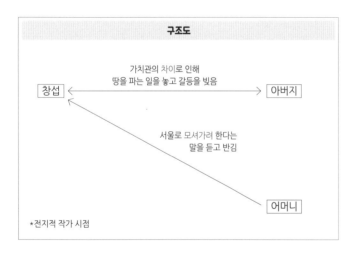

구조도

창섭 ← 가치관의 차이로 인해 땅을 파는 일을 놓고 갈등을 빚음 → 아버지

서울로 모셔가려 한다는 말을 듣고 반김

어머니

*전지적 작가 시점

---

❷ 1~2번 문제의 정답과 해설을 확인해 보세요.

1. 〈보기〉를 참고하여 윗글을 감상한 내용으로 가장 적절한 것은?

〈보기〉

소설 속의 모든 인물은 자아이면서 동시에 세계의 일부이다. 자아를 작품 속에서 행동하는 주체라고 하면, 그 주체를 둘러싸고 있는 모든 것은 세계가 된다. 소설 속 인물 = 자아(행동하는 주체), 세계(주체를 둘러싼 모든 것)의 일부 이러한 자아와 세계의 대립과 갈등으로 전개되는 것이 서사의 본질이다. 서사의 본질: 자아와 세계의 대립·갈등

정답풀이

② '아버지'는 자아로서의 완고한 성격을 세계에 대해서도 유지하고 있는 인물이다.

'아버지'는 땅을 팔고 함께 서울로 올라가서 살자는 아들 '창섭'의 권유에 '난 서울 갈 생각 없다.', '천금이 쏟아진대두 난 땅은 못 팔겠다.' 등과 같이 단호하게 거절 의사를 밝힌다. 이를 통해 '아버지'는 자아로서의 완고한 성격을 세계에 대해서도 유지하고 있는 인물임을 알 수 있다.

오답풀이

① '창섭'은 자아로서의 논리를 통해 세계와의 갈등을 해소하는 인물이다.

'창섭'은 땅을 팔아야 하는 이유를 조목조목 설명하며 '아버지'를 설득하려 하지만 끝내 '아버지'의 반대에 부딪히게 된다. 따라서 자아로서의 논리를 통해 세계와의 갈등을 해소하는 인물이라고 볼 수 없다.

③ 자아로서의 '창섭'은 세계의 부정적 속성들을 들추어 고발하고 있다.

'창섭'은 땅을 판 돈으로 병원을 확장하기 위해 '아버지'를 설득하는 모습을 보여주고 있을 뿐, 세계의 부정적 속성들을 들추어 고발하고 있지는 않다.

④ 자아로서의 '아버지'는 '창섭'과 '어머니'의 대립과 갈등을 중재하고 있다.

'어머니'는 '서울로 모셔 갈 채빌 허러 왔'다는 아들 '창섭'의 말을 듣고 반가워하고 있을 뿐, '창섭'과 갈등을 빚고 있지는 않다.

⑤ 자아로서의 '어머니'는 자신 속에 존재하는 또 다른 자아와 갈등하고 있다.

'어머니는 땅보다, 조상님들 산소나 사당보다 손자 아이들에게 더 마음이 끌리시는 눈치'라고 하였을 뿐, '어머니'가 자신 속에 존재하는 또 다른 자아와 갈등하는 모습, 즉 내적 갈등을 겪는 모습은 나타나지 않는다.

2. 문학 개념어 OX 확인 문제

① ○

- 대조: 둘 이상인 대상의 내용을 맞대어 같고 다름을 검토함. 서로 달라서 대비가 됨.
  > 근거 '나무다리(근대적 가치관)' ↔ '돌다리(전통적 가치관)'

② ○

- 요약적 서술(요약적 제시): 사건 전개 과정에서 대화나 행동을 보여 주거나 장면을 풀어서 묘사하지 않고 간략하게 요약하여 서술하는 것.
  > 근거 '외아들인 자기가 부모님을 진작 모시지 못한 것이 잘못인 것,~땅은 이담에라도, 서울 가까이라도 얼마든지 좋은 것으로 살 수 있는 것…….'

현대소설 독해의 STEP 3

■ 1번 문제의 선지 판단 공식에 대한 답을 확인해 보세요.

〈보기〉 문제 선지 판단의 공식

① 〈보기〉 소설 속 모든 인물은 자아이면서 동시에 세계의 일부임, 서사는 자아와 세계의 대립과 갈등을 통해 전개됨　＋　작품 '한집에 모이려면~부모님이 농토를 버리시고 서울로 오시는 것이 순리인 것', '난 서울 갈 생각 없다.', '천금이 쏟아진대두 난 땅은 못 팔겠다.'

선지➡ '창섭'은 자아로서의 논리를 통해 세계와의 갈등을 해소하는 인물이다.　　　　×

② 〈보기〉 자아는 작품 속 행동하는 주체, 세계는 주체를 둘러싸고 있는 모든 것을 말함　＋　작품 '천금이 쏟아진대두 난 땅은 못 팔겠다.', '돈 있다구 땅이 뭔지두 모르구 욕심만 내 문서 쪽으로 사 모기만 하는 사람들, ~다 내 눈엔 괴이한 사람들루밖엔 뵈지 않드라.'

선지➡ '아버지'는 자아로서의 완고한 성격을 세계에 대해서도 유지하고 있는 인물이다.　　　　○

③ 〈보기〉 자아는 작품 속 행동하는 주체, 세계는 주체를 둘러싸고 있는 모든 것을 말함　＋　작품 '땅을 팔아다 병원만 확장해 놓으면, 적어도 일 년에 만 원 하나씩은 이익을 뽑을 자신이 있는 것'

선지➡ 자아로서의 '창섭'은 세계의 부정적 속성들을 들추어 고발하고 있다.　　　　×

④ 〈보기〉 소설 속 모든 인물은 자아이면서 동시에 세계의 일부임, 서사는 자아와 세계의 대립과 갈등을 통해 전개됨　＋　작품 '인전 어머니서껀 서울로 모셔 갈 채빌 허러 왔다우.', '서울루! 제발 아이들허구 한데서 살아 봤음 원이 없겠다.'

선지➡ 자아로서의 '아버지'는 '창섭'과 '어머니'의 대립과 갈등을 중재하고 있다.　　　　×

⑤ 〈보기〉 소설 속 모든 인물은 자아이면서 동시에 세계의 일부임, 서사는 자아와 세계의 대립과 갈등을 통해 전개됨　＋　작품 '서울루! 제발 아이들허구 한데서 살아 봤음 원이 없겠다.', '어머니는 땅보다,~손자 아이들에게 더 마음이 끌리시는 눈치였다.'

선지➡ 자아로서의 '어머니'는 자신 속에 존재하는 또 다른 자아와 갈등하고 있다.　　　　×

현대소설 독해의 STEP 1

1 다음 글을 읽고 주요 인물을 잘 파악했는지, 빈칸에 적절한 말을 채웠는지 확인해 보세요.

📅 고3 2018학년도 10월 학평 – 현기영, 「순이 삼촌」

> [앞부분 줄거리] '나'는 할아버지 제사에 참석하기 위해 8년 만에 제주도를 찾는다. 제사를 기다리는 동안 방 안에 모인 사람들은 죽은 '순이 삼촌'(제주도에서는 촌수를 따지기 어려운 먼 친척 어른을 남녀 구별 없이 '삼촌'이라고 부름.) 이야기를 나누며 30년 전 마을에서 있었던 끔찍한 사건을 다시 떠올린다.

그의 속삭이는 말로는 순이 삼촌은 심한 신경 쇠약 환자라는 것이었다. 게다가 환청 증세까지 있어 시골에 있을 때도, 한 적이 없는 말을 들었노라고, 보지도 않은 흉을 봤다고 따지고 들기를 잘했다는 것이었다. 그러니 '밥 많이 먹는 식모'라는 것도, 우리에게 품은 오해도 모두 환청 때문에 생긴 것이 틀림없다고 말했다. 역시 그랬었구나. 옆에서 얘기를 듣던 아내는 방정맞게 안도의 한숨까지 내쉬었다. 순이 삼촌은 심한 **신경 쇠약** 환자로, 환청 증상이 있었다고 해. 그러한 사실을 듣고 '역시 그랬었구나.'라며 **안도**하는 아내는 순이 삼촌에게 어떠한 문제가 있었을 것이라는 것을 미리 짐작하고 있었나 봐.

당신의 신경 쇠약은 지독한 결벽증과도 서로 얽힌 것인데 이런 증세는 꽤나 해묵은 것이라고 했다. 그건 사오 년 전 콩 두 말을 훔쳤다는 억울한 누명을 썼을 때 얻은 병이었다. *장면끊기 01* '나'가 '그'로부터 순이 삼촌의 신경 쇠약 증세에 대한 이야기를 듣는 장면이야. 이후 순이 삼촌이 신경 쇠약을 얻게 된 사건이 제시되니, 여기서 장면을 끊고 가자. 하루는 이웃집에서 길에 멍석을 펴고 내다 넌 메주콩 두 말이 감쪽같이 없어졌는데 그 혐의를 평소에 사이가 안 좋던 순이 삼촌에게 씌워 놓았다. 두 집은 서로 했느니 안 했느니 하면서 옥신각신 다투다가 그 집 여편네가 파출소에 가서 따지자고 당신의 팔을 잡아끌었던 모양인데 파출소 가자는 말에 당신은 대번에 기가 죽으면서 거기는 못 간다고 주저앉아 버리더라는 것이었다.

그러니 자연히 당신이 콩을 훔친 것으로 소문나 버릴 밖에. 당신이 그전서부터 파출소를 피해 다니는 이상한 기피증이 있다는 걸 아는 사람은 알고 있었지만 그건 일단 씌워진 누명을 벗기는 데 별 도움이 되지 않았다. 당신은 1949년에 있었던 마을 소각 때 깊은 정신적 상처를 입어, 불에 놀란 사람 부지깽이만 봐도 놀란다는 격으로 군인이나 순경을 먼빛으로만 봐도 질겁하고 지레 피하던 신경 증세가 진작부터 있어 온 터였다. 순이 삼촌은 **파출소**를 기피하는 성향 때문에 이웃집의 **메주콩** 두 말을 훔쳤다는 누명을 썼네. 이때 군인이나 순경을 기피한 것은 1949년의 마을 소각, 즉 30년 전 마을에서 있던 끔찍한 사건으로 인해 얻은 **정신적 상처**에서 비롯된 것이었지. 30년 전부터 이어진 신경 증세는 누명을 쓴 사건을 계기로 심한 신경 쇠약으로 발전하게 되었나 봐.

장면끊기 02 사오 년 전에 '당신', 즉 순이 삼촌이 억울한 **누명**을 썼을 때의 이야기를 전해 들은 '나'가, 서술자로서 자신이 들은 이야기를 독자에게 전달하는 장면이야. 중략이 되니 여기서 장면을 끊자.

(중략)

군인들이 이렇게 돼지 몰듯 사람들을 몰고 우리 시야 밖으로 사라지고 나면 얼마 없어 일제 사격 총소리가 콩 볶듯이 일어나곤 했다. 통곡 소리가 천지를 진동했다. 할머니도 큰아버지도 길수 형도 나도 울었다. 우익 인사 가족들도 넋 놓고 엉엉 울고 있었다. 우는 것은 사람만이 아니었다. 마을에서 외양간에 매인 채 불에 타 죽는 소 울음소리와 말 울음소리도 처절하게 들려왔다. 중낮부터 시작된 이런 아수라장은 저물녘까지 지긋지긋하게 계속되었다. 군인들에게 사람들이 끌려 나간 후 일어났다는 **사격 총소리**와 천지를 진동시켰다는 **통곡** 소리, 외양간의 짐승들이 불에 타 죽어가며 냈다는 처절한 울음소리에서 당시의 끔찍한 상황이 생생하게 전해지고 있어.

장면끊기 03 '나'와 마을 사람들이 과거에 겪었던 아수라장을 제시하는 장면이야. 앞 장면에서 순이 삼촌에게 정신적 상처를 입혔던 1949년의 일이겠지. '나'나 '우리'를 주체로 삼은 표현에서 알 수 있듯 이 장면에 제시된 사건은 서술자인 '나'가 직접 겪었던 일이야.

길수 형이 말했다.

"그때 혼자 살아난 순이 삼촌 허는 말을 들으난, 군인들이 일주 도로변 옴팡진 밭에다가 사름들을 밀어붙였는디, 사름마다 밭이 안 들어가젠 밭담 우엔 엎더진 이마빡을 쪼사 피를 찰찰 흘리멍 살려 달렌 하던 모양입디다." 순이 삼촌은 군인들에게 끌려 나갔던 사람들 중 기적적으로 살아남은 한 명이었나 봐. 군인들이 끌고 나간 사람들을 **밭**에 모아 놓고 사격을 했다는 정황이 나타나.

"쯧쯧쯧, 운동장에 벗겨져 널려진 임자 없는 고무신을 다 모아 놓으민 아매도 가마니로 하나는 실히 되었을 거여. 죽은 사람 몇 백 명이나 되까?"

하고 작은 당숙이 말하자 길수 형은 낯을 모질게 찌푸리며 말을 씹어뱉었다.

"면에서는 이 집에 고구마 멫 가마 내고 저 집에 유채 멫 가마 소출 냈는지는 알아 가도 그날 죽은 사람 수효는 이날 이때 한 번도 통계 잡아 보지 않으니, 내에 참. 내 생각엔 오백 명은 넘은 것 같은디, 한 육백 명 안 되까 마씸? 한 번에 오륙십 명씩 열한 번을 몰아가시니까." 당시의 사건으로 인해 수많은 희생이 있었다는 정황이 제시되고 있네. '쯧쯧쯧'하며 혀를 차는 **작은 당숙**과, 얼굴을 찌푸리며 말을 씹어뱉는 **길수 형**의 모습에서 안타까움과 분한 감정이 전해져.

장면끊기 04 현재의 시점에서 '나'가 길수 형과 작은 당숙이 나누는 대화를 옮겨서 서술한 장면이야. 중략 이후에는 과거에 체험했던 사건에 대한 '나'의 서술과 현재 시점에서 이루어지는 사건 당사자들 간의 대화가 제시되면서 30년 전 마을에서 있었던 끔찍한 사건의 실체가 구체화되고 있어.

열한 번째로 끌려가던 사람들은 그야말로 운수 대통한 사람들이었다. 때마침 대대장 차가 도착하여 총살 중지 명령을 내렸던 것이다. 이 불행한 사건에도 예외 없이 '만약'이란 가정이 따라왔다. 만약 대대장이 읍에서부터 타고 오던 지프차가 도중에 고장만 나지 않았더라면 한 시간 더 일찍 도착했을 터이고, 그렇게 되면 삼백 명이나 사백 명은 더 살렸을 것이다. 따라서 희생자는 백 명 내외로 줄어들 것이고, 또 적에게 오염됐다고 판단된 부락을 토벌해서 백 명 정도의 이적 행위자를 사살했다면 그건 수긍할 만한 일이었을지 모른다. 그러나 피살자 육백 명이란 수효는 옥석을 가리지 않은 무차별 사격을 의미했다. 총살 중지 명령은 너무 늦게 내려졌어. 그동안 열 번에 걸쳐 끌려 나간 피살자는 **육백** 명쯤에 달해 있었지. '나'는 '만약'을 가정하면서 안타까워하고, 피살자의 수를 고려할 때 당시의 사건은 이적 행위자의 사살이라기보다는 옥석을 가리지 않은 **무차별 사격**이었다고 봐.

장면끊기 05 다시 과거의 사건에 대해 서술하고 있는 장면이야. 당시의 끔찍한 사건은 수많은 피살자를 남기고, 뒤늦게 도착한 대대장의 **총살 중지 명령**에 의해 겨우 끝이 났음이 나타나.

"고모부님, 대대장이 말한 차 고장은 핑계가 아니까 마씸? 일개 중대장이 대대장도 모르게 어떻게 그런 엄청난 일을 저지를 수가 이서 마씸?"

고모부는 그 당시 토벌군으로 애월면에 가 있었기 때문에 자세한 것은 알지 못할 터였다. 고모부는 한때 인근 부락인 함덕리에 주둔했던 서북청년으로만 구성된 중대에 소속되어 있었는데 마침 사건 수개월 전에 애월로 이동해 갔던 것이었다. 신혼 초라 고모도 따라갔었다. 당시에 고모부는 **토벌군**의 일원으로, 고모와 함께 **애월**에 가 있었기에 마을에서 벌어졌던 사건의 상세까지는 알지 못해.

"그 당시엔 중대장 즉결 처분권이란 것이 있을 때랐쥬. 또 갸들이 전투 사령부의 작전 명령에 따라 행동했댄 해도 작전 명령을 잘못 해석하였을 공산이 커. 난 졸병 생활해서 잘은 모르지만 아마 그것도 견벽청야(堅壁淸野) 작전의 일부일 거라. 쉬운 말로 소개 작전이란 거쥬. 견벽청야 작전이란 것이 뭐냐믄 손자병법에서 따온 것이라는데, 공비를 소탕할 때 먼저 토벌군으로 벽을 쌓아 병풍을 만들고 그 후 들을 말끔히 청소하는 거라. 산간 벽촌을 일일이 다 보호헐 수 없는 것 아니냔 말이여. 그러니 일정한 거점만 확보하고 나머지 지역은 인원과 물자를 비워 버려 공비가 발붙일 여지가 없게 하자는 궁리이었쥬. 그런디 인원과 물자를 비워 버리라는 대목에서 그만 잘못 일이 글러진 거라. 작전 지역 내의 인원과 물자를 안전 지역으로 후송하라는 뜻이 인원을 전원 총살하고 물자를 전부 소각하라는 것으로 둔갑하고 말아시니 말이여." 고모부는 대대장도 모르게 그런 엄청난 일이 일어나는 게 가능한 일이냐는 물음에 대해, 당시에는 중대장 즉결 **처분권**이 있었고, **작전 명령**의 잘못된 해석이 이루어졌을 가능성이 있다고 답해. 견벽청야 작전에 따라 인원과 물자를 비우라는 대목이 인원의 **총살**과 물자의 **소각**으로 해석되었을 것이라고 말이야.

"아니, 고모부님도 참, 그 말을 곧이들엄수꽈? 그건 웃대가리들이 책임을 모면해 보젠 둘러대는 핑계라 마씸. 우리 부락처럼 떼죽음당한 곳이 한둘이 아니고 이 섬을 뺑 돌아가멍 수없이 많은데 그게 다 작전 명령을 잘못 해석해서 일어난 사건이란 말이우꽈? 말도 안 되는 소리우다. 이 작전 명령 자체가 작전 지역의 민간인을 전부 총살하라는 게 틀림없어 마씸." '그 말을 곧이들'었느냐는 물음에서 의견의 대립을 확인할 수 있어. 실제로 마을의 참상을 경험한 입장에서, 고모부의 추측은 **책임**을 모면하기 위한 **핑계**로밖에 들리지 않아. 단순히 작전 명령의 잘못된 해석에서 비롯된 것이라고 보기에는 너무 많은 희생이 있었거든.

장면끊기 06 30년 전 마을에 있었던 사건에 대한 사건 당사자의 생각과, **토벌군**의 일원이면서 당시 마을에는 없던 고모부의 생각이 서로 대립되고 있음이 제시되는 장면이야.

– 현기영, 「순이 삼촌」 –

현대소설 독해의 STEP 2

1 구조도의 빈칸에 적절한 말을 채웠는지 확인해 보세요.

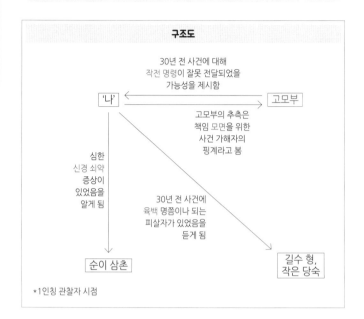

📘 1~2번 문제의 정답과 해설을 확인해 보세요.

1. 〈보기〉를 참고하여 윗글을 감상한 내용으로 적절하지 <u>않은</u> 것은?

〈보기〉

　　과거의 사건에 대한 개인의 기억이 강렬할 경우, 이 기억은 개인의 삶에 지속적으로 영향을 미치고 여러 사람과 공유되면 기억의 집단화가 이루어지기도 한다. 개인이 가진 과거에 대한 강렬한 기억: ① 개인의 삶에 지속적 영향, ② 공유를 통해 집단화 그런데 기억은 같은 사건이라도 기억 주체가 처한 상황과 맥락에 따라 다르게 구성될 수 있다. 따라서 역사적 사건의 피해자들은 자신들의 기억과는 다르게 구성된 가해자들의 기억을 쉽게 받아들이지 못하며, 그들의 기억에 명분을 부여한 논리에 대해 비판적 인식을 갖게 된다. 기억 주체의 상황에 따라 다르게 구성되는 기억 → 피해자는 가해자의 기억에 명분을 부여한 논리를 비판적으로 인식함

정답풀이

① '전투 사령부'의 '견벽청야' 명령은 역사적 사건의 가해자들이 자신들의 기억에 스스로 명분을 부여하기 위해 나중에 꾸며낸 것이겠군.

'전투 사령부'의 '견벽청야' 명령은 실제로 내려진 작전 명령이므로 이것 자체가 가해자들이 명분을 부여하기 위해 꾸며낸 것이라고 볼 수는 없다. 〈보기〉를 참고하면 피해자들의 기억과 다르게 구성된 가해자들의 기억과 논리는, 윗글의 '나'가 지적한 대로 과거에 군인들이 민간인을 무차별적으로 총살한 것은 '작전 명령을 잘못 해석해서 일어난 사건'일 수 있다는 논리이다.

오답풀이

② '길수 형'이 '순이 삼촌'에게 전해 들은 '그때'의 사건을 방 안에 모인 사람들에게 이야기하는 것은, 개인의 기억이 여러 사람과 공유되는 장면으로 볼 수 있겠군.

'길수 형'이 '순이 삼촌'에게 전해 들은 '그때'의 사건을 방 안에 모인 사람들에게 이야기함으로써 '순이 삼촌' 개인의 기억이 방 안에 모인 여러 사람과 공유되었다고 볼 수 있다.

③ '군인이나 순경'을 먼빛으로만 봐도 질겁하고 피하는 '순이 삼촌'의 모습은, 과거에 대한 기억이 개인의 삶에 지속적으로 영향을 줄 수 있음을 보여 주는 것이겠군.

'군인이나 순경'을 먼빛으로만 봐도 질겁하고 피하는 '순이 삼촌'의 모습은, 마을의 참상과 관련된 '순이 삼촌'의 강렬한 기억이 '깊은 정신적 상처'로 남아 그의 삶에 지속적으로 영향을 주고 있기 때문이라고 볼 수 있다.

④ '그건 웃대가리들이 책임을 모면해 보젠 둘러대는 핑계라 마씀.'이라는 말에는, 가해자들의 기억을 구성한 논리에 대한 비판적 인식이 담겨 있다고 볼 수 있겠군.

'그건 웃대가리들이 책임을 모면해 보젠 둘러대는 핑계라 마씀.'이라는 말에는, '웃대가리'로 표현된 가해자들이 내세우는 논리에 대한 피해자의 비판적인 인식이 담겨 있다고 볼 수 있다.

⑤ 당시 토벌군이었던 '고모부'가 마을에서 벌어진 사건에 대해 '길수 형'이나 '나'와는 다르게 기억하고 있는 것은, 그가 처한 상황이 피해자들과는 확연히 달랐기 때문이겠군.

당시 토벌군이었던 '고모부'가 마을에서 벌어진 사건에 대해 '길수 형'이나 '나'와는 다른 기억을 갖고 있는 것은, '고모부'는 사건이 벌어지던 당시 마을을 벗어나 고모와 함께 애월면에 가 있어 '자세한 것은 알지 못'하는 상황이었기 때문으로 볼 수 있다.

2. 문학 개념어 OX 확인 문제

① ✕

- 배경 묘사: 서술되는 사건의 배경이 되는 공간을, 감각적 표현 등을 동원하여 그림을 그리듯 서술하는 방식.

② ○

근거 중략 이전에는 서술자 '나'가 '그'에게서 전해 들은 순이 삼촌의 이야기를 전달하는 방식이, 중략 이후에는 '나'가 어린 시절 직접 경험했던 사건을 회상하는 방식이 나타나고 있음.

현대소설 독해의 STEP 3

① 1번 문제의 선지 판단 공식에 대한 답을 확인해 보세요.

〈보기〉 문제 선지 판단의 공식

① 〈보기〉 역사적 사건의 피해자들은 자신의 기억과 다르게 구성된 가해자들의 기억에 명분을 부여한 논리에 대해 비판적인 인식을 가짐 **➕** 작품 '또 갸들이 전투 사령부의 작전 명령에 따라 행동했댄 해도 작전 명령을 잘못 해석하였을 공산이 커. 난 졸병 생활해서 잘은 모르지만 아마 그것도 견벽청야 작전의 일부일 거라.'

선지 '전투 사령부'의 '견벽청야' 명령은 역사적 사건의 가해자들이 자신들의 기억에 스스로 명분을 부여하기 위해 나중에 꾸며낸 것이겠군. ✕

② 〈보기〉 과거의 사건에 대한 개인의 강렬한 기억은 여러 사람과 공유되면서 기억의 집단화가 이루어지기도 함 **➕** 작품 '그때 혼자 살아난 순이 삼촌 허는 말을 들으난,~사름마다 밭이 안 들어가젠 밭담 우엔 엎디어젼 이마빡을 쪼사 피를 찰찰 흘리멍 살려 달렌 하던 모양입디다.'

선지 '길수 형'이 '순이 삼촌'에게 전해 들은 '그때'의 사건을 방 안에 모인 사람들에게 이야기하는 것은, 개인의 기억이 여러 사람과 공유되는 장면으로 볼 수 있겠군. ○

③ 〈보기〉 과거의 사건에 대한 개인의 강렬한 기억은 개인의 삶에 지속적으로 영향을 미침 **➕** 작품 '당신은 1949년에 있었던 마을 소각 때 깊은 정신적 상처를 입어, 불에 놀란 사람 부지깽이만 봐도 놀란다는 격으로 군인이나 순경을 먼빛으로만 봐도 질겁하고 지레 피하던 신경 증세가 진작부터 있어 온 터였다.'

선지 '군인이나 순경'을 먼빛으로만 봐도 질겁하고 피하는 '순이 삼촌'의 모습은, 과거에 대한 기억이 개인의 삶에 지속적으로 영향을 줄 수 있음을 보여 주는 것이겠군. ○

④ 〈보기〉 역사적 사건의 피해자들은 자신의 기억과 다르게 구성된 가해자들의 기억에 명분을 부여한 논리에 대해 비판적인 인식을 가짐 **➕** 작품 '아니, 고모부님도 참. 그 말을 곧이들엄수꽈? 그건 웃대가리 들이 책임을 모면해 보젠 둘러대는 핑계라 마씸.'

선지 '그건 웃대가리들이 책임을 모면해 보젠 둘러대는 핑계라 마씸.'이라는 말에는, 가해자들의 기억을 구성한 논리에 대한 비판적 인식이 담겨 있다고 볼 수 있겠군. ○

⑤ 〈보기〉 기억은 같은 사건이라도 기억 주체가 처한 상황과 맥락에 따라 다르게 구성될 수 있음 **➕** 작품 '고모부는 그 당시 토벌군으로 애월면에 가 있었기 때문에 자세한 것은 알지 못할 터였다.'

선지 당시 토벌군이었던 '고모부'가 마을에서 벌어진 사건에 대해 '길수 형'이나 '나'와는 다르게 기억하고 있는 것은, 그가 처한 상황이 피해자들과는 확연히 달랐기 때문이겠군. ○

⏱30 하루 30분, 현대소설 트레이닝

현대소설 독해의 STEP 1

❶ 다음 글을 읽고 주요 인물을 잘 파악했는지, 빈칸에 적절한 말을 채웠는지 확인해 보세요.

📅 **고3 2018학년도 9월 모평 – 임철우, 「눈이 오면」**

㉠그렇게…… 그렇게도 배가 고프디야.

그 넓은 운동장을 다 걸어 나올 때까지 불현듯 어머니의 입에서 새어 나온 말은 꼭 그 한마디였다. 하지만 그것은 반드시 그를 향해 묻는 말이라기보다는 넋두리에 더 가까웠다. 교문을 나선 어머니는 집으로 가는 길을 제쳐 두고 웬일인지 곧장 다릿목에서 왼쪽으로 꺾어 드는 것이었다. 저만치 구호소 식당이 눈에 들어왔을 때 그는 까닭 모를 두려움과 수치심으로 뒷걸음질을 쳤다. 그는 구호소 식당을 보고 두려움과 수치심을 느끼고 있어. 그런 그를 어머니는 별안간 무서운 힘으로 잡아끌었다.

㉡가자. 아무리 없어서 못 먹고 못 입고 살더래도 나는 절대로 내 새끼를 거지나 도둑놈으로 키울 수는 없응께. 시상에…… 시상에, 돌아가신 느그 아버지가 이런 꼴을 보시면 뭣이라고 그러시끄나이. 어머니는 아무리 가난하더라도 아들을 도둑놈으로 키울 수는 없다고 해.

어머니의 음성은 돌연 냉랭하게 변해 있었다. 끝내 그는 와앙 울음을 터뜨려 버리고 말았다. 그러나 어머니는 기어코 구호소 식당 안의 때 묻은 널빤지 의자 위에 그를 끌어다가 앉혀 놓았다.

잠시 후 어머니가 손바닥에 받쳐 들고 온 것은 한 그릇의 국수였다. 긴 대나무 젓가락이 찔려져 있는 그것을 어머니는 그의 앞으로 밀어 놓으며 말했다.

㉢먹어라이. 어서 먹어 보란 말다이…….

어머니의 음성에는 어느새 아까의 냉랭함이 거의 지워져 있었다. 그는 몇 번 망설이다가 젓가락을 뽑아 들고 무 조각 하나가 덩그러니 떠 있는 그 구호용 가락국수를 먹기 시작했다. 그러다가 문득 고개를 들었던 그는 그만 젓가락을 딱각 놓아 버리고 말았다. 마주 앉아서 그때까지 그를 줄곧 지켜보고 있었을 어머니의 눈에는 소리도 없이 눈물이 그득히 괴어오르고 있었기 때문이었다. 아들에게 구호소에서 구호용 가락국수를 먹이며 어머니는 눈물이 차올랐어. 탁자 밑에 가지런히 모아져 있는 어머니의 낡은 먹고무신을 내려다보며 그는 갑자기 목구멍이 뻐근해져 옴을 느껴야 했다. 그는 어머니의 낡은 먹고무신을 보며 서글픔을 느끼고 있어.

그 후, 그는 두 번 다시 그 빈민 구호소 식당 앞에서 얼쩡거리지 않았다. 아마도 그런 기억 때문이었는지는 몰라도, 두 아이의 아버지가 된 지금까지도 국수는 그에게 여전히 싫어하는 음식으로 남아 있었다. 그가 어른이 된 지금까지도 국수를 싫어하는 이유가 제시되었어.

장면끊기 01 그가 가난했던 어린 시절을 떠올리는 장면이 제시되었어. 어머니는 그를 빈민 구호소 식당으로 데려가 구호용 가락국수를 먹였고, 그는 가난과 슬픔의 기억으로 인해 어른이 되어서도 국수를 싫어한다고 하고 있어.

(중략)

어머니한테 뭔가 이상한 변화가 일어나고 있을지도 모른다는 불길한 조짐을 처음으로 느끼기 시작한 것은 두 달 전쯤부터였다.

'그'는 두 달 전부터 어머니의 행동을 보고 불길함을 느꼈나 봐. 그날따라 겨울이 전에 없이 일찍 앞당겨 찾아온 듯한 늦가을 날씨로 밖은 유난히 썰렁했다. 젓가락으로 밥알을 헤아리듯 하며 맛없는 아침상을 받고 있노라니까 아내가 심상찮은 기색으로 곁에 쪼그려 앉는 것이었다. 그녀가 미처 입을 열기도 전에 그는 짐짓 신경질적인 표정부터 준비했다. 그즈음은 마침 지난달의 봉급을 받지 못한 데다가 그달 봉급마저도 벌써 며칠째 넘기고 있던 참이었으므로, 이번에도 또 아내의 입에서 보나 마나 궁색한 소리가 튀어나오리라고 지레짐작했던 때문이었다. 그는 아내가 궁색한 소리를 할 것을 짐작하고 신경질적인 표정을 짓고 있어. 급료도 제대로 나오지 않는 직장을 뭣 하러 나다녀야 하느냐는 당연한 투정 때문에 얼마 전에도 한바탕 말다툼을 벌였던 적이 있었던 것이다. 그러나 이날 아침은 그게 아니었다.

여보. 나가시기 전에 어머님 좀 잠시 들여다보세요. 암만 해도…….

아니 왜. 감기약을 지어 드렸는데도 여전히 차도가 없으시대?

며칠 전부터 몸이 편찮으시다고 누워 계시는 줄은 그도 알고 있었다. 병원에 가 보는 게 어떻겠냐고 물었더니, 특별히 아픈 데는 없노라고, 아마도 고뿔인 것 같으니까 누워 있으면 곧 괜찮아질 거라고 하며 어머니는 손을 내젓던 것이었다.

그게 아니라, 저, 암만해도 어머님이 좀 이상해지신 것 같단 말예요.

그, 그건 또 무슨 소리야.

아내는 뭔가 숨기고 있는 듯한 어정쩡한 표정으로 그의 눈치를 살피고 있었다. 문득 불길한 예감이 뒤통수를 때렸다. 무엇인가 숨기고 있는 듯한 아내의 태도를 보고 그는 불길함을 느끼고 있어.

아무리 봐도 예전 같지가 않으시다구요. 그렇게 정신이 총총하시던 분이 별안간 무슨 말인지도 모를 헛소리를 하시기도 하고……. 어쩌다가는 또 말짱해 보이시는 것 같다가도 막상 물어보면 전혀 엉뚱한 대답을 하시는 거예요. 처음엔 일부러 그러시는가 했는데, 글쎄 그게 아니에요.

도대체 난데없이 무슨 소릴 하고 있는 거야, 지금.

설마 어머니가 그럴 리가 있을까 싶으면서도 왠지 섬뜩한 예감에 그는 숟가락을 놓고 곧장 건너가 보았다. 어머니가 헛소리와 엉뚱한 대답을 한다는 아내의 말을 듣고 그는 섬뜩한 예감을 하고 있어.

장면끊기 02 두 번째 장면에서는 어머니에게 이상이 생긴 것 같다는 아내의 말을 들은 그가 불길하고 섬뜩한 예감을 하는 모습이 제시되었어. 중략 이후부터 시작하는 두 번째 장면은 과거를 회상하는 첫 번째 장면과 달리 현재의 상황이 제시되고 있어.

어머니는 이불을 덮고 누워 무얼 생각하는지 멀거니 천장만 올려다보고 있었다. 의외로 안색이 나아 보였으므로 그는 적이 맘을 놓았다. 하지만 어머니는 두 번씩이나 부르는 아들의 목소리에도 대답이 없었다. 그저 꼼짝도 하지 않고 망연한 시선을 천장의 어느 한 점에 멈춰 두고 있을 뿐이었다. 한동안 멍청하게 앉아 있던 그가 자리에서 마악 일어서려 할 때였다.

㉣찬우야이!

어머니의 입에서 불쑥 그 한마디가 튀어나오는 순간 그는 가슴이 철렁했다. 직감적으로 어떤 불길한 예감이 전신을 휩싸 안는 것 같았다. 그는 어머니가 평소와 다름을 직감하고 불길한 예감을 느낀 거야. 아직까지 어머니는 한 번도 그렇게 아들의 이름을 직접 부르는 적이 없었다. 적어도 그가 결혼한 후로는 그랬다. 하지만 그보다도 더 그가 놀랐던 것은 어머니의 음성에서였다. 그것은 이미 예전의 귀에 익은 음성이 아니었다. 언제나 보이지 않는 따뜻함과 부드러움으로 흘러나오곤 하던 그 목소리에는 대신 어딘가 냉랭하면서도 들떠 있는 듯한 건조함이 배어 있었다. 그 음성을 듣는 순간 그가 내심 섬찟했던 것은 바로 그 생경한 이질감 때문이었는지도 모른다. 그는 놀란 눈으로 황급히 어머니의 얼굴을 들여다보았다. <u>어머니의 목소리에서 느껴지는 **이질감** 때문에 그는 섬찟함을 느끼고 있어.</u>

　ⓜ찬우야이. 어서 꼬두메로 돌아가자이. 느그 아부지랑 찬세가 얼매나 기다리겠냐아. 더 추워지기 전에 싸게싸게 집으로 가야 한단 말다이.

　어머니는 나직하게, 그러나 힘이 서린 목소리로 그렇게 말하는 것이었다. 그가 너무 당황하여 그 말이 무슨 뜻인지를 얼른 쉽사리 가려낼 수가 없었다. <u>그는 '**꼬두메로 돌아가자**'는 어머니의 힘이 서린 목소리를 듣고 **당황**해 하고 있어.</u>

　장면끊기 03　세 번째 장면은 평소와 다른 모습을 보이는 어머니를 보고 당황해 하는 그의 모습과 심리가 제시되어있어.

- 임철우, 「눈이 오면」 -

현대소설 독해의 STEP 2

1 구조도의 빈칸에 적절한 말을 채웠는지 확인해 보세요.

구조도

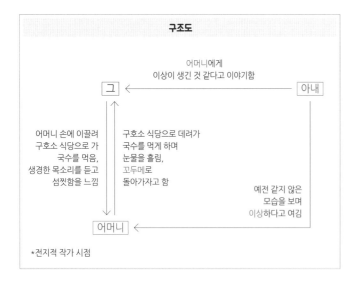

어머니에게
이상이 생긴 것 같다고 이야기함

그 ← 아내

어머니 손에 이끌려
구호소 식당으로 가
국수를 먹음,
생경한 목소리를 듣고
섬찟함을 느낌

구호소 식당으로 데려가
국수를 먹게 하며
눈물을 흘림,
꼬두메로
돌아가자고 함

예전 같지 않은
모습을 보며
이상하다고 여김

어머니 ←

*전지적 작가 시점

---

2 1~2번 문제의 정답과 해설을 확인해 보세요.

1. 〈보기〉를 참고하여 ㉠~㉢을 감상한 내용으로 적절하지 <u>않은</u> 것은?

〈보기〉

「눈이 오면」에서는 어머니의 목소리가 발화 내용과 어우러져 '그'에게 특별한 메시지를 전달한다. 그 목소리는 '그'에게 수치심, 죄책감, 불길함, 섬찟함, 당혹감 등의 감정을 불러일으키거나 특정한 행동을 야기한다. 「눈이 오면」에서 나타난 어머니의 목소리: ① 수치심, 죄책감, 불길함, 섬찟함, 당혹감 등의 감정을 불러일으킴, ② 특정 행동을 야기함

정답풀이

③ ㉢에서 '어머니'가 냉랭함이 사라진 음성으로 '그'에게 국수를 먹으라고 권하는 것은 '그'에게 불길함을 느끼게 하여 젓가락을 딸각 놓는 행동에 영향을 주는군.

국수를 먹던 어린 '그'가 '젓가락을 딸각 놓'는 행동을 한 것은 국수를 먹어 보라는 어머니의 말(㉢) 때문이 아니라 '어머니'가 우는 모습을 보고 놀랐기 때문이다. 또한 '그'는 중략 이후, 이제는 노인이 된 '어머니'한테 '이상한 변화가 일어나고 있을지도 모른다는 불길한 조짐'을 가지게 된 것이다.

오답풀이

① ㉠에서 '어머니'가 넋두리에 가까운 말로 아들의 배고픔을 언급한 것은 '그'가 구호소 식당을 보았을 때 느낀 까닭 모를 두려움과 수치심으로 이어지는군.

아들을 향해 그렇게도 배가 고프더냐고 넋두리 같은 말(㉠)을 한 '어머니'는 '그'를 이끌고 구호소 식당으로 간다. 이를 통해 '그'가 배고픔 때문에 구걸이나 도둑질에 해당하는 어떤 잘못을 저질렀으리라는 사실을 추론할 수 있다. 그렇기 때문에 '그'는 구호소 식당을 보고 '두려움과 수치심'을 느꼈을 것이다.

② ㉡에서 '어머니'가 냉랭한 음성으로 '아버지'를 언급한 것은 '그'에게 죄책감을 불러일으켜 결국 '그'로 하여금 울음을 터뜨리게 하는군.

'어머니'는 자식을 '거지나 도둑놈'으로 키울 수 없다며 만약 돌아가신 아버지가 '이런 꼴'을 보시면 뭐라고 하시겠냐는 말(㉡)로 그를 타박한다. 돌아가신 아버지에 대한 '어머니'의 말을 들은 '그'는 죄책감으로 인해 울음을 터뜨릴 수밖에 없었을 것이다.

④ ㉣에서 '어머니'가 생경한 이질감이 느껴지는 음성으로 '그'의 이름을 부른 것은 '그'에게 '어머니'의 변화를 인식하게 하여 섬찟함을 느끼게 하는군.

적어도 '그'가 결혼한 후에는 한 번도 '그'의 이름을 직접 부른 적이 없었던 '어머니'는 처음으로 '찬우야!'라는 말(㉣)을 했다. 그리고 그 음성은 평소처럼 '보이지 않는 따뜻함과 부드러움' 대신 '어딘가 냉랭하면서도 들떠 있는 듯한 건조함'이 배어 있었다. 이 '생경한 이질감'으로 인해 '어머니'의 변화를 또렷이 느끼게 된 '그'는 '내심 섬찟'함을 느낀 것이다.

⑤ ㉤에서 '어머니'가 힘이 서린 목소리로 돌아가신 아버지가 있는 집으로 가자고 하는 것은 과거와 현재를 구분하지 못하는 '어머니'의 모습을 드러내어 '그'에게 당혹감을 갖게 하는군.

'그'의 아버지는 이미 오래 전에 돌아가셨지만 '어머니'는 아버지가 있는 집으로 가자고 말(㉤)한다. 이는 이상한 변화가 찾아온 '어머니'가 아버지가 살아 계시던 과거를 현재와 구분하지 못하는 모습을 보여 준다. 이로 인해 '그'는 '너무 당황하여 그 말이 무슨 뜻인지를 얼른 쉽사리 가려낼 수가 없'었다고 했다.

2. 문학 개념어 OX 확인 문제

① ○

• 회상: 지난 일을 돌이켜 생각함. 또는 그런 생각. 단순 과거 회상과 과거 장면의 제시를 구분할 수 있어야 함. 단순히 과거 사건에 대해 언급한 것이라면 단순 과거 회상이며, 시간적 배경이 과거로 바뀌어 인물의 대화나 행동이 묘사된다면 과거 장면의 제시로 볼 수 있음.

근거 윗글은 '그'(찬우)가 회상하는 과거의 일을 중심으로 서술되는데, 중략 이전은 빈민 구호소 식당에서 '어머니'와 있었던 '그'의 어린 시절에 대한 회상이고, 중략 이후는 두 달 전쯤 늦가을에 '어머니'의 이상한 변화에 대한 불길한 조짐을 느끼기 시작한 일에 대한 회상임.

② ✕

근거 윗글은 전지적 작가 시점에서 서술되고 있을 뿐, 공간의 변화에 따라 시점이 달라지는 부분은 찾을 수 없음.

현대소설 독해의 STEP 3

1 1번 문제의 선지 판단 공식에 대한 답을 확인해 보세요.

〈보기〉 문제 선지 판단의 공식

① 〈보기〉 어머니의 목소리는 '그'에게 수치심, 죄책감, 불길함, 섬찟함, 당혹감 등의 감정을 불러일으킴 ➕ 작품 '㉠그렇게…… 그렇게도 배가 고프디야. 그 넓은 운동장을 다 걸어 나올 때까지 불현듯 어머니의 입에서 새어 나온 말은 꼭 그 한마디였다.~저만치 구호소 식당이 눈에 들어왔을 때 그는 까닭 모를 두려움과 수치심으로 뒷걸음질을 쳤다.'

선지 ㉠에서 '어머니'가 넋두리에 가까운 말로 아들의 배고픔을 언급한 것은 '그'가 구호소 식당을 보았을 때 느낀 까닭 모를 두려움과 수치심으로 이어지는군. ○

② 〈보기〉 어머니의 목소리는 '그'에게 수치심, 죄책감, 불길함, 섬찟함, 당혹감 등의 감정을 불러일으킴 ➕ 작품 '㉡가자.~돌아가신 느그 아버지가 이런 꼴을 보시면 뭣이라고 그러시끄나이. 어머니의 음성은 돌연 냉랭하게 변해 있었다. 끝내 그는 와앙 울음을 터뜨려 버리고 말았다.'

선지 ㉡에서 '어머니'가 냉랭한 음성으로 '아버지'를 언급한 것은 '그'에게 죄책감을 불러일으켜 결국 '그'로 하여금 울음을 터뜨리게 하는군. ○

③ 〈보기〉 어머니의 목소리는 '그'에게 수치심, 죄책감, 불길함, 섬찟함, 당혹감 등의 감정을 불러일으킴 ➕ 작품 '㉢먹어라이. 어서 먹어 보란 말이다……. 어머니의 음성에는 어느새 아까의 냉랭함이 거의 지워져 있었다.~그는 그만 젓가락을 딸각 놓아 버리고 말았다. 마주 앉아서 그때까지 그를 줄곧 지켜보고 있었을 어머니의 눈에는 소리도 없이 눈물이 그득히 괴어오르고 있었기 때문이었다.'

선지 ㉢에서 '어머니'가 냉랭함이 사라진 음성으로 '그'에게 국수를 먹으라고 권하는 것은 '그'에게 불길함을 느끼게 하여 젓가락을 딸각 놓는 행동에 영향을 주는군. ✕

④ 〈보기〉 어머니의 목소리는 '그'에게 수치심, 죄책감, 불길함, 섬찟함, 당혹감 등의 감정을 불러일으킴 ➕ 작품 '㉣찬우야이!', '언제나 보이지 않는 따뜻함과 부드러움으로 흘러나오곤 하던 그 목소리에는~그 음성을 듣는 순간 그가 내심 섬찟했던 것은 바로 그 생경한 이질감 때문이었는지도 모른다.'

선지 ㉣에서 '어머니'가 생경한 이질감이 느껴지는 음성으로 '그'의 이름을 부른 것은 '그'에게 '어머니'의 변화를 인식하게 하여 섬찟함을 느끼게 하는군. ○

⑤ 〈보기〉 어머니의 목소리는 '그'에게 수치심, 죄책감, 불길함, 섬찟함, 당혹감 등의 감정을 불러일으킴 ➕ 작품 '㉤찬우야이. 어서 꼬두메로 돌아가자이. 느그 아부지랑 찬세가 얼마나 기다리겄냐아. 더 추워지기 전에 싸게싸게 집으로 가야 한단 말이다이. 어머니는 나직하게, 그러나 힘이 서린 목소리로 그렇게 말하는 것이었다. 그가 너무 당황하여 그 말이 무슨 뜻인지를 얼른 쉽사리 가려낼 수가 없었다.'

선지 ㉤에서 '어머니'가 힘이 서린 목소리로 돌아가신 아버지가 있는 집으로 가자고 하는 것은 과거와 현재를 구분하지 못하는 '어머니'의 모습을 드러내어 '그'에게 당혹감을 갖게 하는군. ○

현대소설 독해의 STEP 1

1 다음 글을 읽고 주요 인물을 잘 파악했는지, 빈칸에 적절한 말을 채웠는지 확인해 보세요.

📅 고3 2017학년도 3월 학평 – 최윤, 「회색 눈사람」

[앞부분의 줄거리] '나'는 도서관 자료실에서 우연히 신문 기사를 본 것을 계기로 과거를 떠올린다. '나'는 고향에서의 비참한 삶을 피해 서울로 도망쳐 산동네 자취방에서 삶의 의미를 찾지 못한 채 하루하루를 연명했다. 그러던 중 '나'는 우연히 민주화에 대한 열망이 담긴 책을 발간하기 위해 애쓰던 '안'을 만났고, 그의 제안에 따라 그 일을 함께 하게 되었다.

나는 결국 책이 만들어진 것을 보지 못했다. 그리고 결국 인쇄소의 낡은 문에 내가 소중하게 간직하고 있는 열쇠를 꽂을 기회를 영원히 잃고 말았다.

긴 주말 끝의 월요일. 나는 해가 기울어지기도 전에 방문을 나섰다. 그렇다고 아무 때나 인쇄소에 얼굴을 들이밀 처지가 못 되었던 만큼 인쇄소까지의 긴 길을 걸었다. 이번에는 한 장의 버스표를 아끼기 위해서가 아니었다. 낮에 인쇄소에서 일하는 사람들과의 마주침을 피하라는 <u>안</u>과 정의 원칙은 철저한 것이었고, 나는 정확히 알 수는 없어도 그것이 어떤 결과를 가져올는지를 상상하는 것은 어렵지 않았다. _{'안'과 '정'은 '나'가 낮에 인쇄소에서 일하는 사람들과 마주치지 않도록 **원칙**을 정해 두었어. 나는 이를 지키며 일부러 인쇄소까지 가는 길을 **걸어서** 가고 있네.}

평소처럼 골목을 돌아 뒷문에 이르는 길을 택하지 않은 것을 행운이라 이름 붙일 수 있을까. 당연히 셔터가 내려져 있어야 할 인쇄소의 입구가 먼발치에서 눈에 띄자마자 나는 단번에 모든 일이 틀어져 버린 것을 감지할 수 있었다. _{'나'는 먼발치에서 인쇄소의 **입구**를 보자마자 무언가가 잘못되었다는 것을 감지했어. 지문 초반부에 언급된, '나'가 책이 만들어진 것을 보지 못한 이유가 되는 사건이 제시되네.} 올려진 셔터, 환하게 켜진 불빛, 활짝 열려져 있는 유리문. **문의 유리의 하반부가 깨어진 것**이 바로 눈앞에 있는 것처럼 확연하게 드러난 듯도 했다. 그 속에는 분명 누군가가 부산하게 움직이는 것 같았고 문밖에는 양복을 입은 두 명의 남자가 담배를 피며 등을 돌리고 서 있는 것이 보였다. _{'나'로 하여금 모든 일이 **틀어져** 버린 것을 직감하게 한 광경이 묘사되고 있어. 인쇄소에서 '민주화에 대한 열망이 담긴 **책**'을 만들고 있었다는 사실은 '양복을 입은 두 명의 남자'와 같은 타인에게 들켜서는 안 되는 것이었고, 이가 발각되었음을 추론할 수 있는 부분이지.} 나의 가슴은 터질 것처럼 뛰고 있었다. 절대 황망히 뒤로 돌아서지 말아라. 뛰지 말고. 절대 서두르지 말고 길을 가로질러라. 제발 인쇄소 방향으로 고개를 돌리지 말고. 나는 떨리는 손을 주머니에 집어넣고 행인들 사이에 섞여 건널목 앞에 섰다. _{'나'는 강한 불안을 느끼면서도 자신이 **인쇄소**로 향하고 있었음을 들키지 않기 위해 평정을 가장하며 **행인**들 사이에 섞여있어. **길의 통과를 무한히 금지**하고 있는 것만 같던 건널목의 **적색등**. 이미 날은 어두워져 실제로 먼발치에 있는 그들이 나의 모습을 알아보거나 뒤쫓을 위험이 없었음에도 그 짧은 **기다림의 순간**에 세계는 위험한 밀고자들의 소굴로 변신했다. 당장이라도 옆의 행인이 나의 팔을 우악스럽게 잡고 "**강하원**'이지. 순순히 나를 따라와." 하고 귓속에서 속삭일 것 같았다. 나를 앞뒤로 둘러싸고 있는 행인의 얼굴을 쳐다보고}

싶은 유혹은 견뎌 내기 힘든 것이었다. '나'는 그럴 위험성이 낮은데도 금방이라도 누군가가 자신을 잡아갈 것만 같은 두려움을 느끼며, **건널목**에서 신호를 기다리는 그 짧은 시간에 세계가 마치 **위험한 밀고자들의 소굴**처럼 변해버린 것 같다고 생각해.

길을 건너고 가장 가까운 골목으로 기어들어가고, 거기서 다시 큰길로 나오고 다시 골목으로 들어가고…… 충분히 인쇄소에서 멀어졌다고 판단되었을 때부터 나는 달리기 시작했다.

장면끊기 01 _{인쇄소에 무슨 일이 벌어졌음을 직감한 '나'가 평정을 가장하며 도망쳐 나오는 장면이야. 1인칭 시점으로 묘사되는 '나'의 불안한 내면 심리와, 최대한 자연스럽게 인쇄소로부터 멀어지기 위한 일련의 행동을 묘사하는 방식에서 긴장감이 느껴지지? 중략 이전에는 '나'가 인쇄소 현장에서 도망치는 사건이, 중략 이후에는 도주 이후 '나'의 생각과 일상이 다루어지고 있으니 여기서 장면을 끊고 가자!}

(중략)

우리가 기획하고 있던 책은 물론이요 다른 단체들을 위한 인쇄물을 끝내지도 않은 채 일이 터지고 만 것을 나는 신문을 보고 알았다. 연행된 사람들의 이름이 서넛 실려 있었지만 교정으로 낯이 익은 한 이름만 제외하고는 생소한 이름들이었다. 그들의 활동은 이런 종류의 기사가 늘 그렇듯이 신문의 눈에 띄지 않는 한구석에 서너 줄로 요약되어 있었다. 그것은 안을 비롯한 우리 인쇄 담당이 안전하다는 것을 보장해 주기에는 불충분했다. 만약 내가 알고 있는 그들의 이름이 본명이라면, 어떻든 그들의 이름은 신문에 나지 않았다. _{'나'가 일하던 인쇄소에서 기획하고 있던 책과 **인쇄물**들은 결국 발간되지 못했어. 이러한 저서를 만들던 사람들이 **연행**되었다는 것을 통해, 작중 배경은 **민주화**를 지향하는 사상의 표출이 사회적인 억압을 받았던 시기일 것임을 추론할 수 있어.}

장면끊기 02 _{'나'가 신문을 통해 인쇄소에서 일하던 사람들이 연행되었다는 사실을 파악하게 되는 장면이야. 하지만 자신과 함께한 대부분의 사람들의 **안전**을 확신하지는 못해. 이후에는 '나'가 이러한 불확실성으로 인해 보내게 되는 나날을 묘사하게 되니, 여기에서 장면을 끊고 가자.}

불안한 나날이 시작되었다. 문밖에서 조그만 소리만 들려도 나의 가슴은 두근거렸다. 정말 이상한 일이었다. 나의 가슴은 두려움 때문에 두근거리고 있는 것이 아니었다. 그것은 기다림이었고 그리움이었다. 그것은 더 구체적으로 말하면 안에 대한 기다림이었다. 안이 나의 주소를 알고 있는 단 하나의 사람이었기 때문에. 그러나 그보다는, 마치 어느 날 안이 나타나면 다시금 우리가 일을 시작할 수 있기라도 한 것처럼. _{'나'는 '안'의 소식을 기다리며 '안'에 대한 그리움과 그로 인한 **불안**을 느끼는 나날을 보내.} 날씨가 조금씩 풀려 가고 있었다. 나는 며칠을 누워서 보냈다. 나는 병이 없는 신열을 앓고 있었고 단 하나의 치유법은 수면이었다. 가끔 집주인이 불안한 듯 방문을 살며시 열었다 닫았다. 그녀가 죽음의 확인을 하러 오는 것 같은 생각이 들었고 그 기대에 부응하기라도 하려는 듯이 나는 그럴 때마다 꼼짝도 하지 않았다. 기대의 두근거림이 포기의 심정으로 변했을 때 나의 아픔은 극에 달했다. **그들과 일할 수 있는 기회**가 어쩌면 영원히 오지 않을 수도 있다는 확신은 참을 수 없는 것이었다. 마치 나의 잘못으로, 나의 고발로 그들의 활동이 저지되기라도 한 것처럼 환각적인 죄의식에 시달리기도 했다. _{'나'는 은근한 기대를 가지고 '안'이 나타날 것을 기다리지만, 소식 없는 나날이 이어지자 결국 포기의 심정을 느끼게 돼. 그리고 극에 달한 **아픔** 속에서 마치 자신이 고발을 해서 이런 결과가 일어난 것 같은 **환각적인 죄의식**에까지 시달리지.}

나는 **거리를 헤맸**다. 어디에고 그들과 연락을 취할 수 있는 방법은 없었다. 그들과 보낸 서너 달이 남긴 흔적이라고는 하나도 없었다. 단 하나. 청계천의 헌책방이 있었다. 그러나 책방의 주인은 바뀌어 있었다. 어느 저녁 나는 인쇄소 쪽으로 가 보기도 했다. 그러나 **간판이 떨어진 인쇄소**는 아주 오래전부터 **폐쇄된 금지 구역**처럼 보였다. 수소문해 볼 사람도, 전화로 문의를 해 볼 만한 대상도 없이 나는 지쳐서 방으로 돌아오곤 했다. 그러나 설령 수소문을 할 건덕지가 있었다고 해도 나는 나의 어떤 행동이 그들에게 누를 끼칠 것이 두려워 아무것도 할 수 없었을 것이다. 이성적으로 다시는 그들을 만날 수가 없음을 알고 있음에도 나는 끈질기게 그들 중의 하나를 기다렸다. '나'는 거리를 헤매면서 '안'이나 인쇄소 사람들과 연락을 취할 수 있는 수단을 찾아. 하지만 그들에 대한 단서가 될 **청계천의 헌책방** 주인은 바뀌어 있었고, 설령 그들을 **수소문**해 보려 해도 그 행동 자체가 누가 될까 봐 섣불리 행동하지 못하. 다시 재회하기는 어렵다는 것을 알면서도 끈질긴 기다림을 이어 가는 '나'의 심리가 나타나.

장면끊기 03 '나'가 '안'이나 다른 인쇄소 사람들의 소식을 기다리며 불안의 나날을 보내는 장면이야. 더 세부적으로 장면을 끊는다면 '나는 거리를 헤맸다.'라는 문장으로 시작하는 문단에서도 장면이 한 번 전환되었다고도 볼 수 있지만, 이번에는 '나'의 기다림과 기대에 초점을 맞추어 여기서 장면을 끊을게.

나의 초라한 육신을 관리하기에도 지쳐 있는 상태에서 한밤중 나는 깨어 일어났다. 나는 둔화된 기억의 촉수를 다시 갈아세우고 절망에서 벗어날 수 있는 전파를 보내기 시작했다. 수신자 없는 고독한 전파였다. '나'는 기다림 끝에 느낀 **절망**에서 벗어나기 위해, 수신자 없는 **전파**를 보내듯 혼자서라도 무언가를 해 보려고 해. 나는 책상에 공책을 펴고 앉았다. 나의 모든 기억을 동원하여, 내가 적어도 두 번 이상 교정을 본 바 있는, **준비하던 책자에 수록된 원고들**의 제목을 하나하나 공책에 쓰고, 생각나는 대로 각 원고의 내용을 거칠게 요점만이라도 정리해 내려가기 시작했다. 망각의 신비만큼 가끔 기억은 놀라운 힘을 발휘할 때가 있다. 가끔 한 문단 전체가 고스란히 기억에 되살아오는 것에 나 스스로 경악하기도 했다. 하룻밤에 나는 머리맡까지 합쳐 모두 세 편의 논문을 그런대로 재구성할 수 있었다. 모두 열여덟 편의 논문이 있었고 그중의 두 편은 번역이었다. 그 중의 한 편은 내가 부분적으로 참여하기도 한 것이어서 나는 보따리 속에 뭉텅이로 갇혀 있던 종이 뭉치에서 복사한 원문을 찾을 수 있었고 다음날 하루 꼬박 걸려 그 논문의 번역도 끝을 맺었다. 되살아나는 기억이 사라질 것이 두려워 나는 감히 눈을 붙일 생각도 못 하고 미친 듯이 그 일에 매달렸다. 그것은 일종의 기도라면 기도였다. '나'는 인쇄소의 사람들과 작업했던 내용을 최대한 **기억**해내려 노력하며, **기도**하는 심정으로 원고들을 재구성하는 작업에 매달리게 돼.

장면끊기 04 인쇄소 사람들로부터 소식을 기다리던 '나'가 절망을 떨쳐내기 위해 그들과 함께 작업했던 **원고들**을 재구성하는 일에 매달리는 장면이야.

– 최윤, 「회색 눈사람」 –

현대소설 독해의 **STEP 2**

1 구조도의 빈칸에 적절한 말을 채웠는지 확인해 보세요.

구조도

| '나(강하원)' | ──────────────→ | 안 |

인쇄소에서 함께 일하던 동료로, 인쇄소 일이 발각된 뒤 다시 만날 수 없을 것이라고 체념하면서도 함께 작업하던 원고들을 재구성하며 간절하게 기다림

*1인칭 주인공 시점

2 1~2번 문제의 정답과 해설을 확인해 보세요.

1. 〈보기〉의 입장에서 윗글을 감상한 내용으로 적절하지 <u>않은</u> 것은?

〈보기〉

결핍은 타자와의 관계에서 비롯되며 욕망은 결핍에서 발생한다. 이렇게 발생한 욕망은 충족되기 어려운 것이다. 욕망: 결핍(타자와의 관계에서 비롯됨)에서 발생, 충족 어려움 「회색 눈사람」에서 '나'는 여러 가지 억압 속에서 결핍의 삶을 살아가는 인물이다. '나'는 끊임없이 결핍의 상황에 처하게 되기 때문에 '나'의 결핍은 완전하게 채워지지 않는다. '나'의 결핍은 '안'과의 관계에서도 비롯되고 있다. '안'은 '나'가 결핍의 상황에서 만난 인물로 '나'에게 타자이다. '나'의 채워지지 않는 결핍의 원인: 끊임없는 결핍의 상황(타자인 '안'과의 관계 등) 그렇기에 '나'는 '안'의 욕망을 모방함으로써 욕망의 주체로 살아간다. 욕망의 주체로서의 '나'는 '안'의 욕망을 모방함

정답풀이

② '나'에게 '길의 통과를 무한히 금지'하는 것으로 여겨진 '적색등'은 '기다림의 순간'에 새롭게 만난 타자와 관계를 맺고자 하는 '나'의 욕망이 강화되었음을 나타낸다고 볼 수 있어.

'길의 통과를 무한히 금지'하는 듯한 '적색등'은 인쇄소에서 달아나고자 하는 '나'의 길을 막는 요인이며, 그로 인한 '기다림의 순간'에 '나'를 둘러싸고 있는 '행인'들은 '나'에게 있어 '위험한 밀고자들'처럼 여겨져 경계의 대상이 된다. 즉 '나'는 '기다림의 순간'에 만난 타자와 관계를 맺고자 하는 욕망을 갖지 않는다.

오답풀이

① '문의 유리의 하반부가 깨어진 것'은 '나'를 억압하는 요인이 폭력적 속성을 지녔음을 상징적으로 나타낸다고 볼 수 있어.

〈보기〉에서 '나'는 '여러 가지 억압 속에서 결핍의 삶을 살아가는 인물'이라고 하였다. '나'는 인쇄소의 '올려진 셔터, 환하게 켜진 불빛, 활짝 열려져 있는 유리문, 문의 유리의 하반부가 깨어진 것'을 보고, 인쇄소에서 다른 사람들과 함께 비밀리에 진행하던 책 발간 작업이 발각되었음을 눈치채고 도망친다. 따라서 '나'가 본 인쇄소 입구의 모습은 '나'를 억압하는 요인이 형상화된 것으로 볼 수 있으며, '문의 유리의 하반부가 깨어진 것'은 유리문에 거친 힘이 작용되었음을 암시하여 '나'를 억압하는 요인의 폭력적 속성을 상징적으로 드러낸다.

③ '그들과 일할 수 있는 기회'를 얻기 위해 '거리를 헤맸'던 '나'의 모습은 '나'가 욕망의 주체로 살아가는 모습을 나타낸다고 볼 수 있어.

〈보기〉에서 "'나'는 '안'의 욕망을 모방함으로써 욕망의 주체로 살아간다.'라고 하였다. '나'는 결핍의 상황에서 '안'을 비롯한 '그들'을 만나 인쇄소의 일을 하게 되고, 인쇄소의 일이 발각된 뒤 '그들과 일할 수 있는 기회'를 얻고자 하는 욕망을 성취하기 위해 거리를 헤매고 다닌다. 이는 욕망의 주체로 살아가는 '나'의 모습을 나타낸 것으로 볼 수 있다.

④ '폐쇄된 금지 구역'처럼 보인 '간판이 떨어진 인쇄소'는 '나'가 '안'과의 관계를 지속할 수 없는 결핍의 상황에 처하게 되었음을 나타낸다고 볼 수 있어.

〈보기〉에서 "'나'의 결핍은 '안'과의 관계에서도 비롯되고 있다.'라고 하였다. 인쇄소의 일이 발각된 이후 '나'가 '안'을 비롯한 '그들'과 함께 일했던 인쇄소가 '간판이 떨어'지고 '아주 오래전부터 폐쇄된 금지 구역'처럼 변해 있었다는 것은 '나'가 더 이상 '안'과 함께 일할 수 없는 상황에 있음을 시각적으로 보여 준다. 이는 '나'가 '안'과의 관계를 지속할 수 없는 결핍의 상황에 처했음을 나타낸다.

⑤ '나'가 '준비하던 책자에 수록된 원고들'을 정리하고 재구성하는 것에 매달린 것은 '나'가 '안'의 욕망을 모방했음을 나타낸다고 볼 수 있어.

〈보기〉에서 "'나'는 '안'의 욕망을 모방함으로써 욕망의 주체로 살아간다.'라고 하였다. '나'가 '안'의 소식이 끊긴 뒤 '준비하던 책자에 수록된 원고들'을 정리하고 재구성하며 복원해가는 것은 '민주화에 대한 열망이 담긴 책을 발간하기 위해 애쓰던 '안''의 욕망을 모방하는 행위라고 볼 수 있다.

2. 문학 개념어 OX 확인 문제

① ○

- 자기 고백적 서술: 자신의 체험을 바탕으로 그와 관련된 인식과 내면의 감정을 표현하는 서술 방식.

  근거 1인칭 서술자 '나'가 자신이 겪었던 과거의 경험과, 그에 대한 자신의 구체적인 생각을 자기 고백적인 형태로 진술함.

② ✕

- 액자 구조(액자식 구조): 이야기 속에 또 하나의 이야기가 들어 있는 형태로, 외부 이야기가 액자의 역할을 하고 내부 이야기가 핵심 이야기가 됨.

③ 주차

현대소설 독해의 STEP 3

▣ 1번 문제의 선지 판단 공식에 대한 답을 확인해 보세요.

〈보기〉 문제 선지 판단의 공식

① 〈보기〉 「회색 눈사람」에서 '나'는 여러 가지 억압 속에서 결핍의 삶을 살아가는 인물임 ➕ 작품 '나는 단번에 모든 일이 틀어져 버린 것을 감지할 수 있었다. 올려진 셔터, 환하게 켜진 불빛, 활짝 열려져 있는 유리문. 문의 유리의 하반부가 깨어진 것이 바로 눈앞에 있는 것처럼 확연하게 드러난 듯도 했다.'

선지 ➡ '문의 유리의 하반부가 깨어진 것'은 '나'를 억압하는 요인이 폭력적 속성을 지녔음을 상징적으로 나타낸다고 볼 수 있어. ○

② 〈보기〉 결핍은 타자와의 관계에서 비롯되며 욕망은 결핍에서 발생함. '나'는 끊임없이 결핍의 상황에 처함 ➕ 작품 '길의 통과를 무한히 금지하고 있는 것만 같던 건널목의 적색등.', '그 짧은 기다림의 순간에 세계는 위험한 밀고자들의 소굴로 변신했다. 당장이라도 옆의 행인이 나의 팔을 우악스럽게 잡고 "강하원이지. 순순히 나를 따라와." 하고 귓속에서 속삭일 것 같았다.'

선지 ➡ '나'에게 '길의 통과를 무한히 금지'하는 것으로 여겨진 '적색등'은 '기다림의 순간'에 새롭게 만난 타자와 관계를 맺고자 하는 '나'의 욕망이 강화되었음을 나타낸다고 볼 수 있어. ✕

③ 〈보기〉 '나'는 '안'의 욕망을 모방함으로써 욕망의 주체로 살아감 ➕ 작품 '그들과 일할 수 있는 기회가 어쩌면 영원히 오지 않을 수도 있다는 확신은 참을 수 없는 것이었다.', '나는 거리를 헤맸다.'

선지 ➡ '그들과 일할 수 있는 기회'를 얻기 위해 '거리를 헤맸'던 '나'의 모습은 '나'가 욕망의 주체로 살아가는 모습을 나타낸다고 볼 수 있어. ○

④ 〈보기〉 '나'의 결핍은 '안'과의 관계에서도 비롯됨 ➕ 작품 '어느 저녁 나는 인쇄소 쪽으로 가 보기도 했다. 그러나 간판이 떨어진 인쇄소는 아주 오래전부터 폐쇄된 금지 구역처럼 보였다.'

선지 ➡ '폐쇄된 금지 구역'처럼 보인 '간판이 떨어진 인쇄소'는 '나'가 '안'과의 관계를 지속할 수 없는 결핍의 상황에 처하게 되었음을 나타낸다고 볼 수 있어. ○

⑤ 〈보기〉 '나'는 '안'의 욕망을 모방함으로써 욕망의 주체로 살아감 ➕ 작품 '나의 모든 기억을 동원하여, 내가 적어도 두 번 이상 교정을 본 바 있는, 준비하던 책자에 수록된 원고들의 제목을 하나하나 공책에 쓰고, 생각나는 대로 각 원고의 내용을 거칠게 요점만이라도 정리해 내려가기 시작했다.'

선지 ➡ '나'가 '준비하던 책자에 수록된 원고들'을 정리하고 재구성하는 것에 매달린 것은 '나'가 '안'의 욕망을 모방했음을 나타낸다고 볼 수 있어. ○

30 하루 30분, **현대소설** 트레이닝

현대소설 독해의 STEP 1

1 다음 글을 읽고 주요 인물을 잘 파악했는지, 빈칸에 적절한 말을 채웠는지 확인해 보세요.

📅 고3 2014학년도 수능B – 이청준, 「소문의 벽」

"도대체 박준은 어째서 꼭 불을 밝혀 놓아야 잠이 들 수 있었을까요. 그리고 전짓불을 보고는 왜 갑자기 발작을 일으킨 것입니까?" '나'는 박준이 전짓불을 보고 발작을 일으키는 원인을 알아내려 해.

"중요한 걸 물으시는군요."

잠시 입을 다물고 있던 김 박사는 그동안 나에게서 그런 질문을 기다리고 있었기라도 한 듯 이번에는 박준의 버릇에 대해 다시 설명을 시작했다. '나'는 김 박사라는 인물과 박준에 대해 대화하는 중이야. 박준이 어떤 버릇을 갖고 있는지 파악하며 읽어 보자.

"글쎄, 나 역시도 어젯밤 우연히 그런 발작이 나기 전까지는 환자가 특히 어둠을 싫어하는 이유를 알아내지 못하고 있었거든요. 그야 물론 앞서도 말씀드렸듯이 그것도 다른 환자들에게서 볼 수 있는 일반적인 병증의 하나임엔 틀림없지요. 하지만 이제까지의 관찰로는 영 그 원인을 분석해 낼 재간이 없었단 말입니다. 한데 어젯밤 발작을 보고는 비로소 어떤 힌트를 얻을 수 있었어요. 무슨 얘기냐 하면, 환자가 그토록 어둠을 싫어하게 된 것은 직접적으로 그 어둠 자체를 싫어하기 때문이 아니라, 그 어둠으로부터 연상되는 어떤 다른 공포감이 있었기 때문이라는 겁니다. 이를테면 그 전짓불 같은 것이 바로 그런 거지요. 환자가 진짜 발작을 일으키도록 심한 공포감을 유발시킨 것은 어둠이 아니라 그 어둠 속에 나타난 전짓불이었단 말씀입니다. 환자에겐 그 어둠이라는 것이 늘 전짓불을 연상시키는 공포의 촉매물이었지요." 김 박사는 어젯밤 박준의 발작을 관찰하던 중 그에게 심한 공포감을 유발시킨 것은 어둠이 아니라 어둠 속 **전짓불**이었음을 알게 되었대.

"그렇다면 앞으로의 문제는 박준이 무엇 때문에 그 전짓불에 공포를 느끼게 되는지 그걸 알아내는 것이겠군요. 그게 바로 박사님께서 자주 말씀하신 최초의 갈등 요인이 아니겠습니까."

"옳은 말씀이에요. 전짓불의 비밀이야말로 박준 씨의 치료에는 무엇보다 중요한 열쇠가 되고 있지요." 박준은 김 박사에게 발작과 관련된 치료를 받는 중이구나. 박준의 치료를 위한 중요한 열쇠는 그가 전짓불에 **공포**를 느끼는 이유를 찾는 것이고.

"하지만 어젯밤 박준이 전짓불을 보고 놀랐던 것만으론 그가 어째서 그것에 대해 공포감을 지니게 되었는지, 그리고 그 **전짓불의 공포**라는 것이 박준에게 어떤 의미를 지니고 있는 것인지 아직 설명하실 수가 없으신 것 아닙니까."

"아직까지는 그런 셈이지요."

"역시 그의 소설에 대해 관심을 좀 가져 보시는 게 어떨까요?"

나는 필시 박준의 소설들과 전짓불 사이엔 뭔가 썩 깊은 상관이 있는 듯한 예감에 사로잡히며 은근히 김 박사를 권해 보았다. 그러나 김 박사는 박준의 소설에 대해서는 여전히 관심을 보이려 하지 않았다. '나'는 박준이 발작을 일으키는 원인을 그의 **소설**에서 찾고자 하나 김 박사는 박준의 소설에 대해서는 여전히 관심이 없네.

"역시 그럴 필요는 없어요. 별로 기분 좋은 방법이 아니기는 하지만, 이젠 최소한 환자로 하여금 전짓불의 내력을 포함한 모든

비밀을 털어놓게 할 마지막 방법은 찾아 놓고 있는 셈이니까요."

장면끊기 01 '나'는 김 박사와 박준의 발작에 대해 이야기하며 박준이 공포감을 느끼는 이유를 알아내려 해. 중략 이후의 장면에서는 '나'가 박준을 인터뷰한 기사를 읽어 보는 것으로 내용이 바뀌고 있으니, 여기에서 장면을 끊어 보자.

(중략)

─이 달의 화제작, 화제 작가.

신문지는 벌써 이태쯤 전에 발간된 어떤 주간지의 한 조각이었는데, 거기엔 우선 그런 제호가 크게 눈에 띄었다. 그리고 그 제호 한쪽으로 그 달에 발표된 박준의 소설이 한 편 몇몇 평론가들로부터 합평되어 있고, 다른 한쪽엔 그 달의 화제 작가로서 박준을 인터뷰한 기사가 실려 있었다.

나는 정신이 번쩍 들었다. 앞의 장면에서 '나'는 박준이 발작을 일으키는 원인을 그의 **소설**에서 찾고자 했었지? 박준의 소설과 관련된 **인터뷰** 기사를 발견한 '나'는 깜짝 놀라게 돼. 신문지 조각을 못에서 빼어 냈다. 그러나 금세 실망이 되고 말았다. 기사는 별로 읽을 만한 곳이 남아 있지 않았다. 대부분의 기사가 다른 조각으로 찢어져 나가 버리고 없었다. 찢어져 나간 조각들은 찾아낼 수가 없었다. 이미 휴지로 사용이 되고 만 모양이었다. 남아 있는 것은 그의 인터뷰 기사 중의 몇 마디뿐이었다. 나는 그것이나마 찢어지다 남은 데서부터 기사를 읽어 내려가기 시작했다. '나'는 박준의 인터뷰 기사가 찢겨져 나가고 일부만 남아 있어 아쉬워하지만, 남은 데서부터 **기사**를 읽어 보며 박준의 **발작**과 관련된 단서를 찾아보려 해.

─당신은 아까 내가 **위험한 질문**이라고 한 말의 뜻을 아직 잘 알아듣지 못한 모양이다. 그렇다면 내가 좀 더 설명을 하겠다…….

아마 기자의 어떤 질문에 대한 답변을 부연하고 있는 모양이었다. 박준은 이야기를 꽤 길게 계속하고 있었다.

[A]
─어렸을 때 겪은 일이지만 난 아주 **기분 나쁜 기억**을 한 가지 가지고 있다. 6·25가 터지고 나서 우리 고향에는 한동안 우리 경찰대와 지방 공비가 뒤죽박죽으로 마을을 찾아드는 일이 있었는데, 어느 날 밤 경찰인지 공빈지 알 수 없는 사람들이 또 마을을 찾아 들어왔다. 그리고 그 사람들 중의 한 사람이 우리 집까지 찾아 들어와 어머니하고 내가 잠들고 있는 방문을 열어젖혔다. 눈이 부시도록 밝은 전짓불을 얼굴에다 내리비추며 어머니더러 당신은 누구의 편이냐는 것이었다. 하지만 어머니는 그때 얼른 대답을 할 수가 없었다. 전짓불 뒤에 가려진 사람이 경찰대 사람인지 공비인지를 구별할 수 없었기 때문이다. 대답을 잘못했다가는 지독한 복수를 당할 것이 뻔한 사실이었다. 하지만 어머니는 상대방이 어느 쪽인지 정체를 모른 채 대답을 해야 할 사정이었다. 어머니의 입장은 절망적이었다. 나는 지금까지도 그 절망적인 순간의 기억을, 그리고 사람의 얼굴을 가려 버린 전짓불에 대한 공포를 생생하게 간직하고 있다. 박준은 인터뷰에서 어린 시절 **전짓불**과 관련된 공포스러운 경험을 이야기하고 있어.

그런데 나는 요즘 나의 **소설 작업** 중에도 가끔 그 비슷한 느낌을 경험하곤 한다. 내가 소설을 쓰고 있는 것이 마치 그 얼굴이 보이지 않는 전짓불 앞에서 일방적으로 나의 진술만을 하고 있는 것 같다는 말이다. 문학 행위란 어떻게 보면 한 작

가의 가장 성실한 **자기 진술**이라고 할 수 있다. 그런데 나는 지금 어떤 전짓불 아래서 나의 진술을 행하고 있는지 때때로 엄청난 공포감을 느낄 때가 많다. 지금 당신 같은 질문을 받게 될 때가 바로 그렇다……. 박준은 어른이 되어서도 **소설**을 쓸 때나 인터뷰를 할 때 어린 시절 전짓불 앞에서 느꼈던 **공포감**을 여전히 느끼고 있네.

박준의 말은 거기서 일단 끝나고 있는 듯 보였다. 그리고 신문이 찢어져 나가 버린 것도 거기서부터였다.

`장면끊기 02` '나'는 신문지 조각에서 박준의 인터뷰 기사를 발견하고 읽어 내려가며 전짓불에 담긴 공포의 이유를 알게 돼. 또한 박준이 현재 **소설** 작업 중에도 전짓불 아래에서의 공포와 비슷한 느낌을 경험하고 있다는 사실도 알게 되지.

– 이청준, 「소문의 벽」 –

현대소설 독해의 STEP 2

1 구조도의 빈칸에 적절한 말을 채웠는지 확인해 보세요.

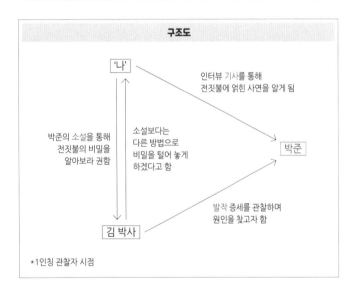

구조도

'나'

인터뷰 기사를 통해
전짓불에 얽힌 사연을 알게 됨

박준의 소설을 통해
전짓불의 비밀을
알아보라 권함

소설보다는
다른 방법으로
비밀을 털어 놓게
하겠다고 함

박준

발작 증세를 관찰하며
원인을 찾고자 함

김 박사

*1인칭 관찰자 시점

---

2 1~2번 문제의 정답과 해설을 확인해 보세요.

1. 〈보기〉를 참고하여 윗글을 감상한 내용으로 적절하지 <u>않은</u> 것은?

〈보기〉

정신적 외상(trauma)은 충격적 경험의 기억(박준의 전짓불에 대한 경험)이 무의식에 잠재되었다가 정신적 병증(박준의 발작)의 요인으로 작용하면서 모습을 드러낸다. 그 기억은 떠올리는 것만으로도 고통스러울 수 있는데, 이를 들추어 '말문'을 트게 하는 것은 정신적 병증의 치유에서 중요한 과정이다. 개인뿐만 아니라 사회에서도 공동체의 위기 상황으로 인해 발생한 정신적 외상에 대해 '말문 트기'가 요구된다. 이런 점에서 소설은 개인의 아픔은 물론 사회적 병증을 치유해 주는 개인적·사회적 말문 트기의 하나라 할 수 있다.

소설은 개인적, 사회적 차원의 정신적 상처를 치유하는 '말문 트기'의 하나로 볼 수 있음

`정답풀이`

⑤ 정신적 외상의 최초 원인을 밝히기 위해 '김 박사'가 '박준'의 과거 기억을 진술하게 할 계획을 세웠다면, 이는 '위험한 질문'을 회피하기 위한 말문 트기 방법을 모색한 결과이겠군.

'박준'은 '위험한 질문'에 대한 답으로 전짓불에 얽힌 과거의 공포스러운 기억과 자기가 현재 소설을 쓰는 상황에 대해 이야기하고, '지금 당신 같은 질문을 받게 될 때' 엄청난 공포감을 느낀다고 말한다. 이를 통해 '위험한 질문'이 〈보기〉에서 이야기하는 정신적 외상을 건드리는 질문임과 동시에, 말 한마디가 어떤 결과를 가져올지 모르는 억압적인 상황에서 답변을 요구하는 질문이라는 것을 알 수 있다. 그런데 '김 박사'는 '박준'이 전짓불의 실체를 포함한 일체의 비밀을 직접 털어놓게 할 방법을 찾고 있다. 따라서 '김 박사'가 시도하려는 방법은 '위험한 질문'을 회피하는 것이 아니라 '위험한 질문'을 통해 말문 트기를 시도하려는 것에 가깝다고 볼 수 있다.

`오답풀이`

① '전짓불의 공포'를 강하게 느끼는 '박준'은, 일방적 진술을 강요하는 듯한 사회적 상황에 직면하여 고통 받는 이들을 상징하는 인물이겠군.

'그런데 나는 지금 어떤 전짓불 아래서 나의 진술을 행하고 있는지 때때로 엄청난 공포감을 느낄 때가 많다.'라는 '박준'의 진술을 통해 그가 일방적 진술을 강요하는 듯한 사회적 상황에 직면하여 고통 받는 이들을 상징하는 인물임을 추론할 수 있다.

② '전짓불의 공포'와 '소설 작업'의 관계에 주목해 보면, 소설 쓰기를 통한 '박준'의 '자기 진술'은 치유 방법으로서의 말문 트기에 상응하는 것이겠군.

'박준'은 소설 쓰기를 통해 전짓불 앞에 있는 듯한 공포를 느끼면서도 '자기 진술'을 이어간다. 이 과정은 〈보기〉에서 말한 치유 방법으로서의 말문 트기에 상응한다고 할 수 있다.

③ '자기 진술'을 어렵게 만드는 상황에 직면했다는 '박준'의 고백은, 일방적일
수밖에 없는 '자기 진술'의 상황 속에서 정신적 외상이 환기된다는 점을 드러
내는 것이겠군.

'그런데 나는 지금 어떤 전짓불 아래서 나의 진술을 행하고 있는지 때때로
엄청난 공포감을 느낄 때가 많다.'에서 '박준'이 전짓불의 공포에 의해 '자기
진술'에 어려움을 느끼는 상황에 직면했음을 알 수 있는데, 이는 자기 진술의
상황에서 정신적 외상으로 인한 공포가 환기되기 때문이라고 할 수 있다.

④ 유년의 '기분 나쁜 기억'이 전쟁으로 인한 공동체의 위기 상황과 관련되었다는
설정을 통해, '박준'의 정신적 외상이 사회적 차원의 문제와 관련이 있다는
점을 알 수 있겠군.

'박준'의 정신적 외상에 해당하는 '기분 나쁜 기억'은 '우리 경찰대와 지방
공비'의 대결, 즉 분단과 이념 대립으로 인해 생긴 것이므로 사회적 차원의
문제와 관련이 있다고 볼 수 있다.

2. 문학 개념어 OX 확인 문제

① X

• 객관적 시점: 제삼자의 입장에서 사물을 보거나 생각하는 것을 의미함.
문학에서 1인칭 서술자일 경우 객관적일 가능성이 거의 없으며, 주체의
인식과 태도를 철저히 배제한다면 가능할 수도 있음. 다만 상대적인
의미의 객관성에 대해서는 얼마든지 물어볼 수 있음.

• 묘사: 어떤 대상이나 인물의 외양, 행동, 내면 등을 그림을 보여 주듯
표현하는 것.

② X

• 다각적으로 구성: 하나의 사건이나 상황에 대해서 여러 인물의 다양한
입장을 보여 줌으로써 사건이나 상황의 의미를 다양하게 구성함.

현대소설 독해의 **STEP 3**

■ 1번 문제의 선지 판단 공식에 대한 답을 확인해 보세요.

〈보기〉 문제 선지 판단의 공식

① 〈보기〉 정신적 외상은 충격적 경험의 기억이 무의식에 잠재되었다가 정신적 병증의 요인으로 작용하면서 모습을 드러냄 **+** 작품 '내가 소설을 쓰고 있는 것이 마치 그 얼굴이 보이지 않는 전짓불 앞에서 일방적으로 나의 진술만을 하고 있는 것 같다', '그런데 나는 지금 어떤 전짓불 아래서 나의 진술을 행하고 있는지 때때로 엄청난 공포감을 느낄 때가 많다.'

선지➡ '전짓불의 공포'를 강하게 느끼는 '박준'은, 일방적 진술을 강요하는 듯한 사회적 상황에 직면하여 고통 받는 이들을 상징하는 인물이겠군. ○

② 〈보기〉 정신적 외상을 일으키는 충격적 경험의 기억을 들추어 '말문'을 트게 하는 것은 정신적 병증의 치유에서 중요한 과정이며, 소설은 개인의 아픔을 치유하는 말문 트기의 하나로 볼 수 있음 **+** 작품 '나의 소설 작업 중에도 가끔 그 비슷한 느낌을 경험하곤 한다. 내가 소설을 쓰고 있는 것이 마치 그 얼굴이 보이지 않는 전짓불 앞에서 일방적으로 나의 진술만을 하고 있는 것 같다'

선지➡ '전짓불의 공포'와 '소설 작업'의 관계에 주목해 보면, 소설 쓰기를 통한 '박준'의 '자기 진술'은 치유 방법으로서의 말문 트기에 상응하는 것이겠군. ○

③ 〈보기〉 정신적 외상은 충격적 경험의 기억에 의한 것으로, 그 기억을 들추는 말문 트기로 인해 고통스러울 수 있음 **+** 작품 '나는 지금 어떤 전짓불 아래서 나의 진술을 행하고 있는지 때때로 엄청난 공포감을 느낄 때가 많다.'

선지➡ '자기 진술'을 어렵게 만드는 상황에 직면했다는 '박준'의 고백은, 일방적일 수밖에 없는 '자기 진술'의 상황 속에서 정신적 외상이 환기된다는 점을 드러내는 것이겠군. ○

④ 〈보기〉 개인뿐만 아니라 사회에서도 공동체의 위기 상황으로 인해 발생한 정신적 외상에 대해 '말문 트기'가 요구됨 **+** 작품 '어렸을 때 겪은 일이지만 난 아주 기분 나쁜 기억을 한 가지 가지고 있다. 6 · 25가 터지고 나서 우리 고향에는 한동안 우리 경찰대와 지방 공비가 뒤죽박죽으로 마을을 찾아드는 일이 있었는데,'

선지➡ 유년의 '기분 나쁜 기억'이 전쟁으로 인한 공동체의 위기 상황과 관련되었다는 설정을 통해, '박준'의 정신적 외상이 사회적 차원의 문제와 관련이 있다는 점을 알 수 있겠군. ○

⑤ 〈보기〉 정신적 외상을 일으키는 충격적 경험의 기억을 들추어 '말문'을 트게 하는 것은 정신적 병증의 치유에서 중요한 과정임 **+** 작품 '김 박사는 박준의 소설에 대해서는 여전히 관심을 보이려 하지 않았다.', '이젠 최소한 환자로 하여금 전짓불의 내력을 포함한 모든 비밀을 털어놓게 할 마지막 방법은 찾아 놓고 있는 셈이니까요.'

선지➡ 정신적 외상의 최초 원인을 밝히기 위해 '김 박사'가 '박준'의 과거 기억을 진술하게 할 계획을 세웠다면, 이는 '위험한 질문'을 회피하기 위한 말문 트기 방법을 모색한 결과이겠군. ✕

현대소설 독해의 STEP 1

1 다음 글을 읽고 주요 인물을 잘 파악했는지, 빈칸에 적절한 말을 채웠는지 확인해 보세요.

📅 고3 2016학년도 7월 학평 – 이문구, 「유자소전」

[총수]의 자택에 연못이 생긴 것은 그 며칠 전의 일이었다. 뜰 안에다 벽이고 바닥이고 시멘트를 들어부어 만들었으니 연못이라기보다는 수족관이라고 하는 편이 알맞은 시설이었다. 시멘트가 굳어지자 물을 채우고 울긋불긋한 비단잉어들을 풀어 놓았다.

비단잉어들은 화려하고 귀티 나는 맵시로 보는 사람마다 탄성을 자아내게 하였으나, [그]는 처음부터 흘기눈을 떴다. 비행기를 타고 온 수입 고기라서가 아니었다. 그 회사 직원 몇 사람 치 월급을 합쳐도 못 미치는 상식 밖의 몸값 때문이었다. 총수는 자택에 시멘트를 부어 연못을 만들고 회사 직원 몇 사람 치 **월급**을 합쳐도 못 미치는 값비싼 **비단잉어**를 풀어 놓아. **흘기눈**을 떴다는 걸 보면 '그'는 상식 밖의 몸값을 지닌 비단잉어를 키우는 것을 못마땅하게 여기는 것 같지?

"대관절 월매짜리 고기간디그려?"
[내]가 물어보았다.
"마리당 팔십만 원씩 주구 가져왔댜."
그 회사 직원들의 봉급 수준을 모르기에 나의 월급으로 계산을 해 보니, 자그마치 3년 4개월 동안이나 봉투째로 쌓아야 겨우 한 마리 만져 볼까 말까 한 값이었다.
"웬 늠으 잉어가 사람버덤 비싸다냐?"
내가 기가 막혀 두런거렸더니,
"보통 것은 아닐러먼그려. 뱉어낸밴또(베토벤)나 뭬라나를 틀어주면 그 가락대루 따라서 허구, 차에코풀구싶어(차이콥스키)라나 뭬라나를 틀어 주면 또 그 가락대루 따라서 허구, 좌우간 곡을 틀어 주는 대루 못 추는 춤이 읎는 순전 딴따라 고기닝께. 물고기두 꼬랑지 흔들어서 먹구사는 물고기가 있다는 건 이번에 그집에서 츰 봤구먼." '나'는 '그'에게 비단잉어의 가격을 듣고 **기가 막혀** 하지. '그'는 비단잉어가 곡을 틀어 주는 대루 못 추는 **춤**이 읎다며 딴따라 고기라고 해.

그런데 이 비단잉어들이 어제 새벽에 떼죽음을 한 거였다. 자고 일어나 보니 죄다 허옇게 뒤집어진 채로 떠 있는 것이었다.
총수가 실내화를 꿴 발로 뛰어나왔지만 아무 소용없는 일이었다.
"어떻게 된 거야?"
한동안 넋 나간 듯이 서 있던 총수가 하고많은 사람 중에 하필이면 [유자]를 겨냥하며 물은 말이었다. 비단잉어들이 **떼죽음**을 한 것을 보고 넋 나간 듯이 서 있던 **총수**는 유자에게 어떻게 된 일인지를 물어.
"글쎄유, 아마 밤새에 고뿔이 들었던 개비네유."
유자는 부러 딴청을 하였다.
"뭐야? 물고기가 물에서 감기 들어 죽는 물고기두 봤어?"
총수는 그가 마치 혐의자나 되는 것처럼 화풀이를 하려 드는 것이었다. 처음부터 흘기눈을 떴던 '그'(유자)는 딴청을 피우며 **고뿔**(감기)에 걸려 죽은 게 아니냐고 답하고, 이에 총수는 유자가 비단잉어들을 죽인 것처럼 **화풀이**를 해대지.

그는 비위가 상해서,
"그야 팔자가 사나서 이런 후진국에 시집와 살라니께 여러 가지루다 객고가 쌓여서 조수두 안 좋았을 테구…… 그런디다가 부룻쓰구 지루박이구 가락을 트는 대루 디립다 춰댔으니께 과로해서

몸살끼두 다소 있었을 테구…… 본래 받들어서 키우는 새끼덜일수록이 다다 탈이 많은 법이니께……."
그는 시멘트의 독성을 충분히 우려내지 않고 고기를 넣은 것이 탈이었으려니 하면서도 부러 배참*으로 의뭉을 떨었다.
"하는 말마다 저 말 같잖은 소리…… 시끄러 이 사람아."
총수는 말 가운데 어디가 어떻게 듣기 싫었는지 자기 성질을 못 이기며 돌아섰다. 총수의 화풀이에 기분이 상한 **유자**는 의뭉을 떨며 대답하는데, **총수**는 그 대답이 못마땅했는지 말 같잖은 소리라며 돌아서.

장면끊기 01 중간 부분의 줄거리 이전까지를 하나의 장면으로 끊어볼 수 있겠네. 이 장면에서는 **비단잉어**가 중심 소재로 등장하고 있어. 몇 사람의 월급보다도 비싼 비단잉어들을 기르다 잉어들이 한꺼번에 죽자 유자에게 화풀이를 하는 총수가 물질을 우선시하고 사치를 부리는 인물이라면, 총수의 그와 같은 소비에 불만을 갖고 총수의 다그침에도 의뭉을 떠는 유자는 물질 만능주의적 세태에 **비판적** 시각을 가진 인물이라고 볼 수 있겠지.

[중간 부분의 줄거리] 불상을 닦는 일로 총수의 미움을 사게 된 유자는 총수의 개인 운전수 자리에서 쫓겨나 회사에 속한 차량의 교통사고를 처리하는 업무를 맡는다.

그가 다루는 사건도 태반이 가해자의 운전 윤리 마비증이 자아낸 것이었다. 그렇지만 가해자가 그룹 내의 동료 운전수라 하여 팔이 들이굽는다는 식의 적당주의를 취한 적은 거의 없었다. 유자는 결국 총수의 미움을 사서 **개인 운전수** 자리에서 쫓겨나 교통사고 처리 업무를 담당하게 되었어. 그런데 그는 교통사고 가해자가 **동료 운전수**라고 하더라도 적당히 처리하지 않았대. 사리 분별이 분명하고 줏대 있는 유자의 성품이 드러나는군.

다만 사건 처리에 필요한 서류를 갖추기 위해 신상 기록 대장에 있는 주소를 찾아가 보면 일쑤 비탈진 산꼭대기에 더뎅이 진 무허가 주택에서 근근이 셋방살이를 하는 축이 많았고, 더욱이 인건비를 줄이느라고 임시로 쓰던 [스페어 운전수들]이 사는 꼴이 말이 아닐 때는, 그 운전자의 자질 여부를 떠나서 현실적인 딱한 사정에 괴로워하지 않을 수가 없었던 것이다. 사건 처리를 위해 스페어 운전수들이 사는 집을 찾아간 유자는 그들의 **딱한 사정**을 보고 괴로워하는 인간적인 인물이야.

스페어 운전수는 대체로 벌이가 시답지 않아 결혼도 못한 채 늙고 병든 홀어미와 단칸 셋방에 살고 있거나, 여편네가 집을 나가버려 어린것들만 있는 경우가 적지 않았고, 들여다보면 방구석에 먹던 봉지쌀이 남은 대신 연탄이 떨어지고, 연탄이 있으면 쌀이 없거나 밀가루 포대가 비어 있어, 한심해서 들여다볼 수가 없고 심란해서 돌아설 수가 없는 집이 허다한 것이었다. 스페어 운전수들은 대부분 가정 형편이 좋지 않았나 봐.

그는 결국 주머니를 털었다. 스페어 운전수의 사고에는 업무 추진비 명색도 차례가 가지 않아 자신의 용돈을 털게 되는 것이었다. 식구가 단출하면 쌀을 한 말 팔아 주고, 식구가 많은 집은 밀가루를 두 포대 팔아 주고, 그리고 연탄을 백 장씩 들여놓아 주는 것이 그가 용돈에서 여툴* 수 있는 한계였다.

그는 쌀가게에서 쌀이나 밀가루를 배달하고, 연탄 가게에서 연탄백 장을 지게로 져 올려 비에 안 젖게 쌓아 주기를 마칠 때까지 그집을 떠나지 않았다. 그리고 그 집을 나와서 골목을 빠져나오다 보면 늘 무엇인가를 빠뜨리고 오는 것처럼 개운치가 않았다.

그는 비탈길을 다 내려와서야 그것이 무엇이라는 것을 깨닫곤 하였다. 산동네 초입의 반찬 가게를 보고서야 아까 그 집의 부엌에

간장밖에 없었던 것이 뒤늦게 떠오른 것이었다.

그러면 다시 주머니를 뒤졌다.

그가 반찬 가게에서 집어 드는 것은 만날 얼간하여 엮어 놓은 새끼 굴비 두름이었다. 바다와 연하여 사는 탓에 밥상에 비린 것이 없으면 먹어도 먹은 것 같지 않아 하는 대천 사람의 속성이 그런 데서까지도 드티었던* 것이다.

도로 산비탈을 기어 올라가서 굴비 두름을 개 안 닿게 고양이 안 닿게 야무지게 매달아 주면서,

"뷕(부엌)에 제우(겨우) 지랑(간장)밲이 읎으니 뱁이구 수제비구 건건이가 있어야 넘어가지유. 탄불에 궈 자시든 뱁솥에 쩌 자시든 하면, 생긴 건 오죽잖어두 뇌인네 입맛에 그냥저냥 자셔볼 만헐뀨."

유자는 사건 처리를 위해 사고를 낸 스페어 운전수들을 찾아간 것이지만 그들의 딱한 사정을 보고 자신의 **주머니**를 털어 쌀, 연탄, 반찬거리 같은 것들을 챙기지. 유자의 따뜻한 마음씨를 알 수 있네.

쌀이나 연탄을 들여 줄 때는 회사에서 으레 그렇게 돌봐 주는 것이거니 하고 멀건 눈으로 쳐다만 보던 노파도, 그렇게 반찬거리까지 챙겨 주는 자상함에는 그가 골목을 빠져나갈 때까지 눈시울을 적시고 있는 것이 보통이었다. 자상하게 챙겨 주는 유자의 모습에 노파 같은 스페어 운전수 가족들은 **감동했군**.

장면끊기 02 중간 부분의 줄거리 이후에는 **교통사고**를 처리하는 업무를 맡게 된 유자의 이야기가 제시되고 있어. 사건 처리를 위해 사고를 낸 운전수의 집을 방문한 유자는 그들의 딱한 **사정**을 그냥 지나치지 못하고 자신의 주머니를 털어 그들을 돕지. 이를 통해 인정 넘치는 유자에 대한 서술자의 긍정적 시선을 확인할 수 있어.

– 이문구, 「유자소전(俞子小傳)」 –

*배창: 꾸지람을 듣고 그 화풀이를 다른 데다 함.
*여투다: 돈이나 물건을 아껴 쓰고 나머지를 모아 두다.
*드티다: 밀리거나 비켜나거나 하여 약간 틈이 생기다.

현대소설 독해의 STEP 2

1 구조도의 빈칸에 적절한 말을 채웠는지 확인해 보세요.

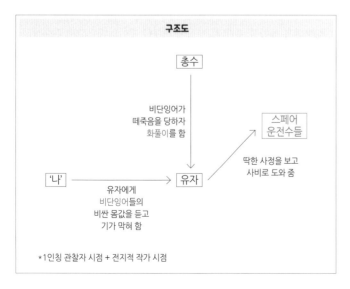

2 1~2번 문제의 정답과 해설을 확인해 보세요.

1. 〈보기〉를 바탕으로 윗글을 감상할 때, 적절하지 <u>않은</u> 것은?

〈보기〉

「유자소전」은 제목에서 알 수 있듯이 인물의 행적을 사실적으로 기록하는 전(傳)의 형식을 빌려 와 전통적 삶의 양식을 현대적으로 재현하려고 했다. ① 전의 형식을 활용 또한 지역 방언과 익살스러운 표현을 적극적으로 활용하는 문제를 사용했고, ② 지역 방언과 익살스러운 표현 활용 인간적 도리를 꾸준히 실천하는 평면적인 인물을 통해 산업화 속에 나타나는 부정적 가치관과 인간 소외의 문제를 들추어내고 있다. 이 작품은 양심적이고 인정미 넘치는 주인공의 삶을 조명하여 산업화 속에 사라지고 있는 전통적 삶의 양식을 보여 주고자 했던 작가 의식이 반영되어 있다. ③ 인간적 도리를 꾸준히 실천하는 평면적인 인물 (양심적이고 인정미 넘치는 주인공) → 산업화 속 부정적 가치관과 인간 소외 문제 제기, 전통적 삶의 양식 보여 주고자 함

정답풀이

⑤ 총수의 운전수에서 교통사고를 처리하는 업무 담당자로 처지가 바뀌고 나서야 인간성을 회복하는 유자는 평면적 인물이라고 볼 수 있군.

〈보기〉에 따르면 유자는 '인간적 도리를 꾸준히 실천하는 평면적 인물'이라고 볼 수 있다. 즉 유자는 작품 내에서 인간성이 일관되게 유지되므로 평면적 인물이라고 볼 수 있는 것이다. 윗글에서 총수의 운전수에서 교통 사고를 처리하는 업무 담당자로 유자의 처지가 바뀐 것은 맞지만, 유자가 교통사고를 처리하는 업무 담당자로 처지가 바뀌고 나서야 인간성을 회복하는 모습은 나타나지 않는다.

오답풀이

① 유자가 사용하는 방언과 익살스러운 표현을 통해 토속적인 느낌과 인물에 대한 정감을 주고 있군.

〈보기〉에 따르면 윗글은 '지역 방언과 익살스러운 표현을 적극적으로 활용하는 문제를 사용'하였다. 이를 참고할 때 '뷕(부엌)에 제우(겨우) 지랑(간장) 밲이 읎으니~입맛에 그냥저냥 자셔볼 만헐뀨.' 등에서 유자가 사용하는 방언과 익살스러운 표현은 토속적인 느낌과 인물에 대한 정감을 준다고 볼 수 있다.

② 유자가 소외된 사람들을 돕는 인정미 넘치는 모습을 통해 인간적 도리를 실천하는 인물의 모습을 보여주고 있군.

윗글에서 유자는 '스페어 운전수들'의 '딱한 사정'을 보고 '자신의 용돈을 털'어 그들을 돕는다. 〈보기〉를 참고할 때 이는 '인간적 도리를 꾸준히 실천'하는 '양심적이고 인정미 넘치는' 유자의 모습을 보여주는 것으로 볼 수 있다.

③ 유자에 얽힌 일화들을 소개하여 그가 한 일들을 서술하고 있다는 점에서 전의 형식을 빌려 온 것이라 할 수 있군.

> 윗글에는 '비단잉어'와 관련한 유자의 일화, '스페어 운전수들'을 도운 유자의 일화가 소개되는데, 〈보기〉를 참고할 때 이는 '인물의 행적을 사실적으로 기록하는 전의 형식을 빌려' 온 것이라 할 수 있다.

④ 총수의 사치와 허영심에 대한 유자의 불만스러운 태도를 통해 산업화 시대의 물질주의적 가치관에 대한 문제를 드러내고 있군.

> 윗글에서 유자는 '회사 직원 몇 사람 치 월급을 합쳐도 못 미치는 상식 밖의 몸값'을 지닌 비단잉어들을 기르는 총수의 사치와 허영심에 대해 '흘기눈'을 뜬다. 〈보기〉를 참고할 때 이는 '산업화 속에 나타나는 부정적 가치관'에 대한 문제를 드러내는 것으로 볼 수 있다.

2. 문학 개념어 OX 확인 문제

> ① ✗
>
> • 묘사: 어떤 대상이나 인물의 외양, 행동, 내면 등을 그림을 보여 주듯 표현하는 것.
> • 암시: 뒤에 일어날 사건을 넌지시 알림.
>
> ② ○
>
> • 사투리: 어느 한 지방에서만 쓰는, 표준어가 아닌 말.
> • 비속어: 격이 낮고 속된 말.
>
> > 근거 '좌우간 곡을 틀어 주는 대루 못 추는 춤이 읇는 순전 딴따라 고기닝께. 물고기두 꼬랑지 흔들어서 먹구사는 물고기가 있다는 건 이번에 그 집에서 츰 봤구먼.'

현대소설 독해의 STEP 3

■ 1번 문제의 선지 판단 공식에 대한 답을 확인해 보세요.

〈보기〉 문제 선지 판단의 공식

① 〈보기〉 지역 방언과 익살스러운 표현을 적극적으로 활용하는 문체를 사용함 ➕ 작품 '붺(부엌)에 제우(겨우) 지랑(간장)빽이 읇으니', '생긴 건 오죽잖어두 뇌인네 입맛에 그냥저냥 자셔볼 만헐규.'

선지 ➡ 유자가 사용하는 방언과 익살스러운 표현을 통해 토속적인 느낌과 인물에 대한 정감을 주고 있군. ○

② 〈보기〉 인간적 도리를 꾸준히 실천하는 양심적이고 인정미 넘치는 주인공의 삶을 조명함 ➕ 작품 '그는 결국 주머니를 털었다.', '식구가 단출하면 쌀을 한 말 팔아 주고, 식구가 많은 집은 밀가루를 두 포대 팔아 주고'

선지 ➡ 유자가 소외된 사람들을 돕는 인정미 넘치는 모습을 통해 인간적 도리를 실천하는 인물의 모습을 보여주고 있군. ○

③ 〈보기〉 인물의 행적을 사실적으로 기록하는 전의 형식을 빌려 옴 ➕ 작품 총수가 기르던 비싼 '비단잉어'에 관한 일화, '교통사고를 처리하는 업무를 맡'게 된 유자가 운전수 가족들을 챙겨 준 일화

선지 ➡ 유자에 얽힌 일화들을 소개하여 그가 한 일들을 서술하고 있다는 점에서 전의 형식을 빌려 온 것이라 할 수 있군. ○

④ 〈보기〉 산업화 속에 나타나는 부정적 가치관과 인간 소외의 문제를 들추어내고 있음 ➕ 작품 '그는 처음부터 흘기눈을 떴다. 비행기를 타고 온 수입 고기라서가 아니었다. 그 회사 직원 몇 사람 치 월급을 합쳐도 못 미치는 상식 밖의 몸값 때문이었다.'

선지 ➡ 총수의 사치와 허영심에 대한 유자의 불만스러운 태도를 통해 산업화 시대의 물질주의적 가치관에 대한 문제를 드러내고 있군. ○

⑤ 〈보기〉 인간적 도리를 꾸준히 실천하는 평면적인 인물이 등장함 ➕ 작품 '총수의 미움을 사게 된 유자는 총수의 개인 운전수 자리에서 쫓겨나 회사에 속한 차량의 교통사고를 처리하는 업무를 맡는다.'

선지 ➡ 총수의 운전수에서 교통사고를 처리하는 업무 담당자로 처지가 바뀌고 나서야 인간성을 회복하는 유자는 평면적 인물이라고 볼 수 있군. ✕

현대소설 독해의 STEP 1

1 다음 글을 읽고 주요 인물을 잘 파악했는지, 빈칸에 적절한 말을 채웠는지 확인해 보세요.

📅 고3 2013학년도 수능 – 박태원, 「천변풍경」

소년 은 한길 한복판을 거의 쉴 사이 없이 달리는 전차에, 신기하지도 아무렇지도 않은 듯싶게 올라타고 있는 수많은 사람들의 얼굴에, 머리에, 등덜미에, 잠깐 동안 부러움 가득한 눈을 주었다. 익숙하게 전차에 올라타는 사람들을 보며 소년은 **부러움**을 느끼고 있어.

"아버지. 우린, 전차, 안 타요?"

"아, 바로 저기데, 전찬 뭘 하러 타니?"

아무리 '바로 저기'라도, 잠깐 좀 타 보면 어떠냐고, 소년은 적이 불평이었으나, 소년은 **전차**를 타 보고 싶지만 그러지 못해 불만스러워하고 있네. 다음 순간, 그는 언제까지든지 그것 한 가지에만 마음을 주고 있을 수 없게, 이제까지 시골구석에서 단순한 모든 것에 익숙해 온 그의 어린 눈과 또 귀는 어지럽게도 바빴다. 하지만 불평도 잠시, **시골**에서는 본 적 없는 눈과 귀 어지러울 만큼 낯선 풍경에 금세 빠져드는 모습이야.

전차도 전차려니와, 웬 자동차며 자전거가 그렇게 쉴 새 없이 뒤를 이어서 달리느냐. 어디 '장'이 선 듯도 싶지 않건만, 사람은 또 웬 사람이 그리 거리에 넘치게 들끓느냐. 이 층, 삼 층, 사 층…… 웬 집들이 이리 높고, 또 그 위에는 무슨 간판이 그리 유난스레도 많이 걸려 있느냐. 탈 것과 **사람**들로 붐비고, 높은 건물(집들)과 간판들이 즐비한 도시 풍경에 놀라움을 금치 못하고 있어. 시골서, '영리하다' '똑똑하다', 바로 별명 비슷이 불려 온 소년으로도, 어느 틈엔가, 제풀에 딱 벌려진 제 입을 어쩌는 수 없이, 마분지 조각으로 고깔을 만들어 쓰고, 무엇인지 종잇조각을 돌리고 있는 사나이 모양에도, 그의 눈은, 쉽사리 놀라고, 수많은 깃대잡이 아이놈들의 앞장을 서서, 몽당수염 난 이가 신나게 부는 날라리 소리에도, 어린이 의 마음은 걷잡을 수 없게 들떴다. 도시 풍경을 보고 한껏 마음이 들뜬 소년의 모습이 드러나고 있네.

장면끊기 01 낯설고 신기한 것들로 가득한 도시에서 소년이 느끼는 심리가 세세하게 나타난 부분이야. 중략 이후의 내용도 소년의 심리와 태도에 주목하면서 읽어보도록 하자.

(중략)

그는 눈을 들어, 이번에는 빨래터 바로 위 천변의, 나뭇장 간판이 서 있는 곳을 바라보았다. 그곳에는 이미 윷을 놀지 않는 젊은 이들이, 철망 친 그 앞에 앉아서들 잡담을 하고, 더러는 몸들을 유난스러이 전후좌우로 놀려 가며, 그것은 또 무슨 장난인지, 서로 주먹을 들어 때리는 시늉을 한다. 그것이 '권투'라는 것의 연습임을 배운 것은 그로부터 며칠 뒤의 일이거니와, 그러한 장난도 창수 의 눈에는 퍽이나 재미스러웠다. 천변의 한켠에서 **권투** 연습을 하는 사람들을 보며 **재미**를 느끼고 있네.

그러한 소년의 눈에, 천변을 오고 가는 모든 사람들이, 그 모두가, 한결같이 잘나만 보이는 것도 또한 어찌할 수 없는 일이 아니냐. 소년에게는 **천변**을 오가는 도시 사람들이 하나같이 대단하게만 보이는 모양이야. 임바네스* 입은 민 주사며, 중산모 쓴 포목전 주인이며, 인력거 위에 날아갈 듯이 앉아 있는 취옥이며, 그러한 모든 사람은 이를 것도 없거니와 **다리** 밑에 모여서들 지껄대고, 툭 치고, 아무렇게나 거적

위에서 뒹굴고, 그러는 깍정이* 떼들도, 이곳이 결코 시골이 아니라 서울일진댄, 그것들은 그만큼 **행복일 수 있지 않느냐.** 옷을 잘 차려 입은 사람들은 물론이고, 천변에서 할 일 없이 노니는 **깍정이** 떼조차도 서울에 살고 있다는 점 하나만으로 충분히 **행복**한 삶을 누리는 것으로 볼 수 있지 않겠냐고 생각하고 있네.

더구나, 소년은, 줄창, 이곳에만 있어, 오직 이곳 풍경만 사랑하지 않아도 좋을 것이다.

'암만 좋은 구경이래두, **밤낮 본다면 물리고 만다**……'

그러나 이제 창수는 '화신상'도 가 볼 수 있고, '전차'도 탈 수 있고, 옳지, 또 가만히 서만 있어도 삼 층 꼭대기, 사 층 꼭대기로 데려다 준다는 '승강기'라는 것이 있다지 않나. 수길이 말을 들으면, 머리가 어찔하게 현기증이 나더라지만, 그것은 타는 법을 몰라 그럴 것이다. 천변 이외에도 **화신상**, 전차, **승강기**와 같은 서울의 다른 풍경과 문명들을 구경할 수 있다는 생각에 기대감을 드러내고 있어.

'눈을 꼭 감고만 있으면 아무 상관이 없다……'

장면끊기 02 천변의 풍경을 보고 감탄하던 소년이 앞으로의 서울 생활에 큰 설렘과 기대감을 느끼는 내용이었어. 중략 이전과 **마찬가지**로 소년은 서울에 대해 **긍정적**인 태도를 드러내고 있지. 이어지는 장면에서도 그러한 태도가 계속해서 유지되는지 눈여겨보도록 하자.

창수는, 말로만 들었지 정작 눈으로 본 일은 없는 '승강기'라는 물건을, 잠깐 머릿속에 아무렇게나 만들어 보느라 골몰이었으나, 어느 틈엔가 제 곁에 서너 명의 아이들 이 모여 선 것을 깨닫고, 그들을 둘러보았다.

"얘가 시골 아이 다. 시굴 아이야."

칠팔 세나 그밖에 더 안 된 아이가, 옆에 있는 아이들을 둘러 보고 그렇게 말하니까, 모두 고만고만한 또래의 딴 아이들이,

"그래, 시굴 아이야, 시굴 아이……"

저마다 연방 고개를 끄덕이고, 열두 살이나 그렇게 된 계집아이 등에 업혀 있는 두세 살 된 갓난애조차, 잘 안 돌아가는 혀끝을 놀리어,

"시구라, 시구라."

하고, 빤히 저를 쳐다보는 것에, 소년은 그러한 것에도 쉽사리 붉어지는 제 얼굴을 아무렇게도 하는 수 없이, 소년은 서울 아이들로부터 **시골 아이**라는 놀림을 받고 얼굴을 붉히고 있어. 문득, 등 뒤에서 요란스러이 울린 **자전거 종소리**에, 그만 질겁을 하여 한옆으로 허둥대며 비켜서는 꼴을 보고, 그 결코 그렇게는 놀라는 일이 없는 '서울 아이'들 이, "하, 하, 하" 하고 가장 재미있는 듯 싶게 한바탕을 웃었을 때, 소년은 귀밑까지 새빨개가지고 마음 속에 끝없는 모욕을 느끼지 않으면 안 되었다. 자전거 **종소리**에 크게 놀라는 모습을 보고 서울 아이들이 재미있다는 듯 웃자, 소년은 부끄러움과 함께 **모욕감**까지 느끼고 있어.

그러나 저를 비웃은 아이는, 옆에 모여 선 그 애들뿐이 아니다. 개천 건너 이발소 창 앞에 앉아, 저보다 좀 큰 아이가 아까부터 제 편만 지켜보고 있었던 듯싶어,

"하, 하, 하…… 녀석, 놀라기는……"

하고, 그러한 말을 하더니, 눈이 마주치자,

"너, 약국에, 오늘 들왔구나?"

아주 어른같이 그러한 것을 묻는다. 창수는 또 변변치 못하게 얼굴을 붉히며, 가까스로 고개를 한 번 끄떡하고, 문득, 부모를 떠나 외따로이 이러한 곳에서 이제 어떻게 지내 가나 겁이 부썩 나며, 홀로 지내야 하는 **서울(도시)** 생활에 처음으로 **두려움**을 느끼게 되었어. 그저 아버

지가 '전차'나 태워 주고, '화신상'이나 구경시켜 주고, 또 '승강기' 있다는 데로 데리고 가 주고, 그러한 다음에, 같이 **집으로나 다시 내려갔으면,** 그러면 퍽 좋겠다고 침을 몇 덩어리나 삼키며, 저 혼자 속으로 생각하지 않으면 안 되었다. 서울의 풍경을 보며 연신 놀라움과 감탄을 금치 못하던 소년이 다시 시골 집으로 **내려갔으면** 좋겠다고 생각하며 달라진 태도를 보여 주고 있네.

장면끊기 03 소년이 서울 아이들로부터 놀림을 당한 뒤, 서울 생활에 갑자기 두려움을 느끼기 시작하며 태도의 변화를 보여 주는 부분이었어. 이 지문은 전체적으로 소년의 심리와 태도에 초점을 맞추어 내용을 정리하는 것이 필요했다는 점 기억해 두자!

– 박태원, 「천변풍경」 –

*임바네스: 남자용 외투의 일종.

*깍정이: 거지.

현대소설 독해의 STEP 2

1 구조도의 빈칸에 적절한 말을 채웠는지 확인해 보세요.

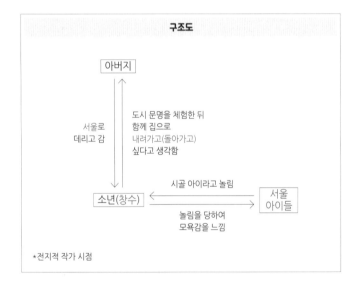

구조도

```
                    아버지
                      ↑
                      │   도시 문명을 체험한 뒤
        서울로         │   함께 집으로
        데리고 감       │   내려가고(돌아가고)
                      ↓   싶다고 생각함

                         시골 아이라고 놀림
        소년(창수) ◄──────────────────      서울
                                          아이들
                         놀림을 당하여
                         모욕감을 느낌
```

*전지적 작가 시점

---

2 1~2번 문제의 정답과 해설을 확인해 보세요.

1. 〈보기〉를 참고하여 윗글을 감상한 내용으로 적절하지 <u>않은</u> 것은?

〈보기〉

　도시에 처음 입성한 이들은 자신의 꿈과는 다른 현실에 직면하여 심리적 혼돈 속에서 크게 위축된다. <u>도시에서 겪는 꿈과 현실의 괴리 → 심리적 혼란</u> 도시는 문명의 화려함을 내세워 그들을 매혹하지만 안정된 삶의 장소를 내주지는 않는다. 도시 문명에 가리어진 도시의 이면적 풍경, 인정이 메마른 도시인의 초상, 그리고 도시 현실에 대한 비판적 의식 등이 어우러져 도시 소설의 한 줄기를 이룬다. <u>도시 소설의 서사를 구성하는 요소</u>

정답풀이

② '창수'가 도시의 풍경에 대해 '밤낮 본다면 물리고 만다'고 한 데서, 혼돈에서 벗어나 도시 문명을 비판적으로 인식하는 모습을 읽을 수 있군.

'창수'가 도시 풍경에 대해 '밤낮 본다면 물리고 만다'라고 한 것은 '줄창, 이곳에만 있어, 오직 이곳 풍경만 사랑하지'는 않아도 된다는 인식에서 비롯된 것이다. 즉 천변 이외에도 앞으로 '화신상', '전차', '승강기' 등 서울의 다양한 문명을 직접 접할 수 있을 것이라는 기대감과 관련된 표현일 뿐, 도시 문명을 비판적으로 인식하는 모습을 읽어낼 수는 없다.

오답풀이

① '창수'가 '다리 밑' 풍경조차도 '행복일 수 있지 않느냐'고 여기는 데서, 도시의 이면적 실상을 직시하지 못하는 인물의 의식을 엿볼 수 있군.

〈보기〉에서 '도시 소설'에는 '도시 문명에 가리어진 도시의 이면적 풍경'이 나타난다고 하였다. 윗글에서 '창수'는 '다리 밑에 모여' 있는 '깍정이 떼들'을 보고도 그곳이 서울이라는 이유만으로 그들의 삶이 행복일 수 있지 않겠냐고 생각한다. 이는 도시 문명의 화려함에 매혹되어 그 이면적 실상을 제대로 인식하지 못하는 인물의 의식을 보여 준다.

③ '창수'가 '자전거 종소리'에 허둥대는데도 계속 놀림을 당하는 장면에서, 도시에 입성한 인물이 현실에 직면하여 처하는 불안정한 상황을 짐작할 수 있군.

〈보기〉에서 '도시에 처음 입성한 이들은 자신의 꿈과는 다른 현실에 직면'하며, 도시는 이들에게 '안정된 삶의 장소를 내주지는 않는다.'라고 하였다. 윗글에서 '창수'가 '자전거 종소리'에 놀라 '허둥대며 비켜서는 꼴을 보'이자 그를 '시골 아이'라고 놀리던 서울 아이들은 한바탕 웃음을 터트린다. 이는 도시에 입성한 인물이 현실에 직면하여 처한 불안정한 상황을 나타낸 것으로 볼 수 있다.

④ '창수'가, '어른같이' 묻는 물음에 선뜻 답하지 못하는 장면에서, 도시에 처음 입성한 인물이 겪는 심리적 위축 상태를 볼 수 있군.

〈보기〉에서 '도시에 처음 입성한 이들은 자신의 꿈과는 다른 현실에 직면하여 심리적 혼돈 속에서 크게 위축된다.'라고 하였다. 윗글에서 서울 아이들에게 놀림을 당해 부끄러움과 모욕감을 느낀 '창수'는 자신을 향해 '어른같이' 묻는 아이에게 '변변치 못하게 얼굴을 붉히'다 '가까스로 고개를 한 번 끄떡'이는 모습을 보인다. 이는 도시에 처음 입성한 인물이 겪는 심리적 위축 상태를 나타낸 것으로 볼 수 있다.

⑤ '창수'가 '집으로나 다시 내려갔으면' 좋겠다고 생각하는 대목을 통해, 꿈과 현실 사이의 괴리에서 오는 혼란을 겪는 이의 마음을 엿볼 수 있군.

〈보기〉에서 '도시는 문명의 화려함을 내세워' 사람들을 매혹하지만, '안정된 삶의 장소를 내주지는 않'으며, 이로 인해 '도시에 처음 입성한 이들은 자신의 꿈과는 다른 현실에 직면하여 심리적 혼돈'을 느낀다고 하였다. 윗글에서 천변의 풍경과 '화신상', '전차', '승강기'와 같은 도시 문명에 매혹되었던 '창수'는 서울 아이들로부터 '시굴 아이'라는 놀림을 받으며 현실을 직면한 뒤에는 '집으로나 다시 내려갔으면' 하고 바라게 된다. 이는 도시에서 경험한 꿈과 현실의 괴리로 인해 혼란을 겪는 인물의 심리를 나타낸 것으로 볼 수 있다.

2. 문학 개념어 OX 확인 문제

① ✕

• 간결한 문체: 길이가 길지 않고 구조가 간단한 문장들 위주로 서술이 이루어진 경우를 말함. 쉼표를 활용한 긴 문장이 나타나거나 인물의 내면에 초점을 맞추어 이를 길고 상세하게 서술하는 경향이 나타나는 경우에는 간결한 문체가 나타난다고 보기 어려움.

② ○

• 특정 인물의 시각으로 서술: 일반적으로 3인칭 전지적 작가 시점에서 특정 인물의 시각으로 그 인물의 경험과 인식을 반영하여 서술하는 것. 특정 인물의 입장에서 지칭어·호칭어를 사용하며, 다른 인물의 심리도 특정 인물의 입장에서 해석하여 나타냄.

근거 '소년은 적이 불평이었으나, 다음 순간, 그는 언제까지든 그것 한 가지에만 마음을 주고 있을 수 없게,~그의 어린 눈과 또 귀는 어지럽게도 바빴다.' 등

현대소설 독해의 STEP 3

■ 1번 문제의 선지 판단 공식에 대한 답을 확인해 보세요.

〈보기〉 문제 선지 판단의 공식

①

〈보기〉 도시 소설에는 도시 문명에 가리어진 도시의 이면적 풍경이 나타남

➕

작품 '다리 밑에 모여서들~아무렇게나 거적 위에서 뒹굴고, 그러는 깍정이 떼들도, 이곳이 결코 시골이 아니라 서울일진댄, 그것들은 그만큼 행복일 수 있지 않느냐.'

선지➡ '창수'가 '다리 밑' 풍경조차도 '행복일 수 있지 않느냐'고 여기는 데서, 도시의 이면적 실상을 직시하지 못하는 인물의 의식을 엿볼 수 있군. ○

②

〈보기〉 도시 소설에는 도시 현실에 대한 비판적 의식이 드러남

➕

작품 "암만 좋은 구경이래두, 밤낮 보면 물리고 만다……' 그러나 이제 창수는 '화신상'도 가 볼 수 있고, '전차'도 탈 수 있고,~ '승강기'라는 것도 있다지 않나.'

선지➡ '창수'가 도시의 풍경에 대해 '밤낮 본다면 물리고 만다'고 한 데서, 혼돈에서 벗어나 도시 문명을 비판적으로 인식하는 모습을 읽을 수 있군. ✕

③

〈보기〉 도시에 처음 입성한 이들은 꿈과 현실의 괴리를 경험하며 심리적 혼돈을 느끼는데, 도시는 이들에게 안정된 삶의 장소를 내주지 않음

➕

작품 '얘가 시굴 아이다, 시굴 아이야.', '등 뒤에서 요란스러이 울린 자전거 종소리에, 그만 질겁을 하여 한옆으로 허둥대며 비켜서는 꼴을 보고,~'서울 아이'들이, "하, 하, 하" 하고 가장 재미있는 듯 싶게 한바탕을 웃었을 때'

선지➡ '창수'가 '자전거 종소리'에 허둥대는데도 계속 놀림을 당하는 장면에서, 도시에 입성한 인물이 현실에 직면하여 처하는 불안정한 상황을 짐작할 수 있군. ○

④

〈보기〉 도시에 처음 입성한 이들은 꿈과 현실의 괴리를 경험하며 심리적 혼돈 속에서 크게 위축되는 모습을 보임

➕

작품 "'너, 약국에, 오늘 들왔구나?" 아주 어른같이 그러한 것을 묻는다. 창수는 또 변변치 못하게 얼굴을 붉히며, 가까스로 고개를 한 번 끄떡하고'

선지➡ '창수'가, '어른같이' 묻는 물음에 선뜻 답하지 못하는 장면에서, 도시에 처음 입성한 인물이 겪는 심리적 위축 상태를 볼 수 있군. ○

⑤

〈보기〉 도시에 처음 입성한 이들은 꿈과 현실의 괴리를 경험하며 심리적 혼돈을 느끼게 됨

➕

작품 '그저 아버지가 '전차'나 태워 주고, '화신상'이나 구경시켜 주고,~그러한 다음에, 같이 집으로나 다시 내려갔으면, 그러면 퍽 좋겠다고~저 혼자 속으로 생각하지 않으면 안 되었다.'

선지➡ '창수'가 '집으로나 다시 내려갔으면' 좋겠다고 생각하는 대목을 통해, 꿈과 현실 사이의 괴리에서 오는 혼란을 겪는 이의 마음을 엿볼 수 있군. ○

현대소설 독해의 STEP 1

1 다음 글을 읽고 주요 인물을 잘 파악했는지, 빈칸에 적절한 말을 채웠는지 확인해 보세요.

📅 고3 2010학년도 9월 모평 – 이청준, 「잔인한 도시」

 젊은이 는 사내 가 새를 사 주지 않는 데 대한 원망의 기색은 손톱만큼도 나타내지 않았다. 그는 될수록 사내가 난처해질 소리들만 골라서 그를 괴롭게 몰아붙이는 것이었다. 그리하여 결국은 사내 스스로가 견디질 못하고 가게를 떠나게 하려는 것이었다. 젊은이는 사내를 난처하게 만들어서 가게를 떠나게 만들려고 한대.

 ―아드님을 기다리신답니다. 아드님이 시골에 궁전을 지어놓고 영감님을 모시러 오시는 중이랍니다.

 그는 때로 새를 사러 들어온 손님을 상대로 해서까지 그렇게 무참스럽게 사내를 비웃고 무안을 주었다.

 ―어디만큼 왔나, 고개만큼 왔지…… 영감님은 날마다 효자 꿈에 행복하시요. 젊은이는 새 가게에 온 손님에게 일부러 사내를 비웃고 무안을 주는 말을 해서 사내를 난처하게 만드는 거야.

 사내는 그러나 그런 젊은이의 비웃음을 아랑곳하려는 기색이 조금도 없었다. 그는 젊은이의 공박에 할 말이 전혀 없는 사람처럼 주위를 짐짓 외면해 버리곤 하였다. 젊은이가 정 그를 못 견디게 매도하고 들 때면 차라리 그 젊은이의 얕은 소갈머리가 가엾어 죽겠다는 듯 슬픈 눈길로 그를 한참씩 건너다보고 있다가는 조용히 혼자 한숨을 짓고 말 뿐이었다. 젊은이가 무안을 주고 난처하게 만들어도 사내는 아랑곳하지 않았어. 오히려 젊은이를 가엾게 여기며 슬픈 눈길로 건너다보고 한숨을 지을 뿐이었지.

 하면서도 사내는 좀처럼 젊은이의 새 가게를 떠날 생각을 않고 있었다. 아니 그는 젊은이의 그런 버릇없는 공박 따위로 가게를 아주 떠나 버릴 처지의 사람이 아니었다.

 그에겐 아직도 할 일이 남아 있었다. 사내가 젊은이의 조롱에도 가게를 떠나지 않는 이유는 할 일이 남아서라고 하네.

 "녀석들에게 모두 새를 사야…… 그래도 녀석들에게 빠짐없이 모두 한 마리씩은 새를 살 수가 있어야……" 사내는 혼자 속으로 중얼거리곤 하였다. 그는 아직도 가막소* 안에 남아 있는 친구들을 절대로 잊어서는 안 된다고 생각했다. 그 가엾은 친구들을 위해 새를 사지 않고 혼자서 이곳을 떠날 수는 없다고 몇 번씩 결심을 다짐했다. 사내는 교도소 안에 남아 있는 친구들을 위해 한 마리씩 새를 사야만 이곳을 떠날 수 있는 거야. 그는 그저 지금 당장은 새를 사는 일이 달갑게 여겨지지가 않고 있을 뿐이었다. 새를 사더라도 전날처럼 즐겁거나 기분이 가벼워지질 못하고 있는 것뿐이었다. 젊은이의 새 가게에서 새를 사는 일이 달갑게 여겨지지 않아서 새를 사지도, 새 가게를 떠나지도 못하고 있는 거네.

 하지만 사내는 그것도 그저 그 빌어먹을 잠자리의 악몽 때문일 거라 자신을 변명했다. 밤마다 그를 괴롭혀 대고 있는 빛줄기의 꿈만 꾸지 않게 되면 그는 다시 기분이 회복되어 새를 즐겁게 살 수 있으리라 자신을 기다렸다. 도대체가 새들이 낙엽처럼 빛을 맞고 떨어져 내리는 악몽이 계속되는 동안은, 그리고 그 빌어먹을 새들이 어째서 이 공원 숲을 떠나지 못하고 자꾸만 다시 조롱 속으로 붙잡혀 돌아오는지, 그런 사연을 석연히 이해하지 못하고는 새를

 다시 사고 싶은 생각이 일어오질 않았다. 그건 마치 어린애들 숨바꼭질과도 같은 어리석은 장난일 뿐이었다. 사내가 새를 사는 일을 달갑게 여기지 못하는 이유가 나타나고 있어. 새들이 빛을 맞고 떨어져 내리는 빛줄기의 꿈 때문이지. 또 새들이 공원을 떠나지 못하고 다시 조롱 속으로 붙잡혀 돌아오는 이유를 알게 되면 새를 다시 사고 싶어질 것이고, 그럼 교도소 동료들에게 모두 새를 사 준 뒤에 사내도 떠날 수 있다는 거야.

 장면끊기 01 사내는 젊은이의 조롱과 비웃음에도 아랑곳하지 않으며 가막소의 동료들을 위해 새를 사려고 해.

 한데 그러던 어느 날 밤, 사내에겐 또 한 가지 이상스런 일이 일어났다.

 사내는 이날 밤도 그 공원 숲 벤치 위에서 추운 새우잠을 견디고 있었는데, 자정을 한 시간쯤이나 지난 무렵이었을까, 예의 전짓불빛이 다시 공원 숲 속을 훑어 대기 시작했다. 새 가게를 떠나지 못하고 있는 사내는 공원 숲 벤치에서 밤을 지새우고 있는데, 전짓불빛이 공원 이곳저곳을 비추기 시작했어.

 이번엔 물론 꿈이 아니었다. 실제로 빛줄기를 앞세운 밤새 사냥이 시작된 것이었다. 사내는 벌써부터 까닭을 알 수 없는 두려움 때문에 자신도 모르게 사지가 움츠러들고 있었다. 전짓불빛은 새를 사냥하기 위한 것이었네.

 하지만 이번엔 다행스럽게도 전번 날 밤과는 사정이 훨씬 달랐다.

 빛줄기가 아직 사내를 찾아내지 못하고 있었다. 아니, 이날 밤은 그 밤새 사냥꾼이 제 편에서 미리 사내의 잠자리를 피해 주고 있었는지도 알 수 없는 노릇이었다.

 불빛은 좀처럼 사내 쪽으로 다가들 기미를 안 보이고 있었다. 사내와는 한참 거리가 떨어진 숲들만 이리저리 분주하게 휘저어 대고 있었다. 불빛을 맞은 밤새들이 낙엽처럼 어둠 속을 휘날리고 있을 뿐이었다. 불빛이 사내 쪽을 향하지는 않고 있어.

 불빛은 거의 걱정을 할 필요가 없는 것 같았다.

 하지만 이미 졸음기가 말끔 달아나 버린 사내는 모른 체하고 다시 잠을 청할 수도 없었다.

 그는 이윽고 야전잠바 옷깃을 들추고 천천히 벤치 위로 몸을 일으켜 앉았다. 그리고는 차분한 손짓으로 야전잠바 주머니 속을 뒤져 꽁초 한 대를 찾아 물었다. 졸음기가 달아나 버린 사내는 담배를 피우려 해.

 사내가 그 야전잠바 옷깃으로 불빛을 가리며 입에 문 꽁초에다 막 성냥불을 그어 붙이려던 순간이었다.

 후루룩―!

 어둠 속 어느 방향으론가부터 느닷없이 사내의 잠바 깃 속으로 날아와 박혀드는 것이 있었다. 담뱃불을 붙이려다 말고 사내는 자신도 모르게 흠칫 놀라 손에 든 성냥불부터 날쌔게 꺼 없앴다. 그리고는 그의 가슴께 깃 속으로 박혀든 물체를 재빨리 더듬어 냈다.

 사내는 이내 물체의 정체를 알 수 있었다. 다름 아니라 그것은 방금 숲 속의 불빛에 쫓겨 온 한 마리의 새였다. 부드럽고 따스한 감촉이 손에 닿을 때부터 사내는 벌써 그것을 알 수 있었다. 옷깃 밖으로 끌려 나온 새는 두려움 때문인지 가슴이 몹시 팔딱거리고 있었다. 사내가 담뱃불을 붙이기 위해 옷자락에 성냥불을 켰을 때 녀석은 그 불빛을 보고 달려든 게 분명했다. 공원 숲의 새가 사내가 켠 성냥불의 빛을 보고 사내의 품 속으로 달려든 거야.

 "빛에 쫓긴 녀석이 외려 또 불빛을 보고 덤벼들다니…… 역시 새 짐승이란……"

사내는 녀석의 분별없는 행동이 희한하기도 하고 우습기도 하였다.

사내는 불빛을 보고 달려든 새가 **희한**하기도 우습기도 해.

하지만 사내의 그런 생각이 오히려 오해였는지도 알 수 없었다.

사내는 잠시 녀석을 어떻게 해 주어야 좋을지를 생각해 보았다. 녀석을 금세 그냥 그대로 놓아 보낼 수는 없었다. 녀석은 몹시 겁을 먹고 있었다. 빛줄기에 쫓긴 녀석이 사내에게서 또 한 번 놀라고 있었다. 놀란 녀석을 무작정 다시 어둠 속으로 달아나게 할 수는 없었다.

그는 녀석에게 좀 안심을 시켜서 놓아주기로 작정했다.   사내는 자신의 품으로 달려든 새를 우선 **안심**시킨 뒤 놓아주려 하지.

장면끊기 02   사내는 새들이 자꾸 붙잡혀 돌아오는 이유에 대해 궁금해하며 새를 사지 못하고 있었고, 어느 날 밤 **공원**에서 불빛에 쫓기던 새가 성냥불 빛을 보고 사내의 품으로 날아들게 돼.

— 이청준, 「잔인한 도시」 —

*가막소: 교도소.

현대소설 독해의 STEP 2

1 구조도의 빈칸에 적절한 말을 채웠는지 확인해 보세요.

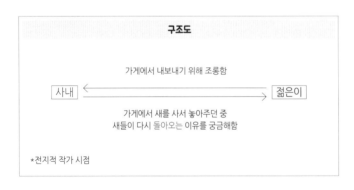

구조도

가게에서 내보내기 위해 조롱함

사내 ←──────────────────→ 젊은이

가게에서 새를 사서 놓아주던 중
새들이 다시 돌아오는 이유를 궁금해함

*전지적 작가 시점

---

2 1~2번 문제의 정답과 해설을 확인해 보세요.

1. 〈보기〉를 바탕으로 윗글을 해석할 때 적절하지 <u>않은</u> 것은?

〈보기〉

이 소설은 폭력적이고 억압적인 세계에 맞서 그것의 정체를 드러내어, 이를 부정해야 함을 강조하고 있다. 그리고 <u>억압적인 세계에 길들여져 있는 인간의 모습을 통해 현실 사회가 부정적인 공포의 공간이 되는 모순을 부각</u>하고 있다. 억압적 세계에 길들여진 모습을 통해 현실의 모순을 부각 이러한 모순은 공원 숲에서 멀리 달아나지 못하고 도리어 불빛 속으로 뛰어드는 새를 '사내'가 목격하고, 공원 숲이 더 이상 휴식의 공간이 될 수 없음을 깨닫는 데서 잘 드러난다. 억압적 세계에 길들여진 존재 = 달아나지 못하고 불빛으로 달려드는 새, 부정적인 공포의 공간 = 공원 숲 또한 이 소설은 폭력적이고 억압적인 현실의 횡포와 기만에 대한 분노를 통해, 폭력과 억압이 존재하지 않는 세계를 집요하게 추구하고 있다. 폭력적, 억압적 현실에 대한 분노 → 폭력과 억압이 없는 세계 추구

정답풀이

④ 현실의 횡포와 기만에 대한 분노는 '졸음기가 말끔 달아나 버린 사내'가 '모른 체하고 다시 잠을 청할 수' 없는 데서 확인할 수 있다.

사내가 '모른 체하고 다시 잠을 청할 수' 없는 이유는 현실의 횡포와 기만에 대한 분노 때문이 아니라, 불빛으로 인해 졸음기가 달아나 버렸기 때문이다. 사내가 무언가에 대해 분노하는 모습은 윗글에 드러나지 않는다.

오답풀이

① 폭력적이고 억압적인 세계는 '공원 숲 속을 훑어 대기 시작'하는 전짓불빛에 의해 만들어지고 있다.

새를 잡아들이기 위해 늦은 밤 '전짓불빛'으로 공원 숲을 훑어 대는 모습에서 폭력적이고 억압적인 세계를 확인할 수 있다.

② 억압적인 세계에 길들여져 있는 인간의 모습은 '공원 숲을 떠나지 못하고 자꾸만 다시 조롱 속으로 붙잡혀 돌아오는' 새들을 통해서 확인할 수 있다.

폭력과 억압에 길들여진 인간의 모습은 불빛만 보면 따라가 '공원 숲을 떠나지 못하고 자꾸만 다시 조롱 속으로 붙잡혀 돌아오는' 새들의 모습에서 확인할 수 있다.

③ 현재의 공간이 부정적인 공간이 되는 것은 사냥꾼에 쫓긴 '밤새들이 낙엽처럼 어둠 속을 휘날리'는 것을 통해 확인할 수 있다.

새를 사냥하기 위해 전짓불빛으로 숲을 훑어대고, 그 불빛에 쫓긴 새들이 '낙엽처럼 어둠 속을 휘날리'는 모습에서 '공원 숲'은 부정적인 공간을 상징함을 알 수 있다.

⑤ 자유를 억압하는 강압적인 폭력의 결과는 '새들이 낙엽처럼 빛을 맞고 떨어져
내리는' 상황을 통해서 암시되고 있다.

새를 향하는 '전짓불빛'이 폭력성과 억압성을 상징하므로, 새들이 '낙엽처럼
빛을 맞고 떨어져 내리는' 상황은 폭력의 결과를 암시한다.

2. 문학 개념어 OX 확인 문제

① ○

근거 사내는 새들이 숲을 떠나지 못하고 조롱 속으로 되돌아오는 이유를 궁금해하며,
'그런 사연을 석연히 이해하지 못하고는 새를 다시 사고 싶은 생각이' 들지 않는다고 함.
이처럼 사내는 새들이 다시 잡혀오는 사건의 의미를 탐색하고 있음.

② ✕

• 감각적인 문장: 감각(시각, 청각, 후각, 미각, 촉각)적인 이미지를 사용하여
묘사한 문장.

현대소설 독해의 STEP 3

■ 1번 문제의 선지 판단 공식에 대한 답을 확인해 보세요.

〈보기〉 문제 선지 판단의 공식

① 〈보기〉 이 소설은 폭력적이고 억압적인 세계에 맞서 그것의 정체를 드러냄

 작품 '예의 전짓불빛이 다시 공원 숲 속을 훑어 대기 시작했다.', '실제로 빛줄기를 앞세운 밤새 사냥이 시작된 것이었다.'

선지➡ 폭력적이고 억압적인 세계는 '공원 숲 속을 훑어 대기 시작'하는 전짓불빛에 의해 만들어지고 있다. ○

② 〈보기〉 이 소설은 억압적인 세계에 길들여진 인간의 모습을 통해 현실 사회가 부정적인 공포의 공간이 되는 모순을 부각하며, 이러한 모순은 공원 숲에서 멀리 달아나지 못하고 도리어 불빛 속으로 뛰어드는 새의 모습을 통해 드러남

작품 '빌어먹을 새들이 어째서 이 공원 숲을 떠나지 못하고 자꾸만 다시 조롱 속으로 붙잡혀 돌아오는지, 그런 사연을 석연히 이해하지 못하고는 새를 다시 사고 싶은 생각이 일어오질 않았다.'

선지➡ 억압적인 세계에 길들여져 있는 인간의 모습은 '공원 숲을 떠나지 못하고 자꾸만 다시 조롱 속으로 붙잡혀 돌아오는' 새들을 통해서 확인할 수 있다. ○

③ 〈보기〉 현실 사회가 부정적인 공포의 공간이 되는 모순은 공원 숲에서 멀리 달아나지 못하고 도리어 불빛 속으로 뛰어드는 새를 '사내'가 목격하고, 공원 숲이 더 이상 휴식의 공간이 될 수 없음을 깨닫는 데서 잘 드러남

작품 '실제로 빛줄기를 앞세운 밤새 사냥이 시작된 것이었다.', '불빛을 맞은 밤새들이 낙엽처럼 어둠 속을 휘날리고 있을 뿐이었다.'

선지➡ 현재의 공간이 부정적인 공간이 되는 것은 사냥꾼에 쫓긴 '밤새들이 낙엽처럼 어둠 속을 휘날리'는 것을 통해 확인할 수 있다. ○

④ 〈보기〉 이 소설은 폭력적이고 억압적인 현실의 횡포와 기만에 대한 분노를 통해, 폭력과 억압이 존재하지 않는 세계를 집요하게 추구함

작품 '불빛은 거의 걱정을 할 필요가 없는 것 같았다. 하지만 이미 졸음기가 말끔 달아나 버린 사내는 모른 체하고 다시 잠을 청할 수도 없었다.'

선지➡ 현실의 횡포와 기만에 대한 분노는 '졸음기가 말끔 달아나 버린 사내'가 '모른 체하고 다시 잠을 청할 수' 없는 데서 확인할 수 있다. ✕

⑤ 〈보기〉 이 소설은 폭력적이고 억압적인 현실의 횡포와 기만에 대한 분노를 통해, 폭력과 억압이 존재하지 않는 세계를 집요하게 추구함

 작품 '도대체가 새들이 낙엽처럼 빛을 맞고 떨어져 내리는 악몽이 계속되는 동안은, 그리고 그 빌어먹을 새들이 어째서 이 공원 숲을 떠나지 못하고 자꾸만 다시 조롱 속으로 붙잡혀 돌아오는지, 그런 사연을 석연히 이해하지 못하고는 새를 다시 사고 싶은 생각이 일어오질 않았다.'

선지➡ 자유를 억압하는 강압적인 폭력의 결과는 '새들이 낙엽처럼 빛을 맞고 떨어져 내리는' 상황을 통해서 암시되고 있다. ○

하루 30분

선 지 판 단 력
강 화 프 로 그 램

현대소설 트레이닝

4

주차

현대소설 독해의 STEP 1

❶ 다음 글을 읽고 주요 인물을 잘 파악했는지, 빈칸에 적절한 말을
채웠는지 확인해 보세요.

📅 고3 2009학년도 9월 모평 – 오상원, 「모반」

어둠이 쪽 깔려 간 밤하늘에는 별들이 빙판(氷板)에 얼어붙은 구슬들처럼 반짝이고 있었다. 찬바람이 나뭇가지를 흔들고 지나갈 때마다 낙엽이 우수수 발밑으로 떨어져 흩어졌다. 그는 지금 가로수에 기대어 서서 하늘을 쳐다보고 있었다. 무거운 마음이 좀처럼 가라앉지 않았다. <u>그는 가로수에 기대어 밤하늘을 쳐다보며 무거운 마음을 느끼고 있어.</u> 그는 즈봉 포켓 속에 구겨 넣은 신문지를 다시금 손으로 구겨 쥐었다. 어머니—그는 마음속으로 이렇게 부르짖었다. 그 순간 '아래는 아들의 소식을 듣고 실신한 노모'라는 신문 구절과 함께 노파의 주름진 얼굴이 어머니 얼굴과 겹쳐서 떠올랐다. <u>그가 마음이 무거웠던 이유가 나타나 있어. 그는 실신한 노파의 소식이 실린 신문을 보며 어머니가 떠올라 괴로워했던 거야.</u> 그러나 곧 '모두가 조국을 위해서다.' 하는 음성이 그의 마음을 뒤덮고 지나갔다.

'이미 우리는 조국을 위해서만이 있는 몸이다. 지금의 네 심정을 모르는 바 아니지만 보다 더 보람 있는 하나를 위해서 하나를 버려야지.' <u>그는 이내 모든 일은 조국을 위한 것이었다 말하는 음성을 떠올려.</u>

장면끊기 01

약 이 개월 전 일이었다. 그가 투신하고 있는 비밀결사에서는 한 사람을 암살하지 않으면 안 될 경지에 놓여 있었다. 그리고 바로 계획된 그날 밤 오랜 신병 끝에 오직 한 분밖에 없는 그의 어머니가 숨져 가고 있었던 것이었다. <u>이 개월 전의 그날 밤, 그는 한 사람을 암살해야 했는데 하나뿐인 어머니가 숨져 가고 있었어.</u>

클랙슨 소리가 짧게 밖에서 또 한 번 울려 오고 있었다. 정각에서 삼십 분 전. 야광 초침이 파란 빛깔을 그으면서 아라비아 숫자가 나열된 동그란 원반 위를 움직이고 있었다. 클랙슨 소리가 다시 짧게 울렸다. 그는 묵묵히 고개를 들고 어둠과 마주 섰다.

"연기는 안 돼. 생각해 봐. 우리가 오늘 이 기회를 잡기 위해서 얼마나 시간과 정력을 소비했나를…… 그것뿐만이 아니라 오늘 실패하는 경우엔 이미 우리들의 계획은 모두 수포로 돌아가야 하는 거야. 그렇게 되면 우리는 하나에서부터 다시 시작해야 하는 거야. 지금 우리들은 삼이라는 성공 숫자 앞에 와 있다. 알겠지? 어머니는 우리가 맡을 테다. 조국을 위해서 이미 모든 것을 버리기로 한 우리들이 아니냐."

나직하면서도 몹시 초조한 음성이었다. <u>조국과 어머니 사이에서 머뭇거리는 그를 보며 비밀결사 대원 중 누군가가 초조한 음성으로 결단을 요구해.</u> 그는 조용히 문을 닫았다. 어머니의 신음 소리가 무겁게 방 안에서 울려 나오고 있었다.

(중략)

의식을 잃고 누워 있던 어머니는 방문이 부시시 열리는 소리에 눈을 떴다. <u>그가 문을 열고 들어오는 소리에 어머니가 눈을 뜬 거야.</u> 천장이 축 처져서 내려앉은 방 안은 더욱 답답하고 어두웠다. 그는 어머니 앞으로 조용히 다가가서 꿇어앉았다. 고개를 약간 모로 눕히면서

아들 모습을 더듬어 가고 있는 그 눈빛은 다 꺼져 가는 모닥불처럼 희미하게 등잔불 빛에 반사되어 빛나고 있었다.

"어머니……."

노파는 아들의 음성을 알아들었는지 고개를 간신히 흔들어 보이는 것 같았다.

"어머니, 의사가 왔댔어요?"

그러나 노파는 가만히 있었다. 그는 어머니가 말귀를 못 알아들었는가 하여 다시 한 번 어머니 귀 가까이에 입을 대고 물어보았다. 그리고 나서 어머니 표정을 조용히 지켰다. 힘없게 주름져 간 입술이 움직거리는 것 같았다. 어머니 손이 무엇인가를 찾아 헤매는 듯하므로 그는 어머니의 손을 마주 잡으며 물었다.

"왜 그러세요?"

어머니는 아무 말 없이 아들의 손만을 꾹 움켜쥐는 것이었다. <u>어머니는 죽어가면서도 아들만을 생각하는 모습이야.</u> 어머니는 곧 아들의 손을 끌어당겨 자기 뺨 위로 가져갔다. 그리고 이미 시선과 손의 감각만으로써는 아들을 느껴 볼 수가 없는 듯이 아들의 손을 자기 입술에 가져다 대어 보는 것이었다. 그는 가슴이 뭉클 뜨거운 물결 속에 휩쓸려 들어가는 것 같았다. <u>그는 죽어가는 어머니를 지켜보며 가슴이 뜨거워지는 슬픔을 느껴.</u> 장면끊기 02 그는 순간 며칠 전 집을 나갈 때 간신히 입을 열고 중얼거리던 어머니 말씀이 눈앞에 또렷이 아로새긴 것처럼 떠오르는 것이었다. <u>그는 며칠 전 어머니와 나누었던 대화를 떠올리게 돼.</u>

"언제 돌아오냐?"

"오늘은 못 돌아올 것 같아요. 저 옆집 아주머니한테 부탁을 했어요. 그리고 좀 돌봐 달라고 돈도 드렸으니까 근심 마세요. 의사도 이따 저녁에 다시 한번 들를 거예요."

"오냐."

그리고 나서 어머니는 잠시 멍하니 허공에 눈 주고 있다가 혼잣말처럼 이렇게 중얼거리는 것이었다.

"어머니는 아들만을 위해서 있단다. 나이 들면 들어 갈수록…… 그러나 아들이야 그럴 수 있겠니, 제 할 일이 더 중한데……."

<u>오늘은 돌아오지 못한다는 아들을 만류할 수 없어 안타까워하는 어머니의 모습이야.</u>

그 말을 듣는 순간 노쇠한 어머니의 애틋한 기대를 깨닫지 못하는 바 아니었으나 그는 자리에서 일어섰던 것이었다.

장면끊기 03

그는 지금 이러한 생각에 사로잡힌 채 자기 손을 끌어당겨다 입술 위에 대고 어루만지고 있는 어머니의 모습을 잠시 지켜보고 있었다. <u>며칠 전 어머니를 뒤로 하고 집을 나갔던 기억을 떠올렸다가, 다시 지금(암살을 계획한 그날 밤)으로 시간이 전환되어.</u> 얼마 후 자기 손을 어루만지던 어머니의 손은 맥없이 그대로 멈추어졌다. 그는 뼈만이 앙상한, 여윈 어머니의 손가락으로부터 어머니 눈 위로 시선을 옮겼다. 자기를 쳐다보고 있는 희미한 어머니의 눈빛, 마치 그것은 먼지 속에 퇴색하여 버린 유리알처럼 빛을 잃고 있었다. 그 순간 어머니는 지금 아들의 모습을 바라다보고 있는 것이 아니라, 다만 마음속에서 느끼고 있을 뿐이라는 생각이 그의 마음에 어두운 선을 그으며 지나갔다. <u>빛을 잃은 어머니의 눈을 보며 괴로워하는 그의 모습이야.</u>

장면끊기 04

다음날 그는 밀회 시간을 어기고 그대로 어머니 곁에 있었다.

정오가 가까워서였다. 자동차의 엔진 소리가 요란하게 들리더니 집 앞에서 급히 브레이크 밟는 소리가 났다.

장면끊기 05

– 오상원, 「모반」 –

현대소설 독해의　STEP 2

1 장면을 적절히 나누었는지, 장면별 내용의 빈칸에 적절한 말을 채웠는지 확인해 보세요.

장면끊기 01 **지금** '그'는 실신한 노모의 소식이 실린 신문을 보며 어머니에 대한 생각으로 괴로워하고 있음

Tip 그가 '지금' 느끼고 있는 심정에 대해 이야기하다가 '약 이 개월 전'의 일을 회상하기 시작하지? 시간적 배경이 변화하는 지점에서 장면을 끊어주자! 한편 '이 개월 전 일'에 해당하는 중략 이전의 장면과 중략 이후에 이어지는 장면은 시간적 배경이 동일하기 때문에 장면 끊기를 하지 않았어. 대부분의 소설 지문에서는 중략을 기점으로 시간적 배경이나 공간적 배경이 변화하지만, 이 지문에서는 죽어가는 어머니 옆에서 슬픔과 내적 갈등을 느끼는 '그'의 모습이 중략 이후에도 이어서 등장해.

장면끊기 02 **이 개월 전** 암살이 계획된 그날 밤, 비밀결사의 누군가가 찾아와 '그'를 설득하지만, '그'는 죽어가는 어머니를 지켜보며 슬퍼함

Tip 죽어가는 어머니의 손을 잡고 '그'는 '며칠 전' 일을 떠올려. '이 개월 전' '그날 밤'에서 더 과거의 일을 회상하는 거지. 문단이 나눠져 있지 않아 장면 끊기가 쉽지 않았을 거야. 그러나 '며칠 전'이라는 시간 표지를 제시해줬으니, 장면을 끊어야겠지?

장면끊기 03 **며칠 전** '그'는 어머니의 애틋한 기대가 섞인 말을 듣고도 자리에서 일어나 어머니를 떠났던 일을 떠올림

Tip 며칠 전 어머니를 두고 떠났던 일을 회상한 뒤, 다시 '지금'(이 개월 전 암살이 계획된 그날 밤)으로 돌아오고 있는 지점에서 장면을 끊자.

장면끊기 04 **지금** '그'는 자신의 손을 잡고 있는 어머니의 빛을 잃은 눈을 보며 안타까움을 느낌

Tip 죽어가는 어머니 곁을 지키며 '다음날'로 시간이 흐르네. '다음날'이라는 시간 표지를 보고 장면끊기를 할 수 있어야겠지?

장면끊기 05 '그'는 다음날 비밀결사와의 밀회 시간을 어기고 어머니의 곁을 지킴

---

2 구조도의 빈칸에 적절한 말을 채웠는지 확인해 보세요.

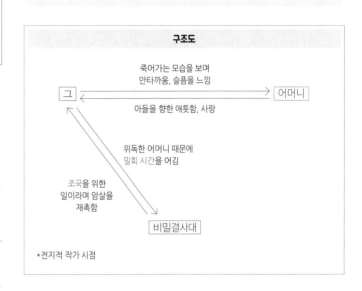

구조도

그 ←→ 어머니
죽어가는 모습을 보며 안타까움, 슬픔을 느낌
아들을 향한 애틋함, 사랑

위독한 어머니 때문에 밀회 시간을 어김

조국을 위한 일이라며 암살을 재촉함

비밀결사대

*전지적 작가 시점

---

3 1~2번 문제의 정답과 해설을 확인해 보세요.

▶정답률 63%

1. 윗글의 서술상의 시간을 〈보기〉와 같이 정리했다. 이와 관련한 설명으로 적절하지 않은 것은?

〈보기〉

지금(1) → 그날 밤 → 며칠 전 → 지금(2) → 다음날

정답풀이

③ '그날 밤'과 '며칠 전' 장면은 서술자의 시점이 서로 다르다.

윗글은 주인공을 가리키는 호칭이 3인칭인 '그'로 통일되어 있다. 즉 처음부터 끝까지 3인칭 전지적 시점으로 서술되어 있으므로 '그날 밤'과 '며칠 전'의 장면에서 서술자의 시점이 서로 다르다는 설명은 적절하지 않다.

오답풀이

① '지금'(1)과 '지금'(2)는 공간적 배경이 다르다.

'지금'(1)의 공간적 배경은 '가로수에 기대어 서서 하늘을 쳐다보고 있었다.'를 통해 거리의 가로수 아래이고, '지금'(2)의 공간적 배경은 '어머니의 모습을 잠시 지켜보고 있었다.'를 통해 어머니가 누워 있는 방 안임을 알 수 있다.

② '그날 밤'과 '지금'(2)는 시간적 배경이 동일하다.

'그날 밤'은 '약 이 개월 전' 거사를 계획했던 그날을 말하는데, 그때에 어머니가 숨져 가고 있었다고 했다. 이어지는 내용에서 비밀결사의 누군가가 '그'를 찾아와 만남을 가진 후, '그'는 다시 방으로 돌아와 어머니의 손을 잡고 '며칠 전' 과거를 회상한다. 이렇게 회상하고 있는 때가 '지금'(2)이므로 '그날 밤'과 '지금'(2)는 시간적 배경이 동일하다.

④ 실제 시간 순으로 배열하면 '며칠 전'이 가장 먼저이다.

〈보기〉의 시간을 실제 시간 순으로 배열하면 '며칠 전 → 그날 밤(=지금(2)) → 다음날 → 지금(1)'이다. 주인공의 현재는 '지금'(1)의 시간이며, 이 개월 전의 '그날 밤' 일을 보여 주다 그 안에서 다시 며칠 전에 일어난 일을 회상하는 모습이 나오므로 실제 시간 순으로는 '며칠 전'이 가장 먼저이다.

⑤ '다음날'에는 새로운 사건의 발생이 암시되어 있다.

'다음날'에 '자동차의 엔진 소리가 요란하게 들리더니 집 앞에서 급히 브레이크 밟는 소리가 났다.'라는 부분은 새로운 사건이 발생할 것임을 암시한다고 볼 수 있다.

2. 문학 개념어 OX 확인 문제

① ○

• 요약적 서술(요약적 제시): 사건 전개 과정에서 대화나 행동을 보여 주거나 장면을 풀어서 묘사하지 않고 간략하게 요약하여 서술하는 것.

근거 '그가 투신하고 있는 비밀결사에서는~그의 어머니가 숨져 가고 있었던 것이었다.'에서 비밀결사의 상황과 그의 어머니의 상황을 요약하여 제시하고 있음.

② ○

• 묘사: 어떤 대상이나 인물의 외양, 행동, 내면 등을 그림을 보여 주듯 표현하는 것.

근거 '어둠이 쭉 깔려 간 밤하늘에는~낙엽이 우수수 발밑으로 떨어져 흩어졌다.'에서 밤 배경의 묘사를 통해 주인공의 무거운 마음을 드러내고 있음.

현대소설 독해의   STEP 3

1번 문제의 선지 판단 공식에 대한 답을 확인해 보세요.

〈보기〉 문제 선지 판단의 공식

①

〈보기〉 지금(1) → 그날 밤 → 며칠 전 → 지금(2) → 다음날 ✚ 작품

'그는 지금 가로수에 기대어 서서 하늘을 쳐다보고 있었다.', '그는 지금 이러한 생각에 사로잡힌 채 자기 손을 끌어당겨 입술 위에 대고 어루만지고 있는 어머니의 모습을 잠시 지켜보고 있었다.'

선지▶ '지금'(1)과 '지금'(2)는 공간적 배경이 다르다.   ○

②

〈보기〉 지금(1) → 그날 밤 → 며칠 전 → 지금(2) → 다음날 ✚ 작품

'약 이 개월 전 일이었다.~한 사람을 암살하지 않으면 안 될 경지에 놓여 있었다. 그리고 바로 계획된 그날 밤 오랜 신병 끝에 오직 한 분밖에 없는 그의 어머니가 숨져 가고 있었던 것', 비밀결사대의 누군가를 만난 뒤 다시 어머니가 계신 방으로 돌아온 '그는 지금 이러한 생각에 사로잡힌 채~얼마 후 자기 손을 어루만지던 어머니의 손은 맥없이 그대로 멈추어졌다.'

선지▶ '그날 밤'과 '지금'(2)는 시간적 배경이 동일하다.   ○

③

〈보기〉 지금(1) → 그날 밤 → 며칠 전 → 지금(2) → 다음날 ✚ 작품

'그날 밤 오랜 신병 끝에 오직 한 분밖에 없는 그의 어머니가 숨져 가고 있었던 것', '그는 순간 며칠 전 집을 나갈 때~그는 자리에서 일어섰던 것이었다.'

선지▶ '그날 밤'과 '며칠 전' 장면은 서술자의 시점이 서로 다르다.   ✕

④

〈보기〉 지금(1) → 그날 밤 → 며칠 전 → 지금(2) → 다음날 ✚ 작품

'약 이 개월 전 일이었다.~그리고 바로 계획된 그날 밤 오랜 신병 끝에 오직 한 분밖에 없는 그의 어머니가 숨져 가고 있었던 것', 이 개월 전 그날 밤에 '그는 순간 며칠 전 집을 나갈 때 간신히 입을 열고 중얼거리던 어머니 말씀이 눈앞에 또렷이 아로새긴 것처럼 떠오르는 것이었다.'

선지▶ 실제 시간 순으로 배열하면 '며칠 전'이 가장 먼저이다.   ○

⑤

〈보기〉 지금(1) → 그날 밤 → 며칠 전 → 지금(2) → 다음날 ✚ 작품

'자동차의 엔진 소리가 요란하게 들리더니 집 앞에서 급히 브레이크 밟는 소리가 났다.'

선지▶ '다음날'에는 새로운 사건의 발생이 암시되어 있다.   ○

현대소설 독해의 STEP 1

1 다음 글을 읽고 주요 인물을 잘 파악했는지, 빈칸에 적절한 말을 채웠는지 확인해 보세요.

📅 **고3 2016학년도 9월 모평B – 오정희, 「옛우물」**

> 내가 태어난 날임을 상기시키는 아무런 특별함은 없다. 그해 봄날 바람이 불었는지 비가 내렸는지 맑았는지 흐렸는지, 이제는 층계를 오르는 일조차 잊어버린 치매 상태의 노모에게 묻는 것은 의미 없는 일이다. **'나'가 태어난 날임을 상기시키는 특별함이라곤 없다.** 다산의 축복을 받은 농경민의 마지막 후예인 그녀에게 아이를 낳는 것은, 밤송이가 벌어 저절로 알밤이 툭 떨어지는 것, 봉숭아 여문 씨들이 바람에 화르르 흐트러지는 것처럼 자연스럽고 범상한 일이었을 것이다. **'나'의 어머니는 다산을 축복으로 여기던 시대의 여성이었고, 아이를 낳는 일은 자연스럽고 예사로운 일이었을 거야.**
>
> 나는 **막냇동생이 태어나던 때**를 기억하고 있다. 깨끗한 바가지에 쌀을 담고 그 위에 마른 미역을 한 잎 걸쳐 안방 시렁에 얹어 삼신에게 바친 다음 할머니는 또다시 깨끗한 짚을 한 다발 안방으로 들어갔다. 사람도 짐승처럼 짚북데기 깔자리에서 아기를 낳나? 누구에게도 물을 수 없었던 마음속의 의문에 안방 쪽으로 가는 눈길이 자꾸 은밀하고 유심해졌다. **하지만 '나'는 막냇동생이 태어나던 때는 기억하고 있대. 어머니의 출산을 준비하는 할머니의 모습을 보며 '나'는 생명의 탄생에 대해 궁금증을 느끼게 되었어.**
>
> 할머니는 아궁이가 미어지게 나무를 처넣어 부엌의 무쇠솥에 물을 끓였다. 저녁 내내 어둡고 웅숭깊은 부엌에는 설설 물 끓는 소리와 더운 김이 가득 서렸다. 특별히 누군가 말해 준 적은 없지만 아이들은 무언가 분주하고 소란스럽고 조심스러운 쉬쉬함으로 어머니가 아기를 낳으려 한다는 눈치를 채게 마련이었다.
>
> 할머니는 언니에게, 해지기 전에 옛우물에서 물을 길어 와 독을 채워 놓으라고 말했다. 머리카락 빠뜨리지 마라. 쓸데없이 수다 떨다 침 떨구지 마라. 부정 탄다. 할머니는 엄하게 덧붙였다. **막냇동생이 태어나던 때, 할머니는 엄한 태도로 어머니의 출산을 준비했지.**

장면끊기 01

(중략)

> 한 사람의 생애에 있어서 사십오 년이란 무엇일까. **'나'는 아마도 사십오 년이라는 세월을 살아온 것 같네.** 부자도 가난뱅이도 될 수 있고 대통령도 마술사도 될 수 있는 시간일 뿐더러 이미 죽어서 물과 불과 먼지와 바람으로 흩어져 산하에 분분히 내리기에도 충분한 시간이다.
>
> 나는 창세기 이래 진화의 표본을 찾아 적도 밑 일천 킬로미터의 바다를 건너 갈라파고스 제도로 갈 수도, 아프리카에 가서 사랑의 의술을 펼칠 수도 있었으리라. 무인도의 로빈슨 크루소도, 광야의 선지자도 될 수 있었으리라. 피는 꽃과 지는 잎의 섭리를 노래하는 근사한 한 권의 책을 쓸 수도 있었을 테고 맨발로 춤추는 풀밭의 무희도 될 수 있었으리라. 질량 불변의 법칙과 영혼의 문제, 환생과 윤회에 대한 책을 쓸 수도 있었을 것이다. 납과 쇠를 금으로 만드는 연금술사도 될 수 있었고 밤하늘의 별을 보고 나의 가야

할 바를 알았을는지도 모른다. **'나'는 사십오 년이라는 시간이 가질 수 있는 다양한 생애(삶)의 가능성에 대해 상상해 보았어.**

> 그러나 나는 지금 작은 지방 도시에서, 만성적인 편두통과 임신 중의 변비로 인한 치질에 시달리는 중년의 주부로 살아가고 있다. 유행하는 시와 에세이를 읽고 티브이의 뉴스를 보고 보수적인 것과 진보적인 것으로 알려진 두 가지의 일간지를 동시에 구독해 읽는 것으로 세상을 보는 창구로 삼고 있다. 한 달에 한 번씩 아들의 학교 자모회에 참석하고 일주일에 두 번 장을 보고 똑같은 거리와 골목을 지나 일주일에 한 번 쑥탕에 가고 매주 목요일 재활 센터에서 지체 부자유자들의 물리 치료를 돕는 자원 봉사의 일을 하고 있다. 잦은 일은 아니지만 이름난 악단이나 연주자의 순회공연이 있을 때면 남편과 함께 성장을 하고 밤 외출을 하기도 한다. **상상과는 다르게 사십오 년의 세월을 거쳐온 '나'는 현재 특별할 것 없는 중년의 주부로 살아가고 있어.**

장면끊기 02

> 갈라파고스를 떠올린 것도 엊그제, **'나'는 엊그제 갈라파고스를 떠올렸던 때를 회상하기 시작하네.** 벌써 한 주일 이상이나 화재가 계속되어 희귀 생물의 희생이 걱정된다는 티브이 뉴스에 비친 광경이 의식의 표면에 남긴 잔상 같은 것일 테고 더 먼저는 아들이, 자신이 사용하는 물건들에 붙여 놓은, '도도'라는 말에서 비롯된 것일 수도 있다. 도도가 무엇인가를 묻자 아들은 4백 년 전에 사라진, 나는 기능을 잃어 멸종된 새였다고 말했었다. 누구나 젊은 한 시절 자신을 전설 속의, 멸종된 종으로 여기지 않겠는가. 관습과 제도 속으로 들어가야 하는 두려움과 항거를 그렇게 나타내지 않겠는가. **'나'는 자신의 정체성을 탐색하다 문득 아들에게 들은 멸종된 새 도도를 떠올렸어. 도도와 같이 자신의 젊은 시절도 관습과 제도 속으로 들어가는 사이 멸종되었다고 여기네.**
>
> 우리 삶의 풍속은 그만큼 빈약한 상상력에 기대어 부박하다. 삶이 내게 도태시킨 가능성에 대해 별반 아쉬움도 없이 잠깐 생각해 본 것은 내가 새로 보태어진 나이테에 잠깐 발이 걸렸다는 뜻일 게다. **'나'는 도도에게 자신의 모습을 비추어 보며 스스로를 가능성이 도태된 존재로 여겨.** 그러나 나는 이제 혼례나 장례에 꼭 같은 한가지 옷으로 각각 알맞은 역할을 연출할 줄 알고 내 손으로 질서 지워지는 일들에 자부심을 갖고 있다. **그러나 '나'는 생활의 풍속에 의해 만들어진 자신의 삶의 방식에 대해 자부심을 갖고 있어.** 마늘과 생강이 어우러져 내는 맛을 알고 행주와 걸레의 질서를 사랑하지만 종종 무질서 속으로 피신하는 것도 한 방법이라는 것을 알고 있다. **'나'는 일상의 질서를 사랑하지만, 상상의 무질서를 통해 자신의 정체성을 탐색하고 싶었던 거야.**

장면끊기 03

– 오정희, 「옛우물」 –

현대소설 독해의 STEP 2

1 장면을 적절히 나누었는지, 장면별 내용의 빈칸에 적절한 말을 채웠는지 확인해 보세요.

장면끊기 01　'나'와 막냇동생이 태어나던 때를 떠올리며 인간의 출생에 대해 생각함

Tip 중략 이후 이어지는 내용을 읽어보면 알겠지만, 이 지문은 여러 인물 간의 대화나 사건을 제시하기보다는 서술자 '나'의 생각을 중심으로 서술하고 있어. 따라서 '나'가 생각하는 중심 대상이나 개념이 바뀔 때마다 장면을 끊어 읽는 게 좋겠어. 중략 이후 '나'는 과거 회상에서 벗어나 사십오 년이라는 세월을 살아온 자신의 삶을 본격적으로 성찰하기 시작하니, 여기서 장면을 끊어 보자.

장면끊기 02　사십오 년 동안 살아온 삶의 정체성을 찾기 위해 다양한 양상의 삶의 가능성과 그에 비해 평범한 주부로 살아가는 '나'의 일상을 떠올림

Tip 자신의 삶을 성찰하던 '나'는 이제 멸종된 새 '도도'에 대해 생각하기 시작해. 중심 대상이 바뀌었으니 한 번 더 끊어 읽을 수 있겠지?

장면끊기 03　'나'는 엊그제 떠올린 갈라파고스를 생각하며 '도도'를 통해 삶을 성찰함. 자신의 삶의 방식에 자부심을 느끼면서도 종종 무질서 속으로 피신하는 것도 인생을 사는 하나의 방법이라 여김

2 구조도의 빈칸에 적절한 말을 채웠는지 확인해 보세요.

구조도

'나' ——————— 도도 ——————→ '나'의 삶

정체성 탐색, 성찰
('나는 누구인가?')

*1인칭 주인공 시점

---

3 1~2번 문제의 정답과 해설을 확인해 보세요.

▶정답률 71%

1. 〈보기〉를 참고할 때 윗글에 대한 감상으로 적절하지 **않은** 것은?

〈보기〉

　인간은 일생 동안 출생 · 성년 · 결혼 · 죽음의 과정을 겪는데, 이 과정에서 일상적 경험 세계와 현실 너머의 상상의 세계에서 새로운 정체성을 탐색한다. 인간의 정체성 탐색: 일상적 경험 세계 + 현실 너머의 상상의 세계 이때 두 세계의 어느 편에도 온전히 편입되지 못하고 경계에 선 인간은 정체성의 혼란을 겪기도 한다.

　「옛우물」에서는 경계 상황에 놓인 중년 여성 인물이 자신의 삶을 돌아보며 정체성을 탐색하는 모습을 보여 준다. 그 탐색의 과정에서 출생부터 죽음에 이르기까지 삶의 다양한 양상에 대해 성찰한다. 이를 통해, 생명과 죽음이 서로 대립되고 분리된 것이 아니라 자연의 순환 원리를 바탕으로 한다는 점이 부각된다. 중년 여성의 정체성 탐색: 출생~죽음까지 삶의 다양성을 성찰 → 생명과 죽음의 순환 원리 부각

정답풀이

① 주인공이 주기적으로 학교나 재활 센터 등에 오가면서도 밤 외출을 하는 행위에서, 일상 세계에서 안정된 삶을 영위하지 못하는 경계 상황에 놓여 있음을 읽을 수 있겠군.

주인공이 시나 에세이를 읽고, 뉴스를 보고, 학교와 재활 센터 등을 오가고, 가끔 남편과 밤 외출을 하는 것은 모두 일상 세계에서의 안정된 삶을 영위하고 있음을 보여 주는 것이다.

오답풀이

② 죽음을 물과 불과 바람과 먼지로 산하에 흩어져 내리는 것으로 보는 주인공의 생각에서, 생명과 죽음이 자연의 순환 원리를 바탕으로 연결된 것이라는 인식을 엿볼 수 있겠군.

'죽어서 물과 불과 먼지와 바람으로 흩어져 산하에 분분히 내리기에도 충분한 시간이다.'에서 주인공은 생명과 죽음이 서로 단절된 것이 아니라, 자연의 원리에 따라 '죽어서 물과 불과 바람과 먼지로 흩어'지며 순환하는 것으로 인식하고 있다고 볼 수 있다.

③ 막냇동생이 태어나던 때에 할머니가 조심스럽게 준비하는 장면을 주인공이 떠올리는 것에서, 출생이라는 생의 첫 과정에 주목하며 정체성을 탐색하려는 모습을 볼 수 있겠군.

주인공은 막냇동생이 태어나던 때, '마른 미역을 한 잎 걸쳐 안방 시렁에 얹'고 '깨끗한 짚을 한 다발 안방으로 들여'가던 할머니의 모습과 '무언가 분주하고 소란스럽고 조심스러운' 분위기를 떠올린다. 이러한 모습은 주인공이 〈보기〉에서 말한 것처럼 '출생부터 죽음에 이르기까지 삶의 다양한 양상에 대해 성찰'한 것과 관련되며 자신의 정체성을 탐색하는 것이라 할 수 있다.

④ 한 사람의 생애에서 사십오 년의 의미를 묻는 주인공이 아프리카나 광야를 상상하는 장면에서, 새로운 정체성을 일상과는 다른 세계에서 찾으려고 하는 것을 확인할 수 있겠군.

〈보기〉에 따르면 주인공은 '일상적 경험 세계와 현실 너머의 상상의 세계'의 경계 상황에서 새로운 정체성을 탐색하고 있다고 할 수 있다. 따라서 한 사람의 생애에서 사십오 년의 의미를 묻는 주인공이 아프리카나 광야를 상상하는 것은 새로운 정체성을 탐색하는 과정으로 볼 수 있다.

'나'는 '한 사람의 생애에 있어서 사십오 년이란 무엇일까.'라며 자신의 삶을 되돌아보기 시작하는데, '아프리카에 가서 사랑의 의술을 펼칠 수도 있었으리라.', '광야의 선지자도 될 수 있었으리라.'를 통해 다양한 삶의 가능성을 탐색하며 새로운 정체성을 찾으려 함을 알 수 있다.

⑤ 질서 지워지는 일들에 자부심을 가지면서도 무질서 속으로 피신하는 것도 한 방법이라고 하는 부분에서, 질서와 무질서 사이를 오가며 정체성을 탐색할 수 있음을 알 수 있겠군.

〈보기〉에서는 '경계 상황에 놓인 중년 여성 인물이 자신의 삶을 돌아보며 정체성을 탐색'한다고 하였다. 이에 따르면 '마늘과 생강이 어우러져 내는 맛을 알고 행주와 걸레의 질서를 사랑하지만 종종 무질서 속으로 피신하는 것도 한 방법이라는 것을 알고 있'는 주인공은 질서와 무질서 사이의 경계에 놓여 정체성을 탐색하고 있음을 알 수 있다.

2. 문학 개념어 OX 확인 문제

① ○

• 자기 고백적 서술: 자신의 체험을 바탕으로 그와 관련된 인식과 내면의 감정을 표현하는 서술 방식.

근거 '내가 태어난 날임을 상기시키는 아무런 특별함은 없다.', '나는 이제 혼례에나 장례에~질서 지워지는 일들에 자부심을 갖고 있다.' 등에서 이야기 내부 서술자 '나'가 자신의 내면을 진술하고 있음.

② ✕

근거 윗글의 '나'는 '막냇동생이 태어나던 때'의 기억을 떠올리고, 자신의 '사십오 년'의 생애를 되돌아보며 성찰하고 있을 뿐, 사건에 대한 객관적 진술을 보여 주고 있지는 않음.

현대소설 독해의 STEP 3

■ 1번 문제의 선지 판단 공식에 대한 답을 확인해 보세요.

〈보기〉 문제 선지 판단의 공식

① 〈보기〉 「옛우물」에서는 경계 상황에 놓인 중년 여성 인물이 자신의 삶을 돌아보며 정체성을 탐색하는 모습을 보여 줌

작품 '한 달에 한 번씩 아들의 학교 자모회에 참석', '매주 목요일 재활 센터에서 지체 부자유자들의 물리 치료를 돕는 자원봉사의 일', '잦은 일은 아니지만~밤 외출을 하기도 한다.', '내 손으로 질서 지워지는 일들에 자부심을 갖고 있다.'

선지➜ 주인공이 주기적으로 학교나 재활 센터 등에 오가면서도 밤 외출을 하는 행위에서, 일상 세계에서 안정된 삶을 영위하지 못하는 경계 상황에 놓여 있음을 읽을 수 있겠군. ✕

② 〈보기〉 주인공은 출생부터 죽음에 이르기까지 삶의 다양한 양상에 대해 성찰하고, 이를 통해 생명과 죽음이 서로 대립되고 분리된 것이 아니라 자연의 순환 원리를 바탕으로 한다는 점이 부각됨

작품 '죽어서 물과 불과 먼지와 바람으로 흩어져 산하에 분분히 내리기에도 충분한 시간이다.'

선지➜ 죽음을 물과 불과 바람과 먼지로 산하에 흩어져 내리는 것으로 보는 주인공의 생각에서, 생명과 죽음이 자연의 순환 원리를 바탕으로 연결된 것이라는 인식을 엿볼 수 있겠군. ◯

③ 〈보기〉 주인공은 자신의 정체성을 탐색하는 과정에서 출생부터 죽음에 이르기까지 삶의 다양한 양상에 대해 성찰함

작품 '무언가 분주하고 소란스럽고 조심스러운 쉬쉬함', 할머니는 '깨끗한 바가지에 쌀을 담고 그 위에 마른 미역을 한 잎 걸쳐 안방 시렁에 얹어 삼신에게 바'치고, 언니에게 '부정' 타지 않게 '물을 길어' 오라고 함

선지➜ 막냇동생이 태어나던 때에 할머니가 조심스럽게 준비하는 장면을 주인공이 떠올리는 것에서, 출생이라는 생의 첫 과정에 주목하며 정체성을 탐색하려는 모습을 볼 수 있겠군. ◯

④ 〈보기〉 인간은 현실 너머의 상상의 세계에서 새로운 정체성을 탐색함

작품 '한 사람의 생애에 있어서 사십오 년이란 무엇일까.', '아프리카에 가서 사랑의 의술을 펼칠 수도 있었으리라.', '광야의 선지자도 될 수 있었으리라.'

선지➜ 한 사람의 생애에서 사십오 년의 의미를 묻는 주인공이 아프리카나 광야를 상상하는 장면에서, 새로운 정체성을 일상과는 다른 세계에서 찾으려고 하는 것을 확인할 수 있겠군. ◯

⑤ 〈보기〉 일상적 경험 세계와 현실 너머의 상상의 세계에서 어느 편에도 온전히 편입되지 못하고 경계 상황에 놓인 주인공은 자신의 삶을 돌아보며 정체성을 탐색함

작품 '알맞은 역할을 연출할 줄 알고 내 손으로 질서 지워지는 일들에 자부심을 갖고 있다.', '질서를 사랑하지만 종종 무질서 속으로 피신하는 것도 한 방법이라는 것을 알고 있다.'

선지➜ 질서 지워지는 일들에 자부심을 가지면서도 무질서 속으로 피신하는 것도 한 방법이라고 하는 부분에서, 질서와 무질서 사이를 오가며 정체성을 탐색할 수 있음을 알 수 있겠군. ◯

현대소설 독해의 STEP 1

❶ 다음 글을 읽고 주요 인물을 잘 파악했는지, 빈칸에 적절한 말을 채웠는지 확인해 보세요.

📅 고3 2013학년도 9월 모평 – 김동리, 「역마」

[앞의 줄거리] 아들 성기가 역마살 때문에 떠돌이가 될까 봐 걱정하던 옥화는 그를 정착시키기 위해 체 장수 영감의 딸 계연과 맺어주려 하지만, 계연이 자기 동생이라는 것을 알고는 그녀를 떠나보내기로 한다. 옥화는 아들 성기와 계연을 혼인시키려 했지만, 계연이 자신의 동생이라는 것을 알고 계연을 보내려 하고 있어.

계연의 시뻘겋게 상기한 얼굴은, 옥화와 그의 아버지가 그들을 지켜보고 있다는 것도 잊은 듯이 성기의 얼굴만 일심으로 바라보고 있었으나, 계연은 떠나는 자신을 성기가 잡아 주기를 바라며 성기의 얼굴만 바라보고 있어. 버드나무에 몸을 기댄 성기의 두 눈엔 다만 불꽃이 활활 타오를 뿐, 아무런 새로운 명령도 기적도 나타나지 않았다.

"오빠, 편히 사시오."

하고, 거의 울음이 다 된, 마지막 목소리를 남기고 돌아선 계연의 저만치 가고 있는 항라 적삼*을, 고운 햇빛과 늘어진 버들가지와 산울림처럼 울려오는 뻐꾸기 울음 속에, 성기는 우두커니 지켜보고 있을 뿐이었다. 계연은 우두커니 지켜만 보고 있는 성기에게 인사를 하며 이별을 슬퍼하고 있어.

장면끊기 01

성기가 다시 자리에서 일어나게 된 것은 이듬해 우수(雨水)도 경칩(驚蟄)도 다 지나, 청명(淸明) 무렵의 비가 질금거릴 무렵이었다. 주막 앞에 늘어선 버들가지는 다시 실같이 푸르러지고 살구, 복숭아, 진달래 들이 골목 사이로 산기슭으로 울긋불긋 피고 지고 하는 날이었다.

아들의 미음상을 차려 들고 들어온 옥화는 성기가 미음 그릇을 비우는 것을 보자 이렇게 물었다.

"아직도, 너, 강원도 쪽으로 가 보고 싶냐?"

"……"

성기는 조용히 고개를 돌렸다.

"여기서 장가들어 나랑 같이 살겠냐?"

"……"

성기는 역시 고개를 돌렸다. 성기는 옥화의 질문에 아무 말 없이 고개를 돌리고 있어.

장면끊기 02

그해 아직 봄이 오기 전, 보는 사람마다, 성기의 회춘을 거의 다 단념하고 하였을 때 옥화는, 이왕 죽고 말 것이라면, 어미의 맘속이나 알고 가라고, 그래, 그 체 장수 영감은, 서른여섯 해 전 남사당을 꾸며 와 이 화개 장터에 하룻밤을 놀고 갔다는 자기의 아버지임에 틀림이 없었다는 것과, 계연은 그 왼쪽 귓바퀴 위의 사마귀로 보아 자기의 동생임이 분명하더라는 것을, 통정*하노라면서, 자기의 같은 왼쪽 귓바퀴 위의 검정 사마귀까지를 그에게 보여 주었다. 옥화는 아들 성기에게 계연이 자신의 동생임을 밝히고 있어.

"나도 처음부터 영감이 '서른여섯 해 전'이라고 했을 때 가슴이

섬뜩하긴 했다. 그렇지만 설마 했지 그렇게 남의 간을 뒤집어 놀 줄이야 알았나. 하도 아슬해서 이튿날 악양으로 가 명도*까지 불러 봤더니, 요것도 남의 속을 빤히 들여다나 보는 듯이 재잘대는구나, 차라리 망신을 했지."

옥화는 잠깐 말을 그쳤다. 성기는 두 눈에 불을 켜듯 한 형형한 광채를 띠고, 그 어머니의 얼굴을 쳐다보고 있었다. 성기는 옥화의 말을 듣고 충격을 받은 모양이야.

"차라리 몰랐으면 또 모르지만 한번 알고 나서야 인륜이 있는듸 어쩌겠냐."

그리고 부디 어미 야속타고나 생각지 말라고, 옥화는 아들의 뼈만 남은 손을 눈물로 씻었다. 옥화는 계연과 성기를 갈라놓을 수밖에 없었음을 고백하며 눈물을 흘리고 있어.

옥화의 이 마지막 하직같이 하는 통정 이야기에 의외로도 성기는 도로 힘을 얻은 모양이었다. 그 불타는 듯한 형형한 두 눈으로 천장을 한참 바라보고 있던 성기는 무슨 새로운 결심이나 하듯 입술을 지그시 깨물고 있었다. 성기는 옥화의 이야기를 듣고 새로운 결심을 한 듯 보여.

아버지를 찾아 강원도 쪽으로 가 볼 생각도 없다. 집에서 장가 들어 살림을 할 생각도 없다, 하는 아들에게 그러나, 옥화는 이제 전과 같이 고지식한 미련을 두는 것도 아니었다.

"그럼 어쩔라냐? 너 좋을 대로 해라." 옥화는 성기를 정착시키고자 했던 고지식한 미련을 버리고, 성기에게 하고 싶은 대로 하라고 해.

"……"

성기는 아무런 말도 없이 도로 자리에 드러누워 버렸다.

장면끊기 03

그러고 나서 한 달포나 넘어 지난 뒤였다.

성기가 좋아하는 여러 가지 산나물이 화갯골에서 연달아 자꾸 내려오는 이른 여름의 어느 장날 아침이었다. 두릅회에 막걸리 한 사발을 쭉 들이켜고 난 성기는 옥화더러,

"어머니, 나 엿판 하나만 맞춰 주." 성기는 엿판을 들고 떠돌아다니는 삶을 살기로 결심했나 봐.

하였다.

"……"

옥화는 갑자기 무엇으로 머리를 얻어맞은 듯이 성기의 얼굴을 멍하니 바라보고 있었다. 옥화는 떠돌이의 삶을 선택한 아들의 결심에 놀라서 멍하니 성기를 바라보고 있어.

장면끊기 04

그런 지도 다시 한 보름이나 지나, 뻐꾸기는 또다시 산울림처럼 건드러지게 울고, 늘어진 버들가지엔 햇빛이 젖어 흐르는 아침이었다. 새벽녘에 잠깐 가는 비가 지나가고, 날은 다시 유달리 맑게 갠 화개 장터 삼거리 길 위에서, 성기는 그 어머니와 하직을 하고 있었다. 마침내 성기가 떠나는 날이 되었나 봐. 갈아입은 옥양목 고의적삼에, 명주 수건까지 머리에 잘끈 동여매고 난 성기는, 새로 맞춘 새하얀 나무 엿판을 걸빵해서 느직하게 엉덩이 즈음에다 걸었다. 위 목판에는 새하얀 가락엿이 반나마 들어 있었고, 아래 목판에는 팔다 남은 이야기책 몇 권과 간단한 방물이 좀 들어 있었다.

그의 발 앞에는, 물과 함께 갈려 길도 세 갈래로 나 있었으나, 화갯골 쪽엔 처음부터 등을 지고 있었고, 동남으로 난 길은 하동,

서남으로 난 길이 구례, 작년 이맘때도 지나 그녀가 울음 섞인 하직을 남기고 체 장수 영감과 함께 넘어간 산모퉁이 고갯길은 퍼붓는 햇빛 속에 지금도 환히 장터 위를 굽이돌아 구례 쪽을 향했으나, 성기는 한참 뒤, 몸을 돌렸다. 그리하여 그의 발은 구례 쪽을 등지고 하동 쪽을 향해 천천히 옮겨졌다. 성기는 지금까지의 삶의 터전이었던 화갯골도, 작년 이맘때 계연이 떠나간 구례 쪽이 아닌 **하동** 쪽으로 발걸음을 옮기기 시작해. 더 이상 과거의 삶과 인연에 미련을 두지 않기로 한 것이지.

한 걸음, 한 걸음, 발을 옮겨 놓을수록 그의 마음은 한결 가벼워져, 멀리 버드나무 사이에서 그의 뒷모양을 바라보고 서 있을 어머니의 주막이 그의 시야에서 완전히 사라져 갈 무렵 해서는, 육자배기 가락으로 제법 콧노래까지 흥얼거리며 가고 있는 것이었다. 자신의 운명을 받아들이고 길을 떠나는 성기는 홀가분함을 느끼며 **콧노래**까지 흥얼거리고 있어.

장면끊기 05

– 김동리, 「역마」 –

*항라 적삼: 명주, 모시, 무명실 따위로 된 한 겹의 윗도리.
*통정: 통사정. 딱하고 안타까운 형편을 털어놓고 말함.
*명도: 마마를 앓다가 죽은 어린 계집아이의 귀신.

현대소설 독해의 STEP 2

1 장면을 적절히 나누었는지, 장면별 내용의 빈칸에 적절한 말을 채웠는지 확인해 보세요.

장면끊기 01
옥화는 계연이 자신의 동생이라는 것을 알고는 그녀를 떠나보내기로 하고, 계연은 성기와 이별함

Tip 지문에서 앞부분의 줄거리가 제시되면 반드시 내용을 꼼꼼하게 확인해야 해. 계연이 옥화의 동생이라는 사실이 이 부분에서 드러나고 있는데, 바로 이어지는 내용이 계연이 성기에게 인사를 하고 떠나는 장면이야. 이후 '성기가 다시 자리에서 일어나게 된~청명 무렵'이라는 시간의 변화가 나타나기 때문에 그 직전에 장면을 끊어야 하겠지?

장면끊기 02
성기가 다시 자리에서 일어나게 된 청명 무렵, 성기는 옥화의 질문에 아무 말 없이 고개를 돌림

Tip 두 번째 장면에서는 성기가 다시 자리에서 일어나 마음 그릇을 다 비우는 모습이 제시되었는데, 이때 시간적 배경은 '청명' 무렵이라고 했어. 청명은 4월 초인 봄을 의미해. 이를 모른다고 하더라도 두 번째 장면의 배경 묘사를 통해 시간적 배경이 봄이라는 것을 알 수 있지. 그런데 이어지는 내용에서 '그해 아직 봄이 오기 전'의 상황을 제시하고 있어. 이는 과거 장면이 삽입된 것으로, 이 경우에도 장면을 끊어 읽어야 해.

장면끊기 03
그해 아직 봄이 오기 전, 옥화는 성기에게 계연을 떠나보낸 이유를 설명하고, 옥화의 이야기를 들은 성기는 새로운 결심을 한 듯한 모습을 보임

Tip 세 번째 장면에서 성기가 옥화와 계연의 관계성을 알게 된 뒤, 이어지는 장면은 '한 달포나 넘'는 시간이 지난 후의 시점으로 바뀌어. 시간의 변화가 드러나면서, 성기의 행동에도 변화가 나타나는 부분이니 여기서 장면을 끊을게.

장면끊기 04
한 달포나 넘어 지난 뒤, 이른 여름에 성기는 옥화에게 엿판을 하나만 맞춰 달라고 함

Tip '한 달포나 넘어 지난 뒤'라고 시작하는 네 번째 장면과 '다시 한 보름이 지나'라고 시작하는 다섯 번째 장면은 시간의 변화가 명확하게 나타나고 있기 때문에 어렵지 않게 장면을 끊을 수 있겠지?

장면끊기 05
다시 한 보름이나 지나 성기는 엿판을 메고 하동 쪽을 향해 길을 떠나며 콧노래를 흥얼거림

2 구조도의 빈칸에 적절한 말을 채웠는지 확인해 보세요.

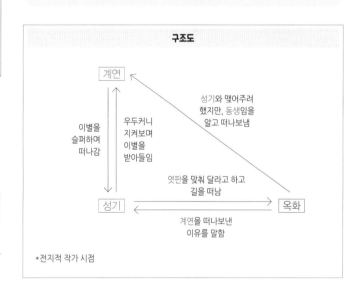

구조도

*전지적 작가 시점

■ 1~2번 문제의 정답과 해설을 확인해 보세요.

▶정답률 81%

1. 〈보기〉를 참고하여, 윗글을 감상한 내용으로 적절하지 않은 것은?

〈보기〉

ㄱ. 김동리는 「역마」의 인물들을 통해, 운명을 수용하는 것이 운명에 패배하는 것이 아니라 세계와 조화되는 것이며, 이는 우리 민족의 전통적 삶의 방식이라고 여겼다. 성기가 운명(역마살)을 받아들이는 것: 운명에 패배 X 세계와 조화 O, 우리 민족의 삶의 방식

ㄴ. 「역마」의 인물들이 보여 주는 생각과 행동은 적극적이지 않고 비합리적이어서, 주체적으로 자기 삶의 방향을 결정하는 현대인들이 공감하기 힘들다는 비판이 있다. 적극적이지 않고 비합리적인 계연, 옥화, 성기의 생각과 행동: 현대인의 입장에서는 공감하기 어려움

정답풀이

③ ㄴ에 따르면, 성기를 떠난 계연은 전통적 인물이면서도 삶의 방향을 스스로 결정하는 주체적인 인물이군.

'거의 울음이 다 된, 마지막 목소리를 남기고 돌아선 계연'의 모습을 볼 때, 이별 상황에서 주체적으로 삶의 방향을 결정하는 행동은 하지 않고 있음을 알 수 있다. 따라서 계연이 삶의 방향을 스스로 결정하는 주체적인 인물이라고 할 수는 없다.

오답풀이

① ㄱ에 따르면, 성기와 계연의 이별 장면은 한국인의 전통적 삶의 방식을 보여 주는 장면이군.

성기와 계연은 헤어짐을 원치 않으면서도 이별의 상황을 별다른 저항 없이 수용하고 있다. 이처럼 주어진 운명에 순응하는 모습은 ㄱ에서 설명한 우리 민족의 전통적인 삶의 방식을 보여 준다고 할 수 있다.

② ㄱ에 따르면, 엿장수가 되어 떠나는 성기의 행동은 세계와 조화를 이루는 행동이군.

성기는 '구례 쪽을 등지고 하동 쪽을 향해 천천히' 발걸음을 옮기며 운명에 순응하는 삶을 택한다. 이것은 ㄱ에서 설명한 것처럼 세계와 조화되는 것으로 볼 수 있다.

④ ㄴ에 따르면, 명도를 불러 보고 그가 한 말을 받아들이는 옥화는 비합리적인 인물이군.

무당의 말을 믿고 계연과 성기를 이별하게 하는 옥화의 행동은 ㄴ에서 설명한 것처럼 현대인들이 공감하기 힘든 비합리적인 모습이라고 볼 수 있다.

⑤ ㄴ에 따르면, 하동 쪽으로 발을 옮겨 놓는 성기는 소극적 삶의 자세를 보여주는 인물이군.

성기는 계연이 떠났던 방향인 '구례'를 등지고 '하동' 쪽으로 향한다. 이는 이루어질 수 없는 사랑을 단념하고, 떠돌이로서의 운명에 순응하는 것을 의미한다. ㄴ에 따르면 이러한 성기의 모습은 소극적 삶의 자세라 할 수 있다.

2. 문학 개념어 OX 확인 문제

① ○

근거 '그해 아직 봄이 오기 전'에 옥화가 성기에게 계연을 떠나보낼 수밖에 없었던 사연을 이야기한 과거의 장면을 삽입하여 이들의 관계를 드러내고 있음.

② ✕

근거 '화갯골', '하동', '구례' 등은 화개 장터 주변의 실제 지명으로, 윗글은 상상적 공간을 배경으로 삼지 않음.

현대소설 독해의 STEP 3

1 1번 문제의 선지 판단 공식에 대한 답을 확인해 보세요.

〈보기〉 문제 선지 판단의 공식

① 〈보기〉 ㄱ. 김동리는 운명을 수용하는 것은 우리 민족의 전통적 삶의 방식이라고 여김 ➕ 작품 '"오빠, 편히 사시오." 하고, 거의 울음이 다 된, 마지막 목소리를 남기고 돌아선 계연의~성기는 우두커니 지켜보고 있을 뿐이었다.'

선지➡ ㄱ에 따르면, 성기와 계연의 이별 장면은 한국인의 전통적 삶의 방식을 보여 주는 장면이군. ○

② 〈보기〉 ㄱ. 김동리는 운명을 수용하는 것이 운명에 패배하는 것이 아니라 세계와 조화되는 것이라 여김 ➕ 작품 '엿판을 걸빵해서 느직하게 엉덩이 즈음에다 걸'고, '성기는 한참 뒤, 몸을 돌렸다. 그리하여 그의 발은 구례 쪽을 등지고 하동 쪽을 향해 천천히 옮겨졌다.'

선지➡ ㄱ에 따르면, 엿장수가 되어 떠나는 성기의 행동은 세계와 조화를 이루는 행동이군. ○

③ 〈보기〉 ㄴ. 「역마」의 인물들이 보여 주는 생각과 행동은 주체적으로 자기 삶의 방향을 결정하는 현대인들이 공감하기 힘들다는 비판이 있음 ➕ 작품 '"오빠, 편히 사시오." 하고, 거의 울음이 다 된, 마지막 목소리를 남기고 돌아선 계연의~성기는 우두커니 지켜보고 있을 뿐이었다.'

선지➡ ㄴ에 따르면, 성기를 떠난 계연은 전통적 인물이면서도 삶의 방향을 스스로 결정하는 주체적인 인물이군. ✕

④ 〈보기〉 ㄴ. 「역마」의 인물들이 보여 주는 생각과 행동은 비합리적이어서 현대인들이 공감하기 힘들다는 비판이 있음 ➕ 작품 '하도 아슬해서 이튿날 악양으로 가 명도까지 불러 봤더니, 요것도 남의 속을 빤히 들여다나 보는 듯이 재잘대는구나, 차라리 망신을 했지.'

선지➡ ㄴ에 따르면, 명도를 불러 보고 그가 한 말을 받아들이는 옥화는 비합리적인 인물이군. ○

⑤ 〈보기〉 ㄴ. 「역마」의 인물들이 보여 주는 생각과 행동은 적극적이지 않아 현대인들이 공감하기 힘들다는 비판이 있음 ➕ 작품 '성기는 한참 뒤, 몸을 돌렸다. 그리하여 그의 발은 구례 쪽을 등지고 하동 쪽을 향해 천천히 옮겨졌다.'

선지➡ ㄴ에 따르면, 하동 쪽으로 발을 옮겨 놓는 성기는 소극적 삶의 자세를 보여 주는 인물이군. ○

현대소설 독해의 STEP 1

1 다음 글을 읽고 주요 인물을 잘 파악했는지, 빈칸에 적절한 말을 채웠는지 확인해 보세요.

📅 고3 2014학년도 9월 모평B - 최인훈, 「광장」

"지식인일수록 불만이 많은 법입니다. 그러나, 그렇다고 제 몸을 없애 버리겠습니까? 종기가 났다고 말이지요. 당신 한 사람을 잃는 건, 무식한 사람 열을 잃는 것보다 더 큰 민족의 손실입니다. 당신은 아직 젊습니다. 우리 사회에는 할 일이 태산 같습니다. 나는 당신보다 나이를 약간 더 먹었다는 의미에서, 친구로서 충고하고 싶습니다. 조국의 품으로 돌아와서, 조국을 재건하는 일꾼이 돼 주십시오. _{지식인으로서의 책임을 강조하며 조국으로 돌아올 것을 제안하고 있어.} 낯선 땅에 가서 고생하느니, 그쪽이 당신 개인으로서도 행복이라는 걸 믿어 의심치 않습니다. 나는 당신을 처음 보았을 때, 대단히 인상이 마음에 들었습니다. 뭐 어떻게 생각지 마십시오. 나는 동생처럼 여겨졌다는 말입니다. 만일 남한에 오는 경우에, 개인적인 조력을 제공할 용의가 있습니다. 어떻습니까?"

명준은 고개를 쳐들고, 반듯하게 된 천막 천장을 올려다본다. 한층 가락을 낮춘 목소리로 혼잣말 외듯 나직이 말할 것이다.

"중립국." _{남한으로 오라는 설득에도 불구하고 명준은 중립국으로 가겠다는 뜻을 밝히고 있네.}

설득자는, 손에 들었던 연필 꼭지로, 테이블을 툭 치면서, 곁에 앉은 미군을 돌아볼 것이다. 미군은, 어깨를 추스르며, 눈을 찡긋하고 웃겠지. _{명준의 확고한 태도를 보고 더 이상 그를 설득할 수는 없겠다고 판단한 모양이야.}

장면끊기 01

나오는 문 앞에서, 서기의 책상 위에 놓인 명부에 이름을 적고 천막을 나서자, 그는 마치 재채기를 참았던 사람처럼 몸을 벌떡 뒤로 젖히면서, 마음껏 웃음을 터뜨렸다. 눈물이 찔끔찔끔 번지고, 침이 걸려서 캑캑거리면서도 그의 웃음은 멎지 않았다. _{명준이 마음껏 웃음을 터뜨리는 모습에는 중립국을 선택한 후 느끼는 후련함이나 그러한 선택을 할 수밖에 없었던 현실에 대한 자조 등의 복잡한 심정이 섞여 있을 것으로 짐작할 수 있어.}

준다고 바다를 마실 수는 없는 일. 사람이 마시기는 한 사발의 물. 준다는 것도 허황하고 가지거니 함도 철없는 일. 바다와 한 잔의 물. 그 사이에 놓인 골짜기와 눈물과 땀과 피. 그것을 셈할 줄 모르는 데 잘못이 있었다. 세상에서 뒤진 가난한 땅에 자란 지식 노동자의 슬픈 환상. _{자신은 그동안 슬픈 환상에 빠졌던 것이라고 하며 과거의 삶을 돌이켜보고 있어.} 과학을 믿은 게 아니라 마술을 믿었던 게지. 바다를 한 잔의 영생수로 바꿔 준다는 마술사의 말을. 그들은 뻔히 알면서 권력이라는 약을 팔려고 말로 속인 꼬임을. _{권력을 위해 사람들을 거짓으로 꾀어내었던 이들을 마술사에 빗대며 비판적인 인식을 드러내고 있어.} 어리석게 신비한 술잔을 찾아 나섰다가, 낌새를 차리고 항구를 돌아보자, 그들은 항구를 차지하고 움직이지 않고 있었다. 참을 알고 돌아온 바다의 난파자들을 그들은 감옥에 가둘 것이다. 못된 균을 옮기지 않기 위해서. _{거짓을 통해 항구를 차지한 이들은 뒤늦게 진실이 무엇인지}

알고 다시 돌아온 난파자를 감옥에 가두어 버린다고 하네. 권력자의 허황한 말에 속은 이들이 부당하게 억압당하는 현실에 대해 말하는 것이겠지. 역사는 소걸음으로 움직인다. 사람의 커다란 모순과 업(業)에 비기면, 아무 자국도 못 낸 것이나 마찬가지다. 당대까지 사람이 만들어 낸 물질 생산의 수확을 고르게 나누는 것만이 모든 시대에 두루 맞는 가능한 일이다. 마찬가지 아닌가. 벌써 아득한 옛날부터 사람 동네가 알아낸 슬기. 사람이라는 조건에서 비롯하는 슬픔과 기쁨을 고루 나누는 것. 그래 봐야, 사람의 조건이 아직도 풀어 나가야 할 어려움의 크기에 대면, 아무것도 아니다. 사람이 이루어 놓은 것에 눈을 돌리지 않고, 이루어야 할 것에만 눈을 돌리면, 그 자리에서 그는 삶의 힘을 잃는다. 사람이 풀어야 할 일을 한눈에 보여 주는 것 — 그것이 '죽음'이다. 은혜의 죽음을 당했을 때, 이명준 배에서는 마지막 돛대가 부러진 셈이다. _{명준은 은혜의 죽음을 겪은 이후 크게 절망했던 모양이야.} 이제 이루어 놓은 것에 눈을 돌리면서 살 수 있는 힘이 남아 있지 않다. 팔자소관으로 빨리 늙는 사람도 있는 법이었다. 사람마다 다르게 마련된 몸의 길, 마음의 길, 무리의 길. 대일 언덕 없는 난파꾼은 항구를 잊어버리기로 하고 물결 따라 나선다. 환상의 술에 취해 보지 못한 섬에 닿기를 바라며. 그리고 그 섬에서 환상 없는 삶을 살기 위해서. 무서운 것을 너무 빨리 본 탓으로 지쳐 빠진 몸이, 자연의 수명을 다하기를 기다리면서 쉬기 위해서. 그렇게 해서 결정한, 중립국행이었다. _{명준이 중립국행을 택한 이유가 제시되었네. 이는 권력자들의 억압으로 인해 고통받아야 했던 항구를 떠나, 환상 없는 삶을 살 수 있는 섬에 닿기를 바라며 물결에 몸을 맡긴 것과 같은 선택이었다는 거지.}

중립국. 아무도 나를 아는 사람이 없는 땅. 하루 종일 거리를 싸다닌대도 어깨 한번 치는 사람이 없는 거리. 내가 어떤 사람이었던지도 모를뿐더러 알려고 하는 사람도 없다.

병원 문지기라든지, 소방서 감시원이라든지, 극장의 매표원, 그런 될 수 있는 대로 마음을 쓰는 일이 적고, 그 대신 똑같은 움직임을 하루 종일 되풀이만 하면 되는 일을 할 테다. 수위실 속에서 나는 몸의 병을 고치러 오는 사람들을 바라본다. 나는 문간을 깨끗이 치우고 아침저녁으로 꽃밭에 물을 준다. _{명준은 아무도 자신을 아는 사람이 없는 중립국에서 지극히 일상적인 삶을 누릴 수 있기를 소망하고 있어.}

장면끊기 02

— 최인훈, 「광장」 —

현대소설 독해의 STEP 2

1 장면을 적절히 나누었는지, 장면별 내용의 빈칸에 적절한 말을 채웠는지 확인해 보세요.

장면끊기 01	천막 안에서 이루어진 남한 측 설득자의 회유에도 불구하고 명준은 흔들리지 않고 중립국행을 택함

Tip 지문 초반에는 '천막' 안이라는 공간에서 명준과 설득자가 대화를 나누는 상황이 제시되는데, 명준이 천막을 나온 이후부터는 명준의 내면 의식을 따라가며 이야기가 전개되고 있지? 따라서 천막 안에서 이루어진 대화 상황까지를 하나의 장면으로 끊어볼 수 있었어!

장면끊기 02	천막을 나선 명준은 자신의 지난 삶과 혼란스러운 현실을 돌아본 뒤, 중립국에서의 생활에 대해 생각함

Tip 길이가 다소 길지만 명준이 천막을 나선 이후부터 지문 끝까지를 모두 하나의 장면으로 묶어볼 수 있어. 명준이 보여 주는 상념의 내용을 구체적으로 살펴보면, 크게 환상에 젖어 있었던 과거의 삶에 대한 회상, 그리고 중립국에서 보내게 될 앞으로의 생활에 대한 바람으로 나누어 볼 수 있어. 다만 그러한 생각들이 명준의 내면 의식 속에서 자연스럽게 연결되고 있으므로, 서로 독립된 대상들이라고 볼 수는 없지. 따라서 추가적인 장면 끊기 없이 명준의 상념이라는 하나의 큰 틀 안에서 내용을 정리할 수 있었다는 점 참고해 두도록 하자!

2 구조도의 빈칸에 적절한 말을 채웠는지 확인해 보세요.

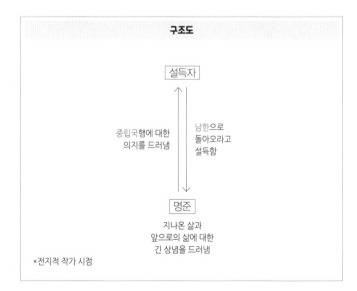

구조도

설득자

중립국행에 대한 의지를 드러냄 ↑ | ↓ 남한으로 돌아오라고 설득함

명준

지나온 삶과 앞으로의 삶에 대한 긴 상념을 드러냄

＊전지적 작가 시점

3 1~2번 문제의 정답과 해설을 확인해 보세요.

▶정답률 76%

1. 〈보기〉를 참고하여 윗글을 감상할 때 적절하지 않은 것은?

〈보기〉

4 · 19 직후에 발표된 최인훈의 「광장」은 당대에 금기시되던 이념 대립의 문제를 정면으로 파헤친 점에서 전후 분단 소설의 대표작으로 평가받고 있다. 우리 소설사에서 「광장」이 지니는 위상 남북한 간 이념의 이분법적 구도로 인해, 한반도의 분단만이 아니라 각 체제 내의 사회적 모순과 문제점을 비판하고 고발하는 것조차 이념의 이름으로 은폐하거나 호도하는 사태가 발생하였다. 「광장」은 그러한 시대적 상황에 문제를 제기(남과 북의 체제를 모두 거부하며 냉소적 태도를 보이는 명준)하고 이념적 대립을 극복할 비판적 대안을 제시(중립국행을 택하는 명준)하고자 하였던 것이다.

정답풀이

② 개인의 이익보다 이념을 택하는 당대 지식인의 실천적 의지가 드러나 있어. 개인의 행복한 삶을 마다하고 낯선 땅으로 가려는 주인공의 선택에서 이를 엿볼 수 있지.

윗글에서 명준은 낯선 땅인 중립국을 택하면서 '될 수 있는 대로 마음을 쓰는 일이 적고, 그 대신 똑같은 움직임을 하루 종일 되풀이만 하면 되는 일을 할 테다.'라고 다짐한다. 이는 이념보다는 개인의 삶을 선택한 것으로 볼 수 있다.

오답풀이

① 이념적 선택을 강요하는 억압적 상황에 처한 이의 심정이 드러나 있어. 주인공이 중립국 선택을 마치고 난 후에 보인 반응에서 이를 엿볼 수 있지.

〈보기〉에서 윗글은 '이념 대립의 문제를 정면으로 파헤친' 소설이라고 하였다. 윗글에서 명준은 남한 측 설득자로부터 '조국의 품으로 돌아'오라고 회유하는 말을 듣지만, 이에 설득당하지 않고 '중립국'행을 선택한다. 이후 명준이 '눈물이 찔끔찔끔 번지고, 침이 걸려서 캑캑거리면서도' 한바탕 웃음을 터뜨리는 모습을 통해 이념적 선택을 강요하는 억압적 상황에 처해야 했던 명준의 심정을 엿볼 수 있다.

③ 현실의 문제를 감추거나 왜곡하기에 급급한 체제에 대한 냉소적 태도가 드러나 있어. 미래에 대한 환상으로 사람들을 꾀는 마술사의 속임수를 비꼬듯 이야기한 데에서 이를 엿볼 수 있지.

〈보기〉에서 윗글은 '각 체제 내의 사회적 모순과 문제점을 비판하고 고발하는 것조차 이념의 이름으로 은폐하거나 호도하는 사태가 발생'하였던 당대의 '시대적 상황에 문제를 제기'한다고 하였다. 윗글에서 명준이 '바다를 한 잔의 영생수로 바꿔 준다'는 거짓말로 사람들을 꾀어낸 마술사를 비꼬듯 이야기하는 것에서는, 현실의 문제를 감추거나 왜곡하기에 급급한 체제에 대한 냉소적 태도가 드러남을 알 수 있다.

4
주차

④ 사회적 모순을 직시하는 이들을 격리하려는 권력을 비판하고자 하는 의식이
   드러나 있어. 항구를 차지한 이들이 바다에서 돌아온 이들을 감금하려 한다는
   대목에서 이를 엿볼 수 있지.

> 〈보기〉에서 윗글은 '각 체제 내의 사회적 모순과 문제점을 비판하고 고발
> 하는 것조차 이념의 이름으로 은폐하거나 호도하는 사태가 발생'하였던
> 당대의 '시대적 상황에 문제를 제기'한다고 하였다. 윗글에서 '항구를 차지'
> 한 이들이 '참을 알고 돌아온 바다의 난파자들'을 '감옥에 가둘 것'이라고 한
> 것에서는, 사회적 모순을 직시한 이들을 격리하려 드는 권력에 대한 비판
> 의식이 드러남을 알 수 있다.

⑤ 이념적 대립 구도에 갇힌 현실에 대한 대안으로, 일상적 삶을 자유롭게 누릴
   수 있는 사회가 드러나 있어. 주인공이 중립국에서 누리고자 하는 삶의 모습을
   기술한 데에서 이를 엿볼 수 있지.

> 〈보기〉에서 윗글은 '이념적 대립을 극복할 비판적 대안을 제시'한다고 하
> 였다. 윗글의 '중립국. 아무도 나를 아는 사람이 없는 땅.~될 수 있는 대로
> 마음을 쓰는 일이 적고, 그 대신 똑같은 움직임을 하루 종일 되풀이만 하면
> 되는 일을 할 테다.' 등에서는 명준이 중립국에서의 삶에 대해 떠올리는
> 모습이 나타난다. 이는 이념적 대립 구도에 갇힌 현실에 대한 대안으로서
> 일상적 삶을 자유롭게 누릴 수 있는 사회의 모습을 그려낸 것으로 볼 수있다.

> **함정 피하기**
>
> 윗글에서 명준은 남한 측 설득자로부터 남한행을 권유받지만 이를 거절하고 '중립국'행을
> 택한다. 이는 '이념의 이분법적 구도'가 존재하는 남한을 벗어나 '아무도 나를 아는 사람이
> 없는 땅'을 선택한 행위로 볼 수 있다. 따라서 이때 '중립국'은 〈보기〉에서 말한 '이념적
> 대립을 극복할 비판적 대안'에 해당한다. 또한 명준이 '자연의 수명을 다하기를 기다리면서
> 쉬기 위해서' 결정한 중립국에서의 삶이 바깥을 오가는 사람들을 구경하고, '아침저녁으로
> 꽃밭에 물을' 주는 등의 지극히 일상적인 모습으로 그려지는 것 등을 고려했을 때 ⑤번
> 선지는 적절한 내용임을 판단할 수 있다.

2. 문학 개념어 OX 확인 문제

> ① ○
>
> • 현재형 진술: 용언의 어간에 '–ㄴ다', '–느냐' 등의 종결 어미를 사용하거나,
>   명사에 서술격 조사 '이다'를 결합하여 현재 시제를 표현하는 것으로,
>   현재형 진술을 사용할 경우 상황을 생생하게 표현하는 효과가 있음.
>   > '대일 언덕 없는 난파꾼은 항구를 잊어버리기로 하고 물결 따라 나선다.',
>   > '수위실 속에서 나는~사람들을 바라본다. 나는 문간을 깨끗이 치우고 아침저녁
>   > 으로 꽃밭에 물을 준다.' 등
>
> ② ✕
>
> • 풍자: 현실의 부정적 현상이나 모순 따위를 다른 사물이나 상황에 빗대어
>   간접적으로 비판함으로써 그 병폐를 깨닫도록 하는 것.

현대소설 독해의 STEP 3

■ 1번 문제의 선지 판단 공식에 대한 답을 확인해 보세요.

〈보기〉 문제 선지 판단의 공식

① 〈보기〉 「광장」은 이념 대립의 문제를 정면으로 파헤친 소설로 평가됨

 작품 '조국의 품으로 돌아와서, 조국을 재건하는 일꾼이 돼 주십시오.', '명준은 고개를 쳐들고,~나직이 말할 것이다. "중립국."', '그는 마치 재채기를 참았던 사람처럼~그의 웃음은 멎지 않았다.'

선지 이념적 선택을 강요하는 억압적 상황에 처한 이의 심정이 드러나 있어. 주인공이 중립국 선택을 마치고 난 후에 보인 반응에서 이를 엿볼 수 있지. ○

② 〈보기〉 「광장」은 이분법적 구도를 가진 남북한 간 이념의 대립 문제를 정면으로 파헤친 소설로 평가됨

 작품 '중립국. 아무도 나를 아는 사람이 없는 땅.~그런 될 수 있는 대로 마음을 쓰는 일이 적고, 그 대신 똑같은 움직임을 하루 종일 되풀이만 하면 되는 일을 할 테다.'

선지 개인의 이익보다 이념을 택하는 당대 지식인의 실천적 의지가 드러나 있어. 개인의 행복한 삶을 마다하고 낯선 땅으로 가려는 주인공의 선택에서 이를 엿볼 수 있지. ×

③ 〈보기〉 「광장」은 사회적 모순과 문제점에 대한 비판이 은폐되거나 호도당하던 시대적 상황에 문제를 제기함

 작품 '과학을 믿은 게 아니라 마술을 믿었던 게지. 바다를 한 잔의 영생수로 바꿔 준다는 마술사의 말. 그들은 뻔히 알면서 권력이라는 약을 팔려고 말로 속인 꼬임을.'

선지 현실의 문제를 감추거나 왜곡하기에 급급한 체제에 대한 냉소적 태도가 드러나 있어. 미래에 대한 환상으로 사람들을 꾀는 마술사의 속임수를 비꼬듯 이야기한 데에서 이를 엿볼 수 있지. ○

④ 〈보기〉 「광장」은 사회적 모순과 문제점에 대한 비판이 은폐되거나 호도당하던 시대적 상황에 문제를 제기함

 작품 '그들은 항구를 차지하고 움직이지 않고 있었다. 참을 알고 돌아온 바다의 난파자들을 그들은 감옥에 가둘 것이다.'

선지 사회적 모순을 직시하는 이들을 격리하려는 권력을 비판하고자 하는 의식이 드러나 있어. 항구를 차지한 이들이 바다에서 돌아온 이들을 감금하려 한다는 대목에서 이를 엿볼 수 있지. ○

⑤ 〈보기〉 「광장」은 이념적 대립을 극복할 비판적 대안을 제시함

 작품 '중립국. 아무도 나를 아는 사람이 없는 땅.', '수위실 속에서 나는~사람들을 바라본다. 나는 문간을 깨끗이 치우고 아침 저녁으로 꽃밭에 물을 준다.'

선지 이념적 대립 구도에 갇힌 현실에 대한 대안으로, 일상적 삶을 자유롭게 누릴 수 있는 사회가 드러나 있어. 주인공이 중립국에서 누리고자 하는 삶의 모습을 기술한 데에서 이를 엿볼 수 있지. ○

현대소설 독해의 STEP 1

1 다음 글을 읽고 주요 인물을 잘 파악했는지, 빈칸에 적절한 말을 채웠는지 확인해 보세요.

📅 고3 2011학년도 수능 – 이호철, 「나상」

형은 또 울었다. 밤이 깊도록 어머니까지 불러 가며 엉엉 소리 내어 울었다. 형은 **어머니**를 그리워하며 소리내어 울고 있어.

동생도 형 곁에서 남모르게 소리를 죽여 흐느껴 울었다. 그저 형의 설움과 울음을 따라 울 뿐이었다. 동생도 이렇게 울면서 어쩐지 마음이 조금 흐뭇했다. 형을 보며 **동생**도 그 울음을 따라 흐느껴 울고 있네. 형과 동생에게 무슨 일이 일어난 걸까?

이날 밤의 감시는 밤새도록 엄했다.

바깥은 첫눈이 흩날리고 있었다. 형과 동생은 어머니와는 떨어져서 밤새 엄한 **감시**를 받고 있는 상황인가 봐.

형은 울음을 그치고 불쑥,

"야하, 눈이 내린다, 눈이, 눈이. 벌써 겨울이 다 됐네."

물론 감시병들의 감시가 심하니까 동생의 귀에다 입을 대지도 않고 이렇게 혼잣소리처럼 지껄였다. 감시병들의 감시를 피해 눈이 온다는 말을 하는 형의 모습에서 형의 순수한 성격이 드러나고 있어.

"저것 봐, 저기 저기, 에에이, 모두 잠만 자구 있네."

동생의 허리를 쿡쿡 찌르기만 하면서……

장면끊기 01

어느새 양덕도 지났다. 하루하루는 수월히도 저물어 갔고 하늘은 변함없이 푸르렀을 뿐이었다. 산도 들판도 눈에 덮여 있었다. 경비병들의 겨울 복장을 바라보는 형의 얼굴에는 천진한 애들 같은 선망의 표정이 어려 있곤 했다. 날로 날로 풀이 죽어갔다. 경비병을 따라 어디론가 끌려가면서 **형**은 날로 풀이 죽어갔대.

장면끊기 02

어느 날 밤이었다. 일행도 경비병들도 모두 잠들었을 무렵, 형은 또 동생의 귀에다 입을 대고, 이즈음에 와선 늘 그렇듯 별나게 가라앉은 목소리로,

"그 새끼 생각이 난다. 맘이 꽤 좋았댔이야이."

"……"

"난 원래 다리에 담증이 있는데이. 너두 알잖니. 요새 좀 이상헌 것 같다야."

하고는 헤죽이 웃었다.

"……"

동생은 놀라 돌아다보았다. 여느 때 없이 형은 쓸쓸하게 웃으면서 두 팔로 동생의 어깨를 천천히 그러안으면서, 동생은 **다리**가 이상하다는 형의 말에 걱정하고, 형은 동생을 생각하며 동생의 **어깨**를 그러안아.

"칠성아, 야하, 흠썩은 춥다."

"……"

"저 말이다, 엄만 날 늘 불쌍히 여겼댔이야, 잉. 야, 칠성아, 칠성아, 내 다리가 좀 이상헌 것 같다야이."

"……"

동생의 눈에선 다시 눈물이 비어져 나왔다. 동생(칠성)은 다리가 아픈 형을 걱정하는 마음에 **눈물**을 흘려.

형은 별안간 두 눈이 휘둥그레져서 동생의 얼굴을 멀끔히 마주 쳐다보더니,

"왜 우니, 왜 울어, 왜, 왜. 어서 그치지 못하겠니."

하면서도 도리어 제 편에서 또 울음을 터뜨리고 있었다. 자신을 걱정 하며 우는 동생을 보고 형도 함께 슬퍼하네.

장면끊기 03

이튿날, 형의 걸음걸이는 눈에 띄게 절름거렸다. 혼잣소리도 풀이 없었다. 날이 갈수록 형의 **다리**는 상태가 악화되고 있어.

"그만큼 걸었음 무던히 왔구만서두. 에에이, 이젠 좀 그만 걷지덜, 무던히 걸었구만서두."

하고는 주위의 경비병들을 흘끔 곁눈질해 보았다. 경비병들은 물론 알은체도 안했다. 바뀐 사람들은 꽤나 사나운 패들이었다.

그날 밤 형은 동생을 향해 쓸쓸하게 웃기만 했다.

"칠성아, 너 집에 가거든 말이다, 집에 가거든……."

하고는 또 무슨 생각이 났는지 벌쭉 웃으면서,

"히히, 내가 무슨 소릴허니. 네가 집에 갈 땐 나두 갈 텐데, 앙 그러니? 내가 정신이 빠졌어." 형은 동생과 함께 **집**으로 돌아가고 싶지만, 어쩐지 자신의 죽음을 예감한 듯한 모습이야.

한참 뒤엔 또 동생의 어깨를 그러안으면서,

"야, 칠성아!"

동생의 얼굴을 똑바로 마주 쳐다보기만 했다.

바깥은 바람이 세었다. 거적문이 습기 어린 소리를 내며 열리고 닫히곤 하였다. 문이 열릴 때마다 눈 덮인 초라한 들판이 부유스름하게 아득히 뻗었다.

동생의 눈에선 또 눈물이 비어져 나왔다.

형은 또 벌컥 성을 내며,

"왜 우니, 왜? 흐흐흐."

하고 제 편에서 더 더 울었다. 형과 동생은 자신들이 처한 상황을 슬퍼하며 속절 없이 눈물만 흘릴 뿐이야.

장면끊기 04

며칠이 지날수록 형의 걸음은 더 절룩거려졌다. 행렬 속에서도 별로 혼잣소릴 지껄이지 않았다. 평소의 형답지 않게 꽤나 조심스런 낯색이었다. 둘레를 두리번거리며 경비병의 눈치를 흘끔거리 기만 했다. 이젠 밤에도 동생의 귀에다 입을 대고 이것저것 지껄이지 않았다. 그러나 먼 개 짖는 소리 같은 것에는 여전히 흠칫흠칫 놀라곤 했다. 형은 자신의 **죽음**을 강하게 직감할수록 조심스러워지고 두려워하고 있어.

동생은 또 참다못해 눈물을 흘렸다. 그러나 형은 왜 우느냐고 화를 내지도 않고 울음을 터뜨리지도 않았다. 동생은 이런 형이 서러워 더 더 흐느꼈다. 동생은 달라진 형의 모습에 더욱 **서러움**을 느끼지.

장면끊기 05

그날 밤, 바깥엔 함박눈이 내렸다.

형은 불현듯 동생의 귀에다 입을 댔다.

"너, 무슨 일이 생겨두 날 형이라구 글지 마라, 어엉?"

여느 때답지 않게 숙성한 사람 같은 억양이었다.

"울지두 말구 모르는 체만 해, 꼭." 형은 평소답지 않은 모습으로 동생에게 **당부**의 말을 전해.

동생은 부러 큰 소리로,

"야하, 눈이 내린다."

형이 지껄일 소리를 자기가 지금 대신하고 있다고 생각했다. 동생은 애써 큰 소리로 밝게 이야기하며 분위기를 전환해보려 하네.

"……"

그러나 이미 형은 그저 꾹하니 굳은 표정이었다. 그러나 형은 이미 굳은 표정으로 체념한 듯한 모습을 보여.

동생은 안타까워 또 울었다. 형을 그러안고 귀에다 입을 대고, "형아, 형아, 정신 차려." 동생은 형이 죽을까 봐 걱정하며 슬퍼해.

장면끊기 06

이튿날, 한낮이 기울어서 어느 영 기슭에 다다르자, 형은 동생의 허벅다리를 쿡 찌르고는 걷던 자리에 털썩 주저앉고 말았다.

형의 걸음걸이를 주의해 보아 오던 한 사람이 뒤에서 따발총을 휘둘러 쏘았다.

형은 앉은 채 앞으로 꼬꾸라졌다. 그 사람은 총을 어깨에 둘러 메면서,

"메칠을 더 살겠다구 뻐득대? 뻐득대길." 형이 자리에 주저앉자 경비병은 기다렸다는 듯이 뒤에서 따발총을 쏴. 경비병은 인간성이라고는 전혀 느껴지지 않는 모습이야.

장면끊기 07

– 이호철, 「나상(裸像)」 –

현대소설 독해의 STEP 2

1 장면을 적절히 나누었는지, 장면별 내용의 빈칸에 적절한 말을 채웠는지 확인해 보세요.

장면끊기 01 이날 밤 감시병들의 엄한 감시를 받으며 어디론가 끌려가는 형과 동생은 첫눈을 봄

Tip 윗글에서 형과 동생은 감시병들에 의해 삼엄한 감시를 받으며 이동 중이야. 따라서 윗글에 나온 시간과 공간의 변화에 따라 장면을 적절하게 끊어 읽을 수 있어. 다음 장면에서 공간의 이동과 그에 따른 주요 인물의 상황의 변화가 나타나니 여기서 끊자.

장면끊기 02 양덕을 지나며 형은 점점 풀이 죽어감

Tip 천진난만했던 형은 점점 풀이 죽어가고, '어느 날 밤'으로 시간의 이동이 나타나. 여기에서 장면을 끊어야겠지?

장면끊기 03 어느 날 밤 형은 동생에게 다리가 이상한 것 같다고 말하고, 형과 동생은 눈물을 흘림

Tip 시간의 흐름에 따라 형의 다리 상태가 점점 악화되고, 형과 동생의 슬픔과 서러움도 깊어져. 다음 장면에서 '이튿날'로 시간이 변화되었으니 끊어 읽자.

장면끊기 04 이튿날 형은 눈에 띄게 다리를 절게 되면서 자신의 죽음을 예감함

Tip 다음 장면에서는 '며칠이 더 지'났을 때야.

장면끊기 05 며칠이 더 지나고 죽음을 예감하며 달라진 형의 모습을 본 동생은 안타깝고 서러운 마음에 흐느낌

Tip 다음에는 '그날 밤'이라는 시간 표지가 나타나므로 또다시 장면을 끊을 수 있는데, 악화된 다리 상태로 인한 형의 체념적 태도가 두드러지게 드러난다는 점에 주목할 만해.

장면끊기 06 그날 밤 형은 자신의 죽음을 준비하며 동생에게 당부를 남기고, 동생은 그에 안타까워함

Tip 다음 장면에서 '이튿날'로 시간이 변하며 형이 죽음을 맞이하게 돼. 시간의 변화에 따라 여기에서도 장면을 끊자.

장면끊기 07 이튿날 형이 끝내 더 걷지 못하고 경비병의 총에 맞아 죽음

---

2 구조도의 빈칸에 적절한 말을 채웠는지 확인해 보세요.

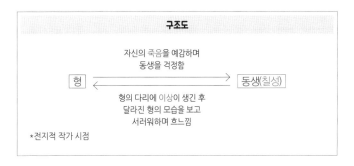

구조도

자신의 죽음을 예감하며
동생을 걱정함

형 ──────────→ 동생(칠성)
  ←──────────

형의 다리에 이상이 생긴 후
달라진 형의 모습을 보고
서러워하며 흐느낌

*전지적 작가 시점

❸ 1~2번 문제의 정답과 해설을 확인해 보세요.

▸정답률 75%

1. 〈보기〉를 참조하여 윗글을 감상한 내용으로 적절하지 않은 것은?

〈보기〉

이 작품에서 작가는 북한군의 포로가 된 형제가 전쟁이라는 상황에서 어떤 모습을 보이는지를 실감 나게 그리고 있다. 특히 천진난만한 '벌거숭이 인간'인 '형'이 외부의 폭력에 희생되는 모습을 묘사하여 근원적인 인간성이 얼마나 소중한지를 일깨워 준다. '벌거숭이 인간'인 형 → 북한군의 포로가 되어 폭력에 희생됨 → 근원적 인간성의 소중함을 일깨움 또한 이 작품은 포로 호송이라는 상황을 빌려 구성원을 획일화하는 사회를 우회적으로 비판한다. 포로 호송 상황 ≒ 구성원을 획일화하는 사회 → 비판

정답풀이 ▷

④ 자신을 압박해 오는 공포에 무감각한 '형'의 모습은 천진성을 파괴하려는 폭력에 대한 저항을 나타낸다.

절망적 상황에서도 '눈'을 보고 좋아할 만큼 순수하고 천진난만했던 '형'은 다리의 담증이 심해지고 경비병들의 감시도 삼엄해지자 점차 자신의 죽음을 예견하게 된다. 이는 '평소의 형답지 않게 꽤나 조심스런 낯색이었다.~ 개 짖는 소리 같은 것에는 여전히 흠칫흠칫 놀라곤 했다.'에서 불안감과 공포감을 느끼는 '형'의 모습을 통해 알 수 있다. 따라서 '형'이 공포에 무감각하다고 볼 수 없으며 〈보기〉에 따르면 '형'은 폭력에 저항하는 인물이 아니라 폭력에 희생되는 인물이다.

오답풀이 ▷

① 이 작품의 제목은 본연의 순수성을 그대로 드러내는 '형'의 모습을 형상화한 것이다.

작품의 제목인 '나상'의 사전적 의미는 '벌거벗은 인간'인데, 이는 울다가도 '눈'이 오는 것을 보고 감탄할 정도로 해맑고 순수한 '형'의 모습을 형상화한 것으로 해석할 수 있다.

② '경비병'은 폭력적 상황 속에서 인간 본연의 모습을 억압하고 길들이는 감시 망을 상징한다.

'물론 감시병(=경비병)들의 감시가 심하니까 동생의 귀에다 입을 대지도 않고 이렇게 혼잣소리처럼 지껄였다.'에서 '동생'에게 제대로 말하지 못하고 혼잣말을 하는 '형'의 모습을 볼 때, '경비병'은 인간 본연의 모습을 억압하고 길들이는 감시망을 상징한다고 할 수 있다.

③ '형'과 '동생'이 계속 걸어야만 하는 강제적 상황은 구성원을 획일화하려는 현실을 반영한 것이다.

포로들의 처지를 생각하지 않고 강제적으로 걷게 하며 일행에서 이탈한 사람은 가차 없이 죽이는 경비병을 볼 때, 이러한 상황은 강제적으로 구성 원을 획일화하려는 현실을 반영한 것으로 볼 수 있다.

⑤ '형'이 그를 지켜보던 '경비병'의 총에 맞는 것은 감시자의 요구를 수행할 수 없는 데 따른 희생을 보여 준다.

'형의 걸음걸이를 주의해 보아 오던 한 사람이~형은 앉은 채 앞으로 꼬꾸라 졌다.'에서 '형'이 감시자의 요구(계속 걷는 것)를 수행할 수 없게 되자 '경비 병'은 '형'을 총으로 쏘아 죽인다. 이는 감시자의 요구를 수행할 수 없게 된 인물이 결국 외부의 폭력에 희생되는 모습을 보여 주는 것이라 할 수 있다.

2. 문학 개념어 OX 확인 문제

① ✕

• 현재와 과거의 교차: 시간의 흐름에 따라서가 아닌, 현재의 장면과 과거의 장면을 번갈아 제시하는 방식으로 서사를 전개하는 방식.

② ○

근거 '형은 또 울었다.', '동생의 눈에선 다시 눈물이 비어져 나왔다.', '도리어 제 편에서 또 울음을 터뜨리고 있었다.', '동생은 또 참다못해 눈물을 흘렸다.', '동생은 안타까워 또 울었다.'

현대소설 독해의 STEP 3

■ 1번 문제의 선지 판단 공식에 대한 답을 확인해 보세요.

〈보기〉 문제 선지 판단의 공식

① 〈보기〉 천진난만한 벌거숭이 인간인 형이 등장함 ➕ 작품 '형은 울음을 그치고 불쑥, "야하, 눈이 내린다, 눈이, 눈이. 벌써 겨울이 다 됐네."'

선지➡ 이 작품의 제목은 본연의 순수성을 그대로 드러내는 '형'의 모습을 형상화한 것이다. ○

② 〈보기〉 북한군의 포로가 된 형이 외부의 폭력에 희생되는 모습이 나타남 ➕ 작품 '물론 감시병들의 감시가 심하니까 동생의 귀에다 입을 대지도 않고 이렇게 혼잣소리처럼 지껄였다.'

선지➡ '경비병'은 폭력적 상황 속에서 인간 본연의 모습을 억압하고 길들이는 감시망을 상징한다. ○

③ 〈보기〉 포로 호송이라는 상황을 빌려 구성원을 획일화하는 사회를 우회적으로 비판함 ➕ 작품 '형의 걸음은 더 절룩거려졌다. 행렬 속에서도 별로 혼잣소릴 지껄이지 않았다.', '형의 걸음걸이를 주의해 보아 오던 한 사람이 뒤에서 따발총을 휘둘러 쏘았다.'

선지➡ '형'과 '동생'이 계속 걸어야만 하는 강제적 상황은 구성원을 획일화하려는 현실을 반영한 것이다. ○

④ 〈보기〉 천진난만한 벌거숭이 인간인 형이 외부의 폭력에 희생되는 모습을 묘사함 ➕ 작품 '평소의 형답지 않게 꽤나 조심스런 낯색이었다. 둘레를 두리번거리며 경비병의 눈치를 흘끔거리기만 했다.~먼 개 짖는 소리 같은 것에는 여전히 흠칫흠칫 놀라곤 했다.'

선지➡ 자신을 압박해 오는 공포에 무감각한 '형'의 모습은 천진성을 파괴하려는 폭력에 대한 저항을 나타낸다. ✕

⑤ 〈보기〉 천진난만한 벌거숭이 인간인 형이 외부의 폭력에 희생되는 모습을 묘사함 ➕ 작품 '형의 걸음걸이를 주의해 보아 오던 한 사람이 뒤에서 따발총을 휘둘러 쏘았다. 형은 앉은 채 앞으로 꼬꾸라졌다.'

선지➡ '형'이 그를 지켜보던 '경비병'의 총에 맞는 것은 감시자의 요구를 수행할 수 없는 데 따른 희생을 보여 준다. ○

현대소설 독해의 **STEP 1**

1 다음 글을 읽고 주요 인물을 잘 파악했는지, 빈칸에 적절한 말을 채웠는지 확인해 보세요.

📅 고3 2006학년도 6월 모평 – 이청준, 「병신과 머저리」

상처를 입은 노루는 설원에 피를 뿌리며 도망쳤다. 사냥꾼과 몰이꾼은 눈 위에 방울방울 번진 핏자국을 따라 노루를 쫓았다. 핏자국을 따라가면 어디엔가 노루가 피를 쏟고 쓰러져 있으리라는 것이었다. 〈나〉는 흰 눈을 선연하게 물들이고 있는 핏빛에 가슴을 섬뜩거리며 마지못해 일행을 쫓고 있었다. 총소리를 처음 들었을 때와 같은 후회가 가슴에서 끝없이 피어올랐다. 〈나〉는 차라리 노루가 쓰러져 있는 것을 보기 전에 산을 내려와 버리고 싶었다. 그러나 〈나〉는 망설이기만 할 뿐 가슴을 두근거리며 해가 저물 때까지도 일행에서 벗어나지 못하고 있었다. 핏자국은 끝나지 않았고, 〈나〉는 어스름이 내릴 때에야 비로소 일행에서 떨어져 집으로 되돌아갔다. 그리고 〈나〉는 곧 열이 심하게 앓아 누웠기 때문에, 다음날 그들이 산을 세 개나 더 넘어가서 결국 그 노루를 찾아냈다는 이야기는 자리에서 소문으로 듣게 되었다. 그러나 〈나〉는 그것만으로도 몇 번이고 끔찍스러운 몸서리를 치곤 했다. 사냥꾼, 몰이꾼과 함께 상처 입은 **노루**를 쫓던 〈나〉의 이야기가 제시되고 있어. 도망친 노루를 마지못해 쫓는 과정에서 끝없이 **후회**를 느끼고, 결국 그 노루를 찾아냈다는 소문에 **몸서리**를 쳤던 〈나〉의 과거가 드러나.

장면끊기 01

서장(序章)은 대략 그런 이야기였다. 물론 [내]가 처음에 이 서장을 읽은 것은 아니었다. 어느 중간을 읽다가 문득 긴장하여 처음부터 이야기를 다시 읽게 된 것이었지만, 여기에서도 나는 그 총소리 하며 노루의 핏자국이나 눈빛 같은 것들이 묘한 조화 속에 긴장기 어린 분위기를 이루고 있음을 느꼈다. 사실 여기서도 암시하고 있듯이 [형]의 소설은 전반에 걸쳐서 무거운 긴장과 비정기가 흐르고 있었다. 서술자 '나'는 노루와 〈나〉가 등장하는 형의 **소설**을 읽으며, 그 전반에 흐르는 **긴장**과 비정기를 읽어 내고 있어.

형의 내력에 대한 관심도 문제였지만, 형의 소설이 나를 더욱 초조하게 하는 것은 그것이 이상하게 **나의 그림**과 관계가 되고 있는 것 같은 생각 때문이었다. '나'는 형의 소설과 나의 **그림**이 관계가 있다고 생각하며 **초조함**을 느끼고 있네. 그것은 어쩌면 사실일 수도 있었다.

장면끊기 02 혜인과 헤어지고 나서 나는 갑자기 사람의 얼굴이 그리고 싶어졌다. 사실 내가 모든 사물에 앞서 사람의 얼굴을 한번 그리고 싶다는 생각은 막연하게나마 퍽 오래 지녀온 갈망이었다. 그러니까 혜인과 헤어지게 된 것이 그 모든 동기라고 할 수는 없지만, 어쨌든 그 무렵 그런 충동이 새로워진 것은 사실이었다. 사람의 **얼굴**을 그리고 싶었던 '나'의 막연한 바람이 혜인과의 이별을 계기로 새롭게 충동질되었다는 사연이 제시되고 있네.

나의 그림에 대해서는 더 이야기하고 싶지 않다. 그것은 견딜 수 없이 괴로운 일이다. 그리고 나는 내가 그것에 대해 생각하고 화필과 물감을 통해 의미를 부여하고자 하는 것의 10분의 1도 설명할 수 없을 것이다. '나'는 자신의 그림에 대해 이야기하는 것에서 **괴로움**을 느끼나 봐. 그리고 자신이 그림에 부여하고자 하는 **의미**를 조금도 설명할 수 없을 것 같다고 하네. 다만 나는 인간의 근원에 대해 생각을 좀 더 깊게 하지 않으면 안 된다는 느낌이 절실했던 점만은 지금도 고백할 수가 있

을 것이다. 하여 에덴으로부터 그 이후로는 아벨이라든지 카인, 또 그 인간들이 지니고 의미하는 속성들을 즉흥적으로 생각해 보곤 하였다. 그러나 어느 것도 전부를 긍정할 수는 없었다. 단세포동물처럼 아무 사고도 찾아볼 수 없는 에덴의 두 인간과 창세기적 아벨의 선 개념, 또 신으로부터 영원한 악으로 단죄받은 카인의 질투−그것은 참으로 인간의 향상 의지로서 신을 두렵게 했는지도 모른다−그 이후로 나타난 수많은 분화, 선과 악의 무한정한 배합 비율……. '나'는 **인간의 근원**에 대해 생각해야겠다는 느낌을 절실히 받았다고 하며, 성경의 창세기에 등장하는 에덴이나 아벨, 카인에 대해 생각했다고 하네. 성경에 따르면 에덴은 최초의 인간인 아담과 하와가 살던 낙원으로, 두 사람은 금기를 어기는 죄를 지어 에덴에서 추방되었다고 해. 아벨과 카인은 아담과 하와의 두 아들인데, 형인 카인이 질투로 아벨을 죽이면서 최초의 살인이 이루어졌다고 해. 다만 이런 배경지식이 없더라도, 이 부분을 읽을 때는 '나'는 **인간의 근원**에 대해 깊이 고민하고 선과 악에 대해 고찰하는 과정에 있다는 점 정도만 파악해도 괜찮아. 그러나 감격으로 나의 화필이 떨리게 하는 얼굴은 없었다. 나는 실상 그 많은 얼굴들 사이를 방황하고 있었는지 모른다. 하지만 안타까운 것은 혜인 이후 나는 벌써 어떤 얼굴을 강하게 예감하고 있다는 사실이었다. 아직은 내가 그것과 만날 수 없을 뿐이었다. 둥그스름한, 그러나 튀어 나갈 듯이 긴장한 선으로 얼굴의 외곽선을 떠 놓고 (그것은 나에게 있어 참 이상한 방법이었다) 나는 며칠 동안 고심만 하고 있었다. '나'가 인간의 근원을 생각하는 것은 '나'에게 그리고 싶은 **얼굴**이 있었기 때문이야. 하지만 강하게 **예감**하고 있는 어떤 얼굴을 아직 만나지 못했던 '나'는 얼굴의 **외곽선**만 떠 놓은 채 한참 **고심**만 하면서 내적으로 갈등하고 있었지.

장면끊기 03

그러던 어느 날, 그 소설이라는 것이 시작되기 바로 전날이었을 것이다. 형이 불쑥 나의 화실에 나타났다. 그는 낮부터 취해 있었다. 숫제 나의 일은 제쳐 놓고 학생들에게 매달려 있는 나에게 형이 시비조로 말했다.

"흠! 선생님이 그리는 사람은 외롭구나. 교합 작용이 이루어지는 기관은 하나도 용납하지 않았으니……."

얼굴의 윤곽만 떠 놓은 나의 화폭을 완성된 것에서처럼 형은 무엇을 찾아내려는 듯 요리조리 뜯어보고 있었다. 나는 물끄러미 그 형을 바라보았다. 형이 말한, **교합 작용**이 이루어지는 기관은 눈, 코, 입, 귀와 같이 외부와 접하고 지각하며 소통하는 기관을 의미하는 것이겠지? 형은 **윤곽**만 그려진 그림을 마치 **완성**된 작품처럼 뜯어보고 있네.

"그건 아직 시작인걸요."

"뭐, 보기에 따라서는 다 된 그림일 수도 있는걸…… 하나님의 가장 진실한 아들일지도 몰라. 보지 않고 듣지 않고 오직 하나님의 마음만으로 살아가는. 하지만, 눈과 입과 코…… 귀를 주면…… 달라질 테지−한데, 선생님은 어느 편이지?"

형은 그림과 나를 번갈아 쳐다보았다. 그 눈이 무엇을 열심히 찾고 있었다. 그러나 그것은 이미 밖에서 찾을 것이 아무것도 없는 줄을 알고 있는 눈이었다. 나는 어리둥절해 있기만 했다. 형은 윤곽만 있는 얼굴이 하나님의 가장 진실한 아들일지도 모르며, 눈, 코, 입, 귀와 같은 기관이 붙으면 달라질 것이라고 이야기하고 있어. 보지도 듣지도 않고 오직 하나님의 **마음만으로** 살아가는 것은 바깥 세상과 직접 부딪치지 않고 마음속에서 완결된 생각으로 살아가는 태도를 뜻한다고 볼 수 있지. '나'는 그림과 '나'를 번갈아 보며 무언가 의미를 찾으려 하는 듯한 형의 모습에 **어리둥절**해 하고 있어.

"흥, 나를 무시하는군. 사람의 안팎은 합리적 논리로만 설명될 수 있는 것이 아니라는 걸 예술가도 이 의사에게 동의해 줄 테지,

그렇다면 내 얘기도 조금은 맞는 데가 있을지 몰라. 어때, 말해 볼까?"

형은 도시 종잡을 수 없는 말을 했다. 무엇인가 열심이라는, 열심히 말하고 싶어 한다는 것만은 알 수 있었다.

[A]
"그 새로 탄생할 인간의 눈은, 그리고 입은 좀더 독이 흐르는 쪽이어야 할 것 같은데…… 희망은—이건 순전히 나의 생각 이지만, 선(線)이 긴장을 하고 있다는 것이야."

이상하게도 형은 나의 그림에 대해 이야기하고 있었다. 형이 '나'의 그림을 보고 자신의 견해를 이야기하고 있어. 인간의 **근원**을 성찰하면서 얼굴의 외곽선만 그려놓은 '나'의 그림에서 어떠한 의미를 발견하고, 그 안에 채워져야 할 눈이나 입과 같은 기관이 어떠한 형태여야 할 것인지를 제시하고 있어. 눈과 입에 **독**이 흘러야 한다는 것은 좀 더 독기를 가지고 악착같이 사는 태도를 가지라는 것을 나타낸다고 볼 수 있고, 선에 담긴 긴장을 **희망**이라고 보는 것은 무기력하게 늘어져 있지만은 않은 태도를 긍정적으로 평가한 것이라고 볼 수 있어.

장면끊기 04

— 이청준, 「병신과 머저리」 —

현대소설 독해의 STEP 2

1 장면을 적절히 나누었는지, 장면별 내용의 빈칸에 적절한 말을 채웠는지 확인해 보세요.

| 장면끊기 01 | 소설 속 <나>는 상처 입은 노루를 쫓으며 끝없이 후회하고, 결국 그 노루를 찾아냈다는 소문에 몸서리쳤던 과거를 떠올림 |

Tip 형의 소설 속 <나>의 이야기와, 형의 소설을 읽고 있는 '나'의 이야기는 각각 액자식 구조를 지닌 작품의 내화와 외화로 나누어 이해할 수 있어. 그러니까 형의 소설 속 <나>의 이야기가 진행되는 부분인 '내화'에서 이를 읽고 있는 '나'의 이야기가 진행되는 '외화'로 전환되는 부분의 경계선에서 장면을 끊어 두면 지문의 구조를 파악하는 데 도움이 돼.

| 장면끊기 02 | '나'는 **형의 소설**이 나의 그림과 관계가 있다고 생각하며 초조함을 느낌 |

Tip 형의 소설을 읽은 뒤, 이가 자신의 그림과 관계가 있다고 보는 '나'의 사고가 제시되는 장면이야. 이 다음에는 시간이 과거로 전환되면서, 혜인과의 이별을 계기로 인간의 얼굴을 그리고 싶다는 오랜 갈망을 새롭게 느끼면서 그리게 된 '나'의 그림에 대한 이야기가 이어 지니 여기서 장면을 한 번 끊었어.

| 장면끊기 03 | '나'는 **혜인과 헤어지고 나서** 강하게 예감하는 어떤 얼굴을 그리고자 하지만 그 외곽선만 떠 놓은 채 고심했음 |

Tip 생각하는 대로의 그림을 그리기 위해 고심하는 예술가로서의 '나'의 내적인 갈등이 드러나는 부분이야. 이렇게 '나'의 내적인 생각과 고뇌에 초점을 맞춘 서술이 이어져 나가 다가, '어느 날(형이 소설을 쓰기 전)' 갑자기 '나'의 화실로 형이 찾아오면서 서술의 초점은 '나'의 고찰에서 '나'를 찾아온 형의 말로 옮겨져 가고 있어. 여기서 장면을 끊어 두면 서술의 초점과 시간이 달라지는 부분의 경계가 명확해지지. 참고로 외화에 해당하는 장면을 시간 순으로 배열해 보면 장면 3(혜인과 헤어진 후 외곽선뿐인 그림을 그림) → 장면 4(형이 찾아와 내 그림을 봄) → 장면 2(형이 쓴 소설을 읽고 '나'의 그림과 관련이 있다고 느낌) 순으로 이어지고 있는 것을 알 수 있어!

| 장면끊기 04 | 어느 날 형이 '나'의 화실에 나타나 '나'의 그림에 대해 이야기함 |

---

2 구조도의 빈칸에 적절한 말을 채웠는지 확인해 보세요.

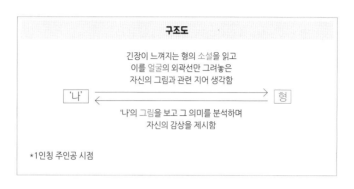

3 1~2번 문제의 정답과 해설을 확인해 보세요.

▶정답률 58%

1. [A]에 대한 설명으로 적절하지 **않은** 것은?

정답풀이

① 동생의 예술적 견해를 집약해서 보여 준다.

[A]에서 형은 '나'에게 '순전히 나의 생각'에 해당하는 견해를 집약적으로 보여 주고 있을 뿐, [A]에 동생인 '나'의 예술적 견해가 나타나고 있는 것은 아니다.

오답풀이

② 형이 동생의 심리 상태를 간파하고 있음을 보여 준다.

[A]에서 형은 '선이 긴장을 하고 있다'고 하였는데, 이는 형이 '나'의 그림 속에 담긴 긴장된 심리를 간파한 것으로 볼 수 있다.

③ 형이 동생의 그림에서 의미 있는 어떤 것을 찾았음을 시사한다.

형은 '얼굴의 윤곽만 떠 놓은 나의 화폭을 완성된 것에서처럼' '무엇을 찾아 내려는 듯 요리조리 뜯어'보고, '그림과 나를 번갈아 쳐다'보며 '무엇을 열심히 찾고 있'는 듯하다가 [A]와 같이 말했다. 이때 [A]와 관련하여 형은 '내 얘기도 조금은 맞는 데가 있을지' 모른다고 하며, '나'의 그림이 나아가야 할 방향과 선에 담긴 '나'의 심리를 읽어낸다. 이는 형이 동생의 그림에서 의미 있는 어떤 것을 찾았음을 시사한다고 볼 수 있다.

④ 형이 동생의 그림에 채워지기를 원하는 얼굴 모습을 암시한다.

> [A]에서 형은 '나'에게 '새로 탄생할 인간의 눈은, 그리고 입은 좀더 독이 흐르는 쪽이어야 할 것 같'다고 하며, 의지와 독기가 담긴 얼굴 모습이 그려지기를 바라는 마음을 암시적으로 드러내고 있다.

⑤ 동생의 삶의 태도가 변화하기를 바라는 형의 의식을 암시한다.

> '보지 않고 듣지 않고 오직 하나님의 마음만으로 살아가는' 그림을 '나'와 번갈아 바라보던 형이 [A]에서 '새로 탄생할 인간의 눈, 그리고 입은 좀더 독이 흐르는 쪽이어야 할 것 같'다고 하는 것에는, 동생이 윤곽만 그려진 미완성된 그림처럼 마음속의 관념만 가진 채 세상과 부딪치지 않으려 하는 태도를 버리고, 긴장감과 독기를 가지고 세상과 부딪치며 살아가기를 바라는 형의 의식이 암시적으로 드러난다고 볼 수 있다.

윗글에서 '나'의 그림을 본 형은 그림과 '나'를 번갈아보며 계속 무언가를 찾아내려 하는데, 이는 형이 '나'의 윤곽뿐인 얼굴 그림과 '나'의 삶에 대한 태도에서 무언가 공통점을 발견했기 때문이다. 그림은 '아직 시작'이라고 하는 '나'에게 형이 '보기에 따라서는 다 된 그림일 수도 있'다고 한 것은, 형은 '나'의 삶이 세상과의 접촉이나 실질적인 삶의 체험에서 차단된(교합 작용이 이루어지는 기관은 하나도 용납하지 않은) 윤곽뿐인 얼굴로 완결되어 버릴 수도 있다고 생각했기 때문이다. 이와 관련하여 [A]에서 '새로 탄생할 인간'의 눈과 입이 어떤 모양이어야 할지에 대해 의견을 제시하며, '선이 긴장'을 하고 있다는 것을 '희망'적이라고 판단한 것에는, 동생이 좀 더 긴장감과 독기를 가지고 세상과 부딪쳐 가는 태도로 변화하기를 바라는 형의 의식이 은연중에 드러나 있다고 볼 수 있다. 이 선지는 [A]만 봐서는 판단할 수 없는 부분이며, 형이 [A]를 언급하기 이전에 그림과 '나'를 번갈아 보며 그림에서 암시되는 '나'의 태도나 성격을 파악하려는 시도가 있었음을 고려해야 적절하다고 판단할 수 있는 선지이다. [A]에 대한 설명을 묻는 문제에서는 [A]뿐만 아니라 [A]가 제시된 맥락과, 그로부터 추론해낼 수 있는 내적인 의미를 함께 파악할 수 있어야 한다.

2. 문학 개념어 OX 확인 문제

① ○

- 갈등: 갈등의 유형은 크게 외적 갈등과 내적 갈등으로 나뉘는데, 외적 갈등은 인물 간의 갈등, 인물과 사회의 갈등, 인물과 세계(운명, 자연)의 갈등 등 다양한 양상으로 나타남. 이때 개인과 사회의 갈등은 주로 한 개인이 사회적 제도나 이념, 주요 세력과 화합하지 못하는 것에서 비롯됨. 그리고 내적 갈등은 인물이 해결되기 어려운 문제에 대해 심적으로 고민하거나, 불안을 느끼거나, 걱정하는 등의 양상을 보일 때 나타남.

  [근거] 윗글은 개인과 사회의 갈등보다는 그림 그리기와 관련된 '나'의 내면적인 갈등에 초점에 맞추어져 있음.

② ○

- 줄표(—)와 줄임표(……): 줄표는 주로 특정한 대상이나 상황을 강조하거나 이와 관련하여 부연설명을 제시하는 표지로 사용되며, 줄임표는 상황에 대한 판단을 유보하거나, 잠정적인 유예를 주고자 할 때 활용됨.

  [근거] '영원한 악으로 단죄받은 카인의 질투 — 그것은 참으로 인간의 향상 의지로서 신을 두렵게 했을는지도 모른다 — 그 이후로 나타난 수많은 분화, 선과 악의 무한정한 배합 비율……', '하지만, 눈과 입과 코…… 귀를 주면…… 달라질 테지 — 한데, 선생님은 어느 편이지?' 등

현대소설 독해의 STEP 3

■ 1번 문제의 선지 판단 공식에 대한 답을 확인해 보세요.

선지 판단의 공식

① 작품 '희망은—이건 순전히 나의 생각이지만, 선이 긴장을 하고 있다는 것이야.'

선지➡ 동생의 예술적 견해를 집약해서 보여 준다. ✕

② 작품 '희망은—이건 순전히 나의 생각이지만, 선이 긴장을 하고 있다는 것이야.'

선지➡ 형이 동생의 심리 상태를 간파하고 있음을 보여 준다. ○

③ 작품 '얼굴의 윤곽만 떠 놓은 나의 화폭'에서 '무엇을 찾아내려는 듯 요리조리 뜯어보'던 형은 '내 얘기도 조금은 맞는 데가 있을지' 모른다고 하며, '새로 탄생할 인간'의 모습을 제시하고 '선이 긴장을 하고 있다는 것'을 짚어냄

선지➡ 형이 동생의 그림에서 의미 있는 어떤 것을 찾았음을 시사한다. ○

④ 작품 '그 새로 탄생할 인간의 눈은, 그리고 입은 좀더 독이 흐르는 쪽이어야 할 것 같은데……'

선지➡ 형이 동생의 그림에 채워지기를 원하는 얼굴 모습을 암시한다. ○

⑤ 작품 형은 '무엇을 열심히 찾'듯 '그림과 나를 번갈아 쳐다보'는데, 그 눈은 '이미 밖에서 찾을 것이 아무것도 없는 줄을 알고 있는 눈'이었음, 그리고 형은 '나'에게 윤곽뿐인 얼굴을 채워 나갈 방향을 제시하며, '새로 탄생할 인간의 눈은, 그리고 입은 좀더 독이 흐르는 쪽이어야 할 것 같'다고 함

선지➡ 동생의 삶의 태도가 변화하기를 바라는 형의 의식을 암시한다. ○

하루 30분 선지 판단 트레이닝 현대소설

현대소설 독해의 STEP 1

1 다음 글을 읽고 주요 인물을 잘 파악했는지, 빈칸에 적절한 말을 채웠는지 확인해 보세요.

📅 고3 2008학년도 9월 모평 – 이상, 「날개」

아내는 너 밤새워 가면서 도적질하러 다니느냐, 계집질하러 다니느냐고 발악이다. 이것은 참 너무 억울하다. 나는 어안이 벙벙하여 도무지 입이 떨어지지를 않았다. '나'는 아내의 의심이 **억울**해 말문이 막혔다고 하네.

너는 그야말로 나를 살해하려던 것이 아니냐고 소리를 한번 꽥 질러 보고도 싶었으나 그런 긴가민가한 소리를 섣불리 입 밖에 내었다가는 무슨 화를 볼는지 알 수 있나. '나'는 아내야말로 자신을 **살해**하려던 것 아닌지 따지고 싶으나, 확신할 수 없어서 하고 싶은 말을 속으로 삭이고 있네. 차라리 억울하지만 잠자코 있는 것이 우선 상책일 듯싶이 생각이 들길래 나는 이것은 또 무슨 생각으로 그랬는지 모르지만 툭툭 털고 일어나서 내 바지 포켓 속에 남은 돈 몇 원 몇 십 전을 가만히 꺼내서는 몰래 미닫이를 열고 살며시 문지방 밑에다 놓고 나서는 그냥 **줄달음박질을 쳐서 나와 버렸다.** '나'는 주머니에 있던 **돈**을 아내 방 문지방 밑에 놓고 몰래 집을 나와 버렸는데, 자신이 무슨 생각으로 그랬는지도 **모르**고 있네.

장면끊기 01

여러 번 자동차에 치일 뻔하면서 나는 그래도 **경성역**을 찾아갔다. 빈자리와 마주 앉아서 이 쓰디쓴 입맛을 거두기 위하여 무엇으로나 입가심을 하고 싶었다.

커피. 좋다. 그러나 경성역 홀에 한 걸음을 들여놓았을 때 나는 내 주머니에는 돈이 한 푼도 없는 것을, 그것을 깜빡 잊었던 것을 깨달았다. 또 아뜩하였다. 나는 어디선가 그저 맥없이 머뭇머뭇하면서 어쩔 줄을 모를 뿐이었다. 얼빠진 사람처럼 그저 이리 갔다 저리 갔다 하면서…… 커피를 마시려던 '나'는 돈이 없어 머뭇거리며, **얼빠진** 사람처럼 목적지도 없이 이리저리 돌아다닐 뿐이야.

장면끊기 02

나는 어디로 어디로 들입다 쏘다녔는지 하나도 모른다. 다만 **몇 시간 후**에 내가 미쓰꼬시* 옥상에 있는 것을 깨달았을 때는 거의 대낮이었다.

나는 거기 아무 데나 주저앉아서 내 자라 온 스물여섯 해를 회고하여 보았다. 몽롱한 기억 속에서는 이렇다는 아무 제목도 불거져 나오지 않았다. 미쓰꼬시 옥상에서 자신의 지난 삶을 **회고**하는 '나'는 지난 스물여섯해의 삶을 **몽롱**하게 기억할 뿐 명확하게 인식하지 못하고 있어.

나는 또 나 자신에게 물어보았다. 너는 인생에 무슨 욕심이 있느냐고. 그러나 있다고도 없다고도, 그런 대답은 하기가 싫었다. 나는 거의 나 자신의 존재를 인식하기조차도 어려웠다. [A] '나'는 **자신의 존재**를 인식하기조차 어려울 만큼 흐리멍텅한 상태에 있음을 드러내.

허리를 굽혀서 나는 그저 금붕어나 들여다보고 있었다. 금붕어는 참 잘들도 생겼다. 작은 놈은 작은 놈대로 큰 놈은 큰 놈대로 다 싱싱하니 보기 좋았다. 내리비치는 오월 햇살에 금붕어들은 그릇 바탕에 그림자를 내려뜨렸다. 지느러미는 하늘하늘 손수건을 흔드는 흉내를 낸다. 나는 이 지느러미 수효를 헤어 보기도 하면서 굽힌 허리를 좀처럼 펴지 않았다. 등허리가 따뜻하다. '나'는 자신의 스물여섯해를 회고하다가, 스스로에게 인생에 대해 **욕심**이 있는지 고민하고, 이내 **금붕어**를 들여다보고 있어. '나'의 내면에서 이루어지는 의식의 흐름을 있는 그대로 보여주고 있는 거지.

나는 또 회탁의* 거리를 내려다보았다. 거기서는 피곤한 생활이 똑 금붕어 지느러미처럼 흐늑흐늑 허비적거렸다. 눈에 보이지 않는 끈적끈적한 줄에 엉켜서 헤어나지들을 못한다. 나는 피로와 공복 때문에 무너져 들어가는 몸뚱이를 끌고 그 회탁의 거리 속으로 섞여 들어가지 않는 수도 없다 생각하였다. '나'는 **회탁의 거리**를 내려다보면서, 그곳에 사는 사람들이 **줄**에 엉켜 헤어나오지 못하는 금붕어의 지느러미처럼 흐늑흐늑 허비적거리고 있다고 생각해.

나서서 나는 또 문득 생각하여 보았다. 이 발길이 지금 어디로 향하여 가는 것인가를…….

그때 내 눈앞에는 아내의 모가지가 벼락처럼 내려 떨어졌다. 아스피린과 아달린*. 행선지를 생각하던 '나'는 다시 **아내**가 '나'에게 먹인 **약**이 아스피린인지 수면제인 아달린인지 의심해.

우리들은 서로 오해하고 있느니라. 설마 아내가 아스피린 대신에 아달린의 정량을 나에게 먹여 왔을까? 나는 그것을 믿을 수는 없다. 아내가 대체 그럴 까닭이 없을 것이니.

그러면 나는 날밤을 새면서 도적질을, 계집질을 하였나? 정말이지 아니다. '나'는 아내를 의심하면서도, 아내가 그럴 **까닭**이 없다고 생각하고, '나'에 대한 아내의 의심이 사실이 **아니**라고 부정하는 복잡한 심경을 느끼고 있어.

우리 부부는 숙명적으로 발이 맞지 않는 절름발이인 것이다. 나나 아내나 제 거동에 로직을 붙일 필요는 없다. 변해할 필요도 없다. 사실은 사실대로 오해는 오해대로 그저 끝없이 발을 절뚝거리면서 세상을 걸어가면 되는 것이다. 그렇지 않을까? '나'는 우리 부부가 숙명적으로 **절름발이**처럼 맞지 않는 사이라고 생각하면서, 서로의 행동을 논리적으로 따질 필요 없이, 오해를 풀지 않은 채로 살아가도 되지 않을까 생각해. 이는 '나'에게 **아내**로 인식되는 세계와의 불화를 받아들이는 체념적 태도를 보여준다고 볼 수 있어.

그러나 나는 이 발길이 아내에게로 돌아가야 옳은가. 이것만은 분간하기가 좀 어려웠다. 가야 하나? 그럼 어디로 가나? '나'는 아내에게 돌아가야 할지 말아야 할지 **고민**하고 있어.

장면끊기 03

이때 뚜― 하고 **정오 사이렌**이 울었다. 사람들은 모두 네 활개를 펴고 닭처럼 푸드덕거리는 것 같고 온갖 유리와 강철과 대리석과 지폐와 잉크가 부글부글 끓고 수선을 떨고 하는 것 같은 찰나, 그야말로 현란을 극한 **정오**다. 정오 사이렌 소리가 울리는 순간 사람들과 주변의 모습에서 현란함을 발견하고 주목하고 있네.

나는 불현듯이 겨드랑이가 가렵다. 아하 그것은 내 인공의 날개가 돋았던 자국이다. 정오의 사이렌이 울리자 '나'는 **날개**가 돋았던 겨드랑이가 가려움을 느껴. 오늘은 없는 이 날개, 머릿속에서는 희망과 야심의 말소된 페이지가 딕셔너리 넘어가듯 번뜩였다. '나'가 잊고 있던 **희망과 야심**이 번뜩이는 순간이야.

나는 걷던 걸음을 멈추고 그리고 어디 한번 이렇게 외쳐 보고 싶었다.

날개야 다시 돋아라.

날자. 날자. 날자. 한 번만 더 날자꾸나.

한 번만 더 날아 보자꾸나. 날개가 돋아 다시 **날자**고 외치고 싶어 하는 '나'의 모습에서 자유와 비상에 대한 열망을 읽을 수 있어.

장면끊기 04

– 이상, 「날개」–

*미쓰꼬시: 일제 강점기에 서울에 있었던 백화점 이름.

*회탁의: 회색의 탁한.

*아달린: 수면제의 일종.

현대소설 독해의 STEP 2

1 장면을 적절히 나누었는지, 장면별 내용의 빈칸에 적절한 말을 채웠는지 확인해 보세요.

| 장면끊기 01 | '나'는 아내의 의심에 억울해하다가, 집에서 **줄달음박질을 쳐서 나와** 버렸음 |

Tip 일반적으로 시간 혹은 공간에 변화가 있으면 장면을 끊을 수 있어. 아내와의 갈등 후 집을 나온 '나'가 어디로 가는지 그리고 그곳에서 아내와의 갈등에 대해 무슨 생각을 하는지에 중점을 두어 다음 장면을 읽을 수 있어.

| 장면끊기 02 | '나'는 집을 나와 경성역을 찾아가지만 돈이 없어 어쩔 줄 몰라 함 |

Tip 아내와 '나'의 갈등 상황이 있던 집에서 경성역으로 공간이 바뀐 장면이야. 이전 장면에서 내려놓고 온 돈이 없어 곤란해하는 '나'의 모습에서 장면 간의 관련성을 확인할 수 있지? 이어서 다시 '몇 시간 후', '미쓰꼬시 옥상'으로 공간이 바뀌게 되니 여기서 장면을 끊자.

| 장면끊기 03 | '나'는 몇 시간 후 미쓰꼬시 옥상에서 자라 온 스물여섯 해를 회고하면서 '아내'로 대표되는 세계와의 불화에 체념함 |

Tip '나'는 미쓰꼬시 옥상에서 과거의 삶, 현재의 욕심 등을 떠올리고 있어. 현실을 불명확하게 인식하면서 인과성 없이 내면의 무의식을 있는 그대로 서술하는 '나'의 모습이 세 번째 장면의 주된 내용이야. 이처럼 비논리적으로 제시된 무의식에 대한 서술이 어떤 것을 계기로 분명한 의식 세계로 전환된다면 '나'의 인식에 변화가 생겼다고 볼 수 있을 거야. 그러니 '정오 사이렌'을 계기로 '나'의 인식의 전환이 나타나는 부분에서 장면을 한 번 더 끊을 수 있지.

| 장면끊기 04 | '나'는 정오 사이렌을 통해 무의식적인 사고에서 벗어나, 정오의 현란함을 바라보며 희망과 야심을 담아 '날개야 다시 돋아라', '날자'라고 외침 |

2 구조도의 빈칸에 적절한 말을 채웠는지 확인해 보세요.

구조도

'나'를 의심하여 옥박지름,
'나'에게 아스피린 대신
수면제인 아달린을 준 것으로 추정됨

'나' ⟷ 아내

하고 싶은 말이 있음에도 참고 집을 나와
아내와 자신의 관계가 발이 맞지 않는
절름발이와 같다고 생각함

*1인칭 주인공 시점

3 1~2번 문제의 정답과 해설을 확인해 보세요.

▶정답률 68%

1. 일제 강점기에 미쓰꼬시 백화점은 서울에서 매우 높은 건물이었다. 이 사실에 비추어 볼 때, [A]에서 '미쓰꼬시 옥상'이 가지는 기능에 대한 설명으로 적절하지 **않은** 것은?

정답풀이

② '나'에게 이전과는 다른 삶의 태도를 갖게 한다.

'나'는 미쓰꼬시 옥상에서 회탁의 거리를 내려다보며 '피곤한 생활', '피로와 공복' 등을 느낀다. 그리고 미쓰꼬시 옥상에서 내려온 후에도 '나'는 여전히 어디로 가야 할지 몰라 방황하는 모습을 보인다. 따라서 미쓰꼬시 옥상을 통해 '나'는 이전과 다른 삶의 태도를 갖게 된다고 볼 수는 없다. '나'가 '이전과는 다른 삶의 태도'를 갖게 되는 것은 '정오 사이렌'을 들은 이후이다.

 함정 피하기

아내와의 갈등 후 거리를 떠돌던 '나'가 '미쓰꼬시 옥상'에 올라 지나 온 삶을 성찰하고 있다는 점에서 '나'가 이전과는 다른 삶의 태도를 가지고 있다고 판단한 경우가 있다. 하지만 '나'는 미쓰꼬시 옥상에 올라가기 전에도 '그저 이리 갔다 저리 갔다 하면서' 돌아다니다가 '미쓰꼬시 옥상'에 올라왔으며, 이곳에서 자신의 스물여섯 해를 회고하면서 '회탁의 거리'의 '피곤한 생활'을 바라보다가 '나서서'도 어디로 가야 하는지 헤매고 있다. 무기력하고 체념적인 삶에서 벗어나는 계기는 '미쓰꼬시 옥상'이 아니라 '정오 사이렌'이므로 '미쓰꼬시 옥상'이 '나'에게 이전과는 다른 삶의 태도를 갖게 한다고 볼 수 없다.

오답풀이

① '나'로 하여금 내면적 성찰을 시도하게 한다.

'나는 거기 아무 데나 주저앉아서 내 자라 온 스물여섯 해를 회고하여 보았다.'라고 했으므로, 미쓰꼬시 옥상은 '나'로 하여금 내면적 성찰을 시도하게 한다고 볼 수 있다.

③ '회탁의 거리'를 압축적으로 조감할 수 있게 한다.

'나'는 매우 높은 건물인 미쓰꼬시 옥상에서 '회탁의 거리를 내려다보'며 거리 전체를 관찰하고 있다. 따라서 미쓰꼬시 옥상은 '회탁의 거리'를 압축적으로 조감할 수 있는 곳이라고 볼 수 있다.

④ '나'와 '회탁의 거리' 사이의 괴리감을 드러내 준다.

'나'는 '회탁의 거리'를 '피곤한 생활'이 '허비적거'리고, '보이지 않는 끈적끈적한 줄에 엉켜서 헤어나지들을 못'하는 부정적 공간으로 인식한다. 이는 미쓰꼬시 옥상에서 회탁의 거리를 내려다볼 때 느낀 심리적 거리감을 표현한 것이라 할 수 있다.

⑤ '회탁의 거리'를 부자유와 체념의 공간으로 인식하게 한다.

> 미쓰꼬시 옥상은 '나'가 '회탁의 거리'를 '눈에 보이지 않는 끈적끈적한 줄에 엉켜서 헤어나지들을 못'하는 부자유의 공간으로 인식하게 한다. 또한 '나'는 '피로와 공복 때문에' 그 '회탁의 거리 속으로 섞여 들어가지 않는 수도 없다 생각'하고 있으므로, 미쓰꼬시 옥상이 '회탁의 거리'를 체념의 공간으로도 인식하게 한다고 볼 수 있다.

2. 문학 개념어 OX 확인 문제

> ① ○
>
> • 독백: 혼자서 중얼거림. 또는 그런 대사.
>
> 근거 '그러나 나는 이 발길이 아내에게로 돌아가야 옳은가. 이것만은 분간하기가 좀 어려웠다. 가야 하나? 그럼 어디로 가나?', '나는 걷던 걸음을 멈추고 그리고 어디 한번 이렇게 외쳐 보고 싶었다. 날개야 다시 돋아라. 날자. 날자. 날자. 한 번만 더 날자 꾸나. 한 번만 더 날아 보자꾸나.' 등
>
> ② ✕
>
> 근거 윗글은 '나'의 주관적인 내면 의식을 보여 주는 데에 초점이 맞추어져 있으므로, 객관적인 진술이 나타난다고 볼 수 없음.

■ 1번 문제의 선지 판단 공식에 대한 답을 확인해 보세요.

선지 판단의 공식

① 작품
'나'는 '미쓰꼬시 옥상'에 주저앉아 자신이 '자라 온 스물여섯 해를 회고'하고 있음

선지➡ '나'로 하여금 내면적 성찰을 시도하게 한다. ○

② 작품
'나'는 '미쓰꼬시 옥상'에서 '회탁의 거리'를 내려다보며 '피곤한 생활', '피로와 공복'을 느낌. '발길'을 분간하기 어려워 하며 '가야 하나? 그럼 어디로 가나?'라고 생각하던 '나'는 '정오 사이렌' 소리를 듣고 '날개'가 다시 돋기를 바람

선지➡ '나'에게 이전과는 다른 삶의 태도를 갖게 한다. ✕

③ 작품
'나'는 '미쓰꼬시 옥상'에서 '회탁의 거리'를 내려다보며 '금붕어 지느러미처럼' 허비적거리는 '피곤한 생활'과 '피로와 공복' 때문에 '무너져 들어가는 몸뚱이'를 생각함

선지➡ '회탁의 거리'를 압축적으로 조감할 수 있게 한다. ○

④ 작품
'미쓰꼬시' 백화점은 매우 높은 곳으로 그 '옥상'에서 '나'는 금붕어를 들여다보듯 '회탁의 거리'를 내려다보며 '피곤한 생활', '피로와 공복' 같은 부정적 감정을 느낌

선지➡ '나'와 '회탁의 거리' 사이의 괴리감을 드러내 준다. ○

⑤ 작품
'나'는 '미쓰꼬시 옥상'에서 '회탁의 거리'를 내려다보며 '지느러미처럼 흐늑흐늑 허비적거'리는 '피곤한 생활'과 '눈에 보이지 않는 끈적끈적한 줄에 엉켜서 헤어나지들을 못'하는 모습을 바라봄

선지➡ '회탁의 거리'를 부자유와 체념의 공간으로 인식하게 한다. ○

현대소설 독해의 STEP 1

1 다음 글을 읽고 주요 인물을 잘 파악했는지, 빈칸에 적절한 말을 채웠는지 확인해 보세요.

📅 고3 2019학년도 7월 학평 – 이청준, 「시간의 문」

[앞부분의 줄거리] 5년 전 실종된 사진작가 유종열의 아내로부터 유작 사진전에 초대받은 '나'는 그가 남긴 사진들을 보며 그녀와 대화를 나누고 그의 사진 찍기에 의구심을 품고 있던 일들을 떠올리게 된다.

그는 좀처럼 다시 사진을 찍지 못하고 있었다. 사진을 찍지 못하고 몇 주일 몇 달을 고심만 하고 있었다.

갈수록 사진이 두려워지고 있다는 것이었다. 알고 보니 그의 전쟁터 충격은 회사를 그만두는 것으로도 모두 정리된 것이 아니었다.

"난 도대체 감당할 수가 없어요. 그 무서운 현장들과 맞서기엔 나의 카메라는 너무도 무력하단 말이오. 나의 카메라는 번번이 그 대상의 시간을 정지시킬 뿐이었어요. 그 **시간의 벽을 뚫고 대상 안으로 들어가** 함께 흐를 수가 없었어요. 감당할 수가 없는 일이었어요. 그 두꺼운 벽을 허물 수가 없었어요." 그(유종열)는 **전쟁터**라는 무서운 현장들을 카메라로 담는 것에서 **무력감**을 느꼈나 봐. 아마도 카메라로는 찍는 대상의 시간을 정지시킬 뿐 그 생생한 현장을 담을 수 없었기에 **감당**할 수 없는 일이라고 한 걸 거야.

어느 날 그의 작업실을 찾아갔을 때 유 선배는 거의 탈진한 어조로 털어놓고 있었다.

나는 그의 말을 어느 정도 이해할 수 있을 것 같았다. 그는 아직도 전쟁터의 악몽을 벗어나지 못하고 있었다. 그래 고심을 하고 있는 것이었다. '나'는 그(유종열)가 전쟁터의 **악몽** 때문에 사진 찍기를 두려워한다고 생각하고 있어.

"사진 일이 이토록 두려워진 건 내 사진기가 살아 있는 현실 앞에 얼마나 무력한 것인가를 느꼈기 때문이 아니에요. 무력감을 느끼면 사진기를 버리면 그만인 게지요. 하지만 나는 그럴 수가 없어요……. **무서운 힘으로 맞서 오거든요.** 그 **전쟁터의 참상**들이, 그 얼굴들이 내게로 말이오. 내가 **카메라를 버릴 수 없도록** 순간순간 내게 맞서 오고 있어요……. 산이나 바다는 맞서오는 게 없지요. 그래 마음에 내키지 않을 땐 자리를 비켜서 버릴 수가 있었지요. 하지만 이건 그럴 수가 없어요. 그럴 수 없는 것이 고통인 게지요." 그(유종열)가 두려움을 느끼는 것은 사진기가 현실을 담아내지 못해 **무력감**을 느꼈기 때문이 아니라, 전장터의 **참상**들이 떠올라 카메라를 **버릴** 수 없는 것 때문이군.

그의 카메라 앞에 시간의 문을 열어 주지 않는 현상들, 그러면서도 눈을 감고 돌아설 수 없게 만들고 있는 인간사의 모습들, 그건 아닌 게 아니라 그의 고통이자 절망이 아닐 수 없었으리라. '나'는 그(유종열)가 **시간의 문**을 열어 주지 않는 현상들을 카메라로 보면서, 이를 외면할 수 없기 때문에 **고통**과 절망을 느끼는 것이라고 여기고 있어.

장면끊기 01

(중략)

이게 도대체 어찌 된 노릇인가.

사진 속엔 분명히 유 선배로 보이는 사람의 모습이 하나 담겨 있었다. 그것도 물론 옛날에 미리 찍어 둔 것이 아니었다. 해상 유랑선을 찾아 헤매던 마지막 취재 길에서 찍힌 모습이다. 모습이 그리 분명한 것은 아니다. 사진의 화면은 사방이 바다다. 해무로 어슴푸레해진 바다 저편에 난민선으로 보이는 배가 한 척 떠 있고, 화면의 중간쯤엔 한 사내가 그 난민선을 향해 방금 작은 보트를 저어가는 중이다. 나는 유 선배(유종열)로 보이는 사람이 담긴 **사진**을 보고 있어. 그 사진은 마지막 취재 길에서 찍힌 모습으로, 한 사내가 **난민선**을 향해 작은 보트를 저어가는 중인 모습이 담겨 있대.

카메라의 초점은 바로 그 난민선을 향해 해무 속으로 노를 저어 가고 있는 사내에게 맞춰지고 있는데, 마치 그 바다의 안개 속으로 배를 숨겨 올라가고 있는 듯한 사내의 모습은 유 선배의 그것으로밖엔 읽힐 수가 없는 것이었다. 내게 느껴져 온 예감이 그러했고, 여자가 부러 그것을 지니고 와서 내게 보여 준 연유가 그러했다.

나는 도시 사연을 알 수 없었다. 여자는 그게 사정을 이해하는 데에 도움이 될 거라고 했지만, 그 사진은 내게 또 하나의 수수께끼 거리가 될 수밖에 없었다. '나'는 여자가 건네 준 사진을 본 후 그 사진이 또 하나의 **수수께끼** 거리가 될 수밖에 없다고 생각하네. 사진을 보고도 정확한 **사연**을 알 수 없는 '나'의 답답한 심리가 드러나.

"이거 혹시 유 선배의 모습이 아닙니까. 그것도 그 난민선을 찾아다니는 바다 위에서의……."

나는 차라리 한 번 더 여자의 도움을 구하는 게 빠를 것 같았다. 그래 눈길을 여자 쪽으로 옮기면서 자신 없는 목소리로 확인을 구한다.

"맞아요. 그건 유종열씨예요……."

여자도 이젠 대답을 굳이 아끼고 싶은 생각이 없는 것 같다.

"그렇다면 유 선배님은 아직……?"

"아니 아직 살아 있다고 할 수는 없어요. 그렇다고 그냥 죽었다고 할 수도 없는 일이구요."

"……?" / "그는 그냥 그렇게 사라져간 거예요. 이게 그의 마지막 모습이니까요."

나는 이제 차라리 입을 다물어 버린다. 어디서부터 어떻게 무엇을 물어나가야 할지 물음의 순서가 떠오르질 않는다. '나'는 여자의 대답을 듣고 여러 가지 의문을 갖게 되지만, 혼란스러운 심정으로 인해 말문이 막혀 입을 **다물어** 버린 거야.

장면끊기 02

여자는 그러나 이미 나의 혼란을 짐작하고 있었다. 그녀는 마치 나의 혼란이 가라앉기를 기다리듯 한동안 말이 없이 술잔만 조용히 만지작거리고 있었다. 하다가 이윽고 그녀가 마지막 수수께끼의 열쇠를 움직이기 시작한다.

"이 **편지**를 한번 읽어보시겠어요? 제가 설명을 드리는 것보다 그편이 훨씬 빠르실 거예요."

여자가 다시 손가방 속에서 웬 편지 봉투 하나를 꺼내어 건네준다. 속 부피가 제법 두툼한 봉투다.

"여기 이런저런 내력들이 모두 설명되어 있어요. 몇 달 전에 뜻밖에 작업실로 온 건데요, 종열 씨가 마지막으로 얻어 탔던 배의 **일본인 선장**이 아까 보신 그 사진의 필름들과 함께 보내온 것이에요."

(…) 그 망망대해 한가운데서 예상치도 않게 우리는 다시 난민선한 척을 만나게 된 것입니다. 그토록 먼 바다까지 나올 수 있었던 배이고 보니, 규모도 크고 사람도 많았습니다. 미구에 닥쳐올 참극의 규모도 그만큼 절망적일 수밖에 없는 배였습니다.

<u>유 선생</u>은 제게 다시 요구를 해 오기 시작하였습니다. 이제 **사진 같은 건 찍으려 하지도 않았습니다.** 배의 운명이 너무도 분명하므로 이번만은 그냥 지나쳐 갈 수가 없다는 것이었습니다. 배를 난민선까지 접근시켜 가서 가능한 구조를 베풀고 가자는 것이었습니다.

사전 다짐 같은 건 염두에도 없었습니다.

저는 이번에도 물론 단호하게 거절을 할 수밖에 없었습니다.

그러자 유 선생은 제게 마지막 요구를 해왔습니다. 배를 가까이 접근시킬 수 없다면, 자신이 난민선을 다녀오겠다는 것이었습니다. 그래 제게 보트를 내리라는 것이었습니다. 저는 물론 이번에도 허락을 할 수가 없었습니다. 유 선생의 신변이 염려스러웠기 때문입니다. 신변의 위험이 아니더라도 유 선생의 행동을 믿을 수 없는 일이었습니다. 예감이 좋을 리 없는 일이었으니까요. <small>선장은 유 선생(유종열)이 난민선에 가서 겪게 될 신변의 위험을 염려하고, 동시에 좋지 않은 예감을 느껴 걱정했던 모양이야.</small> 저는 극력 유 선생을 말렸지요. 그러나 유 선생의 결심은 이미 움직일 수가 없었습니다.

더 긴 설명 드리지 않겠습니다.

저는 결국 보트를 내렸고, 유 선생은 혼자 보트를 저어 난민선으로 가셨습니다. 그리고 그것이 제가 아는 한의 유 선생의 마지막이었습니다. <small>난민선에 가기 위해 보트를 내려 달라는 유 선생(유종열)의 요구와 이를 허락할 수 없다는 선장의 의견이 대립했지만, 결국 유 선생(유종열)은 난민선으로 갔어.</small>

(…) 추신: 참 여기 유 선생을 찍은 저의 사진도 한 장 보내드립니다. 유 선생께서 저의 배를 떠나 **난민선을 향해 보트를 저어가**실 때의 **마지막 모습**입니다.

<small>장면끊기 03</small>

– 이청준, 「시간의 문」 –

현대소설 독해의　STEP 2

1 장면을 적절히 나누었는지, 장면별 내용의 빈칸에 적절한 말을 채웠는지 확인해 보세요.

장면끊기 01　'나'는 어느 날 그의 작업실을 찾아갔을 때 유종열이 사진기(카메라)를 들고 무서운 현장들을 맞서는 것이 감당하기 어렵다고 한 말을 들음

Tip 앞부분의 줄거리에 따르면 유종열은 5년 전 실종되었는데, '나'는 그의 유작 사진전에 초대받아 그가 사진 찍기에 의구심을 품고 있던 일을 떠올려. 이후 첫 번째 장면에서는 '나'가 어느 날 유종열의 작업실에서 그와 대화를 나누고 있는데, 이는 유종열이 실종되기 이전의 과거의 이야기야. 그리고 중략 이후에는 유종열이 실종된 후, '나'와 여자의 대화 장면이 나오니 시간의 변화에 따라 중략 부분에서 장면을 끊어 주면 돼.

장면끊기 02　'나'는 여자가 보여 준 사진 속엔 분명히 유 선배로 보이는 사람의 모습이 담겨 있는 것을 보고 놀라며 사진에 대한 의문을 가짐

Tip 두 번째 장면에서는 여자가 보여 준 사진 속에서 '나'가 유종열의 모습을 발견하고 놀라는 장면이 제시되었어. 물론 지문의 마지막 장면까지 한 번에 읽을 수도 있지만, '나'의 의문에서 '나'의 의문을 해소해 줄 '편지'라는 대상으로 서술의 초점이 옮겨가는 대목에서 장면을 끊어 읽으면 이해에 도움이 될 거야.

장면끊기 03　여자는 유종열의 마지막 모습이 담긴 사진에 대해 설명해 줄 편지를 꺼내어 '나'에게 읽어보라고 하고, '나'는 유종열과 함께 배에 탔던 일본인 선장이 보낸 편지를 통해 유종열이 보트를 타고 난민선을 향해 가게 된 사연을 알게 됨

2 구조도의 빈칸에 적절한 말을 채웠는지 확인해 보세요.

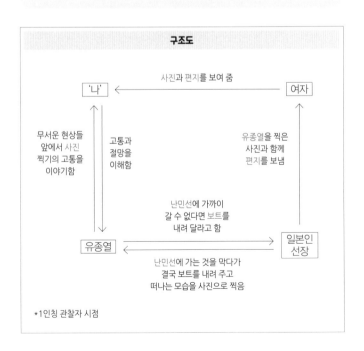

3 1~2번 문제의 정답과 해설을 확인해 보세요.

▶정답률 69%

1. 〈보기〉를 참고하여 윗글을 감상한 내용으로 적절하지 <u>않은</u> 것은?

〈보기〉

「시간의 문」은 사진작가 유종열이 추구했던 예술 세계를 중심으로 그의 삶을 조명하고 있는 작품이다. 유종열은 과거와 현재가 미래로 흘러가는 인간의 삶 속에서 정지되지 않는 시간의 흐름을 사진 안에 담고자 했다. 대상을 찍는 것이 과거로 굳어진 시간을 단순히 현재화하는 것에 그친다면 이는 진정한 예술 행위가 아니며, 미래와의 연관을 담아내야 한다고 본 것이다. 「시간의 문」에서 유종열은 과거와 현재가 미래로 흘러가는 시간의 흐름, 미래와의 연관성을 담아내는 사진을 찍고자 함 그래서 유종열은 미래의 시간 속에서 그 의미가 열려 있는 사진을 찍으려는 노력을 포기하지 않는다. 그러나 그는 그러한 사진을 찍지 못해 괴로워하고, 결국 자신이 찍고자 했던 사진 속에 피사체가 되어 찍힘으로써 그가 추구한 예술의 본질과 예술가로서의 소명이 무엇인지를 보여 주게 된다. 유종열은 미래의 시간 속에서 그 의미가 열려 있는 사진 속의 피사체가 되어 예술의 본질과 예술가로서의 소명을 보여 줌

정답풀이

④ 유종열이 배에서 '사진 같은 건 찍으려 하지도 않았'다는 것은 그가 추구한 예술 세계가 사진 찍기로 인해 무너져 버린 현실을 받아들이지 못한 괴로움을 드러낸 것이겠군.

'유종열'이 '사진 같은 건 찍으려 하지도 않았'다는 것은 난민선을 마주한 현실에서 사진을 찍는 것보다 더 중요한 일을 하기 위한 행위라고 볼 수 있다. 따라서 이를 그가 추구한 예술 세계가 사진 찍기로 인해 무너져 버린 현실을 받아들이지 못한 괴로움에 의한 것이라고 보기는 어렵다.

오답풀이

① 유종열이 '좀처럼 다시 사진을 찍지 못하고 있었'던 것은 자신의 사진이 단순히 과거의 순간을 현재화하는 것에 불과하다는 인식에서 비롯된 것이겠군.

〈보기〉에서 '유종열'은 정지되지 않는 시간의 흐름, 그리고 미래와의 연관을 담아내는 사진을 찍으려고 했으나 뜻대로 되지 않아 괴로워한다고 했다. 이를 고려하면 유종열이 자신의 카메라는 '대상의 시간을 정지시킬 뿐'이라고 절망하며 '좀처럼 다시 사진을 찍지 못하고 있었'던 것은 자신의 사진이 과거의 순간을 정지시켜 현재화하는 것에 불과하다는 인식에서 비롯된 것이라 볼 수 있다.

② 유종열이 '시간의 벽을 뚫'고 '대상 안으로 들어가 함께 흐'르려고 한 것은 과거와 현재가 미래로 흘러가는 시간의 흐름을 사진을 통해 보여 주고자 한 것과 관련이 있겠군.

〈보기〉를 통해 '유종열은 과거와 현재가 미래로 흘러가는 인간의 삶 속에서 정지되지 않는 시간의 흐름을 사진 안에 담고자 했'음을 알 수 있다. 이를 고려하면 유종열이 '시간의 벽을 뚫'고 '대상 안으로 들어가 함께 흐'르려고 한 것은 과거와 현재가 미래로 흘러가는 시간의 흐름을 사진에 담아 보여 주고자 한 것이라 할 수 있다.

③ 유종열이 '전장터의 참상들'이 '무서운 힘으로 맞서 오'는데도 '카메라를 버릴 수 없'었던 것은 미래의 시간 속에서 그 의미가 열려 있는 사진을 찍으려는 노력과 관련이 있겠군.

〈보기〉에서 '유종열은 미래의 시간 속에서 그 의미가 열려 있는 사진을 찍으려는 노력을 포기하지 않는다'고 했다. '유종열'이 '전장터의 참상들'이 '무서운 힘으로 맞서 오'는데도 '카메라를 버릴 수 없'었던 것은 이러한 그의 노력과 관련이 있다고 볼 수 있다.

⑤ 유종열이 '난민선을 향해 보트를 저어'가는 '마지막 모습'이 피사체가 되어 찍힌 사진에는 그가 추구하고자 했던 예술가로서의 소명이 담겨 있다고 볼 수 있겠군.

〈보기〉에서 유종열은 '자신이 찍고자 했던 사진 속에 피사체가 되어 찍힘으로써 그가 추구한 예술의 본질과 예술가로서의 소명이 무엇인지를 보여 주게 된다'고 했다. 즉, '난민선을 향해 보트를 저어'가는 유종열의 '마지막 모습'이 담긴 사진을 통해 그가 추구한 예술가로서의 소명을 보여 준 것이라 할 수 있다.

2. 문학 개념어 OX 확인 문제

① ○

근거 선장이 보낸 '편지'를 통해 '나'와 여자는 유종열이 난민선을 향해 홀로 보트를 저어갔던 것이 그의 마지막 행적이라는, 유종열과 관련된 몰랐던 사실을 알게 됨.

② ○

근거 '나는 이제 차라리 입을 다물어 버린다. 어디서부터 어떻게 무엇을 물어나가야 할지 물음의 순서가 떠오르질 않는다.'에서 '나'가 '입을 다물어' 버리는 행동을 통해 혼란스러운 심리가 드러남.

현대소설 독해의 STEP 3

■ 1번 문제의 선지 판단 공식에 대한 답을 확인해 보세요.

〈보기〉 문제 선지 판단의 공식

① 〈보기〉 유종열은 과거와 현재가 미래로 흘러가는 인간의 삶 속에서 정지되지 않는 시간의 흐름을 사진 안에 담고자 함. 대상을 찍는 것이 과거로 굳어진 시간을 단순히 현재화하는 것에 그친다면 이는 진정한 예술 행위가 아니며, 미래와의 연관을 담아내야 한다고 생각함

➕ 작품 '그는 좀처럼 다시 사진을 찍지 못하고 있었다.', '그 무서운 현장들과 맞서기엔 나의 카메라는 너무도 무력하단 말이오. 나의 카메라는 번번이 그 대상의 시간을 정지시킬 뿐이었어요. 그 시간의 벽을 뚫고 대상 안으로 들어가 함께 흐를 수가 없었어요. 감당할 수가 없는 일이었어요.'

선지➡ 유종열이 '좀처럼 다시 사진을 찍지 못하고 있었'던 것은 자신의 사진이 단순히 과거의 순간을 현재화하는 것에 불과하다는 인식에서 비롯된 것이겠군. ○

② 〈보기〉 유종열은 과거와 현재가 미래로 흘러가는 인간의 삶 속에서 정지되지 않는 시간의 흐름을 사진 안에 담고자 함

➕ 작품 '그 시간의 벽을 뚫고 대상 안으로 들어가 함께 흐를 수가 없었어요. 감당할 수가 없는 일이었어요. 그 두꺼운 벽을 허물 수가 없었어요.'

선지➡ 유종열이 '시간의 벽을 뚫'고 '대상 안으로 들어가 함께 흐'르려고 한 것은 과거와 현재가 미래로 흘러가는 시간의 흐름을 사진을 통해 보여 주고자 한 것과 관련이 있겠군. ○

③ 〈보기〉 유종열은 미래의 시간 속에서 그 의미가 열려 있는 사진을 찍으려는 노력을 포기하지 않음

➕ 작품 '그 전장터의 참상들이, 그 얼굴들이 내게로 말이오. 내가 카메라를 버릴 수 없도록 순간순간 내게 맞서 오고 있어요 …….'

선지➡ 유종열이 '전장터의 참상들'이 '무서운 힘으로 맞서 오'는데도 '카메라를 버릴 수 없'었던 것은 미래의 시간 속에서 그 의미가 열려 있는 사진을 찍으려는 노력과 관련이 있겠군. ○

④ 〈보기〉 유종열은 과거와 현재가 미래로 흘러가는 인간의 삶 속에서 정지되지 않는 시간의 흐름을 사진 안에 담고자 함. 대상을 찍는 것이 과거로 굳어진 시간을 단순히 현재화하는 것에 그친다면 이는 진정한 예술 행위가 아니며, 미래와의 연관을 담아내야 한다고 생각함

➕ 작품 '사진 같은 건 찍으려 하지도 않았습니다. 배의 운명이 너무도 분명하므로 이번만은 그냥 지나쳐 갈 수가 없다는 것이었습니다. 배를 난민선까지 접근시켜 가서 가능한 구조를 베풀고 가자는 것이었습니다.'

선지➡ 유종열이 배에서 '사진 같은 건 찍으려 하지도 않았'다는 것은 그가 추구한 예술 세계가 사진 찍기로 인해 무너져 버린 현실을 받아들이지 못한 괴로움을 드러낸 것이겠군. ✕

⑤ 〈보기〉 유종열은 자신이 찍고자 했던 사진 속에 피사체가 되어 찍힘으로써 그가 추구한 예술의 본질과 예술가로서의 소명이 무엇인지를 보여 줌

➕ 작품 '유 선생을 찍은 저의 사진도 한 장 보내드립니다. 유 선생께서 저의 배를 떠나 난민선을 향해 보트를 저어가실 때의 마지막 모습입니다.'

선지➡ 유종열이 '난민선을 향해 보트를 저어'가는 '마지막 모습'이 피사체가 되어 찍힌 사진에는 그가 추구하고자 했던 예술가로서의 소명이 담겨 있다고 볼 수 있겠군. ○

현대소설 독해의 STEP 1

❶ 다음 글을 읽고 주요 인물을 잘 파악했는지, 빈칸에 적절한 말을 채웠는지 확인해 보세요.

📅 고3 2012학년도 3월 학평 – 양귀자, 「밤의 일기」

[앞부분의 줄거리] 태희 는 낮에 강도가 침입한 이웃 경주네 집에서 경주 엄마 와 함께 밤을 지낸다. *소설에서 앞부분의 줄거리는 지문을 이해하는 데 필요한 핵심 정보를 담고 있어. '태희'와 '경주 엄마'가 낮에 강도가 침입했던 경주네 집에서 함께 밤을 지낸다는 상황을 고려하면서 아래 이어지는 지문을 읽어 보자.*

개업식은 오후 두 시였지만 그녀 는 일찌감치 집을 비워두고 시내로 나갔다. 긴 겨울 방학에 이어 다시 봄 방학까지, 남편 과 같이 있던 날들의 답답한 호흡에 자신도 모르는 사이에 지쳐버렸다는 것인가. 남편의 출근이 시작되자마자 그녀 역시 바깥 세계로 나갈 작은 희망 사항을 하나 가슴에 품고 있던 중이었다. 그저 한가한 시내버스에 몸을 싣고 종점에서 종점까지 가보든가, 새로 개장한 백화점에 들러본다든가. 그것도 아니면 근처 국민학교를 찾아가서 뛰어다니는 신입생들의 가슴에 매달린 흰 손수건이라도 쳐다보든가. 아이를 갖지 못한 여자에게 하루는 터무니없이 길었다. 게다가 아이를 갖지 못한 남편과 아내가 같이 보내는 하루는 그 얼마나 멀고 먼 모래밭인지. *그녀는 개업식을 앞두고 시내로 나갔대. 여기서 그녀가 누구 인지는 아직 확실하게 알 수 없지만, 앞부분의 줄거리에 나온 '태희'나 '경주 엄마' 중에 한 사람일 거라 짐작해 볼 수 있어. 그녀는 남편과 같이 있는 시간들을 답답하게 느끼는데, 그 이유는 아이를 갖지 못한 문제 때문인 것 같아. 그녀와 남편은 아이 문제로 인해 괴로움을 겪는 중으로 보여.*

장면끊기 01

"모두가 운이에요. 사람이 다치지 않은 것만도 재수가 좋았다는 식으로 생각하기로 했어요……. 봐요, 이런 유의 가정 파괴범까지도 득시글거리는 세상인데."

젊은 나이답지 않게 여자 는 팔자소관에 대해 이야기하고 있었다. 이상한 것은 재난을 당하지 않은 사람보다 오히려 당한 쪽의 편에서 팔자에 대해 한층 너그럽다는 사실이었다. *여자는 재난을 당한 쪽으로 볼 수 있겠지?*

장면끊기 02

남편이 그해 여름 느닷없이 증발되었을 때, 그리고 일주일 만에 멍든 육신으로 되돌아 왔을 때 태희는 경악과 분노로 차라리 손가락을 깨물고 싶은 심정이었다. *태희의 남편은 '그해 여름' 갑작스럽게 증발되었다가 일주일 만에 멍든 몸으로 돌아왔대. 남편이 갑자기 실종되었다가 멍든 몸으로 나타났으니, 태희가 경악과 분노로 괴로웠던 심정이 이해가 되지? 앞 장면에서 그녀는 '태희'였음을 알 수 있어.* 난 비교적 운이 좋았던 거야. 하기야 원래도 별다른 행동거지를 내보인 적도 없었고, 다들 들어갔다 하면 고장난 몸뚱이로 일 년 이상 썩는 게 예사니까. 푸른 물감 통 속에서 갓 빠져나온 듯한 몸뚱어리를 이리저리 뒤척이며 때때로 낮은 신음을 뱉어가며 그는 자신의 몸을 신통한 기계나 내려다보듯 구석구석 확인하고 또 확인했다. 그 스스로 확인했듯이 그는 결코 반골 기질 같은 것은 가지고 있지 못한 사람이었다. *그(태희의 남편)는 반골 기질도 없고 별다른 행동거지를 보인 적도 없었지만 잡혀 갔던 거야. 그러면서 몸이 고장나지 않은 채 풀려나게 된 것을 다행이라고 여겨.*

장면끊기 03

"강도보다도 더 미운 것은, 이 아파트에 사는 우리들의 이웃 이었어요. 목청이 터지라고 소리를 질렀어요. 어디서 그런 힘이 솟았는지 번개처럼 복도 끝에서 끝으로 내달리며 살려달라고 아우성을 쳤었지요……. 아무도, 아무도 나오지 않았어요."

여자의 호흡이 다시 거세졌다. 몸을 일으켜 내려다보니 여자는 불끈 쥔 주먹으로 허공을 때려눕히는 시늉을 하고 있었다. 어둠 속 여자의 주먹은 비어 있는 허공의 어디쯤에 한 움큼의 슬픔으로 떠 있는 유영체처럼 보였다. *이제 여자는 앞부분의 줄거리에 나왔던 경주 엄마였음을 알 수 있겠지? 낮에 강도가 침입했던 때의 일을 집에 찾아온 태희에게 이야기하는 중인 거지.*

복도의 이쪽 끝과 저쪽 끝을 내달리는 사이 어린 딸 이 흉악범의 비수 아래 놓여 있었다. 그의 칼끝을 피해 뒷걸음치다가 삽시간에 현관문을 열고 뛰쳐나오긴 했지만 안에 남겨놓은 어린 생명에 대한 끝없는 불안을 어떻게 감당할 수 있단 말인가. 미친 듯이 203호를, 204호를, 205호를 두드렸다. 강도야! 내 딸이 죽을지도 몰라요. 206호를, 207호를 두드리며 또 소리쳤다. 강도야. 살인강도야. 도둑이야……. 아파트 전체가 으레 공명판이 되어 핀 떨어지는 소리까지 수십 배 확대시켜 들려주었건만 절박한 여자의 비명은 누구의 귀에도 닿지 않았다. *경주 엄마는 집에 들어온 강도를 피해 뛰쳐나왔고, 집에는 강도와 어린 딸이 남게 된 거야. 공포스러운 상황에서 아파트 이웃들에게 비명을 지르며 도움을 요청했지만, 어느 누구도 도와주지 않았대.*

"난 분명히 들었어요. 내가 막 문을 두들기려던 209호였던가요. 안에서 살그머니 문을 잠그더라구요. 그 순간 깨달았지요. 내 딸을 지킬 사람은 이 세상에서 오직 나 하나뿐이라는 걸. 눈에 보이는 게 없었어요. 다시 집으로 뛰어 들어갔죠." *이웃집들의 문을 두들기며 도움을 요청했지만 아무도 도와주지 않았고, 심지어 209호는 살그머니 문을 잠그기까지 했어.*

아무도 나오지 않았다, 아무도. 그것을 상상하는 일은 어렵지 않았다. 그러나 그것을 수긍하는 일은 아무래도 쉽지 않았다. 외출에서 돌아왔을 때 여자가 보여준 그 불타는 적의를 태희는 완벽하게 이해했다. 모든 위험이 사라진 뒤 사람들은 그제야 알았다는 듯 우르르 쏟아져 나와 혀를 차고 위로하면서 집 안을 기웃거렸을 것이다. 203호의 현관문에서 대뜸 뛰어 나왔어야 했던 그녀가 외출 중이었다는 사실을 그 순간 여자에게 믿으라고 하는 것은 무리였다. *태희는 203호에 사는가 봐. 앞 장면에서 오후 2시 개업식 전에 일찍 외출했던 사이 경주네 집에 강도가 침입했던 거야.*

"지금도 생각하면 소름끼쳐요. 난 분명히 보았어요. 현관문 저쪽에서 렌즈 구멍에 눈을 대고 허우적거리며 뛰어다니고 있는 내 모습을 구경하던 그들을, 나 또한 틀림없이 보아버린 기분 말이에요."

여자가 이번엔 손가락 관절 하나하나를 똑똑 분질러댔다. *여자는 도와달라는 비명 소리에도 문을 열지 않고 안에서 구경만 했던 이웃들에 대해 분노와 배신감, 소외감을 느끼고 있어.* 이어서 몇 개의 벽을 사이에 두고 긴 항해를 떠나는 배의 고동소리 같은 것이 들려왔다. 두 번째의 커피. 남편은 여전히 책의 페이지 페이지를 넘기며, 행간마다의 의미 속으로 자진 출두해 들어가며 첫새벽이 오기를 기다리고 있을 것이다. *여자의 말을 듣는 사이 태희는 남편을 생각하네.*

절벽이에요, 라고 여자가 다시 입을 열었을 때 태희 역시 똑같은 말을 입속에 굴리고 있었다.

"커다란 절벽을 손으로 만지고, 할퀴고 두들겼던 거예요. 엄청난 두께와 측량 못 할 부피의 절벽……."

무엇보다도 가장 큰 상처는 바로 그 절벽이 주는 것이었다. 태희는 여자가 깨달은 절벽을 향해 손을 뻗쳤다. 여자가 한숨을 쉬었다. 태희는 한숨조차도 쉴 수 없었다.

장면끊기 04

남편이 증발해버린 일주일 동안에 상상할 수 있는 모든 불행을 다 떠올렸었다. 이 세상의 어떤 악운도 그녀를 놀라게 하거나 절망케 하지는 않을 것이라는 믿음은 완전히 오산이었다. 결혼 후 두 달 만의 사건이었다. 그러나 그 이후 오 년이 되어가는 지금껏, 태희는 자신의 단순한 상상력을 향해 무수한 경멸을 거듭해왔다. 태희는 여자의 재난을 들으며 결혼 후 **두 달** 만에 일어나던 남편의 실종 사건을 떠올려.

장면끊기 05

– 양귀자, 「밤의 일기」 –

현대소설 독해의 STEP 2

1 장면을 적절히 나누었는지, 장면별 내용의 빈칸에 적절한 말을 채웠는지 확인해 보세요.

장면끊기 01 그녀는 오후 두 시가 되기 전, 남편이 출근하자 일찍 시내로 나가 남편과의 답답한 일상에 새로운 **희망**을 갖고 싶어 함

Tip 앞부분의 줄거리를 참고할 때, '태희'와 '경주 엄마'를 중심으로 사건이 전개될 것을 짐작해 볼 수 있어. 실제로 이 지문은 태희(그녀)와 여자(경주 엄마)의 이야기를 번갈아 제시하고 있어. 다음 장면에서는 태희의 사정이 아닌 여자의 말을 중심으로 이야기가 전개되니 여기에서 장면을 끊자!

장면끊기 02 재난을 당한 **여자**는 팔자소관에 대해 이야기하며 다치지 않은 것만도 재수가 좋았다는 생각을 전달함

Tip 재난을 당한 여자의 말을 듣는 현재의 상황이 제시된 뒤, 태희의 남편이 일주일 동안 증발되었던 과거의 사건이 제시되는 시점에서 이야기의 중심이 여자 → 태희로 바뀌고 있으니 장면을 끊어야겠지?

장면끊기 03 태희는 그해 **여름** 반골 기질도 없는 남편이 갑작스럽게 증발되어 일주일 만에 멍든 몸으로 되돌아왔던 때를 떠올림

Tip 태희의 회상이 제시되는 세 번째 장면 이후 다시 이야기의 초점이 태희 → 여자로 바뀌고 있지? 이처럼 두 개의 사건이 병치되어 제시되는 작품의 경우, 사건을 경험하는 주체가 누구인지, 혹은 사건을 누구의 관점으로 이야기하고 있는지를 기준으로 장면을 끊어 읽는 것이 좋아.

장면끊기 04 여자는 낮에 강도를 만나 복도의 이쪽 끝과 저쪽 끝을 내달리는 사이 딸이 큰일을 당할까 두려워하며 이웃의 문을 두들겨 도움을 요청했지만, 문 안에서 구경만 할 뿐 아무도 도와주지 않았다고 하소연함

Tip 끝으로 초점이 여자 → 태희로 바뀌어 남편이 증발해버린 일주일 동안에 대한 태희의 감상을 제시하며 지문이 마무리되고 있어.

장면끊기 05 태희는 남편이 증발해버린 일주일 동안에 떠올린 온갖 불행을 생각하며, 자신의 단순한 상상력에 대한 경멸을 거듭함

---

2 구조도의 빈칸에 적절한 말을 채웠는지 확인해 보세요.

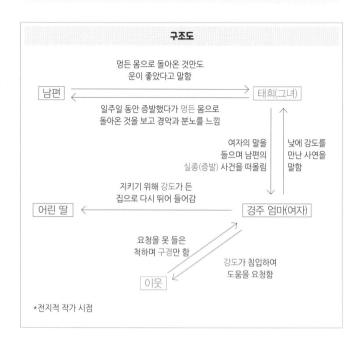

3 1～2번 문제의 정답과 해설을 확인해 보세요.

▶ 정답률 54%

1. 〈보기〉의 밑줄 친 부분에 대한 단서를 윗글에서 찾을 때 가장 적절한 것은?

〈보기〉

이 작품에서 작가는 폭력에 의해 나약한 개인들이 받게 되는 상처(태희와 남편, 경주 엄마)를 보여 주는 한편, 폭력을 외면하는 이들(경주네 아파트 이웃)에 대한 비판 의식을 드러낸다. 또한 부조리한 폭력이 작동하는 기제를 탐색하고 그 해결 방안을 모색한다. 이를 위해 작가는 우리의 삶에서 맞닥뜨릴 수 있는 사건들을 구조적으로 연결하고 있다.

정답풀이

④ '여자'가 경험한 사건과 '남편'이 경험한 사건을 병치하여 문제 상황을 드러낸다.

윗글에는 '여자'가 강도를 당해 이웃들에게 도움을 청했지만 아무도 도와주지 않았던 사건과, '태희'의 '남편'이 느닷없이 실종되었다가 멍든 육신으로 돌아온 사건이 제시된다. 두 사건의 병치를 통해 작가는 우리의 삶에서 맞닥뜨릴 수 있는 '부조리한 폭력'과 그로 인해 '개인들이 받게 되는 상처', '폭력을 외면하는 이들에 대한 비판 의식'을 드러내고 있다.

오답풀이

① '여자'가 경험한 사건을 시간적 순서에 따라 나열한다.

> 윗글은 '여자'가 겪은 낮의 강도 사건과 '태희'가 결혼 후 두 달 만에 겪은 남편의 실종 사건을 교차 제시하고 있으며, '여자'가 경험한 사건을 시간적 순서에 따라 나열하는 것은 '우리의 삶에서 맞닥뜨릴 수 있는 사건들을 구조적으로 연결'하는 것과 관련이 없다.

② '여자'가 들려주는 폭력의 아픔을 '태희'를 매개로 '남편'에게 전달한다.

> '여자'가 '태희'에게 폭력의 아픔을 들려주고는 있지만, 이것이 '태희'를 매개로 '남편'에게 전달되고 있지는 않다.

③ '태희'의 '아이'에 대한 소망을, '여자'의 폭력에 맞서는 모성을 통해 부각시킨다.

> '태희'의 '아이'에 대한 소망을 '여자'의 '어린 딸'에 대한 모성을 통해 부각시키거나 이 둘을 구조적으로 연결하고 있지는 않다.

 함정 피하기

태희는 '아이를 갖지 못한 여자'의 답답함과 괴로운 심경을 드러내고 있으나, 강도에 맞서 어린 생명을 지키기 위해 필사적으로 아파트 이웃집의 문을 두들기며 비명을 지르는 여자의 모성을 통해 아이에 대한 태희의 소망을 부각했다고 볼 근거는 찾을 수 없다.

⑤ '단순한 상상력'에 대한 '태희'의 태도를, '어린 딸'에 대한 '여자'의 태도와 일치시킨다.

> '단순한 상상력'에 대한 '태희'의 태도는 '무수한 경멸'이라고 할 수 있는데, 이는 '어린 딸'에 대한 '여자'의 헌신적인 태도와 같지 않다.

2. 문학 개념어 OX 확인 문제

> ① ✕
>
> > **근거** 태희는 '남편'에 대한 기억을 떠올리고 있을 뿐, '남편'에 대한 태도가 변화하고 있지는 않음.
>
> ② ✕
>
> • 서술자 교체: 서술자는 소설에서 말하는 사람을 가리키는 말로, 서술자의 교체는 구체적인 문맥과 서술 시점 변화에 따른 호칭어, 지칭어의 차이 등을 통해 확인할 수 있음.

현대소설 독해의　STEP 3

■ 1번 문제의 선지 판단 공식에 대한 답을 확인해 보세요.

〈보기〉 문제 선지 판단의 공식

① 〈보기〉 우리의 삶에서 맞닥뜨릴 수 있는 사건들을 구조적으로 연결함 ➕ 작품 '낮에 강도가 침입한' 여자의 사연과 '남편이 그해 여름 느닷없이 증발되었'던 태희의 이야기가 번갈아 제시되고 있음

선지 '여자'가 경험한 사건을 시간적 순서에 따라 나열한다. ✕

② 〈보기〉 우리의 삶에서 맞닥뜨릴 수 있는 사건들을 구조적으로 연결하여 부조리한 폭력이 발생하는 기제를 탐색하고 해결 방안을 모색함 ➕ 작품 '두 번째의 커피. 남편은 여전히 책의 페이지 페이지를 넘기며 ~첫새벽이 오기를 기다리고 있을 것이다.'

선지 '여자'가 들려주는 폭력의 아픔을 '태희'를 매개로 '남편'에게 전달한다. ✕

③ 〈보기〉 우리의 삶에서 맞닥뜨릴 수 있는 사건들을 구조적으로 연결하여 부조리한 폭력이 발생하는 기제를 탐색하고 해결 방안을 모색함 ➕ 작품 '아이를 갖지 못한 여자에게 하루는 터무니없이 길었다.', '안에 남겨놓은 어린 생명에 대한 끝없는 불안을~강도야! 내 딸이 죽을지도 몰라요.'

선지 '태희'의 '아이'에 대한 소망을, '여자'의 폭력에 맞서는 모성을 통해 부각시킨다. ✕

④ 〈보기〉 우리의 삶에서 맞닥뜨릴 수 있는 사건들을 구조적으로 연결하여 폭력에 의해 나약한 개인들이 받게 되는 상처와 폭력을 외면하는 이들에 대한 비판 의식을 드러냄 ➕ 작품 '남편이 그해 여름 느닷없이 증발되었을 때, 그리고 일주일 만에 멍든 육신으로 되돌아 왔을 때', '강도보다도 더 미운 것은, 이 아파트에 사는 우리들의 이웃이었어요.~아무도 나오지 않았어요.'

선지 '여자'가 경험한 사건과 '남편'이 경험한 사건을 병치하여 문제 상황을 드러낸다. ○

⑤ 〈보기〉 우리의 삶에서 맞닥뜨릴 수 있는 사건들을 구조적으로 연결함 ➕ 작품 '그의 칼끝을 피해 뒷걸음치다가 삽시간에 현관문을 열고 뛰쳐나오긴 했지만 안에 남겨놓은 어린 생명에 대한 끝없는 불안을 어떻게 감당할 수 있단 말인가.', '그 이후 오 년이 되어가는 지금껏, 태희는 자신의 단순한 상상력을 향해 무수한 경멸을 거듭해왔다.'

선지 '단순한 상상력'에 대한 '태희'의 태도를, '어린 딸'에 대한 '여자'의 태도와 일치시킨다. ✕

30 하루 30분, 현대소설 트레이닝

현대소설 독해의 STEP 1

1 다음 글을 읽고 주요 인물을 잘 파악했는지, 빈칸에 적절한 말을 채웠는지 확인해 보세요.

📅 고3 2008학년도 10월 학평 – 임철우, 「직선과 독가스 – 병동에서」

[앞부분 줄거리] 광주 H 지역 신문사에 만화를 연재하는 일에 만족하며 살던 '나'는 어느 날 국장에게 지금이 언제라고 겁도 없이 이런 걸 만화라고 그려 냈느냐고 야단을 맞는다. 이튿날 낯선 사람들(그자들)에 의해 '나'는 텅 빈 사각형의 흰 방에 끌려가 앞으로는 잘 생각해서 그림을 그려야 되겠다는 이야기를 듣고 그곳에서 나온다. 그 후 코를 찌르는 듯한 이상한 독가스 냄새를 맡게 된다. 그리고 잡혀갔다가 나온 다음 날 새벽 비 오는 광장에서 '나'는 1980년 5월 18일 광주에서 죽은 시민들의 환영을 보게 된다. 그 후부터 나는 만화 그리기가 두려워지고 결국 신문사를 그만 둔다. 나는 계속 독가스 냄새 때문에 강한 심리적 불안 증세를 보인다. 앞부분이나 중략 부분의 줄거리 등이 제시되는 이유는 이 부분 없이 지문의 내용을 정확하게 이해하고 문제를 풀기 어렵기 때문인 만큼 꼼꼼히 읽어야 해. 특히 이 지문에서처럼 일반적인 경우보다 길이가 유독 긴 줄거리는 시간이 좀 걸리더라도 정확하게 읽고, 지문을 읽을 때에도 그 내용을 앞부분의 줄거리에서 제시한 내용과 연결해 가며 의미를 파악할 필요가 있어.

'나'는 자신이 그린 만화 때문에 '낯선 사람들'에게 끌려갔다 온 후 독가스 냄새를 맡게 돼. 또 잡혀갔다가 나온 다음 날에는 '1980년 5월 18일 광주에서 죽은 시민들의 환영'을 보게 되고, 이후 만화를 그리지 못하고 불안 증세에 시달리고 있어. '나'를 잡아간 '낯선 사람들'의 발언, '1980년 5월 18일 광주' 등을 통해 이 작품은 정치적 억압과 감시가 심했던 1980년대의 상황과 관련하여 이해해야 함을 알 수 있겠네.

밖으로 이내 뛰쳐나가 무작정 거리를 쏘다니다가 아무 버스에나 올라탔지요. 휴일인데도 차안은 붐볐습니다. 프로 야구 결승전이 무등 경기장에서 있다나요. 무심코 고개를 들어보니, 거기 무수한 사람들의 손목이 하얀 고리형의 손잡이에 하나같이 나란히 꿰어져 있더군요. 그래요. 모두가 체포된 수인들이었어요. 차안에 갇힌 우리 모두는 팔목에 하얀 수갑이 채워진 채 어딘지도 모를 곳으로 한마디의 항변도 몸부림도 없이 묵묵히 압송되어 가고 있었다구요. 썩어 문드러진 뱃가죽을 허옇게 드러낸 채 시체처럼 허공에 매달려 있는 그 숱한 손들을 바라보고 있으려니 또 독가스가 목을 짓눌러내는 느낌이었습니다. 차가 도청 앞에 이르렀을 때 허둥지둥 뛰어내리고 말았습니다. '나'는 무작정 거리를 쏘다니다가 아무 버스에나 올라탄 날에 대해서 누군가에게 이야기하는 듯한 말투로 말하고 있어. '나'는 버스 **손잡이**를 잡고 있는 사람들을 팔목에 하얀 **수갑**을 찬 체포된 수인들이라고 해. 앞부분의 줄거리에서 '나'가 심리적 불안 증세를 보인다고 했던 것이나 1번 문제의 <보기>를 고려하면, 이는 '나'의 환각인 것이겠지.

휴일 하오의 거리는 한가로운 걸음의 행인들로 출렁이고 있었습니다. 하늘은 흐린 편이었지만 비가 올 듯한 날씨는 아니었지요. 전일 빌딩 앞 횡단보도를 건너 수협 건물 쪽으로 갔습니다. 난 예의 그 계단에 서서 꽤 오랫동안 눈앞의 광장과 분수대를 우두커니 바라보았지요. 이날따라 광장 중앙의 분수대는 시원스레 물을 뿜어 물줄기의 낙하음이 들렸지요. 그것은 마치 지금 마악 임종하는 사람의 숨결처럼 나지막하면서도 집요하도록 끈질긴 소리였지요. 어찌 보면 지극히 평화스럽기만 한 그 광장의 풍경을 대하고 있으려니 자꾸만 그 비 오는 날 밤, 바로 그 자리에서 보았던 소름

끼치는 광경이 뇌리에서 지워지지가 않았습니다. 그것은 정말 환영이었을까. 억수같이 쏟아지는 비바람 속에서 얼결에 헛것을 보았던 것일까. 나는 북적이는 한길에 서서 여전히 어수선하고 흉흉한 꿈을 꾸고 있는 듯한 느낌이었습니다. 버스에서 내린 '나'는 광장과 분수대를 우두커니 바라보다가 비 오는 날 밤, 바로 그 자리에서 보았던 소름 끼치는 광경을 떠올리게 되고 '그것은 정말 환영이었을까.'라고 생각해. 앞부분 줄거리를 고려하면 이는 '나'가 '잡혀갔다가 나온 다음 날 새벽 비 오는 광장'에서 보았던 '1980년 5월 18일 광주에서 죽은 시민들의 환영'을 뜻하는 거겠지? '나'는 어수선하고 흉흉한 꿈을 꾸고 있는 듯한 느낌이 들었대. '나'는 심리적으로 계속 불안한 상태에 있는 거지.

그 사이에도 차량의 행렬이 분주히 스쳐 지나가고 시가지의 이 골목 저 골목으로부터 행인들이 개미떼처럼 구물구물 기어나와 끊임없이 흐르고 있었습니다. 정류장에선 수용소 막사의 번호판만 같은 숫자표를 달고 자신들을 실어갈 시내버스가 나타날 때마다 사람들은 그리로 우루루 몰려가곤 했습니다. 마치 등 뒤에서 누군가가 미친 듯 호루라기를 불어대기라도 하듯 저마다 어깨를 밀고 부딪치며 쫓기듯이 허겁지겁 차에 오르고 있는 시민들을 붙잡고 나는 이렇게 묻고 싶었습니다. 그해 오월, 바로 저 광장을 돌아 기다랗게 열을 지어 사라져 버린 숱한 사람들의 행방을 행여 알고 있느냐고. 선연하도록 붉고 고운 꽃이파리를 입에 물고 그들은 대관절 어디로 가버린 것이냐고. 그리고 그 많은 사람들은 왜 아무도 돌아오지 않느냐고. 어째서 해남댁 늙은이의 외아들은 아직까지 소식조차 알 수 없는 거냐고……. 하지만 끝내 아무 말도 해 보지 못하고 **집으로 되돌아오고 말았습니다.** '나'는 허겁지겁 차에 오르고 있는 시민들에게 그해 **오월**에 사라져 버린 숱한 사람들의 행방을 묻고 싶다고 생각하지만, 아무 말도 해 보지 못하고 **집**으로 되돌아오는군. '나'가 행방을 궁금해하는 그 사람들은 '1980년 5월 18일 광주에서 죽은 시민들'을 가리키겠지? 즉 '나'는 5·18 광주 민주화 운동의 희생자들에 대해 생각하고 있어.

장면끊기 01

그날부터 나는 꼬박 이틀을 물만 마시며 누워 있었습니다. 입을 잔뜩 벌리고 꼼짝없이 누워 있어도 호흡이 막혀 오고 목구멍에서 바람이 새는 듯한 이상한 소리가 났습니다. 어디서 어떻게 시작되었는지조차 알 수 없는 그 지독한 냄새는 쓰러져 누운 내 가슴 위에 올라타서 끊임없이 목을 조르고 또 졸랐지요. 눈알이 벌겋게 충혈되면서 이윽고는 목구멍 안까지 퉁퉁 부어올라 침을 삼키기마저 어려워지더군요. 아아, 기어이 난 이렇게 죽어가는구나. 이렇게 죽고 마는구나. 그런 생각이 들자 나는 무지무지하게 분하고 억울하다는 느낌을 참을 수가 없더군요. 그래요. 난 그대로 죽을 수는 없었습니다. 절대로 이렇게 허망하게 눈을 감아서는 안 된다는 생각이 들더군요. 집으로 돌아온 '나'는 꼬박 이틀을 누워만 있네. 독가스 냄새를 맡으며 '난 이렇게 죽어가는구나.'라고 생각하던 '나'는 분하고 억울해서 이렇게 **허망**하게 눈을 감아서는 안 된다는 생각을 해. 누워만 있던 '나'가 무언가 행동을 하려는 걸까?

㉠나는 자리를 박차고 일어나 스케치북을 꺼냈지요. 실로 오랫만에 그려 보는 만화였습니다. 나는 거기에 그 비 오는 날 밤의 무서운 광경을, 꽃잎을 온몸에 붉게 붙인 채 어디론가 끌려가고 있는 사람들의 행렬을 쓱쓱 그려 넣었습니다. 그리고 나서 판자와 못을 찾아내어 표지판을 하나 만들고 거기에 굵은 글씨로 이렇게 썼습니다. 〈저는 지금 정체를 알 수 없는 독가스와 독극물로 인해 날마다 죽어가고 있습니다. 제발 저를 살려 주십시오. —단식 사흘째〉

앞부분 줄거리에 따르면 '나'는 **만화 그리기**가 두려워져서 신문사를 그만 두었는데, 자리를 박차고 일어난 '나'는 실로 오랜만에 스케치북에 그 **비 오는 날 밤**의 무서운 광경을 그려. 그리고 자신이 독가스와 독극물로 인해 죽어가고 있다는 내용의 표지판을 만들지. 거기엔 '단식 사흘째'라고 써 있네.

장면끊기 02

(중략)

그 이튿날도 마찬가지로 우체국 앞에 나갔지요.
〈……저를 살려 주세요.―단식 나흘째〉
그 다음날도 역시 그리로 나갔습니다. 닷새째가 되는 그날까지도 난 전혀 아무것도 입에 대지 않은 채로였지요. 그런데 바로 그 마지막 날 오후에 혼자 표지판을 치켜들고 서 있으려니까 바로 그자들이 나를 데리러 왔던 것이었습니다……. 며칠째 **단식**을 이어가며 표지판을 들고 서 있는 '나'를 '그자들'이 데리러 와. 앞부분 줄거리를 고려하면 '그자들'은 '나'를 끌고 가 '잘 생각해서 그림을 그려야 되겠다는 이야기'를 했던 사람들이지.

장면끊기 03

자아. 이것뿐입니다. 선생님이 내게 알아낼 수 있는 사실은 모두 이것밖에 없어요. 이젠 아무 얘기도 하고 싶지 않습니다. 아시겠어요? 더는 계속하지 않을 거라구요. 으흐흐흣. 하지만 말예요, 선생님. 꼭 한 가지만 알고 싶은 게 있기는 합니다. 저, 말이죠. 나는 다시 만화를 그릴 수가 있을까요? 자를 대지 않고서도 그 빌어먹을 놈의 직선을 예전처럼 쓱쓱 그려낼 수 있겠느냐구요. 그리고 무엇보다도 이 독가스, 지긋지긋하고 끔찍스러운 이 독가스 냄새는 대관절 어디서 어떻게 꽃가루같이 풀풀풀 날아오는 것일까요. 네. 다른 사람들은 모두 아무렇지도 않게 살아가고 있는데 어째서 하필나 혼자만 이렇게 고통을 당해야 하는 것인지, 정말이지 난 모르겠다니까요, 선생님. '나'는 '선생님'에게 자신이 겪었던 일들을 이야기하고 있던 거네. 자신이 그린 만화 때문에 잡혀 갔다가 온 후로 독가스 냄새를 맡고 만화를 그리지 못하게 된 것을 고려하면, **독가스**는 '나'가 만화를 그리지 못하게 하는 시대적 제약이나 억압을 상징한다고 볼 수 있겠군.

장면끊기 04

– 임철우, 「직선과 독가스 – 병동에서」 –

현대소설 독해의 STEP 2

1 장면을 적절히 나누었는지, 장면별 내용의 빈칸에 적절한 말을 채웠는지 확인해 보세요.

장면끊기 01 | 밖으로 이내 뛰쳐나간 '나'는 버스에서 압송되는 수인들의 환영을 보고, 5월 18일 광주에서 죽은 시민들에 대해 생각하다 집으로 되돌아옴

Tip '밖'으로 나갔던 '나'가 버스를 탔다 내리고 광장에서 5·18 희생자들을 생각하다가 다시 '집'으로 되돌아오는 공간의 이동이 나타나므로 바깥과 실내를 기준으로 장면을 끊어서 생각해 볼 수 있어. 1인칭 서술자 '나'가 등장하니 '나'의 내면을 따라가는 것에 집중하면서 읽어 내려가면 돼.

장면끊기 02 | 집으로 돌아온 '나'는 그날부터 꼬박 이틀을 누워만 있다가 일어나 만화를 그리고 단식 사흘째라고 표시한 표지판을 만듦

Tip 중략 이전까지를 하나의 장면으로 끊어볼 수 있겠네. 중략 전에 만든 표지판에서는 '단식 사흘째'라고 써 있었는데, 중략 직후 '나'가 들고 나간 표지판에는 '단식 나흘째'라고 써 있는 것으로 보아 중략된 부분에서 하루의 시간이 흘렀음을 짐작할 수 있어.

장면끊기 03 | 단식 나흘째에 '그자들'이 표지판을 들고 서 있던 '나'를 데리러 옴

Tip '나'는 누군가에게 이야기를 하는 듯한 말투를 사용하고 있었는데, 그 대상인 '선생님'이 등장하고 있으니 한 번 더 장면을 끊어볼 수 있어. 즉 이 작품에는 '나'가 과거에 겪었던 사건들을 다루는 이야기와 그 이야기들을 '나'가 '선생님'에게 털어놓는 이야기라는 두 가지의 이야기가 존재한다고 볼 수 있지. 이때 세 번째 장면까지가 전자의 이야기이고, 마지막 장면은 후자의 이야기야.

장면끊기 04 | '나'가 '선생님'에게 자신의 고통을 호소함

2 구조도의 빈칸에 적절한 말을 채웠는지 확인해 보세요.

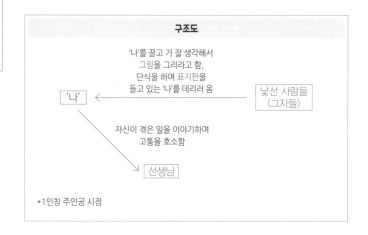

⬛ 1~2번 문제의 정답과 해설을 확인해 보세요.

▶정답률 52%

1. ㉠과 〈보기〉를 참고하여, 사건의 진행 과정에서 드러난 '환각의 역할'에 대해 발표한 내용 중 가장 적절한 것은?

〈보기〉

작가는 소설에서 감각적인 인식의 차원을 넘어선 환각적인 요소들을 사용하는 경우가 있다. 이때 환각적인 요소에는 환영(幻影), 환청(幻聽), 환후(幻嗅) 등이 있다. 이런 환각적인 요소는 일정한 역할을 담당하는 경우가 있다. 환영, 환청, 환후 등의 환각적인 요소 → 일정한 역할 담당

정답풀이 ▶

② 인물이 현실에 대한 인식을 전환하는 계기로 작용하고 있습니다.

'만화를 연재하는 일에 만족'하며 살던 '나'는 '텅 빈 사각형의 흰 방에 끌려가 앞으로는 잘 생각해서 그림을 그려야 되겠다는 이야기를 듣고' 나온 후, '코를 찌르는 듯한 이상한 독가스 냄새를 맡'는다. 또한 '잡혀갔다가 나온 다음 날 새벽 비 오는 광장에서 '나'는 1980년 5월 18일 광주에서 죽은 시민들의 환영을 보게' 되고 그 후부터 '만화 그리기가 두려워지'면서 '결국 신문사를 그만 둔'다. 〈보기〉에 따르면 '나'가 경험한 '환각적인 요소는 일정한 역할을 담당'하는데, 환각에 시달리던 '나'가 ㉠에서 '그 비 오는 날 밤의 무서운 광경'을 다시 만화로 그리는 것으로 보아 환각은 '나'로 하여금 현실에 대해 비판적인 인식을 갖게 하는 계기로 작용한다고 볼 수 있다.

오답풀이 ▶

① 인물이 지향하는 세계를 암시적으로 드러내고 있습니다.

윗글에서 환각이 '나'가 지향하는 세계를 암시적으로 드러내고 있지는 않다.

③ 인물이 저지른 과거의 잘못에 대한 죄책감을 부각시켜 주고 있습니다.

윗글에서 '나'가 '국장에게 지금이 언제라고 겁도 없이 이런 걸 만화라고 그려 냈느냐고 야단을 맞는' 것이나, '낯선 사람들'에게 '앞으로는 잘 생각해서 그림을 그려야 되겠다는 이야기를 듣'는 것이 '나'가 잘못을 저질렀기 때문이라고 보기는 어렵다. 또한 윗글에서 '나'는 '선생님'에게 '다른 사람들은 모두 아무렇지도 않게 살아가고 있는데 어째서 하필 나 혼자만 이렇게 고통을 당해야 하는 것'이냐며 고통을 호소하고 있을 뿐이므로, 환각이 '나'가 저지른 과거의 잘못에 대한 죄책감을 부각시켜 주고 있지는 않다.

④ 현실에 대해 인물이 저항 의지를 포기하게 하는 촉매 역할을 하고 있습니다.

환각에 시달리던 '나'는 ㉠에서 '그 비 오는 날 밤의 무서운 광경'을 다시 만화로 그리므로, 환각이 '나'의 저항 의지를 포기하게 하는 촉매 역할을 한다고 보기는 어렵다.

⑤ 현실과 대결하는 군중들의 모습을 보고 놀란 인물의 내면 의식을 드러내고 있습니다.

윗글에서는 '행인들이 개미떼처럼 구물구물 기어나와 끊임없이 흐르고' 시민들이 '허겁지겁 차에 오르는' 모습이 제시되었을 뿐, 군중들이 현실과 대결하는 모습은 나타나지 않는다. 따라서 '나'가 현실과 대결하는 군중들의 모습을 보고 놀라고 있다고 볼 수 없으며, 그러한 내면 의식이 환각을 통해 드러나지도 않는다.

2. 문학 개념어 OX 확인 문제

① ○

• 비유: 표현하고자 하는 대상을 다른 대상에 빗대어 표현하는 방법.

근거 '썩어 문드러진 뱃가죽을 허옇게 드러낸 채 시체처럼 허공에 매달려 있는 그 숱한 손들', '행인들이 개미떼처럼 구물구물 기어나와 끊임없이 흐르고 있었습니다.'

② ○

• 대비: 두 가지의 차이를 밝히기 위해 서로 맞대어 비교함.

근거 '어찌 보면 지극히 평화스럽기만 한 그 광장의 풍경을 대하고 있으려니까 자꾸만 그 비 오는 날 밤, 바로 그 자리에서 보았던 소름 끼치는 광경이 뇌리에서 지워지지가 않았습니다.'

현대소설 독해의 STEP 3

1 1번 문제의 선지 판단 공식에 대한 답을 확인해 보세요.

〈보기〉 문제 선지 판단의 공식

① 〈보기〉 소설에서 환영, 환청, 환후 등의 환각적인 요소는 일정한 역할을 담당함 ➕ 작품 '나'는 '코를 찌르는 듯한 이상한 독가스 냄새를 맡'고 '1980년 5월 18일 광주에서 죽은 시민들의 환영'을 보며 괴로워함

선지 인물이 지향하는 세계를 암시적으로 드러내고 있습니다. ✕

② 〈보기〉 소설에서 환영, 환청, 환후 등의 환각적인 요소는 일정한 역할을 담당함 ➕ 작품 '코를 찌르는 듯한 이상한 독가스 냄새를 맡'고 '광주에서 죽은 시민들의 환영'을 보던 '나'는 '그 비 오는 날 밤' '어디론가 끌려가고 있는 사람들의 행렬'을 만화로 그림

선지 인물이 현실에 대한 인식을 전환하는 계기로 작용하고 있습니다. ◯

③ 〈보기〉 소설에서 환영, 환청, 환후 등의 환각적인 요소는 일정한 역할을 담당함 ➕ 작품 '다른 사람들은 모두 아무렇지도 않게 살아가고 있는데 어째서 하필 나 혼자만 이렇게 고통을 당해야 하는 것인지, 정말이지 난 모르겠다니까요, 선생님.'

선지 인물이 저지른 과거의 잘못에 대한 죄책감을 부각시켜 주고 있습니다. ✕

④ 〈보기〉 소설에서 환영, 환청, 환후 등의 환각적인 요소는 일정한 역할을 담당함 ➕ 작품 '코를 찌르는 듯한 이상한 독가스 냄새를 맡'고 '광주에서 죽은 시민들의 환영'을 보던 '나'는 '그 비 오는 날 밤' '어디론가 끌려가고 있는 사람들의 행렬'을 만화로 그림

선지 현실에 대해 인물이 저항 의지를 포기하게 하는 촉매 역할을 하고 있습니다. ✕

⑤ 〈보기〉 소설에서 환영, 환청, 환후 등의 환각적인 요소는 일정한 역할을 담당함 ➕ 작품 '그 사이에도 차량의 행렬이 분주히 스쳐 지나가고 시가지의 이 골목 저 골목으로부터 행인들이 개미떼처럼 구물구물 기어 나와 끊임없이 흐르고 있었습니다.', '저마다 어깨를 밀고 부딪치며 쫓기듯이 허겁지겁 차에 오르고 있는 시민들'

선지 현실과 대결하는 군중들의 모습을 보고 놀란 인물의 내면 의식을 드러내고 있습니다. ✕

현대소설 독해의 STEP 1

❶ 다음 글을 읽고 주요 인물을 잘 파악했는지, 빈칸에 적절한 말을 채웠는지 확인해 보세요.

📅 고3 2009학년도 3월 학평 – 한수산, 「타인의 얼굴」

[앞부분의 줄거리] '나'는 투병 중이던 최 교수의 부고를 듣고, 서울행 비행기를 탈지 말지 망설인다. '나'는 과거 최 교수의 모습을 떠올린다.

그는 응접실로 나오지도 못하고 안방에 딸린 침구 위에서 나를 맞았다. 전번에 찾아오려고 했을 때, 병원에 가고 안 계시다는 이야기를 들은 지 두 주일이 지나 있었다. '나'가 최 교수를 병문안 갔던 때의 일이 제시되고 있어. 침구 위에서 '나'를 맞이하는 것으로 보아, 최 교수는 병이 상당히 위중한 모양이야.

"그렇겠지. 막살아왔다면, 그렇게 아무렇게나 살아왔다면, 어떻게든 살아보겠다고 무슨 짓이든 하겠지. 그러나…… 난 그렇지가 못하잖아. 그렇게 막살지도 못했잖아."

얼음 조각을 하듯 그렇게 사셨을 것이다. 깨뜨리면 잘못 부수면 회복이 안 되는 것으로 사신 시간들일 것이다. 선생님의 시간. 최 교수는 자신이 살아온 삶을 회고하고 있어. 막살거나 아무렇게나 살아온 삶은 아니라며, 살기 위한 발버둥은 치지는 않겠다며, 죽음을 수용하려는 태도를 드러내고 있지. 그런 그의 삶을 '나'는 얼음 조각을 하는 듯한 삶이었을 것으로 비유하고 있지.

"폭력적인 생각이 자꾸 들곤 해. 뛰어내릴까. 그래서라도 죽는 게 낫지 않나. 딱 죽는 약이 있으면 먹을까도 싶고. 이런 폭력적인 생각을 또 고쳐. 내가 이래선 안 된다, 안 된다 하고."

왜 그런 약한 생각을 하세요. 나는 겨우 그렇게 중얼거리려다가 목이 아프게 누르며 그 말을 참았다. 아무것도 선생님에게 위안이 될 수 있는 것을 나는 가지고 있지 못했다. 죽음을 오히려 앞당기고 싶어하는 마음까지 토로하는 최 교수의 모습을 바라볼 수밖에 없는 '나'는 그에게 위안을 주지 못하는 것을 안타까워하고 있어.

"죽음이…… 화려하게까지 느껴지기도 해. 그게 두렵지가 않아. 이상하지. 전에 할아버지 무덤에 가 앉아 있을 때 생각이 나. 그때, 그 융단같이 푸른 잔디를 보며 앉았노라면 그렇게 좋고 평화스러울 수가 없었어. 내가 이제 여길 내려가서…… 얼마나 많은 고통을 받고, 얼마나 많은 나쁜 짓을 하고, 얼마나 많은 사람을 속이며 살아갈 건가. 그런 생각을 하곤 했었지. 물론 살아가며, 순간순간의 기쁨이야 있겠지. 그러나……" 최 교수는 죽음에 대해 두려움을 느끼지 않고, 오히려 화려하게까지 느껴진다고 해. 그리고 삶 중에 얻을 순간순간의 기쁨보다도 죽음을 매력적으로 받아들이는 심정을 제시하고 있지.

이미 노오랗게 물들어 있는 선생님의 눈을 나는 가만히 바라보았다. 병이 저렇게 만든 것일까. 검고 컸던 선생님의 눈. 우리는 이다지도 무력한가. 우리가 무엇을 이룩하겠다고. 무엇을 남기겠다고 매일을 고단하게 살았단 말인가. 최 교수의 눈을 보며 '나'는 무력함을 느끼면서, 삶의 덧없음을 생각하고 있어. 메마른 입술을 적시며 선생님이 고개를 돌렸다. 그의 눈길이 커튼이 열려진 창에 가 멎었다. 텅 빈 하늘이 거기 가득했다.

"끊임없이 싸워. 정상적인 자아와 병든 자아가 이십사 시간을 싸워. 이게 나야. 내가, 두 개의 내가 살아 있어. 내가 나를, 정상적인 자아가 병든 자아를 두 시간만 재워 놓자. 그러면서 잠이

들어. 여덟 시에 깨우자. 그러면서 살아. 병든 자아를 달래서 약을 먹이고, 병든 자아에게 사정해 가며 물도 몇 모금 먹고……"

최 교수의 마음속에는 정상적인 자아와 병든 자아라는 두 가지 자아가 항상 서로 싸우고 있다고 해. 주로 한쪽이 다른 쪽을 잠을 재우고, 약을 먹이고, 물도 먹여 가며 삶을 연명해 간다고 하지. 죽음을 수용하려는 자아와 살고 싶다는 자아가 갈등하고 있는 상황으로 볼 수 있겠지. 장면끊기 01

그때, 왜 그 생각이 떠올랐을까. 그것은 내가 본 처음이자 마지막 한 번의 선생님이었다. 그때 선생님은 대학의 보직을 맡고 있었다. 최 교수의 말을 듣던 '나'는 문득 최 교수가 대학의 보직을 맡고 있던 때를 회상하네. 마침 약속이 있어서 학교 본관의 처장실로 찾아갔을 때였다. 그때 다른 단과 대학의 학장을 했던 원로 교수 하나가, 최명하 너 이놈 하고 고함을 치며 처장실 문을 박차고 들어왔다. 그는 아마 선생님보다 스무 해는 나이가 위였을 게다. 그를 향해서 그때 선생님이 소리쳤다. 학자라는 게 나잇값도 못하고! 당신하고 할 이야기 없으니 당장 나가! '나'의 회상 속에서 두 사람의 대화는 큰따옴표 없이 이루어지고 있네. 서술자 '나'의 서술 부분과, 인물의 발언이 직접 인용된 부분을 잘 구분해서 읽어야겠지? 다른 단과 대학의 학장인 원로 교수가 최 교수(최명하)에게 무언가를 따지러 오자, 최 교수가 오히려 그를 비난하는 장면이 제시되어. 놀라서 집무실 한구석에 나는 서 있었고, 선생님은 그 노교수의 등을 밀어 밖으로 내몰았다. 문을 닫아걸며 선생님이 내뱉듯 말했다. 무슨 부정 입학생 명단을 수첩에 적어 가지고 합격을 시키자니! 그걸 내가 못 한다고 잘랐더니 저 주책이야! 그때는 마침 입시철이었다. 입시철에 부정 입학생들을 합격시키자는 제안에, 최 교수는 부정을 용납하지 않고 단호한 거부의 의지를 보였어. 장면끊기 02

그처럼 격렬하고 단호했던 선생님의 모습이 갑자기 왜 떠오르는지 나는 알 수 없었다. 그때의 그 선생님, 또 다른 선생님의 자아를 생각했던 것일까. '나'는 병석에서 두 가지 자아에 대해 이야기하는 최 교수의 말을 듣고, 현재의 약해진 모습과 달리 단호하고 격렬했던 과거의 최 교수를 떠올린 모양이야.

메마른 발을, 여윈 발을 당겨 앉은 자세를 바꾸며 그때 선생님이 중얼거렸다.

"황 교수, 그 사람이 뭔데 나보다 이십 년을 더 살아. 말이나 되는 소리야. 나보다 이십 년을 더 살다니."

황 교수. 그분은 선생님과는 가까웠던 국문과 교수였고, 원로 소설가였다. 다시 '나'가 최 교수의 병문안을 온 시공간적 배경으로 돌아왔어. 최 교수는 자신보다 황 교수가 오래 산다는 것을 인정하지 못하겠다고 해. 장면끊기 03

[A]
"오늘 비행기는 전연 예약이 안 되네요. 그냥 비행장으로 나가 보실래요. 좌석이 있으면 탈 수도 있을 테니까요."

아내의 그런 말을 들으며 그는 자신에게 말했다. 아니, 가지 않겠어. 병든 자아와 정상적인 자아가 아냐. 수없이 많은 내가 내 속에 있어. 그의 죽음을 지켜보며 나는 또 얼마나 많은 자아와 싸웠던가. 때로는 두려웠던 나. 때로는 슬펐던 나. 때로는 그의 병듦을 보며 살아있는 자신이 기뻤던 나도 있었어. 그의 무너져 가는 몸을 보며, 건강에 조심해야지 하고 쥐가 천장을 갉아대듯 속삭인 나도 있었어. 1인칭 주인공 시점이던 글이 3인칭 전지적 작가 시점으로 전환되었어. 아내의 말을 들은 '그'가 비행기를 타러 가지 않겠다고 생각하며 자신 안의 수많은 자아에 대해 생각하는 장면이 제시되고 있네. 앞부분의 줄거리를 참고하면, 이 상황은 최 교수의 조문을 가기 위해 서울행 비행기를 탈지 말지 망설이던 '나(그)'의 상황을 제시하고 있는 것이라고 볼 수 있겠지. '그'는

최 교수의 죽음을 지켜보며 두려움과 슬픔, 삶에 대한 기쁨 등을 느꼈었구나.

그는 새로 빤 와이셔츠를 입고 넥타이를 맸다. 비뚤어진 매듭을 거울 속으로 바라보며 다시 맬까 어쩔까를 그는 잠시 생각했다. 그는 양복을 걸치며, 넥타이를 고치지도 다시 매지도 않은 또 하나의 자신에게 말했다. 두 시의 약속을 미룰걸 그랬어. '그'는 지금 현실에서 넥타이를 고쳐 맬까 고민하고 있는 자신과 다른, 자신 안의 또 다른 자아에게 말을 걸고 있어. 가방을 들고 집을 나서기 위해 구두를 신으며 그는 오늘 저녁에는 술을 마시자고 스스로에게 약속했다. 많이 마시지는 마. '두 시의 약속을 미룰걸 그랬어.' 나 '많이 마시지는 마.'는 실제 발화된 말이라기보다, '그'가 마음속으로 스스로에게 되뇐 생각에 가까워. 밖으로 나섰다. 바람이 빗발을 뿌려 그의 구두를 젖게 했다. 그는 우산을 바람 쪽으로 기울이며 걸음을 빨리했다. 비는 모래알같이 뿌려댔다. 골목에는 누구도 보이지 않았다. 사막 같았다. 비를 맞고 있는 집과 나무와 아스팔트 포장이 된 골목을 바라보았다. 사막. 순간 그는 자신 속에 아무도 살아 있지 않다고 느꼈다. 어떤 모습의 그도. 밖으로 나선 '그'는 비가 내리는, 텅 빈 골목을 바라보며 이 공간이 누구도 살아 있지 않은 **사막**과 같다고 생각해. 그리고 결국 자신 안에 있는 수많은 자신 가운데, 어떤 모습의 그도 살아 있지 않다고 느끼게 되지. 아마도 수많은 자아를 가지고 있더라도 그 가운데 진정한 자신은 존재하지 않는다는 것에 대한 깨달음을 나타낸 것일 거야.

장면끊기 04

— 한수산, 「타인의 얼굴」 —

현대소설 독해의 STEP 2

1 장면을 적절히 나누었는지, 장면별 내용의 빈칸에 적절한 말을 채웠는지 확인해 보세요.

장면끊기 01   '나'는 최 교수가 병원에 가고 없다는 이야기를 들은 지 두 주일 만에 그를 다시 찾아가고, 죽음을 앞둔 그로부터 두 가지 자아에 대한 이야기를 들음

Tip 앞부분의 줄거리를 참고하면 현재의 시점에서 최 교수는 사망한 상태이니, '나'가 최 교수(그)를 만나는 지문의 도입부는 과거에 해당해. 이 장면에서 최 교수에게 들은 말은 큰따옴표로 직접 제시되고, 최 교수의 말에 대한 '나'의 생각은 일인칭 시점의 서술로 드러나. 그리고 '그때, 왜 그 생각이 떠올랐을까.'를 기점으로 최 교수에게 병문안을 갔던 과거의 '나'가, 대학 본관 처장실에서 최 교수를 보았던 과거를 떠올리게 되니 여기에서 장면을 한 번 끊었어.

장면끊기 02   '나'는 최 교수가 대학의 보직을 맡고 있었던 입시철의 그때를 회상하며 부정 입학생을 합격시키자는 제안을 거부하던 최 교수의 모습을 떠올림

Tip 최 교수의 병문안을 갔던 '나'는 그가 대학의 보직을 맡고 있던 과거를 떠올려. 이때 서로 싸웠을 한 원로 교수와 최 교수의 대화는, 비록 큰따옴표는 사용되지 않았지만 그대로 직접 인용되어 제시되지. 이때의 사건이 '왜 떠오르는지 알 수 없다'고 한 것은 더 먼 과거를 회상하던 '나'가 다시 최 교수를 병문안 중인 상황으로 돌아왔음을 알려 주는 것이므로, 여기에서 장면을 한 번 끊었어.

장면끊기 03   최 교수는 내가 병문안을 온 그때 자신보다 황 교수가 오래 살 것을 인정하지 못하겠다고 이야기함

Tip 최 교수의 병문안을 갔던 과거 회상 뒤 갑자기 제시된, '오늘 비행기는 전연 예약이 안 되네요.'라는 '그'의 아내의 말은, 앞부분의 줄거리를 참고했을 때 '나'가 최 교수의 부고를 들은 현재의 시점으로 돌아왔음을 알려 주는 표지라고 볼 수 있어. 이렇게 과거에서 현재로 시간이 전환되면서 1인칭 서술자였던 '나'가 '그'로 바뀌어, '그'에 초점을 맞춘 전지적 작가 시점에서의 서술이 이루어지기 시작하기 때문에 여기서 장면을 끊었지. 장면의 시간적 배경과 서술자의 성격을 정리해 보면, 장면 01(과거, 1인칭) → 장면 02(장면 01의 '나'가 회상한 더 먼 과거, 1인칭) → 장면 03(장면 01에서 이어지는 과거, 1인칭) → 장면 04(현재, 전지적 작가)로 볼 수 있어.

장면끊기 04   아내는 '그(나)'가 비행기를 탈지 말지 망설이는 오늘 예약이 어려우니 비행장으로 가 보라 하고, '그'는 자신 안의 수많은 자아를 생각하며 사막과 같은 골목으로 나서 자신 속에 아무도 살아 있지 않다고 느낌

2 구조도의 빈칸에 적절한 말을 채웠는지 확인해 보세요.

구조도

죽기 전의 최 교수의 모습을 떠올리며
자신 안에 수많은 자아가 있음을
인식하고 스스로를 성찰함

'나'/'그' ⟶ 최 교수
⟵

죽음을 두려워하기보다 화려하다고 느끼며,
이를 앞두고 정상적인 자아와
병든 자아 사이에서 갈등하는 속내를 고백함

*1인칭 주인공 시점 → 전지적 작가 시점

3 1~2번 문제의 정답과 해설을 확인해 보세요.

▶정답률 85%

1. 〈보기〉를 바탕으로 [A]를 감상한 내용으로 적절하지 <u>않은</u> 것은?

〈보기〉

우리는 타인들과 관계를 맺으며 살아간다. 타인에 대한 관찰을 통해 우리는 인식하지 못했던 또 다른 나를 발견하는 낯선 체험을 할 수 있다. 타인은 자신을 비추는 거울인 것이다. 또한 이러한 체험은 자아와 삶의 본질에 대한 사색으로 이어진다. 타인: 관계의 대상이자 자신을 비추는 거울 / 타인에 대한 관찰 → 인식하지 못한 또 다른 나(자아) 발견 체험 → 자아와 삶의 본질에 대한 사색 이 작품의 제목인 '타인의 얼굴'은 이런 점에서 상징적인 의미로 해석할 수 있다.

정답풀이

⑤ '자신 속에 아무도 살아 있지 않다'고 느낀 것은 새로운 관계의 가능성을 암시하는 것으로 볼 수 있다.

'그(나)'가 '자신 속에 아무도 살아 있지 않다'고 느낀 것은, '선생님'의 죽음을 지켜보며 자신 안에는 수많은 자아들이 있음을 알았지만, 그들은 모두 살아 있는 존재로는 볼 수는 없다는 깨달음에서 비롯된 것으로 볼 수 있다. 이는 타인인 '선생님'과의 관계를 맺고 자신의 자아에 대해 사색한 '그'의 내면에 대한 이야기로, 〈보기〉에서 말하는 것과 같이 '타인', 즉 다른 인물을 대상으로 이루어지는 관계가 새롭게 시작될 가능성을 암시하는 것으로 볼 수는 없다.

오답풀이

① 거울 속에 있는 '또 하나의 자신'은 '또 다른 나'에 해당하는 존재라고 할 수 있다.

'그(나)'는 밖으로 나서기 전 거울을 보고 '비뚤어진 매듭'의 넥타이를 매고 있는 자신을 '또 하나의 자신'이라고 칭하며 말을 걸고 있다. 〈보기〉를 참고할 때, 이는 타인인 '선생님'으로부터 또 다른 자아에 대한 이야기를 들었던 것을 떠올린 '나'가, 거울 속에 있는 자신으로부터 기존에 '인식하지 못했던 또 다른 나를 발견'하는 체험을 한 것으로 볼 수 있다.

② 선생님은 '나'가 삶의 본질에 대해 사색하게 하는 '타인의 얼굴'로 볼 수 있다.

'나(그)'는 죽음을 앞둔 '선생님'의 병문안을 갔던 것을 떠올리며, '선생님'의 안에서 정상적인 자아와 병든 자아가 싸우고 있었듯, 자신의 안에도 여러 가지 자아가 있음을 사색하게 된다. 〈보기〉에서 '타인의 얼굴'은 '타인'과의 관계 맺음을 통해 자신의 '자아와 삶의 본질에 대한 사색'이 유도되는 양상과 관련하여 상징적인 의미를 갖는다고 하였으므로, '나'로 하여금 자신의 삶의 본질에 대해 사색하게 하는 '선생님'은 '타인의 얼굴'을 나타낸다고 볼 수 있다.

③ '사막'은 삶의 본질에 대한 '나'의 인식과 내면을 보여 주는 상징적 이미지라 할 수 있다.

'그(나)'는 바람이 빗발을 뿌리는, 아무도 없는 골목이 '사막' 같다고 하며 '자신 속에 아무도 살아 있지 않다'고 느낀다. 즉 '그(나)'는 골목의 풍경을 자신의 내면과 관련지어 인식하고, 그러한 풍경을 '사막'과 같다고 함으로써 삶의 본질을 '사막'과 같이 삭막하고 황폐한 것으로 인식하는 내면을 상징적으로 드러내었다고 볼 수 있다.

④ '나'가 '그'와 대화를 하는 행위는 자아와 삶의 본질에 대해 사색하는 행위로 해석할 수 있다.

[A]에서 '그'는 '자신(나)'에게 말을 거는 모습을 보이는데, 〈보기〉를 참고할 때 이는 자신 안에 있는 '또 다른 나'를 발견하여 소통의 대상으로 삼음으로써 '삶의 본질에 대한 사색'을 하는 행위로 볼 수 있다.

2. 문학 개념어 OX 확인 문제

① ○

• 내면 의식 묘사: 작중에서 발생한 사건이나 특정 대상에 대해 인물이 무엇을 생각하고 있는지를 구체적으로 표현하는 서술 방식.

근거 윗글은 '나(그)'가 최 교수의 병문안을 갔을 때와, 최 교수의 부고를 듣고 집을 나설 때 어떠한 생각을 하고 있었는지에 대한 묘사를 중심으로 전개되고 있음.

② ✕

근거 윗글은 '나(그)'의 체험과 생각 위주로 전개되고 있을 뿐, 특정한 사건이 '선생님(최 교수)'의 시각에서 새롭게 해석되고 있지는 않음.

현대소설 독해의 STEP 3

■ 1번 문제의 선지 판단 공식에 대한 답을 확인해 보세요.

〈보기〉 문제 선지 판단의 공식

① 〈보기〉 타인에 대한 관찰을 통해 우리는 인식하지 못했던 또 다른 나를 발견하는 낯선 체험을 할 수 있음

➕ 작품 '비뚤어진 매듭을 거울 속으로 바라보며 다시 맬까 어쩔까를 그는 잠시 생각했다. 그는 양복을 걸치며, 넥타이를 고치지도 다시 매지도 않은 또 하나의 자신에게 말했다.'

선지 ➡ 거울 속에 있는 '또 하나의 자신'은 '또 다른 나'에 해당하는 존재라고 할 수 있다. ○

② 〈보기〉 타인을 통한 또 다른 나의 발견이 삶의 본질에 대한 사색으로 이어진다는 점에서, 제목 '타인의 얼굴'은 상징적인 의미로 해석될 수 있음

➕ 작품 '수없이 많은 내가 내 속에 있어. 그의 죽음을 지켜보며 나는 또 얼마나 많은 자아와 싸웠던가.~속삭인 나도 있었어.'

선지 ➡ 선생님은 '나'가 삶의 본질에 대해 사색하게 하는 '타인의 얼굴'로 볼 수 있다. ○

③ 〈보기〉 또 다른 나를 발견하는 낯선 체험은 삶의 본질에 대한 사색으로 이어짐

➕ 작품 '골목에는 누구도 보이지 않았다. 사막 같았다. 비를 맞고 있는 집과 나무와 아스팔트 포장이 된 골목을 바라보았다. 사막. 순간 그는 자신 속에 아무도 살아 있지 않다고 느꼈다.'

선지 ➡ '사막'은 삶의 본질에 대한 '나'의 인식과 내면을 보여 주는 상징적 이미지라 할 수 있다. ○

④ 〈보기〉 또 다른 나를 발견하는 낯선 체험은 삶의 본질에 대한 사색으로 이어짐

➕ 작품 '그는 자신에게 말했다. 아니, 가지 않겠어.~속삭인 나도 있었어.', '그는 양복을 걸치며, 넥타이를 고치지도 다시 매지도 않은 또 하나의 자신에게 말했다. 두 시의 약속을 미룰걸 그랬어.'

선지 ➡ '나'가 '그'와 대화를 하는 행위는 자아와 삶의 본질에 대해 사색하는 행위로 해석할 수 있다. ○

⑤ 〈보기〉 우리는 타인들과 관계를 맺으며 살아가며, 그들에 대한 관찰을 통해 인식하지 못했던 또 다른 나를 발견함

➕ 작품 '순간 그는 자신 속에 아무도 살아 있지 않다고 느꼈다. 어떤 모습의 그도.'

선지 ➡ '자신 속에 아무도 살아 있지 않다'고 느낀 것은 새로운 관계의 가능성을 암시하는 것으로 볼 수 있다. ✕

현대소설 독해의 STEP 1

❶ 다음 글을 읽고 주요 인물을 잘 파악했는지, 빈칸에 적절한 말을 채웠는지 확인해 보세요.

📅 고3 2006학년도 3월 학평 – 양귀자, 「방울새」

가로 세로 일 미터쯤의 유리 상자들이 벽을 따라 즐비하게 세워진 그곳은 들어서자마자 썩 좋지 않은 냄새를 풍겨주었다. 새들의 오물이나 잠겨 있는 실내 공기 탓이겠지만 냄새만으로도 이쪽 세상과 저쪽의 바깥세상을 확연히 구분짓게 한다. 새들이 유리 상자 안에 갇혀 있는 조류원에 와 있는 상황인가 봐. **그녀**는 문득 **남편**을 생각했다. 냄새는, 특히 이런 유의 퀴퀴한 냄새는 언제나 남편 몫이었다. 악취가 풍겨오는 한은 어쩔 수 없노라고 그가 말하였다. 썩고 있는 쓰레기를, 막혀 있는 시궁창을 치우지 않고는 그는 견딜 수 없어했다. 좋지 않은 냄새가 풍겨오는 조류원에서 그녀는 자신의 남편을 떠올려. 그는 썩고 있는 쓰레기나 막힌 **시궁창**을 치우지 않고는 견딜 수 **없**는 사람이래.

그녀는 이제 **조류원** 안에서 아무런 냄새도 맡지 못한다. 잠깐 사이에 후각은 마비되고 언제 냄새가 있었냐는 듯이 코는 말짱해져 큼큼거리던 짓도 멈추었다. 내맡겨지고 길들여지는 일에 익숙한 자들에게는 못 견딜 일이라곤 별로 없는 것이다. 그녀는 조류원의 **냄새**에 적응되었는지 이제 악취가 잘 느껴지지 않나 봐.

그처럼 많은 새가 있었지만 어느 곳에서도 새소리는 들려오지 않았다. 박제되어 있는 듯한 동공과 차가운 발부리만이 일렬횡대로 즐비하게 늘어서 있을 뿐이다. 죽은 나뭇가지 위에 동그마니 얹혀져서 참새, 콩새, 종달새 들이 유리벽 바깥의 인간들을 노려보고 있었다. 전깃줄에서, 때로는 미풍의 보리밭 이랑에서 정답게 울어주던 바깥세상의 새들과는 전혀 닮지 않은 것처럼 보임은 무거운 침묵 때문인가. 고목의 둥치를 잘라 시멘트로 탄탄하게 세워두고 정돈된 가지마다엔 이파리 하나 매달리지 않았다. 조류원에는 많은 새들이 있지만 하나같이 **침묵**하고 있어. 새들이 살고 있는 유리 상자도 **이파리** 하나 매달리지 않은 죽은 나뭇가지로 꾸며져 있지. 새들도, 새들이 있는 곳도 모두 **생명력**을 잃은 모습이야. 새들은 두툼한 가지 끝에서 미동도 하지 않고 있다가 별안간 후두둑 날아올라 다른 가지로 옮겨 앉는다. 그리고는 이내 부동의 자세이다. 아이들은 유리벽에 매달려 새들을 유혹하기 위해 손을 내밀기도 하고 후이익 후이익 새 울음을 만들어내기도 하였다. 새들은 울지 않고, 새들을 구경하는 아이들이 **새 울음**을 만들어내지.

조류원의 중간쯤에서 그녀는 **방울새**를 만났다. 부리나 깃털의 색깔로 방울새를 알아낸 것은 물론 아니었다. 팻말을 통해 잿빛 깃털의 음울한 눈매를 한 그것과 맞부딪치고 나서 그녀는 적잖이 실망을 한다. 방울새야 방울새야, 쪼로롱 방울새야. 노래를 부를 적마다 떠오르곤 했던 그 이슬 같은 느낌의 청명함은 어디에도 없었다. 조류원에서 그녀는 **방울새**를 발견하는데, 잿빛 깃털의 음울한 눈매를 하고 있는 방울새의 모습이 아니라 **팻말**을 통해 그것이 방울새라는 것을 알았어. 그리고 방울새 노래를 떠올리지. 감춰지거나 은유되지 않고 곧이곧대로 드러나 있는 사실 속의 새 앞에서 그녀는 잠시 의아해한다. 그리고 이내 깨닫는다. 노래, 아마도 노래가 사라진 탓이었다. 방울 같은 목소리로 목청껏 노래를 부르고 있을 때만 그것은 방울새로 불리워진다. 노래하지 않고 있는 방울새는 단지 잿빛 깃털을 가진 한 마리의 날것에 불과하였다. 그녀는 방울새를 바로 알아보지 못한 이유를 **노래**에서 찾았어.

"저 새가 바로 방울새란다."

그래도 그녀는 **딸애**에게 가르쳐 주어야 했다. 한 소절 한 소절 따라 부르게 하면서 노래를 가르쳐 주었듯이. 간밤에 고 방울 어디서 따왔니. 쪼로롱 고 방울 어디서 따왔니…… 글쎄, 어디서 따왔을까. 방울이 어디에 있었는가를 **경주**는 물었고 그녀는 방울이 있었음 직한 곳을 찾기 위해 곰곰 생각해보곤 했다. 그곳은 어디에 있을까. 그리고 지금은 왜 방울을 따오지 못한 것일까. 두터운 유리벽 안에 갇혀서, 푸른 하늘 대신에 시멘트 천장을 이고 죽은 나뭇가지 위에 앉아 있는 한은 방울을 따올 수 없을 것이 분명했다. 그녀는 딸 경주에게 방울새 노래를 가르쳐 주었듯이 조류원에서도 방울새에 대해 가르쳐 줘. 그리고 조류원 안의 방울새는 왜 **방울**을 따 오지 못한 것인지, 즉 왜 노래를 부르지 않는 것인지 생각하지.

경주는 신이 나서 노래를 부르기 시작한다. 그녀와 마찬가지로 경주 또한 방울새를 보는 것은 처음이었다. 노래 속에서만 있었던 새를 눈앞에 두고 아이는 쨍쨍한 목소리로 노래를 부르고 있었다. 동굴처럼 깊게 파들어 간 조류원 안에서 아이는 시방 노래와 만나고 있는 것이다.

"아, 방울새는 동굴에서 살고 있구나."

경주는 고개를 끄덕였다. 그녀는 갑자기 퍼뜩 놀라 아이를 쳐다본다. 그 말이 꼭 **아빠**는 동굴에서 살고 있구나 하는 말로 들린 까닭이었다. 한때는 함께 살은 적도 있지만 지금은 없는 아빠가 아아, 여기 동굴 속에서 살고 있구나라고 아이가 소리친 줄로만 알았다. 그녀는 경주의 말에 깜짝 놀랐어. 방울새에 대해 한 말을 **아빠(남편)**에 대한 말로 잘못 들은 거야. 그녀에게 **방울새**는 남편을 떠오르게 하는 매개체인 듯해.

이제 아이는 방울새 노래를 부를 때마다 저 먼 곳에 살고 있는 방울새를 생각할 것이다. 방울새 대신 노래를 불러주면서, 방울새의 닫혀진 입을 대신해 주면서 아이는 방울새를 떠올리겠지. 조류원에 갇힌 방울새는 노래를 하지 않고, 방울새의 **닫혀진** 입을 대신해 경주가 노래를 부른다는 거야.

(중략)

그 경쾌하고 단순한 노랫가락이 끌고 가는 무거운 발걸음. 쪼로롱 방울새야. 쪼로롱을 부를 때의 아이 입은 새의 부리처럼 뾰족하고 그들의 걸음은 잠깐 허둥거린다. 쪼로롱 방울새야. 발길을 가다듬으며 그녀는 눈꺼풀의 떨림이 시작할 조짐을 느꼈다. 파드득 떨리는 눈꺼풀. 쪼로롱 방울새야. 미끄러질 듯한 걸음. 보이는 모든 것이 파들파들 몸을 떨고 아이는 나풀거리며 달려간다. 방울새 노래와 함께 그녀와 경주의 모습을 묘사하고 있어.

장면끊기 01

그녀는 떨리는 눈두덩을 지그시 누르면서 내일 모레쯤에는 **남편**을 찾아가야겠다고 마음먹는다. 이번에야말로 헛손질과 얼룩진 벽만 바라보고 있지는 않을 것 같기도 하다. 방울새가 저어기에 살고 있더라는 이야기를 해도 좋다. 배고파하는 동물들의 벌려진 입을 전해주고도 싶다. 경주의 방울새 노래가 듣고 싶지 않느냐고도 물어볼 것이다. 그녀는 **남편**을 찾아가기로 마음먹어. 그리고 남편에게 무슨 말이든 해야겠다고도 생각하지.

이야기가 술술 풀려만 간다면 아니 그리고도 시간이 남는다면 구더기의 강에 대해서도 소상히 들려줄 것이다. 지금 생각해도 머리칼 깊숙이 수십 수백 마리의 구더기가 털구멍에 처박혀 몸을 오그라뜨리고 있는 느낌이라고 제법 세밀하게 이야기할 수 있을지도 모른다. 이제야 말하지만 이 꿈을 홀로 간직하는 일이 정말 두려웠다고도 말해보자. 그녀는 자신이 꾼 **구더기**의 악몽에 대해서도 남편에게 말하리라 마음먹어. 말이란 한 번만 눈 딱 감고 시작하면 실타래에서 풀려나오는 명주실처럼 길고도 질기게 계속될 것이었다. 한 번만 입을 열어 모음과 자음을 발음한다면, 한 번만 부리를 벌려 방울 소리를 낸다면 그것만으로도 족히 견디어낼 것 같았다. 유리 상자 안에서 노래하지 않던 **방울새**와 달리 자신은 입을 열어 **말**을 하겠노라 다짐하지.

장면끊기 02

– 양귀자, 「방울새」 –

2 구조도의 빈칸에 적절한 말을 채웠는지 확인해 보세요.

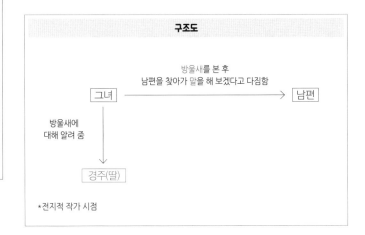

구조도

그녀 — 방울새를 본 후 남편을 찾아가 말을 해 보겠다고 다짐함 → 남편

그녀 ↓ 방울새에 대해 알려 줌

경주(딸)

*전지적 작가 시점

현대소설 독해의 STEP 2

1 장면을 적절히 나누었는지, 장면별 내용의 빈칸에 적절한 말을 채웠는지 확인해 보세요.

장면끊기 01 그녀는 딸 경주와 함께 간 조류원에서 노래하지 않는 방울새를 보고, 경주가 방울새 노래를 부르며 달려가는 모습을 봄

Tip 지문을 훑어보면 한눈에 느낄 수 있는 특징이 있어. 바로 대화가 거의 나타나지 않는다는 것이지. 대화가 적은 지문은 인물의 내면 서술 위주로 전개될 가능성이 높고, 내면 서술 위주의 지문은 시·공간의 변화도 잘 나타나지 않아서 장면을 나누기 어렵게 느껴질 수 있어. 이럴 때는 내면이 서술되는 특정 인물이 주목하는 대상의 변화, 혹은 해당 인물의 인식이나 태도 변화가 나타나는 지점을 기준으로 장면을 나눌 수 있어. '그녀'는 조류원에서 방울새를 보고 방울새가 노래하지 않는 것에 대해 사색하지. 그러다가 남편을 찾아가 말을 해야겠다고 생각해. 기존에는 조류원 안 새들에서 연상되는 침묵의 이미지에 집중하다가, 남편을 찾아가 소리 내어 말을 해 보겠다고 결심하면서 태도의 변화가 나타나므로 여기서 장면을 나눌 수 있지.

장면끊기 02 그녀는 남편을 찾아가 소리 내어 말하겠다고 다짐함

3 1~2번 문제의 정답과 해설을 확인해 보세요.

▶정답률 59%

1. 〈보기〉를 참조하여 윗글을 감상한 내용으로 적절하지 <u>않은</u> 것은?

〈보기〉

동물원에서 동물들이 거주하고 있는 공간은 인위적인 것이다. 창공과 대지, 그리고 강과 바다에서 자유롭게 살아왔던 동물들은 이제 자유를 잃고 주변적인 것으로 밀려났다. 자유롭게 살던 동물들이 자유를 잃고 주변적 존재로 밀려나 인위적 공간인 동물원에 갇힘 이렇게 철저하게 주변적 존재가 되는 과정에서 동물원에 갇혀 있는 동물은 새로운 은유를 탄생시키게 된다. 강제에 의해 주변부로 밀려나는 행위가 이루어지는 모든 사회적 공간과 동물원은 공통점을 갖고 있기 때문이다. 강제에 의해 주변부로 밀려나는 행위가 이루어지는 사회적 공간 ≒ 동물원

정답풀이

③ '가로 세로 일 미터쯤의 유리 상자' 속에 갇혀 있는 '새'들은 주어진 환경에 순응하는 삶을 상징적으로 보여주고 있어.

〈보기〉에 따르면 '동물원'은 '자유롭게 살아왔던 동물들'이 자유를 잃고 주변부로 밀려나 거주하게 된 공간이다. 따라서 '가로 세로 일 미터쯤의 유리 상자'는 강제에 의해 주변부로 밀려난 자들이 갇혀 있는 사회적 공간을 상징한다. 즉 '유리 상자' 속에 갇혀 있는 '새'들은 주어진 환경에 순응한 존재가 아니라, 강제에 의해 자유를 잃고 격리된 주변적 존재를 의미한다고 볼 수 있다.

유리 상자 속에서 '박제되어 있는 듯한 동공과 차가운 발부리'로 늘어선 새들의 모습이 '순응하는 삶'을 보여 준다고 할 수 있는지가 선지 판단의 기준이다. '순응'이란 환경이나 변화에 적응하고 익숙해져서 조건에 알맞은 상태로 잘 지낸다는 뜻이다. 따라서 생기를 잃고 노래하지도 않는 새들의 모습을 주어진 환경에 순응한 것으로 보기는 어려우며, 강제에 의해 유리 상자 속에 격리된 주변적인 존재로 보는 것이 적절하다.

오답풀이

① '조류원'의 '새'들의 모습은 주변부로 밀려나 갇혀 있는 자들의 실상이 어떠한 것인가를 짐작할 수 있게 해.

'조류원'은 새들이 갇혀 있는 공간으로, 이곳의 '새'들은 자유를 잃고 주변부로 밀려난 존재이다. 〈보기〉에서 '강제에 의해 주변부로 밀려나는 행위가 이루어지는 모든 사회적 공간'과 '동물원'의 공통점을 언급하고 있으므로, '조류원'의 '새'들은 사회에서 강제에 의해 주변부로 밀려난 자들을 상징하며 갇혀 있는 자들의 실상을 보여 준다고 할 수 있다.

② '그녀'의 남편을 상징하는 것으로 보이는 '방울새'의 의미는 암울한 사회적 상황과 관련하여 이해할 수 있을 거야.

〈보기〉에 따르면 '동물원에 갇혀 있는 동물'은 '새로운 은유'를 탄생시키므로, '조류원'에 갇힌 '방울새'는 자유를 잃은 주변적 존재로서 구속, 억압, 갇힘이라는 새로운 은유를 가지게 된다. 이때 그녀가 '방울새는 동굴에서 살고 있구나.'라는 아이의 말을 '아빠는 동굴에서 살고 있구나'라는 말로 착각한 것, '방울새'를 보며 남편을 떠올리는 것 등으로 보아 '방울새'는 암울한 사회적 상황에 의해 자유를 잃고 갇혀 있는 '그녀'의 남편을 상징한다고 할 수 있다.

④ '갇힘'의 공간으로 설정된 '조류원'을 배경으로 삼은 것은 '풀림'을 소망하는 작가의 의식이 반영되어 있다고 봐야겠지.

〈보기〉에 따르면 윗글의 '조류원'은 '갇힘'과 구속, 억압의 공간이다. 이러한 억압의 공간을 배경으로 남편의 부재와 그에 대한 아픔을 소설로 그려 냈다는 것에는 '풀림', 즉 자유를 회복하려는 작가의 의식이 반영되어 있다고 볼 수 있다.

⑤ '바깥세상'과 대비되어 있는 '조류원'은 인간을 일상적 삶에서 강제적으로 격리시키는 사회적 공간을 암시하는 것으로 보여.

〈보기〉에서 '강제에 의해 주변부로 밀려나는 행위가 이루어지는 모든 사회적 공간'과 '동물원'은 공통점이 있다고 했으므로, '조류원'은 인간을 강제적으로 격리시키는 사회적 공간을 암시한다. 또한 '조류원'은 새들이 자유를 누릴 수 있는 '바깥세상'과 대비되는 공간이다.

2. 문학 개념어 OX 확인 문제

① X

• 하나의 사건이 다른 사건을 낳는 방식: 둘 이상의 사건이 인과적으로 긴밀하게 연결되어 서술되는 것.

② O

근거 '그녀'는 방울새가 지금은 왜 '방울을 따오지 못한 것일까.'에 대해 생각하다가 '두터운 유리벽 안에 갇혀서, 푸른 하늘 대신에 시멘트 천장을 이고 죽은 나뭇가지 위에 앉아 있'어서라고 답을 내림. 즉 '방울새' 노래는 '조류원'이 가진 구속과 억압의 의미를 드러내고, 작품의 주제를 형상화하는 데 기여하고 있음.

현대소설 독해의 STEP 3

■ 1번 문제의 선지 판단 공식에 대한 답을 확인해 보세요.

〈보기〉 문제 선지 판단의 공식

① 〈보기〉 동물원의 동물들이 자유를 잃고 주변적인 것으로 밀려나는 과정에서 동물원에 갇혀 있는 동물은 새로운 은유를 탄생시키게 됨 ➕ 작품 '많은 새가 있었지만 어느 곳에서도 새소리는 들려오지 않았다. 박제되어 있는 듯한 동공과 차가운 발부리만이 일렬횡대로 즐비하게 늘어서 있을 뿐이다. 죽은 나뭇가지 위에 동그마니 얹혀져서 참새, 콩새, 종달새 들이 유리벽 바깥의 인간들을 노려보고 있었다.'

선지 ➡ '조류원'의 '새'들의 모습은 주변부로 밀려나 갇혀 있는 자들의 실상이 어떠한 것인가를 짐작할 수 있게 해. ○

② 〈보기〉 강제에 의해 주변부로 밀려나는 행위가 이루어지는 모든 사회적 공간과 동물원은 공통점을 갖고 있음 ➕ 작품 '그 말이 꼭 아빠는 동굴에서 살고 있구나 하는 말로 들린 까닭이었다. 한때는 함께 산 적도 있지만 지금은 없는 아빠가 아아, 여기 동굴 속에서 살고 있구나라고 아이가 소리친 줄로만 알았다.'

선지 ➡ '그녀'의 남편을 상징하는 것으로 보이는 '방울새'의 의미는 암울한 사회적 상황과 관련하여 이해할 수 있을 거야. ○

③ 〈보기〉 동물원의 동물들이 자유를 잃고 주변적인 것으로 밀려나는 과정에서 동물원에 갇혀 있는 동물은 새로운 은유를 탄생시키게 됨 ➕ 작품 '가로 세로 일 미터쯤의 유리 상자들이 벽을 따라 즐비하게 세워진 그곳은 들어서자마자 썩 좋지 않은 냄새를 풍겨주었다.', '바깥세상의 새들과는 전혀 닮지 않은 것처럼 보임은 무거운 침묵 때문인가.'

선지 ➡ '가로 세로 일 미터쯤의 유리 상자' 속에 갇혀 있는 '새'들은 주어진 환경에 순응하는 삶을 상징적으로 보여주고 있어. ✕

④ 〈보기〉 강제에 의해 주변부로 밀려나는 행위가 이루어지는 모든 사회적 공간과 동물원은 공통점을 갖고 있음 ➕ 작품 '두터운 유리벽 안에 갇혀서, 푸른 하늘 대신에 시멘트 천장을 이고 죽은 나뭇가지 위에 앉아 있는 한은 방울을 따올 수 없을 것이 분명했다.'

선지 ➡ '갇힘'의 공간으로 설정된 '조류원'을 배경으로 삼은 것은 '풀림'을 소망하는 작가의 의식이 반영되어 있다고 봐야겠지. ○

⑤ 〈보기〉 동물원에서 동물들이 거주하고 있는 공간은 인위적이며, 강제에 의해 주변부로 밀려나는 행위가 이루어지는 모든 사회적 공간과 동물원은 공통점을 갖고 있음 ➕ 작품 '가로 세로 일 미터쯤의 유리 상자들이 벽을 따라 즐비하게 세워진 그곳은 들어서자마자 썩 좋지 않은 냄새를 풍겨주었다. 새들의 오물이나 잠겨 있는 실내 공기 탓이겠지만 냄새만으로도 이쪽 세상과 저쪽의 바깥세상을 확연히 구분짓게 한다.'

선지 ➡ '바깥세상'과 대비되어 있는 '조류원'은 인간을 일상적 삶에서 강제적으로 격리시키는 사회적 공간을 암시하는 것으로 보여. ○

현대소설 독해의 STEP 1

1 다음 글을 읽고 주요 인물을 잘 파악했는지, 빈칸에 적절한 말을 채웠는지 확인해 보세요.

📅 **고3 2014학년도 수능A – 조세희, 「난장이가 쏘아 올린 작은 공」**

[어머니]는 조각마루 끝에 앉아 말이 없었다. 벽돌 공장의 높은 굴뚝 그림자가 시멘트 담에서 꺾어지며 좁은 마당을 덮었다. 동네 사람들이 골목으로 나와 뭐라고 소리치고 있었다. 조각마루 끝에 앉아 말이 없는 **어머니**의 모습과 뭐라고 항의하는 **동네 사람들**의 모습이 대조되고 있어. 통장은 그들 사이를 비집고 나와 방죽 쪽으로 걸음을 옮겼다. 어머니는 식사를 끝내지 않은 밥상을 들고 **부엌**으로 들어갔다. 어머니는 두 무릎을 곧추세우고 앉았다. 그리고, 손을 들어 ㉠부엌 바닥을 한 번 치고 가슴을 한 번 쳤다. 바닥을 한 번, 가슴을 한 번 치는 어머니의 모습에는 우리 가족이 처한 상황에 대한 답답한 심정이 담겨 있어. 장면끊기 01 [나]는 동사무소로 갔다. ㉡행복동 주민들이 잔뜩 몰려들어 자기의 의견들을 큰 소리로 말하고 있었다. 들을 사람은 두셋밖에 안 되는데 수십 명이 거의 동시에 떠들어대고 있었다. 쓸데없는 짓이었다. 떠든다고 해결될 문제는 아니었다. 동사무소 앞에는 **행복동** 주민들이 모여들어 자기 의견을 말하고 있어. '나'는 그것을 보며 떠든다고 해결될 문제가 아니며 **쓸데없는 짓**이라고 생각하는데, 여기에는 항의해도 문제가 해결되지 않을 것이라는 비관적인 인식이 드러난다고 볼 수 있어. 참고로 '나'의 가족들이 사는 집의 주소는 '낙원구 행복동'이지만, 이곳이 도시 빈민인 우리 가족에게는 결코 낙원이 아니며, 행복을 주지도 못한다는 점에서 **반어적인 명칭**으로 비극성이 강조되고 있지.

나는 바깥 게시판에 적혀 있는 공고문을 읽었다. 거기에는 아파트 입주 절차와 아파트 입주를 포기할 경우 탈 수 있는 이주 보조금 액수 등이 적혀 있었다. 동사무소 주위는 시장바닥과 같았다. 주민들과 아파트 거간꾼들이 한데 뒤엉켜 이리 몰리고 저리 몰리고 했다. 나는 거기서 [아버지]와 두 동생을 만났다. 아버지는 도장포 앞에 앉아 있었다. [영호]는 내가 방금 물러선 게시판 앞으로 갔다. [영희]는 골목 입구에 세워 놓은 검정색 승용차 옆에 서 있었다. 아침 일찍 일들을 찾아 나섰다가 ㉢철거 계고장이 나왔다는 소리를 듣고 돌아온 것이었다. 누군들 이런 날 일을 할 수 있을까. 나는 아버지 옆으로 가 아버지의 공구들이 들어 있는 부대를 둘러메었다. 영호가 다가오더니 나의 어깨에서 그 부대를 내려 옮겨 메었다. 나는 아주 자연스럽게 그것을 넘겨주면서 이쪽으로 걸어오는 영희를 보았다. 영희의 얼굴은 발갛게 상기되어 있었다. **행복동**은 **철거**되고 그 자리에 **아파트**가 생길 예정이야. 살고 있는 집은 철거 위기이며, 아파트 입주에도 돈이 필요해서 가난한 행복동 주민들은 그곳에 들어갈 수 없기 때문에 동사무소 앞에서 항의하고 있는 거야. '나'는 **철거 계고장**이 나왔다는 소식을 듣고 돌아온 아버지와 두 동생의 행동을 서술하고 있어. 몇 사람의 거간꾼들이 우리를 둘러싸고 아파트 입주권을 팔라고 했다. 아버지가 책을 읽고 있었다. 우리는 아버지가 책을 읽는 것을 처음 보았다. 표지를 쌌기 때문에 무슨 책을 읽는지도 알 수 없었다. 몇몇 거간꾼이 우리에게 **아파트 입주권**을 팔라고 하지만, 아버지는 무엇인지도 알 수 없는 **책**만 읽고 있을 뿐이야. 영희가 허리를 굽혀 아버지의 손을 잡아끌었다. 아버지는 우리들의 얼굴을 물끄러미 쳐다보더니 자리를 털고 일어났다. "[난장이]가 간다"고 처음 보는 사람들이 말했다. 도시 재개발은 노후화된 도시를 정비하고 거주 공간을 확장한다는 측면에서는 이점이 있지만, 그 과정에서 난장이 가족과 같은 도시 빈민은 오히려 소외된다는 문제적 현실이 이 작품에서 드러나고 있지.

어머니는 대문 기둥에 붙어 있는 ㉣알루미늄 표찰을 떼기 위해 식칼로 못을 뽑고 있었다. 내가 식칼을 받아 반대쪽 못을 뽑았다. 영호는 어머니와 내가 하는 일이 못마땅한 모양이었다. 그러나 마음에 드는 일이 우리에게 일어나 주기를 바랄 수는 없는 일이었다. 어머니는 무허가 건물 번호가 새겨진 알루미늄 표찰을 빨리 떼어 간직하지 않으면 나중에 괴로운 일이 생길 것이라는 것을 알고 있었다. 어머니는 대문 기둥에 붙어 있는 **알루미늄 표찰**을 떼고, '나'는 무허가 건물 번호가 새겨진 표찰을 미리 떼 두지 않으면 나중에 괴로운 일이 생길 것을 예상한 어머니의 의도를 알아채고 돕지. 이를 못마땅해하는 **영호**와 달리 마음에 드는 일이 일어나 주기 바랄 수 없다고 생각하는 '나'에게서 현재 상황에 대한 비관적, 체념적 인식을 확인할 수 있어.

어머니는 손바닥에 놓인 표찰을 말없이 들여다보았다. 영희가 이번에는 어머니의 손을 잡아끌었다. '나'는 아무 말도 없이 묵묵히 행동하는 우리 가족의 모습을 바라보고 있어.
장면끊기 02

[중략 줄거리] 아버지는 병들고 지쳐 일을 할 수 없게 되고 '나', '영호', '영희'는 학교를 그만두게 된다. 어느 날 아버지는 말없이 집을 나간다.

나는 아버지가 놓고 나간 책을 읽고 있었다. 그것은 『일만 년 후의 세계』라는 책이었다. 병들고 지쳐 일을 할 수 없게 된 아버지가 집을 나간 후 '나'는 아버지가 읽던 『일만 년 후의 세계』라는 책을 보게 돼. 영희는 온종일 팬지꽃 앞에 앉아 줄 끊어진 기타를 쳤다. '최후의 시장'에서 사온 기타였다. 내가 방송통신고교의 강의를 받기 위해 라디오를 사러 갈 때 영희가 따라왔다. 쓸 만한 라디오가 있었다. 그런데, 영희가 먼지 속에 놓인 기타를 들어 퉁겨 보는 것이었다. 영희는 고개를 약간 숙이고 기타를 쳤다. 긴 머리에 반쯤 가려진 옆얼굴이 아주 예뻤다. 영희가 치는 기타 소리는 영희에게 아주 잘 어울렸다. 나는 먼저 골랐던 라디오를 살 수 없었다. 좀 더 싼 것으로 바꾸면서 영희가 든 기타를 가리켰다. 그 라디오가 고장이 나고 기타는 줄이 하나 끊어졌다. 줄 끊어진 기타를 영희는 쳤다. '나'는 줄이 끊어진 기타를 치는 영희를 보며, 최후의 시장에서 라디오와 기타를 샀던 과거의 일을 회상해. 나는 아버지가 무슨 생각을 하고 있는지 알 수 없었다. 『일만 년 후의 세계』라는 책을 아버지는 개천 건너 주택가에 사는 젊은이에게서 빌렸다. 그의 이름은 [지섭]이었다. 지섭은 밝고 깨끗한 주택가 삼층집에서 살았다. 지섭은 그 집 가정교사였다. 아버지와 그는 서로 통하는 데가 있었다. 지섭이 하는 말을 나는 들었다. 그는 이 땅에서 우리가 기대할 것은 이제 없다고 말했다.

"왜?"
아버지가 물었다.
지섭은 말했다.
"사람들은 사랑이 없는 욕망만 갖고 있습니다. 그래서 단 한사람도 남을 위해 눈물을 흘릴 줄 모릅니다. 이런 사람들만 사는 땅은 죽은 땅입니다."
"하긴!" 지섭은 아버지에게 사랑 없이 **욕망**만 갖고 있는 사람들이 살고 있는 땅은 **죽은 땅**이라며 이 땅에서 우리가 기대할 것은 없다고 말해. 아버지는 그런 지섭에게 동조하고.
"[아저씨]는 평생 동안 아무 일도 안 하셨습니까?"
"일을 안 하다니? 일을 했지. 열심히 일했어. 우리 식구 모두가 열심히 일했네."

"그럼 무슨 나쁜 짓을 하신 적은 없으십니까? 법을 어긴 적 없으세요?"

"없어."

"그렇다면 기도를 드리지 않으셨습니다. 간절한 마음으로 기도를 드리지 않으셨어요."

"기도도 올렸지."

"그런데, 이게 뭡니까? 뭐가 잘못된 게 분명하죠? 불공평하지 않으세요? 이제 이 죽은 땅을 떠나야 됩니다."

"떠나다니? 어디로?"

"달나라로!" 지섭은 평생 동안 열심히 일했고, 나쁜 짓도 한 적 없으며, 간절하게 기도한 이들이 불안한 거주 환경에서 가난하게 살아갈 수밖에 없는 **불공평**한 현실을 비판하고 있어. 그래서 죽은 땅을 벗어나 **달나라**로 가자고 해. 그럼 지섭이 말하는 달나라는 사랑이 있고 공평한, 이상 세계와 같은 곳으로 볼 수 있겠지? **장면끊기 03**

"얘들아!"

어머니의 ⑩**불안한 음성이 높아졌다.** 나는 책장을 덮고 밖으로 뛰어나갔다. 영호와 영희는 엉뚱한 곳을 찾아 헤매고 있었다. 나는 방죽가로 나가 곧장 하늘을 쳐다보았다. 벽돌 공장의 높은 굴뚝이 눈앞으로 다가왔다. 그 맨 꼭대기에 아버지가 서 있었다. 바로 한 걸음 정도 앞에 달이 걸려 있었다. 과거를 회상하던 중 어머니의 **불안**한 음성을 듣고 현재로 돌아온 '나'는 밖으로 뛰어나가 공장 굴뚝 꼭대기에 서 있는 아버지를 발견해. 그런 아버지 앞에는 지섭이 말했던 **달**이 보이는군.

장면끊기 04

– 조세희, 「난장이가 쏘아 올린 작은 공」 –

현대소설 독해의 STEP 2

❶ 장면을 적절히 나누었는지, 장면별 내용의 빈칸에 적절한 말을 채웠는지 확인해 보세요.

장면끊기 01 '나'는 조각마루 끝에 앉아 있던 어머니가 동네 사람들이 소리치는 것을 듣고 부엌으로 이동하여 답답해하는 것을 봄

Tip 서술자 '나'가 식사 중이던 어머니의 모습을 보다가 동사무소로 공간을 이동하므로 여기서 장면을 끊자. 다음 장면은 어머니가 답답해하는 이유가 무엇인지에 주목하면서 읽어 보자.

장면끊기 02 동사무소에 가서 공고문을 읽은 '나'는 그곳에서 철거 계고장이 나왔다는 소식을 듣고 돌아온 아버지와 두 동생을 만남. 집에 돌아와 알루미늄 표찰을 떼는 어머니를 도우며 마음에 드는 일이 우리에게 일어나 주기를 바랄 수 없다고 생각함

Tip 첫 번째 장면에서 어머니가 답답해한 것은 '나'의 가족이 사는 행복동 집이 철거될 위기에 처해 있기 때문인가 봐. 동사무소로 향했던 '나'가 다시 '집'으로 돌아오는 공간의 이동이 나타나는 데서 장면을 끊을 수도 있겠지만, '나'의 가족이 처한 상황과 그에 대한 '나'와 가족 구성원들의 반응을 종합적으로 살펴볼 수 있도록 하나의 장면으로 묶었어. 중략 이후에는 '나'가 집중하는 대상이 달라지니, 여기서 장면을 끊을게.

장면끊기 03 아버지가 읽던 『일만 년 후의 세계』라는 책을 읽던 '나'는 줄 끊어진 기타를 치는 영희를 보며 최후의 시장에서 기타와 라디오를 샀던 과거의 일을 떠올림. 이후 과거에 들었던 아버지와 지섭의 대화를 떠올림

Tip 세 번째 장면에서 '나'는 영희와 아버지에 관련된 과거를 회상해. 이때 과거 최후의 시장에서 있던 일은 서술자 '나'의 서술만을 통해 이루어지고, 아버지와 지섭이 대화를 나누던 일은 대화 인용이 포함된 하나의 장면으로 제시되고 있음에 주목하자. 이 두 유형의 회상은 각각의 장면으로 끊어 읽을 수도 있지만, 두 짧은 회상이 공통적으로 '나'가 동생의 기타 소리를 들으며 아버지의 책을 읽고 있는 현재의 상황에서 파생되고 있으므로 자연스러운 연결을 위해 하나의 장면으로 묶었어. 이어서 어머니의 부름을 계기로 '나'의 급작스런 의식·주목의 대상 변화가 나타나니 여기서 장면을 끊을게.

장면끊기 04 어머니의 불안한 음성을 듣고 '나'는 상념에서 벗어남. 방죽가로 나가 하늘을 본 '나'는 공장 굴뚝 꼭대기에 서 있는 아버지를 보게 됨

❷ 구조도의 빈칸에 적절한 말을 채웠는지 확인해 보세요.

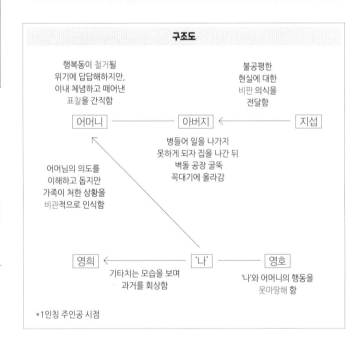

구조도

행복동이 철거될 위기에 답답해하지만, 이내 체념하고 떼어낸 표찰을 간직함 — 어머니

불공평한 현실에 대한 비판 의식을 전달함 — 지섭 → 아버지

병들어 일을 나가지 못하게 되자 집을 나간 뒤 벽돌 공장 굴뚝 꼭대기에 올라감

어머님의 의도를 이해하고 돕지만 가족이 처한 상황을 비관적으로 인식함

영희 ← '나' → 영호

기타치는 모습을 보며 과거를 회상함 (영희)

'나'와 어머니의 행동을 못마땅해 함 (영호)

*1인칭 주인공 시점

③ 1~2번 문제의 정답과 해설을 확인해 보세요.

2. 문학 개념어 OX 확인 문제

▶정답률 87%

1. '어머니'와 관련하여 ㉠~㉤을 이해한 내용으로 적절하지 <u>않은</u> 것은?

정답풀이 ▷

④ ㉣: 생활의 의지마저 포기한 '어머니'의 절망적인 모습을 보여 주고 있다.

'어머니는 무허가 건물 번호가 새겨진~괴로운 일이 생길 것이라는 것을 알고 있었다.'에서 '어머니'는 가족들이 더 괴로운 일을 겪게 되지 않기를 바라며 알루미늄 표찰을 떼는 것임을 알 수 있다. 이를 생활의 의지마저 포기한 모습으로 보기는 어렵다.

오답풀이 ▷

① ㉠: 사건에 대한 '어머니'의 심리적 반응을 행동으로 구체화하고 있다.

가족들이 사는 집이 곧 허물어질 것이라는 소식을 들은 어머니의 답답한 심리를 '부엌 바닥을 한 번 치고 가슴을 한 번' 치는 행동으로 구체화하고 있다.

② ㉡: '어머니'가 처한 현실과 상반된 지명이 현실의 모순을 부각하고 있다.

'어머니'를 비롯한 가족들은 현재 삶의 터전에서 내쫓기게 된 비참한 상황인데, 그러한 상황의 공간적 배경이 되는 지명을 '행복동'이라고 제시하였다. 이러한 반어적 표현은 현실의 모순과 비극성을 부각하고 있다.

③ ㉢: '어머니'에게 닥친 문제가 구체적으로 무엇인지 드러내고 있다.

곧 집이 헐리게 될 것이라는 내용의 '철거 계고장'을 통해 '어머니'를 비롯한 가족들이 지금까지 살던 집을 떠나야 한다는 현실의 문제를 구체적으로 드러내고 있다.

⑤ ㉤: '어머니'의 고조된 음성이 상황의 절박함을 암시하고 있다.

벽돌 공장 굴뚝의 꼭대기에 올라간 '아버지'의 모습을 보고 자식들을 부르는 '어머니'의 고조된 음성에서 상황의 절박함을 엿볼 수 있다.

① ○

• 비관: 인생을 어둡게만 보아 슬퍼하거나 절망스럽게 여김. 앞으로의 일이 잘 안될 것이라고 봄.

　근거　'쓸데없는 짓이었다. 떠든다고 해결될 문제는 아니었다.', '그러나 마음에 드는 일이 우리에게 일어나 주기를 바랄 수는 없는 일이었다.' 등

② ✕

• 액자 구조(액자식 구조): 이야기 속에 또 하나의 이야기가 들어 있는 형태로, 외부 이야기가 액자의 역할을 하고 내부 이야기가 핵심 이야기가 됨.

현대소설 독해의　STEP 3

▣ 1번 문제의 선지 판단 공식에 대한 답을 확인해 보세요.

선지 판단의 공식

① **작품** 어머니는 '철거 계고장'을 받은 후 '부엌 바닥을 한 번 치고 가슴을 한 번' 침

선지 ㉠: 사건에 대한 '어머니'의 심리적 반응을 행동으로 구체화 하고 있다. ○

② **작품** 우리 가족은 '행복동'의 무허가 건물에서 살고 있는데, 아파트 건설로 인해 집이 철거될 위기에 처해 있음

선지 ㉡: '어머니'가 처한 현실과 상반된 지명이 현실의 모순을 부각 하고 있다. ○

③ **작품** 동사무소에 붙은 공고문을 본 '나'는 그 앞에서 '철거 계고장' 이 나왔다는 소리를 듣고 돌아온 '아버지와 두 동생'을 만남

선지 ㉢: '어머니'에게 닥친 문제가 구체적으로 무엇인지 드러내고 있다. ○

④ **작품** '어머니'는 '무허가 건물 번호가 새겨진 알루미늄 표찰을 빨리 떼어 간직하지 않으면 나중에 괴로운 일이 생길 것이라는 것'을 알고 있었기에 '알루미늄 표찰'을 뽑은 것임

선지 ㉣: 생활의 의지마저 포기한 '어머니'의 절망적인 모습을 보여 주고 있다. ✕

⑤ **작품** 상념에 빠져 있던 '나'는 우리들을 부르는 어머니의 '불안한 음성'을 듣고 '방죽가로 나가'서 '벽돌 공장의 높은 굴뚝'의 꼭대기에 서 있는 아버지를 보게 됨

선지 ㉤: '어머니'의 고조된 음성이 상황의 절박함을 암시하고 있다. ○

현대소설 독해의 STEP 1

❶ 다음 글을 읽고 주요 인물을 잘 파악했는지, 빈칸에 적절한 말을 채웠는지 확인해 보세요.

📅 고3 2009학년도 수능 – 김승옥,「역사」

이윽고 서씨의 몸은 성벽의 저 너머로 사라져 버렸다. 그리고 잠시 후에 나는 더욱 놀라운 광경을 보게 되었다. 서씨가 성벽 위에 몸을 나타내고 그리고 성벽을 이루고 있는 커다란 금고만 한 돌덩이를 그의 한 손에 하나씩 집어서 번쩍 자기의 머리 위로 치켜 올린 것이었다. 지렛대나 도르래를 사용하지 않고서는 혹은 여러 사람이 달라붙지 않고서는 들어 올릴 수 없는 무게를 가진 돌을 그는 맨손으로 들어 올린 것이었다.
[A]
그는 나에게 보라는 듯이 자기가 들고 서 있는 돌을 여러 차례 흔들어 보이고 나서 방금 그 돌들이 있던 자리를 서로 바꾸어서 그 돌들을 곱게 내려 놓았다.

나는 꿈속에 있는 기분이었다. ☞서씨의 놀라운 행동을 보고 마치 **꿈**을 꾸고 있는 듯한 비현실적인 기분을 느끼고 있네. 고담(古談) 같은 데서 등장하는 역사(力士)만은 나도 인정하고 있는 셈이지만 이 한밤중에 바로 내 앞에서 푸르게 빛나는 조명을 온몸에 받으며 성벽을 디디고 우뚝 솟아 있는 저 사내를 나는 무엇이라고 이름 붙여야 할지 몰랐다. ☞역사로서의 면모를 보여 준 서씨가 **푸르게 빛나는** 조명을 받으며 서 있는 모습에서 경이로움을 느끼고 있어.

역사, 서씨는 역사다, 하고 내가 별수 없이 인정하며 감탄이라기보다는 차라리 그 귀기(鬼氣)에 찬 광경을 본 무서움에 떨고 있는 동안에 ☞서씨가 보여 준 믿을 수 없는 광경은 '나'로 하여금 왠지 모를 **무서움**까지 느끼게 할 정도였다. 그는 어느새 돌아왔는지 유령처럼 내 앞에서 자랑스러운 웃음을 소리 없이 웃고 있었다. ☞서씨는 그러한 자신의 힘을 **자랑스러워**하는 모습이야.

장면끊기 01

서씨는 역사였다. 그날 밤 나는 집으로 돌아와서 이제까지 아무에게도 들려주지 않았다는 서씨의 얘기를 들었다.

그는 중국인의 남자와 한국인의 여자 사이에서 난 혼혈아였다. 그의 선조들은 대대로 중국에서 이름 있는 역사들이었다. 족보를 보면 헤아릴 수 없이 많은 장수가 있다고 했다. ☞조상 대대로 이름난 **역사**들이 있었다는 서씨의 집안 내력이 제시되고 있네. 그네들이 가졌던 힘, 그것이 그들의 존재 이유였고 유일한 유물이었던 모양이었다. 그 무형의 재산은 가보로서 후손에게 전해졌다. 그것으로써 그들은 세상을 평안하게 할 수 있었고 자신들의 영광도 차지할 수 있었다. 그러나 이 서씨에 와서도 그 힘이 재산이 될 수는 없었다. 이제 와서 그 힘은 서씨로
[B]
하여금 공사장에서 남보다 약간 더 많은 보수를 받게 하는 기능밖에 가질 수가 없게 된 것이다. ☞서씨의 조상들은 대대로 이어져 온 힘을 **가보**로 여기며, 이를 **세상**을 평안하게 하는 일에 사용해 왔나 봐. 하지만 시간이 흐르면서 집안의 가보인 힘은 더 이상 예전과 같은 가치를 발휘할 수는 없게 되었대. 결국 서씨는 그 약간 더 많은 보수를 거절하기로 했다. 남만큼만 벽돌을 날랐고 남만큼만 땅을 팠다. 선조의 영광은 그렇게 하여 보존될 수밖에 없었다. 그리고 서씨는 아무도 나다니지 않는 한밤중을 택하고 동대문의 성벽에서 그 힘이

유지되고 있음을 명부(冥府)의 선조들에게 알리고 있다는 것이었다. ☞그러한 상황에서 서씨는 자신의 힘을 **남**보다 약간 더 많은 **보수**를 받는 정도의 사소한 일을 위해 사용하는 것은 거부하였다. 그 대신 한밤중 동대문 성벽의 **돌**을 들어 올리는 행위를 통해 집안 대대로 이어받은 힘의 존재를 증명하고 보존해 왔다고 하네.

대낮에 서씨가, 동대문의 바로 곁에 서서 행인들 중 누구 한 사람도 성벽을 이루고 있는 돌 한 개의 위치 변화에 관심을 보내지 않고 지나다닐 때, 옮겨진 돌을 바라보며 빙그레 웃고 있는 그의 모습을 나는 쉽게 상상할 수 있었다. 그것이 서씨가 간직하고 있는 자기였고 내가 그와 접촉하면 할수록 빨려 들어갈 수 있었던 깊이였던 모양이었다. ☞서씨의 이야기를 들은 '나'는 그의 삶을 **이해**하며, 자신이 서씨에게 인간적인 끌림을 느꼈던 이유를 깨닫게 돼.

장면끊기 02

그 집—그늘 많은 얼굴들이 살던 그 집에서 나는 나 자신 속에서 꿈틀거리는 안주(安住)에의 동경을 의식하지 않을 수 없었다. 그것은 그 사람들의 헤아릴 길 없는 생활 속에 내가 휩쓸려 들어가게 되는 것이 무서웠기 때문이었던 모양이었다. ☞**그늘** 많은 얼굴들이 살던 집에 있을 때, '나'는 자신의 삶이 그들의 생활과 **같아질까 봐** 두려움을 느꼈던 모양이야. 그러나 그곳을 뚝 떠나서 이 한결같은 곡이 한결같은 악기로 연주되는 집에 오자 그것은 견디어 낼 수 없는 권태와 이 집에 대한 혐오증으로 형체를 바꾸는 것이었다. 나란 놈은 아마 알 수 없는 놈인가 보다. ☞'나'는 그 집에서 한결같은 곡이 한결같은 악기로 연주되는 집으로 이사를 왔군. 이사 오기 전의 그 집에서는 **안주**에 대한 동경을 지니고 있었는데, 이사 온 집에서는 견딜 수 없는 **권태**와 집에 대한 혐오증을 느끼고 있대.

피아노 소리가 그쳤다. 무의식중에 나는 방바닥에서 팔목시계를 집어 올렸다. 내가 지금 무슨 행동을 했던가를 깨닫자 나는 쓴웃음이 나왔다. 피아노가 그친 시간을 재 보려고 했던 것이다. 그리고 나는 내일도 그 피아노가 그친 시간을 재서 그 시간들을 비교하며 이 집에 대한 혐오증의 이유를 강화시키려고 했던 것이다. ☞날마다 피아노가 그친 시간을 잰 뒤 비교하면서 이 집에 대한 **혐오증**을 느끼는 이유를 강화하려 했다는 것을 볼 때, '나'는 기계적이고 규칙적으로 이루어지는 이 집의 생활 방식에 불만을 느끼고 있는 것 같아. 나는 자신에 대해서 어이가 없음을 느꼈다. 이런 느낌이 드는 것은, 그것은 조금 전에 내가 서씨의 그 거짓 없는 행위를 회상했던 덕분이 아니었을까? 서씨가 내게 보여 준 게 있다면 다소 몽상적인 의미에서의 성실이었고 그리고 그것은 이 양옥 속의 생활을 비판하는 데도 필수적으로 고려되어야 한다는 것이 아닌가고 내게 생각되는 것이었다. ☞'나'는 조금 전 서씨에 대해 회상하면서 느낀 바를 토대로 양옥집에서의 생활에 **비판적인** 인식을 드러내고 있어. 그러나 이 집으로 옮아온 다음날의 저녁, 식사 시간도 잡담 시간도 지나고 모든 사람들의 공부 시간이 되자 나는 홀로 내 방의 벽에 기대앉아서 기타를 퉁겨 보기 시작했던 때의 일을 기억하고 있다. 불현듯이 기타를 켜고 싶어지는 때가 있는 법이다. 그것은 감정의 요구이지만 그렇다고 비난할 건 못 되지 않는가. ☞'나'는 **기타**를 연주하고 싶다는 욕구가 들 때 자유롭게 이를 실행에 옮기는 것이 **비난받아야** 할 일은 아니라고 생각해. 내가 줄을 고르며 음을 시험해 보고 있는데 다색(茶色) 나왕으로 된 내 방문이 열리며 할아버지가 들어왔다. 그리고 나의 기타 켜는 시간은 오전 열시부터 한 시간 동안 할머니와 며느리가 미싱을 돌리는 같은 시각으로 배치되었던 것이다. 위대한 가풍이 내게 작용한 첫 번째였다. ☞그런데 '나'가 이사 온 양옥집은 **정해진** 시간에 기타 연주를 해야 하는 자

4주차

유롭지 못한 공간인 거지. 그러나 그 이후 내가 내게 주어진 그 시간을 이용해 본 적은 하루도 없었다. 흥이 나지 않아서였다고 하면 적당한 표현이 되겠다. '나'는 양옥집의 규칙적이고 기계적인 생활 방식에 싫증을 느껴 자신에게 주어진 기타 연주 시간을 한 번도 이용하지 않았대.

장면끊기 03

— 김승옥, 「역사(力士)」 —

현대소설 독해의   STEP 2

1 장면을 적절히 나누었는지, 장면별 내용의 빈칸에 적절한 말을 채웠는지 확인해 보세요.

장면끊기 01
서씨가 맨손으로 성벽의 돌을 옮기는 놀라운 광경을 보고, '나'는 서씨가 역사임을 인정함

Tip 지문 초반부에는 '나'가 커다란 성벽의 돌을 맨손으로 들어올리는 서씨를 보고 크게 놀라는 모습을 중심으로 서술이 이루어지고 있어. 그런 뒤 집으로 돌아왔다는 언급과 함께 서씨로부터 들은 그의 집안 내력에 대한 이야기가 요약적으로 제시되기 시작하지. 따라서 내용상 서씨가 보여 준 놀라운 광경과 서씨가 들려준 이야기라는 소재를 중심으로 하여 장면을 나누어 볼 수 있어.

장면끊기 02
'나'는 집으로 돌아온 뒤, 집안 대대로 역사의 힘이 이어져 내려왔다는 서씨의 얘기를 듣고 그의 삶을 이해하게 됨

Tip 자기만의 방식으로 선조들로부터 물려받은 힘의 가치를 보존하려 한 서씨의 삶에 대해 이야기하다가 갑자기 '그 집'과 '이 집'에서의 생활로 서술 대상이 바뀌는 걸 확인할 수 있어. 그러므로 해당 부분에서 장면을 한 번 더 끊어 읽으며 내용을 정리해 볼 수 있지!

장면끊기 03
'나'는 과거에 살았던 그 집에서 느낀 안주에의 동경, 그리고 지금 살고 있는 이 집(양옥)에서 느끼는 권태와 혐오감에 대해 생각함

---

2 구조도의 빈칸에 적절한 말을 채웠는지 확인해 보세요.

구조도

역사의 면모를 실제로 보여 준 뒤, 집안 내력에 대해 이야기함

'나' ⟵————————————————⟶ 서씨

서씨의 삶을 이해하고 긍정적으로 인식함

*1인칭 주인공 시점

---

3 1~2번 문제의 정답과 해설을 확인해 보세요.

▶정답률 71%

1. 〈보기〉를 바탕으로 [A], [B]를 감상한 내용으로 가장 적절한 것은?

〈보기〉

김승옥은 「역사」에서 일반적 통념의 범위를 넘어서는 새로운 차원의 사실성을 추구하였다. 이 작품의 창작 의도를 밝힌 글에서 그는, "우리의 눈에는 비사실적인 것도 외국인의 눈으로 보면 사실적으로 보일 수 있다."라고 했다. 작품 속의 '동대문 성벽의 돌덩이 옮겨 놓기'라는 소재는, 이를테면 '외국인의 눈'을 통해 새롭게 '변형'된 것이다. 일반적 통념: '동대문 성벽의 돌덩이 옮겨 놓기'는 비사실적임 / 새로운 차원의 사실성 추구: '외국인의 눈'을 통한 '변형' 작가는 '변형'의 효과를 살리기 위해, 작중 상황에 실감을 주는 소설적 장치들을 마련(서씨의 집안 내력)하고 있다.

정답풀이

③ '서씨' 가계의 내력을 제시한 것은 '서씨'의 행위에 사실성을 부여하기 위한 장치이군.

〈보기〉에서 "동대문 성벽의 돌덩이 옮겨 놓기"라는 소재는, 이를 테면 '외국인의 눈'을 통해 새롭게 '변형'된 것'이며, '작가는 '변형'의 효과를 살리기 위해, 작중 상황에 실감을 주는 소설적 장치'를 마련했다고 하였다. 이를 참고할 때, 윗글의 '그의 선조들은 대대로 중국에서 이름 있는 역사들이었다. ~후손에게 전해졌다.'에서 '서씨'의 집안 내력을 제시한 것은 맨손으로 성벽의 돌을 들어 옮긴 '서씨'의 비현실적인 행위에 사실성을 부여하기 위한 장치로 이해할 수 있다.

오답풀이

① '금고만 한 돌덩이'는 '외국인의 눈'으로 보면 비사실적인 소재이겠군.

〈보기〉에서 '우리의 눈에는 비사실적인 것도 외국인의 눈으로 보면 사실적으로 보일 수 있다.'라고 하였다. 이를 참고할 때, '금고만 한 돌덩이'가 '외국인의 눈'으로 보면 비사실적인 소재일 수 있다는 설명은 적절하지 않다.

② '동대문'이라는 낯선 배경을 제시하여 독자들이 느끼는 실감을 떨어뜨리고 있군.

윗글에서 '동대문'이 독자들이 느끼는 실감을 떨어뜨리는 낯선 배경이라고 볼 근거는 없다.

④ '푸르게 빛나는 조명'은 '서씨'의 신성한 면모를 일상적인 모습으로 '변형'하려는 의도에서 설정된 것이겠군.

'나'는 '서씨'가 맨손으로 성벽의 돌을 옮긴 뒤 '푸르게 빛나는 조명을 온몸에 받으며 성벽을 디디고 우뚝 솟아 있는' 모습을 보고, 그가 역사임을 인정하며 경이로움을 느낀다. 따라서 '푸르게 빛나는 조명'은 '서씨'의 신성한 면모를 부각하기 위한 소재로 보아야 적절하다.

 함정 피하기

<보기>에서 '우리의 눈에는 비사실적인 것도 외국인의 눈으로 보면 사실적으로 보일 수 있다.', ''동대문 성벽의 돌덩이 옮겨 놓기'라는 소재는, 이를 테면 '외국인의 눈'을 통해 새롭게 '변형'된 것'이라고 하였다. 이때 선지에서 말한 '신성한 면모'를 <보기>의 '비사실적인 것'에, '일상적인 모습'을 '사실적'에 대응시켜서 해당 진술이 적절하다고 판단했을 가능성이 있다. 언뜻 보기에는 각각의 대응이 적절해 보일 수 있지만, 이 선지의 경우 지문의 구체적인 맥락을 고려하면 적절하지 않은 내용이라는 것을 판단할 수 있다. <보기> 문제의 경우, <보기> 내용과 선지 진술 간 대응 관계뿐만 아니라, 지문과의 내용 일치 여부까지 함께 꼼꼼히 따져 보아야 한다는 점을 꼭 기억해야 한다.

⑤ '나'가 '꿈속에 있는 기분'이었다는 것은 '돌덩이 옮겨 놓기'가 사실이 아니라 환상이었음을 암시하고 있군.

'서씨'가 맨손으로 성벽의 돌을 옮긴 것은 꿈이 아니라 현실에서 실제로 일어난 일로, '꿈속에 있는 기분'은 서씨의 놀라운 행동을 본 '나'의 심리를 드러낸 표현으로 보아야 적절하다.

2. 문학 개념어 OX 확인 문제

① X

근거 윗글에서 특정한 시대적 배경을 나타내는 어휘는 사용되지 않았음.

② ○

· 반어 : 말하고자 하는 바와 반대로 표현하여 그 의미를 강화하는 것.
근거 '위대한 가풍이 내게 작용한 첫 번이었다.'

현대소설 독해의 STEP 3

■ 1번 문제의 선지 판단 공식에 대한 답을 확인해 보세요.

〈보기〉 문제 선지 판단의 공식

① 〈보기〉 김승옥은 「역사」의 창작 의도를 밝힌 글에서 '우리의 눈에는 비사실적인 것도 외국인의 눈으로 보면 사실적으로 보일 수 있다.'라고 함

➕ 작품 '성벽을 이루고 있는 커다란 금고만 한 돌덩이를 그의 한 손에 하나씩 집어서 번쩍 자기의 머리 위로 치켜 올린 것이었다.'

선지➡ '금고만 한 돌덩이'는 '외국인의 눈'으로 보면 비사실적인 소재이겠군. ✕

② 〈보기〉 「역사」에는 변형의 효과를 살리기 위해, 작중 상황에 실감을 주는 소설적 장치들이 사용됨

➕ 작품 '동대문의 성벽에서 그 힘이 유지되고 있음을 명부의 선조들에게 알리고 있다는 것이었다', '대낮에 서씨가, 동대문의 바로 곁에 서서~옮겨진 돌을 바라보며 빙그레 웃고 있는 그의 모습을'

선지➡ '동대문'이라는 낯선 배경을 제시하여 독자들이 느끼는 실감을 떨어뜨리고 있군. ✕

③ 〈보기〉 김승옥은 「역사」에서 일반적 통념을 넘어서는 새로운 차원의 사실성을 추구함, 「역사」에는 변형의 효과를 살리기 위해 작중 상황에 실감을 주는 소설적 장치들이 사용됨

➕ 작품 '그의 선조들은 대대로 중국에서 이름 있는 역사들이었다.', '그네들이 가졌던 힘,~그 무형의 재산은 가보로서 후손에게 전해졌다.'

선지➡ '서씨' 가계의 내력을 제시한 것은 '서씨'의 행위에 사실성을 부여하기 위한 장치이군. ○

④ 〈보기〉 동대문 성벽의 돌덩이 옮겨 놓기라는 소재는 외국인의 눈을 통해 이루어진 변형의 예로 볼 수 있음

➕ 작품 '이 한밤중에 바로 내 앞에서 푸르게 빛나는 조명을 온몸에 받으며 성벽을 디디고 우뚝 솟아 있는 저 사내', '역사, 서씨는 역사다, 하고 내가 별수 없이 인정하며'

선지➡ '푸르게 빛나는 조명'은 '서씨'의 신성한 면모를 일상적인 모습으로 '변형'하려는 의도에서 설정된 것이겠군. ✕

⑤ 〈보기〉 '우리의 눈에는 비사실적인 것도 외국인의 눈으로 보면 사실적으로 보일 수 있다.', 동대문 성벽의 돌덩이 옮겨 놓기라는 소재는 외국인의 눈을 통해 이루어진 변형의 예로 볼 수 있음

➕ 작품 '나는 꿈속에 있는 기분이었다.~이 한밤중에 바로 내 앞에서 푸르게 빛나는 조명을 온몸에 받으며 성벽을 디디고 우뚝 솟아 있는 저 사내', '서씨는 역사였다.'

선지➡ '나'가 '꿈속에 있는 기분'이었다는 것은 '돌덩이 옮겨 놓기'가 사실이 아니라 환상이었음을 암시하고 있군. ✕